# Nineteenth-Century Art

绘 画 · 建 筑 · 雕 塑 · 设 计 · 摄 影

# 从古典主义到现代主义

## ／19世纪的西方艺术／

［英］史蒂芬·F.艾森曼（STEPHEN F. EISENMAN）

［英］托马斯·克罗（THOMAS CROW）

［英］布赖恩·卢卡彻（BRIAN LUKACHER）

［英］琳达·诺克林（LINDA NOCHLIN）　　著

［英］大卫·L.菲利普（DAVID L. PHILLIPS）

［英］弗朗西丝·K.波尔（FRANCES K. POHL）

翁海贞　译

华中科技大学出版社
http://press.hust.edu.cn
中国·武汉

有书至美
BOOK & BEAUTY

**图书在版编目（CIP）数据**

从古典主义到现代主义：19世纪的西方艺术／（英）史蒂芬·F.艾森曼（STEPHEN F. EISENMAN）等著；翁海贞译.—武汉：华中科技大学出版社，2023.6
ISBN 978-7-5680-9347-7

Ⅰ.①从… Ⅱ.①史… ②翁… Ⅲ.①艺术史-西方国家-19世纪 Ⅳ.①J110.94

中国国家版本馆CIP数据核字（2023）第064999号

湖北省版权局著作权合同登记　图字：17-2022-113号

# 从古典主义到现代主义：
# 19世纪的西方艺术

Cong Gudianzhuyi dao Xiandaizhuyi:
19 Shiji de Xifang Yishu

[英] 史蒂芬·F.艾森曼（STEPHEN F. EISENMAN）
[英] 托马斯·克罗（THOMAS CROW）
[英] 布赖恩·卢卡彻（BRIAN LUKACHER）
[英] 琳达·诺克林（LINDA NOCHLIN）　著
[英] 大卫·L.菲利普（DAVID L. PHILLIPS）
[英] 弗朗西丝·K.波尔（FRANCES K. POHL）

翁海贞 译

出版发行：华中科技大学出版社（中国·武汉）　　电话：（027）81321913
华中科技大学出版社有限责任公司艺术分公司　（010）67326910-6023

出 版 人：阮海洪

责任编辑：莽　昱　　　　　　　　　　特约编辑：唐丽丽
责任监印：赵　月　郑红红　　　　　　封面设计：邱　宏

制　　作：北京博逸文化传播有限公司
印　　刷：凸版艺彩（东莞）印刷有限公司
开　　本：635mm×965mm　　1/8
印　　张：66
字　　数：517千字
版　　次：2023年6月第1版第1次印刷
定　　价：398.00元

# 目录

## 第一部分
## 古典主义与浪漫主义

# 第二部分
# 新世界的边疆

# 第三部分
# 现实主义与自然主义

# 前言

《从古典主义到现代主义：19世纪的西方艺术》最初是在一阵年轻的激情和探索改变艺术史领域的知识发展的光芒下写成的，包括批评理论、女性主义、艺术社会史等。然而，随着一次次地再版，我开始认为这些理论和方法——及其通常颇为拗口的术语——不该阻塞这本书的纸页，致使学生或教师望而却步，因为我最想要做的只是讲述19世纪的艺术故事，并解释它为何仍然很重要。

幸运的是，我约请到一些抱持同样观点的作者。弗朗西丝·K. 波尔（Frances K. Pohl）的加入或许并没有令我感到意外，毕竟他是我在普林斯顿的博士论文导师；琳达·诺克林（Linda Nochlin）给予我无数灵感，成为我的好友；本书的所有想法和观点几乎都是与布赖恩·卢卡彻（Brian Lukacher）事先酝酿、反复磋商的结果。

同样幸运的是，我碰巧在恰当的时机邀请弗朗西丝·波尔（Frances Pohl）撰写美国艺术史上涉及广泛、挑战重重的两章内容。在那个年代，极少有人似波尔这般关注女性和有色人种艺术家的艺术贡献，或者在体制化的种族歧视和性别歧视之下审视艺术作品所起的作用，甚或对那个体制的挑战。为本书撰写两章内容之后，波尔继续撰写一部开创性的美国艺术史教科书，并定期为本书每一个新版本更新内容。

在泰晤士哈德逊出版社的编辑尼克斯·斯坦格斯（Nikos Stangos）的引介之下，我得以结识大卫·菲利普斯（David Phillips）。19世纪摄影历史在当时是一个冷门，而菲利普斯的批评性写作涉及商业版权、科技、大众文化、科学、政治、情色，为这个领域注入新鲜的空气。菲利普斯也总是在本书再版之时补充新内容，特别在这一版做出重大的更新。

如果有充裕的时间和版面，我必定要为尼克斯撰写一篇长长的颂歌。尼克斯风趣、才华出众、爱幻想、易亲近，与他交往总会让人深受启示。他是本书最严厉的批评者和耐心的助产士。我多么希望他能够读到这本书大有改善的第5版，我想他一定会喜爱新增的文本元素，譬如每章开头的导言，关于动物、乌托邦主义、疯癫、进化论等简介性注释。

## 本版的新鲜内容

自本书初版以来的25年间，19世纪艺术的学术研究只有量的增加。大多只是对于旧事实的新诠释，而非挖掘新事实。本版尽可能地将事实与诠释适时结合。

在本版的文本里，我尽量删除旧版所遗留的一些令人反感的术语。过去25年的经验再次告诉我们，本书所探讨的19世纪艺术与当时最突出的社会和政治问题密切相关，从而无须依靠任何卖弄式的理论揭示它与我们当下历史的相关性。

我和出版社共同努力更新与改进了插图。除了原本为黑白图片的历史作品，本版首次几乎为每件艺术作品提供彩色插图；凡是前一次再版以来经过修复的艺术作品，我们都及时收录了品质更佳的插图。本版还增添19幅新插图，助益读者对文本的理解。此外，感谢数字科技，本书文字内容以及几乎所有插图首次有了电子版本。

先前版本的读者要求我们增添一些帮助学习的教学内容，因此，我们增添了以下内容：

- 每章开头增添导言，简单介绍本章的内容，可作为学生的预习导读。
- 附加9个简介性的主题注释，为文本增添深度和阅读趣味，凸显19世纪的文化和思想，内容涉及疯癫、动物、生态学、进化论、乌托邦主义，前卫艺术和现代主义等重要概念，马克思（Marx）、约翰·拉斯金（John Ruskin，1819—1900年）、波德莱尔（Baudelaire）等重要思想家。
- 每章结尾增加讨论问题，可用于激发课堂讨论，帮助学生抓住重点内容。斯泰西·斯洛博达（Stacey Sloboda）教授慷慨地与我们分享她为学生提供的导读问题，启发了本版增添这一元素。
- 更新参考书目，便于学生深入地阅读和研究。
- 术语表经过彻底的修改，提高了实用性。

## 学生和教师的资源

北美的教师和学生可免费使用以下的资料，详情请咨询本书在您当地的出版社代理。

- 供课堂使用的JPEG格式的艺术作品幻灯片。
- 供课堂使用的艺术作品PPT。

英文版第5版电子版详情请见：https://digital.wwnorton.com/19thcentart。

# 绪论
# 批评的艺术和历史

### 第一个现代的世纪

本书所探讨的欧洲与北美洲的艺术、建筑和设计，都是出自社会与政治经历急剧又深刻的现代化时代。那个时代的尾声，距今已有120年，但那场激荡人心的戏剧并未终结。事实上，19世纪开启的变革节奏，在20世纪非但不曾衰退，反而加快速度。"帝国主义""生产线""大众文化""全面战争"等词语，很快进入现代欧洲国家和美国的辞典，取代从前诸如"民族""工业""流行""革命"等词汇。然而，纵使行动不断地改易舞台，词语不断地变换意义，这场危机的本质与永恒的变幻无常依然如故——甚至超过从前。在《共产党宣言》（*Communist Manifesto*）里，卡尔·马克思（Karl Marx）用莎士比亚式措辞——"一切坚固的东西都烟消云散了"——总结人民群众被社会、经济和生态变化的现代力量席卷、背井离乡的经验。如果说19世纪的历史和文化在今日依然富有迷人的魅力，这也许是因为20世纪和21世纪见证更巨大、迅捷的政治和文化的变迁。于是，我们带着乡愁，回望过去的世纪，仿佛故旧重逢，心里感觉到焦虑与熟悉、愤怒与渴望。因此，我们眼前的首要任务，便是明确地将19世纪摆到属于它自己的位置。

在西欧，19世纪晚期标志着封建主义的彻底瓦解。欧洲的封建主义，主要是指沿袭700余年的农业制度、生产与社会的森严的等级制度。封建主义没落之际，取而代之的是现代资本主义、资产阶级的经济和社会建筑。（东欧的形势稍有不同：在现代化初期阶段，这片地区的封建主义反而加剧；譬如，1917年的革命之后，俄国的封建主义才真正消失。）划时代的经济与社会的重构，尽管缓慢地进化，在潜滋暗长的准备过程之中，却并不缺乏戏剧性的突变，时或出现暴力和动乱。长期受压迫的民众，在开明的思想学说里寻找自由；长期被隔绝的社区，譬如法国现实主义画家古斯塔夫·库尔贝（Gustave Courbet）所描绘的奥尔南（Ornans）村庄，被纳入中央集权的政府。

自1776年以来的一个世代里，北美、南美、墨西哥、加勒比地区受到政治认同、社会契约等启蒙主义学说的启示，爆发殖民地的独立战争，并取得胜利。这些战争转而震惊欧洲各大强国，促使这些国家出现了要求社会正义、经济平等、政治选举权的运动。欧洲与美洲的君主制或倒台或被颠覆，独裁政府、君主立宪制、共和国起而代之。

19世纪的社会与政治的动乱，始于法国在1793年血腥推翻波旁王朝（用回顾的眼光看，这个事件犹如封建主义这个长句的感叹号），及至19世纪中叶，这些动乱逐渐民主化，不再排斥其他群体，具备良好的组织性。工人阶级的自我意识益发强烈；1848年，法国、德国、奥地利、意大利、英国的工人武装起义（在英国是群众的政治和示威运动），反抗贵族残余分子、掌控经济和政治的新兴的资本家和社会精英。15年后，被鞭打的黑人，以及出于道德愤慨或利益计算的白人，一同推翻美国南部奴隶种植园的农业制度。此外，女性掀起解放运动，其激烈程度堪比阶级和种族斗争。

然而，这些时期——历史学家艾瑞克·霍布斯鲍姆（Eric Hobsbawm）所称的"革命时代"与随后的"资本时代"——不光是贵族或社会精英的撤退与没落。19世纪也开启了帝国主义时代。在这个时代，欧洲的单一民族强国与美国开始组织和协调国内经济，以更高的效率剥削本国人民，攫取世界其他地区的物质原料、劳工和市场。民主和革命的成功随即逆转：人身自由和政治选举权以惊人的速度被否定，全部居民——通常是深色皮肤，绝大多数生活在南半球——再度被征服。美国对美洲原住民的种族灭绝，在1890年臻至最高点（伤膝河大屠杀的时间）；与此同时，无数欧洲和亚洲移民——也是逃离本国的各种集体迫害——从大西洋和太平洋的海港登陆美国。在19世纪90年代，私刑、白人至上、吉姆·克劳法（美国种族隔离制度的俗称）达到巅峰。新兴的意识形态宣扬种族歧视和欧洲中心论，大批传教士、官僚、外交官、警察、治安队、士兵、海军，纠集力量，共同支撑起这桩反进步的殖民事业。有些能够阿谀趋奉的艺术家也被召去应景。诚然，诸如保罗·高更（Paul Gauguin）在法属波利尼西亚（Polynesia）的作品，显然产生相当复杂的效果。

19世纪最后25年，西方世界似乎深陷在暴力、政治斗争、社会变迁、周期性危机的循环里。这个时期虽未曾爆发大规模战争，但社会局势动荡不安，前景难料。很多艺术家和作家将身处的年代称为"过渡时代""颓废时代"或"季世"，暗示即将来临的新千年将会彻底改变这个动荡甚或衰亡的世界。经济的繁荣与萧条的循环周期紧密交替，新发明的农业和工业技术既改变城市，也改变农村，带来利弊交加的影响。随着20世纪的脚步趋近，贯穿前一世纪的躁动、或彰显或潜伏的暴力，演变为一种国际化的特征。国际大国之间的合作，暂时地中止1873—1895年频繁发生的周期性经济衰退。第一次世界大战前夕（1914年），北欧与西欧的五六个帝国主义国家，几乎将整个非欧洲世界瓜分殆尽，占据为殖民地。纵然如此，帝国主义国家未能谋得和平与繁荣，反倒招致冲突。帝国主

义国家之间爆发世界大战，被压迫的欧洲与非欧洲国家缔结广阔（又脆弱）的联盟，大城市资产阶级文化岌岌可危。如果说20世纪经历了人类历史最血腥、最残酷的时代，那么21世纪是自然环境最危殆的时代。研究者倘失于从这两个世纪的角度看待19世纪的历史，便不免有些未尽职责。

## 艺术与解放，艺术与反动

欧洲和美国的19世纪以政治、工业和文化革命划分为初期、中期、尾声，同时点缀着其他一些较温和的斗争，包括工人、女性、原住民争取自由和平等的运动。这也是各大政党和经济权力进行经济现代化与政治联盟的时代，为20世纪和21世纪追求全球统治的新欲望准备帝国的力量和速度。这个时代的视觉艺术，也烙印着不可磨灭的躁动、变迁、现代化、反叛和再度声张的权威。过去被排斥于民族文化以外的阶级和利益，以及企图制服民众暴动的努力，也在影响和塑造视觉艺术（我们即将看到，对于一个社会及其艺术的伦理、政治和经济生活之间的关联的理解本身标志着一个时代的成就）。艺术不再仅属于社会地位牢固的精英，任由他们摆布；相反地，艺术通常成为个人、亚文化群、利益群体的敌对、不可预测和批判的声音。在欧洲历史上，绘画、雕塑、新兴的复制媒介（平版印刷、木刻版画、摄影），第一次成为民主的工具，尽管同时继续为统治者服务。就连建筑和设计（最典型的社会艺术），以及最依赖权威和精英的艺术种类，也常用于从属阶级或持不同政见者的实践和意识形态的需求。公寓楼、工会大厅、火车站、百货公司、图书馆、墙纸、布料、玻璃器皿，而今服务于通常相互敌对的各个阶级。

在19世纪初，艺术的民主化（也即艺术家摆脱教会和政府等控制机构）与抵制资本主义现代化等现象崭露苗头。譬如，英国的威廉·布莱克（William Blake，1757—1827年）和西班牙的弗朗西斯科·戈雅（Francisco Goya，1746—1828年）的版画、素描和绘画便是鲜明的范例，让我们看到艺术家们密切关注这个历史时代所带来的文化与政治的危机和重组改造。其次，这两位艺术家都热切地传达自己的良心和天分。布莱克在诗歌绘本，譬如《美洲：一个预言》（*America a Prophesy*，1793年）、《欧洲：一个预言》（*Europe a Prophesy*，1794年）、未出版的《法国大革

图0-1：威廉·布莱克《经验之歌》，插图39《伦敦》，约1794年。出自手绘本，11.3厘米×6.8厘米

命》（French Revolution，1791年），歌颂西哀士神父［Abbé Sieyès，法国作家，著作有《何为第三阶级》（What Is the Third Estate）］，托马斯·潘恩［Thomas Paine，美国作家，著作有《常识》（Common Sense）］，也哀伤祖国的失败，失于拥抱美国和法国的革命浪潮。《经验之歌》（Songs of Experience，约1794年）收录一首题名为《伦敦》（London）的诗【图0-1】。

在这首诗里，布莱克描述商业财产、国家宗教和冷酷无情的理性三者融合的专制统治：我走过每条特辖的街，/徘徊在独占的泰晤士河边……/在每一个声音，每一道禁令中/我听见心灵锻造的镣铐的碰击。布莱克为这首诗绘制一幅天真烂漫的彩色插图，将伦敦描绘为年迈衰弱的老人，被一个小孩牵着胡须行走。这个经验与道德颠倒的天真形象，让人想起雅克-路易·大卫（Jacques-Louis David，1748—1848年）的《贝利萨留乞求施舍》（Belisarius Begging Alms，

1781年）【图1-1】。让-雅克·卢梭（J.-J. Rousseau）的《论人类不平等的起源》（Discourse on Inequality，1755年）中的结论里写道："孩童统治老人，愚人领导智者；少数人狼吞虎咽，挥霍无度，饥饿的百姓却缺乏生存的必需品，这些显然都是违反自然法则——无论这些自然法则如何定义。"与大卫和卢梭一样，布莱克是彻底的革命者。然而，相比雅各宾派的艺术家和逍遥派的哲学家，布莱克不信任政府的权力和机构。他相信普通男女——被个人意志、爱、仁慈和性欲吸引聚集起来——才是千年变革工具。

在蚀刻版画"狂想曲"（Caprichos，1799年）系列，弗朗西斯科·戈雅谴责君主制和教会神职人员的无知与偏见，倡导宽容，拥护经济与政治改革。这个系列中有一幅版画配有"你不能"（Tu que no puedes）的说明文字【图0-2】。这幅版画出自《狂想曲42》，描绘两名劳工身躯弯曲，闭着双眼，每人背着一头毛驴。他们不堪重负，却不肯搁下毛驴，纠正这个不公的事实。至于单纯的工匠和劳工可以联合起来推翻国王这一问题，戈雅的信念不似布莱克那般坚定，但他对理性和启蒙运动也没有深刻的怀疑。他声称自己的权利和责任是去"谴责人类的错误和恶行……同时施展自己的想象力"。戈雅自视为改革者，听从理性的指导，追随独立的热情；布莱克则视自己为先知，他要吹响号角，帮助推翻腐化堕落的现代耶利哥城（Jerico）。戈雅与布莱克虽有许多分歧，但他们具备更多共通处：二人皆找到自己独特的方式，用艺术的技巧、形式和题材体现革命；二人皆用太阳和摩尼教的隐喻表现时代的政治和社会危机：光芒消灭黑暗，白天与黑夜争战，上帝质对撒旦，主人抵制奴隶，奥克（Orc）与乌里森（Urizen）战斗（布莱克用来象征欲望与被压抑的理性的两个拟人形象），真理（布莱克偏爱的寓言）竭尽全力斗争，企图击垮无知。然而，在这两位艺术家之间，最值得注意的也许是布莱克和戈雅都用辩证方式体现主题与主角。换言之，他们赋予作品主题与主角多样、变化的性质。光明与黑暗、理性与非理性、上帝与魔鬼都不是独特而永恒的存在；犹如现代新纪元的开端，这些形象变化多端，取决于观看者的政治和社会视角，以及急遽变幻的历史事件。

诚然，在19世纪早期的艺术家中，布莱克和戈雅属于例外，具备当时难得的独立的智性见解和政治洞

察力。然后，即便是反动艺术家，诸如古典主义的主力让-奥古斯特-多米尼克-安格尔（J.-A.-D. Ingres，1780—1867年），也时常积极、敏锐地触及现代化和社会变迁的事实，以致其作品不得不被称为批判的艺术。譬如，安格尔的《荷马的神化》（The Apotheosis of Homer，1827年）【图2-28】，表面看似将古典主义视为永恒的准则，自古界定了身体美和完美的形式，从古希腊流传至基督教统治下的中世纪，再流传至现代开明的法国，世代相传，永不更迭。然而，倘若更进一步审视这幅作品，我们就会看到，画面也流露出当时人们日益体会的古代与当代之间的文化和伦理的隔阂。

1827年，《荷马的神化》在巴黎最著名的艺术展览场所卢浮宫方厅（Carré of the Louvre palace）展出。这幅作品描绘了失明的荷马坐在爱奥尼克神庙（Ionic temple）的宝座上，胜利（或名望）女神展开翅膀，飞来为他佩戴桂冠。荷马脚下坐着两位女性寓言形象，分别象征《伊利亚特》（Iliad）和《奥德赛》（Odyssey），前者身旁摆放一柄剑，后者大腿上搁着一支船桨。这两个寓言形象的姿态，酷似朱利亚诺·德·美第奇（Giuliano de' Medici）陵墓前米开朗基罗（Michelangelo）雕刻的白天与黑夜的拟人形象。荷马的右侧立着古希腊三大悲剧作家埃斯库罗斯（Aeschylus）、索福克勒斯（Sophocles）和欧里庇得斯（Euripides）；他的左侧站着诗人品达（Pindar，捧起里尔琴当作供品）、雕塑家菲狄亚斯（Phidias，伸展左臂供奉木槌）。荷马周围和脚下围聚无数古今杰出人物，他们俱蒙受荷马的恩泽。古希腊画师阿佩利斯（Apelles）牵着拉斐尔（Raphael）的手，维吉尔（Virgil）引着但丁（Dante），莫里哀（Molière，手持戏剧面具）站在拉辛（Racine）身边，莎士比亚（Shakespeare）陪伴普桑（Poussin，在左侧前景，伸手指向荷马）。安格尔本人虽不在画中（初稿有他自己的形象），但他的身影无处不在。是年，他被选为皇家美术院院士，荣获法国荣誉军团勋章，自然不免自视是普桑、拉斐尔的继承人，尤其是继承古希腊人的传统。1818年，这位艺术家宣告："在艺术问题上，我从未曾改变。我希望，年龄和思考巩固我的品位，却不能削弱我的热情。我一如既往地崇拜拉斐尔，崇拜他所处的世纪，而我最崇拜的依然是神圣的希腊人。"因此，在安格尔的眼里，古希腊人既代表欧洲的童年（14世纪至19世纪欧洲繁荣的古典文化的源泉），也代表永不可取代的完美的成熟状态。

《荷马的神化》是一幅委托作品，用以装饰卢浮宫收藏埃及古董的大厅的天花板。这幅绘画宣告古典主义是无可争议的准则，为今日的艺术创作提供牢固的文化基础，表明当今法国和欧洲文化，实是这一连绵不断的文明发展的巅峰。这条线索一脉相承，自希腊古风时期开始，经由罗马帝国时代、基督教中世纪、文艺复兴时期、路易十四（Charles XIV）时代，一直流传的查理十世（Charles X）时代。1828年，在刊表于《辩论日报》（Journal des débats）的沙龙评论中，画家与批评家艾蒂安-让·德勒克吕泽（Étienne-Jean Delécluze）既褒赞安格尔在绘画里摒弃艺术家惯常自诩的独创性，豁达地接受画中的伟人所提供的形式的"原型"，也指出《荷马的神化》的一成不变的、回顾性的特征。德勒克吕泽写道：

图0-3：文森特·威廉·梵·高《一个农民的肖像》（*Portrait of a Peasant*）或《佩辛斯·埃斯卡利耶》（*Patience Escalier*），1888年。布面油画，64.5厘米×54.6厘米

哈姆雷特的隔绝与孤立、米开朗基罗晚年惊人的反古典主义，统统被驱逐，他的画中仅残留一套戏服，一些陈旧的套路，一团空洞的光环。如此涤净古典主义所有复杂的、充满生命力的东西之后，安格尔的《荷马的神化》几乎是攻击而非致敬荷马遗风。因此，看到大多数批评家指斥这幅作品令人反感之时，我们大可不必惊诧。他们必定抚躬自问："古典主义，这个世代珍爱的艺术锤炼和道德训诫的制度化体系，难道就只剩这一点东西？"

的确，如果我们现在再次审视《荷马的神化》，就会看出它是一幅对古典主义的拙劣模仿之作，而不是理想的典范。人物以死板的队列依次罗立，呼应建筑前景的水平台阶和背景中垂直的圆柱；人物虽然手挽着手，彼此却缺乏交流，更不与观者交流；前景边缘使用压缩得荒谬的"推远法"（repoussoir）营造深度。也许安格尔是——愁闷地、勉强地，甚至是无力地——记录古典传统在现代世界的崩溃，若不然，还能如何解释这幅画的单调、笨拙、僵硬？大约在同一时期，法国建筑师艾蒂安-路易·布雷（Étienne-Louis Boullée）和克劳德-尼古拉·勒杜（Claude-Nicolas Ledoux，1736—1806年）也认识到古典主义主流词汇的任意性，并在其建筑和纪念作品里加以体现；同时代的英国建筑师小乔治·丹斯（George Dance the Younger）形容他们的建筑为"摆脱桎梏的建筑"（参见第7章）。诸如安格尔这样的保守艺术家，或者似布莱克、戈雅、勒杜等激进派艺术家，其作品无一例外地流露出对文化危机和变迁的意识。这正是19世纪艺术与设计最显著的特征，也正是我所说的"批评的"艺术。这种艺术不光简单地描绘表面的现象，更是揭露历史、社会和意识形态的总体的意图和形态。

这些伟人特有的独创性是无可争辩的，然而，使他们独一无二、超越一切的是他们所处的时代与境遇。荷马发现自己正处于赋予神话传统以生命的理想时刻；但丁修正了诞生于5世纪的诗歌神学；莎士比亚将南方的思想灌输给北方人；菲迪亚斯（Phidias）为具有人类形象的象征性偶像穿上衣服；米开朗基罗是中世纪的化身。但是，一旦所有这些伟大的组合都被塑造并固定下来，所能做的就是无限地修改原型。

德勒克吕泽认为，安格尔的成就便在于精微地制作与修改古典艺术宝库里的"原型"。显然，这并不是积极的成就，而是消极的结果。因为在这个过程中，历史与艺术的差异和不协调被彻底地抹除，取而代之的是乏味、无冲突的古典主义。在安格尔的作品里，古典传统所包含的欧里庇得斯的非理性悲观主义、但丁的毁灭性的孤单（他在天堂门前告别向导维吉尔）、

## 19世纪艺术的批评概述

本书各位作者效仿当代艺术家的做法，力图以批评的眼光审视19世纪的艺术。换言之，他们在艺术作品、建筑、设计的表面形式与社会历史的深度之间优游自如，对于两者之间的空间给予同等的关注。因此，相较以19世纪艺术为主题的同类书籍，本书以更大篇幅、更详尽地叙述了个别艺术家的作品和事业生涯、关键的概念和思想。如果缺乏细致的审视，便不可能呈现艺术作品对于时代的社会与物质关系的

重要影响。与其他人一样，艺术家也是行为主体，他们创造自己的历史，尽管不是在他们自愿选择的生存境况里，他们与同类隔离，却不能超脱自然这个终极权威。本书用整章内容探讨戈雅、梵·高、修拉（Seurat）、图卢兹-劳特累克（Toulouse-Lautrec）、塞尚（Cézanne），并以大篇幅文字阐述大卫、库尔贝、卡萨特（Cassatt）、艾金斯（Eakins）、威廉·莫里斯（William Morris），这样的内容安排，既是为了强调这些艺术家所面临的历史限制，也是为了揭示他们在艺术和意识形态上自我解放方面的惊人程度。尤其值得我们关注的是，他们对现代性赋有独特的批判性理解。

对于19世纪晚期巴黎、伦敦、柏林、布鲁塞尔、芝加哥等地的观众来说，本书所探讨的创新的现代艺术、建筑和设计作品，实则冒犯了占据支配地位的主流思想和机构。它们被视为公然挑战等级制度和主流价值观，它们被视为造反派、社区的先锋队、文化缓冲垫。现代的艺术与设计——在现代化过程的一百年间，设计无疑只是艺术创造的一个分支——通常在大众场所展览，譬如租借的会厅、展厅、帐篷、博览会、艺术家画室、酒吧、餐馆、马戏团。艺术家、设计师、批评家、赞助者组成的亲密团体推动这种展览形式。这种展览本身似乎既体现渴望回归工匠式而非工业化生产的旧时代，又代表梦想的未来——届时，手工艺将是自愿的劳动，而不是被需要或利润驱使。此外，现代的画家、雕塑家、设计师试图通过这种展览形式，在作品与新兴的普通公众之间打造更密切的联系——这是通过官方展览渠道不可能实现的。这样也能暂时地抵挡阻挠想象与创造的新兴复制媒介的挑战。这些现代艺术家理所当然地接受前辈们在19世纪初的奋斗成果——思想与行动的自由，力图将自己的作品当作批评与反思的工具，有时甚至用于社会改革。诚然，最后一种企图似乎是妄想，然而，这份雄心抱负——库尔贝、梵·高、修拉、莫里斯、亨利·德·图卢兹-劳

特累克（Henrri de Toulouse-Lautrec）等人的名字放在这里最为贴切——揭示了19世纪艺术的批评特征的双重含义：似戈雅和安格尔那样审视整体性，是批评的一种定义；似库尔贝和梵·高那样描绘工人和农民【图0-3】，试图通过艺术改变世界，则是批评的另一种定义。

然而，本书不单单注重现代艺术作品，也涉及美国联邦时期晚期与南北战争前的绘画和雕塑、英国乔治时代和维多利亚时代早期的风景蚀刻画和版画、美洲原住民的账簿艺术（ledger art）、摄影艺术。然而，在这些范例里，我们所探讨的艺术和物质文化，都涉及19世纪现代化过程所出现的政治和艺术的问题。这些颇具争议性的问题在我们的时代依然产生回响。这些问题包括地方性与全国性、大众与精英文化的对抗价值观，工业化与环境保护的问题，伟大的作者和艺术家是否具备"准则"的问题，两性关系、自然、社会阶级、性别、种族的艺术表现问题。19世纪的艺术家与今日的艺术家面临同样的挑战，譬如，人们利用新兴的技术大规模复制和传播艺术家的作品，公共展览和美术馆衍生烦扰的政治问题。此外，艺术家也接触大众文化及非欧洲文化的形式和意象，诸如卡通画、讽刺漫画、巨幅海报、招贴画、杂志插画、广告以及美洲原住民、大洋洲、非洲的艺术形式。

如果我们反复强调过去与现在的艺术问题的共通性，或许显得言过其实。但这些共同特征确实富有说服力。事实上，如果我们的文字能激励读者去思考现代社会的权利、现代化、生态的问题，去思考阶级、种族、性别的艺术表现问题，那么这本书便已达成目标，实现以更全面和充分的方式走进19世纪的艺术。在那个世纪，人们对于社会和文化正逐渐形成一种全新的、历史的、批判的理解——这也是今天我们共有的理解。

## 第1章

# 爱国主义和美德：大卫至安格尔的年轻时代约1780—1810年

托马斯·克罗

## 导言

在18世纪的法国，希腊-罗马的古代文化及其随后的复兴——被称为古典主义——既是贵族统治阶级也是他们的政治对手寻找灵感的主要源泉。波旁王朝利用古典主义宣称自己的血统源自古老的异教神祇，同时又要求百姓服从基督教传颂的美德。同时代的新兴知识分子和专业人士，也运用古典主义批判君主制和贵族阶层的腐败堕落，谴责他们的统治导致社会、政治和经济的极端不平等。简而言之，古典主义是一种政治工具，但凡有权有势者，都可拿来使用。在这层意义上，对于这个时代最重要的艺术家来说，古典主义成为最基本的武器装备。

雅克-路易·大卫及其最出色的学生让-热尔曼·德鲁埃（Jean-Germain Drouais，1767—1788年）、安-路易·吉罗代（Ann-Louis Girodet，1767—1824年）、让-奥古斯特·多米尼克·安格尔是将古典主义修辞用得最成功的艺术家。前三位艺术家的作品鲜明地体现了古典主义所滋育的"爱国主义与美德"的意识形态，认为公民的最高义务是支持国家和人民的利益，纵使这一观念意味着批判当时的当权者及其政策。从大卫的《贝利萨留乞求施舍》《荷拉斯三兄弟在父亲手下宣誓》（The Oath of the Horatii between the Hands of Their Father，1784年）【图1-2】，到吉罗代的《让-巴蒂斯特贝利的肖像》（Portrait of Jean-Baptiste Belley，1797年），这些艺术家通过一幅接一幅的画作劝诫公众挑战当权者的政治文化——1789年革命爆发后——宣扬新兴的、父权的甚至偏向独裁的社会秩序。艺术家安格尔在政治上更有天赋，具备顺应时局的才能，他运用自己富于想象力的天资，既为拿破仑·波拿巴（Napoleon Bonaparte）和贵族效命，又为他们的敌人提供服务。

在这个时期，有数位艺术家置身新兴的古典主义体系以外。不出意料地，他们都是忠于旧王权及其社会、政治和艺术等级制度的男性艺术家，诸如皮埃尔·佩龙（Pierre Peyron，1744—1814年）、让-巴提斯特·勒尼奥（Jean-Baptiste Regnault）。也有原本就难以进入美术学院或沙龙等官方教育或展览体系的女性艺术家，因此，对于伊丽莎白-露易丝·维杰-勒布伦（Elisabeth-Louise Vigée-Lebrun，1755—1842年）、阿德莱德·拉比耶-吉亚尔（Adélaïde Labille-Guiard，1749—1803年）等女性画家来说，古典主义与她们毫不相干。她们专注于肖像画，这是大卫及其画派通常忽视的画种，她们追求"感受性"——这场遍及全欧的感受性运动倡导慈善、母爱、仁爱等人类情感。

在这个性别归类法里，康斯坦斯·夏邦杰（Constance Charpentier，1767—1849年）是一个例外。她跟随大卫学习古典主义，也跟随英国插画师与雕塑家约翰·斐拉克曼（Constance Charpentier，1767—1849年）学习版画。在某种意义上，她的作品《忧郁》（Melancholy，1801年）总结了前代艺术家的成就与失败。这幅作品线条严谨，构图明确，专注于描绘一个郁郁寡欢的人物，传承了大卫、德鲁埃和吉罗代在形式和情感方面的创新。然而，在成功地传达失落或疏离之时，这幅作品也揭示了古典主义及其文化的失败：不能有效地表现个人的感受和复杂的情绪。因此，《忧郁》预示着即将来临的危机。这个危机被称为浪漫主义。

## 公民美德的狂潮

1781年，在法国，似乎没有人意识到80年代终结之前将会爆发一场革命，这场革命将会波及每一个社会机构，甚至连传统的艺术领域也不能避免。不过，艺术家们早已作好准备，意欲趁机推翻把持艺术创作的旧传统。此后8年间，法国的公众对艺术家的使命有了新的认识：新式艺术家（一如既往地预设为男性）不再是政府和教会的勤谨的仆人，不再以官方赏赐来衡量自己的艺术成就，而是宣称自己独立于工室赞助人的荫庇。他走出圈内人和官僚的拘限，去接触广大观众，吸引人群涌进公共展览空间——当时称为沙龙，两年一度在卢浮宫老宫殿举行。由于这一呼吁，观众的本质也发生变化。曾经随俗浮沉的被动人群，而今体现了积极主动的公共舆论，具体有形的力量，在决定绘画或雕塑的成功方面起着举足轻重的作用，甚至是相当重要的角色。

这里有两个术语可以界定艺术家与观众之间新发现的共通之处：爱国主义和美德。然而，若要理解这两个术语，我们须重构它们在此时期特有的力量和用法。在当时，爱国主义不似今日夹带沙文主义的言外之意，美德也并非指代自命清高或自鸣得意的私德。效忠国家或祖国（la patrie），便是在普遍意义上忠诚于公民同胞和大众公益。而这一观念通常与政府的命令、公认的社会习俗背道而驰。艺术家的职责是树立个人解放的榜样，至少在主观上脱离政府赞助，因为后者仅代表追逐私利的少数人。再者，艺术也不再奴性，不再亦步亦趋地追随国家偶然出现的教士圣袍和宫廷服饰；依实描绘同胞的模样，不过是复制和认同不平等社会的所有弊端。因此，艺术家们认为，需要一种理想。于是，他们征引古希腊和罗马共和国，为当前的流弊寻找反例。符合这些要求的艺术家，便能展现公民美德，堪比古代英雄克己裕人的胸襟。

18世纪60和70年代，在哲学和政治的争论中，力图将古典时代的遗产与其为权威和统治机构提供的象征的通常角色相互分离。譬如，17世纪的人们习惯性地将路易十四比拟为亚历山大大帝、太阳神阿波罗；古典主义实则只是炫耀排场和奢华的目录。然而，在接近法国大革命的年间，古典文化更容易让人联想起坚韧的公民战士或者斯多葛派的哲人，甘于清贫的生活；但凡受过一点教育的普通法国人，便能与这样的古人产生共鸣。因此，"爱国主义"和"美德"这两个词语概括了这一转变。

古典传统与统治秩序的需求现状之间日益扩大的差距，为画家提供施展才能的新空间。雅克-路易·大卫（Jacques-Louis David，1748—1825年）最早察觉这一新空间，并以自身极度的天赋充分地加以利用。在1781年，大卫已33岁，但仍被视为尚未经受考验的年轻艺术家。此时，他已完成任何有雄心壮志的画家必经的艰苦训练，先是数年临摹作品，然后对古代雕塑的石膏摹品进行写生，最后画真人模特。这种训练视古典艺术的遗产高于鲜活的自然之上。年轻学生只能在彻底掌握理想化的抽象之后，才能接触真实的自然。大卫在皇家绘画与雕塑学院（Royal Academy of Painting and Sculpture）接受了所有正式艺术训练。这座学院奉路易十四的钦命创办，其宗旨是在艺术家中间培养并延续一套明确的等级体系，以便控制他们的野心和荣誉。艺术家须能用古典主题创造叙事复杂的作品（当时称为历史画），才能有望获得政府给予的最高赏赐。

大卫在26岁时获得罗马奖（Rome Prize），这是年轻艺术家的事业巅峰。罗马奖得主获得一份奖学金，资助艺术家到罗马法兰西学院学习三年或更久。在罗马，这些最优秀的年轻艺术家被领进伟大的古典传统的最后一道门槛，他们身边环绕着古代艺术的真迹、意大利文艺复兴时期最杰出的古典化艺术。大卫将他的逗留时间延长至近6年。1781年重返法国之时，他似乎踌躇满志，准备接任历史画家一脉相承的正统位置。历史画家的职守首先是效忠学院历史悠久的传统，担负学院为君主制度增光添彩的责任。

然而，在为沙龙创作的第一幅作品里，大卫却开始探索古典主义传统主题的潜能，用以发挥爱国主义异见的新构想。他绘制巨幅油画《贝利萨留乞求施舍》【图1-1】。据历史记载，查士丁尼一世（Justinan）治理疆域辽阔的霸业，大多数归功于这位罗马将军的征战。据传说，贝利萨留遭受宫廷猜疑，被阴谋陷害。皇帝误以为他通敌叛国，下令戳瞎他的双眼，剥夺了他的所有财产。在大卫的作品里，一名曾经跟随他征战凯旋的老兵认出落难的将军，震惊地目睹他依靠施舍的凄惨景象。这幅作品以宏伟的凯旋门——让人联想到荣耀和统治——衬托从荣耀跌落之后的乞丐卑微地伸手接过妇人的施舍，愈发渲染老兵的震惊。

大卫并不是在古老的美德目录里随意挑出贝利萨留这一主题。让-弗朗索瓦·马蒙泰尔（Jean-François Marmontel）已在1767年出版以这个名字命名的小

图1-1：雅克-路易·大卫《贝利萨留乞求施舍》，1781年。布面油画，287.3厘米×312.1厘米

说。在小说里，被放逐的将军时常发表冗长的独白，谴责作家认为正腐蚀法国政府的各种社会罪恶：官方宗教的不宽容态度、贵族寄生虫、奢靡取代公民美德、徇私取代功德。最后，皇帝被他这些明智的宣言感动，又来向他咨询国事：查士丁尼领着继位者提比略（Tiberius）微服私访，前来聆听这个忠心如故、却再不能看到皇帝的失宠将军。

这则寓言所传达的道理，便是希冀统治者恢复理智。大卫的希望并非没有政治现实的基础。马蒙泰尔的小说吸引一些政府官员的支持，他们身陷政治斗争，深信必须通过改革，法国君主政体才能重新立足于稳固的社会基础上。因此，大卫在贝利萨留身上看到一种方式，让他可以同时涉足两派政治阵营：一派是权力走廊外持不同政见的爱国者，另一派是少数倡导改革的官僚，他们在政府体制内备受孤立，竭力防守自己的地位。大卫需要吸引后者，因为皇家学院和视觉艺术的督导碰巧属于改革派。大卫恭顺地将重点放在怜悯和感伤的懊悔上，将英雄的凄凉现状比照往昔的荣耀，这些元素构成一个无言的诉求，单纯地渴望皇帝的宠信再度降临，没有什么比这更有煽动性的了。

## 秩序的召唤

《贝利萨留乞求施舍》在两大政治阵营都受到了欢迎；这一事实表明沙龙 —— 因为免费向所有人开放 —— 能将古代美德的生动形象传播给广大受众。这幅作品将复杂的故事简化为数个人物，采用简单又意味深长的姿势，这些手法本身便是在挑战较古老的学院派，后者惯于堆垒大量陪衬人物和装饰，似乎更注重虚荣的炫耀，而不是传达道德的真理。就大卫的职业生涯而言，这幅作品为他争取到第一份大型叙事绘

画的政府委托项目。此后，这类委托便接踵而至。换句话说，他谋得了历史画家的位置。

大卫坐定这个位置后，便有很多艺术学生前来拜师，仰慕他既有完美的古典主义传统手法，又能融合大胆的政治隐喻。大卫曾在老一辈古典主义画家约瑟夫-马利·维安（Joseph-Marie Vien）门下接受最严格的学徒训练，自己带领门生之时，便将自己对古人的一腔虔敬不单投注于艺术问题，并且推及画室生活的哲学理念和组织结构。相较老一辈大师所奉行的专制式等级体系，大卫鼓励一种更加开放、平等的气氛。他规定学生必须学习拉丁语，这样能够独立地理解古典知识。因此，他的画室并非是迂腐守旧的皇家学院，而成为学生进行理性探讨的主要场所，为他们提供道德认同感。他们逐渐开始相信，现代的法国艺术家可以像古希腊的艺术家那样，那些先辈（据说）具有创作自由，被鼓励以完美的形式表现集体的理想。

在短暂的时间后，大卫的画室开始接管皇家学院的功能。1784年，他最钟爱的门生让-热尔曼·德鲁埃参加罗马奖的竞争，师生二人皆认为比赛结果早已是预料之中的。德鲁埃不出意料地获奖，师生俩却高调宣布不接受政府资助，自费前往罗马修学。他们的师生情谊密切之至，大卫竟陪伴德鲁埃去罗马，并逗留近一年之久。此外，大卫另有两名学生去罗马修学，因此，这种亲密的艺术家气氛可能也传到了意大利。

旅居罗马期间，在德鲁埃勤恳的协助之下，大卫完成《荷拉斯三兄弟在父亲手下宣誓》【图1-2】。这幅作品使大卫突破事业瓶颈，在余下漫长的人生里，他稳居法国绘画界的主宰地位。这幅作品的主题间接源自17世纪皮埃尔·高乃依（Pierre Corneille）的悲剧《荷拉斯》（Horace）。这部悲剧是古典主义戏剧的典范，但凡受过教育的法国人都熟悉，正如英语世界的人熟知《哈姆雷特》（Hamlet）或《麦克白》（Macbeth）。故事讲述罗马时代早期的库里亚提三兄弟（Curiatii），被征召前往邻国阿尔巴（Alba），与此城的荷拉斯三兄弟决战。这六名武士实则是表兄弟，因此，高乃依便将亲情的纠缠化作悲剧素材。

从现存的草图可以看出，大卫被委托的题材是荷拉斯家族的父亲在罗马人民面前成功地捍卫幼子，为

图1-2：雅克-路易·大卫《荷拉斯三兄弟在父亲手下宣誓》，1784年。布面油画，329.9厘米×424.8厘米

图1-3：皮埃尔·佩龙
《阿尔刻提斯之死》，
1785年。布面油画，
327厘米×325厘米

他开脱罪行。大卫自由地改编高乃依剧本的最后场景，让老荷拉斯在罗马国王面前为儿子求情。然而，最终完成的作品并没有描绘委托指定的事件场景。大卫抛弃了捍卫毒辣的胜利者这一主题，转而描绘三兄弟在父亲面前发誓，誓死保卫罗马的荣耀。大卫想象这一事件发生在灾难性的决斗之前（高乃依的剧本和古代文献都未提及这个宣誓场景）。为了挑战沙龙上其他作品的视觉效果，大卫未征取委托方的同意，擅自将议定的画布尺寸扩大了一半。

与此同时，大卫在风格上表现出藐视和蓄意挑衅。他自创宣誓场景，从复杂的故事里提炼一种惊人的整体性，简直如同物体的原初结构。这幅作品表明，简约的手法能够赋予历史画巨大的力量，因为这种手法似乎尤其契合早期罗马人的坚忍。与此同时，大卫善于利用历史画家经常面临的难题，即站在展厅的高处与沙龙的观众交流（据同时代的资料记载，大型油

画都会挂在靠近天花板的位置展览）。在充满画作的展厅里，大卫的作品迥异于其他作品，高高地悬挂，向广阔的空间输送它的故事，数个男性身躯形成鲜明的几何结构，在观众的记忆中留存为永恒的形象。

大卫的新式绘画采用生硬的过渡手法，强烈而清晰的辩证叙事和宣言式的严厉口吻，而他的学院派同行则极尽渲染之能重叠绘画的修辞。于是，两者之间便形成尖锐的对比。同年在沙龙展览的《阿尔刻提斯之死》（*The Death of Alcestis*）【图1-3】，便是大卫作品的典型反例。这幅作品出自大卫的主要对手皮埃尔·佩龙，题材源自欧里庇得斯的戏剧，故事讲述妻子主动献出自己的生命，顶替丈夫去死。佩龙画中的人物紧密地交织，从阴沉而柔和的背景里浮现，相比大卫的创新手法，他的作品似乎属于过去的时代，太含蓄、太专注于自身，在当代的公民舞台上缺乏冲击力。当然，大卫也使用了类似佩龙的构图，安排画中

的女性人物，但是他将这种手法只用于这组人物，从而更加强调对比效果。

在撤离巴黎之后，再加上他的画室已自成一派独立的势力，大卫便有了更坚定的信心，去推翻绘画中公认的叙事惯例。《荷拉斯三兄弟在父亲手下宣誓》之所以有如此强大的冲击力，部分也是因为他拂逆人意，不顾观众习惯地期待这类历史场景理应如何安排构图。这幅作品含蓄地拒斥数代皇家学院画家所打造的构图法，将所有人物挤在前景同一平面；男性与女性人物之间毫无过渡，两组人物之间却没有任何交流；对称鲜明的柱廊之外，没有构造释放张力的空间；依据当时的标准，所有这些手法都是惊世骇俗的不和谐的简化。

正是借助这个修辞的风格，大卫的画作尤其能够打动那些不满于既定文化秩序的爱国者。在赞赏者的眼里，这幅油画色调刺目，摒弃微妙的构图，反倒能够提升心灵，也不再将个人情感摆在首位。早期罗马人的骄傲和刚硬虽如此陌生，却能如此有力地谴责现代习俗，让画面如此鲜活。

## 女性的事业

大卫和他的团队的创新精神，很大程度上仰赖于政府为历史画提供稳定资助。规模浩大的资助，相应地便造成异议的空间。在此以前，官方对于这个画种的赞助，仅止于口头支持，而没有现金支出。艺术家的收入来自私人委托的肖像画和装饰画。然而，自1775年以来，有抱负的新生代男性天才开始描绘情操高尚（通常也平庸）的大众绘画，这一潮流为其他画种开启了机会。几乎是在同一时间，涌现了一批赋有才华的女性画家。1783年，两位女性画家被选入皇家学院（总共只有四个名额），她们就是阿德莱德·拉比耶-吉亚尔、伊丽莎白-露易丝·维杰-勒布伦。就作品的质量和最高规格的赞助而言，这两位画家在旧制度最后十年中统领肖像画领域。

勒布伦在28岁便被选入皇家学院，她的成名道路较为顺利。她的父亲路易·维杰（Louis Vigée）也是肖像画师。15岁时，勒布伦便已崭露天赋，吸引出身高贵和富有的顾客。1779年，勒布伦与年轻的王后玛丽-安托瓦内特（Marie-Antoinette）缔结合作关系，终生未断；勒布伦的丈夫是成功的艺术商人让-巴蒂斯特-皮埃尔·勒布伦（J.-B.-P. Lebrun）；在社会上，

图1-4：伊丽莎白-露易丝·维杰-勒布伦《画家与女儿的肖像》，1789年。布面油画，105厘米×84厘米

勒布伦以重要人士自居，主持社交晚会，巴黎文化界和政界的上层人物都是她家的常客。勒布伦的艺术取高雅的简约风格，描绘的大都是古香古色的模特。

维杰-勒布伦与大卫保持颇为谨慎的社交关系。大卫的教育背景和风格，自然很适宜成为她的同道中人。但是，大卫的爱国责任感，或许让他瞧不起维杰-勒布伦温顺地依偎王室的姿态。然而，她的肖像画，譬如《画家与女儿的肖像》（*Portrait of the Artist with Her Daughter*）【图1-4】，确实在统治精英的风格与自我形象里融入启蒙时代的精神。她的肖像画脱离那些旨在传达身份地位的守旧的仪表和服装，转用高雅的姿态，摒弃矫揉造作，并相应地强调个人情感。1789年，她创作的这幅带着女儿的自画像为肖像画奠定了新的标准——追求一种天真的诚挚。在这幅画中，维杰-勒布伦不用强健的专业造诣界定自己，而是描绘一身朴素大方的服饰，没有任何社会阶层和地位的标志，同时又暗示出穿戴者身处优雅、饱含人情的虚构社区。

在这幅作品里，两个人物亲密地压缩，重叠为紧凑的椭圆形构图。这实则沿袭此世纪早期洛可可装饰艺术家偏爱的手法：将熟悉的旧形式发挥出新的功能。维杰-勒布伦所描绘的自然之物，始终贯穿着令人宽慰的一致性，绝不动用出乎意外的东西。当然，在她的事业生涯早期，维杰-勒布伦便已展现这份可靠的表

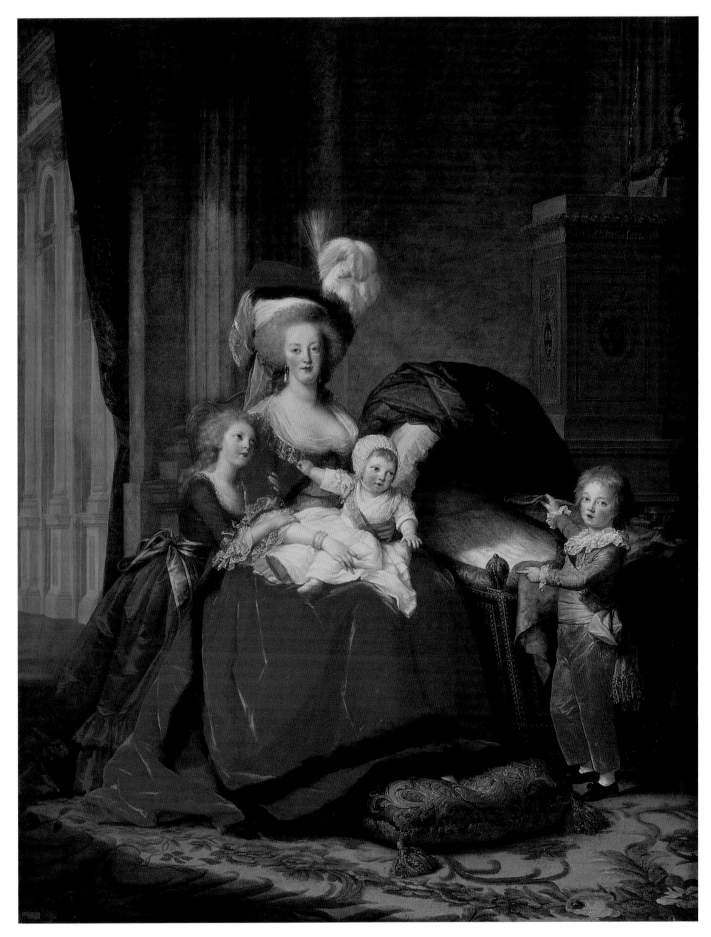

图1-5：伊丽莎白-露易丝·维杰-勒布伦《玛丽-安托瓦内特与她的子女》
（*Marie-Antoinette with Her Children*），1787年。布面油画，275厘米×215
厘米

现力。譬如说，她不负所望地完成18世纪80年代最重要、最敏感的政府委托项目。这幅《玛丽-安托瓦内特与她的子女》【图1-5】也不是道德说教的历史画，而是王后与儿女的政府肖像画。在18世纪90年代中期，民众反对国家政策与政府无休止的债务危机，玛丽-安托瓦内特成为人们憎恨的焦点。维杰-勒布伦的画作以凡尔赛宫为背景，左侧隐现壮丽的镜厅，充分地彰显王室肖像画传统的宏大场面。王后的姿态得体地挺直，画家将一群人物安排为坚固的金字塔形——这是最神圣的学院派教育指定为正统的构图。就这幅作品的委托意图而言，端庄的姿态和自我展现至关重要。

这幅肖像画强调王后作为母亲的身份，意在回应民间谴责她的不尽妇道。婴孩以精心设计的不安稳的姿势坐在母亲腿上，年纪较大的女儿亲昵地依偎身旁，这个构图体现王后不但是王室继承人的母亲，也是18世纪情感狂热时代所推崇的天生的、善于抚育的好母亲。1787年沙龙正式开幕之时，当局恐惧公众的负面反应，撤下了这幅肖像画。然而，这个决定完全不是因为艺术家的才能不足以处理母亲角色的平衡。任何正面效应都被大众的嘲笑淹没。空洞的展厅之后，财政赤字赫然逼近。大革命一爆发，维杰-勒布伦便离开法国，在欧洲各国的宫廷里找到了热情的顾客。

阿德莱德·拉比耶-吉亚尔的事业生涯迥异于这位风光的对手。二人的艺术道路大不相同，说明这个年代的女性艺术家可以面对愈发广阔的选择（尽管这些选择来得勉强而短暂）。论年纪，拉比耶-吉亚尔比维杰-勒布伦大6岁。她最重要的艺术训练来自历史画家弗朗索瓦-安德烈·文森特（F.-A. Vincent），而不是专门的肖像画家。拉比耶-吉亚尔所企及的地位却不逊于维杰-勒布伦。1785年，她成为诸位法兰西公主的肖像画师，这些公主即路易十六（Lousis XVI）的终身未婚的几位姑母。然而，拉比耶-吉亚尔的艺术流露出更具慧识、更严肃的使命感。

在1785年提交沙龙的自画像里【图1-6】，拉比耶-吉亚尔以自信、笃定的手笔表达出这份严肃的使命感。这幅作品高近2.2米，以王后肖像画的尺寸描绘了自己。拉比耶-吉亚尔并未采用温馨的家庭生活，而是张扬自己作为导师与肖像画大师的身份：她的坐椅后站着两名专注的学生。画中的场景是不加掩饰的工作场所，简单的画框榫头和钉起的画布最鲜明地揭示了这个事实。她父亲的胸像，以严肃的罗马风格塑造

[ 实则以奥古斯丁·帕如（Augustin Pajou）的雕塑为原型 ]。除此之外，没有真实的男性侵扰这间画室正在进行的事业。对于拉比耶-吉亚尔来说，这个画家的宣告极为重要，因为她与维杰-勒布伦皆深受诽谤，她们被指责作品实则出自男子之手。这类诽谤厚颜无耻地颂扬性别歧视文化但也隐含了反讽的恭维。拉比耶-吉亚尔一直与文森特保持密切关系，并在1790年成婚，因此，尤其易受这类条件反射式的猜忌攻击。她的衣帽华丽，在现代人看来或许显得与环境不协调，当时却被视为适宜地标识她的地位和成就。

这幅自画像提醒人们，作为新生代艺术家思想独立的标志的开明教育，并不是博学的男性古典主义者的专属领地。拉比耶-吉亚尔以支持者的姿态投入即将到来的法国大革命。最有影响力的革命者罗伯斯庇

图1-6：阿德莱德·拉比耶-吉亚尔《与两名学生的自画像》（*Self-Portrait with Two Pupils*），1785年。布面油画，210.8厘米×151.1厘米

尔（Robespierre）虽鲜有肖像画传世，但所留存的寥寥数幅当中，有一幅就是拉比耶-吉亚尔的作品。

## 男性的圈子

大卫自罗马返回巴黎之后，花费大量时间重新组织画室的集体创作。他虽接到一项王室委托，但由于受伤、疾患和迟疑这三重阻碍，致使他未能立刻着手创作，以追媲《荷拉斯三兄弟在父亲手下宣誓》。最后，他决定投资结交新朋友，使用较少的时间和资源成本，既让自己的名字继续出现在公众面前，又不至于损害自己的影响力。

1786年初，年轻富有的法学家特吕代纳·德·拉·萨布利耶尔（Trudaine de la Sablière），法国王室大臣最高贵门第的后裔，前来造访大卫，意欲赞助他的《苏格拉底取过毒芹酒的时刻》（Socrates at the Moment of Grasping the Hemlock，1787年，以下简称为《苏格拉底》）【图1-7】。特吕代纳感到向大卫委托这幅作品是一种荣幸，出资极为慷慨，预付7000法镑定金。据一份资料记载，这位富家子弟对作品十分满意，将委托费增至10,000法镑，这幅画只是壁橱画尺寸（129.9厘米×195.9厘米），而政府仅为《荷拉斯三兄弟在父亲手下宣誓》这等全尺寸历史画支付6000法镑。

这幅作品的故事源自柏拉图（Plato）的记载，他曾是殉道哲人苏格拉底的追随者；另一故事版本则出自法国哲学家德尼·狄德罗（Denis Diderot）所讲述的苏格拉底自尽。《苏格拉底取过毒芹酒的时刻》虽以残酷的监狱为背景，以自我牺牲为主题，但这幅作品让我们不禁质疑，人们通常将大卫在18世纪80年代创作的所有历史画，统统归为一种凝练与好战的美德，这种分类法是否适宜。大卫经过绘画修辞的深思之后选择形式，因此，他的风格并非只是代表艺术家的独特个性，而更是依据题材和场合加以审慎地调整。

从哲学的角度来说，这幅作品的主题较《荷拉斯三兄弟在父亲手下宣誓》更复杂，揭示了宪法与道德的深刻问题，而不似高乃依的故事，仅用大手笔描绘民族主义者的传奇。这幅作品捕捉了委托人特吕代纳面临百姓提出扩大自由言论原则、民众参政等要求之时依违两可的心理（1794年，由于这种不明确的矛盾态度，特吕代纳被送上断头台）。苏格拉底的自尽，实是因为他先前彻底地放弃民主专政的政治联盟：自法庭开审以来，他就不作反驳，接受民众集会的审判，以

沉默更有力地质问集会背后的权威的正当性。在当时，特吕代纳正在将英语文集《联邦党人文集》（Federalist Papers）译为法语，这部文集收录有詹姆斯·麦迪逊（James Madison）的文章，谴责民主立法机构内不受制约的派系斗争和"多数人暴政"的可能性。如此说来，特吕代纳岂不是这幅作品最适宜的买主？

在男性身体的塑造方面，这幅作品也摒弃了《荷拉斯三兄弟在父亲手下宣誓》所表现出的紧绷感，而是呼应了古希腊社会和柏拉图思想所宣扬的男性之间的亲密关系。无名的斟酒人的形象——以人体比例、位置、颜色、吸引力——成为构图的平衡元素，其占据的分量相当于苏格拉底的存在。据柏拉图的叙述，捧毒酒的狱卒只是一个微不足道的角色，而画中这个醒目的人物，则让人联想起柏拉图哲学的另一面，即沉思美男子的身体本身被视为赋有启蒙的功能。在柏拉图的《会饮篇》（Symposiurm），谈话者讲述成熟的男性公民或可通过沉思美丽的男性青少年，引导心灵上升，超越感官的领域，企及对于普遍的善的理解。柏拉图叙述道，苏格拉底虽"哲意地"拒绝阿尔西比亚德斯（Alcibiades）的诱惑，但在场的雅典富人依然交换无数风趣的戏谑。归根到底，苏格拉底的禁欲之所以能够具有深意，只是因为眼前一个值得沉思的美貌少年激发了他的欲望。在大卫的画里，苏格拉底伸手接取的既是酒杯，也是奉酒的男孩。

稍后时期，在巨幅历史画《列奥尼达驻守温泉关》（Leonidas at Thermopylae，1814年）【图1-30】，大卫诠释了同性爱神厄洛斯（Eros）在古希腊战争文化里的中心地位。他同样也将《苏格拉底取过毒芹酒的时刻》视为希腊而非罗马的作品，画面充满一位博雅的学者对"希腊式爱情"的欣赏。特吕代纳主宰当时一个上流社交圈，这个圈子以渊博的学识与奢靡的享乐著称。大卫显然颇得这个圈子的青睐，他的作品既称颂也记录了这群超然的有闲阶级男性，视其与柏拉图的圈子有无数共同特征。《苏格拉底取过毒芹酒的时刻》的精妙之处，便在于以紧凑又清晰的形象中，触及了两者的许多共通之处。

## 暴力的遗产

纵有博雅和世俗欢愉的交际圈让大卫分神，但他最重要的社交关系仍是画室的工作关系。新近有一年轻学生前来投师，便是20岁的安-路易·吉罗代。《苏

格拉底取过毒芹酒的时刻》的背景人物，以及哲人身旁数位富有天分的追随者，便是出自他之手。然而，大卫对画室的期望——在许多旁观者看来，也是对法国绘画的期望——寄托于远在罗马的德鲁埃。当然，德鲁埃也在罗马奋力抵抗法国权威的管制，争取自己的独立。然而，他孤身在异国求学，实际生活还是要依靠皇家学院，因此，他最初的罗马作品俱遵循学院的必备条件：提交巴黎资深院士评判的男性裸体画作。由于深受权威的禁锢，德鲁埃难以在最崇高的历史叙事绘画方面施展天赋，于是，他决定将这种强迫绘制的义务画种推上同样显赫的地位。

1785年，德鲁埃完成《垂死的运动员》(*Dying Athlete*)【图1-8】。这幅作品将画室模特的姿势转化为紧张的内心戏剧。画面完全不见伤口，但整个身躯的状态俱在传达肌肉紧绷的痛苦痉挛。人物下半身貌似平缓地伸展，实则腰部陡然扭转，造成生硬的过渡；躯干中段的蜷缩，打破倦怠的伸展姿势，身体因痛苦不由自主地扭曲。倾斜的光线在躯干中段投下阴影，于是，整具身躯被光线划分为明亮与阴暗的区域，

在空间占据不同的维度。在光线的严格管制之下，勇士虽承受着撕裂般的疼痛，却只有阴暗区域透露他的痛苦。他的克制和隐忍如此的坚决，以至于丝毫未曾打破他整体的镇静形象。人物支撑身体的右手与左手之间的对比，表现了勇士用尽全身力气忍痛。这个手势原本只是模特疲倦地维持姿势，但在德鲁埃的画笔之下化作勇士内心的坚毅，誓死支撑挺拔的身躯，绝不让自己昏迷倒地。

这份坚毅是英雄的标志，德鲁埃的手法意味着扩大英雄主义的光环。在他的作品里，这道光环不仅属于虚构的勇士的英雄事迹，也属于默默忍受苦难的艺术家的成就。在德鲁埃之后，年轻艺术家以单个男性人物为早期创作的主题，并用这类绘画界定自己，已成为一种模式。他们不断拓展这个主题的潜能，用它传达复杂的含意，远远超越其前辈在年轻时代所做的尝试。然而，德鲁埃追切地想要尝试导师的历史画，以便展现自己的才能。在大卫的鼓励之下，他私下创作，将强制性的习作抛诸脑后，全身心投入到超越他的经验和地位的绘画创作中。显然意欲在巴黎公众面前展览作品。

图1-7：雅克-路易·大卫《苏格拉底取过毒芹酒的时刻》，1787年。布面油画，129.9厘米×195.9厘米

图1-8：让-热尔曼·德鲁埃《垂死的运动员》，1785年。布面油画，125厘米×182厘米

大卫和德鲁埃一同选择《马略囚禁于明图尔诺》（*Marius at Minturnae*）【图1-9】的主题，决定描绘罗马共和国晚期的将军和执政官盖乌斯·马略（Gauis Marius）生平的一个重要时刻。这个场景实则源自马略腐败堕落、擅政专权的时刻。罗马元老院判处他死罪，在刑场上，马略单凭自己的强大气场和力量震慑了刽子手。然而，"英雄"的邪恶面目并非一目了然，因为马略的外貌就似《荷拉斯三兄弟在父亲手下宣誓》里冷峻而仁慈的老父亲。两个军士般雄健的男性人体构成极简主义的构图，极度夸张了大卫画笔下的高乃依的审美观念——辩证式尖锐、急剧的过渡、自我标榜的表达方式、专注地强调古罗马传统的骄傲与刚硬——以致彻底消除了大卫尚能包容的些许时代趣味。

再者，《马略囚禁于明图尔诺》也揭示出这两位艺术家之间紧张的情感与心理互动。画面中年轻的士兵拉起斗篷遮脸的手势，彰显了这份紧张感。德鲁埃利用这个手法，将自己的作品转化为迥异于《荷拉斯三兄弟在父亲手下宣誓》的艺术。大卫的主题是父子两代团结一致，父亲的家族权威通过聚集的刀剑传承给儿子：大卫的英雄们全神贯注地凝视传递的交点，观者从而也能感同身受，向画面投去同等专注的目光。然而，同一个观众，如果试图将自己想象为《马略囚禁于明图尔诺》里的哪个人物，最后只会感到盲目与孤立。马略那张疑似高贵的脸，实是德鲁埃拒绝沉思的面容。德鲁埃在那无情的面孔与自己之间创造了一道深渊，抵销了浪漫的想象。

在画面中心，认可与拒斥、想象与盲目同时发生，留下悬而未决的疑问；德鲁埃企图驾驭这些难以熔融的材料的紧张压力反倒增强了画面效果。这幅作品的道德寓言虽模棱两可，但画面饱含一触即发的能量，也可被理解为在不公平的社会里，美德沦落至永远挣扎的境地。1787年初春，德鲁埃在自家祖宅展览《马略囚禁于明图尔诺》，公众反响极其热烈。这幅作品没有去奉承沙龙的权威，但掀起沙龙展览冠军般的狂热。托马斯·杰斐逊（Thomas Jefferson）也加入了观众的行列，观览后不胜感慨："我痴痴地凝立，如同一尊雕塑，足有一刻钟或半小时，我不知道站了多久，因为我完全丧失时间感，甚至丧失自己存在的意识。"作品的激烈感多半源自画中不可化解的矛盾寓意，从而令观者暂时驱逐理性思考——至少，对于平时尤其擅长理性思考的杰斐逊来说。

然而，德鲁埃始终未能在类似的作品里克服这种对影响力的焦虑，也未能实现巴黎仰慕者的期待。1788年初，他感染天花，在罗马去世，年仅26岁。人们普遍认为，他的早逝是因为他执着地追求理想的艺术美德，以致劳累过度。大卫伤心欲绝。他落空的期望与德鲁埃逝世的境况，都被加以浪漫化，构造为一个传说。这个传说深刻地影响追随大卫的数代年轻艺术家。与德鲁埃一样，他们也渴望尽早成名，渴望这份名声不必基于训练和经验，而是通过艺术家本人独特的内在品质，迥异于他人乏味的日常生活和迟钝的感知。从此以后，现代艺术家总被期待去体现这一崇高境界。

## 悲剧与人人平等的共和国

大卫近乎丧子般的哀痛与他准备提交1789年沙龙的作品主题碰巧不谋而合。这个巧合令他更加投入创作。《刀斧手送回布鲁图斯众子的尸体》(*Lictors Returning to Brutus the Bodies of His Sons*，以下简称为《布鲁图斯》)【图1-10】，这幅作品的英雄是罗马共和国创始人尤利乌斯·布鲁图斯［Junius Brutus，与恺撒（Caesar）的暗杀者同名］，接回两个儿子的无头尸身；他本人以反对新政治秩序的谋逆罪名，亲自下令斩首处决了自家的男性继承人。由于他们母亲与被驱逐的国王有血缘关系，这两个儿子被卷入阴谋，意图复辟君主制。布鲁图斯本人颁布的新律令规定，阴谋复辟是死罪，并且法律要求他裁断罪名，亲自主持行刑。

与《荷拉斯三兄弟在父亲手下宣誓》一样，这幅作品同样描绘了一位谨恪的父亲，须为国家利益牺牲亲生儿子。然而，这两幅作品的不同之处在于《荷拉

图1-10：雅克-路易·大卫《刀斧手送回布鲁图斯众子的尸体》，1789年。布面油画，322.9厘米×422厘米

斯三兄弟在父亲手下宣誓》的结局是可歌可泣的英雄主义，这里却是并不光彩的辱身败名。在这幅作品里，大卫更夸张地运用断裂式的构图，质疑所谓的男性英雄主义。静止的主角被挪出构图的中心位置，坐在阴暗的角落里；其他主要元素也分散在画面两侧，尤其是画面右侧极度悲伤的乳母。画面中心却是大片空隙。在这片空洞里，男性与女性之间的对立，瘦骨嶙峋与丰腴、婀娜的形体之间的对立，几乎呈现为一种断裂。有意义的关联并非体现于画中的动作和神情，而更是让观者在自己头脑里形成。正是这些相互分离、自成一体的空隙和沉默，触动了观者的联想。于是，构图与画面的形式化肢解不只是绘画的手段，也是一种隐喻。因为布鲁图斯之子斩首这个不在场的事件，界定整个家族所有活着的成员；这个事件的后果便是家族单元的分解。相形之下，《荷拉斯三兄弟在父

亲手下宣誓》则是掩饰这一后果，略过不提。

这幅作品打破规范的绘画技巧和构图，以相当模糊的态度对待英雄为政治立场付出惨重代价这一问题。哀悼的女性构成一个群体（只有她们处于光线之下）、布鲁图斯的妻子作出无声的抗议（伸展的手平衡整个构图）。艺术家以同样的——如若不是更深切的——同情笔调塑造这些元素。大卫这幅作品融合罗马时期希腊史家普鲁塔克（Plutarch）对布鲁图斯的著名双重评价。普鲁塔克评判布鲁图斯的事迹正负参半，"再谴责也不为过，再称颂也不为过"，认为布鲁图斯的性格"既是神祇，也是野蛮的禽兽"。换言之，既高于人类也低于人类。这份评价包含一种极具悲剧意味的领悟：为了确立一种社会机制，只能暂时地违背人类境况。鉴于社会的存在触犯自然连续体，因此，自然最终也会图谋复仇。

大卫的《布鲁图斯》可能是绘画艺术里最接近悲剧的作品——属于自己的绘画术语创造悲剧，而不仅止于描绘舞台上的悲剧场景。然而，这幅作品同时质疑了亚里士多德以来悲剧的基本预设：伟大的激情只属于高贵者。在这幅画中，乳母孤身一人伏在构图边缘，深陷在只属于自己的悲伤世界；她的存在，主要是为在形式和主题上平衡布鲁图斯。她的下颌轮廓、脖颈、肩膀清晰地呈现紧绷感，她的身躯赋有一种单薄、朴素的庄严，与布鲁图斯妻子的柔滑、毫无曲折变化的身躯形成对照。相形之下，高贵女主的悲痛显得有些做作、无力。

　　有证据表明这个乳母形象并非出自大卫之手，而是出自其画室新人弗朗索瓦·热拉尔（François Gérard，1770—1837年）。因此，这个形象的力量显得愈发惊人。同样地，布鲁图斯头部这个至关重要的细节，据称可能出自安-路易·吉罗代。无论如何，这两位年轻画家都密切地参与这幅作品的绘制过程，犹如大卫和德鲁埃曾经一同绘制《荷拉斯三兄弟在父亲手下宣誓》。在今日，用"门派"（School）统称艺术家的学生或追随者这一做法早已过时。然而，在大卫这里，我们有必要恢复这个词语的本质含义：大卫的画室已成为在古典主义传统里一起学习、尝试的场所，丝毫不亚于特吕代纳的贵族交际圈，然而画室更增添一份压力和风险，因为成员们要承担利害攸关的创作项目，而且必须摆在公众面前展览，博得好评。他们之间的交往实践滋养了一种截然不同的艺术。这种艺术质疑公民美德这一理念，迥异于《苏格拉底取过毒芹酒的时刻》所传达的心安理得的哲学虔诚。

　　吉罗代尤其关注这些问题，譬如，如何在简单紧凑的几何轮廓之内，专注地用身体传神达意；如何通过缺席和极度简化叙事召唤难以言喻的悲痛和失去。他通过贵族家族关系，接到一个委托项目（年轻艺术家极难获得此类委托），绘制一幅大型作品（高近3.35米），主题为圣母与逝世的基督【图1-12】。于是，吉罗代有机会回应1789年沙龙的另一大事件。当时正掀起大型宗教画复兴（只是短暂地），是年沙龙展览了21幅以基督教为主题的油画，几乎占据"历史"类绘画数量的一半，并且全部都是政府或各大教会的委托作品。让-巴蒂斯特·勒尼奥（Jean-Baptiste Regnault）的《哀悼基督》（*Lamentation of Christ*）【图1-11】便是政府委托作品，准备用来装饰枫丹白

图1-11：让-巴蒂斯特·勒尼奥《哀悼基督》，1789年。布面油画，425厘米×233厘米

露宫礼拜堂（chapel at Fontainebleau）主祭坛，在沙龙上成为公众注目的焦点——在迟来的《布鲁图斯》终于挂上展厅之前。新闻界热情的欣赏者认为，勒尼奥的作品有无数可圈可点之处，譬如阴暗的背景与明亮的前景营造对比，从而透露神秘的暗示，前景人物组合的光彩夺目；运用惊人的色彩并置；用惊心的自然主义描绘基督的身躯等。

　　吉罗代的作品采用相似主题，画面尺寸近乎与勒

图 1-12：安-路易·吉罗代《哀悼基督》，1789年。布面油画，335 厘米×235 厘米

尼奥作品相同。他的构想既致敬导师的对手勒尼奥，也以大卫式的凝练与壮丽挑战勒尼奥的风格。吉罗代并未描绘基督被解下十字架与人们恸哭的场景，而是圣母私人的哀悼。他将故事的元素精简到了极限。与德鲁埃的《马略囚禁于明图尔诺》【图 1-9】一样，吉罗代的《哀悼基督》（Pietà）【图 1-12】描绘的两个人物，皆笼罩着高光，用色饱和、生动，背景映衬大片模糊的幽暗，只容一束光线透入。对于这两位历史画新人来说，这种手法可以避免处理大量陪衬人物带来的难题，同时获得黑暗与孤立所营造的肃穆、深邃的内蕴。吉罗代比勒尼奥走得更远，他舍弃了基督教显著的象征符号，事实上，画中全然不见这类符号，

只有古典或自然的陪衬：裹尸布、石棺、洞窟、黎明。吉罗代将圣母与基督的身躯融汇为连续的轮廓，用最基本的身体术语，表达生与死的结合。勒尼奥作品中的圣母毫无掩饰地流露悲痛，吉罗代则把圣母绘为佩戴面纱，低垂着头，眼睛深陷在阴影里，脖颈构成一道令她窒息的水平线，遥相呼应《布鲁图斯》画中哀痛的乳母裹着面纱的身影。

然而，吉罗代虽借鉴《布鲁图斯》的诸多修辞理念，《哀悼基督》那股忧郁的幽暗与静谧却标志着异乎寻常的尝试，远远超出观众对大卫门派的预料。这是一幅早慧而冒险的作品，尤其是以精彩的手法把握近乎空洞的背景部分，与德鲁埃的《马略囚禁于明图

尔诺》一样气度非凡。吉罗代效仿古典行事风格，将本人的签名虚构为一篇铭文，大胆地镌于画面石棺底部，骄傲地添加自己的年龄——是年22岁。

## 革命美德的典型人物

1789年，巴黎市民攻占巴士底狱，这个事件在法国艺术界引发一系列转变，其中一大变化便是宗教绘画的缩减。自革命之初，大卫及其圈内的画家抱持同情态度参与革命，但他们的作品却迟迟未曾显露决定性的转向。有改革思想的巴黎艺术家，起初将精力投注于实务，意欲以平等主义理念整顿皇家艺术学院，包括向所有艺术家开放沙龙。此时最重要的艺术创新最早出现在意大利，而不是法国，但创新的动力实则源自大卫画室在1789年的实践成果。

吉罗代获得罗马奖后，在1790年离开巴黎，决意在异国继续声张他在《哀悼基督》中标榜的独立个性。为了不辜负早慧天才这一理想人生，他既须超越大卫对自己的强大影响，又须走出德鲁埃的阴影。与德鲁埃一样，吉罗代既想表达反抗，又须完成男性裸体习作。那么，他该当如何效仿德鲁埃的独立精神，将学院的裸体模特转化为特立独行的象征，又不至于只是单纯地模仿前辈？

吉罗代转离了大卫与德鲁埃的罗马将领与英雄们的世界，在古老的神话领域寻找题材。他在1791年完成《沉睡的恩底弥翁》【图1-13】。据传说，月亮女神施下魔咒，令恩底弥翁（Endymion）陷入永恒的睡眠，以方便自己每夜来看望他。吉罗代将女神绘为一道无形的月光，一个微笑的男孩拨开悬垂的树枝，让月光穿过。男孩形象融合爱神厄洛斯（Eros）与西风神泽费瑞（Zephyr）的双重特征。

在这幅作品创作过程与完稿之后，吉罗代在信笺中反复声称，这幅作品绝没有借鉴大卫的任何作品，

图1-13：安-路易·吉罗代《沉睡的恩底弥翁》（Sleep of Endymion），1791年。布面油画，49厘米×62厘米

图1-14：雅克-路易·大卫《网球场宣誓》(Oath of the Tennis Court)，1791年。
纸上钢笔、赭色炭墨、白色高光，66厘米×105厘米

并且发誓不遗余力地实现这份独立。一个艺术家以如此生动、执着的方式表达现代年轻人的叛逆，史上恐怕难以找到类似的先例。吉罗代所运用的手法，实则只是用德鲁埃的《垂死的运动员》【图1-8】为原型，然后全面、系统地逆转原画的每一处显著特征。德鲁埃的运动员肌肉紧绷，全身高度戒备，虽被创伤，忍耐剧痛，却依然准备拿起武器；相形之下，恩底弥翁的张力早已耗竭，面容没有意识，身躯光洁无瑕，永远地停驻在幸福状态，他已掷弃武器，丢在画面前景。在德鲁埃的画里，强烈的阳光将运动员的身躯勾勒得异常清晰；恩底弥翁的身体却笼罩在柔和的月光中，营造出模糊却又自然的朦胧感。

出乎吉罗代本人的预料，他的绘画越过大卫的《布鲁图斯》，回归《苏格拉底》的哲学世界。恩底弥翁被塑造为雌雄同体，表明人体美的理想正在急剧缩减，成为男性专有的领域。这个手法致敬的不光是古希腊文化的同性恋偏见，也是大卫画室只有男生的伙伴情谊。吉罗代原本想要证明英雄所具有的复杂的内在潜能，纵然不用德鲁埃的雄壮和优美的两极交替，也能加以贴切地表现，并且完全可以在优美的范畴里加以充分表现。然而，他得到的结果只是一具无生命、永远不会腐朽的肉体；这具肉体服从感官愉悦的无休重复，却永不会被耗竭，如同古代运动员为战争而训练，却永远不被暴力伤残，只在神经、肌肉、鲜血、皮肤的激烈紧张之中体验死亡。

在即将完成《沉睡的恩底弥翁》之时，吉罗代开始积极地参加革命运动。继而，他领导共和派艺术家武装反抗梵蒂冈（Vatican）。因此，我们很难在他的政治与审美理念之间找到显然的关联。这位年轻的艺术家痴迷于理想化的神话故事，与全然汇入巴黎鲜活的历史潮流的大卫形成鲜明对比。1791年，在首届革命沙龙上，大卫提交了一幅几近完稿的草图，这幅素描底稿预示了一种全新的历史画。这幅草图便是《网球场宣誓》【图1-14】，歌颂1789年第三等级代表在三级会议上宣誓，他们的誓言是"宁可死，决不解散，直至法国获得自由"。这句誓言成为公民社会秩序的新基础，令法国各地的人民代表团结一致。大卫将这

个时刻想象为类似荷拉斯三兄弟宣誓的宏大场景。

这幅作品的委托方并不是政府，而是一个名为"宪法之友协会"的非官方政治组织，通常称为雅各宾派。大卫接受的这项委托，被视为表达国民的意愿。最终的油画作品巨大得惊人，前景人物采用真人尺寸。费用将来自3000名认购者，各人将会得到油画的印刷版本。原画将悬挂于国民议会大厅，让国家的立法者时刻目睹自己所肩负的权威的基础与公共意志的理想典范。

这个历史事件和绘画形象，都使人想起爱国狂热与自我牺牲的旧式典范。在大卫的早期作品里，这些特征都极为鲜明。然而，就历史画而言，以艺术如实反映革命者政治生活的重要时刻，并不是走在一条畅通的大道上，而是进入死巷。大卫得到的经验教训是，当艺术家抛弃隐喻的距离之时，便不能形象地体现真实的公共领域。这就是《网球场宣誓》的命运。大卫若打算完成这个项目，就需要达成一种决不可能实现的稳定的政治共识。路易十六企图逃离法国，前去投奔法国大革命的外敌，雅各宾派分裂为两大派系，君主立宪派与共和派（较激进的派系继续使用雅各宾派这一名称）。《网球场宣誓》所体现的协议梦想破灭。派系内讧愈演愈烈，财政危机迭生，再加上外国军队攻打法国，造成百姓恐慌；今天的英雄明天极有可能成为卖国贼。历史变迁，犹如不测风云，不可能停下来等候无时间性、耗时长久的绘画。到1792年，大卫已放弃这幅作品，画布上仅勾勒出数位重要人物，仍停留于裸体底稿。他的学生热拉尔赢得政府的一项竞赛，他的参赛项目是《1792年8月10日》（August 10, 1792）也是描绘类似的主题，纪念君主制灭亡的实际时刻。然而，这个项目也未能进入画布创作阶段。

## 革命灭亡的形象

艺术项目的无常遭遇仅是社会普遍混乱的一个现象。这个混乱几乎波及构思、制作、观看艺术的方方面面。数世代以来，画家和雕塑家的实践与审美的志向，皆在地位牢固的统治机构之内蓄养。这些官方机构负责训练、晋升、安置艺术家，确保他们的生计。顷刻之间，这种传统和机构被颠覆。1792年，新上台的共和国政府指示年轻艺术家鄙视旧秩序所代表的一切。教会一向赞助艺术，因而立刻遭到围攻。清教徒式的简朴灌输到百姓的日常生活，继而被奉为公民美

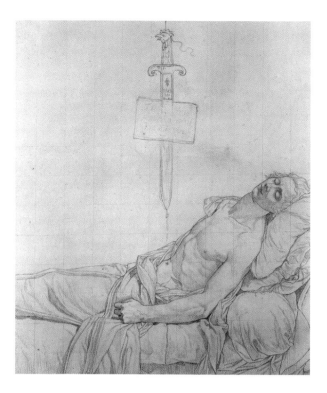

图1-15 阿纳托尔·德沃斯戈（Anatole Devosge）仿雅克-路易·大卫《勒佩蒂埃·德·圣法尔戈之死》，1793年。纸上铅笔画，46.7厘米×40厘米

德，加以强制推行。同时，连续数任革命政权俱要求艺术家创造新的艺术形式，用以体现公共艺术前所未见的哲学和意识形态。遗憾的是，这些政权缺乏意志和财力，承担不起自己想要的东西。于是，在崩溃的经济里，艺术家被迫自谋出路。

在新兴的符号制造这一庞大产业里，有些艺术家和手工艺人很快找到工作：为大革命的节庆制作必需用品，诸如不计其数的彩车、戏装、临时性建筑、雕塑道具等。随着政治庆典和仪式的准备工程转变为全年无休的产业，大卫一如往常积极地参加激进派的政治领导工作，也担任督导，管理整个庆典的运作。不过，政治同盟对他别有指派，他最终还是回到画布前。回归画室之后，大卫的作品体现了其学生吉罗代在描绘男性身体的传神力量之时所追求的价值。

1793年初，路易十六被处决之后，议员勒佩蒂埃·德·圣法尔戈（Le Peletier de Saint-Fargeau）因为投票赞成死刑，被一名保皇派士兵谋杀。大卫受征召创作画像，纪念这位政治殉难者。大卫的作品描绘一个颇为传统的古典英雄躺在床上的临终时刻【图1-15】。这一形象颇似大卫在1783年创作的《赫克托耳》（Hector）。这幅作品的绝大部分后期创作是交由热拉尔完成的。同年夏天又发生一起更具煽动性的暗杀事件。激进民粹主义作家、议员让-保尔·马拉（Jean-Paul Marat）在浴缸中遭到袭击，暗杀者夏洛特·科黛（Charlotte Corday）是狂热的反革命分子。

马拉是巴黎贫民区手工艺人和工人运动组织无裤党（sans-culottes）的英雄，因此，他的牺牲绝不能缺少高尚的颂歌。于是，大卫又接到号召，创作一幅纪念身亡烈士的画作。

大卫将这种矛盾的态度注入画中，他的《马拉之死》【图1-16】将这位烈士塑造为"圣徒般的人民之友"。信纸散落在简陋的写字台边缘，显示他正在写信寄钱给一名士兵的遗孀，这个时刻，谋杀者进门打断他写信，借口来送信（临死之际，马拉手里仍握着这封假信）。马拉的裸体形象既可被视为英雄形象的象征，也可被视为英雄的真正标志，因为马拉通常一边忍受皮肤病的煎熬，一边不懈地履行职责，只能依

图1-17：雅克-路易·大卫《巴拉之死》（*The Death of Bara*），1793年。布面油画，118厘米×155厘米

靠浸泡药澡缓解苦痛。画面虽一目了然地表现马拉热爱平等和友爱，但他已不再能够行动。这幅形象意在宽慰观众，而不是煽动他们奋起复仇。

马拉的姿势、谋杀工具、铭文、直立写字台的木头纹理、生硬的直角构图，所有这些元素，都让人联想到基督受难，而没有离开世俗历史事实的空间。大卫借鉴远在异国的吉罗代自1790年以来所尝试的宗教绘画手法来处理这一敏感的任务。他的学生减弱基督教绘画的象征元素，侧重于描绘氛围和人体的感染力。在众多借鉴当中，有一处最显著的地方表明大卫彻底地依赖于吉罗代的《哀悼基督》：圣母的头肩处轮廓与石棺的线条相连贯。令人震惊的是，这一线条几乎直接挪用到马拉的头部和身躯与浴缸的角度（这是整个构图的关键），将画面划为两部分，下半部分充满意外和暴力，上半部分则是幽暗和沉思的肃穆。

大卫的第三幅革命烈士肖像画《巴拉之死》【图1-17】回归古典主义正统，将约瑟夫·巴拉（Joseph Bara）想象为被反革命迫害的男孩，表现得犹如希腊文学里无瑕、柔美得诡异的少年，虽经受折磨而死，身上却没有可见的伤痕，与其说他是垂死，不如说是

在做梦；他接近狂暴的战斗，却不受任何波及。大卫所关注的焦点貌似完全不涉及公民道德或战场上的英雄主义，尽管委托方要求体现这些品质（令人愤慨的是，观者又被要求认同这些品质）。这具人体的性感，似乎超越男孩的美貌，并不符合巴拉的年龄和天真。评论家们几乎达成共识，一致认为这件作品之所以会失败，便是因为画家将关注的焦点从公众转移到私人之时丧失了平衡感。

倘要理解大卫创作这幅作品的构思，首先须了解他在1793年接受委托的特殊情况。年少的约瑟夫·巴拉死得蹊跷，却被捏造为烈士。大卫如何能够从歌颂勒佩蒂埃、马拉等成熟的受害者——举足轻重的历史角色与自己熟识的朋友——转移到描绘素不相识的小男孩？他如何把一个至多算作倒霉的逞能事件升华为高尚的英勇功迹？大卫被迫接受这个题材的抽象的原型，遵循罗伯斯庇尔那句离谱的宣言"只有我们法国有13岁的英雄"，但他又如何找到新颖的形式体现愤怒的少年与年轻人的牺牲？

一如既往地，每当面对挑战性、违背常规的任务之时，大卫便观摹学生的作品。至于这幅作品，他所

借鉴的是其学生为学院裸体习作发明的创新诠释，尤其是已故的德鲁埃和吉罗代，将男性裸体转化为年轻人的品行与自我牺牲的高贵象征；他们所描绘的完美人体，蕴含着宣言，以风格和艺术构思的独创性反抗专制。

倘若大卫需要触动灵感的提示，这个提示在1793年夏天出现了。当时，吉罗代的《沉睡的恩底弥翁》【图1-13】终于在巴黎沙龙展览，获得巨大的成功。吉罗代用神来之笔描绘抽象的王国与永恒的美貌之间的观念性对立，正适合巴拉的纪念画像所涉及的棘

手的思想和现实。于是，大卫将一个存在已久的意识形态观念加以具体表现：古人具有的完美身体，让人联想到积极参与政治的公民所构成的平等、自由的社会。然而，这并不是说大卫作出成功的艺术诠释，或者《巴拉之死》最终会成为乌托邦美德的清晰标志。事实上，在这幅作品里，身体与理念的亲密对话已在古典主义艺术传统的规范里坍塌。

纵然如此，《巴拉之死》在某些方面具有不可否认的力量：人体和背景皆采用僵硬的渐淡法。这一手法延续大卫新近的风格。在大革命时期所创作的两幅

图1-18：弗朗索瓦·热拉尔《贝利萨留》（Belisarius），1797年。布面油画，91.8厘米 × 72.5厘米

杰出的肖像画里——分别是夏尔格兰夫人（Madame Chalgrin）、帕斯托莱特夫人（Madame Pastoret）——大卫开始自由地表现姿势。在《巴拉之死》中，这份自由允许他挪用吉罗代的人物与背景的整体氛围。大卫所描绘的是被冒犯的童真，因此他必须设法藏匿男孩的性器官。然而，结果却不太理想。《巴拉之死》的整体照明和金色光线，令大卫难以实现吉罗代的遮蔽的阴影。于是，大卫只好将男孩的身体截为二段，既突显他的身体承受痛苦，又轻巧地淡化了性别。这个断裂标志着身体遭受的伤害——巴拉被刺刀捅进肚腹而亡。这个手法以及笼罩着阴影的腹部，让人立刻想到德鲁埃的《垂死的运动员》。大卫将运动员的扭曲身躯与恩底弥翁的静谧、虚构的完美相结合，塑造男孩巴拉。巴拉这一形象之所以显得生硬、怪异，正是因为大卫刻意结合两具极不相称的身躯而造成了冲突。

## 远离恐怖

　　1794年夏天，为巴拉举办少年烈士祭典前一日，罗伯斯庇尔政府被推翻。因此，大卫的《巴拉之死》没有机会在公众面前展览。这场"热月政变"（Thermidorian Reaction，因政变爆发在法国共和历月份得名）终结了激进改革时期，法兰西共和国进入为期5年的优柔寡断的合作政府阶段。大卫身为倒台的雅各宾领袖的亲密战友，险些难逃死刑。他被关进监狱，度过一年多囚禁生活。1795年底，大卫获得自由，不久便恢复从前的职位，得到一间宽大的教学画室。然而，他的圈子不再似热月政变之前占据支配地位。

　　大卫入狱后，画室失去核心，致使集体创作的各种要素随之分裂。这些分散的要素缺乏18世纪80年代的批评精神与90年代早期的政治责任感，开始体现较狭隘、较明显，通常也是较保守的趣味。在1795年沙龙上，也是新政府上台后重新举办的首届展览，热拉尔的新作《贝利萨留》得到专家和公众的一致称赏（图示为1797年绘制的另一版本）【图1-18】。与大卫在1781年创作的同题作品一样，热拉尔的作品也渲染凄惨，但更加夸张了哀伤，描绘了这位失明流亡者的少年向导被蛇咬死，贝利萨留失去依靠，抱着男孩的尸身走过荒野。

　　热拉尔肯向沙龙提交作品，实是因为与同时代的所有年轻艺术家一样，被战争中断了事业。1793年初，虔诚的罗马基督教徒劫掠罗马的法国皇家艺术学

院（吉罗代与妻子侥幸逃脱），此后，艺术学院一直关闭。革命派改革展览体制，意味着原本必须到罗马进修的画家，而今可以自由地在巴黎尽早开创事业。政府资助的公共项目纯属白费功夫，便意味着艺术家的职业生涯只能仰赖公众的认可。

　　这一境况致使艺术题材和风格滋生变化无常、投机的趋势。热拉尔的《贝利萨留》的成功，吸引一些年轻艺术家描绘类似的受害老人。人们认为热拉尔的成功归功于同情的感染力，而非他对历史和美德的反思，因此，他们也认为被驱逐者的身份可以任意更换。1798年，弗尔奇兰-让·哈里特（Fulchran-Jean Harriet，1778—1805年）更新了这个主题，在背景里引入崇高的风景，他的《俄狄浦斯在科罗诺斯》【图1-19】用昏迷的安提戈涅（Antigone）取代贝利萨留死去的少年向导。《俄狄浦斯在科罗诺斯》的故事源自索福克勒斯的悲剧，画中却不见忒修斯（Theseus，雅典城邦的英雄）来抚慰这片广阔而冷酷的环境，也没有任何明显的标志表明失明的流亡者最终与文明社会达成和解。

图1-19：弗尔奇兰-让·哈里特《俄狄浦斯在科罗诺斯》（*Oedipus at Colonus*），1798年。布面油画，156厘米×133厘米

图1-20：皮埃尔-纳西斯·盖兰《马尔居斯·塞克丢斯的归来》，1799年。布面油画，217厘米×243厘米

图1-21：菲利普-奥古斯特·埃纳奎安《8月10日的寓言》（*Allegory of August 10*），1799年。布面油画，224厘米×175厘米

大卫的《布鲁图斯》【图1-10】将个人悲痛视为因果巨链的一个元素，将它呈现在观者面前，让观者用自己主动、活跃的理解力去体会。通过知性地理解痛苦的必然性，召唤——并加深——观者的情感呼应。相形之下，在18世纪90年代的作品中，个人的痛苦和失落被单独拎出，加以大肆发挥，纯粹只为增强打动人心的效果。享受情感本身的风尚，极符合1799年沙龙上获得最狂热反响的作品所宣扬的反动政治。皮埃尔-纳西斯·盖兰（Pierre-Narcisse Guérin，1774—1833年）比吉罗代年轻7岁，属于这个时期未曾在大卫门下学习而成名的首位艺术家。他在勒尼奥的画室接受训练，1797年获得罗马奖。由于时局难料，他未能去意大利，便开始为参加沙龙创作《贝利萨留归家》（*Return of Belisarius to his Family*）。这幅作品的主题显然源自启蒙时代马蒙泰尔的小说《贝利萨留》的一段叙述。然而，盖兰比热拉尔走得更远，他的作品抑制了原著强烈的政治暗示，最后竟至于彻底抹除了贝利萨留的身份。作品完成之后，他改换英雄的身份，恢复他的视力，虚构一个新的名字与生平事迹。

于是，这幅作品的名称最终为《马尔居斯·塞克丢斯的归来》（*The Return of Marcus Sextus*）【图1-20】，主角成为马尔居斯·塞克丢斯（*Marcus Sextus*）。在罗马共和晚期内战之时，塞克丢斯被独裁者苏拉（Sulla）流放。苏拉倒台后，塞克丢斯返回家中，却发现妻子已死，亲人离散。1799年，公众对这则寓言的反应犹如潮水：人群围挤在画前，观者在画框边缘贴诗，艺术学生用月桂花环装饰它。对于每个观者来说，这幅作品的影射显而易见：苏拉指代罗伯斯庇尔，马尔居斯·塞克丢斯指代温和派流亡者，他们在大革命期间逃亡国外，在热月政变后的较宽容、绥靖的政府下逐渐归国。为了着重体现这层含意，盖兰避开众所周知的文学和艺术前辈所描绘的性格和命运复杂的主角。这幅画中没有令人忧虑的模糊性。只有简单的构思，旨在达到预期的效果。就风格而言，盖兰的作品重新采用大卫在前十年的标志性手法，再增添些许吉罗代风格的夜间氛围，营造出阴郁悲哀的效果。然而，在道德和知性层面，盖兰的绘画违背大

卫圈子一贯坚守的信念：历史画须担负历史职责，去审视和诠释历史题材所蕴含的复杂特质。

盖兰确实获得引人注目的成功。然而，我们不能因此便误以为法国督政府时期滋养简单的反动胜利。纵使在沙龙上，评委也将一等奖章颁发给顽固的雅各宾派的菲利普-奥古斯特·埃纳奎安（Philippe-Auguste Hennequin，1762—1833年），其参展作品是《8月10日的寓言》【图1-21】。这幅油画（可惜已被严重损坏）将最终推翻君主制的暴动，歌颂为"人民的凯旋"，并将大革命庆典的象征语言挪用到绘画中。1800年，埃纳奎安的《俄瑞斯忒斯的懊悔》【图1-22】也获得类似的成功。这一神话题材包含同样清晰的寓意，暗示忠诚爱国事业的人们依然遭受迫害。

埃纳奎安与德鲁埃属于同代人，但在其整个事业生涯，他始终似局外人。在大卫的画室度过不愉快的短暂时光之后，埃纳奎安设法启程前往罗马，却又卷入了里昂革命。1795年，他因参与格拉克斯·贝巴夫（Gracchus Babeuf）领导的极左运动平等阵线

图1-22：菲利普-奥古斯特·埃纳奎安《俄瑞斯忒斯的懊悔》（*Remorse of Orestes*），1800年。布面油画，356厘米×515厘米

图1-23：弗朗索瓦·热拉尔《丘比特与普塞克》（Cupid and Psyche），1798年。布面油画，186厘米×132厘米

名的故事会混淆自己意欲传达的寓意。

埃纳奎安公然蔑视政治的正统信仰，甚至权威的规范标准，却依然能够获得成功。这一事实表明督政府时期混乱又碎裂的文化现象。艺术家曾经拥有的荣耀，不能保证他/她在新政府继续得到认可和支持。激烈的竞争致使曾经亲密的友人断绝关系，譬如吉罗代和热拉尔。吉罗代用两年多时间，才从意大利返回巴黎，途中历经磨难——延误、顿挫、疟疾、法国敌人的威胁。最后，他在1795年回到巴黎，却发现自己竟不能再利用《沉睡的恩底弥翁》【图1-13】挣得的声誉。而今，富裕的投机商和军事承包商利用权势指使艺术家创作，因为后者现在极少能得到政府赞助。因此，就画家的风格而言，吉罗代在官方体制里辛苦奋斗而来的自由和个性特征变得无关紧要。事实上，独创性多半已退出艺术文化，转入奢侈的、非政治的年轻精锐的时尚界。热拉尔显然更善于适应环境，他那些精心构思的社会精英肖像画，譬如为雷加米埃夫人（Madame Récamier）绘制的肖像画（1802年），便可看出他的成功。热拉尔以古典手法描绘服饰和发式，但这个手法只在于利用古典主义营造优雅的简约，增添情色诱惑，而不是让人想起公民美德。

公众生活普遍流行一种坚决的遗忘，坚决地摒弃罗伯斯庇尔共和国时期所推崇的严谨和朴素的美德。吉罗代满怀怨恚，被迫目睹自己的《沉睡的恩底弥翁》被肤浅地模仿。他的对手热拉尔引领了这股潮流，挪用《沉睡的恩底弥翁》肉体的封闭空间来表现做作的情色格调，以图在正统政治信仰的变迁外谋得一个位置。在1798年沙龙上，热拉尔的《丘比特与普塞克》【图1-23】成为公众关注的焦点。画面的风景背景超越时间，两具人体毫无岁月的痕迹，成为神话的存在。博学的观众想必满意地享受这一形而上学的自负；同时，凝固的静谧，盘旋于肉体接触边缘的、觉醒的肉欲，益发增强主题所蕴含的性欲紧绷的气氛。

吉罗代的参展作品与旧友的做法相抵触。热拉尔诉诸于神话的高雅情趣，吉罗代则描绘让-巴蒂斯特·贝利（Jean-Baptiste Belley）【图1-24】，他是法国海岛殖民地圣多明各［Saint-Dominique，（Haiti），现名海地］的国民议会代表。这幅作品可能是法国大革命时期最后一幅杰出的肖像画，足以媲美大卫的《马拉之死》【图1-16】。更确切地说，这是一幅双重肖像，是生者与死者、非洲人与欧洲人、行动的力量

（Conspiracy of Equals）而入狱。1797年出狱后，他才开始正式成为巴黎沙龙的展览画家。埃纳奎安是顽固的雅各宾派，他的两幅获奖作品也忠实地体现他的信念：博学的古典主义传统是群众民主的天然表达方式。与此同时，埃纳奎安的作品线条幼稚笨拙，处理手法生硬，人物和事件散漫无章地堆积，都彰显了他的非正规训练。《俄瑞斯忒斯的懊悔》的构图密实拥挤、混乱动荡，然而，这些技术缺陷反倒帮助埃纳奎安表现出主角陷入可怕的僵局：俄瑞斯忒斯履行替父报仇的神圣职责，结果遭到复仇三女神的追捕；尽管他的母亲是杀害父亲的凶手，但弑母更是人类社会憎恨的罪恶。这幅作品影射贝巴夫的追随者所遭受的迫害（以及左翼民主派），用迥异于盖兰的方式，利用复杂的悲剧，既不回避众所周知的指涉，也不忧虑著

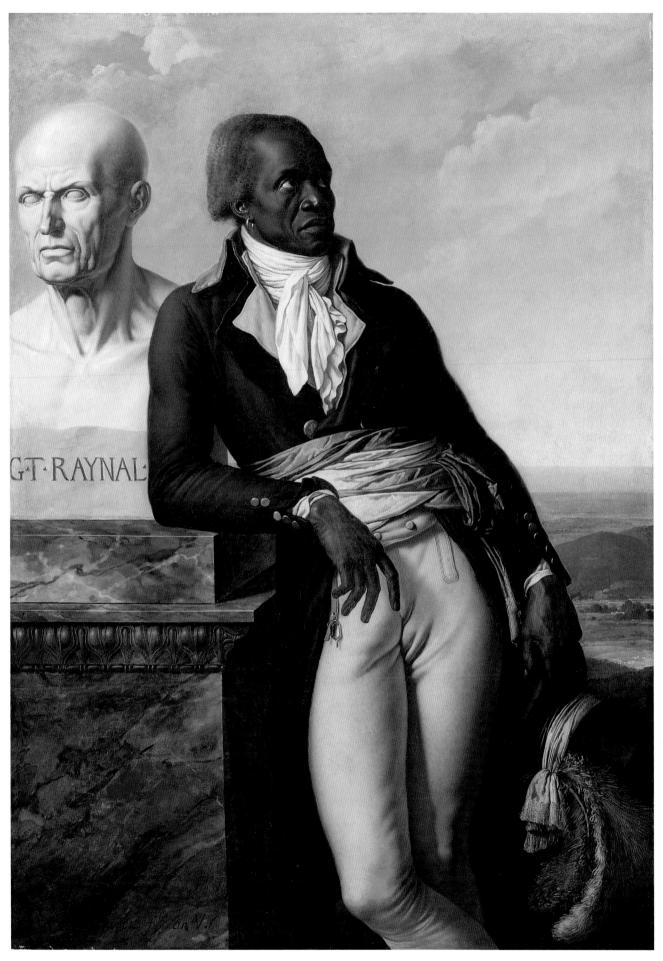

**图1-24：** 安-路易·吉罗代《让-巴蒂斯特·贝利的肖像》（*Portrait of Jean-Baptiste Belley*），
1797年。布面油画，160厘米 × 114.3厘米

与思想的力量之间的对照。贝利的身体倚靠在一尊肃穆的胸像边，这是启蒙时代倡导政治改革的伟大的雷纳尔神父（Abbé Raynal）纪念像。吉罗代将这尊胸像放置于加勒比海岛山顶。雷纳尔神父的解放思想与反对殖民地剥削的观念，为贝利于1794年在法国国民大会的政治干预奠定基础。贝利赢得大会赞成票，批准废除殖民地奴隶制，赋予黑人完全公民身份。

贝利的肖像画是歌颂启蒙思想与平等原则的伟大成功。两个肖像的组合所彰显的修辞对立，将这幅作品的意图提升至历史画的知性和道德境界。然而，迥异于《马拉之死》，吉罗代的作品是独断独行的实践，即便在重组后的大卫画室，也没有同伴响应他的做法。大卫的画室更特意地规避当代历史，转向过时的古典主义文化和希腊陶器平面绘画的简化手法、庞贝壁画风格以及文艺复兴早期艺术。正当古典传统脱离当前政治和道德反思之际，英国雕塑家与制图师约翰·斐拉克曼（John Flaxman，1755—1826年）在平面绘画方面的创新发挥了重要的影响【图1-25】。18世纪90年代，斐拉克曼为一位罗马的主顾绘制荷马《伊利亚特》和《奥德赛》插画，这些插画将形象叙事简化为人物轮廓与平面图案的互动。他或他的赞助人认为，古典主义与恢复当前共和自由之间并没有密不可分的关联。斐拉克曼创作的形象属于历史还没有开始的领域。但凡欣赏他这份抽象智慧的人，一般都

认为后世实践经验的妥协，实是古典传统纯粹起源的堕落。

在《丘比特与普塞克》里，热拉尔费尽心思追求审美潮流。初试锋芒的艺术家康斯坦斯·夏邦杰则更深入地发掘这一潜能。她与一些女性趁着大革命时期艺术训练规则松弛，在历史画寓言领域创造了一些新技法。过去，她们被禁止人体模特写生，从而被拒斥于学院门外。然而，在新的政治氛围之下，夏邦杰得以师从大卫和热拉尔，并成为沙龙固定的参展艺术家。她的作品《忧郁》（Melancholy）【图1-26】在1801年获得公众热烈的反响。在这幅画里，她以精湛的技法，将斐拉克曼的平面线条转用于绘画。她的做法是采用两种对立的幻觉手法和不协调的光线。画面中一个情绪低落的女性，身穿简单的希腊式长裙，全身笼罩明亮的光线，光线如此强烈，以致压抑了内在形体和细节。这道光线与幽暗、雾气迷蒙的森林背景形成惊人又虚幻的对照，将画面的焦点凝聚于人物的轮廓。明亮与幽暗之间的这道边界，绝妙地协调了主观的模糊诗意与古典主义的理性主义（实则是更新了启蒙时代将自然等同于古代艺术的形式这一观念）。在虚无缥缈的背景里，观者可以沉浸于自己的愁绪；画中的人物也让观者觉得可以感同身受，可以作为自己的替身，但不是作为鲜活的存在，而是梦境的介入。这幅作品扭曲了物质形态，实则是呈现精神状态的忧郁。

图1-26：康斯坦斯·夏邦杰《忧郁》，1801年。布面油画，132厘米×167.6厘米

　　同年，大卫新收的男性学生让·布洛克（Jean Broc，约1780—约1850年）创作了《雅辛托斯在阿波罗怀里死去》（*Death of Hyacinth in the Arms of Apollo*）【图1-27】。布洛克也以同样的手法运用光线，销匿绘画的幻觉塑形。作品所描绘的神话出自奥维德（Ovid）的拉丁语诗歌。西风神爱上阿波罗的少年情人雅辛托斯（Hyacinth），饱经单恋的折磨，便施展神力令阿波罗的铁饼掷偏方向，击中美貌的雅辛托斯。布洛克继承3年前热拉尔在《丘比特与普塞克》所开启的传统，专注于描绘少年的理想裸体，同时采用同样的低视角，把背景简化为诗歌仙境般的简单草地和天空。背光手法进一步减弱了身体的重量和质感：人体的轮廓采用明亮色调，而不是通常用以表现三维形象的退缩和消失的深色调。

　　吉罗代在《沉睡的恩底弥翁》便已运用同样的手法描绘半空盘旋的西风神。然而，布洛克更进一步，将这一手法当作整个构图的主逻辑。布洛克从而得以解决夏邦杰所面临的构思难题——如何让油画这一顽固的经验实践媒介具有希腊陶器绘画或斐拉克曼插画的原始简约。就这一难题而言，阿波罗右手的手指，似起伏的涟漪，呼应两个恋人交叠的面部轮廓，充分地彰显了布洛克精湛的技艺。就绘画主题而言，布洛克逆转原本作为形式的手法。这一逆转手法将大卫在《苏格拉底取过毒芹酒的时刻》所传达的柏拉图主义——男子的同性情欲是通向心灵的专注与抽象真理的知识的一条道路——转化为反自然主义的视觉语言。

　　这些思想的倡导者在大卫画室内部形成独立的流派，各有派系名号，诸如原始派、沉思派、蓄须派（Primitives、Meditators、the Bearded Ones），他们不似第一代学生那般集体创作和相互信任。他们的德

行修养是个人事体，指向自己的内心。相形之下，大卫从未动摇公共艺术的使命感与艺术家所扮演的公共角色。纵使在狱中，他依然不停地绘制草图，准备下一幅大型历史画。纵然如此，正如热拉尔曾经的那样，大卫在这个时期也密切关注新近流行的净化版希腊古典主义所具有的意识形态力量。

关注的成果便是巨幅油画《萨宾妇女的调停》（*Intervention of the Sabine Women*）【图1-28】，完成于1799年。大卫刻意要将自己的题材区别于另一件萨宾妇女被强暴的著名事件，已有无数艺术家以此为题材创作作品，最为著名的是普桑和彼得·保罗·鲁本斯（Peter Paul Rubens）的作品。先前的事件是大卫绘画叙事的尾声。这个故事讲述的是早期罗马人十分野蛮，只有男性，需要寻找女性延续群体。为了实现这个目的，他们使用诡计窃掠邻国萨宾的女人。3年后，萨宾男子才纠集足够的力量，成功地反击。然而，3年间，罗马男子与萨宾女俘早已婚配，诞下新一代。两支军队交锋，各自的领袖——罗马的罗慕路斯（Romulus）、萨宾的塔提乌斯（Tatius）——准备单挑时，妇女冲进战阵中心，请求两国和解。画画中心的女性是罗慕路斯的妻子赫耳西利亚（Hersilia）。

这幅作品尖锐地逆转《荷拉斯三兄弟》和《布鲁图斯》的价值体系，原以为不可调和的两面忠贞，在这里得到幸福的结局。大卫在人生最绝望的时刻构思《萨宾妇女的调停》，意在迎合最大可能的受众群体，恢复声誉。他在画面中布满尖叫、呼喊和混乱，让观者的体验接近现场观看的壮观的情景剧。悲剧的故事情节精简，但呈现无数精彩细节，诱导观者望进背景深处的风景。这幅作品最令人感动的元素是将孩子刻意置于最危险的位置，仰头和观者直接对视。

所有这些手法，都是为了符合作品预先设计的寓意与战略性的构思：这些事件和细节都不能改变观者的结论，赫耳西利亚向罗慕路斯和塔提乌斯的请求必定会成功。这幅作品预设和谐的寓意，画中的一切只是为了佐证结局的必然性。在法兰西共和国最激进的时期，新政府被比拟为女性，赫耳西利亚正是这个拟人的化身，复活为一位理想的母亲，身穿白衣，象征着疗愈和抚育。

令人惊异的是，大卫决定将他的勇士们描绘为裸体，从而使得这场被打断的冲突益发貌似历史本身的悬置。战士裸露身体上战场据说是古希腊的习俗，与罗马人的历史没有关联。然而，在构图步骤后期，大卫义无反顾地挪用学生们所倡导的理想化的希腊主义。画面中三位主角的动态及组合形式，看似源自斐拉克曼的插画。自相矛盾的微妙与形式化的平衡，力图把观众对于现实的冲突和暴力的记忆转移到较安全的神话领域。

大卫展览这幅作品的方式，更进一步地为自己积聚影响力。对于政府不再拨款支持艺术的情况，大卫的回应是彻底无视1799年沙龙，在自己的画室举办独立展览，向每位参观者收取入场费。独立的场所，再加上能够自由地控制展览空间，大卫初次得以在视平线高度展示巨幅作品，而不像在拥挤的沙龙那样将作品高挂。他充分利用全新的展览空间，在作品对面放置直立镜。他邀观众观看镜中映像，以便用疏远、宏观的"视角"看待整体叙事。同时，观众在镜中看见自己，从而"参与"画中的行动。自此以后，大卫多次在私人展览利用镜子，为观看行为营造神秘感和震撼力。构思新作品之时，他总是最大限度地实现类似的效果，并能强化而不是试探观众的信念，然后推测这些吸引观众的策略所能带来的经济效益。大卫的努力得到了可观的回报：这幅作品连续展览5年，令他得以购置一幢乡间大宅和地产。于是，19世纪的企业型艺术家真正地开创了事业。

## 专制主义的崇高

1799年最后一个月，雾月18日政变推翻了宪制政府。魅力非凡的年轻将军拿破仑·波拿巴绽露锋芒，成为新政权的领袖。在最初阶段，波拿巴的派系维持共和国政府表象，称波拿巴为第一执政官（First Consul）。这个名号试图追忆罗马共和国与罗马首位第一执政官布鲁图斯。拿破仑和大卫是旧识，1797年曾参观大卫的画室。这位艺术家也对拿破仑有深刻的印象，视他为禀赋军人品格的典范。拿破仑一掌权，便立刻拉拢大卫，推立他为新政府御用画家。二人联盟的首项成果是一幅肖像画，这幅《拿破仑穿越圣伯纳德关隘》（Napoleon at the St. Bernard Pass）【图1-29】描绘拿破仑泰然稳坐马背，穿越阿尔卑斯山的圣伯纳德关隘（St. Bernard Pass），跨下的坐骑却惊骇得前腿腾跃。事实上，拿破仑骑着毛驴穿越圣伯纳德关的真实场面毫无惊险。然而，领袖的修辞需要无疑

比史实更重要：道旁岩石铭刻汉尼拔（Hannibal）和查理曼大帝（Charlemagne）的名字，二人讨伐意大利之时，走的也是这条征途。诚然，崇高的自然风景不单是历史纪念。大卫借鉴哈里特的《俄狄浦斯在科罗诺斯》的荒野与风暴，力图为主角增添某种非理性的行动和戏剧感。

然而，风中翻卷的斗篷和拨开的乌云只是肤浅的表面效果，堆叠于古典主义的深度基础之上。就连险峭的山坡和光束，也构成僵硬的X形框架，把拿破仑稳稳地固定在马背上。大卫很快发现，自己的道德底线和艺术关怀皆同波拿巴派的公共艺术政策相抵牾。1802年，大卫开始创作一幅大型历史油画。新作的主题是列奥尼达驻守温泉关【图1-30】。列奥尼达率领斯巴达军队一支小分队，在狭隘的温泉关以全部士兵的性命阻挡整支波斯军队。大卫择取战前的沉思与准备时刻，沿袭他在革命前的绘画手法，侧重表现古

图1-28: 雅克-路易·大卫《萨宾妇女的调停》，1799年。布面油画，386厘米×520厘米

代领袖为品行和公共利益牺牲一切的精神。但拿破仑看到草图之时，称其为失败者的图画。于是，大卫将《列奥尼达驻守温泉关》搁置近10年之久，随即将精力转投于繁冗而枉费审美心机的任务，为歌颂1804年新皇帝的加冕礼绘制作品。这幅油画宏大逼人，表现巴黎圣母院的隆重仪式，逐一描绘现场所有显要人物。

这件作品是一项指派任务，大卫也将它当作履行职责。他回归陈旧的观念，将崇高的修辞等同于堆叠富丽奢华的装饰和荣耀的历史见证。然而，拿破仑的肖像画大多在缺乏清晰的指派要求之下创作。随着正统帝位衰退为个人魅力，画家们面临创作环境的质变。拿破仑深信艺术的重要性，然而，在看见实物之前，这位统治者也不清楚自己想要什么。他的自我认同和自我形象——从将军到政治家，从执政官到皇帝——不断地变动。因此，艺术家的想象创造势必带有投机的性质，而投机性的推测确实容易出错，但也可能蒙对。

第一执政官热爱奥西恩（Ossian）的诗歌。一如既往地，热拉尔是最先利用这一爱好的艺术家。据传说，这些重现于世的诗歌，原是古代凯尔特诗人奥西恩的史诗。事实上，这些诗歌是半个世纪前苏格兰作家詹姆斯·麦克弗森（James Macpherson）的作品。

图1-29上：雅克-路易·大卫《拿破仑穿越圣伯纳德关隘》，1803年。布面油画，268.5厘米×224.3厘米

图1-30：雅克-路易·大卫《列奥尼达驻守温泉关》，1814年。布面油画，395.6厘米×530.9厘米

由于奥西恩诗歌迎合18世纪的需求，虔诚的读者觉得它比古希腊的诗歌更纯朴、更原始。大卫画室的原始派，视奥西恩诗歌具有荷马和赫西俄德（Hesiod）的高度。即便是对奥西恩诗歌的起源有所存疑的人们，也赞赏其现代性。奥西恩的诗歌召唤起一个原初、黑暗的北方世界，那是英雄和神灵的居所，这一意象正契合当时日益流行的风尚，也即崇尚主观性和非理性主义。热拉尔的《奥西恩》【图1-31】预定用以装饰波拿巴的马尔迈松城堡（Malmaison）。在这幅画里，

热拉尔将奥西恩描绘为失明、孤寂的老人，用竖琴的音乐召唤记忆，回想失去的父母儿女。亲人的幽灵在月光下的迷雾中浮现，在他周围环绕。热拉尔提炼自己在18世纪90年代的艺术造诣，将荒野的背景、阴森的夜间光线、衰迈的幸存者主题、如痴如狂的想象，浓缩为氤氲的梦幻，全然不受罗马古典主义或构图的束缚。

吉罗代完全有资格自视为同人中间极具创新精神的画家，与热拉尔竞争激烈。他获悉第一执政官需要

图1-31：**弗朗索瓦·热拉尔**《奥西恩》（*Ossian*），1801年。布面油画，180.5厘米×198.5厘米

图1-32：安-路易·吉罗代《奥西恩迎接拿破仑的将士进入瓦尔哈拉》(*Ossian Receiving the Napoleonic Officers into Valhalla*)，1800—1802年。布面油画，192.5厘米×184厘米

装饰马尔迈松城堡，便立刻抓住机会，意欲恢复自己作为历史画家的事业，同时企图以奥西恩为赌注，超越旧友和画室同伴热拉尔。吉罗代不肯简单地重现超自然背景和诗歌意境，而是将拿破仑的现世忧虑融进虚构的神话。1802年，他完成《奥西恩迎接拿破仑的将士进入瓦尔哈拉》【图1-32】。在这幅画中，新近

战死的法国将领来到瓦尔哈拉——凯尔特盲诗人奥西恩的领地，这里挤满了鬼魂和幽灵。在画面上方，吉罗代仿效埃纳奎安（但更老练），描绘直露的寓意：共和国自由的拟人形象凌空飞翔，高卢雄鸡攫获奥地利老鹰。这对象征只是一系列寓意的开端，画中的象征形象俱对应真实人物和时事，构想极为巧妙，倘若

观众手头没有一份详尽的清单，几乎不可能参透其中的影射。吉罗代炫耀式地发挥创造力，将画面整体的氛围和光线想象为电光照射，把最新科学发现应用于创造壮丽生动的来世中。

这幅作品充分地体现了吉罗代所有的惊人天赋。他运用幻觉构造现实中不可能的坚固结构。他以透明的细腻手法描绘拥挤的人群，以此缓解堆叠的感觉。用大卫的话说，他们是"水晶人"。他当面称赞了旧门生的独创力，在别人面前却指斥他古怪无章。当时的资料表明，热拉尔用较简单的手法忠实地描绘奥西恩的题材，更能博取公众和第一执政官的青睐。大卫画室另有两个原始派画家，二人是孪生弗兰克（Franque）兄弟。他俩日后采用同样的构图安排，作为程式，用以描绘拿破仑梦中受神灵召唤，在1799年自埃及返乡，夺取政权拯救法国。

对吉罗代来说，遭遇这个挫折反是好事，因为他此后便规避政治题材，不再向往拿破仑的恩惠。为了参加1806年沙龙，他创作巨幅油画《大洪水》（Deluge）【图1-33】，描绘混乱黑暗的原初世界所演绎的可怕的情感戏剧。迥异于《奥西恩迎接拿破仑的将士进入瓦尔哈拉》，这幅作品的构图精简至最基本元素，却传达确凿的含意。主题的中心是年轻强壮的父亲奋力背负老父，伸手携拉自己的妻儿。这一主题在上个年代便已开始流行。1789年，勒尼奥展览《哀悼基督》之时，同时展出这个主题的小幅油画。在勒尼奥的画中，年轻男子背负老父，从而未能及时伸手拉住被洪水冲走的妻儿。当时的观众并不计较洪水异常地缓慢，这幅画成为勒尼奥最受欢迎的作品之一。为了满足收藏家需求，他绘制了数幅复制品。当然，吉罗代再次汲取勒尼奥的成功秘诀，将同样的题材推至更远的极端，传达更非凡的壮志。

勒尼奥的构思强调无法挽回的失去所带来的情感，适合感伤题材，其大小是一幅壁橱画的尺寸。相形之下，吉罗代则想采用面向公众的巨大画布，充分挖掘画面上恐惧的戏剧感与切身的震慑力。他的人物大于真人，人物垂直重叠，呼应自悬崖坠落的动势，营造画面在观者头顶耸立压迫的效果。他选择的时刻，也是为了让整个场景符合激烈戏剧的需要：作为家庭中坚力量的年轻男子仍拉着妻儿，衰老的父亲象征名副其实的重负，手里抓着一包无用的黄金。他的身躯干瘪，似乎比实际年龄更老，如同一具僵硬的尸

首，散发一股骇人的力量。由于紧搂着过去不放，洋溢着生命力的年轻一代眼见即将失去脆弱的支撑，所有人物悬置在急流上空，停凝在死亡边缘。

与追求名声的野心一样，吉罗代利用一个既定的古典主义原型——特洛伊（Trojan）英雄埃涅阿斯（Aeneas）背负父亲，牵着儿子逃离燃烧的城市，正如18世纪90年代晚期热拉尔为维吉尔的史诗《埃涅阿斯纪》（Aeneid）描绘的插画《埃涅阿斯背负安喀塞斯逃离特洛伊废墟》（Aeneas Carrying Anchises from the Ruins of Troy）【图1-34】。事实上，吉罗代和大卫也合作参与插画创作。然而，吉罗代彻底地转变这一母题的含意，将孝顺变成义务的致命冲突。如果艺术形式的不和谐表达便是违背传统的和谐，那么这幅作品就是最大的限度违背了历史画传统。吉罗代尽可能放大年迈与年轻的内在对比以至崩溃的极限，如同年轻男子的手臂被拉扯至极限。恐怖的表情违背

图1-33：安-路易·吉罗代《大洪水》，1806年。布面油画，441厘米×341厘米

图1-34：雅克-路易·大卫、弗朗索瓦·热拉尔《埃涅阿斯背负安喀塞斯逃离特洛伊废墟》，18世纪90年代晚期。蚀刻画，24.5厘米×15.5厘米

图1-35：让-奥古斯特·多米尼克·安格尔《皇帝宝座上的拿破仑》（*Napoleon on the Imperial Throne*），1806年。布面油画，265.7厘米×160厘米

古典主义传统——英雄人物即使承受极度痛苦，也要保持冷静、镇定的品质。在吉罗代的画中，年轻男子的肌肉鼓胀，韧带拉紧，肃穆的大斗篷飘荡，形似一阵诡异的旋风。

若将《大洪水》比较大卫的斯巴达小分队首领列奥尼达，便可看出吉罗代如何精通并彻底地转变英雄裸体的习俗。对大卫来说，英雄在自身聚集与蕴藉力量，以便随时自由地运用；对吉罗代来说，英雄——就残剩的身躯而言——是受害者，其力量是一种通道，不可控制、非人类的力量借助他这条通道施行威势。这些力量包括性欲，将他束缚于配偶和子女。更

广大的群体便是他自身生存的威胁，因为这样的群体敬畏束缚人类的权力和财富。然而，《大洪水》的主题与其说是年轻人的叛逆，不如说是象征着人类孤立无援的终极状态。此时，吉罗代的艺术终于公开对抗大卫圈子所传承的理性主义和社群主义的准则。拿破仑帝国的文化保护伞组织、皇家艺术学院美术分部的保守派立刻察识和认可了吉罗代的意图，他们鄙视依旧固守古典规范的雅各宾派，因此，在推选波拿巴执政最初十年最佳艺术作品之时，评审团排斥大卫的《萨宾妇女的调停》，选择了吉罗代的《大洪水》。

## 历史之外的梦想

在吉罗代展览《大洪水》的同年，有一位新生代艺术家开始崭露头角，创作惊人的作品，企图博取官方赏识。1802年，让-奥古斯特-多米尼克·安格尔采用与吉罗代同样的策略，意欲施展别具一格的独创审美，直接诉诸拿破仑的自负心理，从而在竞争中脱颖而出。这幅作品便是《皇帝宝座上的拿破仑》【图1-35】。安格尔想用审美术语形象地描绘大卫镌刻于圣伯纳德关隘岩头的铭文，将拿破仑的谱系从查理曼大帝和法兰克国王的起源，一路追溯至古罗马。鉴于波拿巴利用古老的仪式掩饰篡夺帝国的行径，安格尔便以古代绘画传统表现拿破仑的肉身。细节被精心地描绘，象征性饰物具有与人物相同的分量，譬如弗拉芒原始画派的范·艾克（Van Eycks）的作品。安格尔将皇帝安排为祭司般的正面姿势，采用拜占庭风格，

酷似中世纪早期象牙雕刻的半神统治者。拿破仑的脸部似面具，散发蜡像一般苍白的光泽，整个人物置于僵硬的几何框架内。这一形象的终极范式是古希腊的宙斯（Zeus）巨像，菲狄亚斯以黄金和象牙雕塑这尊巨大的神像，供奉在奥林匹亚（Olympia）的神庙。

18世纪90年代晚期，安格尔进入大卫的画室学习。1801年，他以《阿伽门农的特使拜访阿喀琉斯》（*The Ambassadors of Agamemnon Visiting Achilles*）【图1-36】获得罗马奖。在这幅作品里，安格尔充分展现自己精通大卫派绘画的最基本修辞技法。《伊利亚特》开端描述，在特洛伊战争里，希腊军队最强大的武士阿喀琉斯（Achilles）与全军统帅阿伽门农（Agamemnon）发生争吵，负气退出战场。在画中，阿喀琉斯与好友帕特洛克罗斯（Patroclus）呈现慵懒而虔诚的优雅身姿——这个姿态最适宜远离争战的贵

图1-36: 让-奥古斯特·多米尼克·安格尔《阿伽门农的特使拜访阿喀琉斯》，1801年。布面油画，109.9厘米×154.9厘米

图1-37：让-奥古斯特·多米尼克·安格尔《朱庇特与忒提斯》
(*Jupiter and Thetis*)，1811年。布面油画，327厘米 × 260厘米

族身躯，在私人场合自由地流露二人的情谊，彰显同性吸引的魅力。帕特洛克罗斯是过渡性人物，他最终再度进入战场，安格尔描绘他正在嬉笑地炫耀阿喀琉斯的头盔，预示他不久后扮作阿喀琉斯，迎战赫克托耳，以至战死沙场。前来恳求的武士被特洛伊人打得节节败退，他们的身躯结实，肌肉轮廓线凸显，表示出紧张的战斗状态。参赛作品的准备时间紧迫，须在数周内完稿，不得使用模特或构思草图，画家在形似囚室的小画室独自创作。因此，鲜有作品经得起严谨的批评眼光。然而，安格尔的参赛作品获得了应得的好评。这幅作品不但成功地挑战斐拉克曼的原作，即《荷马史诗》（Homer）的版画插图，并且这位英国艺术家本人看后也称赞了安格尔的作品。

及至19世纪最初十年的中期，安格尔将绘画风格往另一方向拓展。除了借鉴古代的常规身体类型，他提出依据艺术风格的历史变迁而演变的手法。这套手法也包括非古典主义的风格。依据他的这一逻辑，如果要描绘特定历史时期的题材，或者指涉特定历史时期相关的思想，画家便须采用这一时期的艺术风格。《皇帝宝座上的拿破仑》便体现了这一混合风格。然而，这一手法并未得到官方的认可，年轻的安格尔反被视为古怪的中世纪风格复兴主义者。波拿巴的否定，令安格尔与1802年的吉罗代成为完美的对应。当艺术将拿破仑的拟古掩饰篡权的事实加以忠实表现的时候，皇帝便觉得难堪。

碰巧，安格尔遭受打击之时，罗马的法国皇家艺术学院重新开办。安格尔领取了5年前获得的奖学金，前往罗马（并设法在意大利待上15年）。他寄回巴黎接受评审的首幅裸体习作，在古典主义的原型里涤净波拿巴派的虚华，拓展为体现男性力量的图腾。安格尔的《朱庇特与忒提斯》【图1-37】以神祇干涉人类事务为主题。这段故事是《阿伽门农的特使拜访阿喀琉斯》的铺垫，解释希腊武士恳求不肯上战场的阿喀琉斯的神圣起因。安格尔以祈求者姿势描绘阿喀琉斯的母亲，请求众神之首朱庇特（Jupiter）把特洛伊人变得强壮，让希腊人吃一个教训，惩罚阿伽门农对待她儿子的蛮横行为。猜忌的朱诺（Juno）在旁边观望，暗自思索复仇计划。

在这幅画中，安格尔同样地借鉴奥林匹亚的宙斯神像，因此，宝座上的拿破仑和朱庇特构成工整的对应。这两幅作品皆体现了安格尔对于至高权威的恭顺

态度也有两面性。卑微恭顺地颂扬统治者，可以轻易地转变为对权威和统治的个人幻想，并且两者都是孤立与脆弱的不同方面。在这幅画里，正如其他众多范例，统治的权威施加于一位女性，她被表现为微弱人物，身躯呈现几乎不可能的柔软婀娜，成为一个象征服从的符号。安格尔的想象力不受拘束，再加上民间对拿破仑皇帝的狂热崇拜，从而使得这一时期古典主义传统的最后一点理性也挣脱了桎梏。安格尔塑造人体的手法，实是抑制内在的本质，推崇柔软的轮廓，身体从而完全无法压制欲望的冲动。安格尔的忒提斯迥异于夏邦杰在《忧郁》所塑造的女性，着重强调女神的侧面轮廓，因为这人物并不是整幅画的标志性结构元素。事实上，忒提斯的身躯被表现得夸张而扭曲，忽视内在的解剖学结构，也是为了实现这一目的——削弱身体的结构性抗力，让人体服从艺术家的掌控。

安格尔将绘画修辞拓展为自行创造的拟古主义，实际上是别出心裁地扩大他所接受的训练体系的习俗，然而，当时的历史氛围并不乐观：迥异于大卫创作《荷拉斯三兄弟》之时所运用的尖锐的古典主义手法吸引大批画家争相效仿，安格尔的创新却未能激发其他画家参与对话。诚然，也没有画家有能力企及这一对话。艺术家愈加离群索居，相互争竞，个人的事业生涯开始呈现孤寂的格调，须仰赖个人脆弱的情感与知性资源支撑起整个传统。在之后十年的艺术里，吉罗代在《沉睡的恩底弥翁》里的技术创新可能最具个人影响力，但他本人的艺术在各种风格和主题之间不断转换，让人难以预测。观众对他的作品困惑不解，他便觉得愤慨，觉得自己被误解。安格尔则索性拒绝遵循演变原理，应对削弱的艺术社区和古典传统的固定标准。他执着地回归自己偏爱的主题和构图上，抓住所有机会，在同一作品的复制件和其他媒介尝试细微的改进。这里最著名的例子是安格尔从1808年绘制裸体习作《瓦平松的浴女》（Valpinçon Bather），截取浴女的身躯和头部，几乎原封不动地放在《土耳其浴室》（Turkish Bath）【图1-38】的人群里。《土耳其浴室》作于50余年后，浴女在历史背景里蕴涵的意义早已经历急剧的变化。

吉罗代和安格尔皆是帝国时代早期最坚定的古典主义者，但二人的艺术依然保持高度的主观性和独特性，执着地体现艺术家不可抑制的创造精神。这些品质后来成为界定浪漫主义艺术的特征，这一事实大概

图1-38：让-奥古斯特·多米尼克·安格尔《土耳其浴室》，1852—1859年，1862年修改。布面油画，直径108厘米

足以彰显浪漫主义的绝大部分传统，实则源自古典主义末期的艺术家，他们立志维护与忠实自己的传统，甚至不认为这些传统以外存在严肃艺术。吉罗代和安格尔都练就精湛的打磨技术，在油画表面涂刷釉料上光，尽可能地掩盖笔触。这种"舔过的"效果，在19世纪晚期成为因循守旧的学院派的套路，然而，在这两位原创艺术家的作品里，则是因为偏爱光滑的表面，从而诠释为一种执着的姿态，在难以自制地流露自我之时，仍然坚毅地贯彻的客观原则。

## 问题讨论

1. 在法国旧政权制度下，如何委托与展览最宏伟的艺术作品？

2. 18世纪80年代和90年代分别经历过怎样的变迁？

3. "爱国主义和美德"指什么？雅克-路易·大卫及其学生如何体现这两者？

4. 相较男性艺术家，18世纪晚期法国女性画家接受训练、赞助、展览的机会更少，她们如何应对这个现实？

5. 比较与对照大卫与他的一位学生的作品。

# 古典主义的危机：格罗到德拉克洛瓦
# 约1800—1830年

## 第2章

托马斯·克罗

## 导言

在大多艺术史著作里，古典主义和浪漫主义被视为截然对立的两个阵营。然而，审视19世纪前30年间法国的艺术发展，我们就会发现这种两分法多少有一些错误。诚然，这不等于说安格尔和欧仁·德拉克洛瓦（Eugène Delacroix，1798—1863年）的作品——最显著的范例——没有深刻的形式和意识的差异。然而，浪漫主义源自古典主义，并传承后者的诸多取向，例如探索公共责任与私人欲望的冲突，使用男性裸体表现美德、英雄主义和人类的脆弱。例如，安托万-让·格罗（Antoine-Jean Gros，1774—1835年）的《拿破仑视察雅法鼠疫病院》（Napoleon in the 本 Plague House at Jaffa，1804年）描绘患病的士兵，安-路易·吉罗代的《开罗暴动》（The Revolt at Cairo，1810年）描绘强壮的阿拉伯男子，两者皆表现人类的脆弱。相较前代艺术家，这一代的艺术家更细致地研究女性裸体。安格尔是这一领域的先驱，在1808年便已创作《瓦平松的浴女》。在随后的十年里，吉罗代继续跟风，创作《皮格马利翁与伽拉忒亚》（Pygmalion and Galatea，1813—1819年），这幅作品笨拙、枯燥，严重地损害他的艺术名望。

西奥多·热里科（Théodore Géricault）和德拉克洛瓦最鲜明地展现古典主义在浪漫主义艺术中的传承和缺陷。热里科深受大卫的榜样激励，渴望企及大卫的地位，成为有公民意识的艺术家，甚至成为革命者。他淡泊财富名利、特立独行。或许可以说，热里科甚至在某些方面超越了大卫。他的杰作《梅杜萨之筏》（Raft of the Medusa，1819年）抨击了当时政治体制的腐败——允许无能的贵族驾驭这艘注定要沉没的航船，同时又维护种族团结的理想：一个黑人男子站在船首挥舞旗帜，其位置也是金字塔构图的顶端。热里科的五幅精神病患者肖像画［"疯子的肖像"（Portraits of the Insane）系列］，以穷人和受伤的老兵、被虐待的马为题材的素描和石版画，表明他的同情和视野远远超越同时代人，诸如弗朗索瓦·热拉尔（大卫的学生）、路易斯·赫尔森（Louis Hersent，1777—1860年）、皮埃尔-纳西斯·盖兰（勒尼奥的学生）、霍勒斯·韦尔内（Horace Vernet，1789—1863年，擅长史诗规模的战斗场景）。

最后，德拉克洛瓦创造了新颖的历史画技法，基本上摒弃大卫的古典主义传统，同时捍卫他的导师热里科的一些古典主义价值观。在《但丁和维吉尔同舟共渡冥河》（The Bark of Dante and Virgil，1822年）、《希阿岛屠杀》（The Massacre at Scio，1824年）、《萨达纳帕尔之死》（The Death of Sardanapalus），甚至在《1830年7月28日：自由女神引导人民》（The 28th of July: Liberty Leading the People，1830年），德拉克洛瓦探索个人英雄主义和自我牺牲的主题，但其构图都依据了热里科的《梅杜萨之筏》。在《迈索隆基翁废墟上的希腊女神》（Greece on the Ruins of Missolonghi，1827年）和《自由女神引导人民》中，德拉克洛瓦又增添一层含义，宣告各阶级的男男女女必须团结起来，一同争取政治自由。

相形之下，安格尔常被视为最固执的古典主义者。或许可以说，他在维护传统的同时，也暗中削弱古典主义传统的完整性。他的《荷马的神化》（1827年）将传统当作一成不变、甚至僵化的标准。巴黎美术学校新一代的学生继续沿袭这个死板的态度，致使古典主义难以适应新的社会环境。事实上，晚期的安格尔及其众多追随者的抛光或"舔过的"作品表面，很快成为艺术和政治保守派的代名词。至19世纪中叶，法国古典主义几乎彻底丧失艺术创作力。此外，在西班牙和英国，古典主义从未站稳脚跟，浪漫主义则以更新颖、更激进的模式蓬勃发展起来。在这些国家，浪漫主义以其新奇的形式和媒介，向全新的观众群体宣告现代艺术的诞生。

## 武器的力量

在19世纪初，出现了通常意义上的浪漫主义风格，即以色彩冲击力取代强健的笔触和线条，摒弃史诗般的浓缩叙事，推崇当代和异域的主题。然而，在这一时期，浪漫主义风格与吉罗代、安格尔的艺术一样，都只是诠释和扭曲古典主义传统的产物。浪漫主义的主要创始人安托万-让·格罗也是大卫的学生，终生忠实于大卫的价值体系。格罗的事业生涯最显著的成就实则源自因政治突发事件而不得不放弃这份忠诚而取得的。

论年纪，格罗介于吉罗代和安格尔之间。这个辈分决定性地影响他的艺术风格形成。吉罗代是旧制度的最后一批学生，在罗马接受过大半正规训练。安格尔则在法兰西帝国合并控制意大利之后，才得以前往罗马进修。1793年，格罗获奖的时候，罗马已向法国关闭。但他依然设法去意大利，在佛罗伦萨（Florence）和热那亚（Genoa）度过了一段时间，及至这些城市也不再友善地接待法国人。当时的环境提

供无数可看和可汲取的东西，只是格罗得不到转捩性的机会，不能在罗马宏伟的遗迹中间、艺术团体的关怀氛围里磨练技法。为了尽可能长久地在意大利境内安全逗留，他需要保护。波拿巴家族的兄弟照拂他，18世纪90年代晚期，他在军队谋得非战斗职位，有充裕的时间练习绘画（由于这段经历，格罗日后得到"战士艺术家"这一夸张的美誉）。

诚然，关于格罗年轻时代的神话，可能也是随着他返回巴黎之后的成名作品而涌现出来的。初上台的第一执政官意欲开展大型绘画项目，歌颂法国军队的战功，决定在1801年举办绘画比赛，纪念两年前的拿撒勒战役（Battle of Nazareth）。在这场战役里，500人法国小分队，抵抗6000人的阿拉伯骑兵部队，最终取得胜利。让无数批评家震惊的是，格罗的《拿撒勒战役》（*The Battle of Nazareth*）【图2-1】草图竟然夺得冠军。他们不能理解这幅草图缺乏显著的构图中心和行动焦点，何以能够获胜。在画中，朱诺将军（General Junot）本人远远落在后方，与一名马穆鲁克骑兵单挑，而不是指挥

图2-1: 安托万-让·格罗《拿撒勒战役》，1801年。布面油画，135厘米×195厘米

整个行动。整个构图以这类独立的小场景组成，仅靠重复使用的鲜艳色彩将画面连贯为整体，颜料的肌理使得事件富有一种韵律的交错感。

格罗的《拿撒勒战役》缺乏扎实的基本结构。然而，这不只是格罗的过失，也是由于官方从未提供战斗实况的确凿报道和条理清晰的宏观叙事，只是描述一些个人的英勇战迹，并且主角通常是普通士兵，而不是将领。这类记录印证了法国从民主的大革命时期以来纪念胜利战争的模式：共和国军队的胜利归功于公民战士的奉献，他们上战场是出自爱国精神，而不是被胁迫或贪婪。在这种宣传模式里，朱诺的勇毅无异于画面前景的无名战士。因此，格罗便忠实地描绘官方的叙事。此外，他增添和构想了两个场景，旨在宣扬法国军队在海外征战所体现的人道主义和理想主义：一个场景是一群阿拉伯人即将砍下一个无助的欧洲人的头颅；另一场景是一名法国士兵掩护投降的俘虏，替他挡去枪膛。

格罗用这个创新手法将所有场景编织为一个整体，借助迅捷的姿势和自由的色彩，进一步地传达了战场激烈的狂暴和混乱。这里值得注意的是，我们不宜将这个新奇的画种——当代事件的英雄历史画——混淆于传统画师描绘战斗场景时惯用的工细画法，因为这种画法一直令画师的辛劳被归类为低等艺术。倘若格罗更彻底地消化了古典主义绘画的规矩，也许就会缺乏处理复杂事件所必备的灵活变通和即兴创作的灵感。他的成功，顿时让他占据历史画领域的主宰地位，推动了当代历史绘画报道作品的需求量。

事实上，以拿撒勒战役为题材的原尺寸油画项目并未兑现。鉴于这一题材涉及公民战士的理想，因而佛逆了波拿巴派狂热的偶像崇拜。后者认为，波拿巴个人的领袖魅力确保了法国军队的所有胜利。3年后，格罗利用偶像崇拜成功创作了作品《拿破仑视察雅法鼠疫病院》【图2-2】。占领雅法（Jaffa）这座巴勒斯坦城市属于另一位将帅的功迹，因此，这幅画绝不能

图2-2: 安托万-让·格罗
《拿破仑视察雅法鼠疫病院》，1804年。布面油画，523厘米×715厘米

直接处理战斗本身。于是，格罗择取凯旋的法国军队被阿拉伯士兵感染瘟疫的题材。在画中，波拿巴无畏地触摸患疫士兵的脓疮，他的副官则忧心忡忡地捏着手帕掩嘴。这个虚构的题材具有高度的理性：人们相信恐惧加速瘟疫的传播，画中的拿破仑以身作则，企图打破势必感染和死亡的迷信思想。画面所营造的效果却是非理性的：患病的法国士兵，似乎在魔力的感召之下，几乎全都站起身，伸手碰触他们的领袖。英雄式的裸体曾是共和国理想公民的载体，而眼前这名普通士兵却孤苦无助，格罗正是在这层意义上转译裸体的象征，将它转化为无助的符号。

正如《拿撒勒战役》，在这幅作品里，格罗也利用生动的表面质感和色彩营造异域氛围和瘟疫病院恐怖的感官冲击力。然而，格罗需要更老练的把握，因为这幅作品要求回归传统的等级构图，将主角摆回构图中心。主题的时代性、陌生的特征、纷繁的细节，都难以掩盖一个事实：为了迎接这个挑战，格罗挪用现代古典主义传统的试金石——大卫的《布鲁图斯》【图1-10】。

大卫借助于分裂构图这一重要手法，在公共与私人生活之间作出形式的中断，显现公共职责与个人忠诚之间不可化解的冲突。以这样一种方式隔离之后，两者中间依然存在紧绷的张力：纵使观者看得出神，也会发觉难以确定该同情哪一方。作品的意义便在于观者的心理重现这一冲突。格罗借鉴大卫的背景建筑分布人物，几乎精确地再现大卫的构图。画面左侧的阿拉伯医师和绝望的病人所占据的位置，类似布鲁图斯和抬尸身的队伍。波拿巴及其扈从笼罩着强光，完全吻合布鲁图斯的妻女举起裸露的手臂这一组合。右侧的角落里，处于谵妄状态的法国士兵，流露沉重的孤立和盲目感，则是直接呼应悲痛的乳母。

格罗却彻底地改变了大卫宏伟的构图模式的意义和用途，这一事实清晰地揭示了历史画总是优先考虑构图的等级。格罗的构图缺乏分裂的张力，观者不会感到分立的双方皆吸引自己的道德信念。相反地，格罗的分裂构图给人以慰藉的区别，具体地化身为征服者的欧洲启蒙精神与被征服的东方黑暗之间的区别，后者习惯死亡，面对死亡之时感情麻木。格罗站在大卫批判性地审视共和国时期美德的废墟之上，用基督教末世论打造了一个岿然不动的小分队，一个灵薄狱的基督的光辉形象。有传闻说，拿破仑命令法国军队

大肆屠杀城中幸存的、放下武器的阿拉伯战士。鉴于这一事实，如此混淆征服与拯救，确实颇为有效。

## 帝国的古代

诸如此类具有煽动性、可疑地颂扬拿破仑的作品，可能会被误当作帝国时期有雄心的代表作品。法国征服战争结束后，欧洲大陆拥有相对稳定的局面和行动自由，也能进行较温和的发展。欧洲各地的顾客争抢法国古典主义的天才艺术家的作品，最受欢迎的是使用刻意求工的古典主义手法描绘的神话题材作品（督政府时期便已萌芽的风格）。

乔凡尼·巴蒂斯塔·索马里瓦（Giovanni Battista Sommariva）引领这一趣味与主题的风尚。1805年后，他寓居巴黎，使用各种名衔，包括索马里瓦侯爵，尽管他原是意大利北部一个理发师的助理。后来，他接受律师训练，1796年来到米兰，当时正值凯旋的波拿巴将军入城，在这片地区建立法国傀儡共和国政府。在变幻无常的战争浪潮里，这位新发迹的律师精明又不择手段地谋得一条发达的道路。及至世纪之交，他成为拿破仑在米兰的代理人，以这个身份积聚了巨大财富，在科莫湖（Lake Como）建造景观胜绝的别墅，当然也给自己招致了无数死敌。

纵在彻底倒台之前，索马里瓦便以开明的姿态赞助艺术，格外慎重地渔猎名望，修复身为暴发户的不堪声誉。他所利用的第一个工具便是极富影响力的雕塑家安东尼奥·卡诺瓦（Antonio Canova，1757—1822年）。卡诺瓦来自威尼斯，也是在18世纪90年代培养斐拉克曼的罗马艺术氛围里展露天才，获得艺术声望。他身为天主教徒，因此有望得到英国艺术家斐拉克曼永远不能希冀的委托项目。在这些项目当中，宏大的教皇陵墓雕塑为他巩固了作为时代最杰出的官方雕塑家地位。然而，卡诺瓦的声望最早源自较小型的作品《珀尔修斯举着美杜莎的头颅》（*Perseus with the Head of Medusa*）【图2-3】。这件雕塑体现了古典主义的主题，与斐拉克曼的《荷马史诗》插画【图1-25】简洁明快的线条具有相似的审美观念。这件雕塑属于卡诺瓦艺术生涯中期的作品，彰显了他的自相矛盾的艺术表达，他通过抽象的线条表现雕塑，而不是体积和质量。从正面或背面观看，人体起伏的轮廓线传达丰富的内容，大理石的光洁表面则呈现相对微弱的解剖结构，两者形成截然对比。卡诺瓦运用这一

内在对比，巧妙地结合清晰的智性与精致微妙的触感。

　　波拿巴家族大为称赏这一结合。为了将家族的全欧王朝正统化，皇帝的妹妹波利娜·博尔盖塞公主（Pauline Borghese）与意大利贵族联姻。公主委托卡诺瓦制作肖像雕塑，要求将本人的肖像塑造为胜利女神维纳斯（Venus）。在《波利娜·博尔盖塞扮成胜利女神维纳斯》（*Pauline Borghese as Venus*）【图2-4】，卡诺瓦投合公主的喜好，将她构想为既是罗马贵族女性，以高雅的仪态倚靠长榻，又是无视凡人目光的女神，展现不事雕琢的裸体。如若公开展览这件雕像必定会引起公愤。然而，它的目标观众仅限于艺术家深知具备趣味修养的贵族。博尔盖塞家族少数贵客有幸受邀观看这件雕像，并且都是在夜晚，在戏剧化的火炬照明和浓重的阴影之下观赏。卡诺瓦也使用同样的舞台手法向潜在的顾客展示自己的其他作品。夜间在人造光线下观赏，雕塑作品会被融进平面艺术特有的错觉效果，不过，这一手法不再是斐拉克曼的线条主义，而是接近吉罗代的《沉睡的恩底弥翁》【图1-13】的明暗法。

　　索马里瓦最珍视的收藏便是卡诺瓦的雕塑。索马里瓦最初将这些雕塑收藏在意大利的别墅，他将别墅转变为古典化的艺术神祠，而后搬到巴黎城内一幢雄伟的联排屋里。在巴黎，卡诺瓦的雕塑为神话题材的幻想艺术提供了新鲜的启迪。在索马里瓦的所有收藏当中，他最自豪的是单人雕像《忏悔的抹大拉的玛利

图2-3：安东尼奥·卡诺瓦《珀尔修斯举着美杜莎的头颅》，1804—1806年。大理石，高242.6厘米

图2-4：安东尼奥·卡诺瓦《波利娜·博尔盖塞扮成胜利女神维纳斯》，1808年。大理石，长200.7厘米

图2-5：安东尼奥·卡诺瓦《忏悔的抹大拉的玛利亚》，1808—1809年。大理石，高95厘米

亚》（*Repentant Mary Magdalene*）【图2-5】。这件雕塑表明唯有通过艺术家古典主义的简约技法和裸体所呈现的肉感，才能够祛除罪恶，复归正统的虔诚信仰。这件雕塑位列19世纪早期极为著名的艺术品之一。小说家司汤达（Stendhal）也是其热烈的仰慕者。索马里瓦订制专门的礼拜堂作为陈列室，雕塑周围环绕紫罗兰色的家具配饰，仅以一盏雪花石膏灯台作为照明。

卡诺瓦的艺术直接地影响了法国艺术家皮埃尔-保罗·普吕东（Pierre-Paul Prud'hon，1758—1823年）。普吕东的《正义与复仇追捕罪恶》（*Crime Pursued by Vengeance and Justice*）【图2-6】描绘了一个寓言题材，预定挂在拿破仑刑事法庭的主审判室。逃亡的人物直接采用卡诺瓦的一件雕塑为原型。其他元素也来自类似的储备库：空中的神祇仿效斐拉克曼的一幅轮廓画的图式，男性受害者的裸体被黑暗和皎洁的月光切割为两段，是《沉睡的恩底弥翁》中的肌肉放松的人物的倒置版本。普吕东将所有这些借取的元素，融进昏暗的夜色，强调作品意欲传达的恐怖、威胁和惩

图2-6：皮埃尔-保罗·普吕东《正义与复仇追捕罪恶》，1808年。布面油画，244厘米×292厘米

罚。这里的效果迥异于共和国时期官方艺术特有的清晰和轻快的寓言绘画。鉴于前一种模式的楷模效果，如勒尼奥的《自由或死亡》（*Liberty or Death*）【图2-7】是在恐怖时期盛期的作品，或许可以说，普吕东所想象的恐怖超越了政府的权力，触及更广大的现实。与此同时，他的作品将所有理想主义和公正思想统统赶出正义的领域，取而代之的是虚构的政权标准；这个政权的典型特征便是残暴的感官满足。

帝国时代正是普吕东奋力恢复名声的时候。论年纪，他大于吉罗代和热拉尔，与埃纳奎安同辈。埃纳奎安的事业生涯也是浮沉不定，不能追随正规的发展模式。他获得一份外省奖学金到罗马，怀着藐视的态度，不参与大卫的圈子，不接纳后者的审美和绘画观

念。埃纳奎安自行发展出一种别开生面的风格，在当时极具个性特征。他忽视清晰的辩证关系，刻意营造朦胧感，将对象和氛围融为一体（先用单色绘画，再局部添补色彩，最后在画面覆盖数层透明釉料）。正如上个世纪的布歇（Boucher）所绘制的洛可可幻想作品，埃纳奎安这种强调表面的手法，适宜描绘意欲摆脱重力束缚的自由幻想。

在普吕东名作中，有两幅神话题材的作品，都描绘了拟人化的风神。其一是《普塞克被西风神背往丘比特的领地》（*Psyche Carried by Zephyrs to Cupid's Domain*）【图2-8】，其二是《西风神》（*Zephyr*，1814年）。这两幅作品回归督政府时期大卫圈子掀起的流行主题，但普吕东的非正统技法体现一种别样的

图2-7：让-巴蒂斯特·勒尼奥《自由或死亡》，1794—1795年。布面油画，60厘米×49厘米

时尚感。此外，它们都是索马里瓦的委托作品。索马里瓦委托赞助卡诺瓦，是为向外界张扬自己的品位和身份源自波拿巴家族的恩惠；他赞助普吕东，是因为这位艺术家在帝国时代画过皇帝、皇后、拿破仑的儿子与继承人，即命运多舛的罗马国王。普吕东为约瑟芬皇后绘制的肖像画【图2-9】，摆脱了加冕礼的浮华。皇后坐在马尔迈松城堡的园林里，摆出深思的姿态，周围环绕着林木草地。画面中黑暗、模糊的背影映衬出人物身上的高光，再加上卡诺瓦式清晰的轮廓，仿佛将人物心灵的沉思转化为某种外在的东西。康斯坦斯·夏邦杰曾将人物的心理转化为抽象的拟人形象【图1-26】，普吕东则将拟人形象转化为统治者的新标志。不出意料地，他也为索马里瓦绘制了类似的肖像画，也命名为《西风神》，也在同年沙龙展览。在画中，索马里瓦坐在暮色降临的园林，专心阅读一卷翻烂的书籍，他的身体两侧各陈列一尊卡诺瓦的雕塑，从阴影中浮现，犹如自然母亲发散的图腾。

法国内外的收藏家都在追捧这些艺术家，拥护同样的品位。俄国显贵尤苏波夫亲王（Prince Yusupoff）在1810年委托盖兰绘制《曙光女神和刻法罗斯》（Aurora and Cephalus）的摹本。盖兰在一年前曾为索马里瓦创作《曙光女神和刻法罗斯》【图2-10】。于是，他以彩虹女神伊丽丝（Iris）和墨菲斯（Morpheus）为题材，以便构成一对组合。这两组神话人物都是属于女神痴恋俊美、无意识的凡俗男子。盖兰的作品在帝国时代的文化潮流里以精致的方式致敬吉罗代的《沉睡的恩底弥翁》持久不衰的权威。在18世纪90年代，吉罗代所描绘的完美人类与其革命的乌托邦思想密不可分。盖兰用机械手法处理云层和天光，标志着吉罗代的独特又大胆的创造已被贬抑为随波逐流者的套路。

然而，及至此时，吉罗代大概很乐意看到这些大客户欣赏自己的审美。在世纪之交，他已变成顽固的守旧派，脾气暴躁。自从为马尔迈松城堡绘制

图2-8：皮埃尔-保罗·普吕东《普塞克被西风神背往丘比特的领地》，1808年。布面油画，195厘米 × 157厘米

图2-9：皮埃尔-保罗·普吕东《约瑟芬皇后的肖像》（Portrait of the Empress Josephine），1805年。布面油画，244厘米 × 179厘米

的《奥西恩迎接拿破仑的将士进入瓦尔哈拉》【图1-32】算错皇帝的心思之后，吉罗代仍汲汲地求取权贵的眷顾。1808年，索马里瓦安排卡诺瓦的《忏悔的抹大拉的玛利亚》进入沙龙，赢得公众热烈的推赏。在同一展览上，吉罗代展览的《墓地的阿塔拉》（Atala at the Tomb）【图2-11】，刻意投合这位意大利收藏家的趣味，选择新天主教派作家夏多布里昂（Châteaubriand）的名剧《阿塔拉》（Atala）作为题材。这部通俗幻想小说讲述皈依基督教的美洲人，极受大众欢迎。画面描绘女主角自尽后的场景，她自幼皈依基督教，发誓终生守持童贞，以死明志。吉罗代以寂静、沉郁的构图处理这一病态、轰动性的题材，阿塔拉的理想美与悲痛的情人查克塔斯（Chactas）的异国男子人体形成鲜明对照，成为画面的中心。在吉罗代的事业成熟时期，只有这件作品为他只带来赞赏，而不必面临观众的批判。也许，因为这幅绘画是最无创意或原创性的作品。

可想而知，索马里瓦自然急切地追捧他。然而，两人的合作成果可能成为这位收藏家最不幸的委托项目。1812年，索马里瓦委托吉罗代以艺术创作的

图2-10上：皮埃尔-纳西斯·盖兰《曙光女神和刻法罗斯》，1810年。布面油画，254.5厘米×186厘米

图2-11：安-路易·吉罗代《墓地的阿塔拉》，1808年。布面油画，207厘米×267厘米

图2-12: 安-路易·吉罗
代《皮格马利翁和伽拉忒
亚》，1819年。布面
油画，253厘米×202
厘米

表面布满颜料粗粒，凹凸不平，体现了犹豫、执着、不甘心的修改痕迹〔（巴尔扎克（Balzac）的著名故事《不为人知的杰作》（*The Unknown Masterpiece*，1831年），灵感想必源自吉罗代漫长的酝酿期〕。吉罗代执着地追求雕像蜕变瞬间的震撼力，便忽视了画面的动态本身。相较他先前的所有作品，这里的动态僵硬、乏味。他未能为这则神话找到妥善的表现形式，反将神话艺术创作的主题转化为反讽的批评，从而暴露了他本人衰退的艺术天赋。

## 藐视帝国的艺术英雄

诚然，《皮格马利翁和伽拉忒亚》的失败所蕴含的负面评判，不单指涉吉罗代。这个负面评判概括了古典主义的生存条件：曾经共享的社会隐喻，已撤离古代视觉形象的储备库。在接受索马里瓦委托的数年前，吉罗代已经完成事业生涯后期最自信、最创新的作品《开罗暴动》（*Revolt at Cairo*）【图2-13】，作为1810年沙龙的参展作品。作品的题材源自1798年的中东战役，与其早期作品描绘同一战争。吉罗代选择较不起眼的一个激战时刻：法军阵线迎战阿拉伯叛乱者的攻击。前景有一名法国军官，单独抵挡一队密集的叛乱分子。人数失衡这一原则，是依据格罗在《拿破仑视察雅法鼠疫病院》【图2-2】彰显的种族中心主义的爱国精神。然而，吉罗代所描绘的阿拉伯人，却并未搬抄格罗表现被征服者无可奈何的被动处境。他将画面右侧的一个阿拉伯人，塑造为雄壮的姿势，完美地呼应挥刀进攻的欧洲人。这个阿拉伯人呈现的英雄裸体，身上的每一个解剖学细节都传达出危难关头的竭力。

在激烈的战斗画面中，我们可以看出古典主义构图的基本架构，也可以看到吉罗代的创作既满足宣传鼓动的要求，也满足传统战争绘画的要求——英雄须经受实力相当对手的磨练。鉴于吉罗代似乎没有明显的政治异见，他把对传统的效忠摆在首位，打破了拿破仑时代战争绘画规范的种族等级体系。相比之下，索马里瓦等新发迹的客户所推崇的私人的、沉思的主题，则是代表古典主义传统的一种狭隘、较贫瘠的版本。在吉罗代看来，这种版本意味着灵感源泉的枯竭，只剩徒劳地追忆年轻时代的荣耀。

在19世纪20年代，大卫派古典主义雄心的最强大复兴，同样来自当代帝国题材所容许的边缘化可

神话为题绘制一幅作品，二人选择雕塑家皮格马利翁（Pygmalion）爱上自己塑造的女性雕像，祈求阿佛洛狄忒（Aphrodite）赐予雕像生命。吉罗代忠于曾经的直觉，在这个被反复描绘的题材里注入惊人的独特元素：捕捉无生命雕塑接受生命电流的瞬间。

这则故事通过逆转手法，让人自然而然想到恩底弥翁的传说。在恩底弥翁那里，一位女神如此地迷恋他，用神力令他丧失意识，赋予他永恒不变的美貌（犹如一件艺术品）；而在皮格马利翁这里，是一个凡人痴迷一尊雕像永恒的美，借用神力赋予它人类的肉体和意识。然而，吉罗代实则经过艰难的挣扎，才完成《皮格马利翁和伽拉忒亚》【图2-12】，迥异于他年轻时代所具有的笃定和才能。吉罗代主要在夜间的油灯下绘画，以避免白天访客的打扰。据传说，在长达6年的创作过程中，他三次抹去整幅画。《沉睡的恩底弥翁》的笔触肌理虽毫无起伏和接缝，画面却依然散发强大的震慑力。《皮格马利翁和伽拉忒亚》的

能性。这位复兴者是西奥多·热里科。在越发专业化的年轻艺术家中间，热里科属于通达脱俗、狂放不羁的局外人。他被视为第一个浪漫主义伟大画家，他作为艺术家的殊异的独特性和个性，都是无可争议的事实。然而，独特性本身只是一种特质，必须使用已有模型的零星碎片一点点地拼凑起来。因此，我们越是了解热里科以前的雄心勃勃的年轻艺术家，便会发现他的冲动和灵感也没什么独特之处。我们也会开始看到热里科如何为自己构造自传，在其时代再度上演艺术个性的神话。在商业化充斥的环境里，热里科设法以令人信服的方式复兴大革命时代的理想，即做一个有社会意识的独立艺术家，热切地渴望企及荣耀，淡泊金钱和利益。

在帝国时期，德鲁埃被推崇为大革命时代理想的典范。他的人生传奇，错误地将造成早熟艺术成就的客观境遇浓缩为一个不朽的神话——奇迹般的天才压倒所有艺术家。热里科拥有类似的经济和社会优势，但不似德鲁埃出身艺术名门。纵然如此，在1812

年和1814年，他效仿德鲁埃的传奇打造自己的志向。热里科如此坚定相信这份志向，以致不肯在基本技法方面花费心思。在卡尔·韦尔内（Carle Vernet）和盖兰的画室接受规定的短暂训练之后，他企图用自发的创造和出色的技巧代替精确的素描和构图（由于他的懒散，同学们给他起了"糕点师傅"的绰号）。热里科虽缺乏扎实的基本功训练，但他依然决定在1812年参加沙龙，展览一幅英雄肖像画《冲锋的轻骑兵》（*Charging Light Cavalryman*），又名《轻骑兵军官》（*Chasseur*）【图2-14】。这幅作品以出乎意料的方式展现艺术家力图表现心理和叙事的复杂性，尽管这种复杂性通常只能出现在人物众多的叙事绘画中。

热里科当时21岁，完全依靠个人的才智和资源，向1812年沙龙提交这件巨幅油画。这幅作品既是个人肖像画，也是战争绘画。迥异于先前帝国军队的骑兵肖像，热里科的主题人物迪厄多内中尉（Lieutenant Dieudonné）身份不明，实则是微不足道的无名氏。相形之下，先前以法国军队英勇事迹为题材表现英雄

图2-13：安-路易·吉罗代《开罗暴动》，1810年。布面油画，356厘米×500厘米

主义的绘画，都采用古典主义的传统塑造为个别人物英雄主义的潜能。在这幅画中，热里科的素描技能突破关键性的转捩，腾跃的马突然掉头，骑手的动作和眼神依然朝向左边。这一不协调的动作，利用身体和运动，甚至马的神情，传达骑手的行动和思想的内在复杂性。

热里科在定稿中笃定地表现了这些复杂性。然而，我们必须意识到，画面中骑手身体的表现力量和复杂性是隐含的，被转化为外在的表面对应，再在平面空间铺展开来。热里科使用强劲的笔触涂抹颜料，令画布表面出激荡的战斗场景。每个指示性的形式，都将观者的注意力转离人物的身躯。热里科构造细节，利用向外伸展的四肢和延伸的装饰，骚乱和明亮的氛围，来分散观者的注意。

或许可以说，华丽的现代军装紧裹着身体，不能暴露身体的解剖结构，并且这个题材原本就难以达到古典主义裸体作品的表现力。然而，骑手的紧身衣袖和长裤表明，热里科对人体的理解异常地平面化、图案化。形体和轮廓皆没有传达出骑手双腿夹马或手臂挥剑的力量。而最有效表现力量的细节，却被错位地置于四肢末端：踩马镫的皮靴，勒缰绳的紧攥的拳头。因此，这一事实大概不会让我们吃惊：热里科创作这幅作品之时，并未使用素描底稿，而是依赖于色彩速写。倘若一味地执着于素描底稿，或许不可能有这幅作品。

惊人的天才往往能弥补缺陷。《轻骑兵军官》的内在缺陷，便是艺术家的独特个性不可避免地烙印着社会性。换言之，历史上已存在的个性的烙印。热里科若要成就自己的个性，就必须先回应历史上的个性。由于他尚无能力以德鲁埃的技艺追媲其作品，《轻骑兵军官》的英雄身躯（作为德鲁埃作品的一种象征）被体现为一种缺席、一个非身体的存在。正是这种不可表现性，赋予这幅作品精彩的弥补式创新。

1814年见证拿破仑开始失去法国的统治权威，以及波旁家族在1815年滑铁卢战役后复辟以前的暂时复位。同年，当局匆匆决定举办一场沙龙，称颂君主

**图2-14：西奥多·热里科**《冲锋的轻骑兵》，又名《轻骑兵军官》，1812年。布面油画，349厘米 × 266厘米

**图2-15：西奥多·热里科**《受伤的重骑兵》（The Wounded Heavy Cavalryman），又名《重骑兵》（cuirassier），1812年。布面油画，358厘米 × 294厘米

制文化的复归，但遴选范围必须格外广放，以便收集足够的参展作品。热里科大肆利用这一时机，除《轻骑兵军官》以外，他准备提交能够赶制的任何作品。热里科的另一幅参展作品是《受伤的重骑兵》，又名《重骑兵》【图2-15】。在这里，他也运用巨幅单人形象吸引公众的视线，显然和前一作品在构思上是相匹配的。热里科在两幅作品之间构造近似叙事的对比，其用意可能是深化后一作品的效果，又为前一作品增添回响：明亮对比沉郁，攻击对比被动，骑马对比下马，强健对比受伤。前一作品的骑手和马仅靠一条紧绷、细长的马腿连接地面，后一作品则以重力为主宰。在所有对比当中，评论家最常指出的是：热里科创作这两幅作品的期间，拿破仑在俄罗斯雪地里经历运势逆转，惨遭失败，《重骑兵》正是源自这一事件。热里科的画作无疑可以容纳这种诠释，然而，在这两幅作品相对立的宏大修辞里，这只能是其中一种解读。热里科使用单个现代人物形象担负意味深长的传统职能——原本专属古典主义历史画的繁复的内在叙事，在他的作品中得到了开放性的诠释。

为了平衡这两幅作品，《重骑兵》也必须包括一匹马，因此，骑兵既须在地面站稳，又须拉紧马匹，从而他的身躯必须作出戏剧性的对立式平衡姿势。由于构图的限制，马的身躯透视被缩短了，许多评论者认为这是作品最失败之处。然而，相较热里科不能在关键部位传达行动力量，这一处缺陷似乎并不糟糕。重骑兵的关键部位也是包裹紧身服装，从而原本可以画同近似裸体的结构。重骑兵的大腿粗壮，却没有明确地描绘出内在的肌肉轮廓，从而不能表现足以令脚跟稳扎地面的力量，也不能传递足以平衡身躯俯冲的力量和马受惊的动态。最糟糕的是松弛的右臂，仅绘有敷衍的形状，让人无法看清手臂力量是如何传输到手腕，握紧马缰绳的。

所有这些技术失败，最终都淹没在画面那些精彩非凡之处：构思大胆而开阔，与先前的作品构成复杂的辩证对立。年轻的热里科在沙龙大型油画的最后历史时刻热衷这一画种，愈发为这两幅作品增添冲击力。绘制巨幅油画的挑战和压力让他得到磨炼，尽管整个过程可能很痛苦。政府拒绝购买他的作品，热里科迫不得已，只能将它们带回画室，他难以承受整日看到失败的作品，便将之收存入库。

## 从挫折中振作

1816年，经受失败的教训之后，热里科专心致志地争取罗马奖，去追补学生时代拒绝接受的传统训练。可想而知，他在比赛最后阶段落选。于是他又依靠自己的资源，前往佛罗伦萨、罗马、那不勒斯（Naples），全身心地投入到古典主义素描和裸体绘画的基本训练。

次年，他回到巴黎，自觉有能力挑战最高的多重人物叙事绘画。然而，自他离开以来，这一画种的题材范围经历相当大的变化。在欧洲各国盟军的协助之下，波旁王朝的复辟已经稳固。相应地，艺术上也流行歌颂王室和反革命的传统标志。路易斯·赫尔森便是积极响应这一潮流的艺术家，他与盖兰同辈，也曾是勒尼奥的学生。在事业生涯早期，赫尔森便已摒弃所训练的古典主义，转向更生动的题材。为了歌颂新登基的国王路易十八（Louis XVIII），他采用18世纪风俗画的风格，以感伤的笔调描绘路易十六（路易十八的兄长）在1788年的艰苦冬季向穷人派发施舍【图2-16】。保守派评论家滔滔不绝地讲述，路易十六经常乔装到凡尔赛宫附近街区，向穷人施舍，并将赫尔森所描绘的感伤形象比拟为普施恩泽的古代统治者图拉真（Trajan）、提图斯（Titus）、马可·奥勒留（Marcus Aurelius）。

在法国旺代（Vendéen）地区，热里科看到，政府也挪用英雄人物单独作战的绘画，用以称颂极端天主教徒和保皇派领袖抵制大革命的事迹。1816年，6位艺术家接到这类委托项目。盖兰一贯富有强烈的进取心，最早完成肖像画《亨利·德拉·罗切杰莱因》（*Henri de la Rochejaquelein*）【图2-17】。次年，这幅作品在沙龙展览。共和党人歌颂战场上个人勇气的绘画习俗，只需更换标志性的配饰（诸如保皇派的白旗，胸前佩戴的神圣心形徽章），便能自如地表现相反的对象，让人看了不由得感到震惊。旺代的"将军"是画中出身最高贵者，其余配角大多是投机的土匪。罗切杰莱因死于1794年，据其辩护者的叙述，他仁慈地对待一伙共和党人，却被这些诡计多端的敌人谋害。盖兰将他的姿态和容貌，赋予古典年轻武士特有优雅和镇静，以便着重强调其自我牺牲的精神和与生俱来的高贵。

投机的风格转化竟能如此轻易，（正如其他因素）将大卫所奠定的人物绘画准则的道德威严消耗殆尽。纵是在大卫传统里长期浸润的艺术家，此时也随手拾

图2-16：路易斯·赫尔森《路易十六向穷人施舍》（*Louis XVI Distributing Alms to the Poor*），1817年。布面油画，171厘米×227厘米

起其他风格。热拉尔以巨幅历史画《亨利四世凯旋进入巴黎》（*Entry of Henry IV into Paris*）【图2-18】欢迎波旁家族归返巴黎。这幅作品描绘17世纪的国王亨利四世（Henrry IV）进入巴黎，全民和巴黎市领袖前来热烈迎接的场面。亨利四世是波旁王朝创始人，即便在大革命时期，他依然被推崇为品德高尚的国王，关怀人民疾苦，可惜后继的统治者都彻底偏离他的榜样。巴黎人民欢迎亨利四世进城，象征着他正式登基，终结法国长期内战的恐惧时期。因此，在某种意义上，相比赫尔森，热拉尔所选择的题材更为审慎，因为这个历史前例更精确、更强大，并能让新政府逆转曾经指向君主制的批评潮流。与此同时，热拉尔发挥历史主义的潜能，采用安格尔所开启的传统，但规避安格尔的做作和隐晦的倾向。他的《亨利四世凯旋进入巴黎》用精湛的技艺，让人联想到绝对王权开创时代擅画隆重盛典的经典大师，譬如彼得·保罗·鲁本斯，他们的画面充满生机盎然的壮丽、多样

化的陪衬人物、奢华的服饰、繁复的细节和色彩。

此时，热拉尔和吉罗代重新展开二人之间长期的竞争，而今是争夺旧制度所设的宫廷首席画家职位。在这场竞争里，热拉尔自然轻易胜出，因为他不介意使用神话题材恢复古典主义绘画的权威。他的《亨利四世凯旋进入巴黎》为历史题材开创了综合风格，强调服饰和隆重的场面。19世纪20年代，有一群年轻艺术家积极地沿袭他的模式，这些画家就是属于当时被称为"浪漫主义艺术家"的群体，而不是热里科或德拉克洛瓦。这一群体包括公开自称自由派的画家阿里·谢弗（Ary Scheffer，1795—1858年）、霍勒斯·韦尔内，也包括沉默的保皇派。年轻的韦尔内是热里科的朋友，他将热拉尔的综合风格用于歌颂帝国军队在巴黎城门抵抗盟军，譬如《克利希的城门》（*City Gate at Clichy*）【图2-19】，也用于表现革命派军队的战斗功绩，譬如《热马普战役》（*Battle of Jemappes*，1822年）。

韵尔内的画室成为热闹的社交圈，吸引年轻、心怀不满的前军官和艺术家，他们厌倦或抵制新复辟的王朝（韵尔内为这个群体绘制了一幅群像，其中充满圈内的笑话，将艺术创作等同于击剑和骑术）。热里科在这个圈子里感到非常舒适，只是他不能以那种满不在乎的态度对待艺术。他原是半吊子，而今却开始试图——也许在同代中间孤身一人——学习绘画基本技术之时，给形式的价值注入共和国时期所赋有的道德意味。

热里科已经娴熟地掌握古典主义传统的素描技术。对于一个基本靠自学的艺术家来说，这个成就值得双倍的称赏。鉴于周遭沮丧的氛围，他的难题在于寻找适宜的题材，足以承载他远大的抱负。热里科在罗马绘制的素描，表明他对战斗场景和夸张戏剧的兴趣极易转化为暴力和伤害的个人幻想。回到巴黎后，有一则新闻立刻吸引了他的注意：新闻报道了外省有个名叫弗阿尔台斯（Fualdès）的自由派军官被谋杀，报道充满怪诞的细节，诸如阴谋、易装、仪式化的谋杀手段。热里科以此为题材，勾勒一系列素描，但随即放弃进一步创作油画，因为他发现另一个更适宜的题材。这个事件便是1816年护卫舰梅杜萨号在西非海岸遭遇海难【图2-20、图2-21】。这一事件充满恐惧和苦难，富有更清晰的社会意义。

图2-17：皮埃尔-纳西斯·盖兰《亨利·德拉·罗切杰莱因》，1817年。布面油画，216厘米×142厘米

图2-18：弗朗索瓦·热拉尔《亨利四世凯旋进入巴黎》，1817年。布面油画，510厘米×958厘米

图 2-19：霍勒斯·韦尔内《克利希的城门》，1820年。布面油画，97.5厘米×130.5厘米

灾难幸存者的故事，有着热里科所希冀的古典主义壮丽。由于指挥无能，这支旗舰小分队在著名的阿尔金（Arguin）岩石礁浅滩搁浅。旗舰的指挥是一名流亡归国的贵族，拒不听取手下经验丰富的海军军官建议。由于享有特权的贵族征用了为数不多的救生艇，余下人员只能用桅杆和船梁捆成一张木筏。大约有150名船员和水兵挤在这个岌岌可危的漏水木筏上。空间狭隘，人们只能拥挤地站立，木筏载负沉重，海水已淹没他们的腰际。

救生艇上的军官们（包括残忍暴躁的塞内加尔总督）随即意识到这个木筏拖累他们，航速如同爬行。他们切掉缆绳，任木筏听天由命。接着，木筏上被遗弃的人们遭遇了一场风暴，绝望得神志失常，做出各种可怕行为。被遗弃的6天里，纷争伤亡，再加上很多人或意外或自愿坠落波涛，筏上残余不到30人。

然后，存活者开始咬食筏上的尸首。一伙最强壮、头脑最清晰的人，包括旗舰的外科医生萨维尼（Savigny），组织蓄意谋杀，弄死濒临死亡的人，以便增加可怜的食物供应，这一行径愈发增添木筏上的恐怖。在最后的可能时刻，一艘巡逻艇偶然经过，看到

这个木筏，这些消瘦的幸存者被带到法属塞内加尔的首都。另有5人在当地死去，只有10人最终返回法国。

这次事件的细节能够变成众所周知的故事，纯粹是因为萨维尼写了一份机密报告，向上司开脱自己的行为，而政府内部有人憎恨海军部长，尤其是部长排挤经验丰富的前帝国将领的政策，便将这份绝密文件泄露给新闻媒体。受到抨击的海军指挥部，只能拿报告坏消息的人（萨维尼）出气。萨维尼为了证明自己的无辜，便撰写一本书［与另一位新近自非洲归国的幸存者柯瑞亚（Corréard）合写］，将这次海难公诸于世。萨维尼和柯瑞亚所发起的运动，得到韦尔内圈子的热烈支持，因为这个群体对复辟王朝也怀蓄深切的仇恨。热里科抓住这一题材，既是因为被这些事件吸引，也是因为他想为萨维尼和柯瑞亚担保其叙事的真实性。

诚然，他们的叙述并非无可置疑。塞内加尔的总督和海军当局随即回应，指出萨维尼须担负首要责任，蓄意谋杀船员作为食物，以便让自己和同伙存活（木筏上唯一的女性，原是旗舰食堂的服务员，她大腿受伤，被他们杀死）。据传说，热里科热衷于收集

遇难者所遭受的痛苦，亲自到医院探望垂死者，描绘怪异恐怖、栩栩如生的习作，譬如用割断的头颅和四肢【图2-22】象征木筏，因为它已然成为肢解尸体的存骸所。他选择这场史上最恐怖事件的两个场景，绘制了两幅构图习作：一幅以叛乱为主题，另一幅以随后的食人为主题【图2-20】。然而，热里科的雄心壮志——以他自己的方式实现大卫历史画所臻及的壮丽——碰巧契合木筏幸存者所诉求的道德无辜。为了顾全人性的净化版契约，热里科完全不触及幸存者名誉受损的事实，并用他们自己的苦难弥补同类相食的过错，让他们孤立无援地凭借本身的力量获得救赎。他选择木筏上的人最初望见巡逻艇的焦灼时刻，木筏上的人最后一次聚集起来，一同努力吸引巡逻艇的注意，如同格罗的《拿破仑视察雅法鼠疫病院》【图2-2】的疫病患者，突然内心迸发力量，站起身亲自承担救赎的任务，努力伸手触摸拿破仑。

图2-20上：**西奥多·热里科**《梅杜萨之筏的绝望与同类相食》，1818年。米色纸张、黑色铅笔、棕色墨水，白色水粉颜料涂高光，28厘米×38厘米

图2-21：**西奥多·热里科**《梅杜萨之筏》，1819年。布面油画，490.2厘米×716.3厘米

图2-22：西奥多·热里科《截断的四肢》，1817—1819年。布面油画，52厘米64厘米

尚画种的礼节，通常要求人们站在远处，从而能够清晰地纵览整体，局部的细节则恰如其分地降为次要。热里科虽以传统所要求的宏大、笼统的笔触描绘《梅杜萨之筏》的人体，然而，他及其好友们都准确地看出，当这幅作品与观者相距遥远之时，画面的力量随之消逝。在构图之时，热里科力图将画中的人物推进观者的私人空间，人体似乎溢出画面。如果失去这些近在眼前的重要细节，观者便不能切身感受画中的戏剧性。今日，卢浮宫便将此画摆在墙壁较低的位置。

《梅杜萨之筏》的矛盾便在于巨大的尺寸，但画面的效果又要求亲密接触，而这通常是架上绘画的特征。昏迷的年轻人摊开的手掌，流露令人揪心的感染力，其感伤的诉求强烈地吸引观者的注意，一旦人们顺从它的诉求，便会抛弃原本观看这幅作品的冷漠视角。一连串交织的身躯，混合了欧洲和非洲的人种，如同构成单独一具人体，正处于蜕变状态。这具身体的内在生命力，从左边的无生命群体，跃向对面，朝上升起，穿过画面中心抵达金字塔尖疯狂地挥手召唤的群体，在这组人物身上，内在生命力被重新点燃并转化为狂喜的活力。只有一具永不会苏醒的身体倒在这组统一动态的斜对面。而统一行动复苏了这具"集体"身体的肉身和道德，传递给木筏上19名垂死的个人。因此，尽管这幅作品是作为公共艺术家的创作，热里科依然没有摆脱单个英雄人物肖像画。热里科通过《梅杜萨之筏》深具灵感的反常主题和尺寸，用历史画重新塑造历史叙事，将绘画推至宏观的极端，企图借此使用普遍化、富有表现力的人物制造矛盾的亲密感。

必须了解的是，这幅《梅杜萨之筏》将主题表达为一种理念，而不是依据任何新闻报道。如果热里科想要略微地忠于事实，那么人物的身体应当枯槁，布满重度晒伤、脓肿、伤痕。相反地，热里科利用这个机会，施展他在罗马游学期间所掌握的表现男性运动员裸体的精湛技艺，并以大于真人的尺寸描绘人体，这极为挑战素描功底。他增添了人物，包括3名黑人，用来平衡构图。那个失去知觉、倒在中年男性保护者腿上的年轻人，犹如吉罗代、布洛克和盖兰的画中走出来的希腊美少年。这幅作品是一种复杂的混合，融合了超传统（画面中心的裸体人物安排为金字塔形）与出乎意料（漆黑海面，以当代、近乎无名的遇难者为主角）。然而，这幅作品最惊人的吊诡问题可能是这一宏大叙事究竟在多大程度上涉及画中的众多人物。热里科的早期作品便已呈现这个棘手的问题，在年轻时代痴迷孤立的英雄之时，他也未能解决叙事和人物之间的断裂。

热里科在1819年沙龙展览《梅杜萨之筏》的方式给他带来灾难性后果。并且，这次事件也体现了这幅作品的双重特征。他发现策展方将其作品挂在墙壁下方，便决定将它挪移，高高悬挂在卢浮宫大展厅的入口处。然而，亲自监督将作品挂到半空之时，热里科意识到自己犯下一个严重错误。他先前不假思索地认为，似这般尺寸慑人的历史画，自然应当挂在半空：最高画种的定义便是广阔的效果和视野。观赏这一高

## 罪孽的惩罚

在《梅杜萨之筏》公开展览之时，这桩丑闻已发挥了其作用：旗舰船长蒙羞，总督和海军部长被撤职。新法令指示，曾服役于帝国的军人也可享有军衔。国王亲口承认原先的排斥政策损害国家利益。热里科认为他的作品促动改革的事件，政府必定会出资购买。然而，他的希望再次落空，皇家学院虽给予高度评价，并颁给他一枚奖章（尽管传言否认这一事实）。但未能在法国境内找到愿意收藏这幅作品的顾客，感到彻底地失望。

热里科的身心原就虚弱，再加上骑马受伤，病况日益恶化，致使他在1824年早逝，年仅33岁。他虽筹划绘制新的历史画（公然采用自由民主的题材，譬如

奴隶贸易的邪恶），但他有心无力，只能创作较小的
作品。然而，纵是在小型作品里，热里科也展现了非
凡的创造力，足以媲美他提交沙龙的巨作。在英国逗
留期间，他收取门票展览《梅杜萨之筏》，获得相当
大的成功。与此同时，他在英国学习、尝试素描和版
画印刷。热里科使用石刻版画这一新颖的媒介制作印
刷品，面向更广大的受众纪录平民生活场景和状态，
譬如劳动、运动、残疾、嗜酒、赤贫、公开绞刑【图
2-23】。在热里科最重视的媒介里，他也开始表现类
似的同情，绘制了5幅极其卓越的肖像画【图2-24】，
可谓是前所未有的作品。

　　这组绘画现被称为"疯子肖像"，原本约有10幅。
由于这些肖像画在热里科逝世近20年后才被发现，我
们只知是在《梅杜萨之筏》之后创作的。有证据表明，
热里科曾在开明的医学圈接受精神病治疗，采用开创
性的人性疗法。当时，法国精神病学提出现代保健疗
法，视心理疾病为正常人生的一部分。有一种观点甚
至将精神失常视为现代贵族的特征，因为个人的思想
和情感，在大革命的民主里自由解放，解放至心灵不
能承受的极端。

　　热里科的这些幸存的肖像画，表达了客观性的同
情，颇符合这种新兴的科学态度。根据19世纪晚期的
发现，每幅肖像代表一种特定的心理疾病，用现代术
语来说，便是一种"单狂"。每个病人都依据当时肖
像画的传统，尤其在服饰方面体现简单的尊严，运用
大卫在大革命时期为肖像画（自画像）发展的技法。
在每一张脸上，热里科用惊人的简约和灵活的技法，
表现肖像表面之下的肌肉、脂肪、骨骼。技法出乎意
料地多样化，没有一幅画像使用相同的技法。

　　在每一幅肖像里，观者既看到一个独特的个人，
也看到不带个人色彩、客观的人类条件的隐约痕迹。
每一幅画像都会激发观者在某种程度上反思：关于他
者的知识，究竟在何种程度上必然导致个人与客观条
件之间易变的交集。这组肖像画以其独特的方式满足
了热里科在公共艺术作品中所追求的单个人物的崇高
和复杂性格。《梅杜萨之筏》以宏大场面诉诸于亲密
的触动，这组肖像画则采用相反的手段，以局促、平
常的方式描绘孤立的人，又能利用直接描绘、谦逊地
悬置判断，让观者意识到这些小型肖像画所包含的心
理事件，足可比拟巨幅历史画的叙事。

　　这组小型肖像画力图体现《梅杜萨之筏》的英雄

主义所蕴含的一层意义：英雄题材不一定能在现实世
界发挥实际作用，但可以彰显对强力的抗拒，而那些
强力只会压制孤立、微弱的个人。我们可以用两种极
端的方式观看这些主题，既可认清威胁个人的生存条
件，又可认同充满敌意的外部世界所造成的极端的心
理状态。欧仁·德拉克洛瓦在年轻时代的作品，属于
19世纪20年代最赋创新的历史画，便是在这两种极端
里选择了后者。

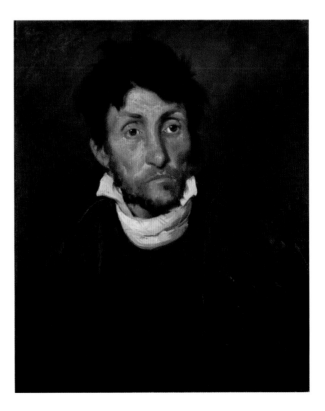

类似大卫圈内的艺术家们，热里科和德拉克洛瓦有着友谊和竞争相交融的深刻关系。德拉克洛瓦也在盖兰的画室接受早期训练。1817年，两人在画室相识。《梅杜萨之筏》左侧前景倒卧的男子，便是以德拉克洛瓦为模特。热里科得到耶稣圣心堂的政府委托之时，私下把项目转让给这位年轻的依附者，德拉克洛瓦为此深为感激。然而，年轻的德拉克洛瓦踌躇满志，很快便不甘于绘制这类常规作品。他逼迫自己完成一幅大型油画，提交1822年沙龙，而不是按常规参加罗马奖比赛。他的《但丁和维吉尔同舟共渡冥河》【图2-25】是一幅惊人的原创作品，以文学为主题，描绘了两位诗人穿渡第五层地狱周围的沼泽的情景。

德拉克洛瓦的首件沙龙参展作品表明他意欲在传统机构外汲取意大利文化。热里科曾经只是推迟前往意大利的瞻仰之旅，德拉克洛瓦则彻底放弃那条曾被视为任何有志气的画家必经的道路（日后，他跟随法国殖民扩张队伍前往奇异的北非，聊作朝圣之旅的替代）。作为最高画种，历史画要求艺术家具有高度的知性和技术能力，于是，德拉克洛瓦采用其他方式加以弥补，其中一个方式便是诉诸于《神曲》（*Divine Comedy*）。就培养崇高的文学品位而言，相较法国古典主义的文化遗产，当时更推崇欧洲其他诗歌传统，也就是说，法国人认为但丁、莎士比亚、歌德（Goethe）、拜伦（Byron）、拉辛、伏尔泰（Voltaire）比本国作家更伟大。在19世纪20年代，德拉克洛瓦相继以三位外国作家的文学作品为题材创作。

在为文学寻找适当的绘画风格之时，德拉克洛瓦将目光投向近在眼前的资源——热里科的《梅杜萨之筏》。事实上，他在19世纪20年代的几乎所有作品或多或少地思索与借鉴了前辈的这幅作品。在他看来，《梅杜萨之筏》凝聚与过滤了历史画的整个传统。但丁在作品中讲述船驶过宁静、薄雾笼罩的沼泽，德拉克洛瓦却选择将船置于凶险的海面。他利用《地狱篇》（*Infeno*），试图让观众将梅杜萨号幸存者的苦难和罪孽等同于冥界的惩罚。罪人的亡灵紧抓着船板，让人直接联想到《梅杜萨之筏》中的木筏边缘垂挂的尸体，呈现出吞噬一切的饥饿感。德拉克洛瓦也利用人体构造的平台打造金字塔构图，诗人维吉尔的手势构成塔尖，指向遥远的地平线。

如果说德拉克洛瓦的作品缺乏《梅杜萨之筏》驶向深处的动态，这一事实或许可以用两位艺术家处于不同的技术发展阶段来解释。在简约的色彩和洗练的笔触、压缩的空间、表面图式方面，德拉克洛瓦的《但丁和维吉尔同舟共渡冥河》体现了热里科的《轻骑兵军官》【图2-14】所具有的一些特征。每当素描基本功不济之时，德拉克洛瓦便通过强调肌理，刻画引人注目的繁复细节和表面效果等努力加以弥补。然而，迥异于他的导师热里科，德拉克洛瓦将终生停留在这个阶段，放弃追求统一的绘画语言，即组织最复杂的叙事绘画结构的能力。

若要理解浪漫主义的精髓，便须先知道一个要点，那就是德拉克洛瓦的绘画风格代表18世纪90年代及此前所有艺术发展的自然结果。当罗马的法国皇家艺术学院在战时关闭，大革命时代的沙龙撤销参展作品的古老限制之时，盖兰和热拉尔奠定了在沙龙尽早成名的画家范式。他们能够抓住时机早早地成名，为大卫的理念——艺术家是自创的道德典范——添赋尊严，涤净艺术家的工匠气。这一衍化转而使得似年轻的热里科这样半贵族业余爱好者可以不失身份地从事绘画。鉴于正规训练和社会环境在热里科的艺术成长过程中扮演最细微的角色，下一步的演变必然是彻底超越束缚的学科规范（罗马奖便是这一规范的化身），包括被严格控制的创作步骤和程序，接受反复评审的羞辱，数年恭顺地服从学院的体系。

热里科很快就意识到这样的规避须付出高昂的代价，但德拉克洛瓦愿意付出代价。如此之下，德拉克洛瓦没有太多能够依赖的程序，实践知识储备极为有限。那些曾在意大利的杰作堆里耐心观摩的艺术家们则是经过数年训练，积累了无数程式和实践知识，甚至将之摄入潜意识。但凡志向远大的画家，尚不敢放弃传统所要求的知识和崇高的思想，但而今只能靠个人的有限资源去掌握这些修养。此外，当时的市场面临沉重的压力，极需涌现新作。这便意味着导致快捷、有成本效益的创作。新型艺术家的资格，不再经由任何机构的评审，而必须在公共场所接受大众的检验和认可。每幅大型绘画，就是一个隆重的练习，其最紧迫的任务是融合熟悉和新奇的效果，最大可能地吸引公众的注意。

德拉克洛瓦的《但丁和维吉尔同舟共渡冥河》【图2-25】尺寸较小，却达到几乎所有要求。参加1824年沙龙时，他利用这幅作品的成功，进一步施展才能，绘制巨作《希阿岛屠杀》（*Massacre at Scio*）

图2-25：欧仁·德拉克
洛瓦《但丁和维吉尔
同舟共渡冥河》，1822
年。布面油画，189厘
米×246厘米

【图2-26】。这幅作品的题材源自新近历史事件，表现希腊脱离奥斯曼土耳其的独立战争。这场独立战争始于1821年，持续近10年。英国诗人拜伦参军的著名事迹便是在这场战争中。希腊的独立事业，也让心有忿怨的法国自由派受到鼓舞而聚集起来，他们不堪忍受查理十世的强硬政权，但又缺乏具体实用的抵抗手段。由于法国政府须遵守神圣同盟的条约，支持土耳其人，自由派便能安全地自视为西方文明价值的捍卫者，公开反对残酷的东方专制统治。

大约两年前，希阿岛（Chios，传说是荷马的故乡、希腊文明的摇篮）的居民面临一场残酷的战争，遭到土耳其军队的报复性攻击，城市彻底摧毁，居民或被屠杀，或被贩卖为奴。作为绘画题材，这一事件契合《梅杜萨之筏》以及热里科晚年未曾实现的构思，即奴隶贸易的受害者、1820年民主起义所释放的西班牙宗教法庭的囚犯。在热里科逝世那年，德拉克洛瓦创作了这幅作品，向热里科表达敬意——并宣称继承其传统；《希阿岛屠杀》描绘了集体殉难的拥挤场景，死者和垂死者的身体安排为倾斜的金字塔构

图，映衬着海面清晰耀眼的天际线。

然而，画家直接参考《梅杜萨之筏》，未曾花费同等的心思掌握题材，也未曾在摸索构图的过程中经历漫长的尝试和错误，从而必定会面临其他的一些难题。《希阿岛屠杀》彰显了这些问题。德拉克洛瓦笨拙地垂直放置画中的主要群体，然后又不知如何处理画面上方大片空间，便用填充物敷衍过去。沙龙批评家们几乎一致同意，这幅作品缺乏实际行动的视觉焦点，观者的注意力被分散到各个孤立的小群体。然而，这些群体组织都可以看作是瘟疫和灾难的通用象征，从而难以在观者心里激发憎恨土耳其人的愤怒。

如果要为《希阿岛屠杀》作出正面辩护，或许可以说这个混乱的画面反映了当时法国的希腊之友（philhellene）的混乱情绪。德拉克洛瓦所运用的典型形象，都是这场屠杀在当时新闻报道和文学作品里的常见描述。支持希腊的言论和注入地中海东部民族服饰的潮流元素，则通常偏离战争的主题，转变为对土耳其人强健的体格和奇异华美的服饰的称赏与羡慕。对于自己所歌颂的希腊人民，德拉克洛瓦及其友人

图 2-26：欧仁·德拉克洛瓦《希阿岛屠杀》，1824年。布面油画，417.2厘米 × 354厘米

了解甚少。正如后世与其他国家受挫不满的自由派人士，德拉克洛瓦等人歌颂远方殖民地的抗战，在想象里自我认同，用以取代他们不能在本国展开的斗争。然而，在不明确的政治动机层面，《希阿岛屠杀》本身不可能魔法般地提供画面所缺乏的连贯性。

## 暴君的自尽

德拉克洛瓦的《希阿岛屠杀》在沙龙遭到冷遇。同年，长期侨居意大利的安格尔返回巴黎，终于获得得姗姗来迟的认可和展览的成功。过去四年间，他辛勤地为故乡蒙托邦（Montauban）的大教堂绘制一幅大型油画《路易十三的誓言》（*Vow of Louis XIII*）【图2-27】。作品的主题融合常见的虔诚母题（圣母与圣子）与极端保皇派的历史主义，也即路易十三（Louis XIII）宣誓的场景。在这幅画里，17世纪的国王所占据的位置，通常专为膜拜的圣徒保留。画中所指涉的誓言，便是路易十三将王国献给圣母，换取神圣的援助，以便击败法国新教徒。

在这幅作品里，安格尔将反复演练的历史画技法进行极端的应用，施展出惯有的精确的专业水准。自1820年以来，他大多在佛罗伦萨度过，对于画面中心的宗教母题，他毫不掩饰地综合与模仿拉斐尔的版本。因此，《路易十三的誓言》就是一种不固定的部分和程度不一的虚构的串联。圣母和圣子貌似是幻象，或者是不可见的神圣存在，画中的实际效果却似膜拜已知的艺术作品，一种物质的再现既被崇拜，又被诉求。

掀起的帷幕则暗示揭开俗世或者舞台场景的边界。这幅作品逆转了皇室顾主与艺术家之间的旧关系，神授的王权在画家天才的作品中寻到了正式的认可。

所有这些特征都不曾妨碍这幅作品得到最热情的官方欢迎。弗朗索瓦-约瑟夫·海姆（François-Joseph Heim）有一幅作品，描绘查理十世在1824年沙龙上颁布奖章。在这幅画中，安格尔的《路易十三的誓言》直接地放置在国王形象的上方。正如热拉尔以《亨利四世凯旋进入巴黎》【图2-18】所传达的意图——波旁王朝复辟后的外在形式，完全仰仗外国力量的支撑，并且势必只能是对过去辉煌时代的戏剧表演。最刻苦、最勤恳地迎合王朝需求的艺术家，最终却创作出最能揭示王室的肤浅和虚假的深刻作品。在拿破仑的统治之下，安格尔屡经挫折，因为这位皇帝自以为融汇古今的统治形式，创造了一种新政体。在复辟王朝的手下，安格尔的直觉没有失误。他继续创作，为新建的皇家博物馆绘制巨幅寓言画《荷马的神化》【图2-28】。这幅作品以著名的僵化手法，将苛严的文化谱系从路易十四时代的法国古典主义追溯至文艺复兴盛期、伯里克利时代的雅典，一直回到古希腊文化的纯粹源泉。

当时的批评家依然沿袭大革命时期的审美习惯，企图拿道德和政治意蕴表述艺术家的风格选择。在类似这样的诠释中间，有一种版本被现今的论述反复引用。这一批评版本将安格尔倒退的保守风格与德拉克洛瓦的具有暗示意味的色彩主义自由风格相比较。然而，德拉克洛瓦也可轻易改换角色，转而支持占统治地位的社会秩序。在1827年沙龙上，欧仁·德弗里亚（Eugène Devéria，1805—1865年）的《亨利四世诞生》（*Birth of Henry IV*）【图2-29】获得官方赏识。这幅作品以炫耀式的夸张笔法、鲜亮的色彩、新颖繁复的细节，描绘了王室的盛典。于是，批评家们推导结论说，这是批评皇权婴孩化，并认为这一批判手法始于安格尔在1817年创作的《亨利四世接待西班牙大使》（*Henrry IV Receiving the Spanish Ambassador*），这幅小型壁橱画采用法兰德斯微型画的精致风格。

沙龙展览的成功，为德弗里亚带来无数荣誉和委托项目，一时被推为"浪漫主义"画派的领袖。这一事实印证许多共和派人士的观点，他们认为这种激烈的技法，强调色彩而非线条，代表法国人的怯懦，是不爱国地接受英国人的风格，尤其是托马斯·劳伦斯（Thomas Lawrence）的风格。在他们看来，浪漫主义风格象征着可憎的神圣联盟，背叛了共和国与帝国时代法国画家的辉煌成就——他们的成就曾被视为法国军队的征服，激发欧洲各国艺术家争相效仿。这个党派的观点与反对权威的另一新流派，都有庞大的追随队伍，正如希腊的独立战争。然而，由于前者缺乏领袖艺术家，从而致命地削弱了其力量。安格尔则是活生生的反驳论据，他拒不否定共和派与古典主义的任何关联。纵是大卫本人，自1815年以来流亡布鲁塞尔，专心创作肖像画和以希腊神话为题材的隐晦绘画。1824年吉罗代逝世之时，古典主义阵营借哀悼的机会，发泄失意感。葬礼队伍浩浩荡荡，格罗挤出人群，泪流满面地站在墓前，发表未经事先安排的致歉演讲，请死者原谅自己曾经抛弃准确素描的真正道

路，肤浅地满足于鲜艳的色彩和泼洒颜料的快意。

自19世纪20年代早期以来，格罗力图信守誓言，但他虽已恢复昔日的忠诚，再度追求清晰的轮廓和古老的主题，却难以纠正已广为流传的观念——大卫的风格是现代艺术家的桎梏，重归这一传统注定是失败。格罗的作品只能得到贬谤，再加上他日益感到挫败，终于在1835年自尽。1827年，德拉克洛瓦以自尽为主题创作《萨达纳帕尔之死》（*Death of Sardanapalus*）【图2-31】，挑战安格尔和德弗里亚的风格。在这幅作品里，复辟时代后期艺术创作的绝望，被德拉克洛瓦以强大的想象形式表现出来。

就官方和批评的回应而言，德拉克洛瓦的挑战显然没有奏效。就艺术家的才能而言，这幅作品将死亡与摧毁的拥挤场面描绘为条理清晰的宣言陈述，确凿无疑地展现德拉克洛瓦较3年前创作《希阿岛屠杀》之时有了卓越的进步。在这里，他的作品仅在文学而不是传记方面指涉拜伦。1821年，拜伦以亚述末代国王萨达纳帕尔（Sardanapalus）宁可自尽而绝不投降的故事创作一部韵诗。稍后时期，这部诗歌被译成法语，并在巴黎舞台上演。创作这一主题之时，德拉克洛瓦愈发增大创作难度，夸大故事所隐含的虚无主义。拜伦诗中的英雄，死后只有一名爱妾陪伴，她自愿赴死，分享他的命运。德拉克洛瓦援引古代的传说，将萨达纳帕尔描绘为淫荡的魔兽。庞大的火葬柴堆正在点燃，国王则慵懒地倚在榻上，观看士兵们执行他的旨意，摧毁他的珍宝和后宫女人。

在这里，德拉克洛瓦在借鉴、同化热里科的《梅杜萨之筏》之时，彻底地颠倒其含意。在倾斜的金字塔顶，不再是卑微的伸手拯救同伴的黑人，而是手握至高权力的统治者，极度傲慢、心思内敛，下令处死身边的每个人。模糊的画面空间，实则是艺术家所构想的混乱和骚动的外化形式，十分吻合最基本的构图。这幅作品的批评者曾说，如果遮盖右侧空白的床角，整幅构图便会沦为杂乱无章的堆垒。同样的道理也适于画中四处散落的引人注目的细节与始终鲜明浓烈的色调，巧妙地混淆鲜血和火焰，愈发增强了幽闭恐怖的威胁。德拉克洛瓦摒弃所有妥协，不再重提大卫在过往时代所倡导的公共价值，也拒绝顺从当前的保皇派。在社会协议崩溃的时代，德拉克洛瓦以自己的方式成为历史画家。

在随后发表的一篇文章里，德拉克洛瓦谈及米开朗基罗。据传说，米开朗基罗在事业生涯早期备受顾客的冷落，几乎放弃艺术。在人生的晚年，德拉克洛瓦为米开朗基罗创作了一幅绘画作品，呈现雕塑家闲

图2-28：让-奥古斯特·多米尼克·安格尔《荷马的神化》，1827年。布面油画，386厘米×515.6厘米

散地倚坐着，周围拥簇着他的作品，凿刀丢在工作室地上。德拉克洛瓦使用早年描绘萨达纳帕尔的特征和姿态塑造米开朗基罗，清晰地传达这样一种理念：统治者摧毁性的绝望，便是艺术家的生存条件。

在《萨达纳帕尔之死》中，德拉克洛瓦夸张地表现出徒劳的挣扎，女性完全被视为性占有的对象，针对她们的暴力被作为了画面最重要的场景。遗憾的是，我们不得不承认，正是艺术家身处社会的性别歧视，滋养这类极端的性幻想。纵使这幅作品提出一个完整的宣言，那也只是代表艺术家在探索可能性之时呈现的暂时的迟疑态度。正如大卫从《荷拉斯三兄弟在父亲手下宣誓》转换到《刀斧手送回布鲁图斯众子的尸体》，德拉克洛瓦有能力做得更好，即便是置身于他永不会质疑的男权主义预设。同年（1827年），他回归希腊独立战争的题材，重新思考团结精神，并将其浓缩为单独一个巨人形像：希腊的拟人形象，站在迈索隆吉翁（拜伦逝世的地点）废墟上，无言地祈求西方世界的援助【图2-32】。1826年，这座城市再度遭到土耳其攻击。敌军来势凶猛，城市捍卫者无力抵挡，便将自己连同城墙一起炸毁，宁死不肯投降。这个事迹再次激发西方世界响起支持希腊独立的号召，德拉克洛瓦仅用3个月时间就完成了这幅大型绘画。

图2-29上：欧仁·德弗里亚《亨利四世诞生》，1827年。布面油画，484厘米×392厘米

图2-30：让·奥古斯特·安格尔《亨利四世接待西班牙大使》，1817年。布面油画，99.1厘米×125厘米

图2-31：欧仁·德拉克洛瓦《萨达纳帕尔之死》，1827年。
布面油画，395厘米 × 495厘米

迈索隆吉翁的捍卫者悲惨地集体自尽，终结城市的围困。相比这一事件，关于古代暴君的骇人听闻的幻想，便显得渺小而琐屑。德拉克洛瓦的《迈索隆吉翁废墟上的希腊女神》，等于退一步承认，他的理解力和艺术才能皆不足以表现现实世界的大屠杀。于是，他在西方传统里历来被忽视的资源里寻找解决方案。他重新引入东方女性当作寓言形象，视为英雄的象征。正如吉罗代的《开罗暴动》【图2-13】不经意地将裸体描绘为异国受害者的特征——又为一些观众（包括男性和女性）保留情色吸引力的潜在可能——同时能够传达一点暗示：理想的裸体与道德优越感密不可分。凌乱的衣衫是悲痛绝望的传统符号，德拉克洛瓦利用这一传统符号，描绘不可侵犯的希腊女神祖

露胸脯。相形之下，男性受害者则被体现为一滩血迹、一只断手。

任何一个法国人看到希腊女神如此衣衫褴褛的形象，必定随即联想到"玛丽安娜"（Marianne）。这是1792年推翻路易十六之后，雅各宾派拟造的女性形象，用以象征法兰西共和国。这一联想便是用共和党人的眼光看待希腊渴望独立的理想。奥斯曼帝国的军队仅表现为远处模糊背景里一个埃及士兵，并且这一形象极为平面化。这或许是由于时间仓促，从而未能创作出让人信服的影射符号，但更可能是德拉克洛瓦在形式方面尝试大胆的虚构和寓言手法。这种手法必须既能将认知的复杂性置入画面，又能切合他不扎实的素描功底。因此，这幅作品虽包含诸多不协调的细

节，却直接预示了德拉克洛瓦对终结法国复辟政权的那场暴动即将作出的回应。

整个法国社会涌动着不满情绪，反对查理十世的统治。1830年7月28日，武装起义的人群终于冲上巴黎街头。起义的时刻尤为激烈，让人联想到1789年大革命时期的伟大日子，但很快被人们遗忘，因为废黜国王的堂兄路易-菲利普（Louis-Philippe），成为日后七月王朝的国王。德拉克洛瓦在1831年才完成歌颂起义的作品。他既不是激进派，也不反对温和的君主立宪制。然而，艺术忠诚与才能激励了他创作与舒适的现状颇有出入的作品，即《1830年7月28日：自由女神引导人民》【图2-33】。

德拉克洛瓦的艺术忠诚，首先自然归属于未得公众认可的《梅杜萨之筏》。《自由女神引导人民》里的路障堆积在前景，实则便是梅杜萨的木筏朝右转90度，从而使筏上的人物向后滑倒，而非挂在边缘。热里科画中右下角赤脚的尸首，几乎原封不动地搬到这幅作品的左下角，并精确地标明调换模特的方式。在金字塔形的构图里，紧张的人物组合直接扑向观者，而不是《梅杜萨之筏》朝向遥远的地平线。

德拉克洛瓦所面临的最迫切的难题，必定是金字塔尖该安排什么。热里科选择一名黑人，上身赤裸，既可以表示非洲当地人，也可以表示拟人形象，凝聚所有压迫、在非人的生存条件下对解放的渴望。这个黑人形象没有面目，转离观者的视线，裸露的身躯极为雄壮，再加上异国情调，从而成为一种关键的艺术手法，将作品主题的含意普遍化。德拉克洛瓦诉诸于先前解决难题的手法：将人物的头饰更换为大革命时期盛行的弗里吉亚无边帽（古代奴隶解放的标志），希腊女神更换为玛丽安娜，她终于突破王室独裁统治的漫长黑暗，冲上街头为法兰西而战。就她作为女性的身份而言，她身上集合整个人类；就她作为裸体的形象而言，她象征着人类的自然状态，一直束缚于压迫性的制度，最终在武装起义里坦露出来。

当时有些人认为，这幅作品中的自由女神似乎只是体格健壮的平民妇女——皮肤晒黑、赤脚、全然不顾忌端庄——自然会兴冲冲地赶来参加街头的纷争。在很大程度上，她确实是这样一个角色。德拉克洛瓦将以社会学手法，罗列出参加战斗的男性类型，包括各个年龄段、各个阶级、或生或死的形象。自由女神和这个群体融合为了一体。这让我们联想到当时一些

精彩的记载，讲述工人阶级的女性在路障前支持同胞。如若她再被多一点理想化，再增添一点象征形象的意味，这幅作品便会沦为新闻报道和任意的寓言形象相搭配的怪诞组合。然而，自由女神的身体既似真实的形象，又属于绘画形象的领域，从而游移于一种不稳定的状态。她挥舞旗帜的前臂只是一个阴暗的轮廓，完全依赖于背景中三色旗的白色块来衬托，缺乏令人信服的透视。这条手臂打破了旗帜这一抽象符号的单调的连续性。她的头颅生硬地扭转，向观者呈现同样平面化的轮廓。在某种意义上，这一手法直接引用卡诺瓦的肖像雕塑《波利娜·博尔盖塞扮成胜利女神维纳斯》【图2-4】，体现凡人化作女神之时的内在变化，因为这尊雕像既是作为雕塑的存在，也体现了心灵的抽象。德拉克洛瓦将女性作为物质和理解力之间的连接，作为事实走向意义又回归事实的中介。倘若德拉克洛瓦略微偏离现实主义的原则，便足以在她周围三教九流的人物和芜杂的行动里引介支配性的观念秩序。这一秩序包含根植于大革命时期古典主义传统的道德观念，即坚定的公民美德。而今，古典主义传统也许仅残留一丝痕迹，在德拉克洛瓦的作品里却

图2-32：欧仁·德拉克洛瓦《迈索隆吉翁废墟上的希腊女神》，1827年。布面油画，213厘米×142厘米

图2-33：欧仁·德拉克洛瓦《1830年7月28日：自由女神引导人民》，1831年。布面油画，260厘米×325.1厘米

依然创造出卓越的效果。这一事实说明古典主义传统具备经久的力量。诚然，在极其审慎的处理之下，古典主义的手法方能发挥作用，从而也表明这一传统正失去作为艺术资源的地位。

实际上，19世纪最初25年间，欧洲其他国家的文化也呈现古典主义危机。在西班牙和英国（古代文化的影响从来不似在法国一般强大），弗朗西斯科·戈雅、威廉·布莱克等艺术家挑战希腊和罗马的遗风，构造另类的统一神话。戈雅的主要修辞手法是玛哈主义（Majism），源自西班牙村庄的亚文化风格和传统。布莱克则运用千年至福说（chiliasm），借鉴英国的激进派和千禧年信徒（millenarian）的观念。下文将深入探讨这两位艺术家为浪漫主义所作出的贡献——貌似属于西方世界普遍兴起的文化不服从运动和政治暴动。

## 问题讨论

1. 古典主义可被理解为志向高远的艺术家的"资源"。古典主义的倡导者（比如安格尔）及其反对者（比如德拉克洛瓦），如何威胁这一资源的地位？

2. 在本章所涵盖的历史时期里，艺术家和批评家如何使用"浪漫主义"这个术语的？它的形式和特征是什么？这个术语是否传达情感、伦理或政治的寓意？

3. 对于西奥多·热里科来说，《梅杜萨之筏》是成功还是失败？

4. 请描述拿破仑时代的绘画特征。其绘画有何意图？

# 启蒙运动的张力：戈雅
# 约1775—1828年

## 第3章

## 导言

弗朗西斯科·戈雅是西班牙著名的艺术家，但他的名望远不及法国同时代的大卫。戈雅的名声较低，并不是因为他的艺术地位不重要，而是因为18世纪晚期和19世纪早期西班牙脆弱的公共艺术。教会、贵族，尤其是国王，都称赏与赞助戈雅的作品。然而，西班牙有近1000万人口，这个"非生产阶级"仅占5%。再者，即便在启蒙运动盛期，即18世纪80年代晚期查理三世（Charles III）执政时期，在中上的社会阶层中，受过良好教育的开明成员、积极寻求和支持绘画和文学艺术的人数占据更小的比例，可能不超过10万（少于总人口的千分之一）。西班牙尽管也设有艺术学院，但不似法国举办大型公共沙龙，不似英国拥有重要的艺术商人和拍卖会，更没有法、英两国常见的自由或秘密活动的新闻记者、宣传手册作者和艺术批评家的社会圈子。

戈雅虽受制于较贫瘠的艺术环境，却依然实现名副其实的成功。1789年，他担任查理四世（Charles IV）宫廷画家的职务，负责绘制当时最重要人士的肖像，包括皇室成员；最重大的政治和军事事件，诸如西班牙平民（包括农民和工人）在1808年5月抵抗拿破仑的侵略战争。与此同时，戈雅坚持艺术独立性。他的11幅"幻想与创造"（fantasy and invention）系列小型锡板画（1794年），描绘了西班牙民间传说和通俗文学的题材，也记录了他自己的狂热的想象，包括一幅噩梦般的《充满疯子的庭院》（Courtyard with Lunatics）【图3-9】，足可比拟西奥多·热里科在20年后创作的精神病人肖像。

1799年，戈雅创作由8幅蚀刻画构成的"狂想曲"系列，抨击西班牙社会几乎所有派系的腐败、愚蠢和无知。在《理性沉睡心魔生》（The sleep of reason produces monsters）和《真理已死》（Truth is dead）等作品里，他甚至挑衅启蒙运动的进步精神。戈雅似在质问，这场遍及欧洲的运动，口头宣称追求理性和经济发展，结果呢，除了侵略、战争、混乱和社会不平等之外，实际实现了什么？

自此以后，戈雅的绘画、蚀刻画和素描既体现重要的批判理性，又披露表达的自由。对古典主义传统的自由挑战，让开明人士和平民都能身有同感，预示着后继年代席卷欧洲大陆的浪漫主义。然而，戈雅的努力，只换来敌意，甚至审查。他的《狂想曲》在印刷发行数日内被禁售。他的82幅"战争的灾难"（Disasters of War）蚀刻画沉痛地抨击西班牙独立战争（1808—1814年）及其相伴随的内战和游击战争的恐怖。1863年，这组蚀刻画才得以出版。此时，戈雅早已离世。在这些蚀刻画里，死亡是痛苦、丑陋和终极的东西。戈雅的"黑色绘画"（Black Paintings）是他在马德里（Madrid）住宅内描绘的一组壁画，这些离奇而恐怖的壁画也是依据西班牙的民间故事、传说、平民文化以及艺术家本人不可名状的噩梦情境创作的。这些作品仅作为私人观赏。戈雅从崇高的职位急遽跌落，官方以逮捕和酷刑相胁，致使他在1825年离开西班牙，流亡法国，在波尔多度过生命最后三年。

## 理性与疯癫：时代的纷争

弗朗西斯科·戈雅的作品最生动地体现了1789年政治动乱之后30年间的艺术革命。戈雅确实不愧为那个时代的原型艺术家，他的人生和艺术交替着成功与磨难，暴露了启蒙运动和革命所带来的令人困惑的自由与残暴的压制力量。顾主前后矛盾的需求，让戈雅反复地动摇，同时又竭力保持对西班牙贵族和平民的两面忠诚。戈雅打破公共与私人欲望之间曾经稳固的界限，成为引领浪漫主义时代的艺术家典范。有人认为浪漫主义是现代的首个文化表达。正如审视戈雅复杂的天才或许有助于把握他所处时代的文化危机（依然影响我们的时代），思索西班牙当时的政治动乱或许也能启发我们领悟他的艺术，以及当时正呈现的世界新秩序。因此，关于戈雅艺术的批评史，既有对艺术家的人生的探讨，也要对以下数种社会发展进行追溯：由于拥护或反对帝国战争而兴起的民族主义；打着民族旗号抵抗拿破仑侵略的西班牙游击战争；在历史变迁和现代化进程的舞台上扮演重要角色的西班牙平民（pueblo）。所有这些现象都源自拿破仑统治的法国及其南部邻国之间的争战。面对这些繁复的世界历史问题，没有一位艺术家似戈雅这般密切地参与其中，也没有一位艺术家遭遇似他这般沉重的苦难，似他这般以如此强烈和显著的方式表达自己的思想，并依然存活下来。在某种意义上，他甚至超越了苦难。

1799年，戈雅创作一组题名为"狂想曲"的蚀刻铜版画。他在1797年开始构思这个讽刺系列，计划创作80幅，其中为两幅自画像，即《狂想曲1号：卷首插画》【图3-1】和《狂想曲43：理性沉睡心魔生》（Caprichos 1, frontispiece）【图3-2】。这里仅简单地探讨这两幅自画像，用以揭示戈雅的人生和艺术所包含的复杂心理和历史维度。卷首插画的自画像展现艺术家厌世和倨傲的一面，富态的脸颊，浮肿的眼睑，精明而警惕和眼神。他似乎笃信自己的优越，相信这些幅版画所控诉的众多罪孽（譬如愚蠢、腐化堕落）都具有自身的价值。在《狂想曲43》的草图边缘，戈雅写道："作者意在打破通常公认的一些不良信念……通过'狂想曲'系列，永久地延续真理的确凿见证。"因此，或许可以说，《狂想曲1》所展现的戈雅，坚定自负、恃才傲物，踌躇满志地追逐时尚。他是开明人士（ilustrado），他是崇尚法国者（afrancesado），他是精英主义者。但他不愚蠢，也不屑于忍耐愚蠢之人。

《理性沉睡心魔生》呈现截然不同的戈雅。试回想1789年大卫笔下那个烦乱、无所适从的布鲁图斯【图1-10】。这幅版画里的艺术家，也同样抑郁、恐惧、情绪不稳、缺乏自信。显然，戈雅的理性已经崩溃，并料想他人也会遭遇同样的痛苦。阴暗的画面透露不祥的气氛：戈雅手臂抱住头，趴在支架或工作台上，身边陪伴着一些动物，包括中间伏卧的猫（象征黑夜的掠夺性），周围一群戏谑的猫头鹰（象征愚蠢）和蝙蝠（象征无知）。戈雅身体和交叠双腿的斜对角，指向右边一只超大的狸猫——也是夜行动物——其交叠的脚爪模仿艺术家的姿势。然而，与艺术家不同的是，这只狸猫十分警醒，小心地防备贪婪和愚蠢的心魔。

《理性沉睡心魔生》这幅自画像安排在"狂想曲"第二部分开端，从而构成恰当的序曲，引入一系列对性欲、愚蠢和无知的嘲讽。这些罪恶化身为女巫和恶魔，譬如《狂想曲68：优秀的老师！》（Caprichos 68: Linda maestra）【图3-11】。然而，我们难以确定那些笼罩着戈雅自画像的恶魔是否指涉民众的无知，是否被艺术家讽刺的刻刀和理性的阳光驱散。也可能的是，这些恶魔指涉戈雅在沉思自己的心灵所承受的两极分化的痛苦与启蒙运动的双面性。这是因为理性时代的艺术创作本身要求艺术危险地亲近疯癫。相比先前任何历史时代，启蒙时代的艺术家最主动地质疑专制政治和等级宗教所规定的思想，积极地接受新鲜的主题，并采用创新的风格加以描绘。然而，艺术家依然渴望维护艺术曾经享有的情感冲击力和历史地位，于是，他们必须竭力发挥独创和想象——直接从自己的灵魂里汲取艺术资源。古代历史和宗教的暴力或色情叙事（譬如忏悔的抹大拉的玛利亚、施洗者约翰被砍头、戴安娜出浴、大卫提着歌利亚的头颅），曾是释放性欲的安全渠道，将欲望引导到社会容许的出口。而今，这些故事之所以得到重视，完全只是因为它们能揭露故事主角的心理深度。如果失去这些曾经备受推崇的故事所提供的审慎的灵魂宣泄，那么暴力和色情（曾经属于创作过程的一部分，并且是启蒙运动的镜子）而今可能泛滥为洪水。因此，艺术天才须相应地偿付高昂的代价。在战争、内战、心灵痛苦的时代，这一代价可能包括癫狂。在《理性沉睡心魔生》里，戈雅宣告自己愿意付出这个代价。他表现想象力与噩梦的联姻，他担忧科学会使无知复活，理性

图3-1：弗朗西斯科·戈雅《狂想曲1：卷首插画》，1799年。蚀刻铜版画，21.9厘米 × 15.2厘米

图3-2：弗朗西斯科·戈雅《狂想曲43：理性沉睡心魔生》，1799年。蚀刻铜版画，21.9厘米 × 15.2厘米

的本性会滋生恶魔。在"狂想曲"与随后的作品里，戈雅的艺术视野彻底地阴暗，然而，我们将在下文看到，这些形象也预示着启蒙运动和残暴行为在19世纪现代社会的结合。

## 分裂的忠诚与急遽的成功

戈雅出生在西班牙阿拉贡地区省府萨拉戈萨（Saragossa）附近，距离法国边境约120公里。他的父亲是金匠，母亲出身于小贵族世家。（这三重身份背景——接近开明的法国、工匠和贵族的血缘关系——镕铸了戈雅人生和事业的独特轨迹。）戈雅先在萨拉戈萨和马德里学习绘画，1770年前往意大利并逗留一年多。关于其间的行程和活动，他没有留下具体记载，但可以确定的是他在罗马至少停留数月，研究古典时代的雕塑与巴洛克大师的艺术作品，譬如多梅尼基诺（Domenichino）、雷尼（Reni）。1771年中期，他返回萨拉戈萨定居，完成当地宗教机构的数件委托项目。1774年，新古典主义画家安东·拉斐

尔·门斯（Anton Raphaël Mengs）召他前往马德里，为皇家织造坊设计织物图样。继后20年里，戈雅持续接受织物图样的委托项目（这是令他备感繁重的任务），与此同时，他作为宫廷肖像画师和宗教画师的事业呈现蓬勃气象。这个时期重要的肖像画包括《佛罗里达布兰卡伯爵》（Conde de Floridablanca）【图3-3】、《堂·路易亲王一家》（Family of the Infante Don Luis，1784年）。这两幅人物群像大胆创新，使用夸张的明暗对比法，具有出乎意料的轻松气氛，颇似赫里特·凡·洪特霍斯特（Gerrit van Honthorst）的采光和威廉·荷加斯（William Hogarth）的构图，以及迭戈·委拉斯贵支（Diego Velázquez，1599—1660年）的艺术影响，戈雅将后者供奉在艺术史万神庙的首座。戈雅也将自画像置入这两幅群像——当然，在他于1801年绘制的《查尔斯四世及家人》（Charles IV and His Family）【图3-4】中，他所营造的模糊的空间和构图，尤其是敏锐的心理描绘，都酷似西班牙伟大的巴洛克艺术大师委拉斯贵支。

图3-3：弗朗西斯科·戈雅《佛罗里达布兰卡伯爵》，1783年。布面油画，207厘米×106.7厘米

戈雅担任教会和宫廷的装饰师和肖像画师之时展现出卓越天才，因此在1786年被任命为国王御用画师。不久以后，他创作《奥苏纳公爵一家》（*Family of the Duque de Osuna*）【图3-5】。这个家庭代表西班牙的开明贵族，奥苏纳公爵是马德里经济协会的主席、西班牙皇家学院院士，他大力赞助艺术、科学、文学，慷慨地主办沙龙，会聚马德里艺术界和知识界最著名的人物。在这幅画中，父母和儿女之间呈现醒目的纽带，左下角两个男孩正在玩耍，这些都揭示公爵和夫人倡导法国和瑞士新兴的教育理念，尤其强调儿童独有的天真，以及父母在儿女教育方面所扮演的重要角色。众所周知，奥苏纳家的书房收藏了卢梭、伏尔泰、法国百科全书派的作品，还有自家朋友的著作，包括讽刺作家拉蒙·德·拉·克鲁兹（Ramón de la Cruz）、诗人和戏剧家莱安德罗·费尔南德斯·莫拉廷（Leandro Fernández Moratín）。莫拉廷的道德说教是彻底的崇尚法国文化。事实上，他嘲讽1610年洛格罗尼奥（Logroño）的巫术审判大会（戈雅有数幅作品以此为文学资源），很可能启发了伏尔泰在小说《赣第德》（*Candide*，1759年）讽刺宗教裁判所。

图3-4：弗朗西斯科·戈雅《查尔斯四世及家人》，1801年。布面油画，280厘米×335.9厘米

18世纪80年代末，事业成功的戈雅接到太多委托，包括刚登基的查理四世和玛丽亚·路易莎（Maria Luisa）王后，令他难以独力完成。此外，他要设计织物图样，接受教会的委托。随之而来的还有荣誉、名衔和财富。查理三世任命他为国王画师之后，戈雅骄傲地告诉挚友马丁·萨巴特（Martin Zapater）："马丁小子，如今我成了国王的画师，年薪一万五！"仅在三年后，1789年4月，他被晋升为查理四世的宫廷画师。次年，他又入选欧洲最进步的艺术学院圣卡洛斯皇家美术学院（Real Academia de Bellas Artes de San Carlos），并被授予最具名望、最开明的阿拉贡皇家协会（Real Sociedad Aragonesa）荣誉会员。戈雅如此迅速博取名望和财富，既是因为他雄心勃勃，也是因为他具备堪可追媲委拉斯贵支的天赋。他似乎走上了无止境的名利大道。戈雅与当时的显贵交往密切，尤其是佛罗里达布兰卡（Floridablanca）伯爵、奥苏纳公爵，以及新近获得权势的加斯帕尔·梅尔乔·德·霍维利亚诺斯（Gaspar Melchor de Jovellanos，他所撰写的西班牙农业报道是自由改革派的必读手册），这些重要人士似乎能够确保他的艺术生涯永远晴朗，不见一丝乌云。然而，法国大革命的风暴破坏了戈雅的事业。

在西班牙，1789年的震撼及其后果，总体上中断了查理三世执政（1759—1788年）之初开始推进的启蒙运动。由于西班牙的威势和世界影响力远远落于欧洲北部的竞争对手之后，这位改革派国王及其首相们［以埃斯奎拉奇（Esquilache）侯爵为首］力图将国家推上现代化道路。西班牙必须增加人口；必须依据新兴的自由贸易和法国重农主义者的农学原理发展农业和经济；必须整顿和重建城市；必须限制教会的权力，尤其是宗教裁判所的宗教法庭。这些方面的进步通常极其缓慢，或者屡受阻挠。宗教法庭数次聚集强烈的民众抗议，抵制重要的改革措施。然而，纵使遭遇诸多挫折，纵使开明派的数目远低于"无用阶级"（包括贵族、神职人员、政府官僚）的庞大人口，在查理三世执政时期的尾声，西班牙的启蒙运动已取得显著的进展：成立经济协会，设立教育奖学金让有志向的学生前往英法留学，通过皇家法令和没收财产，令非生产阶级的人口比例急剧下降。

然而，正如法国的波旁王朝，西班牙的改革颇为有限，因为须接受改革的人口属于掌握权势和财富的

阶层，而这些人正是王室不可或缺的依赖。即便在最具远见的时刻，西班牙波旁王朝的改革也从不接纳人民民主制度，也从未涉及教会财产查封、人权和公民权宣言、弑君罪等问题。随后，法国大革命所兴起的每个事件或倡议，都让西班牙的君主和贵族阶层厌恶得退缩。至1792年，当政者显然明白，西班牙的启蒙运动必须延迟。曾经似潮水般涌入的法国出版物，而今在边境被拦截；西班牙境内的法国人吓得不敢发言；法国的西班牙留学生有可能沦为流亡者；耶稣会和宗教裁判所再度恣意行事，当局尽心竭力地要熄灭革命的火焰。

曾经重要的同盟，而今变成敌人以及敌人的朋友，西班牙的外交政策和国内事务陷入混乱。西班牙与法国存在已久的协议被撕毁，西班牙仓皇失措，急忙跟英国草率地（暂时地）联姻。在1792年

图3-5：**弗朗西斯科·戈雅**《奥苏纳公爵一家》，1788年。布面油画，225.7厘米 × 174厘米

的慌急时刻，25岁的伊曼努尔·戈多伊（Emmanuel Godoy）——国王的亲信、王后的情人，被任命为王室首席内阁大臣。国王之所以钦点戈多伊，正是因为他年轻、忠于王室。然而，保守的神职人员和开明的改革派都大为震惊，认为这一任命预示着西班牙衰落时代最典型的堕落和诡戾行径即将再度肆行。同时，亲法派更是遭到各种打击，在效忠祖国与高举启蒙运动的国际火炬之间左右为难。戈雅也经历了类似的痛苦，从1792—1793年，他身染重病，险些丧命。病愈之后，他失去曾经的自信，心理情绪不稳，并永远失聪。继后30年里，西班牙在一连串的革命与反动、国际战争与内战、军事政变和人民暴动的激流中起起伏伏，疯狂追寻神话般的国民精神，企图为这一切混乱赋予意义。戈雅虽出身平民，但这时已与开明人士的阶层紧密相连，他的作品见证与表现了西班牙国内所突显的"精神分裂"和暴力。

## 反启蒙运动

在教会和王室的攻击之下，开明人士急速转身撤退。同时，西班牙人民对有教养阶层的愤慨也开始高涨。一直以来，西班牙的大部分人口是穷人和农民，开明人士仅占极小的比例，但他们所倡导的"土地改革"意味着废除土地公有制，将土地变现为资本，并且他们的民主理念通常不包括全民选举权或重新分配财富。因此，对于西班牙平民来说，启蒙运动多半是毒害的亲法派，势必会暗中破坏自己数世纪（勉强）赖以为生的传统的生活方式和文化。因此，尽管开明派打着平民旗号，企图为了平民而改革政府的结构、经济和教育的体制，平民与传统的保守派——王室、教会、顽固的官僚——还是结成怪异的联盟，共同对抗开明派。西班牙的民族主义向现代化事业宣战。

从本质上说，这一联盟势必不会稳固，但也深刻地影响了当时各社会阶级和所有形式的文化产物。譬如，西班牙与法国交战前10年以及长达20年的战争时期，西班牙通俗文化大规模复兴，尤其是关于鬼魂、魔兽、怪物、叛逆的土匪、走私者、斗牛士、无赖等传奇故事。民间兴起对男性玛约（Majos）和女性玛哈（Majas）的狂热崇拜。玛约和玛哈可以说是无产阶级贵族（或者确切地说，平民贵族），他们的举止和装扮有一套独特的模式，很快被西班牙社会各个阶

层争相效仿，连"真正"的贵族也来模仿，称赞他们是卡斯蒂利亚（Castilian）的纯正血统和精神的化身。戈雅经常借用玛哈和玛约的形象描绘世袭的贵族，包括阿尔巴女公爵（Duquesa de Alba，可能是戈雅的情人），还有《裸体的玛哈》（Naked Maja）【图3-6】和《着衣的玛哈》（Clothed Maja）【图3-7】的身份不明的模特，甚至将王后描绘为玛哈，诸如《玛丽亚·路易莎王后佩戴西班牙式长面纱》（Queen María Luisa Wearing a Mantilla）【图3-8】。法国驻西班牙大使让·弗朗索瓦·德·布尔戈因（J. F. de Bourgoing）曾记录1788年在这个半岛旅行的见闻，生动地描述玛约和玛哈：

玛约是下层阶级的漂亮男子，或者更确切地说，是恶霸，他们摆出严肃冰冷、拿腔作势的模样……他们的面容，流露一股威胁的厉色或怒意，勇敢的人似乎认为这副神情最能让人产生震撼和敬意，他们甚至在情妇面前也不肯温柔……玛哈似乎专门钻研厚颜无耻。她们的淫荡流露于姿势、举止和神态中。这是较令人反感的一面。然而，如若观者以一种并非极为审慎正直的兴趣观赏以玛哈为主角的场面，便会渐渐地摸透她们那些极不符合女性道德的举止和用来讨好我们的手段，那么观者便会视她们为维纳斯祭台上最诱人的祭司。她们粗鲁的矫揉造作，不过是酸楚的诱惑，让观者的感官兴奋，即便是极其明智的人，也难以抵挡感官的震颤，纵不能激发爱慕，至少承受着愉悦。

布尔戈因的描述强调玛哈的魔法般妖艳的色情意味，预示着浪漫主义时代遍及整个欧洲的种族歧视和东方主义的性别歧视意识形态。这段话同样清楚地揭示法国和西班牙的贵族阶层多么低估本国工人阶级亚文化的民主和反叛的潜能。正如艺术史家弗朗西斯·克林金德（Francis Klingender）指出：

玛哈主义是指时髦一族轻佻地模仿真正的玛哈和玛约，实是宫廷贵族滥交低等人的现象。如果这些贵族能够略微明智，本该掩藏自身的堕落，然而，站在深渊的边缘之时，

图3-6：弗朗西斯科·戈雅《裸体的玛哈》，1795—1800年。
布面油画，94.9厘米×189.9厘米

图3-7：弗朗西斯科·戈雅《着衣的玛哈》，1800—1807年。
布面油画，94.9厘米×189.9厘米

图 3-8 弗朗西斯科·戈雅《玛丽亚·路易莎王后佩戴西班牙式长面纱》，1799 年。布面油画，210 厘米×130 厘米

化风格对他便有了强大的吸引力。戈雅经常在肖像画和织物图样描绘玛哈主义，这一事实表明他不只是简单地追随时尚潮流，而是在政治和心理上认同处于统治阶级边缘的群体和个人。

戈雅的《裸体的玛哈》和《着衣的玛哈》所表现的不只是当时占据统治地位的贵族的剥削视野，即将工人阶级的性倾向等同于异国情调。事实上，这两幅《玛哈》是戈多伊的委托项目，正面宣扬与低等人为伍的作风（将体验贫民生活当作一种行事风格，最终导致这位新发迹的首相和预定的贵族阶层成员走向毁灭）。这两幅作品，尤其是《裸体的玛哈》，以殊异的解剖学反讽地歌颂克林金德所说的扭曲的道德自由——这是贵族阶级的玛哈主义所具有的特征。《裸体的玛哈》的模特身份不明。这幅作品的反讽之处在于模特头部和身躯不自然的衔接。这一缺陷可以归因于画家对人物脖颈、肩膀和头发的模糊处理。她的骨盆区位于画面正中心，露骨地表现那个完美又粗俗的转喻——用人体部位指代一个人。正如法国洛可可画家弗朗索瓦·布歇和让-奥诺雷·弗拉戈纳尔（Jean-Honoré Fragonard）画中的女性，裸体的玛哈彻底地、毫不羞耻地供人观看消费。然而，正如安德烈·马尔罗（André Malraux）指出，与前两者作品中女性不同的是，"她极少让人想到她的性别和性格的心理层面"。在戈雅《裸体的玛哈》里，男性面对女性性倾向的对象化和心理对抗机制已经"进化"到 19 世纪所能企及的极限。日后，法国的古斯塔夫·库尔贝、爱德华·马奈（Edourd Manet）、保罗·塞尚都会惊骇又敬慕地回顾戈雅的成就——在他的画中看到身体与心理、真实与寓言的独特而罕见的融合，生动地呈现现代生活和性交流的特性。

在戈雅貌似色情的作品里看到反讽，或者至少看到寓意，也许颇似过度诠释。然而，我们须记得，在构思这两幅绘画的同时，戈雅也创作了素描集《桑卢卡尔画册 A》（*Sanlúcar Album A*）和《马德里画册 B》（*Madrid Album B*），蚀刻版画集"狂想曲"，抨击戈多伊与贵族阶层的放纵私欲。总之，正如我们不能理解戈雅为何在《查尔斯四世及家人》里使用滑稽的模仿，我们大概也无从得知他创作这两幅《玛哈》的意图。这既是因为缺乏相关的资料记载，也是因为艺术意图本身就是一种难以完全把握的东西。然而，我们可以有把握地断言：随着 18 世纪最后年代的终结，新

贵族阶层有一个古怪的习惯，喜欢玩弄敌人的意识形态，以便摧毁自身的道德防御。法国贵族视而不见本国中产阶级的自然崇拜的隐意，为玛丽-安托瓦内特的挤奶女工装扮欢呼喝彩，西班牙的贵族扭曲玛哈主义的道德自由之时，同样地忽视其民主的根源。

不久以后，西班牙的玛哈和玛约、法国的无裤党、英国的"出身自由的英国人"，或开展游击战争，或堆起路障，或领导新宪章。因此，玛哈主义可以说是最早的亚文化风格，在 19 世纪的文化和革命的舞台上，在此时代最赋有天才的艺术家的想象中，都发挥重要作用。正如稍后时期巴黎的"漫游者"（Flâneurie，参见第 370 页），玛哈主义是一种衣着时尚和生活方式，尚且不论其政治倾向有多自相矛盾，它依然推动各个阶级联合为统一的集体，使得这个集体（暂时地）为共同的目标而行动。像戈雅这样的艺术家，原本没有固定的阶级身份，并日益失去教会和政治顾主所提供的经济或意识形态的安全保障，亚文

世纪即将来临，戈雅愈加频繁地表现平民、西班牙通俗文化的怪诞和边缘化的角色，诸如鬼魂、女巫、毛驴、玛哈、玛约。戈雅既归属平民阶级，喜欢挤进斗牛和街头庆典的人群；又归属开明阶级，急切地抓住机会学习法语。对于熊熊燃烧的民族主义和理性主义烈火，他的态度显然摇摆不定。在随后一系列非凡的作品里，戈雅以震慑人心的方式体现自己对西班牙的"人民"和开明派的两头效忠。这一系列作品始于《充满疯子的庭院》【图3-9】，还包括《女巫的安息日》（*Witches' Sabbath*）和"狂想曲"【图3-10—图3-14】，最后的作品是《1808年5月3日，马德里》（*The Third of May, 1808 in Madrid*）【图3-17】、《战争的灾难》【图3-18—图3-22】。

**平民的形象：戈雅的后期作品**

在探讨《充满疯子的庭院》之前，必须先讲述戈雅同时面临的身体和精神的双重崩溃。1793年3月，法国向西班牙宣战数周后，戈雅的两位朋友马丁

图3-9：弗朗西斯科·戈雅《充满疯子的庭院》，1793—1794年。布面油画，43.8厘米×32.7厘米

图 3-10：弗朗西斯科·戈雅《女巫的安息日》，1797—1798年。布面油画，44厘米×31厘米

些属于个人的东西，幻想和创作在其中没有位置。"这11幅属于"幻想和创作"的作品，开启了戈雅的第二段事业生涯。

这个时期的作品，包括《充满疯子的庭院》在内，标志着戈雅的艺术经历了深刻的变化。戈雅的新视野阴暗、夸张，甚或恐怖，与数年前精妙的洛可可和谐趣的织物图样似乎相隔一个世纪。戈雅不再仅止于重现民间的狂欢节、幻想或噩梦，而是用自己的形象创造这些王国。马尔罗写道："这便是发现风格的意义，也是绘画的殊异力量，一根断裂的线条的力量，或者将一片红色和黑色涂在被体现的对象以外的力量。"《充满疯子的庭院》不是歌剧般地重现癫狂，如意大利艺术家乔瓦尼·巴蒂斯塔·皮拉内西（G. B. Piranesi，1720—1778年）的蚀刻画《监狱》（Carceri），也不是人物风俗画里的癫狂，如英国艺术家威廉·荷加斯为《浪子历程》（A Rake's Progress）制作的蚀刻画插图《疯人院》（The Madhouse），而是关于精神疾病和社会隔绝所滋生的孤独、恐惧和迷失的虚构的恐怖幻象。

戈雅无疑用这幅作品指责当时医治精神疾病的普遍的惩罚性疗法。法国的艾蒂安·让·乔治特（E. J. Georget）和英国的塞缪尔·图克（Samuel Tuke）在19世纪10年代晚期提出改革措施之前，精神病患者通常与罪犯、普通病人、穷人一同关押在庞大的收容所，譬如巴黎的萨彼里埃（Salpêtrière）、伦敦的伯利恒（Bethlehem）。这些机构的病人通常得不到任何治疗，而是被锁上镣铐，或者承受体罚和艰苦繁重的体力劳动。这些貌似非理性、一概而论的禁闭措施具有经济和政治双重目的。在劳动力短缺时期，收容所便可提供庞大的现成劳力，对这些可怜人严酷剥削，既有经济效益，又能压低外面劳力的工钱。监禁的政治或意识形态的目的，也许更难以精确地界定。米歇尔·福柯曾令人信服地论述道："这种手段旨在对'不可理喻者的不道德性'进行体罚，预防政治和个人的绝对自由所滋生的表现为癫狂的革命威胁。"

受过教育、推崇自由美德的这一代人将监狱和收容所的改革视为最基本目标。这一话题出现于贝加利亚（Beccaria）、伏尔泰、孔多塞（Condorcet）、约翰·霍华德（John Howard）等人的著作，想必也出现于戈雅经常出入的开明派聚会。戈雅的一些后期绘画和素描，以及英国艺术家弗朗西斯·惠特雷（Francis

内斯（Martínez）和萨巴特，在一封信中提及他的病情："他脑中的轰鸣和失聪仍不见改善，但视力颇有些好转，无法维持身体平衡的症状已经消失。"我们无从得知戈雅的疾患，但至少可以肯定当时恶劣的政治氛围只能加重他的病况。在这个时期，戈雅自愿流亡加的斯（Cadiz），在那里逐渐恢复心力，重新开始创作，然后归返马德里。1794年1月，他即将完成一套小型锡板组画，总共包括11幅作品。戈雅计划将这套组画提交圣费尔南多皇家美术学院（Academia de San Fernando）的评委，并致信学院里的朋友贝尔纳多·德·伊利阿特（Bernardo de Iriarte）："为了转换心思，我反省自己的厄运，感觉无比羞愧，为了弥补这些厄运所导致的一些损失，我制作了一系列小画。我在这组画里掺杂一些评论，委托项目通常不能容许这

# 疯癫

布赖恩·卢卡彻

后结构主义哲学家米歇尔·福柯（Michel Foucault，1926—1984年）有一个著名的理论，认为在启蒙时代以后，疯癫（或者他称之为"非理性"）与最创新、最自由的艺术表达成为形影不离的合体。萨德侯爵（Marquis de Sade，1740—1814年）和弗朗西斯科·戈雅正是这一理论的试金石。据福柯的评估，"最内在、最野性的自由"的东西最适合定义他们两人的写作和艺术，或者更宽泛地说，可以定义现代艺术。即便是最敏锐的艺术头脑，也会被疯癫的条件（无论是真实的或臆想的）逼迫着创作违背文化规范的"越界的体系"。

我们在本章看到戈雅沉迷于自己的"理性的梦"。这个梦让他感到自由又沉重。他的版画系列"狂想曲"、"战争的灾难"、"愚行"（Disparates）以及其他绘画作品，反复地创造被幽禁和束缚的形象，无论是疯人院或教堂和政府的阴暗监狱，这样的境况同样地剥夺最基本的人性尊严。"狂想曲"的神秘宇宙同时揭示戈雅本人的想象力的疯狂（他特意让理性沉睡，培养这种疯狂）和官方所认可的宗教裁判、国家暴力、平民迷信的疯狂。戈雅在自传里透露，他一生频繁经历神经衰弱和身体虚弱的焦虑。

威廉·布莱克的生平和艺术也笼罩于疯癫的阴影之下。他在少年时代创作的诗歌《疯狂的歌》（Mad Song）描绘他的头脑状态"就像一个在云中的朋友，充满恸哭的悲痛"。布莱克痛斥其所处时代的进步的科学、艺术和文化体系，宣称他只能自创一个属于他自己的神话——以寓言力量所构成的自相矛盾、综合、神秘、公然地荒谬的不断变形的神话。他的艺术作品充满裸体人物，其身体语言通常表示愤怒、精神错乱和抵抗。布莱克在社会和政治上的隔绝，以及他的艺术和诗歌对于大不列颠在战时压迫现状的抗议，激励着他毕生进行"心理战争"，反抗被动的服从，从而获得"疯子"等绰号。布莱克熟悉文艺复兴时期艺术天才的传记，诸如米开朗基罗——其传记总是鼓吹他阴郁的忧郁，以及英国最近年代的"疯狂"诗人，譬如威廉·古柏（William Cowper）。因此，布莱克的疯狂不是没有显赫的"血统"的。

浪漫主义的文化形式通常既接纳现实，也拥抱非理性的矫揉造作和情绪障碍。热里科和德拉克洛瓦所偏爱的激烈暴力和自我摧毁的主题，便是源自拜伦东方主义的角色以及诸如浮士德（Faust）、哈姆雷特等陷入绝望困境的人物。艺术风格也可以传递新的情感冲动，尤其是借助拿破仑倒台以后新浪漫主义者所钟爱的画面的杀戮欲、模糊的视觉形象。热里科与疯狂的关系较为直接。他担忧家族的精神病史，也有谣传他曾数次企图自杀。他在19世纪20年代早期破例创作的一系列疯人肖像画，既极为坦率，又遥远得出奇，这些画没有受到文学想象和叙事语境的羁绊，或许旨在显示精神病学家对每幅作品对象的心理执念的理论分类。

随着主观性、梦境状态和无意识日渐得到重视，19世纪晚期的象征主义艺术家益发开始巩固疯狂与艺术灵感之间的纽带。此外，这不只是为想象力构建新奇理论的一种策略。文森特·梵·高和爱德华·蒙克（Edvard Munch）都亲身经历精神疾病（或者精神运动性疾病）和精神病院的护理。精神疾病所带来的强化的感觉和揭示更深层的心理真理，对于这两位艺术家极端创新的艺术形式和内容都具有最根本的意义。他们的作品公然描绘酗酒、社交恐惧、精神不安的形象。然而，梵·高和蒙克所经历的精神焦虑都与世纪末的社会和文化环境密不可分。梵·高谈起自己认同最后一位为他诊治的加歇医生（Dr. Gachet）关于忧郁性格的观点，说他自己见证了"我们时代令人心碎的表情"。

与此同时，文化评论者们使用医学和心理学术语谴责当时的前卫艺术运动。社会学家和医生马克斯·诺尔道（Max Nordau）出版一部保守的文化批评大杂烩，题名为《退化》（Degeneration，1892年），将无数被称为"颓废"的文学和艺术归类为精神病征，从波德莱尔到易卜生（Ibsen），从拉斐尔前派（Pre-Raphaelites）到印象主义者，无所不及。诺尔道怒斥说，性偏离、神经衰弱和歇斯底里才是现代文化及其颠覆体面社会的根源所在。于是，艺术家作为异常人格类型和永恒的社会弃儿这一充满敌意、经久不衰的神话便真正地诞生了。

Wheatley）和乔治·罗姆尼（George Romney）、法国艺术家西奥多·热里科，都直言不讳地以此为题材，谴责对待囚徒（包括罪犯和精神病人）的残酷手段。在戈雅的《充满疯子的庭院》里，画面上方的理性光芒，正在揭露底下残酷的偏见，或者视作为它消毒，从而似乎完全符合画家的亲法意识形态。然而，正如《狂想曲43：理性沉睡心魔生》，《充满疯子的庭院》具有一种不祥和绝望的压迫感，特别是画面左边和右下方前景站立和席地而坐的人物。此外，画中有一种施虐者的感觉，戈雅与我们似乎挤进伯利恒或沙朗通（Charenton）的观众人群，只须支付一个便士或法镑，就可以像看动物园的野兽一般，观看屋里的疯子，在观看他们之时更安心地知道自己拥有理性。

对于启蒙运动，戈雅的态度越发矛盾，同时又被西班牙黑暗的通俗文化和迷信所吸引。《女巫的安息日》【图3-10】和《狂想曲68：优秀的老师！》【图3-11】彰显了他的分裂态度。就题材和手法而论，这两幅作品皆粗野庸俗、怪诞离奇，与启蒙文化的精致和雅趣大相径庭。这两幅作品既是讽刺作品，也是歌颂民间推崇的巫术及其所隐含的淫秽。《女巫的安息日》属于奥苏纳公爵夫人委托的一整套作品，总共6幅，计划用以装饰她在乡间别墅的卧房。这幅小型绘画的中心，坐着一只雄山羊或恶魔，佩戴葡萄藤冠，他的周围环绕一圈或年轻或衰老的女巫，他抬起分蹄的腿施行仪式，从右边两名女巫手中接取孩童生祭。左上方的新月投下蓝色磷光，似为毛骨悚然的地面场景笼罩一席阴沉的棺罩，只看到轮廓的六七只蝙蝠在半空盘旋。戈雅的构思或许源自莫拉廷的一篇讽刺论文，文中讨论了17世纪洛格罗尼奥的判决仪式，附带描述巫术。当然，他也可能参考无数类似的通俗文献。与这幅作品最相关的是一种长期以来普遍存在的传统观念，将巫术与女性的性自由相关联。莫拉廷这样概括这一传统观念："在古时，雄山羊是极体面的人物，女性尤其因他的精美装饰而敬重他。"在戈雅的画中，雄山羊的长角和腰部滑落的黄色披巾构成视觉隐喻，表明这头牲畜的慷慨品质。创作这幅作品之时，戈雅在开明派中间颇感自信，讽刺绘画让他纵情地享受广泛的平民幽默，同时也能影射戴绿帽的国王、小白脸首相的堕落政权。在新世纪里，在戈雅身上再难以看到如此自信的谐趣和嘲讽，逐渐被无可奈何和怨恨所取代。

## "狂想曲"

《女巫的安息日》以及戈雅在1797—1798年间为奥苏纳公爵夫人创作的另外5幅作品，体现他对性放纵和堕落的谴责。在"狂想曲"里，戈雅的谴责变得更复杂，并充满敌意。

1799年2月6日，《马德里日报》（*Diario de Madrid*）刊登一则启事，通告"弗朗西斯科·戈雅发明并蚀刻一套以挥霍为主题的版画面世"：

> 版画的作者深信，谴责人类的错误和恶习——素来是演讲和诗歌的主题——也适宜作为绘画的题材。由于这些题材适合他的创作，作者从每个社会阶级共有的无数蠢事和错事之中择取数桩，也选择一些由于习俗、无知或自私自利而姑息纵容的日常生活中的混乱和谎言。他认为这些最适合作为嘲笑的谈资，同时也能施展作者的想象力。

2月19日，"狂想曲"上架，以每幅4里尔平价出售。戈雅虽预先发表免责声明，但他作品实则格外针对愚蠢、淫荡、现代西班牙人的迷信，而不是简单地属于"每个社会阶级"。当时的人们将这套版画视为影射人物小说，认为其中涉及的都是真人真事，尤其是讽刺三人统治小组（戈多伊、玛丽亚·路易莎王后、国王），也认为是在宽泛地谴责政府的腐败、玛哈主义、巫术以及猖獗的宗教裁判所。奥苏纳公爵与公爵夫人精明异常，出版之前便已购下四套。"狂想曲"上市两天后，便被撤下货架，可能是因为触怒了宗教法庭。

如前文所述，"狂想曲"至少在表面上表达了开明派的意识形态，如《狂想曲50：钦奇拉》（*The Chinchillas*，俚语，指"贵族"）【图3-12】画面中有三个人物形象：被喂食的两人双目紧闭，双耳被锁住，形似贵族徽章的外套包裹他们的身躯。画面右侧抓着一柄剑的人物，张嘴等待中间的人前来喂食；喂食者则是蒙着眼罩，长着驴耳。正如"狂想曲"系列的其他单幅作品，《钦奇拉》既包含寓意，也包含文学意味。就寓意而言，这幅作品颇为勉强、生硬，颇似图像学百科全书的版画，譬如切萨雷·里帕（Cesare Ripa）著名的《图像手册》（*Iconologia*，1593年）。就文学意味而言，这幅作品具有轶事趣味，并暗示出更广阔的叙事语境。事实上，我们可以在荷西·德·卡

图3-11：弗朗西斯科·戈雅《狂想曲68：优秀的老师！》，1799年。蚀刻铜版画，20.9厘米×14.8厘米

图3-12：弗朗西斯科·戈雅《狂想曲50：钦奇拉》（Caprichos 50: Los Chinchillas），1799年。蚀刻铜版画，20.3厘米×14.8厘米

图3-13：弗朗西斯科·戈雅《狂想曲10：爱情与死亡》（Caprichos 10: El amor y la muerte），1799年。蚀刻铜版画，21.3厘米×15.2厘米

图3-14：弗朗西斯科·戈雅《狂想曲52：瞧裁缝能做到的事！》（Caprichos 52: Lo que puede un sastre!），1799年。蚀刻铜版画，21.3厘米×15.1厘米

尼萨雷斯（José de Cañizares）的流行喜剧里找到《钦奇拉》的文学源泉。这部喜剧讽刺了一位贵族的无知和浮夸，主人公的名字便是卢卡斯·德·钦奇拉（Lucas de Chinchilla）。戈雅的版画和戏剧体现了同样的观念，描绘贵族只关心自己的出身（以超大号的徽章为象征），感知盲目（眼睛闭合）又置若罔闻（耳朵紧锁），只接受无知的食物（表现为眼罩和驴耳）。关于《狂想曲50：钦奇拉》，当时有这样一种诠释："因贵族身份而自豪的蠢人，听任懒惰和迷信的支配，用铁锁封闭感知，粗鄙地接受无知的喂食。"尽管这幅版画的含意十分清晰，但戈雅并不是简单地讲述启蒙运动的价值高于无知或贵族阶级堕落的直白寓言。正如他的油画《充满疯子的庭院》和版画《理性沉睡心魔生》，《钦奇拉》似乎容纳戈雅在其他地方所指斥的黑暗和迷信：首先，无知手握汤匙，如同挥舞匕首，其面孔极为可怕；其次，两个贵族的身躯以怪诞离奇的方式拼凑；最后，铜版上方用腐蚀法营造出沉重压抑的效果。所有这些构成非理性的噩梦世界（疯人院），而不似卡尼萨雷斯的开明的讽刺剧场。换言之，在"狂想曲"里，我们往往难以确定戈雅是为这些可怕的主题感慨叹息，还是以此为乐。

这系列版画有一幅早期的《狂想曲10：爱情与死亡》【图3-13】，同样彰显类似的模糊态度，讽刺玛哈主义虚张声势的傲慢和逞能。在画中，一个玛约身受致命的创伤，把剑掷在脚下，倒进情人的怀抱。决斗的豪迈和浪漫，在死亡的黑夜里冷却。在这里，正如"狂想曲"系列的其他作品，戈雅显然采取开明派的意识形态，讥诮平民阶级的愚蠢和自我毁灭。然而，同时必须指出的是，不论戈雅对他们进行怎样的批评，而今他最关注的焦点依然是平民，不再是西班牙的精英。尚且不论《爱情与死亡》所包含的中产阶级道德说教，戈雅以饱含同情和感染力的笔墨描绘了画中的男人和女人。《狂想曲42：你不能》【图0-2】、《狂想曲52：瞧裁缝能做到的事！》【图3-14】，也流露出类似的同情。在前一幅作品里，两个平民背负毛驴，被它们压得不堪重负；在后一幅作品里，虔诚的人群在一棵树前拜倒，这棵树包裹着布，装扮得似戴风帽的修道士，嘲讽民间盲目地迷信奇迹和巫术，但画面的焦点显然是前景里跪拜的妇女，着重突显她的敬畏状态。正如在《爱情与死亡》里，玛哈的哀悼神情为整个画面奠定了戏剧情景和真实性。在戈雅手

里，平民首次以英雄姿态出现在欧洲文化的视觉史。他们不再是人物类型，而是作为个人，因此绝不可能一贯始终，势必会有矛盾；他们也不再被动，而是成为积极的行动者，有时甚至是革命性的。

## 神话般的平民：《5月2日》和《5月3日》

戈雅对于平民的关注，在织物图样和巫术绘画里便已有所暗示。在"狂想曲"作出最早、最清晰的体现，不久之后，戈雅将平民作为最主要的艺术题材。尽管这一转向包含政治信念和情感倾向，但也是缘自当时的经济状况。在1801年后，戈雅的公共和私人赞助皆开始枯竭。自从完成查尔斯四世的家庭肖像画之后，他与宫廷基本上断绝关系，也许是因为王室不满这幅肖像画，但更可能是因为宫廷再次推行反开明派的保守运动。1801年，自由派首相乌尔基霍（Urquijo）被罢免并被关进监狱，伟大的启蒙主义代表人物霍维利亚诺斯被迫流亡国外，继后被捕入狱。恐怖事件接踵而至：1802年，阿尔巴女公爵暴毙；一年后，戈雅最亲近的朋友萨巴特逝世。1805年，由于戈雅的儿子与萨拉戈萨城著名的商人世家联姻，再加上他本人结交丽奥卡迪亚·佐里拉（Leocadia Zorilla）——她激烈地公开反对专制，日后成为了戈雅的人生伴侣——戈雅和贵族主顾的距离便愈加遥远。自此以后，戈雅开始描绘西班牙中产阶级（在西班牙属于濒危的稀有物种），并且愈发频繁地以平民为主题。在诸如《背水工》（Water Carrier）、《磨刀者》（Knife Grinder）【图3-15】等杰出的油画作品里，以及数百幅素描和版画里，戈雅描绘无产者、乞丐、囚徒及其压迫者（世袭的贵族、士兵、神职人员）。在人生的最后20年里，戈雅专注于描绘平民主题，同时细致地记载他本人对西班牙独立战争的恐怖及其毁灭性后果的沉思和忧虑。

创作《战争的灾难》（1810—1820年）【图3-18—图3-22】、《1808年5月3日，马德里》[或《处决》（The Executions）]【图3-17】，以及"黑色绘画"（1820—1823年）的戈雅，迥异于创作织物图样和贵族肖像画的戈雅。两者之间有三大区别：首先，早期的戈雅是公众人物，积极地记录当代领袖人物，后期的戈雅则是隐退的个人，用画笔体现默默无闻、突然出现于历史舞台的平民；其次，早期的戈雅援引宗教、政治和道德真理的既定修辞，后期的戈雅则没

图3-15：弗朗西斯科·戈雅《磨刀者》，1808—1812年。布面油画，65厘米×50厘米

有如此稳固的根基；最后，早期的戈雅将艺术面向他本人所熟悉的圈子，实现所能预料的观众的期待，后期的戈雅不针对任何熟悉的观众，也不为任何必定会谴责他的观众而创作。或许可以简单地说，后期的戈雅孤立而脆弱，独立而敏于创新，专注于尝试和表现浪漫主义艺术家即将遭遇与甘愿承受的隔绝。这位重

图3-16：弗朗西斯科·戈雅《1808年5月2日，马德里》（*The Second of May, 1808 in Madrid*）/《抵抗马穆鲁克骑兵》（*The Fight against the Mamelukes*），1814年。布面油画，266.7厘米×345.8厘米

要的政府艺术家退出公共视野，转入私人的洞察和想象，只为取悦或宽慰自己而创作本质上纯粹为私人的艺术作品。这一现象大概是艺术史上前所未见的。我们将会看到，在公共展览上，戈雅的作品多半被忽视，或被鄙视。在他逝世以后，戈雅才享有崇高的名望。

前文已经提及造成戈雅孤立状态的一些政治和文化变迁，诸如西班牙国内启蒙运动与传统文化的冲突，贵族、中产阶级和平民阶级就民族身份或"何为西班牙人"的意识形态而展开斗争，法国大革命掀起政治动乱，以及基于优越的共同信念和标准的艺术传统正在衰亡。然而，在1808年以前，戈雅仍很被动，以超然的态度观察和记录政治动乱和社会事件。我们在前文已经看到，戈雅的艺术具有敏锐的洞察力、复杂的寓意，甚至可能包含尖锐的辩证意味。纵然如此，这仍只是冷眼观看的艺术，无异于《狂想曲1：卷首

插画》的自画像所流露的厌世目光。然而，在1808年以后，眉头上挑、嘴角下撇的戈雅消失了。正如1792年后法国的大卫，或者1870—1871年的库尔贝，而今的戈雅是战争和革命大地震的参加者和受害者。政府艺术家与个体的人，再也不能相互分离。

1808年，民众普遍仇恨查理四世腐败的宫廷，尤其是首相戈多伊的阴谋，迫致国王退位，其子斐迪南七世（Ferdinand VII）登基。1807年，拿破仑为将英国与欧洲大陆隔绝，伺机占领伊比利亚半岛（Iberian Peninsula）。1808年5月，拿破仑将兄弟约瑟夫·波拿巴（Joseph Bonaparte）推上西班牙王位。新国王为了同时吸引开明派和平民阶级，立刻颁布新政策，宣告开展启蒙运动，推行全国范围的改革、现代化、世俗化。然而，马德里与各省份地区的百姓，一贯怀疑加洛林王朝反复开展的这类亲法改革，自然不愿意顺从

可恶的法国侵略者发号施令。于是，1808年5月2日和3日，马德里人民武装起义，反抗法国军队及其雇佣军，捍卫斐迪南七世和西班牙的独立。短短数日内，城里的起义便被镇压，但战争转移并扩散到农村，演变为血腥而混乱的游击战，并持续6年之久，及至约瑟夫·波拿巴最终投降，西班牙的君主复辟王位。

戈雅的杰作《1808年5月3日，马德里》【图3-17】，以及类似题材的另一作品《1808年5月2日，马德里》【图3-16】，都是出自1814年，在王室的资助之下创作。《1808年5月3日》旨在歌颂西班牙平民阶级的勇敢和苦难。画面中，在人群和尸体中间，一个白衣男子伸展双臂，面对一队行刑者。他的眼睛流露听天由命的绝望和恐惧。白衣男子虽有很多朋友，但今晚只身一人，站在马德里郊野的皮欧王子山冈（Principe Pio）。如同各各他山（Golgotha）的基督，

他的手掌也有圣伤痕，在死亡的气氛里发出怪异的光芒。由于戈雅此时仍在探索"风格本身的意义"，这幅作品的用色和采光都较为粗糙、俗艳，似乎刻意创造颜色与鲜血、黑暗与恐惧、照明与悲怆之间的隐喻关系。戈雅在构图、用色造型方面施展了精湛的技巧，将那些在残酷、没有面孔的法国行刑手面前殉难的平民神圣化。

评估《1808年5月3日》的意义之时，我们必须记得这幅作品作于1814年，时值斐迪南七世复位之后，西班牙正大肆驱逐、逮捕、囚禁亲法派和自由派，其中很多是戈雅的朋友。1812年，戈雅也企图逃离西班牙，两年后遭到了恢复权力的宗教裁判所提审，要求他解释那两幅"淫秽的"作品，即《裸体的玛哈》和《着衣的玛哈》，并承受漫长的"涤罪"过程。1814年初，他向摄政理事会申请资金，创作《5月2

图3-17：**弗朗西斯科·戈雅**《1808年5月3日，马德里》/《处决》，1814年。布面油画，266厘米×344.8厘米

日》和《5月3日》。这一举措显然是企图重新博得官方恩宠，计划以新近结束的战争为题材，为战争作辩护，从而歌颂斐迪南王朝的复辟。为了恢复自己的名望和地位，戈雅将6年噩梦一般的混战，表现为一场目标明确的战争——平民阶级举着教会和国王的旗号反抗无神论侵略者的战争。

诚然，西班牙独立战争的故事绝非如此简单，但戈雅的这两幅作品也并非有效的宣传工具。在战争的最初阶段，平民起义既针对本国贵族，也针对帝国主义。这一冲突继而分化，变得零散而激进。游击队、"右翼"和"左翼"军阀相继出现，企图驱逐"不信神"的自由派，或者企图制定一部世俗、民主的新宪法。1812年，驻加的斯的流亡政府通过了一部自由主义的新宪法，然而，斐迪南复位之后，新宪法旋即被推翻。因此，戈雅的《5月3日》虽充满真实的恐怖，实则企图通过歌颂平民的英雄主义和牺牲精神，为西班牙战争赋予一种莫虚有的完整性。在这层意义上，这幅作品可以比拟大卫的《萨宾妇女的调停》【图1-28】，两者都是描绘漫长的内战和国外战争的终结，都是试图联合非民主政权背后的观众。然而，与大卫不同的是，戈雅的《5月3日》或许过于坦率地体现国民的牺牲，过于真诚地流露悲怆，过于真实地描绘血肉之躯，这幅作品并没有为艺术家带来财富，也没有为他恢复名望。事实上，平民阶级与戈雅艺术事业是互相抵触的：他们在1814年庆祝教会和王室的复辟，却又经常掀起深刻的社会激进运动。因此，平民阶级和战争本身也许并不适合作为英雄主义和王权鼓吹者的主题。无论如何，《5月3日》一完稿，便被迅速搬进普拉多（Prado）博物馆地下室隐藏。此后两个世代里，无人看过、甚或提起这幅作品。

## "战争的灾难"

如果说《5月3日》是戈雅公开宣告对法国帝国主义的理所当然的义愤，那么"战争的灾难"便是他私下表露出的模糊又矛盾的心态。这组版画作于1810—1820年，但由于包含激烈的情感、模棱两可的政治和道德倾向，从而未能在戈雅在世时出版。除了数份艺术家的校样，"战争的灾难"到1863年（戈雅逝世35年后）才得以刊印。然而，在1808年构思这组作品的时候，戈雅希望以《5月3日》的方式大力歌颂民众的爱国精神和民族主义热情。"战争的灾难"的创作渊源如下：战争爆发数月后，戈雅接到帕拉福克斯将军（General Palafox）征召，要他前往家乡萨拉戈萨。戈雅写道："去观察和审视那座城市被战争摧毁的痕迹，以便传布市民的光荣。我难以拒绝这项使命，因为对于故乡的荣耀，我自己也怀有强烈的兴趣。"因此，戈雅接受委托，冒险前往萨拉戈萨，一路绘制油画、素描、速写，准备作为一组版画的底稿，他想题名为"西班牙反对波拿巴的血腥战争的可怕后果，以及其他显著的狂想"（*The Terrible Results of the Bloody War in Spain against Bonaparte, And Other Emphatic Caprichos*），但今日被称为"战争的灾难"。然而，这些版画未曾体现出英雄的坚定与卓越的决心，而是传达了战争的残酷，对恐怖的憎恶。同时既揭露了西班牙平民与法国人共同的残暴行径，又谴责了波拿巴王朝和西班牙的王权复辟。

"战争的灾难"的82幅版画，大致可以分为三类：战争的受害者和恐怖（2—47）；饥荒、死亡和葬礼（48—64）；"显著的狂想"，以腐败堕落的神职人员、怪兽、奇形怪状的形象构成的噩梦和场景（65—80）。20世纪中叶又发现两块铜版，此外，另有3幅版画，以遭受酷刑的囚犯为主题，曾在戈雅在世时作为校样印刷。这些作品构成所谓的"贝穆德斯画册"（Bermudez Album），现收藏于伦敦大英博物馆（British Museum）。

至1814年，"战争的灾难"绝大多数版画已经完稿，只有少数作品，特别是第三类作品，可能创作于1814年后君主制反动和宗教裁判所猖狂反扑的时期，在1820年自由派政变之前已经完成。在第一类版画中，《战争的灾难2：是对是错》【图3-19】、《战争的灾难3：同样》（*Disasters 3: Lo mismo*），耐人寻味地描绘了西班牙人用斧头、长矛、小刀，甚至牙齿，攻击法国军队。《灾难26：不能看》【图3-18】，无疑是以《1808年5月3日》为原型，但扭转了画面的暴行，转而描绘法国士兵残酷地屠杀平民。这幅版画生动地体现戈雅擅长使用简短的标题，既诠释又暗中颠覆形象的意义。画面中的西班牙男女老少，被赶进一个土坑枪毙。他们哀求、匍匐爬行、双手抱头、正背对不能直视的刽子手。至于刽子手，我们只能看到画面右侧边缘的步枪筒和刺刀。这些恐惧是否适宜作为艺术题材，是否能够恰当地承载审美愉悦，我们是否能看它们？"不能看"，但必须看到的是这场战争的残酷

图3-18：弗朗西斯科·戈雅《战争的灾难26：不能看》(*The Disasters of War 26: No se puede mirar*)，1810—1820年。蚀刻尘蚀版画，14.4厘米×21厘米

图3-19：弗朗西斯科·戈雅《战争的灾难2：是对是错》(*The Disasters of War 2: Con razón o sin ella*)，1810—1820年。蚀刻尘蚀版画，15.3厘米×20.5厘米

图3-20：弗朗西斯
科·戈雅《战争的灾
难79：真理死了》
（The Disasters of War
79: Murió la verdad），
1810—1820年。蚀刻尘
蚀版画，17.5厘米×22
厘米

图3-21：弗朗西斯科·戈
雅《战争的灾难80：她
若复活，又当如何？》
（The Disasters of War 80:
Si resucitaría?），1810—
1820年。蚀刻尘蚀版画，
17.5厘米×22厘米

和无意义。这套版画一幅接一幅反复描绘类似主题，诸如枪毙、捅刀子、饥荒、强奸、死亡，恐怖气氛愈来愈浓。

最后一类"显著的狂想"包括两幅凄凉的作品，《战争的灾难78：真理死了》【图3-20】与《战争的灾难80：她若复活，又当如何？》【图3-21】。前者描绘一群面目怪诞的牧师，正在埋葬一位年轻女性（可能象征宪法）；后者描绘同一个女性，仍未被埋葬，可能处于腐烂状态。在前一幅画中，她的身躯散发强烈的光芒，象征着理性和真理；在后一幅画中，她的光芒随着青春和美貌一同黯淡。这两幅作品可能是在1819年构思的，正值开明派和自由派遭受迫害的时刻，画面体现了一个目睹理性陨落的人所感到的悲怆和孤绝，并且此人不幸地依然怀抱希望。戈雅准备为《战争的灾难》创作的最后3幅版画（未收入1863年的遗作版本），也揭露了同样酸楚的辩证逻辑。这3幅作品描绘囚犯们被锁着铁链，遭受酷刑折磨，让人回想起《充满疯子的庭院》、"狂想曲"。与戈雅先前的作品一样，《战争的灾难84：关押罪犯无须酷刑》（*The Disaster of War 84: La seguridad de un reo no exige tormento*）【图3-22】表达开明派的改革热忱，唯一不同的是这里没有反讽、讥消，或是启蒙运动的祈祷。1823—1824年是白色恐怖时期，斐迪南二度复辟后，向民间的激进派和自由派发动大规模镇压。年迈的戈雅畏惧酷刑会降临己身，在1825年离开西班牙，前往法国。3年后，他相对安宁地在法国辞世。戈雅之所以如此绝望，正是因为他曾在拿破仑本人身上看到启蒙运动本身的野蛮行径，以及西班牙启蒙运动的溃败。

## "黑色绘画"

在人生最后10年，戈雅的作品并非一成不变地凄惨黯淡。在这个时期，他创作了数幅自画像、宗教绘画，乡土气息浓郁、实验性的《波尔多挤奶女工》（*Bordeaux Milkmaid*，1825—1827年），以及一些石刻版画（新接触的媒介）。然而，在1820—1823年的作品里，最显著、最令人困惑的是戈雅在马德里郊区住宅聋人之家（the Quinta del Sordo）的两个房间描绘的14幅壁画。这些壁画被称为"黑色绘画"（已被转移到布面），创作于短暂的宪政时期，不能真正地被诠释为坚定地歌颂理性和真理的复苏。壁画的形象

大多怪诞或恐怖，令人毛骨悚然，即便其中有寓意或讽刺意味，那也是晦涩难懂的含义。最早的观看者也抱持同样的看法。《萨图恩吞噬儿女》【图3-23】和《女巫的安息日》【图3-10】或许类似"狂想曲"，影射宗教裁判所的暴力和迷信，但已不再包含改革精神。这些壁画属于私人主观的形象，如同噩梦，甚至流露耸人视听、眩人耳目的意味，缺乏公共目的，甚至不针对任何观众，只有艺术家本人、他的儿子和伴侣丽奥卡迪亚，以及少数几位幸存并有胆量拜访这位开明派老人的友人能够看到。鉴于这些壁画作品所包含的阴暗情感色调，有一个问题油然而生：戈雅是否仍是启蒙运动艺术家？

"黑色绘画"和"战争的灾难"系列的后期版画一样，都是戈雅在理性沉睡的时代为自己创作的艺术。在拒斥了公共意义、传统的形式、经得起推敲的

图3-22：弗朗西斯科·戈雅《战争的灾难84：关押罪犯无须酷刑》，1810—1820年。蚀刻尘蚀版画，11.5厘米×8.5厘米

图3-23：弗朗西斯科·戈雅《萨图恩吞噬儿女》(*Saturn Devouring His Children*)，1820—1830年。壁画转移到布面，145厘米×82.9厘米

象征形象之后，创作"黑色绘画"的戈雅似乎丧失或抛弃了自己的理性。这些壁画呈现了前所未有的大胆和广阔视野，色彩在沉重和刺目之间交替。然而，这些壁画以及戈雅晚期以法国普通百姓为题材的较平静的作品，譬如《波尔多挤奶女工》、《画册G》（*Album G*，1824—1826年），都包含一种内在逻辑。历史学家格温·威廉姆斯（Gwyn Williams）便是因为察知这一逻辑，才写下这一段话："至于怪诞、疯狂、神秘、女巫，实际上俱是缘自人类理性的沉睡。它们是人类的噩梦。这里的要点是，这些怪物都是人类。"戈雅对怪诞形象的痴迷，表明了他对普通人、西班牙平民以及（1825年后）复杂的法国小民（menu peuple）的持久的兴趣。正如自勃鲁盖尔（Bruegel）之后的艺术家，戈雅认为怪诞和通俗所界定的世界，与秩序、理性、理想和贵族的世界截然对立。然而，迥异于先前

艺术家的通俗的怪诞形象，戈雅的形象既不是装饰，也不生动。我们已经看到，它们的最大特征便是自相矛盾。换言之，戈雅作品中的形象结合了残酷与高贵，无理性与品德，盲目与想象；它们不为艺术家和观者提供慰藉心灵的关于忠诚或真理的道德说教，但也不似启蒙运动的艺术作品一般僵化或停滞。在戈雅这里，平民主题首先是艺术家传递深沉的悲观主义和孤绝的载体，但它同时为艺术史揭示一个新方向——艺术家与精神失常者、脱离社会者、持不同政见者和大众之间联合统一的目标和视野。这一视野属于激进派、不羁者、社会或文化的边缘人物。在法国，这是热里科和德拉克洛瓦所倡导的视野。我们将在下一章看到，在英国，这一视野主要体现于威廉·布莱克的作品。

## 问题讨论

1. 在弗朗西斯科·戈雅的一生中，西班牙的政治可以形容为拉锯状态——从改革到反动，从倡导启蒙运动到残酷镇压自由派人士。戈雅的艺术是如何体现这一交替变动的时局的？

2. 1793年早期，戈雅的艺术似乎经历根本性的变化。促成这一变化的是导致他失聪的疾病还是危险的政治局面？

3. 据批评家和小说家安德烈·马尔罗说，戈雅找到"风格本身的意义"。试以《1808年5月3日，马德里》为背景讨论这一概念。

4. 戈雅的作品是在歌颂西班牙平民的英雄主义，还是在谴责他们的无知与迷信？讨论他的"战争的灾难"和"黑色绘画"。

## 第4章

# 具有远见的历史画：布莱克及其同代人
# 约1780—1810年

布赖恩·卢卡彻

## 导言

"革命时代"这一术语通常是指18世纪晚期法国和美国的革命。然而，在这一时期，英国的经济、政治和艺术也经历革命性的变迁。100余年的圈地法限制土地和森林的公共使用权，迫使穷人从农村进入城市，尤其是伦敦。1760—1814年，伦敦人口翻倍，至1850年，又翻了一番。英国的制造商开创先例，在工厂和运输业使用煤炭为燃料，英国生产的棉布和羊毛织物占据了世界市场。英国也率先开创人口贸易。从1640—1807年（英国废除奴隶贸易的时间），三百多万非洲人，包括成年男女、未成年儿童，被运往英国在南美、北美以及其他国家的殖民地。然而，废除奴隶贸易并没有终结殖民地的奴隶制。1833年出台的《废奴法案》（Slavery Abolition Act），才在名义上终结了奴隶制。

无论在宗教、政治、个人举止或艺术实践方面，艺术家和诗人威廉·布莱克都算是彻底的不守成规者。然而，在很多方面，布莱克也是一个原型，他的作品触及时代最重要的问题。他强烈反对奴隶制，在泥金装饰手抄本《天真之歌》（Songs of Innocence）、《阿尔比恩女儿们的幻象》（Daughters of the Visions of Albion）、《美洲：一个预言》中表达他的信念。他创作《美洲：一个预言》和《欧洲：一个预言》，支持美国和法国的革命，谴责英国首相威廉·皮特（William Pitt）在18世纪90年代中叶攻击言论和集会自由。布莱克跟随极其成功的詹姆斯·巴西尔（James Basire）学习雕版艺术，也进入皇家艺术学院接受训练，并萌生创作大型历史画或壁画的雄心。（他最终并未实现这两大雄心，而是专注于小幅作品：泥金装饰版画、水彩画、蛋彩画、雕版画）。

1809年，布莱克在伦敦举办个展。及至此时，他相信自己已经摸准这座大城市及其多样化人口的脉博。在题名为《记述式目录》（Descriptive Catalogue）的展览目录里，他认为艺术家可以随意批判"社会的堕落状况"，应当成为道德和文化的领袖，领导渴望摆脱帝国的锁链和压迫的自由人民。《纳尔逊的精神形式引导利维坦，其花冠缠绕地球的国度》（The Spiritual Form of Nelson Guiding Leviathan, in whose wreathings are infolded the Nations of the Earth）和《红色巨龙与太阳笼罩的女人》（The Great Red Dragon and the Woman Clothed with the Sun）体现布莱克的复杂、自相矛盾的立场。公众对于展览的回应也揭示了他的立场。有一位批评家称他的作品为"头脑紊乱的胡乱倾泻"。

当然，后人作出了迥异的评判。在今天，布莱克被视为先知，他的艺术和思想预见20世纪和21世纪的政治革命和性解放。布莱克虽深受米开朗基罗、同时代的詹姆斯·巴里（James Barry，1741—1806年）和亨利·富塞利（Henry Fuseli，174—1825年）的影响，但他本人确实富有远见卓识。自少年时代开始，布莱克便在幻象中看见天使和杰出的古人，尤其是他最钦慕的诗人、前一革命时代最重要的诗人约翰·弥尔顿（John Milton）。纵然如此，布莱克最终不得不承认人生的失败，一生壮志未酬，没能创作出代表人民的革命艺术。他在贫苦中逝世，几乎被世人遗忘。但包括艺术家塞缪尔·帕尔默（Samuel Palmer）在内的古人派（The Ancients，参见第5章）、拉斐尔前派（参见第11章）先后继承他的遗风。

## 布莱克的革命

大卫和戈雅的艺术生涯相继面临启蒙运动、革命和帝国的意识形态更迭，而英国诗人、版画师和画家威廉·布莱克充满想象的艺术却极其封闭，但这些作品热情地回应英国社会的历史力量和事件。然而，迥异于法国和西班牙的同行，布莱克终生处于英国艺术界的边缘，与杰出的美术机构和乔治时代晚期伦敦最有名望的艺术赞助完全隔绝。在本国的政治和社会动乱时期，大卫和戈雅都作为杰出的民族艺术家引人注目，布莱克的境遇颇为不同，他与所有专制主义的标准截然对立，使他成为孤立、反主流文化的浪漫主义楷模——尽管浪漫主义这一概念负载太多20世纪后期的价值观和错误认识，但布莱克的人生和艺术的特殊状态确实符合这样的表述。在我们的世纪里，"布莱克"无疑成为一张反复擦掉重写的羊皮纸，书写着各种社会和心理形态的乌托邦。若非如此，他如何同时被奉为卡尔·马克思和卡尔·荣格（Carl Jung）的先驱，尽管这二人之间有很大的差别。就我们当前的话题而论，布莱克对于19世纪初视觉艺术的贡献，为我们理解历史画的命运、英国浪漫主义艺术的民族文化身份等问题提供了至关重要的信息。

为了理解布莱克作为艺术家的困境——既"被排拒"，又直接触及时代的审美和政治问题——我们首先要探讨他在1809年自费筹办的个展。这次展览表明布莱克竭尽全力意欲博得公众的关注。布莱克在亲兄弟的住宅（兼作出售袜类的店铺，成为与众不同的艺术渠道）展览16幅"诗歌与历史的创造"（*Poetical and Historical Invention*），自封为拿破仑战争期间的英国艺术改革者。他在展览期间写下一些诗，想象有一位天使前来传报，吩咐他"你且降临地球/唤醒不列颠海岸的艺术，/法国将拜倒和称颂。/以艺术作品迎接他们的军队，/战争将在你脚下坠落。"布莱克期待自己的艺术具有政治效力，然而，吊诡的是，他的和平主义希望被表述为民族主义，试图吸引赞助和赏识。他所刊登的"广告"和展览目录《记述式目录》彰显了这一吊诡。当他看到自己的艺术不受重视，仅被视为"疯子的涂抹"（他本人的措辞），布莱克十分恼怒。他期待终有一天兑现自己的艺术名望：一个"晦涩难懂"的雕版师，在激进派和神秘主义的艺匠亚文化圈里挣扎，随时准备担负起历史画家的重任，去缓解、重新安排备受战火蹂躏的、被误导的帝国能量。

布莱克出身古籍和艺术印刷的雕版行业，他的事业生涯始于18世纪70年代，终生从事商业雕版，但收入不稳定，始终不能令他和妻子凯瑟琳·布歇（Catherine Boucher）脱离赤贫（朋友和罕见的顾客看到布莱克家肮脏贫苦的生活条件之时，都会惊愕）。布莱克在新建的皇家艺术学院〔1768年，乔治三世（George III）钦命创立〕接受过短暂的写生训练，也曾向皇家艺术学院的年度展览提交以历史和圣经故事为题材的水彩画。然而，终其事业生涯，布莱克一直是学院的弃儿，他敌意学院体制，谴责其过于拘限，教学法和展览政策则又过于笼统，尤其是失于鼓励真正进步的历史画派。布莱克视历史画为最高画种，或者更宽泛地说，他推崇理想主义美学，实则表明他依然仰赖于皇家艺术学院所倡导的艺术原理。这正是布莱克独有的作风，指责或否定某个思想体系或权力机构之时，也将其价值融入自己的艺术和信念的想象模式，或者加以重新界定，无论这些价值是启蒙哲学的理性经验主义、与君主立宪制自相矛盾的权威，还是新兴的工业资本主义，在他的绘画和写作里，所有这些都成为尖刻批判的对象。

1790年，布莱克衍化出一种独特的方式制作泥金装饰诗集抄本。他尝试凸版蚀刻技法，将萨迦抄本与象征性的、叙事性的或装饰性的图案雕版合并起来一同套印。这些形象不只是诗歌的插画或补充，而是既丰富诗文的内容，又增添反驳的意蕴。文字与形象交叉错综，颠覆了阅读、观看和诠释过程本身所隐含的认识论预设。形象元素有时占据整幅版面，或者融入字行之间。诗集印数极少，都是手工上色，通常由凯瑟琳·布歇负责染色。如此之下，中世纪的工艺美感融入复制印刷技术，正如在他的泥金装饰诗集里，布莱克便是试图将个人签名的独特性与他所期待的复制性相结合。

布莱克在这个时期所创作的诗集，可以贴切地概括为革命政治的精神寓言。他用神话拟人形象表现人类的欲望、头脑的习惯和世界观，采用原始化的拟声词语为它们命名，譬如奥克（Orc）、罗斯（Los）、乌里森（Urizen）。他的写作通常似圣经科幻小说的怪诞形式，但也始终可见弥尔顿和奥西恩诗歌的影响。在布莱克的诗歌里，造物神在宇宙或细胞的空虚里奋斗，或者从地理上说，在濒临末世毁灭的英国大地。布莱克在对他的神话主人公所承受的压迫和解放、迫害和抵抗之间的循环进行悲叹和劝诫时，"巨人形态"（他这样称呼）上演了一部当代历史的心理史诗，并格外聚焦于英国拒绝接受美国和法国的革命狂热。布莱克与出版商约瑟夫·约翰逊（Joseph Johnson）的激进知识分子圈交往密切，其中包括共和党人托马斯·潘恩、女权主义者和政治活动家玛丽·沃斯通克拉夫特（Mary Wollstonecraft）。再加上他的出身和职业都是扎根于市井工匠的社会环境（18世纪90年代英国雅各宾派的根基），确定了布莱克作为政治激进派的资格。他的诗集《美洲》（1793年）和《欧洲》（1793年），都使用"一个预言"为副标题，描述政治自由如何艰难地对抗教会以及政府的独裁和君主专制的权威；这一对抗化身为貌似形容模糊的神圣力量抢夺阿尔比恩（Albion）的灵魂（布莱克用阿尔比恩比拟英国的人性）。在18世纪90年代，布莱克的写作以紧迫感捕捉英国雅各宾派运动的社会和政治抗议，法国大革命和法兰西共和国的成立激励了英国的运动，但随即便让英国人感到幻灭。1793年，英国向法国宣战，首相威廉·皮特推行强硬政策，镇压所有政治异见者的有组织的活动和言论，再加上外国侵略的恐慌、粮食短缺、政府审查制度，整个国家笼罩着多疑的政治气氛。至18世纪90年代末，拿破仑在法国掌权，于是，捍卫英国所必备的民族主义和军国主义便先发制人，镇压与封锁了革命改革的呼声。因此，布莱克的艺术和诗歌所描述的是永远不会来临的英国革命。

## 身体政治与宗教神秘主义

布莱克期待见证英国的革命冲动，他最著名的一幅作品，彩色版画《阿尔比恩站起》（*Albion Rose*）【图4-1】，清晰地体现了他这份急切的渴望。这幅版画的最早草图可以追溯至1780年前后，据推测，其构思是为纪念布莱克在当年所经历的戈登暴动——伦敦街头反天主教、反殖民战争的示威游行，引发大规模群氓暴力。布莱克当时混在人群里冲向新门监狱（Newgate Prison），参与焚烧行为。在版画里，年轻的阿尔比恩赤身飞来落到倾斜的山顶，我们可以从这个形象看到布莱克视觉形象语言的所有基本元素：人类形象作为精神、理智和政治姿态的物质符号。阿尔比恩的芭蕾舞般自由伸展的形体，源自文艺复兴时期维特鲁威人（The Vitruvian Man）的完美比例，以及新古典主义艺术家为赫库兰尼姆（Herculaneum）出

土的古代雕塑所制作的版画。彩色的光晕、迸射的光线环绕整个阿尔比恩的形体，他的手臂伸展，头发似在燃烧，呈现凯旋式正面姿势。布莱克弱化了人体解剖结构，将造型保持在最低限度，仅用轮廓线界定五彩光晕内的身体。绚丽灿烂的身体造型，与杂色斑驳的山坡、版画底部黯淡的黑夜构成对比。在艺术实践方面，布莱克坚定地拥护保持新古典主义的线条，但他的作品往往倾向于色彩主义——通常是他本人所抨击的感知与感官的物质主义的标志。对于他的形象与审美的对立面的辩证互动来说，这些色彩发挥了至关重要的作用。

阿尔比恩这一形象不只是模仿古代英雄裸体的新古典主义习作。实际上，阿尔比恩是英国的身躯，显然脱去社会阶级和历史身份的外套：虽优雅，却原始；虽纯洁，却仍有性别；虽使人精神升华，却保持平稳沉着。布莱克称他所处的状态为"供陈列的裸体美"。如同布莱克的大多数裸体形象，阿尔比恩似是刻意安排的矛盾，一个脱离肉体的化身。他确实被赋有肉身和形体，但他也是一幅缥缈的蓝图，为某个人类乌托邦提供复兴的模型，同时又似基督或者阿波罗。在《美洲》中，布莱克想象美国革命能为英国人民带来自由解放的感召力，"患麻风的伦敦的精神"就会痊愈，作为"赤裸的人群"被重新唤醒。在这首诗另一处，他描绘自由的曙光："清晨来临，黑夜腐烂……/让在磨坊里碾磨的奴隶，跑向外边的田野，/让他抬起头看天空，在明亮的空气里欢笑。"从压迫的黑暗到启示的光明，从囚禁的劳动到泛神论的自由解放，这一转变让人想起潘恩用太阳比喻政治自由。在《人的权利》（*The Rights of Man*，1791年）里，他这样写道："然而，这正是真理不可抗拒的本性：它只要求，它只想要表象的自由。太阳和黑暗的区别，不需要任何铭文。"阿尔比恩照耀自己的形象，以同样显著的方式宣告自由本身的光彩。布莱克采用古典主义的人文主义艺术中最正统的特征——理想化的裸体，创作出革命的象征符号，为社会和精神的改革创造一种形象的祈祷，颇似他在后期诗歌《弥尔顿》（*Milton*，1804—1808年）的序言中向读者提出恳求："起来，哦，新时代的年轻人！"

然而，布莱克在18世纪90年代的艺术更关注征服和奴役的形象。1793年的《阿尔比恩女儿们的幻象》的卷首插画【图4-2】，画面气氛严肃，充满痛

图4-1：威廉·布莱克《阿尔比恩站起》，1794—1795年。彩色版画，线条雕版、钢笔、水彩，27.1厘米×20.1厘米

苦，刻画心理和肢体双重束缚的身体语言。这首诗的女主人公奥松（Oothoon）被锁缚于奴隶主/强奸者身上，她的情人妒忌又失败，畏惧地缩在洞窟上方，俯视底下锁在一起的两人。宽泛地说，这首诗融合废奴主义和半女权主义的理念，反对性和经济剥削，谴责人口贸易将"太阳黝黑的儿女"和"生命处女/贞洁

图4-2：威廉·布莱克
《阿尔比恩女儿们的幻象》卷首插画，1794—1795年。彩色版画，线条雕版、钢笔、水彩，27.1厘米×20.1厘米

的欢乐"商品化。布莱克将社会和道德对于自由的扭曲，用视觉形象诠释为画中被束缚的身体——米开朗基罗裸体的微型变体，也是布莱克人物艺术的典型手法。人物的痛苦屈服不但呈现于身躯的姿势和动作——男性身体紧绷，神情疯狂，女性身体弯曲，无奈地顺从；而且体现于人物的界定轮廓，粗糙又概略地勾勒了人体结构特征，庞大的身躯被压缩为人类绝望的袖珍图式。布莱克一向厌恶幻觉主义绘画的传统手法，因此，在这幅版画里，荒凉的风景饱含隐喻，而不是客观的描绘。洞窟入口映衬着海水、云、黯淡的太阳所构成的阴郁风景，自然王国被描绘为由不真实的色块所构成的平面图案，拒绝客观的空间逻辑。这片心理风景，又被逆转为头颅状的拟人轮廓，从而愈发加深失去力量的泰坦神（Titns）所面临的可怕困境。除了用神秘抽象的方式表现压迫，布莱克也采用纪实形式，揭示奴隶制残酷的真实境况。他为约翰·斯特德曼（John Stedman）船长的著作《五年征伐苏里南黑人起义的故事》（*Narrative of a Five Years' Expedition against the Revolted Negroes of Surinam, in Guiana, on the Wild Coast of South America*，1796年）制作插画。斯特德曼作为目击者当场画速写，记录殖民奴隶主对反叛奴隶施行的酷刑和惩罚。

布莱克的版画依据这些速写作品，毫无顾忌地体现与奴隶贸易直接相关的残酷暴力，譬如《穿过肋骨活吊在绞刑架下的黑人》（*A negro hung alive by the Ribs to the Gallows*）【图4-3】中的黑人男子，他的手脚被捆，被捆绑的身躯横吊在绞刑架下。正如这幅画所示，奴隶们通常流露坚忍、克制的神情。沉默的坚韧，旨在激发文明人同情奴隶们所遭遇的不可承受的肉体痛苦，同时，他们面对如此残酷的惩罚似乎无动于衷的状态，更加突显他们受到的非人待遇。画中的男子绝望地吊在绞刑架下，地上堆积着受害者的骷髅，远处的海港隐现贩奴船——这是随受酷刑的奴隶物化的符号，象征着死亡永远在延续。而这一延续性，等同于奴隶制本身的永远延续。

布莱克反复思考革命和压迫这一组相互冲突的力量。这一癖好与他的基督教神秘主义密不可分。他频繁地接纳、摄取、批评18世纪的神秘主义体系，从瑞典神秘主义者伊曼纽·斯威登堡（Emanuel Swedenborg）的末世诠释学，到英国神秘主义者托马斯·泰勒（Thomas Taylor）的新柏拉图主义研究，无不涉猎。他以自己构造的迷狂状态作为艺术灵魂的源泉，经常在家中尝试唯信仰论的生活方式，试图再现人类堕落前的极乐状态（有人看到威廉和凯瑟琳在自家院子里赤身裸体，扮演亚当和夏娃）。在反抗社会和艺术的主流体制之时，布莱克诉诸于超自然的东西。他的作品和性情里这些不遵礼法的宗教信仰和神秘主义，让有些人更痴迷他的感召力，也让另一些人厌烦他的不切实际、挑战观者的耐心。

布莱克的作品始终一贯地命名为"幻象"和"预言"。由此可以看出，他的心灵也充满了18世纪最后数十年间笼罩着英国社会的千禧年焦虑。历史学家爱德华·帕尔默·汤普森（Edward Palmer Thompson）分析说，法国大革命在英国激起回应，并随即滋生宗教狂热和政治激进主义，"千禧年主义的气息感染了布莱克，它在街头涌动……进入伦敦工匠界的雅各宾派和政治异见者中间"。随着这一世纪艰危地终结，以及欧洲大陆的革命煽起英国的政治和社会冲突，当代历史貌似即将实现圣经《启示录》（*Revelation*）的剧情，尤其是不信奉英国国教的宗教流派及其自封先知的预言。理查德·布罗瑟斯（Richard Brothers）便是这样一位先知，他自称"希伯来人的王子"，预告所有君主制的崩溃近在眼前，"现代巴比伦"伦敦也将随

图 4-3：威廉·布莱克
《穿过肋骨活吊在绞刑架下的黑人》，出自约翰·斯特德曼的《五年征伐苏里南黑人起义的故事》，1796年。版画，18厘米×13.5厘米

之毁灭。1795年，他以煽动叛乱罪名被捕，关进疯人院。在疯人院里，布罗瑟斯制订并出版一份计划书，描绘伦敦该如何复活为新耶路撒冷。布莱克后期的史诗《耶路撒冷：伟大的阿尔比恩般散发》（*Jerusalem, the Emanation of the Great Albion*，1804—1820年）都体现这份计划书的影响。这一时期涌现大量关于历史毁灭和精神复活的千禧年主义预言，全都是对社会失望、在政治上被剥夺权利的人们所表露的征兆。布莱克的艺术形象越发具有蒙昧主义和先知的特征，成为这些征兆的鲜明见证。凡是高度关注社会的构建和历史特性的现代学者，尤其是雅各布·勃朗诺斯基（Jacob

Bronowski）和大卫·厄尔德曼（David Erdman），都注意到布莱克本人所虚构的宗教信仰，在1800年间开始增添政治寂静主义的色彩。这是保守派民族主义主宰英国社会和政治言论势必产生的结果。

## 布莱克的公共艺术

正如前文指出，布莱克在1809年举办个展，试图让自己突破早期默默无闻的事业。布莱克的"广告"和《记述性目录》在招徕公众关注之时流露尽职的爱国主义，但他并没有刻意规避惯用的诅咒词汇，评论艺术在"堕落的社会"所经历的苦难。他称自己的

作品为"实验绘画"，主要是因为它们都是帆布蛋彩画。这是布莱克新尝试的媒介，他也称其为"壁画绘画"（fresco painting），并认为这一媒介可以有力地挑战在他看来仅属于油画的商业和审美的虚荣（可惜这场展览幸存的蛋彩画都已严重地恶化）。布莱克原本计划将这些实验绘画作为典型，示范他期待将来要创作的巨幅壁画，由政府委托资助，用以装饰雄伟的国家纪念碑。展览目录中的第一幅作品《纳尔逊的精神形式引导利维坦，其花冠缠绕地球的国度》[以下简

称《纳尔逊的精神形式》]，最能代表布莱克野心勃勃又痴心妄想的未来壁画。1805年，英国海军元帅纳尔逊在特拉法加战役中身亡。在拿破仑战争期间，他成为公众意识里的时事性人民英雄，当代艺术家抓住时机，利用民族主义文化，狂热地打造战功纪念碑。绝大多数纪念项目经由政府委员会和报界的无休的筹划和争论，但鲜有真正实现的作品。雕塑家约翰·斐拉克曼甚至在纳尔逊逝世以前便提交项目方案，作为英国海军胜利纪念碑的设计图稿【图4-5】，以威赫的

**图4-4：威廉·布莱克**
《纳尔逊的精神形式引导利维坦，其花冠缠绕地球的国度》，1805—1809年。帆布蛋彩画，76.2厘米×62.5厘米

不列颠尼亚（Britannia）女神雕塑象征英国海军征服法国军队的功绩，当作公共纪念，安放在格林尼治山（Greenwich Hill）的墓园内。一些设计图稿以古代雕塑为灵感，充满权欲和夸张。但斐拉克曼的雕塑设计风格简洁、峻刻，深刻地影响了欧洲的艺术家。1799年，布莱克为这些设计图稿制作版画。斐拉克曼的构思反映了新古典主义的偏好——热衷于宏伟的公共纪念场所，以求在现代化的希腊与罗马氛围之中歌颂国家的权力。10年后，布莱克的梦想是将自己的小型蛋彩画绘制为巨幅纪念作品，作为占据国家重要地位的公共艺术被推崇。这契合用艺术夸饰英国当代历史的文化政治。诚然，布莱克绝不迟钝，并非没有意识到这种妥协逻辑只会致使艺术的目的性完全屈从于民族主义和帝国主义的事业。他在1810年写道："我们来教教波拿巴和任何可能相关的人，不是艺术侍奉帝国，而是帝国追随艺术。"在这份宣言的另一份草稿里，布莱克用"英国人"取代"波拿巴"。

布莱克的忠诚在艺术和帝国之间摇摆。他对纳尔逊的寓言诠释便体现了这一分裂态度。在画中，纳尔逊只裹着一条腰布，头顶光轮，与其"精神形式"十分相称，这位凡俗的英雄周围环绕着曼荼罗式的抽象光芒，将他神圣化。纳尔逊手拉套索，以近似自动化的放松姿态，控制着无休止地盘绕的海怪；他的神情超然、平静，神祇般地无视被龙身挟裹的男女的徒劳挣扎。作为主宰和征服的恐怖形象，这幅作品尤其精心地描绘那些处于纳尔逊的帝国统治之下的伤亡者（即"地球的国度"），死去奴隶的身躯在前景占据显著的位置，他虽脱离了海怪的扼制，却沦为一具无生命的弃尸，倒在自由的狭隘海岸。作品题名中的利维坦（Leviathan），既影射《圣经》里反抗上帝意志的怪兽，也是指涉托马斯·霍布斯（Thomas Hobbes）的著名政治比喻——国家之船腐败堕落。作为纳尔逊的战争工具，利维坦至多只能自相矛盾地象征不列颠的海上霸权。布莱克的纳尔逊让人联想起他的革命原型，裸体的阿尔比恩【图4-1】。然而，在阿尔比恩身上，人类身体的自由并不明确，纳尔逊的身躯则既不紧绷，又没有充沛的活力，似乎被超自然的任务拖累和束缚。观者必定会想，究竟是纳尔逊引导利维坦，还是利维坦引导甚至奴役着这位超凡的英雄。

布莱克的艺术特征——幽闭恐怖的反幻觉主义，对人体进行变形和扭曲处理，以及对英雄的超自然主

图4-5：约翰·斐拉克曼 "英国海军胜利纪念碑设计图与不列颠尼亚女神雕像"，威廉·布莱克制作雕版，1799年。雕版画，24.8厘米×18.9厘米

义与仪式化暴力的痴迷——都将他的作品与英国近年间历史和诗意绘画的新潮流相关联。布莱克认为，他的艺术属于失败的进步派历史画传统。他认为，这一传统在损害英国艺术赞助的纯商业化变迁过程中沦为牺牲品。

## 布莱克与英国当代艺术的崇高

在布莱克所推崇的同时代艺术偶像当中，最重要的是爱尔兰的詹姆斯·巴里。巴里在事业生涯早期便已得到许多显要人士的鼓励和支持。巴里虽在皇家艺术学院迅速晋升，1782年成为绘画教授，但他一直充满敌意地反抗学院，反抗英国社会及其政府，指责其没

有培养、推广大众的历史画品位。巴里认为，私人的兴趣与社会、政治的派系摧毁了代表平等主义价值观的公共艺术的社会理想（他甚至回绝了美国国家历史画家的名衔）。由于他对皇家艺术学院的批判，巴里在1799年被逐出学院，随后虽在其他机构找到资助，得以继续创作历史和寓言题材的宏大作品，但他最终在贫穷和幻想破灭中结束了艺术生涯，成为英国历史画这一失败事业的无可争议的殉难者。如此悲怆的结局，激发了布莱克的灵感，计划以此为主题创作一首诗，并命名为《巴里，一部史诗》（*Barry, an Epic Poem*）。

巴里倡导赋有特色的英国历史画流派，与同时期的艺术家一样，他在莎士比亚和弥尔顿的作品里寻找灵感。他的《李尔王抱着考狄利娅的尸身哭泣》（*King Lear Weeping Over the Body of Cordelia*，1786—1788年）【图4-6】，描绘了莎士比亚戏剧里的一个场景：李尔王抱着唯一忠诚的女儿的尸身，筹划阴谋的两个女儿的尸体倒在他的脚下，如此阴森的悲怆的画面基调在当时被视为有伤风化，不适宜乔治时

代的观众。在巴里看来，老国王在疯狂的愤怒之下诅咒家族内讧，暗含着许多时事政治问题，质疑君主制的稳定性，并揭示私人与公共激情的非理性冲突。在巴里的作品里，李尔王与哀悼的男性随从占据整个前景。形象巨大的男性随从表现出各不相同的情感反应，透露了国王疯狂绝望的骇人景象。李尔王本人则是一头浓密的白发，随风飞舞，先知一般地滔滔不绝——当时的批评家便抱怨老国王的气势过于像闪族人（Semitic）的先知。布莱克借鉴这个形象，用以描绘威赫的族长、专断的神祇以及后期作品里诗人奥西恩的形象。此外，大卫画室极其流行的众多神话英雄，也是以巴里的李尔王为形象和心理的范式。在巴里的构图中，背景的风景为庞大的戏剧人物组合提供视觉转换效果，其中最显著的元素是古德鲁伊教的三巨石神庙，让人联想起不列颠往昔的历史和宗教文明。巴里的这幅作品属于"莎士比亚画廊"（Shakespeare Galleryr）的一个项目；这一商业项目是由伦敦出版商和市政官约翰·博伊德尔（John Boydell）承保，委托

图4-6：詹姆斯·巴里《李尔王抱着考狄利娅的尸身哭泣》，1786—1788年。布面油画，269厘米×367厘米

英国一些杰出艺术家描绘莎士比亚戏剧里的情景，作为公共展览的作品。这些绘画作品随后被制作雕版，印刷大量复件，向大众销售。鉴于英国的历史画得不到王室的直接赞助，这类商业投机项目将英国叙事绘画的未来置于变幻不测的市场。

巴里也是造诣精湛的版画师，他以弥尔顿诗歌为题材的插画，深得布莱克的钦慕。巴里的蚀刻画《撒旦及其随从挥舞武器，威胁天堂穹顶》（*Satan and His Legions Hurling Defiance Toward the Vault of Heaven*）【图4-7】不亚于一篇探讨崇高的视觉论文。埃德蒙·伯克在求学时代写过探讨崇高美学的论文，题为"崇高与美丽概念起源的哲学探究"（*A Philosophical Inquiry into . . . the Sublime and the Beautiful*，1756年）。在这篇论文里，崇高被定义为恐怖的愉悦，当然，这是经过审美调停的恐怖，想象力在畏惧、匮乏、屈服的思想里揭示——同时将自己置于对立面——感知与心理所经受的刺激过度的状态、全能威权的幻象。伯克认为弥尔顿的《失乐园》（*Paradise Last*）是表现崇高的文学典型。事实上，巴里的构图完全符合伯克在《崇高与美丽概念起源的哲学探究》制定的条件，认为唯有诗意的形象，而不是绘画形象，才能激发崇高的情感。巴里所描绘的撒旦，正在唤醒手下的勇士，指挥他们将叛逆的诅咒掷上天庭，地狱的深渊溢出诡谲的光芒，营造丰富的明暗对比，愈加突显强健的人物造形。巴里将崇高的视觉性构思为男性的身体力量，堕落的天使们拥堵在熊熊燃烧的深渊悬崖，他们身躯伟岸，肌肉发达，奋力搏斗，势欲冲破画面的边界。这幅弥尔顿插图的叛逆主题具有多重意义：首先，激进的巴里运用绘画形象攻击诗歌的崇高，挑战保守派伯克（也是整个艺术界和社会体系）；其次，被压制的政治反抗能量，难以抗拒地认同撒旦的黑暗的英雄主义。伯克本人曾经说过，弥尔顿的这段诗会导致"君主的毁灭和王国的革命"。

在巴里之外，布莱克最欣赏的艺术家是生于瑞士的画家亨利·富塞利。布莱克和富塞利皆被时人低估，二人过高的想象力似乎既抵制又追求18世纪晚期伦敦的商业艺术文化。富塞利拥有非同寻常的知识背景，来自苏黎世和柏林的文学与哲学圈的"狂飙突进运动"（Sturm und Drang）。至1770年，他已将温克尔曼（Winckelmann）的希腊艺术史翻译为英语，研读卢梭的道德哲学，并撰写批判式评介，最后在雷诺兹

的鼓励之下，将绘画作为事业追求。富塞利在罗马逗留8年之后，于1780年到伦敦定居，在此打造双重事业，作为以超自然、神话和诗歌为题材的画家与高产的文学评论家。与他亲密的交往者中间，有当时极具影响力的容貌学理论家约翰·卡斯帕尔·拉瓦特尔（J. C. Lavater），利物浦艺术收藏、银行家和废奴主义者威廉·罗斯科（William Roscoe），革命派女权主义者和政治活动家玛丽·沃斯通克拉夫特（据传说，她迷恋富塞利，在1792年邀他同往法兰西共和国观光旅行）。

富塞利愤世嫉俗，放荡不羁，以轻慢和倨傲的态度著称。这些个性获得一些人的赏识，但也招惹另一些人的鄙视。富塞利则乐衷于试探艺术礼仪的底线，他的绘画总是描绘处于极端境地的人体，譬如引发轰

图4-7：詹姆斯·巴里《撒旦及其随从挥舞武器，威胁天堂穹顶》，1792—1795年。蚀刻、黑墨水，74.6厘米×50.4厘米

图4-8：亨利·富塞利
《噩梦》，1790年。布面
油画，76厘米×63厘米

动又激发公愤的《噩梦》（*Nightmare*）【图4-8】第二个版本。在这幅作品里，富塞利想象一个沉睡女子的梦魇时刻，题材来自关于恶魔进入睡梦和超自然交合梦境的传统民间传说，还有18世纪关于人类睡眠的心理生理学理论。画面描绘了面目怪异的梦淫妖（incubus），携带电气似的噩梦幽灵进入女子的卧房。做梦的女子被画成易受攻击的仰卧姿势，恶魔以诡异的胎儿姿态盘踞在她上方，这一报复性的拟人形象似乎象征她的欲望。当然，更确切地说，这是富塞利的幻想，梦魔兴奋所暗含的性侵犯，被描绘为女性的内心世界，从而掩盖了男性欲望的邪恶表征。在这幅作品里，背景掀开的帘幕与支撑梦寐女子身体的长

图 4-9：亨利·富塞
利《交织》或《一个
男人与三个女人》，约
1810年。水彩画，18.9
厘米 × 24.5 厘米

枕（人物上身的姿态暴露真相——放松地后仰，呈现的沉湎神情），仿佛施虐狂式地重演了阴森恐怖的耶稣诞生场景，处女受害者分娩产下性冲动的神圣后代，视觉形象替代交合的意象。在《噩梦》的第一个版本（1781年），富塞利可能只是用这个超自然的迫害形象，影射在英美殖民地战争和戈登暴动之后不列颠尼亚的软弱地位，但他将会终生嗜爱描绘女性的梦境，以及他所谓的"女性意志的平凡空间"（借用莎士比亚的措辞）。富塞利有一句著名的格言，说自己不得不忍耐当前的"悍妇时代"，说明他是以存疑的态度看待沃斯通克拉夫特圈子所倡导的女性权利的。然而，大约在1810年以来，在私人的平面色情作品里，富塞利倾向于颠倒性主导的关系，平面作品的场景通常涉及被束缚的普罗米修斯式男性，被一群体格强健、发式华美的妓女围攻，最后窒息而亡的场景，譬如《交织》（*Symplegma*）又名为《一个男人与三个女人》（*Man and Three Women*）【图4-9】。这些女性貌似从压迫的梦境中解放出来，却转进艺术家受虐狂的幻想中。

富塞利的信条——"美德的形式是勃起，愉快的形式是摇摆"——可以贴切地作为他的宏大历史画的指导原则。在他提交给皇家艺术学院的毕业创作《雷神托尔大战尘世巨蟒》（*Thor Battering the Midguard Serpent*）【图4-10】中，男性的形象气势雄浑，含蓄有力。布莱克的纳尔逊征服蛇形海怪的作品，在很多方面都是借用了宗教手法借用这个裸体男性征服者的形象。除了弥尔顿和莎士比亚的题材，富塞利喜爱北欧的史诗神话和《尼伯龙根之歌》（*Nibelungenlied*），他强调北欧神话经典，正好切合当时德国哲学家约翰·哥特弗雷德·赫尔德（J. G. Herder）所倡导的各国文化地理学（1774年，赫尔德称赞富塞利为"山洪般的天才"）。富塞利借鉴米开朗基罗的晚期作品、朱利奥·罗马诺（Giulio Romano）的紧绷夸张的人体解剖学，将雷神托尔（Thor）的形象如实地塑造为"勃起的美德"。托尔的身躯肌肉紧绷，昂然耸立（富塞利惯于使用仰视和强烈的透视缩短），纵使在竭尽体力的瞬间，托尔依然呈现显著的性别角色。他的生殖器位于画画中央，仅靠抬起的大腿投下的阴影略加掩

图 4-10：亨利·富塞利《雷神托尔大战尘世巨蟒》，1790年。布面油画，131厘米×92厘米

然而，富塞利通常不愿承认现代英国艺术——无论是自己的或者别人的作品——具有任何直接的社会价值或道德功用。他在担任皇家艺术学院的绘画教授之时（1801年就职），曾激昂地、直率地宣称，学院和政府的展览是"艺术陷入品味绝望和腐败时代的症状"。他所塑造的史诗般的男性形象从阴影深重的空虚喷薄而出，不断地让观者意识到当代社会和文化中，伟大的英雄气概是匮乏的：徒劳地挑战他所讥嘲的"感染大众趣味的微小狂热"（指私人赞助的审美兴趣和商业收藏的风气有损于"伟大作品"的创作）。浪漫主义诗人和哲学家塞缪尔·泰勒·柯勒律治（Samuel Taylor Coleridge）眼光犀利，察知富塞利的伟大作品中的互相矛盾的性别政治和文化悲观主义，指出它们终究只能算作"声势浩大的无能"的艺术。

## 预言与史前

布莱克投入乌托邦式的努力，期待通过虚构现代历史的永恒的象征形象，譬如《纳尔逊的精神形式》【图4-4】，拯救其时代。颇为讽刺的是，这些作品反而将他的艺术带进短暂又低俗的视觉文化——政治漫画。布莱克曾谴责某位潜在客户的艺术品位："我看得出来，你的双眼被漫画扭曲了。"然而，在1809年展览上，他有很多作品充满过度紧张的现代历史事件和宇宙的寓言，完全无异于此时的层出不穷、稀奇古怪的漫画，诸如才华横溢的漫画家詹姆斯·吉尔雷（James Gillray，1757—1815年）的作品。吉尔雷在皇家艺术学院接受过素描训练，精通古典大师和当代艺术的技法。在18世纪90年代，他成为托利党（保守派、保皇派）高产的漫画家，尽管他的漫画所传达的激烈的反雅各宾主题并不反映他本人的政治信念。布莱克的1809年展览，被自由派报纸《观察家报》（The Examiner）的一位评论家不屑地称为"不幸的精神错乱"，然而，由于精神失常而无法创作的实际上是晚年的吉尔雷。他的《惊慌的法厄同》（Phaeton Alarm'd!）【图4-11】，画面拥挤，使用繁复的蚀刻技法，将托利党的发言人和宣传家乔治·坎宁（George Canning）塑造为新生的法厄同、"反雅各宾主义的太阳"，在天空驾驭马车，驰过战火蹂躏的地球（地球烧炽烈，袖珍型的拿破仑凌驾其上）。法厄同一路遇到政治对手的围攻（化身为星宿的拟人形象）。托利政府的神一般的捍卫者，面临一群怪兽似的辉格党人

饰。然而，这片浓重的阴影，也将他的性器官与海蟒的血腥的头颅相连接（托尔刚把海蟒诱进圈套，从朦胧的海面拖上来）。画中有两个陪衬人物，一个是硕壮的老船夫，吓得缩在一边；另一个是古老的沃坦神（Wotan），蹲踞高处，俯视这场搏斗——他位于画面左上角，颇似是梦淫妖的虚弱版本。这两个形象烘托了托尔的超人比例和无畏的英雄主义。托尔是掌控自然力量和土地耕耘的年轻神祇，比埃达史诗里高贵古老的诸神具备更多平民特征。富塞利在描述1789年晚期欧洲革命的脉动之时，似乎便已预料到他的托尔神即将带来的视觉冲击力："一个充满个性的、最伟大的努力的时代……一种前所未有的活力，似乎通过人类的头脑震动全世界，挑战大众的同情。"

（纵使携带诡怪的武器也不足为惧），漫画人物的真实身份清晰可辨。在民族主义者的星空里，布莱克的纳尔逊完全可以认吉尔雷的坎宁为星宿同僚（新近逝世的皮特出现在这幅版的画左下角阴影里，布莱克以阿波罗形象描绘这位托利党创始人，为皮特创作一种"精神形式"，作为纳尔逊作品的兄弟版本，在1809年沙龙上展览）。吉尔雷对于神话和寓言的滑稽模仿和影射的挪用，显然是抨击历史画的造作和虚饰。

吉尔雷的版画不仅将英国日常政治神话化，也经常公开嘲讽皇家艺术学院的高雅艺术，这表明历史画的道德和审美上的排外，可以用蛮横的方式进入街头的版画文化中。《惊慌的法厄同》刻意援用本杰明·韦斯特（Benjamin West）《古老的恶兽与假先知之毁灭》（*The Destruction of the Old Beast and False Prophet*）【图4-12】，重新塑造了世界末日的骚动。韦斯特的作品于1804年在皇家艺术学院展览，属于官方委托的数幅宗教历史画之一，准备用以装饰温莎城堡的王室礼拜堂。然而，韦斯特（美国侨民，接替雷诺兹担任皇家艺术学院院长）失去圣宠，据推测是因为乔治三世怀疑他同情"民主"，再加上学院内部的政治派系，这一个宏大的项目便落空。原系列的数幅

作品依据《启示录》的文本，而这正是乔治三世的争执所在，谴责韦斯特倾向于描绘"启示录中的疯狂场景"（鉴于乔治三世患有阵发性癫狂，这句评语委实

图4-11上：詹姆斯·吉尔雷《惊慌的法厄同》，1808年。蚀刻画，33厘米×36.8厘米

图4-12：本杰明·韦斯特《古老的恶兽与假先知之毁灭》，1804年。木板油画，99厘米×143.5厘米

图 4-13：威廉·布莱克《红色巨龙与太阳笼罩的女人：恶魔降临》，约 1805 年。钢笔和墨水，水彩颜料覆盖石墨，40.8 厘米 × 33.7 厘米

发人深省）。然而，在伦敦和巴黎的展览上，韦斯特的世界末日绘画广受欢迎。在那幅被吉尔雷模仿的宗教绘画里（《古老的恶兽与假先知之毁灭》），韦斯特运用自创的学院综合风格，将凯旋的基督教武士纵马驰骋的形象，塑造为新古典主义的形体，身躯锃亮，被征服的军队则被描绘为冒牌先知的队伍、上帝的敌人以及长着狮头的恶魔，他们往后退缩，坠进黑暗的鸿沟与翻滚的乌云中。这些构思借鉴了鲁本斯和巴洛克寓言画的元素。韦斯特这类绘画的吸引力并不在于渊博的艺术造诣，而是因为其中蕴含着当代历史和千禧年的暗示。亚眠条约（Treaty of Amiens）之后，拿破仑重开战事，再加上时值世纪之交，这类世界末日的绘画表达了民间的恐惧，人们普遍担忧英国未来的存亡和欧洲的命运。

韦斯特（著名的学院画家）与布莱克（与世隔绝的雕版师和诗人）虽在艺术生涯上构成对立，但二人的艺术都具有 19 世纪早期特有的宗教和民族主义的热忱。韦斯特在展览以《圣经》摧毁为主题的史诗绘画之时，布莱克也依据《启示录》绘制一系列圣经绘画，都是他唯一稳定的顾客托马斯·巴茨（Thomas Butts）所委托的作品。巴茨是政府军需品工厂的职员，其政治立场和职业皆是布莱克的反面。布莱克的世界末日绘画避免韦斯特的艺术所需的巨幅画布和大量人物角色，力求紧凑简约的形象、蕴含丰富的姿势、平稳的构图，使他能够将《启示录》的宗教神话与资源丰富的寓言，转化为凝练的视觉警句。他的水彩画《红色巨龙与太阳笼罩的女人：恶魔降临》（*Great Red Dragon and the Woman Clothed with the Sun: "The*

*Devil is Come Down"*）【图4-13】最鲜明地体现了这些特征。这幅惊人的作品可以被视为富塞利的《噩梦》的末日论副歌。韦斯特的巨幅作品《纳尔逊升天》（*Apotheosis of Nelson*）【图4-14】，其创作时间接近布莱克在1809年展览的《纳尔逊的精神形式》，在韦斯特的作品里，纳尔逊升天的场景被建筑和雕塑的元素围绕，旨在将整个场面转化为世俗的圣坛画，歌颂英国的海上威势和国家的宗教崇拜。韦斯特虽素以宏大时事历史画著称，尤其是军政界重要人物的死

亡场景，但他在这幅画里创造了一个拼凑的寓言，海神尼普顿（Neptune）、不列颠尼亚女神、胜利女神的巨大形象，他们都面露哀悼的神情，一同托起包裹白布的纳尔逊尸身，奉上天庭。韦斯特这幅作品的形象单调乏味，内容引经据典，氛围虔诚敬肃，相比布莱克在1809年展览上倡导有创见的艺术形式（《纳尔逊的精神形式》），完全可以视为后者的官方版本。

布莱克意欲声明自己的作品并非抄袭，便尽力避免与韦斯特的著名的爱国作品相比较，试图将人们

图4-14：**本杰明·韦斯特**《纳尔逊升天》，1807年。布面油画，100.3厘米×73.8厘米

图4-15：达卡维尔男爵《探索希腊艺术的起源、精神和进程……以及印度、波斯、亚洲各地、埃及的古代遗迹》，第1卷，插图10，1785年。雕版画，20.5厘米×15厘米

的注意力转移到另一位艺术家身上，并在《记述性目录》写道："神话人物的构图类似波斯、印度和埃及的古代神祇。"18世纪晚期神话艺术和古文物研究者关于艺术和宗教起源的推想，赋予了布莱克灵感启发。他宣称通过心理旅行（"在幻想中进行"），他看过犹太人失落的神圣艺术，曾经装饰古代世界的宫殿、神庙和城墙，这些原初的公共纪念建筑和绘画奠定后世所有艺术传统——无论希腊、罗马还是"亚洲"的艺术。《纳尔逊的精神形式》的氛围和拟古特征，借鉴18世纪印度雕塑的雕版画，譬如达卡维尔男爵（Baron d'Hancarville）的对古代艺术和神话的比较研究著作《探索希腊艺术的起源、精神和进程……以及印度、波斯、亚洲各地、埃及的古代遗迹》（Researches on the Origin, Spirit, and Progress of the Arts of Greece; ...on the Antique Monuments of India, Persia, the Rest of Asia, and Egypt，1785年），其中收录象岛石窟湿婆神庙（Shiva Temple at Elephanta）的浮雕插图【图4-15】。这部著作力图揭示性爱和超自然的象征主义在世界各国最古老文明的文化和神话形式中占据首位。布莱克在展览目录中也谈及想要复兴现代艺术的神话和隐意，并提出一种关于艺术传统的综摄式理论，囊括"古代雕塑、绘画和建筑，哥特式、古希腊、印度、埃及的最佳典范"。布莱克构思

创作后期版画《拉奥孔》（Laocoön，约1818年）【图4-16】之时，草率地重写艺术史，将希腊化时期的雕塑——在德国启蒙运动时期，这些艺术作品的典范构成温克尔曼与莱辛之间美学争论的焦点——界定为所罗门神庙佚失原作的摹品。这幅易于复制的版画布满格言铭文，哀悼战争和财富摧毁的艺术，并复制了古代著名的雕塑《拉奥孔》，画面本身便是说教似地宣讲艺术的神圣起源及其现代困境。尽管布莱克认为"存在一个神灵中介"，统一整个古代世界的艺术，但这个神灵必定具有犹太-基督教的起源。这类文物爱好者的想象，将所有世界文化尽然纳入复兴民族辉煌的英国艺术，全然不能脱离构成布莱克绘画主题的帝国主义幻想。纳尔逊的变体（湿婆与"拉奥孔"的拼凑，既是庇护者阿尔比恩，也是军国主义的反基督），将地球上的国度挟裹于原初巨蟒的缠绕之中。

布莱克在1809年的展览充满了关于民族起源的神话传说和殖民冲突的奇异梦境，其中的作品包括传教士船上的《野蛮人少女》（Savage girls，现已佚失）、梵语学者查尔斯·威尔金斯（Charles Wilkins）在印度婆罗门中间的生活图景。这类异域题材与《古布立吞人》（Ancient Britons）并列摆放。在展览目录里，布莱克对《古布立吞人》的描述涉及德鲁伊教和亚瑟王传奇，力图证明阿尔比恩和英国起源于亚特兰蒂斯失落的大陆，是以色列失落部落的后裔。在布莱克的构想里，若要救赎英国的民族身份，只能借助于虚构的史前历史和殖民的未来——越虚拟、越全球化、越综合，便越有效。因此，布莱克谴责世人要求历史画具有真实性与纪录性时争辩道："所有时空的历史，无非是不大可能与不可能。"布莱克的作品预示了稍后时期的原始主义和神秘主义所面临的两难困境，既批判自身的历史经验，同时又依靠于这些历史经验构成作品本身；既宣告自身的无权力，沦为受害者，同时又自许为超验与先知。

布莱克在逝世前数月的文章中承认，他自己没有能力或者更应该说不肯彻底地参与创造民族主义的文化。他再次陈述了"英国人"的理念与他所拥护的"共和国艺术"的标准之间的对立。他在1809年的展览所彰显的民族主义基调丝毫未曾削弱这一对立。布莱克决定跟英国的文化共识和民族身份的普遍定义划清界线，他回顾自己的人生，总结道："从法国革命爆发以来，英国人可以拿彼此衡量，这固然是意见统一的幸福政府，但我个人不认同这个政府。"

图4-16：威廉·布莱克《拉奥孔》，约1818年。雕版画，27.4厘米×22.7厘米

## 问题讨论

1. 简单介绍威廉·布莱克、詹姆斯·巴里、亨利·富塞利、本杰明·韦斯特看待历史画的态度。引用每位艺术家的一件作品。

2. 布莱克为何"被排拒"？他被排拒在什么之外？为什么？

3. 讨论布莱克为创造纪念性、全国性的英国艺术所做的努力。他为何会失败？

## 第 5 章

# 英国浪漫主义风景画的自然和历史：
# 约1790—1845年

**布赖恩·卢卡彻**

## 导言

19世纪中叶，英国乡村与城市之间历史悠久的冲突濒临危机时刻，伟大的艺术批评家和德育家约翰·拉斯金（John Ruskin，1819—1900年）察知这一事实。拉斯金在1856年的著作《现代画家》（Modern Painters）收录一篇文论，表面貌似称颂约瑟夫·马洛德·威廉·透纳（J. M. W. Turner，1775—1851年），宣称风景画才是民族和艺术天才的宝库，而不是历史画。他认为，艺术家通过忠实地描绘风景，可以克服——至少在绘画空间——普遍存在的城市和商业的本能，而这种本能正在不断地侵蚀精神感悟与人类宽阔的襟怀。

拉斯金的这部著作及其随后的著作《威尼斯的石头》（The Stones of Venice）、后期的文章《19世纪的暴雨云》（The Storm-cloud of the Nineteenth Century），着重探讨19世纪典型的社会和政治状况、经济分歧，力图激发一种敏锐或批判的风景艺术。这一艺术的基础大致可归结为以下几点：

- 英国缺乏浓厚的历史画传统。这既是由于圣公会的改革力量和贵族相对薄弱的赞助，也是由于英国与地中海文化和古典传统相距遥远的地理距离。
- 土地增值和资本主义农业的发展。土地租金是地主巨大财富的来源，也是租赁土地的农民极端贫穷的根源。如果阅读威廉·科贝特（William Cobbet）的《骑马乡行记》（Rural Rides，1830年），读者会不禁同意作者的判断，英国这片富饶的土地，养育着无数穷人。
- 城市化过程急遽展开，农村人口涌入城市。这一现象造成保守派精英的怀旧需要，渴望重现未被工人阶级的组织或暴动所扰乱的乡村的丰饶景象。艺术家约翰·康斯坦布尔（John Constable，1776—1837年）便是这样一位保守派，其作品描绘肥沃的土地和勤劳（想必也安于现状）的农民。
- 精英阶级对花园和园林建筑的兴趣逐渐浓厚，威廉·吉尔平（William Gilpin）、汉弗莱·雷普顿（Humphry Repton，1752—1818年）等作家和设计师倡导浪漫主义风景美学。绘画作品貌似真实的园林，反之亦然。
- 自然科学兴起。康斯坦布尔视自己的艺术为"合规律、科学和机械的艺术"。透纳深受新色彩理论的影响，尤其是德国诗人歌德的理论。这些理论激发了前所未有的自然主义成就。康斯坦布尔和透纳都强调自身只是目击者，仅描绘眼睛所见的东西。

康斯坦布尔和透纳的风景画虽极尽科学或理性主义，但也可以与浪漫主义艺术家塞缪尔·帕尔默、约翰·马丁（John Martin，1789—1854年）等感情色彩更浓厚的作品相提并论。正如帕尔默的《丘陵风景》（A Hilly Scene）和马丁的《最后的人》（The Last Man，约1832年）、康斯坦布尔的《干草车》[（The Hay Wain），又名为《风景：正午》（Landscape: Noon，1821年）]、透纳的《雨，蒸汽和速度——大西部铁路》（Rain, Steam, and Speed—The Great Western Railway，1844年），都将自然描绘为充满生机，甚至是有理智的生命。他们的自然能被创造，也能被摧毁；能提供庇护，也能威胁摧毁；让人萌生希望，又使人感到绝望。也许最重要的是，在急遽的现代化进程和社会变迁面前，这些作品在激发焦虑的同时又提供慰藉。

## 风景的直觉与如画审美

"就我所知,好的历史画没有范例……19世纪在终结之际为自身所提出的使命,也许便是提供这样一个范例。"这句话出自约翰·拉斯金的《现代画家》第三卷。拉斯金的评论也许很容易被误解为感慨的牢骚,但他最为关切的并不是历史画的失败,及其在19世纪最后数十年暗淡的复兴希望。作为维多利亚时代艺术和社会的非常高产、深刻的批评家,拉斯金既同情历史画的衰亡,也积极地推动风景绘画取而代之,并从本质上指明19世纪艺术实践的最重要变化。拉斯金的巨著《现代画家》(共五卷),写作时间跨越1843—1860年,致力于研究他所说的"风景的直觉"(the landscape instinct)。他合乎情理地认为,这一直觉已经主宰现代文化生活,奠定了19世纪早期浪漫主义想象(无论是文学还是绘画)的大半特征。

拉斯金撰写《现代画家》的初衷,是以激昂的姿态辩护英国风景画先驱、极具争议的约瑟夫·马洛德·威廉·透纳的全部作品。然而,拉斯金的最终研究范围,不但涵盖整个欧洲艺术史,而且进一步探索了人类感知自然的科学和精神条件,以及自然环境与社会发展之间最重要的相互关系。令人惊讶的是,拉斯金宣称人类对于风景的感悟在19世纪达到最高点之时,他自己却未能从中感到宽慰。他认为这种风景直觉的普遍盛行,正是人类衰败堕落的症状。在《现代画家》的"论现代风景"和"风景的道德"两章里,拉斯金将之描述为"文化的现行危机"。他认为造成这个危机的正是现代社会的黑兽(bêtes noires),这头黑兽包括自然被科学对象化的过程中所滋生的无信仰状态,不幸地信仰科学的救赎承诺和功利主义改革,工业化世界过度的物质私利所造成的道德麻痹。铁路和电报等现代发明彻底地征服时空,人类曾经能在自然世界寻求庇护,而今,自然世界难以确保自身的存在。19世纪寻找风景和貌似征服风景的事业里,拉斯金识察"进步与衰退的元素在同一个现代心灵里怪异地结合"。拉斯金本人的社会批判与风景美学相融合的手法,通常被当作维多利亚时代焦虑地误读浪漫主义的范例,然而,他深知浪漫主义的自然经验(遭遇风景作为精神和心理沉思的一种预感)也有不可避免的社会维度。在那一层维度里,浪漫主义的风景或可呈现为物质进步和历史对抗争夺意识形态的战场。

拉斯金撰写《现代画家》之前便早已有人指出,英国艺术批评有着偏爱风景画,贬抑历史画的风气。1807年,有一位匿名批评家在《文学全景》(The Literary Panorama)发表文章,称颂国民中间开始流行风景艺术的趣味,在称赞的同时,这位批评家觉得有必要依据学院的画种等级作些区别:"我们的岛屿风景自有独特的特色,这些特色值得艺术最崇高的努力。历史画一直未能成为我国的强项。这一艺术分支是不能在短时间里臻至完美的。我们的艺术家鲜有肯在作品里投注时间,也极少能够靠毅力和研习磨炼成熟的作品。他们的头脑一开始构思,双手便立刻行动。然而,即兴创作绝不是历史杰作的伴侣。"这位评论家由此推导,风景画更适宜英国艺术家心血来潮、即兴创作的习惯。而这些习惯本身,部分缘自英国缺乏既定的学院传统、难以预测的商业化艺术品味(当时的艺术评论家通常将这两个因素视为英国历史画演化的主要障碍)。风景画能够顺应心灵冲动的特征,在这里被归结为典型的英国艺术特征,同时容许英国画家履行公共职责,体现这一国度的风景所蕴含的本土审美宝藏。

尽管这位匿名批评家使用"艺术最崇高的努力"等措辞谈论英国的自然绘画,但这一时期讨论风景美学最流行术语都是围绕着"picturesque"(如画)一词。在18世纪晚期,威廉·吉尔平神父出版了一部旅行见闻,令这一观念成为时尚。如画的审美鼓励眼光敏锐的游客依据风景画的范式品评各地风景,加以分门别类。在有如画趣味的游客的眼睛和心灵里,英国的风景如略似17世纪克洛德·洛兰(Claude Lorrain)和萨尔瓦多·罗萨(Salvator Rosa)的风景艺术,便被视作富有异国情调(适宜于新文化)。如画的想象力通常企图调和这两位意大利画家对立的风格和氛围(洛兰的田园式宁静与罗萨的粗犷的狂暴)。倘若游客深谙如画美学的活泼生动的形式主义和分类标准,他们就能在视觉上占据这片风景,藉此幻想自己主宰了自然:通过经由提炼的包罗万象的感知行动,土地转化为眼前的风景。正如吉尔平给予读者的建议:"如画的品鉴领域是审视自然,而不是解剖物质。眼界似浩大的梯蹬,每次扫视便可覆盖广阔的土地。"

如画美学最初是为探索自然的游客(既来自乡绅阶层,也来自新兴的中产阶级)创造视觉词汇和句法,随即演变为艺术理论家、联想主义哲学家、景观

图 5-1：威廉·吉尔平《三篇文论：论如画的美，论如画的旅行，论速写》的插图，1792年。15.5厘米 × 22.5厘米

图 5-2：威廉·吉尔平《三篇文论：论如画的美，论如画的旅行，论速写》插图，1792年。15.5厘米 × 22.5厘米

设计师争论不休的论题。拿破仑战争爆发后，英国乡村成为利益冲突的焦点。一方面是经济上迫切需要加快公有土地圈地和农业科学改革提高农业产量；另一方面，文化上迫切需要推销英国农村为如画景观园林的典范，能够提供不断变化的视觉愉悦，尤其是战争阻挠英国人前往欧洲大陆旅行。吉尔平与其他景观美学家坚持认为，如画的风景必须脱离农业劳作和工业生产的景象——尽管这两者关系到英国最根本的经济发展和国力。如画美学的观光旅游和景观设计，抵制农业需求和乡村的社会关系。这一举措本身便构成讽刺性的评论，常见于简·奥斯丁（Jane Austen）的小说、托马斯·罗兰森（Thomas Rowlandson）的漫画。直到1834年，艺术批评家安娜·詹姆逊（Anna Jameson）试图激发"一个英国独立自耕农"的审美兴趣之时遭遇不愉快的经历。她描述周围的风光如画

一般优美，不住地称赞眼前的景致，农夫却颇为不齿地反驳道："'如画'？我不知道你的如画是指什么，不过，依我看，你给我一块地，下次再来的时候，你就能看到回报。"从这件轶事可以看出，如画风景美学的狂热——这一理论貌似将精英文化的风景鉴赏加以民主化，因而才会如此吸引人们——无法克服阶级、职业和性别的社会分化。

无论是触及风景的形式主义鉴赏，还是在景观之内所策划的人生，如画这一审美观念通常具有限制性。探讨如画观念的论著，概无例外地使用插画，力图通过对比和比较体现修正的美学原理。吉尔平的文集《三篇文论：论如画的美，论如画的旅行，论速写》（*Three Essays: On Picturesque Beauty, On Picturesque Travel, and On Sketching*，1792年）【图5-1、图5-2】，配有两幅风景蚀刻画，安排为对页插图形式进行对比、参照。第一幅插图显示对称、未经调节的构图，体现出自然的母性和有序的庇护感，属于19世纪早期埃德蒙·伯克所界定的"优美"。第二幅插图显示吉尔平依据如画美学原理，将主要的风景元素加以重新安排：地势和树叶呈现不规律的轮廓和斑驳的肌理，一条蜿蜒的小径引导观者的眼睛穿透重重相叠、逐渐渺茫的风景，前景隐现两个模糊的人影——也许是游客在"探索对象"（引用吉尔平的话）——这两个人物在构图上回应矗立在远方悬崖的两座废墟。在这幅插图里，我们看到自然造物与人造物相组合的映衬。这就是如画美学的中心论题。正如文学史家马丁·普莱斯（Martin Price）所说："如画美学的戏剧很容易转化为艺术能量与自然物质搏斗之时所具有的形式，或者另一类形式——自然的天才和时间征服薄弱而张扬的艺术所取得的瞬间成就。"

这场自然与艺术、土地与风景之间的如画竞争，不欢迎社会多样化的外在迹象。纵是最务实、最专业的如画园林景观设计师汉弗莱·雷普顿有时也会因为在其设计的园林和村庄遭遇碍眼之物时犯难。相较大多数在如画美学潮流里浸润的景观设计师，雷普顿更加努力，尽量协调地产的景观潜能及其社会和经济需求，因此，他会谈及"将优美的景观人性化、生动化"。在探讨景观园林理论的著作里，雷普顿时常鄙夷如画美学，称之为趣味时髦的风向标，"成功的商业巨子"的玩物，但他本人所提出的改造地产庄园的建议，极少偏离如画美学的驯化风格。他为潜在客户准

备园林设计图稿时，常采用同一景观的"改造前"和"改造后"比照图示，他的水彩设计草图绘制精致，细至门帘和饰面皆一一呈现，为眼前的风景增添生动的情趣。1816年，在设计自家位于埃塞克斯郡的海尔街（Hare Street, Essex）花园之时，雷普顿便是运用这一手法【图5-3、图5-4】。他采用遮挡法或拉开距离法，排除乡村庸俗的日常细节。村里的绿地曾是牲畜放牧的公用之地，雷普顿将之圈为自家花园，用弯曲的树篱取代直线型的栅栏——连瘸腿的流浪汉也拦不住（雷普顿在"改造前"设计图里所描绘的游民，显然是贫穷的退伍军人）。花木和花架既悦目，又能遮蔽过路的驿站马车、道旁店铺的货物。如画的花园，形同一系列延展的屏风，从视线里涤净村庄的社会现实。从自家的花园风景里排除不能赏心悦目的东西之后（我

# 三位批判思想家：马克思、拉斯金、波德莱尔

19世纪的学者和批评家重于思考观察和认知、视觉和其他感官与社会的相互关系。在这些人物中间，卡尔·马克思、约翰·拉斯金和夏尔·波德莱尔以批判眼光审视艺术、感知与历史的关联，从理论上说明了身体感知、社会历史与社会所生产的艺术之间存在密不可分的联系。

马克思的著作对这个问题作出最早、最详尽的探讨。他在《1844年经济学哲学手稿》(*Economic and Philosophic Manuscripts of 1844*) 中论述道，客观异化的世界转变为"人类现实"主观的、慰藉的世界，全然依赖人类感知的发展状态：

> 正如只有音乐才能唤醒人们对于音乐的感知，正如即便是最动人的音乐，也不能打动无乐感的耳朵……因此，社会的人的感官有别于非社会的人。只有通过客观地展现人的本质存在的丰富性，人类的主观感性的丰富性（有乐感的耳朵、能感受形式美的眼睛……）才能得到培养或者产生。因为不只是人类的这五种感觉，而且还有所谓的心理感知——实践感知（意志、爱等）——简而言之，人类的感知，或者感知的人类性，都是由于人化的自然而存在的。五种感官的形成，自古迄今是整个世界历史的产物。

马克思认为人类因为人性而有感知。粗陋、未赋形的感知须经历发展和培养，并且这一过程只能在人类共同生活的社区里展开。再者，感官的发展状况因各人所生活的特定社会的本质而不同。譬如，占支配感觉的资本主义社会迥异于原始社会、封建主义或共产主义的社会，因为人们以不同的观念看待私有财产。为了论述社会之于人类感知的影响，马克思探讨感知培养本身如何深刻地影响社会历史的展开。他写道，为我们的感官本能或能力赋予物质形式"是必要的"，"以便让人们的感官成为人化，并且创造符合人类全部财富和自然本质的人类感官"。

数年后，19世纪中叶英国建筑界和艺术复兴运动的重要人物约翰·拉斯金提出与马克思相似的激进观念，宣称每个时代都具备符合其特定的伦理和社会生活的独特视野和艺术。在《威尼斯的石头》(1853年) 中的"论哥特式的本质以及工匠在其中的功能"一章里，拉斯金写道："任何一个国家的艺术，都是倡导其社会和政治的德行。任何一个国家的艺术或者普通的生产和形成的能量，都是其伦理生活的准确指数。只有高贵的人才能提供高贵的艺术，符合其时代和社会环境的规则。"稍后时期，拉斯金在《圣马可的休憩》(*Saint Mark's Rest*，1884年) 里进一步提出，批评家和观赏者须理解特定时代的全部特征和艺术表现形式。他说道："伟大的国度在三部著作中写下自传——需求之书、词语之书、艺术之书。我们不可能理解其中任何一部著作，除非同时阅读另外两部；然而，在这三者当中，只有最后一部值得信赖……艺术总是本能的，因此，诚挚或伪装可以一目了然……因此，第三部书的证据，对于我们认识任何国度的生活最为重要。"

法国诗人和新闻记者夏尔·波德莱尔大约与马克思和拉斯金同时写作。他提出挑衅的观点，主张艺术家和作家应当坚定地属于其时代。他也创立批评家的范式，应当深刻又热情地投入其写作的主题和时代。波德莱尔摒弃所有古典时代的"原型"的概念，常见于艾蒂安-让·德勒克吕泽的批评文章，为现代性的未来批评奠定基调。在1845年巴黎沙龙评论的结论中，波德莱尔如此写道："我们所期待的真正的画家，能够在今日的生命中捕捉史诗的品质，能够让我们系着阔领巾、穿着漆革皮鞋之时感到自己的伟大和诗意。在明年的展览上，让我们期待真正的探索者能带来让我们感受新时代来临的非凡欣喜吧！"波德莱尔认为，好的批评——以及精彩的艺术史——不仅须审视被批评的对象，而且还要关注批评家和历史学家所处的时代和社会境况以及需要。

们不禁想说，这是将村庄风景"去人性"，而不是"人性化"），雷普顿却依然敢说，他满怀深情地看待"这个活泼的村庄、这条大路、这幅永在变换的景致，我绝不肯拿它交换任何替他人改造的孤寂的园林"。

## 废墟与城市

18世纪晚期的如画美学时尚促动很多业余或职业的风景画家，专门从事水彩地志画。这一媒介既适于形式化构图，也适于户外风景速写的创新试验。这个时期最老练的风景水彩画家迅捷地掌握如画美学的原理，然后同样迅速地被取代。托马斯·吉尔丁（Thomas Girtin，1775—1802年）的作品最为形象地展现了这一演变过程。吉尔丁的平凡的事业生涯始于建筑制图、哥特式古董和乡间别墅的彩色雕版地志画——这一时代风景艺术家的典型职业轨迹。18世纪90年代中期，他受雇于托马斯·门罗医生（Dr. Thomas Monro）。这位医师不择手段地经营数家疯人院，同时主持一座非正式的风景制图学院，课堂设在他的伦敦排屋里。1799年，吉尔丁成为速写协会的中心人物，协会的水彩画家复制威尔士（Wales）和湖区（Lake District）旅行所采撷的如画题材，也从奥西恩的史诗和其他诗歌传统寻找灵感。尽管吉尔丁的共和党政治倾向和放荡生活受到一些人的谴责，但他英年早逝之时，却被公认为英国流派最有前途的风景画家。此时期大规模涌现的风景版画和素描当中，吉尔丁的水彩画《柯克斯托尔修道院》（*Kirkstall Abbey*）【图5-5】视当作废墟地貌的如画美学典范。在吉尔丁的画中，修道院废墟犹如一艘搁浅的船，放置于棕土色调的中远景，建筑结构色调苍白，呈现锯齿状轮廓，迥异于地势低缓起伏的山谷（废墟周围衬映一丛色调较深的矮树林）；天空的云与周围错落有致的树冠构成形式的呼应，蜿蜒的河道引导视线穿越风景的层次。所有这些鲜明地体现出如画美学的原理。然而，吉尔丁的水彩画有别于如画美学的公认观念，他在风景里坦率地纳入乡村生活的世俗、非浪漫的元素：前景有一群农民在泥泞的道路上艰难行进，一些木结构土屋（并不是符合如画趣味的古色古香）东倒西歪，反倒强调了中世纪废墟所隐含的黯淡的荣耀，甚至渲

图5-5：托马斯·吉尔丁《柯克斯托尔修道院》，1800年。水彩，30.5厘米×50.8厘米

染一种反讽的意味。在远景河曲可见的终点，烟气自地面升起，表示这片景观包括人类的劳作（也许是烧窑，或是烧枯枝）。乍看之下，乡村实用的景观似乎与文物爱好者、哲学沉思者的风光格格不入，但这里的不合时宜似乎是刻意的：文雅者眼中的诗意和审美联想的不列颠民族的历史遗迹与英国农村日常生活需求的纯粹外在迹象（人物和土屋）可以共同存在。这幅风景既表达了怀旧和回顾，也不假思索地表现了当下和生产。

吉尔丁将自己作为建筑制图师和风景画家的天赋应用于19世纪早期视觉文化较新颖的形式——全景图。1802年，他的"大都会形式"（Eidometropolis），即伦敦城市风光全景图，博得评论界的好评。全景图、仿真模型以及其他机械化的景观展览和灯展，原是时尚界独享的娱乐消遣，但由于城市大众文化的兴起，这类视觉盛典在民间传播开来。全景图通常选择耸动视听的题材，譬如可怕的自然现象（火山、瀑布等人力无法控制的景象），或者大英帝国在不断拓展的征服事迹及其相关联的异国情事。在某种意义上，通过全景图再现这类自然现象和遥远的国度，伦敦便将整个自然世界纳入其城市领域。全景图与相关的视觉媒介融合了科学与艺术、技术与文化（从而预示着后世的摄影和电影），同时将注意力凝定在迅速扩大的城市的盛大场面。现代城市及其见多识广的城市人口，要求艺术以顺化、高昂的视野表现自身。20世纪早期

的哲学家和批评家瓦尔特·本雅明（Walter Benjamin）论及城市全景图的普遍吸引力之时说道（改述马克思先前的讨论）："在19世纪，城市居民以很多方式表达本身之于农村的政治优越性，企图将乡村引进城市。在全景图里，城市扩张成为景观。"

吉尔丁的"大都会形式"主要描绘城市的河景，循着泰晤士河——象征英国海上霸权的商业动脉——测绘伦敦的景观。吉尔丁的原画是油画，现已佚失，周长近32.9米，因其丰富的地貌、精妙的轶事细节、对于大气效果的敏锐观察而深得赞许。在现存的水彩速写草稿当中，《从萨默塞特府到威斯敏斯特的泰晤士河》（*The Thames from Westminster to Somerset House*）【图5-6】描绘了阿德尔菲露台（吉尔丁替门罗医生描绘过的著名的住宅开发区）和萨默塞特府（皇家艺术学院所在地）。这些地标象征了乔治时代晚期伦敦的城市和文化身份。然而，在这幅水彩速写里，左侧前景是可以看见泰晤士河南岸的视角，这一视野也囊括急剧发展的工业区，以及附近排列凌乱的铸铁厂、啤酒厂和船埠。吉尔丁的水彩技法微妙精巧，尤其体现于繁复重叠的屋顶、升腾的烟雾和蒸汽，以及勾勒泰晤士河上过往的划艇及其尾流的简洁线条，有效地捕捉了城市景观的广度。即使是在最后定稿的全景图，人们通常期待看到鲜明轮廓的地方，吉尔丁却采用大气弥漫的模糊风格，但公众格外称赏这一风格，认为更适于描绘城市的工业风景。当

时有一位评论者写道："景色似透过某种模糊的媒介呈现，从锻造厂、制造厂等的火焰里升起。"

吉尔丁的双重绘画题材——朴实乡村和废墟的如画风景，大都会全景图的盛景——表明农村与城市在19世纪的社会和文化所塑造的风景美学里几乎具有不可分割的联系。风景画和文学里的农村与城市之间的表面对立，也许更是辩证对立，而不是冲突性的对抗。纵然如此，以城市视角看待自然世界，将自然界和乡村景观视为一种文化资源，是为"城市生活的罪孽和亢奋"提供道德的喘息。这是借用19世纪早期某位评论家的话。这个主流意识形态普遍地影响了19世纪大多数在艺术上进步、在社会上倒退的风景绘画，包括英国的水彩画派和法国的印象主义。

## 康斯坦布尔的乡村自然主义

1802年，胸有大志的风景画家约翰·康斯坦布尔从伦敦致信一位友人，抱怨道："全景图绘画貌似风靡天下……对于这种描绘自然的范式，你既别指望、也绝不能从中寻找伟大的原理。"作为乡村和自然主义风景艺术最具创新精神的倡导者，康斯坦布尔在整个艺术生涯里为寻找绘画的"伟大原理"而焦虑。在某种意义上，他对风景艺术功能的见解（见于他冗长的通信和晚年所作的一系列演讲稿），最不同凡响之处是他本人自相矛盾的观点。一方面，他毫无顾忌地宣告："在我们这样一个时代，绘画须被理解，而不是被盲目地充满惊奇地旁观，也不只是被视为诗意的渴望，而是当作一种追求，合乎规律的、科学的、机械的追求。"另一方面，他诗意盎然地讲述自己眷恋故乡的风景，将斯陶尔山谷（Stour Valley）视为艺术创作的源泉。他说道："然而，我理应最擅长描绘我的家乡。绘画只是感觉的另一个名字，我的'无忧无虑的童年'就是斯陶尔河岸的所有一切。这些风景使我成为画家……就任何有关绘画的东西而言，我喜欢做一个自我主义者。"（在康斯坦布尔的著作里，这段话最被频繁引用）康斯坦布尔的风景画试图调和科学和情怀的两个极端，实现一种物化而透明的自然视角，并且这一视角同时属于主观的唯我主义。康斯坦布尔的艺术有一种让人难以抗拒的魅力，正是因为它竭力克服两个极端的悬殊差异，将风景既当作知识的可理解形式，拥有纯粹未经稀释的真理内容，又当作幻想里土生土长的自我和自然结合的生动回忆。

旁观的超然与赋予个人意义之间的融合，通常被视为康斯坦布尔的风景画获得成功的关键因素。自1809年以来，康斯坦布尔将题材拘限于地方风景艺术，侧重于运河、田野、磨坊以及萨福克郡东伯格霍特（East Bergholt）附近其父庄园周围的村舍。康斯坦布尔决定追求艺术生涯之时，便拒绝继承家业接管磨坊和农场，但依然通过绘画体现这些题材，从而至少可以反复地重新拥有这份家业。他所描绘的风景，并不只是如画审美的冷漠对象，而是洋溢着浓郁的田园意境——稍微更新的版本。艺术家以记忆和个人的历史刻画土地和风景的绵延，在社会经济层面、甚至心理层面认同这片景观，并将这种认同作为"自然"的艺术感知的视觉前提。康斯坦布尔在父亲的庄园里的自我放逐（并不是背井离乡，而是留守家园的放逐），是在视觉和情感上敏锐地体察风景的当地特色。这一题材的最佳成果体现于康斯坦布尔在1815年创作的两幅小幅油画，描绘他父亲的花园、田地、乡村大宅的附属建筑【图5-7、5-8】。这两幅作品都是从他家祖宅楼上窗口取景。从特定位置取景与覆盖广阔的视野这一手法，无疑是借鉴了全景图的原则——这是康斯坦布尔在伦敦求学时代曾大为贬抑的画种。在乡村较私人的风景里，简单地描绘自然这一任务变得纯粹，康斯坦布尔便不再苛求凌驾一切的美学原理。他经常以自我推崇的口吻，谈及自己致力于寻找自然的、未堕落的风景。他拒斥艺术先例和显著的风格特征，倡导以天真无邪和顽强的忠实，与自然建立未经调停的默契。

康斯坦布尔从自家庄园观看的风景，具有不张扬的自然感。这种自然的假象在很大程度上缘自高度耕作和人为控制的农业景观。这两幅作品审慎地处理农庄的模式和分工，在表现风景之时维持一种貌似随意的秩序：花圃、篱墙、栅栏、斜角或条带状土地的小径，都体现土地所有者测绘和记录这片景观之时的愉悦。从视觉上说，这两幅作品将敏锐的明确性与大气的模糊细节相结合，笔触既精妙地捕捉具体的风景特征，又具有不同的肌理，还以简约的线条表示农村的典型母题，诸如牲畜、风车、远处的门和屋顶。风景的不规则几何形状，映衬着短暂又不乏细致观察的大气和光线效果：悉心照料的草坪和花园里投下渐深的阴影；聚集的乌云具有气象学的精确，又在构图上呼应了树冠和绿植的密度和轮廓。这两幅作品都极为符

图5-7：约翰·康斯坦布尔《戈尔丁·康斯坦布尔的花园》（Golding Constable's Flower Garden），1815年。布面油画，33厘米×50.8厘米

图5-8：约翰·康斯坦布尔《戈尔丁·康斯坦布尔的菜园》（Golding Constable's Kitchen Garden），1815年。布面油画，33厘米×50.8厘米

合田园式风景的原理，揭示了康斯坦布尔在整个艺术生涯里始终未能摆脱的自相矛盾，那就是他处理人类劳动的方式。因为他的风景画歌颂自然与社会之间富有成效的平衡与莫须有的融洽，从而必然要求描绘人类劳动。正如文学史家约翰·巴瑞尔（John Barrell）说道："没有画家能够超越康斯坦布尔，他为我们提供更文明的风景。然而，将风景文明化的人多半需要根据自己的努力推断其存在。"康斯坦布尔为家族财产所作的绘画，很大程度上取决于人类事件：收割者、园丁、打麦者——在场，但都只是隐约的存在。在康斯坦布尔秩序井然的自然风景里，劳动者被简化为远处的高光，或者风景里的色彩点缀，巧妙地融入了绘画的结构。正如这些劳动者正在照料并不属于他们自己的财产，康斯坦布尔的风景画转而照料劳动者，将人类存在几乎缩减为自然世界生产率的一个视觉符号。

在19世纪20年代，康斯坦布尔专注于创作农村社会的自然主义大幅风景画。至少在他本人看来，这幅巨作因为关涉他的过去而具有合理性。尽管康斯坦布尔的艺术灵感源自斯陶尔山谷，他的艺术事业重心却在伦敦。康斯坦布尔希望博得皇家艺术学院和那些谨慎地称赞他"画像技法"的艺术批评家的更大关注，便开始向年度展览提交以家乡萨福克郡的农业和航道风景为题材的大型作品，即他的"六尺画"（six-footers）。这些作品采用迥异的气氛和形式，其中包括作于1821年的如史诗般宁静的《干草车》（The Hay Wain），又名《风景：正午》（Landscape: Noon）【图5-9】，还有动荡不安的《戴达姆山谷》（Dedham Vale，1828年）【图5-10】。这个时期的农业劳动阶级遭受经济萧条和社会动荡，使得乡村的社会关系尤其紧绷，这些参展作品试图虚构英国农村的形象。尽管康斯坦布尔想要漠视乡村风景的社会现实（自然效果本身足以扣人心弦），但这些六尺画依然泄露了他的矛盾心理，即意识到虚构类似经验主义的英国农村神话是极费心力的差事。康斯坦布尔将《干草车》提交皇家艺术学院展览之前，几乎预料、并合理地解释城里人难以领会他的斯陶尔山谷风景，他感慨道："伦敦人纵使极尽他们作为艺术家的机巧，也丝毫不能体会乡间的生活感受，不懂风景的精髓。"《干草车》的生动的视觉即时感，表明康斯坦布尔企图通过增强光与影的无形的大气效果，与似乎触摸到的水分肌理、植物和土地，将感觉本身描绘得更鲜明、纯净。这幅画的气氛偏向牧歌式的倦怠，日常生活里清闲的一刻；而活跃的画面又在某种程度势欲破坏这一宁静时刻，尤其是闪烁的树冠、水中颤动的投影、浓重的乌云（正是由于这些特征，这幅画在1824年法国沙龙展览之时，法国浪漫主义画家和批评家都大为称赏康斯坦布尔的用色技法）。《干草车》是用心感知的绝妙作品，将农村劳动体现为近乎迟缓、无自我意识的行动。我们或许会纳闷，维利·洛特（Willy Lott，康斯坦布尔家的邻居，素以从未走出自家阴凉的房屋周围而闻名）的村舍外面停靠的那辆马车，最终能否驶出泥沼，回到远处阳光照耀的庄稼绿地。那里还隐现另一辆马车，早已装载干草，准备出发去粮仓。那么，这就是康斯坦布尔对乡间生活的感受：在这里，农业劳动的不可避免的循环，成为习惯性怠懒的同义词；在这里，观赏和表现风景似乎比收获农作物更辛苦。

图 5-9：约翰·康斯坦布尔《干草车》，1821年。布面油画，130.5厘米×185.5厘米

## 康斯坦布尔与英国的废墟

卢德运动、东英吉利农村纵火案和拿破仑战争后的数年间，市场萧条损害似康斯坦布尔这样的乡绅家族经济地位。观看《干草车》，所有社会现实似是遥远得不可想象的噩梦。无论是有意或无意，这正是康斯坦布尔的六尺画的功用。在19世纪20年代那些雄心勃勃的参展作品里，康斯坦布尔便已体现风景意象与乡村社会经验的分离。他的《戴达姆山谷》（自称"可能是我最好的作品"）在1828年的展览上大获成功。在这幅画里，康斯坦布尔再次运用1802年的题材描绘"故乡风光"。在华兹华斯式（Wordsworthian）的时间维度中反复利用熟悉的风景，表明康斯坦布尔更本能地探索对自然世界的理解。在这幅作品里，树冠构成克劳德式（Claudian）的舞台前台，蜿蜒的河景错落有致；关键的消退处点缀着磨坊、村舍、桥梁等地标；在远景，教堂的塔楼高高地守护村庄，整个画面试探性地保留许多如画审美的原理——康斯坦布尔曾希望通过质朴、不做作的自然主义而拒斥的东西。风景艺术的道德和社会象征，及其忠诚勤劳的农业社区的珍贵视野，却由于前景黯淡的山脊而变得蕴

意复杂。背阴的山岙里隐隐可见一对流浪的母子，两人在荒乱的灌木丛下搭起营地。这个场景与被精心照料的、向远方的山谷伸展的田野和村庄形成酸楚的对照。在这里，康斯坦布尔罕见地在风景里纳入农村的贫苦景象，尽管依然将它掩在杂草蔓生的阴暗山沟里。观者也许觉得该忽略这个凄惨的干扰景象，该将眼神轻巧地投向前方广阔的山谷。但是，这个景象之所以被掩藏，正是为了被揭示。康斯坦布尔不愿过度伤感地渲染贫穷的苦难，或许是将前景这一插曲视为英国农村形成过程中的原始时期，在斯陶尔山谷的绵延风景中最终找到了解决方案。

1836年，康斯坦布尔演讲风景画的历史和理论之时谈及一段轶事，为《戴达姆山谷》这个困苦的前景提供一则有趣的注释。他先描述汉普斯特德（Hampstead）有一棵优美的树（康斯坦布尔将这一风景母题女性化，称这棵树为"这位年轻女士"），然后讲到题外话："一段时间以后，我震惊地看到她身上钉了一块可恶的木板，板上用大字写道，'所有流浪者和乞丐将被依法处置。'这棵树似乎感到蒙受耻辱，因为树冠有些枝丫已经枯萎……一年后，这棵树半身

图5-10：约翰·康斯坦布尔《戴达姆山谷》，1828年。布面油画，145厘米×122厘米

瘫痪，未过多久，另一半也遭受同样的厄运，这个美丽的生命被砍倒，只留下一截残桩，刚够钉着那块木板。"《戴达姆山谷》的左下角有一颗被狂风摧残的老树，右侧有一丛瘦细、弯曲的小树林，似乎弯曲的身躯指向所围绕的人物场景，向眼前这一"耻辱"作出同情的回应。这些树虽没有钉着羞辱无家可归者的残酷的招牌，却仍似在感受和体会被社会漠视的穷人境况。康斯坦布尔曾说他爱树甚过爱人类，因此，《戴达姆山谷》的树木承载着对人类苦难的同情，假若换在别处，他大概宁可掩饰或抑制这份情感。康斯坦布尔经常谈及将自然等同于"道德感受"和"道德意识"，至少就意味深长的感情和自然的隐喻而论，自然确实在纠正人类社会的弊病——这一手法可以轻易地将流浪者可能暗示的道德冲突与真正的社会根源相隔离。

图5-11：约翰·康斯坦布尔《哈德利城堡，泰晤士河口 —— 暴雨夜后的早晨》，1829年。布面油画，122厘米×161.9厘米

《戴达姆山谷》的风格预示了康斯坦布尔后期艺术较阴郁、抽象的特征。在19世纪20年代晚期的作品里，康斯坦布尔的情绪骤变，转向肃穆而激情涌动的画面。这一转变通常被归因于心理压抑和居丧（他的妻子在1828年下半年逝世），他的事业继续徘徊在官方艺术机构之外（1829年，他终于被选为皇家艺术学院院士。然而，姗姗来迟的名衔已不能缓和他对伦敦艺术界的怨恨）。他的个人生活也疏远了农村社会 —— 这个社区不再是他的庇护所，不再卫护他免受政治抗议和阶级冲突的分裂力量（通贯19世纪20年代，康斯坦布尔愈发频繁地抱怨乡间社交场合不断变换新面孔，在1831—1832年全国争议《改革法案》期间，他酝酿已久的情绪终于爆发为罕见的政治多疑症）。康斯坦布尔脱卸了描写式自然主义的伪装，笔触变得迫切、激烈，阴影效果和颜料肌理的触感也加重。他已穷尽斯陶尔山谷的地貌，便转向废墟

和风暴等较宏大、具有象征意味的题材，譬如参展油画《哈德利城堡，泰晤士河口 —— 暴雨夜后的早晨》（*Hadleigh Castle, Mouth of the Thames—Morning After a Stormy Night*，1829年，以下简称《哈德利城堡》）【图5-11】，水彩画《老萨勒姆》（*Old Sarum*，1832年）【图5-12】。这两幅作品并未采用曾经占据康斯坦布尔艺术的农业耕作景象，而是聚焦于自然对人类历史的摧毁。哈德利城堡残断的塔楼，及其形似伤痕的垂直阴影，遥相呼应泰晤士河口与远方海岸上空斜照的阳光。岗哨似的废墟被赋予私人和公共的蕴涵：既是回忆中的欲望得到净化的遗迹，也是对过去封建制度的陈旧的（可能也是徒劳的）提醒，彼时的力量和权威更警惕地保护着英国。最后完成的这幅水彩作品并不似大幅油画草图那般躁动，形式描绘得极其生动、活跃，坍塌的废墟和疾弛的流云既凝滞，又变换不定，将造型技法推向新的高度。在1830年的一

图 5-12：约翰·康斯坦布尔《老萨勒姆》，1832年。水彩，30.1厘米 × 48.6厘米

# 艺术与工业革命

布赖恩·卢卡彻

　　在18世纪晚期，大不列颠工业革命产生不可估量的影响。卡尔·马克思的《资本论》（Capital，1867年）以至今依然具有深刻意义的论述探讨工业革命的早期状况，指出其基本要素：工厂体制的兴起，制造业与运输业的机械化；雇佣劳动，资本家对贫穷劳工的剥削；农村人口降低，城市化，城市日益增长的经济权力和政治重要性；伴随而来的膨胀的消费主义，重新界定数个（相互对抗的）社会阶级的面貌和行为模式；从自然界不加约束地掠夺能源、用于制造业和建筑的原材料。

　　英国是引领大规模生产、使用燃煤蒸汽机为主要运输模式的先驱。毫无意外地，英国艺术家最早记录这一发展，尤其是通过风景画和海景画。约瑟夫·马洛德·威廉·透纳及其同代人经常描绘工业场景，从不担忧这类题材没有艺术先例。以工厂、煤窑、钢铁厂为题材的绘画，通常为夜景，自成为一个次要画种，被艺术史家称为"工业的崇高"。菲利普·德·卢戴尔布格（Philippe de Loutherbourg）的《柯尔布鲁德尔夜景》（Coalbrookdale by Night，1801年）是其中最著名的范例。这幅作品歌颂燃煤熔炉所释放的能量，同时对工业

燃煤的环境污染作出了最早的探索。

　　19世纪工业革命的万神殿自然是1851年的伦敦博览会和1855年的巴黎国际博览会。这些政府赞助的展览，举办地点通常是钢铁和玻璃制造的建筑，结合革新的科技和广阔的空间，形同巨大的百货商场，陈列着科学和工业的发明、新颖的消费品、艺术品，可以容纳数以千计的参观者。在这些博览会上，现代的艺术和设计或反对或歌颂大规模制造和工业化。19世纪的建筑和设计总体上也面临类似的分裂，在机械化与传统手工艺的复兴之间左右为难（参见第14章）。这类以制造业和设计为主题的博览会深受公众的欢迎，再加上展品通常降低艺术的独特性和想象力，从而遭到当时一些极为敏锐的作家和社会观察家的谴责。夏尔·波德莱尔、约翰·拉斯金、费奥多尔·陀思妥耶夫斯基（Fyodor Dostoyevksy），都使用贬抑的措辞描绘博览会夸大的规模、只顾眼前利益的暂时性，以及城市中产阶级被动地、不加批评地称赏。整个社会上瘾似地崇拜进步、最新的发明，这也成为19世纪中叶漫画艺术里反复出现的主题。譬如，让-雅克·格兰维尔（J.-J. Grandville）的稀奇古怪的插画，嘲讽专横

封信里，康斯坦布尔甚至担心他的独特的绘画风格已经变得过于矫揉造作，并称之为"自我崇拜的画种"。在《哈德利城堡》，自然具有无常的可见性，传达出画中变化多端的感召力，从绝望转化为希望，或者从消沉、否定转化为激动、兴奋。

水彩画《老萨勒姆》也以相似的方式传达忍耐和失落。这幅作品的印刷版说明文字明确地表述了艺术家构思的意图。康斯坦布尔在文中曾论及这座失落城市的重要历史关联。据他所说，老萨勒姆是国会法案和封建社会秩序的发祥地，曾经雄伟的防御工事，而今被开垦为耕地，最终荒芜为一个孤独的牧羊人的非牧歌式的栖身之地。康斯坦布尔认为《改革法案》的危机及其改革国会的民主要求，预示着托利党圣公会

必将遭受攻击，而被遗弃的废墟鲜明地反映了当前政府日益走向毁灭的状态。《老萨勒姆》中的土堡，在暮色中显得荒芜凄凉——自然与历史难分难解——高高地耸立，犹如一个回顾性的预言，宣告那些即便在最专断的时代也可能出现的差错。肖像画家、皇家艺术学院院长托马斯·劳伦斯敏锐地识察这幅作品的允当的时事性，建议康斯坦布尔将其雕版题献给众议院（《改革法案》要求整治的政治腐败，在老萨勒姆自治镇尤其臭名昭著）。然而，在他的政治反动时期，康斯坦布尔大概未能欣赏这一反讽。接近事业生涯终点之时，康斯坦布尔声称风景画不再只是"历史的孩子"，他的废墟绘画便是力图阐述风景能够包摄历史的论题。康斯坦布尔的风景画所包含的"自我主义"的反省式

的机器人和便利的机械化工具取代人力。

蒸汽机不但改变了旅行的时间表，推动了文化旅游业的崭新模式，也将如画美学的趣味商业化，而且扩大了帝国与殖民的野心。在英、美两国，铁道线开始为风景艺术赋予特殊意味。透纳的《雨，蒸汽和速度》（ *Rain, Steam, and Speed* ）、阿舍·布朗·杜兰德（ Asher B. Durand，1796—1886年 ）的《进步 》（ *Progress* ）等作品，以忧喜相伴的心情看待铁道运输的现代经验、铁路对时空的征服，以及美国的铁路驱使原住民背井离乡的事实。生产率和效率的工业标准被应用于农业，颠覆了农村数百年传统的生活模式。与此同时，约翰·康斯坦布尔和法国巴比松画派的风景画描绘怀旧的乡间意象，依旧执着地抵制这些社会与经济的变迁所带来的混乱现实。

先锋派艺术运动直接或间接地回应工业化现状。无政府主义哲学家皮埃尔-约瑟夫·蒲鲁东（ P.–J. Proudhon ）在评论友人古斯塔夫·库尔贝的画作《采石工人》（ *The Stonebreakers* ）【图11-15】之时说道，这幅作品所描绘的残酷的体力劳动无情地提醒人们，机械化生产及其解放体力劳动者的口号只是一个虚假的承诺。相反地，工厂体

制只能导致工人阶级陷入更恶劣的境况。库尔贝的绘画风格以其粗糙杂乱的用色技法，直露地挑战机械化的制造。同样地，印象主义绘画以色彩的活力和溅泼颜料般的笔触，彰显独特的感知与绘画过程不可预测的即时感。在主题上，印象主义画家也探索工业和城郊的风景。莫奈、卡米耶·毕沙罗（ Camille Pissarro ）、西斯莱（ Sisley ），以及稍后时期的梵·高、吕斯（ Luce ），堂而皇之地描绘工厂和商业活动场所，完全不受传统的束缚。印象主义的未来的改革者乔治·修拉创作大型油画，侧重于巴黎工业郊区阿涅尔（ Asnières ）。由于修拉的点彩技法依据科学原理，批评家们灵机一动，称他的作品貌似工业产品，他的作品所描绘的社会类型具有冷静的矜重。这两种特征符合一种似乎非人的、机械化的新视觉语言。

19世纪艺术家对工业革命的回应，适用于后世的历史发展，甚至更尖锐地适用于我们的时代及困境：关于人类劳动的尊严；社会的当务之急则要求资本和财富衍生更多产品；无限地依赖和期待新科技形式；这些新形式转而又削弱我们关于何为人类的意识感；产业主义给自然世界所造成的环境损害。

课题，最后也不可避免地卷入欧洲各国的政治和社会命运的争论，甚至被这类分裂性的争论毁损。

## 帕尔默和马丁的预言风景

塞缪尔·帕尔默的作品，更有力、更夸张地体现了英国浪漫主义风景绘画作为逃离当代社会斗争的想象的庇护所，尽管他的作品远不如康斯坦布尔一般具有感召力。帕尔默的父亲是伦敦古籍书商、浸信会的在俗牧师，在1823—1824年，他师从衰迈、被世人漠视的威廉·布莱克。帕尔默与一小群年轻无名的水彩画家和雕版师自称"古人派"（the Ancients），推崇布莱克为著名人物，宣称他的视觉艺术代表神秘主义工艺和精神使命的思想。这群艺术家隐退到肯特郡的肖勒姆村（Shoreham），借助圣经的《诗篇》（Psalms）和维吉尔的《农事诗》（Georgics）的农业生活文学形象，过滤当地的乡间特色，将其转化为超脱世俗的风景。帕尔默不似康斯坦布尔，并不追求自然主义者的唯科学主义，对所谓的"普通的自然"进行想象的改造。帕尔默从肖勒姆村写信给友人，以典型的痴狂口吻说道："仲夏的景致犹如在灵魂神妙的熔炉中提炼，经过炽烈、净化、炼石成金的火焰"。他的一幅小巧的蛋彩和水彩嵌板画《丘陵风景》（Hilly Scene，约1826年）【图5-13】，正是这等炼金术变异的产物，肖勒姆的风景浓缩为人类堕落前的境况，超自然的丰饶鄙视现代农场的农业和科技改良。在帕尔默的风景里，密集的庄稼田地似乎要吞没村舍和教堂。在构图上，边框的树木形似哥特式教堂中殿，整齐的山坡如同棉絮一般对称排列，自然的构图遵循一种神圣的秩序——这一秩序自视超越凡人的筹谋。镰刀状的月亮和昏星，几乎碰触凉篷似的树冠，天上的王国从而被放大、拉低，靠近大地。尽管布莱克对风景绘画兴味索然（他曾称赏康斯坦布尔的数幅树木速写），但他拟古的反幻觉主义深刻地影响了帕尔默在19世纪20年代创作的肖勒姆风景系列。帕尔默将自然世界加以抽象，风景母题的轮廓紧凑，在结构内部采光，每个形式都具有鲜明的色彩，释放出乳白色光晕，并将肥沃的土地女性化、拟人化——这些都是布莱克对于帕尔默的影响。

似《丘陵风景》这样的画面，给人一种近似幽闭和排斥的感觉。观者被邀入敞开的大门，走进布莱克式"苍翠宜人的国度"，但穿过一条过于茂密的庄稼中间的小路，随即变得逼仄，富饶得让人窒息的土地将道路压缩为一条缝隙。尽管帕尔默从布莱克先知般的田园主义汲取灵感，但他的政治信念更接近康斯坦布尔，属于谋求私利的保持派，而不似他的导师布莱克，追求激进的宗教乌托邦主义。正如康斯坦布尔认为《改革法案》会将政府的权利下放给"人民中间的暴民和渣滓，撒旦在地球的代理人"，帕尔默也持类似的观点，在1832年撰写的一份选举宣传手册中，评论农村新兴的煽动性抗议，警诫人们不可把选举权赋予"一伙野蛮人，一群无思想的暴民"。1826年，帕尔默在肖勒姆村过着与世隔绝的生活，阅读《圣经》。然而，纵使在如此偏僻的环境里，帕尔默依然激动地感慨："傍晚时分，有一些美丽的想象来临，然后，有些冲击心灵的激荡的思绪……朝向真理的正确道路"。那么，当1832年的傍晚不再透明，不再充满启示的时候，他的情绪自然愈发激烈，将改革运动形容为阴霾笼罩的黑夜："他们的视力适应了黑暗，而现在正是欧洲最为黑暗的黑夜。激进派在兴高采烈。"19世纪30年代以后，帕尔默便不再描绘类似《丘陵风景》所呈现的英国农村的幻想景象。这类非时间性的、误导耳目的良性的风景绘画，原本源自帕尔默先知般的盲目状态，而今已经无法经受社会冲突所带来的更黑暗的视觉冲击。

帕尔默的风景画所具有的倒退的亲密感，显然是试图制止19世纪早期英国生活和文化的社会分歧。末世主义者风景画家约翰·马丁与帕尔默构成截然对立。在滑铁卢战争之后的英国，这位画家的绘画和版画在民间引起很大轰动。马丁专攻历史和诗意的风景，大多数为《圣经》和弥尔顿所描述的大动乱和摧毁的景象。他的作品弥合了学院派风景的高雅艺术与大众文化热闹的自然风光之间的差距。超脱的艺术家和批评家视他的艺术为庸俗，有失体面。譬如，威廉·哈兹里特（William Hazlitt）断言，马丁的作品"毫无道德原则……有一股急切追求病态的做作"。康斯坦布尔也心怀妒忌，极力贬抑马丁的巨大成功。当时文艺界的报刊，有的推崇他的艺术为无师自通的天才的神圣散溢（马丁以马车和陶瓷画匠的学徒出身），有的鄙视为生意人取悦大众的廉价伎俩（因为他的作品被版画、仿真模型、舞台布景广泛复制）。尽管马丁的叙事内容源自东方帝国的古代历史和弥尔顿所讲述的人类灵魂的史前故事，但他的绘画形象总是极具现代

图5-13：塞缪尔·帕尔默《丘陵风景》，约1826年。

水彩、钢笔、蛋彩，20.6厘米 × 13.3厘米

图5-14：约翰·马丁
《尼尼微沦陷》，1829年。
铜版画，64厘米×89.9
厘米

特征，将英国工业时代的社会与环境的危机移植于文化幻想的原初或古文物的舞台。1834年，历史学家儒勒·米什莱（Jules Michelet）抵达英国，在日记里写道："杰里米·边沁（Jeremy Bentham，1748—1832年）、马尔萨斯（Malthus）和马丁最纯正体现了大不列颠：私利、人群、令人窒息的人口。"然而，马丁的艺术既吸引又冒犯公众，因为他以崇高的手法，将这座工业首都的影响力和膨胀的城市主义转化了全能的形象、自然界的大灾难，以及上帝惩罚不复存在的东方帝国。譬如，他的《尼尼微沦陷》（Fall of Ninevah，1829年）【图5-14】便是这样的作品。这幅版画以宏大建筑为题材［马丁有一位精神错乱的兄弟，名叫乔纳森（Jonathan），因拿着燃烧弹攻击约克大教堂而入狱］，刻意地将画面转化为现代伦敦在大火中燃烧的情景。在马丁通俗化的历史风景画里，当代社会的问题（城市发展、米什莱所暗示的人口问题、疾病控制）移置到宗教和自然历史的远古时代。

马丁的另一幅风景画，即水彩画《最后的人》（The Last Man，约1832年）【图5-15】，虽同样具有历史边缘的摧毁气象，但画面气氛偏向沉思。马丁以这幅作品回应当时浪漫主义文学的反乌托邦文学潮流，其灵感源自拜伦的诗歌《黑暗》（Darkness，1816年）、玛丽·雪莱（Marry Shelley）的小说《最后的人》（The Last Man，1826年），以及托马斯·坎贝尔（Thomas Campbell）同时创作的同题诗歌。正如今日所流行的科幻小说中想象瘟疫和生态灾难摧毁地球和人类文明，19世纪早期的"最后的人"这一文学主题——见证历史时间的终结和自然的灭亡——诉诸于当时的社会焦虑。这一主题也为浪漫主义风景画家提供了终极的废墟意象。无论如何，最后的人享受孤身一人审视全球废墟的悲剧的愉悦。正如玛丽·雪莱的小说主人公说道："时间和经历把我放在这个高度，我从这里纵观过去，视其为一个整体。因此，我必须用这种方式描绘……那一场吞噬万物的浩瀚的毁灭——曾经喧嚣的地球只剩下无声的孤寂，只身一人的孤单将我包围，过去那些俗艳的色调已经柔和，沮伤地散发诗意的光泽，借藉感知与反思过去的色彩组合，我可以逃避所有这一切。"在马丁的水彩画里，色调和光泽也采用俗艳和诗意的怪诞结合：天空拖出一条条瘴气似的色块，掩盖惨淡的太阳，压向干裂的大地，大气似是地球的土层；浓重的阴影融入远山和海港，无人栖居的建筑遗迹消失在黑暗之中。在前景，庞大的岩壁在荒野突兀，悬崖之间横亘着洪水奔流的峡谷，将画中的观者悬搁于"时间的鸿沟"（坎贝尔在其诗歌《最后的人》里如此形容）。这些峡谷如深渊，象征着时间的裂缝，用视觉比喻预期我们眼前这幅景象。最后的人站在悬崖上，孤绝的形象略似基督，尽管被剥夺了任何救赎的承诺。作为灾难性训诫的对象，他身上隐约透露着未来的迹象，向观者呈现哀悼的手势。马丁描绘这些著名的地理残片之时，暗示了

地球历史的石化运动，在风景之中烙印了时间的流逝。地球表面雕刻着人类的尸骸，他们的骨骼轮廓早已被潮水席卷而去——这是自然世界最后一次为文明效力：作为人类历史的集体墓葬。

马丁的这幅水彩画与其他作品具有怪诞离奇的本质，但他也关注科学探索的其他分支，尤其是水力工程和古生物学。他的大型风景和建筑画的印刷品极其畅销，将卖画所积累的财富投资于乌托邦（赔钱）的项目，包括修复泰晤士河伦敦河段的堤岸，合并城市下水道系统，净化城市供水。这些未来派的城市改革与他作为自然历史插画家的作品格格不入，尤其是他依据化石遗迹所描绘的绝种恐龙。在《最后的人》里，静止的水、荒芜的海滨城市，告诫当代人切勿失于解决现代英国的城市问题。在马丁的水彩画里，当观者将目光投向岩壁的侧面之时，地质学呈现恐怖的一面，仿佛在人类历史的尽头，庞大的爬行动物从化石

图5-15：约翰·马丁《最后的人》，1832年。水彩，47.5厘米×68厘米

之中复活、重现。时间终结的时刻，史前时代在人类脚下苏醒；在这片描绘历史灭绝的地质风景里，最初与最终交织在一起。

## 透纳的意味深长的模糊

　　无论是康斯坦布尔的田园牧歌式的自然主义，还是马丁的科学的幻想，这两种对立的艺术都表明英国浪漫主义绘画被当作历史反思的艺术形式。没有哪位艺术家能够似透纳（康斯坦布尔和马丁的主要竞争对手）一般将全部精力投注于推动风景绘画的表现与风格的事业。拉斯金最热烈地拥护透纳，最早捍卫他为19世纪风景画所作的无以伦比的贡献。然而，法国哲学家和艺术理论家伊波利特·丹纳（Hippolyte Taine）最精辟地总结了透纳的艺术所包含的深层困难和内在矛盾。在1862年撰写的一篇评论文章里，丹纳犀利地指出透纳的风景画，尤其是他的晚期作品既强调散漫的含意，也突显迷失感：

　　　　眼睛的感觉和视觉效果，在透纳这里逐渐地变得次要；沉思和理性的头脑所生发的情感和遐想将他主宰。他萌生一个愿望，意欲描绘宏大的、哲学的、人道主义的史诗……他的作品可谓是一大堆非凡的杂货、奇异的垃圾，其中埋藏着一应俱全的货色。将一个男子放置在浓雾或暴雨之中，太阳照进他的眼睛，他感到晕眩。你可以尽你所能去形容他在画布上的描绘，应有尽有——这就是透纳的想象力的阴郁视野，恍惚、痴狂。

　　透纳的艺术始终包含两种对立的创造冲动：既是为了推崇风景画的指涉和叙事潜能，并将其复杂化，同时也是为了打造一种新的艺术可视性，用以传递自然变化所导致的加剧的感官经验。透纳极少爽快地表现对象。尚且不论他的风景画是自然效果的外在描绘，还是道德说教的象征符号，他的绘画总是不加掩饰地表现感觉和想象的模糊性。这一模糊性既呈现又掩饰自然世界作为人类工具的本质——通常构成他的艺术关注的中心。透纳的艺术在所有层面体现异化的人屈从自然力量，同时不忘暗示人类自豪地征服自然。换言之，透纳将自然表现为富有坚韧生命的力量，有着威胁吞并人类的目的，同时也反映社会和文

明的历史野心。杰克·林赛（Jack Lindsay）为透纳撰写了现代最杰出的传记。他描述透纳开始视自然充满大气、具有活力。谈及透纳在认知上经历这一思想转变之时，林赛写道："在工业主义第一阶段及其必需的机械科学的来临，社会和经济领域日益大规模没收农民财产，城市拥挤着无业人群之际，透纳对于自然产生日益疏离的异化感。"

　　透纳的事业生涯始于水彩地志画，他和吉尔丁属于同一艺术圈，曾经一起在门罗医生手下供职。1800年后，透纳开始绘制大型油画，雄心勃勃地参加展览，选题都是壮丽的古代或现代历史题材。康斯坦布尔从自身逐步演变的自然主义风景画中刻意筛除其他艺术传统（除了被他称为"恋家的人"的数位17世纪荷兰画家），透纳则在艺术史里纵横，与克劳德、伦勃朗、普桑、华托（Watteau）、加纳莱托（Canaletto）等前人展开风景艺术竞争。然而，透纳并没有养成模仿的综合风格，反而拓展了风景画的视野，增强了冒险的实验精神。他是不知疲倦的旅人，对诗歌与科学（从光学到地质学）抱有广博的兴趣，总是要求在不断变化的条件下观看自然世界的刺激，在诠释自然之时套用知识的联想形式。有些客户以及皇家艺术学院一些成员，鄙视透纳的举止带着伦敦东区下层阶级的习气，不肯接近他。纵是如此，他活跃于艺术学院和商业世界，吸引社会和政界各阶层的收藏家，自办画廊展览，出售画作的雕版复件，不遗余力地推广自己的作品，取得巨大成功。

　　早在拿破仑战争时期，透纳就开始偏爱大气的朦胧感（哈兹里特称之为"空中视角的抽象"），并视其为与风景主题密不可分的元素。在参展作品《格林尼治公园远眺伦敦》（*London from Greenwich Park*，1809年）【图5-16】上，透纳在画题后附上自赋的诗歌。这些诗句引导观者的视线转离牧歌式的前景，甚至越过中景的格林尼治海军医院，看向遥远的城市风景和圣保罗大教堂（St. Paul's）的穹顶。透纳模仿18世纪诗人詹姆斯·汤姆森（James Thomson）的自然诗歌，用文学的标签为这幅绘画构造道德说教的潜台词："负荷沉重的泰晤士倒映拥挤的船帆，/那里充满交易的心思与忙碌的劳动，/浑浊的面纱，希冀吹往天空，/模糊你的美貌，你的形体被否定，/除了你的教堂尖塔戳穿多疑的空气的地方，/烦扰世界中的一线希望。"尽管风景推离伦敦的喧嚣，诗歌却提醒观者，城

图 5-16：约瑟夫·马洛德·威廉·透纳《格林尼治公园远眺伦敦》，1809年。布面油画，90厘米×120厘米

市的生活就在地平线之上、弥漫的大气之下翻腾。初看之下，画面似乎渗透静谧，然而，诗歌所述的疑惑、劳作、模糊、形式的否定——这些词语精辟地概括透纳艺术作品的主题和视觉特征——随即颠覆画面静谧的气氛。《格林尼治公园远眺伦敦》也是民族主义的宣言，歌颂首都的繁荣及其活力，同时极其艰难的商业生活，纵使在战时依然急速前行。在这首诗歌里，多疑的大气否定形式，被视为现代城市的化身；在描绘人类历史上不幸的英雄业绩之时，多疑的大气则转化为自然灾难，体现为更强有力的形式。如果说，透纳的《格林尼治公园远眺伦敦》见证英国的生存，那么他的突破性的历史画《暴风雪：汉尼拔与军队越过阿尔卑斯山》（*Snow Storm: Hannibal and His Army Crossing the Alps*，1812年）【图5-17】，则怀着危机的焦虑看待英国和拿破仑统治之下欧洲的未来。透纳终生痴迷迦太基战争的题材，反复地将这个早已消失的海上帝国与现代海上强国不列颠相提并论。在这幅作品里，他描绘汉尼拔的军队翻越阿尔卑斯关隘进入

意大利。汉尼拔的战略性进军虽流传为神奇的传说，但侵略战争以失败告终。在画中，迦太基侵略者更可能象征拿破仑的士兵，而不是英国人。诚然，透纳并不急于限制或界定这一历史事件的当代影射范围。这幅作品的展览目录也附有诗歌标注，节选自透纳未完成的史诗《希望的谬误》（*The Fallacies of Hope*）。这首诗以道德说教的口吻讲述汉尼拔的军队沿途顺利地劫掠阿尔卑斯村庄，进入意大利平原之后，这支军队才遭受挫败。愚蠢人类的过剩暴力，体现在了作品前景山脊上展开的象征性行动，这一遥想的场景呼应透纳以精湛的技法所描绘的恶劣的自然天气暴力。这幅作品开创了风景画崇高风格的标志性元素——重云笼罩的昏暗的圆太阳、抛物线式旋转的大气和光线、乌云密集如深渊的天空、阿尔卑斯山脉辽阔的地质纹理所构成的视觉连续，所有这些元素将反复出现在透纳的艺术中。这幅画违背叙事和构图的清晰原则（英雄主人公汉尼拔被描绘为一个细微的斑点，只能隐约可见，骑着一头袖珍大象，位于远处谷底。画面对角

图5-17：约瑟夫·马洛德·威廉·透纳《暴风雪：汉尼拔与军队越过阿尔卑斯山》，1812年。布面油画，144.8厘米×236.2厘米

轴部分留下涡旋般的真空，整片风景没有任何固定或清晰的母题）。康斯坦布尔看得迷惑，评论道："画面如此含糊，有些地方（以及主角）简直叫人难以理解。不过，作为一个整体，这幅作品却是新奇又感人。"自由派报刊《观察家报》的评论更为直中要害："在这里，道德和自然的力量雄浑地统一。"这类诠释或许都是准确的。然而，当透纳将人类历史的罪恶与傲慢融入自然毁灭的循环模式之时，从而也就抹除了历史本身可能具有的道德意味。他似乎在暗示，自然始终会在那里，等候清理人类事件的悲剧后果。

## 透纳的晚期作品

透纳在19世纪30年代和40年代的艺术创新里，最关注两大基本问题：其一是混乱动荡的风景，其二是历史和进步所衍生的道德与哲学的困境。作为版画底稿的水彩画系列"英格兰和威尔士的如画风光"（*Picturesque Views in England and Wales*），可以说是当代社会观察中最有探索精神的风景作品。这组水彩画包括很多纯粹自然的胜景，也收录英国政治和经济生活的片段——至少在透纳眼里。《伍斯特郡的达德利》（*Dudley, Worcestershire*，约1832年）【图5-18】体现英国中部被称为"黑乡"的工业城市夜景。"黑乡"的称号源自这一城市过度偏重工业制造，从而彻底摧毁了周围的景观。画面显示一行运河驳船驶进工业中心，直入城市的水道；水路两侧是排列密集的高炉、铸铁厂和蒸汽锅炉。透纳在强调现代英国工业产物的制造和运输的同时，反讽地影射自己先前的作品，即1815年和1817年参展的说教式历史风景画，采用克劳德式的风格描绘迦太基帝国兴衰的海港。透纳效仿他仰慕的18世纪晚期工业风景画家的传统［尤其是德比的约瑟夫·莱特（Joseph Wright）、菲利普·德·卢戴尔布格］，充分利用工厂风景炽亮的夜间效果——相互冲突的人造光似乎更炽烈地迸射，似乎要征服可能袭来的黑夜的静穆。透纳使用大片深蓝和鲜亮的橙红，在色彩的温度与颜料所描绘的地貌特征之间构造对比；工业建筑生产的火焰，映衬着夜间风景阴凉的湿意；躁动城市的上空，一轮新月紧贴着山巅。工业风景超越自然界的时日循环：经济需求下永不停息的生产，将工厂的时间表区别于自然世界的时间图式（这一时期的旅行书籍频繁谈及工业区夜间无休的人类活动，及其近乎超脱世俗的夜景）。

为了将这片现代风景理解为历史的风景，透纳在火热生产的山坡上描绘了城堡和修道院废墟的轮廓，在附近增添教堂尖塔。中世纪的古迹呈现蒸汽般虚幻的外形，衬托着煤窑、锅炉、大烟囱在空中的精确又庞大的轮廓［我们或可推想，历史时代相互对照的社会修辞法，象征着在进步时代来临的时刻，世俗和精神的旧秩序正在消失，托马斯·卡莱尔（Thomas Carlyle）和奥古斯塔斯·威尔比·诺斯摩尔·普金（A. W. N. Pugin）在谴责19世纪30年代现代工业生活之时将会反复使用这一修辞法］。然而，透纳的绘画也表明，在工业背景的现代杂物堆里，我们也可以预见鲜明生动的废墟，隐含于这片既高效又具毁火性的工业风景里。工程师和发明家詹姆斯·奈史密斯（James Nasmyth）回忆1830年间在达德利（Dudley）旅行的

见闻，敏锐地观察到这里的历史对比。他论及城堡废墟的状况，说道：

> 而今，它被主人遗弃，被黑乡团团包围。它的地基被煤矿侵蚀，甚至被一条运河穿透。大山深处的爆炸声响起之时，城堡的墙壁随之震颤。衬托着周围的煤矿铁厂，这些墙垣忧郁的壮丽，更加震慑人心——古老的建筑面对现代的建筑……我坐在废墟高处，俯瞰下面这片大工业区，熊熊燃烧的熔炉，从中散发的煤烟，熏黑它所能企及的广阔土地……我思索我们为钢铁制造这一桩自吹自擂的霸权所付出的巨大代价。

尽管透纳的作品并不打算传达这些情感，但依然能够激发类似的反思。诚然，透纳仍不能像奈史密斯和马丁的《最后的人》那样，将自己置于历史的高度，

图5-18：约瑟夫·马洛德·威廉·透纳《伍斯特郡的达德利》，约1832年。水彩画，28.8厘米×43厘米

将自己和人类置入当代工业的经验。对透纳来说，他自己的视觉模式本身就是自然和时间性的科技观念的副产品，是一个由历史过渡观点，以及过去与现在相互竞争的封闭氛围组成的激活的视野。

透纳在晚期创作的海景和陆地风景，最终演变为异常极端的作品，譬如《贩奴船将死者与垂死者扔下船——台风来临》(*Slavers Throwing Overboard the Dead and Dying—Typhoon Coming On*，1840年，以下简称《贩奴船》)【图5-19】、《雨，蒸汽和速度——大西部铁路》(1844年，以下简称《雨，蒸汽和速度》)【图5-20】。在这两幅风景画里，透纳竭尽散漫的意义和视觉形象的界限，其艺术特有的意义与感知的对立——正如丹纳所指出——经受了最严峻的考验。透纳一生热爱海难和血色日落的主题，在《贩奴船》的触及道德愤怒和社会良知的当代题材里，他的激情得到最完美的表现。在18世纪晚期，有一艘奴隶船为领取保险金，将船上患病的奴隶丢弃在海上(贩奴船只能向保险公司索赔"海上丧生"的奴隶，因疏忽或疾病死亡的奴隶不能得到赔偿)。透纳受到这则故事的启发，再度将冷酷无情的人类相残与大自然的报复性的道德权威相互对照。英国的废奴运动虽在国内获得成功，但殖民地的奴隶贸易依然繁荣(英国航船巡逻本国海域，企图拦截西班牙和法国的贩奴船)，宪章主义鼓动者尖锐地将英国工厂的童工比拟为热带地区和美洲种植园的奴隶。

在透纳的作品里，汹涌的海面上充满奴隶贸易受害者戴着镣铐的尸体，手臂露出水面，招来捕食人肉的海鸥、庞大的鱼群。右侧前景的波涛里，透纳突显一名女性奴隶的痛苦折磨，以情色手法处理膨胀的胸脯、肚腹、倒放的腿脚，迎合的是伦敦观众凌驾于悲惨的受害者之上的社会和性别特权，尽管这幅作品也试图通过这类可怖的细节激发适当的罪孽感和同情心。正如形状古怪、面目阴险的鱼群吞噬奴隶的尸身(批评家们将透纳的象征元素与格兰维尔的变异漫画相比较)，观者可以欣赏，可以憎恶野性的、感官化的海洋所上演的死亡盛景。拉斯金甚至以压抑的性恐怖取代受折磨的母性的海洋，形容画中起伏的波涛"犹如经受风暴的煎熬之后作深呼吸，挺起它(海洋)的胸脯"。这可能确是恰当的修辞替换，因为在透纳的作品中，海洋及其凶猛的生物吞食被丢弃的人类尸身。一女奴隶的倒放的腿脚，在形式上呼应远处波浪

里贩奴船的船首斜桁，表明航船直接驶进迎面而来的台风(船左侧露出灰蓝色的泡沫雾气和云层)。当时的报纸以一种神经质的令人发指的幽默，冷酷地嘲讽透纳的《贩奴船》。然而，拉斯金以同情的眼光为这幅作品作出了令人难以抗拒的诠释。在《现代画家》(1843年)，他以素有的形式和内容相交融的激情描述这幅作品，譬如下面这一段反复被引用的散文：

> 紫色和蓝色，翻卷的海浪投下凛然阴影，汇同寒凉的夜雾，压向海面，犹如死神的阴影逼近罪恶的船。船只在海洋的闪电之间艰难行驶，以血的颜色将单薄的桅杆刻进天空，以恐怖的色调系缚谴责。这一色调将恐怖点缀在天空，又将燃烧的海水与阳光相融，漫长地投在坟墓般汹涌的浪涛之上，将广袤的大海染得猩红。

拉斯金一边描述透纳的作品，一面构造自己的寓言，为画中的每一个元素赋予含意和道德重要性。当然，这并不是因为拉斯金急切地想要向画里可怕的人类内容表达同情。通过透纳掌握得无所不至的海景折射，血、死亡和罪恶，最终都成为自然的一部分(拉斯金通过语言再度掌握那些效果)。拉斯金并不关心为这幅作品提供主题的社会和经济条件。他只能从波浪和夜雾的动势里看到受害者绝望的手脚，人已被肢解，已脱离肉体，已成为"苍白的阴影"，环绕着航船，纠缠不放。在拉斯金眼里，沾污血迹的太阳，在天空和大海投下碎光，仿佛要让画布上的颜料本身也变得血腥、黏稠，以更大的暴力——既肃穆又疯狂的暴力——有效地接继疲软的人类，回应人类追逐利益的无道德行径。在《贩奴船》里，自然的惩罚功能具有近乎虚无主义的徒劳。透纳添附在画题之后的诗句清晰地传达了这个思想。诗的结尾是一个无望的问题："希望，希望，谬误的希望！/你的市场现在何处？"

透纳最伟大的科技风景《雨，蒸汽和速度》，也彰显了他拒斥推销希望，在自然和社会之间通常具有摧毁性的辩证逻辑之内寻找固定的意义，寻找道德的坚定信念。这幅作品描绘19世纪40年代的工程奇迹——布鲁内尔(Brunel)大西部铁路，尤其是铁道系统新造的大桥，有一座跨越泰晤士河谷的梅登黑德(Maidenhead)。画中构造自然与科技之间的对立和呼

应。阳光和阵雨构成变幻的天候，模糊风景的地貌特征，铁道高架桥居高临下，以几何线条图案主宰曾经如画的景观。火车头前面以薄涂法上色，火车以躁狂的速度（或者至少让人产生这样的错觉）在透视路径上飞弛，车厢浓缩为模糊的形状，匆匆地消失在雾中。尽管画面的视野广阔，铁道的围栏又营造了深陷的空间深度，但这幅作品依然将观众视线吸引到画布表面颜料的丰富肌理，以及明亮的透明感衬托着的两道浓重的阴影。蒸汽火车头推动火车穿透旋转的风景，这一意象或许可以视为自然力量的科技典范，或是科学寓言。在这个寓言里，水、火、雨、雾交融，产生火车头的能量。铁道的轮廓黑暗而显著，孤立于自然界变幻的大气王国之外。透纳的绘画体现的视线的模糊与时空的活力，都是缘自一种全新的感知模式；而促成这一感知模式的正是火车的推动力。通过透纳的艺术媒介的视觉隐喻，自然与机器形成殊异的类比。

诸如光和雾的席卷效果、形式的不懈地消融，令这幅作品隐藏了一些细微的代表性迹象，这些迹象对铁路的历史地位及其运行的技术提出了质疑：河面有一艘漂流的划艇，铁道桥梁右侧隐现一个犁田人，桥上有一只野兔在火车前面奔跑。这些细节貌似滑稽的花招；然而，或许是由于单薄、迟疑的视觉效果，这些冷嘲式的形象召唤起前工业时代人类与自然世界的关系，但它们完全没有干扰这幅以科技为主题的风景，并且几乎难以察觉。这些偏题的迹象所关注的是存在与被观看的可变结构，以另一个希望的谬误奖励观者：当社会和工业改革势欲赶超自然风景之时，我们须更加专注地观看风景。

拉斯金不肯思索这幅作品；在他看来，这幅画仅体现了一个伟大艺术家面对不登大雅之堂的题材之时所能做到的成就。批评家和小说家威廉·梅克比斯·萨克雷（W. M. Thackeray）幽默地建议公众趁火车消失

图5-19：约瑟夫·马洛德·威廉·透纳《贩奴船将死者与垂死者扔下船——台风来临》，1840年。布面油画，90.8厘米×122.6厘米

图5-20：约瑟夫·马洛德·威廉·透纳《雨，蒸汽和速度——大西部铁路》，1844年。布面油画，91厘米×122厘米

前赶紧去看这幅作品，然后总结说："世人从未看过这样的绘画。"稍后时期的印象主义画家，将会确保世人看到更多类似的绘画。就探索"风景的直觉"及其相伴随的社会迫切问题而言，透纳的《雨，蒸汽和速度》依然是不折不扣的拉斯金式绘画。这幅作品的浪漫主义现代性正是在于其自相矛盾地体现"进步与堕落"（拉斯金语），而这将是19世纪文化追求自然历史化与风景社会化的最具代表性的特征。20世纪批评理论家西奥多·阿多诺（Theodor Adorno）沿袭拉斯金的风景社会哲学的态度，稍作了些更新，得出这样的评论："我们对于自然的每一次感知，实际上包含了整个社会。"

## 问题讨论

1. 解释"如画"这一术语的含意，列举一幅体现如画审美的风景作品。

2. 约翰·康斯坦布尔的作品揭示英国农业和社会生活的哪些方面？掩饰了哪些方面，为何掩饰？

3. 透纳的绘画有哪些创新之处？试举一例。约翰·拉斯金欣赏透纳及其作品的哪些特征？

# 德国与美国的风景艺术、浪漫民族主义：
# 约1800—1865年

## 第6章

布赖恩·卢卡彻

## 导言

19世纪上半叶，风景绘画在德国和美国也占据了前所未有的重要地位。这一现象并不具有任何单一的政治或社会意义。每个国家都有各种各样的艺术家和公众绘制和欣赏迥异的风景画。关于整个社会普遍地转向风景画的一些原因，第5章的导言已有概述，本章将继续作一些阐述。然而，就德国和美国而论，或许须强调一个额外的因素：民族主义。

19世纪早期，德国由众多选帝侯区、主教辖区、公爵领地和王国构成，名义上归属神圣罗马帝国。这些地域根据宗教（主要是天主教和路德教）、语言（绝大多数德语方言只有50%的互通性）再作进一步的地域划分。尽管18世纪中叶的一些哲学家梦想建立统一的德国，然而，及至1806年拿破仑侵略之时，德意志统一才成为普遍认可的目标。然而，如果要成立统一的德国，就必须有界定清晰的德国人民。这一界定转而需要具有凝聚力的神话。于是，有一种观念开始出现，认为德国语言和文化（尽管多种多样）来自一个共同的源头，并且统一的国家必须源自这一本质。赫尔德等民族主义者进一步论述，独特的德国人民天然地源自独特的自然风景和历史。（然而，赫尔德不是种族歧视或反犹主义，而是支持人种总体上的统一性。）

艺术家菲利普·奥托·朗格（Philipp Otto Runge，1777—1810年）痴迷北欧萨迦、伪古代的奥西恩诗歌，以及阿尔布雷特·丢勒（Albrecht Dürer）的"老德国的艺术"［路加联盟（Lukasbund）的年轻艺术家也有同样的嗜好）］。这些痴迷实则体现了艺术家的民族主义。卡斯帕·大卫·弗里德里希（Caspar David Friedrich）的风景艺术，其自然主义倾向更胜于朗格，力图调和现代化的德累斯顿（Dresden）、柏林，以及德国广大地区的人类和自然之间逐渐扩大的心理距离。

在19世纪初，美国的状况类似德国，风景画为民族的神话创造提供最佳的平台。历史画只能吸引顾客中间一小群精英，风景画则不同，因其侧重于自然和乡土，能够吸引那些被伊甸园的民族起源神话和扩张主义必然性所养育的公众。在风景画家中间，托马斯·科尔（Thomas Cole，1801—1848年）——聚集于哈德逊河谷的艺术家流派的领袖——最精彩地体现了蒙受上帝恩典的美洲梦，尤其是他在19世纪20年代绘制的地志画。1836年以后，他创作了一组名为"帝国的进程"（The Course of Empire）的杰作。这组系列包括5幅作品，他不再彰显美国实验的优越主义，反而强调其典型特征。与其他文明一样，由于奢靡、贪婪、肆意摧毁自然世界，美国文明也会堕落。

科尔的追随者和继承者，包括阿舍·布朗·杜兰德、乔治·英尼斯（George Inness，1825—1894年）、弗雷德里克·埃德温·丘奇（Frederic Edwin Church），或拥护或无视其作品所蕴含的历史和生态警诫。丘奇在1862年所描绘厄瓜多（Ecuador）的科多帕希火山（Cotopaxi），既托喻昭昭天命（Manifest Destiny，这种观念认为美国的统治权威延伸至南美洲），又影射帝国的脆弱。正如科尔的《荒凉》（Desolation）【图6-16】，"帝国的进程"系列最后一幅作品，《科多帕希火山》（Cotopaxi，1862年）【图6-22】以喷薄的火山和血红的落日，比拟自然和文明的双重毁灭——确是残酷的美国内战中期最贴切的形象。

图 6-1：菲利普·奥托·朗格《芬格尔》，1805 年。钢笔素描，39.5 厘米 × 24.2 厘米

的内在的创造力和精神生活，而且诉诸于统一四分五裂的德意志的政治梦想。对朗格与其他德国浪漫主义艺术家来说，风景画是未来的艺术。恢复生机的统一的德意志民族，将要运用这一艺术体现传统、传达使命。德国浪漫主义者（艺术和文学界）倡导神秘主义的泛神论，通常伴随着超脱世俗的、象征性的自然观念，以痴狂和主观的沉思和渴望、未实现的自我表达等术语，从理论上阐述本身之于自然世界的关系。与此同时，对朗格及其同胞们来说，经验与体现风景也可以作为国民集体希冀政治和精神统一的民族主义的枢轴，尤其是在拿破仑侵略德意志邦国（1806 年）之后。这一历史事件与德国浪漫主义运动同时发生，深刻地影响了其中一些最重要的风景作品。

学界有一种普遍的观点，认为朗格虽大力宣扬风景艺术的优势，他本人的艺术实践却极少遵循风景画的传统。他的大部分作品以人物为主题，运用图式化的线条风格，让人联想起约翰·斐拉克曼的插画特有的抽象的古典主义特征【图 1-25】。朗格的首个重要项目是为奥西恩诗歌的德译本新版绘制插画。1768 年，奥西恩诗歌首次译为德语，"狂飙突进运动"的历史哲学家赫尔德称赞这部诗集为原始的纯粹，坚信现代读者可以在古诗人的英雄传奇中重新找回"自然的声音"。更重要的是，奥西恩的史诗属于北欧独有的文化遗产。

朗格热情地响应奥西恩诗歌所描述的原始主义和生动的自然隐喻。他的轮廓素描《芬格尔》（*Fingal*，1805 年）【图 6-1】将奥西恩的武士父亲塑造为巨人，体现了他既是自然世界的主宰，也是自然世界的化身。芬格尔以居高临下的姿态迈步，相形之下，背景的海滨风景格外地渺小，前景的小鹿挡住他的去路，仓皇地蹿下岩石突兀的沟壑。英雄背后的太阳散发光轮，同时充当英雄的象征性盾牌——相当贴切的手法，因为奥西恩讲述父亲的战迹之时，反复将他的凶猛比拟为太阳炽热的光芒。朗格笔下的芬格尔暗示的太阳和超人的英雄力量同步，再加上象形文字一般简约的人物与风景的相互并置，让人联想起布莱克的革命偶像《阿尔比恩站起》【图 4-1】。朗格和布莱克虽然并不知道彼此的作品，但二人都钟爱人类文化的神话创造理论，都倾力寻找一种传达神意的艺术，用以融合世界的原初和末日的元素。

朗格因痨病早逝，在短暂的艺术生涯里，朗格力图创作一个宏大的绘画项目，实现他的风景画新理

## 朗格的新时代

对于浪漫主义艺术在德国和美国的发展来说，风景画擅长容纳民族和文化身份的相互矛盾的意识形态这一显著能力，尤其具有重要意义。1800 年间，德国画家和艺术理论家菲利普·奥托·朗格坚定地主张风景绘画能够成为艺术复兴的界定性画种。1802 年，他论及现代宗教和历史艺术的沉闷状态，实则预示着"一种优美的艺术再度兴起……将是风景绘画的时刻"。再生和复兴的修辞将会围绕着"Landschafterey"（朗格虚构的新词，意为风景绘画），不仅诉诸于艺术家

念，这一项目被称为"一日的时刻"（Tageszeiten）。这组作品用形象寓言体现人生的时间循环，结合人类与自然、身体与精神的元素。"一日的时刻"最典型的特征是花卉符号和寓言人物（主要是婴孩和母性模式），譬如蚀刻版画《黑夜》（*Night*，1805年）【图6-2】，其植物和人物元素安排为简明的图式，构成神秘的和谐。朗格像林奈一样精通植物学，但他对花卉母题的痴迷既出于形而上学，也出于多愁善感。他致信浪漫主义作家路德维希·蒂克（Ludwig Tieck），解释自己如何地拓展风景画的观念："人们会在所有的鲜花和植物、所有的自然现象中看到自己，看到自己所有的激情和感觉。"他使用"阿拉伯式花饰"和"象形文字图式"，证明"一日的时刻"系列所包含的缠绕交织的装饰图案、符号学一般复杂的画面。

"一日的时刻"这些研究时间的画论文章所蕴含的欢欣的泛神论（也弥漫于朗格探讨艺术、自然、人类的文章），将朗格区别于几乎同时代的丹麦-德国艺术家阿斯穆斯·雅各布·卡斯滕斯（Asmus Jakob Carstens，1754—1798年）。卡斯滕斯的素描作品《黑夜女神及其儿女》（*Night and Her Children*，1795年）【图6-3】，画面阴沉，代表了这一时期北欧艺术最有创新精神的新古典主义潮流。年轻一代的德国浪漫主义者极其仰慕卡斯滕斯，认为他具有知性的深度和艺术独立性。他的作品以柏拉图和赫西俄德的著作所启发的神谱为主题，大多形象源自米开朗基罗的原型。《黑夜女神及其儿女》描绘了黑夜女神的庄严形象，周围环绕着摧毁性的、绝望的后代。沉重的人物，无论是身躯还是寓意，都有一种史诗般的克制，尽管她们的形体尺寸和构图安排势欲冲破画面边界。朗格在稍后时期描绘的《黑夜》采用向上的蓬勃发展的运动，卡斯滕斯的构图则刻意营造地洞的压迫和禁闭感。这幅作品的感召力和深刻意味都指向一种耗竭的状态——被束缚的古典崇高的耗竭。而这正是朗格在世纪之交迫切想要克服的东西。

在"一日的时刻"系列，朗格追求艺术的超验状态。在那个状态里，自然和人类被视为神圣的签名——借用17世纪神智学者雅各布·波墨（Jakob Böhme）的术语。朗格正是受到波墨的启发，并且他所属的德累斯顿浪漫主义圈子所倡导的自然哲学（Natur-philosophie），也是试图复兴波墨的思想。之后，朗格试图将"一日的时刻"的线条简洁的形象，转化为丰

满的绘画媒介，于是，色彩理论和光的属性在他的艺术里开始占据重要地位。他最后成功地创作了《早晨》（*Morning*，1808年）【图6-4】的小型油画。

这幅油画保留原版画的对称构图和套嵌式雕饰画框，描绘了黎明时分草上露水未干的风景，精妙地捕捉了光和绚烂的倒影所构成的神秘主义。花卉和植物依然采用象征和神圣的表现，尽管它们在这里已被纳入感知世界及其短暂的光学效果，譬如，天空中，天蓝色的百合的轮廓，层次细微地渐变，隐入浅蓝色的破晓晨光。《早晨》里的人物形象表明朗格力图使用多重传统创立一种综摄的象征学范式：德国民间童话的花卉仙子和精灵（geister），以黎明女神为主位的异

图6-2：菲利普·奥托·朗格《黑夜》，1805年。蚀刻版画，82.1厘米×57.9厘米

图6-3：阿斯穆斯·雅各布·卡斯滕斯《黑夜女神及其儿女》，1795年。白垩与钢笔素描，74.5厘米×98.5厘米

教神话，婴孩基督从肥沃的大地诞生的基督教信仰。这些神话和宗教的片段都被重新搭配，尽管朗格的文章明确地声明，从本质上说，他本人的世界观和信仰仍属于基督教。

然而，《早晨》却通过容纳一系列神秘主义和科学理论，探索朗格所说的"充弥宇宙的、无限的造物"的运作，从而违抗了传统的宗派主义宗教价值观。在《早晨》的边饰中，植物和宇宙的母题相互交融：花卉的卷须和鳞茎似乎可以替换日食圆盘和星系螺旋——体现了双重无限性在自然世界的神圣显现之内的运作。朗格原本仅打算将"一日的时刻"构思为高雅迷人的室内装饰——宇宙和花卉的墙纸，帮助有学识的灵魂放松地进入泛神论的遐思。稍后时期，他将这一系列构想为全面的通感（synaesthetic）装置，可以用来改造社会，宣称这是"一种抽象的、绘画的、

幻想的音乐诗歌和合唱，三种艺术全部汇融的作品，建筑艺术须为其量身定制一座大厦"。朗格在写给歌德的信里曾说，这座艺术的音乐殿堂坚守"所有元素在确凿的精神统一中的坚定信念"。朗格的信念铺垫了瓦格纳和总体艺术（Gesamtkunstwerk）的符号主义理论。通过后者，德意志民族的灵魂被带入兴高采烈的状态。

作为实现民族和精神统一的艺术手段，"一日的时刻"自然仍未实现其幻想的计划。朗格凭空推测的风景绘画理论和自然哲学美学，妨碍了他的艺术实践和品质。他时常承认自己的艺术理论包含不切实际、离奇的方面，从而体现了他对于破坏性的历史力量的敏锐意识。如此之下，他的新风景艺术梦便愈发遥远，难以实现。纵然如此，当拿破仑入侵普鲁士和瑞典之时，朗格发出激昂的爱国挽歌，在1809年创

图6-4：菲利普·奥托·朗格《早晨》，1808年。
布面油画，108.9厘米 × 85.9厘米

图6-5：菲利普·奥托·朗格《祖国沦陷》，1809年。
钢笔素描，35.4厘米 × 23.6厘米

作一幅素描，明确地命名为《祖国沦陷》（*Downfall of the Fatherland*）【图6-5】。这幅作品与"一日的时刻"中的欢欣的神秘主义构成截然对比。由朗格的主顾，也是德国浪漫主义文学圈的重要出版商弗雷德里克·珀瑟斯（Friedrich Perthes）委托。这幅素描被指定作为民族主义杂志《祖国博物馆》（*Fatherland Museum*）封面，然而，杂志由于抗议法国占领被查禁。在画中，一名农妇耕耘农田，田间播种着她丈夫的尸身——在新近的法国侵略战争中死亡。丘比特沦为田地间的农工，悲伤地牵引犁头。画面的边饰装饰着一座西番莲凉棚和双面神雅努斯头像战利品纹章。这幅素描的风格与委托人要求使用版画的风格，意在让人联想起朗格所说的"老德国的艺术"（altdeutsch Kunst），即以丢勒为其巅峰的中世纪晚期和文艺复兴早期的德国传统。这幅作品意欲在政治寓言和视觉形象两个方面传达清晰的民族性格。尽管朗格的艺术使命陷入僵局或未曾实现这一事实，或许可以归结为个人或历史的境遇，然而，歌德敏锐识察，朗格对风景艺术的极端的重新定义实则包含明显的悲剧悖论。这个悖论正是浪漫主义世代的核心。朗格逝世一年后，歌德谈及"一日的时刻"，说道："想包容一切，从而在最基本的东西里遗失自己……若想站在深渊的边缘，要么去死，要么发疯；这里头没有恩惠。"

## 深情的过去：路加联盟

拿破仑战争期间，一群来自维也纳美术学院（Vienna Academy of Fine Arts）的分离派艺术家（被称为路加联盟，或者圣路加兄弟会），将在德国艺术里创造具有自我意识的民族性格，当作他们最根本的使命。弗朗茨·普费尔（Franz Pforr，1788—1812

图6-6：仿弗朗茨·普费尔《圣母与恶魔》，1833年。版画，31.8厘米×32.2厘米

创作既是日常的手艺，也是祭司式宗教仪式。他们的历史视野极具选择性，正如普费尔抱怨说，中世纪之后，只能看到"知识、繁荣、财产结出粗鄙的果实"。从他们的文字所透露的知性信念看来，启蒙运动和法国大革命简直形同未曾发生。1809年，路加联盟迁到罗马，从法国占领的祖国转移到拿破仑帝国的另一地区。在罗马，他们得到准许，住进一座荒废的修道院。19世纪50年代，意大利艺术理论家彼得罗·塞尔瓦蒂科（Pietro Selvatico）追忆这个反主流文化的反物质主义流派，谈到他们试图融合艺术和生活，"看到这些贫穷的外国朝圣者在罗马街头游荡时，拥护现状的人就会嘲笑他们。他们虔诚地收集已被遗忘的基督教艺术的残迹，然后躲进荒弃的修道院，像隐修士一样就餐。由于无钱雇佣模特，他们为彼此的作品摆姿势。因为他们留着卷曲的长发，并遵照德国人的习俗披在肩头，他们被戏称为拿撒勒派。"

与朗格一样，普费尔作为路加联盟领袖的年轻实验，由于他在1812年的早逝而终止。他的逝世也终结了这个群体最激进的初创期。1810年，普费尔在罗马创作的素描《圣母与恶魔》（*The Virgin and the Demon*，现已毁损），典型地体现了路加联盟自创的仿古和抄本式的简朴。我们可以从1833年的版画作品【图6-6】中看出。精确的线条和细微的刻画透露了两种风格取向：以非模式化的技法汲取自然界的灵感，同时摹拟15世纪晚期德国和意大利版画的精微风格。这幅素描的题材是骑马的少女和骑士以端庄的缄默、彬彬有礼的镇静克服邪恶。普费尔认为这些特征仅属于中世纪的纯洁又神奇的理想主义。他写道："我倾向于中世纪，因为那时候人类的尊严依然十分显著，"继而又写道，"那些时代的精神如此美丽，鲜少被艺术家利用，幻想常与真实交织，几乎从不缺乏道德寓意，并且一切充弥着深思的气氛。"

普费尔困在19世纪理想破灭的动荡世界，便以逃避主义的眼光缅怀中世纪，丝毫不质疑那个时代的封建制度和教会权威。他的油画作品《哈布斯堡的鲁道夫伯爵和牧师》（*Count Rudolph of Hapsburg and the Priest*，1809—1810年）【图6-7】，灵感源自弗里德里希·席勒（Friedrich Schiller）的一首流行的历史民谣，歌颂中世纪贵族绝对不出差错的智慧，以及俗世权威服从天主教会的精神使命。在这幅诗歌历史画中，哈布斯堡王朝的创始人鲁道夫伯爵，暂停游猎

年）和弗里德利希·奥韦尔贝克（Friedrich Overbeck，1789—1869年）是这一群体的先锋。这群艺术家以中世纪工艺行会的守护圣徒命名他们的运动，对中世纪的深刻追忆构成了路加联盟的艺术和社会理想的核心思想。威廉·瓦肯罗德（Wilhelm Wackenroder）在题名荒唐的著作《一个热爱艺术的修士的衷心剖白》（*The Heartfelt Effusions of an Art Loving Monk*，1797年）中浪漫地描写了丢勒和拉斐尔，让普费尔和奥韦尔贝克深受启发。这部著作鼓励年轻艺术家追求高尚简朴的隐居生活，借此找回15世纪"原始"绘画的精神和审美的纯粹性（被视为属于中世纪文化的最后阶段）。如前所述，朗格也力图净化艺术和精神，回归丢勒式的民族风格，尽管他的艺术理论反复地告诫人们，切不可天真地模仿过去的风格。瓦肯罗德的神秘主义自然崇拜与民族沙文主义相混合的观念，也启发了朗格。"艺术该被命名为人类情感之花……从地球的不同地方升向天堂"，瓦肯罗德这样写道，似在预示"一日的时刻"的图像志。然而，在地球上，有些地方显然比另一些地方优越，正如他如此称颂丢勒这位独特的天才："命运赋予德国土地一位真正的民族画家。"

路加联盟拒斥现代的、城市化的艺术职业和机构，追求一种集体生活方式。在这样的社区里，艺术

行程，帮助一名遇到困难的牧师。牧师徒步去教徒家，为临终的人作床前祷告，眼前正不知该如何渡河。这位贵族碰巧出现，便翻身下马，把坐骑让给牧师。两名侍从谦卑地站在旁边，惊讶地观望宫廷和教会的代表人物之间的偶遇，连马也恭顺地低头。

画面以灰色与绿色为主色调，强调德国典型的暮色森林风景。人物都放置在同一正面前景，在构图上跟风景的背景相融合（譬如，左边年轻侍从握长矛的手臂延伸为悬崖陡坡，鲁道夫的头和画面中心的树干完美地交叠，这棵树生硬地放置在他的身后）。普费尔用反幻觉主义的平面测量式手法处理空间，似乎刻意体现路加联盟所追求的民间艺术的质朴。路加联盟的中世纪化冲动，并不满足于单纯地描绘时代性的服饰和叙事，相反，一种古老的观察和表现世界的模式被回收或重新审视。这种历史的想象行为正是为了追寻过去时代的永恒的纯粹，用普费尔的话说，"我们的眼睛被宠坏了"。

路加联盟在创作中世纪的乌托邦虚构之时，坚定地拒斥其时代、甚至眼前所面临的历史考验。奥韦尔贝克的《弗朗茨·普费尔肖像》（*Portrait of Franz Pforr*，1810年）【图6-8】，属于哥特式或法兰德斯晚期的幻想，几乎丝毫不涉及路加联盟在罗马的生活经验。奥韦尔贝克将年轻的普费尔放置在用错视法描绘的中世纪窗户内。这扇窗敞向哥特式的凉台，凉台外可以望见迷人的北欧小镇风光。艺术家身边陪伴一只比例失衡的猫（在寓意书里，猫通常象征远识和预知）、忠诚的妻子——她被塑造为基督教的缪斯女神，一边做针黹，一边勤奋地阅读《圣经》。普费尔曾经写到渴望这样的生活——恬静的家庭生活自然地支持、补充他的艺术追求。因此，在这幅奇异的肖像画里，奥韦尔贝克想象普费尔置身于这样的家园。人物及其环境的轮廓鲜明，似陶瓷般薄脆。这些特征实则也是民族特征，甚至连普费尔的上衣颜色也呼应普鲁士的国旗。然而，这幅肖像画所弥漫的熟悉的、家常的气息（heimlich），及其视过去为现在的想象，反而营造一种怪异的、原初的超脱与魔法般的非真实性。奥韦尔贝克以窗棂作为信仰克服死亡的象征母题——骷髅上方的十字架是普费尔为路加联盟设计的标识，而信仰确实即将被死亡击倒。1812年，普费尔逝世，奥韦尔贝克不胜悲痛。然而，一年之后，他便改信天主教，将自己打造为19世纪罗马杰出的宗教史诗壁画家。

路加联盟所体现的德国浪漫主义的首要观念，正是歌德和黑格尔在这个时期强烈反对的东西，譬如他们认为艺术的形式和意义不可分割，专注于表现民族性格、怀恋中世纪的过去。歌德和黑格尔日益怀疑诸如路加联盟这类艺术运动所推崇的复兴主义的冲动。对于艺术家的浪漫主义精神和自由想象来说，退回旧式的宗教虔诚和历史的幻想是一种可憎的行径，正如

图6-7：弗朗茨·普费尔《哈布斯堡的鲁道夫伯爵和牧师》，1809—1810年。布面油画，45.5厘米×54.5厘米

图6-8：弗里德利希·奥韦尔贝克《弗朗茨·普费尔肖像》，1810年。布面油画，45.5厘米×54.5厘米

黑格尔告诫道："这些对于艺术家毫无助益……沿袭过去的世界观，将自己坚定地根植到那些观看事物的方式，譬如新近许多艺术家为艺术之故投奔罗马天主教。"风景画家卡斯帕·大卫·弗里德里希（下文探讨他的作品）则更直接、果断、明确地表达自己极度厌恶路加联盟的刻意的原始主义。他说道："我们的祖先以孩童般的简单所做的，我们无论如何也不能照样去做。成年人为证明自己天真无邪，就学婴儿在客厅拉屎，人们看着既不会相信，也不会觉得有趣。"

## 弗里德里希与风景的调解

1810年，卡斯帕·大卫·弗里德里希在柏林艺术学院（Berlin Academf）展览一幅风景油画，题名为《海边的僧侣》（*Monk by the Sea*，1809—1810年）【图6-9】。这幅作品令观者惊愕又困惑。或许可以说，与路加联盟一样，弗里德里希企图净化艺术，同时意欲避免似原始主义者那样回归某种特定的时代风格——这是他和一些同代人痛恶的做法。《海边的僧侣》以其简化的形象、令人不安的情绪以及模糊的

图6-9：卡斯帕·大卫·弗里德里希《海边的僧侣》，1809—1810年。布面油画，110厘米×171厘米

意义，具备了惊人的现代感。这幅作品预示弗里德里希的艺术特征：风景中孤身一人的形象，象征着探索人类和自然世界之间的关系的形而上学反思。相比朗格，弗里德里希看似更具体地描绘自然世界，实则他也试图超越自然的物质性，用超验或内在的理论描绘风景的地貌特征。在探讨风景的理论之时，弗里德里希说道："艺术在自然和人类之间充当调解。自然的原件伟大之至、崇高之至，不是普通人所能领会。"在弗里德里希看来，"调解"的重要任务[耶拿浪漫派（Jena Romantics）哲学美学的一大重要概念]便是艺术体现自然之时，必会导致令人不安的认识，也即自然与艺术、心灵与精神，甚至主体与客体之间，存在一道不可跨越的鸿沟。弗里德里希的风景作品通常正是刻意避免体现纯粹的自然的形而上学，在《海边的僧侣》里，人们在自然世界寻找神圣，最终仅找到缺席和隔绝，这一探索过程被赋予了可视的表现形象。

《海边的僧侣》是一项艰难的创作。弗里德里希经过反复地修改，删除海边一艘倾倒的船只，调整暮色的光线，才得到简约而肃重的画面。这幅风景包

含极少的地貌特征，却仍可以看出是描绘特定的地点，这片海岸线被识辨为波罗的海的旅游胜地吕根岛（Isle of Rügen）——常出现于此时期的版画和全景图。弗里德里希将前景的沙滩和大海浓缩为狭窄的条带，夹在构图下方四分之一的位置，让大气的空虚吞没整个画面，仅容许让画框的形状限定黄昏天空的暗淡的单调感。嘉布遣会（Capuchin）僧侣的细微身影，为画面提供唯一垂直的形象。学者们在这一形象身上看到弗里德里希本人，并将僧侣断定为神学家和诗人葛塔哈德·路德维希·高瑟贾腾（G. L. Kosegarten）。高瑟贾腾是朗格和弗里德里希的顾客和同事，素以在吕根岛进行"海边布道"而著称。患有躁狂抑郁症的诗人海因里希·冯·克莱斯特（Heinrich von Kleist）为柏林一份文学杂志撰写评论，指出奥韦尔贝克这幅画具有"名副其实的奥西恩或高瑟贾腾的效果"，将这一荒凉的风景比拟为《圣经》的世界末日。画中的风景诡异地刺激人的感官，反如画美学的构图恍若迷失方向，因此，克莱斯特看得颇觉烦躁，说道："如若细加观摩，感觉眼皮都要被揭去。"

《橡树林的修道院》（*Abbey in the Oak Forest*，1809—1810年）【图6-10】是《海边的僧侣》象征性的配对。弗里德里希与朗格一样，偏爱描绘、展览主题统一的系列作品。在这幅画中，我们看到一行僧侣在积雪的墓地送葬，地上的宗教仪式被一团宽阔的暮霭笼罩（观者或许会揣测，海边忧思的僧侣在死亡里找到了安宁）。只有残损的哥特式窗门和张牙舞爪的橡树，超越忧郁的氛围，伸入暮晖照亮的椭圆形天空。弗里德里希的绘画遵循歌德、黑格尔以及这一时期其他理论家所倡导的哥特式模仿和有机起源理论，将宗教建筑与形似自然建筑的橡树相互比较。这两者都根植于德国土壤的丰碑类型。哥特式门窗破损的花饰，呼应天际隐约可见的新月。于是，宗教信仰的残迹反映于自然的形式，仿佛为岁月的摧毁提供精神慰藉；否则的话，时间的摧毁势必成为这幅画的基调。迥异于《海边的僧侣》的薄涂效果和模糊的空洞，《橡树林的修道院》运用了准确无误的线条，其构图呈现了时间的停滞与静止。弗里德里希痴迷于坟墓、荒冢、纪念碑的意象——可以说，他的作品实际上更是墓葬

图6-10：卡斯帕·大卫·弗里德里希《橡树林的修道院》，1809—1810年。布面油画，100.4厘米×171厘米

图6-11：卡斯帕·大卫·弗里德里希《德累斯顿的大围场》，1832年。布面油画，73.5厘米×102.5厘米

风景，通常弥漫着沉重的哀悼气息。在这幅画中，鉴于上帝的圣所已沦为废墟，被埋葬和哀悼的不只是教友僧侣，还有宗教本身。《橡树林的修道院》中的悲伤，也是哀悼德意志民族希望的凋零：面对法国军事占领德国的这一现实，弗里德里希感到忧虑而沮丧，加之他天性忧郁，这份失落感格外地沉重。1815年拿破仑倒台，德国当局却依然镇压民主和自由，他的政治幻想便彻底地破灭。

在1810年间，弗里德里希的病态的浪漫主义作品，吸引一些浪漫的文人雅士和王室成员的注意和关照。然而，至19世纪20年代，由于他的风景作品饱含哲理和犀利的反思，从而逐渐地不再讨喜。尽管弗里德里希坚守他所称的风景的"精神之眼"和寓意，但他的后期作品显然增强了描写手法，减弱了阴郁气氛。他以德累斯顿郊野为主题的两幅晚期作品《德累斯顿的大围场》（Large Enclosure Near Dresden，

1832年）【图6-11】、《德累斯顿附近的山丘和耕地》（Hill and Ploughed Field Near Dresden，1824—1828年）【图6-12】，不再将地貌特征塑造得似墓地一般荒凉，反而具有平和的家常感。在这两幅作品里，弗里德里希继续描绘他钟爱的黎明和黄昏——在这些时刻，自然和人的意识在反射率上经历微妙的变化。作品描绘乡村和城市生活的景象，但画面呈现沉思一般的平静。这部分是由于画中缺乏人类的形象。在后一幅作品里，一群飞翔的乌鸦，将前景的郊野与远处的城市相联接；在前一幅作品里，承前启后的则是一艘搁浅的帆船，船上无人、风帆鼓胀。这些不起眼的细节，影射忽视和徒劳的情绪，也许透露了画家的心态。至于在自然面前冥思的仪式，弗里德里希通常采用在风景里放置人物的方式作出夸张的表现——但在这两幅画中，他直接将这一仪式融入构图和感知的结构。曲线形的地势，正好作为观者通过望远镜观看风

景的影像：自然变成视域，从有限的一块田地收缩或扩大至全球范围，甚至广袤的宇宙。在《德累斯顿的大围场》中，露出淤泥的河床和水库形同从地球上空以全知视角取景的大陆板块和海洋。观看这两幅作品之时，弗里德里希的脱离躯体的观众，大概会渴望用毫无阻碍的视角去观看德累斯顿，期待看到一座黎明时分的天国之城，渴望自身被提升到一颗肉眼构造的卫星之上，将暮色之下湿软的水道转化安宁而壮丽的"世界风景"（Weltlandschaft）。

　　弗里德里希的风景画是经过深思熟虑的艺术。精心安排的对称、精准的线条、反复使用有限的配色方案，都透露了艺术家极具洞察力地在审美体系内把握自然世界、调解自然，从而通过观看和绘画理解与传达自然表象以外的东西。然而，这种对风景的深思熟虑的设计，让人在自然和精神的交汇领域中陷入了形而上的困惑。法国雕塑家大卫·德昂（David

d'Angers）有一句著名的评语，指出弗里德里希抓住了"风景的悲剧"。这一悲剧是指弗里德里希的艺术以惊心骇目的方式，体现人类在自然面前的恭顺与未实现的超越。弗里德里希拒绝接纳19世纪风景画新兴的自然主义审美，一如既往地将自然世界视为超脱世俗的密码——这个密码既启发又困扰着经验的知识和哲学的沉思。

## 进步及其缺憾：托马斯·科尔与美国的风景艺术

　　在18世纪晚期和19世纪早期的美国艺术里，风景画毫不费力地取代了历史画的传统。对于美国的顾客与观众来说，宏大叙事的绘画被视为沾染了欧洲高雅的奢靡、粗鄙的感官享受、天主教的圣像崇拜。移居英国的美国侨民艺术家本杰明·韦斯特在伦敦设立画室，为选择从事付出得不到回报（艺术和经济上）的历史画的美国年轻学生提供庇护所。美国本土也有以

图6-12：卡斯帕·大卫·弗里德里希《德累斯顿附近的山丘和耕地》，1824—1828年。布面油画，22.2厘米×30.4厘米

图6-13：约翰·范德林《迦太基废墟中的马略》，1807年。
布面油画，221厘米×173厘米

图6-14：华盛顿·奥尔斯顿《耶利米向抄写员巴鲁克口述耶路撒冷灭亡的预言》，1820年。布面油画，227厘米×189.9厘米

爱国主义的名义从事现代历史画艺术的画家，然而，这类艺术委托项目所涉及的不负责任的政治，通常只能危害那些渴望用绘画歌颂年轻的美利坚共和国历史的艺术家。在这一时期，许多评论者察觉美国人民对历史意识的修养毫无兴趣，更无历史的良知。詹姆斯·费尼莫尔·库柏（James Fenimore Cooper）在其小说《家乡面貌》（*Home as Found*，1838年）中如此描述一位人物的吹嘘："至于历史，在这个国家我们碰不到几个累赘。被过去的负担拖累的国家，实在值得可怜，因为它的工业和事业总是被记忆的障碍绊倒。"

1814年，美国最有前途的两位历史画家约翰·范德林（John Vanderlyn，1775—1852年）、华盛顿·奥尔斯顿（Washington Allston，1779—1843年），都在国外定居和创作：范德林在巴黎，奥尔斯顿在伦敦。二人都计划最终回归美国，希望在故国开创历史画的崇高事业。范德林致信奥尔斯顿，抱怨艺术作品在现代展览文化里只有短暂的商业价值。他写道："简直

难以置信，尤其是人类看待艺术作品的不同眼光，模式、时尚、偏见控制大众的趣味。对于女帽或男帽的形状如此变幻无常，我们倒能轻易地理解，可是对于画笔的创作……他们的趣味竟如此天差地别，说明人类并不是同样地热爱和敬重真理。"由于缺乏广泛的共识，历史画家必须诉诸于更高的道德和审美的真理。而这一高蹈之举，最终只能导致奥尔斯顿、范德林等胸怀大志的艺术家遭遇困顿和失望。尽管二人都获得当时重要人物的支持［范德林得到拿破仑和美国副总统亚伦·伯尔（Aaron Burr）的赞助，奥尔斯顿得到塞缪尔·泰勒·柯勒律治和波士顿联邦主义精英家族的支持］，但他们作为历史画家的事业至多只能形容为盛衰无常。

范德林的《迦太基废墟中的马略》（*Marius Amidst the Ruins of Carthage*，1807年）【图6-13】、奥尔斯顿的《耶利米向抄写员巴鲁克口述耶路撒冷灭亡的预言》（*Jeremiah Dictating His Prophecy of the Destruction of Jerusalem to Baruch the Scribe*，1820年）【图6-14】，都具有专横跋扈、生硬乏味的压迫感，只能吸引最有学养与欧洲化的美国趣味。这两幅作品试图达到米开朗基罗作品的壮丽，然而，他们静态的构图和阴郁沉闷的叙事主题（一个是古典时代的武士怀蓄复仇的幻想，另一个是《旧约》里被囚禁的先知，预言巴比伦将攻陷耶路撒冷），暴露了两位艺术家描绘人物历史画的僵化手法。这两幅作品最强烈的部分都落在构图的辅助元素：在范德林的画里，是暮色中的废墟风景；在奥尔斯顿的画里，则是雾气氤氲的建筑景观［颇似当代建筑师约翰·索恩（John Soane，1753—1837年）和本杰明·拉特罗布（Benjamin Latrobe）设计的室内穹顶］。不出意料地，范德林和奥尔斯顿力图借用全景图、诗歌风景画等自然风光的手法，来增益他们有所欠缺的历史画。

秉持进取精神和扩张主义的美国更容易接纳风景艺术，尤其是因为它的国家身份部分立基于北美荒野神话和拓荒定居的前景。纽约诗人和美术倡导者威廉·卡伦·布莱恩特（William Cullen Bryant）认为，美国的道德和宗教权威源自举世无双的自然风景。更为尖锐的是，美国的社会和经济发展直接关涉到迄今为止未受人类碰触的无以伦比的自然资源。正如《灯笼裤》（*The Knickerbocker*）杂志的社论撰稿人在1835年如此写道："我们有多少广大的疆域仍须有人去定居。我们的广阔的森林为被压迫者提供家园。我们的山脉富含金属矿石，煤床在我们眼前敞开脉络，仿佛预言未来几代人可能在这片没有道路的风景里造成的巨大摧毁。"尽管这篇社论的署名是"国家的堕落"，但这位作者的评论表明，他本人颇为怀疑自然界即将作出的牺牲是否能够影响美国的兴衰。

以英国出生的托马斯·科尔为首的一群风景艺术家，在哈德逊河谷创办新的流派。他们经常宣扬美国的未来和广阔的原始荒野的文化神话。在19世纪20年代，科尔绘制哈德逊河谷和卡兹奇山（Catskill Mountains）的地志画，开始打造美国风景艺术的荒野审美这一自相矛盾的概念。在其《卡兹奇山的圆顶》（*View of the Round-Top in the Catskill Mountains*，1827年）【图6-15】，一片赫然耸立的阴暗的山脉占据大半画面，山上覆盖浓密的森林，暗示未遭人工破坏的自然风景。在画面狭窄的前景，点缀着数株形象生动的脆弱枯树、形状显著的地质遗迹的裸岩。尽管

这片风景意在传达自然界的野蛮、未驯化的一面，却体现了多重历史关联性：科尔显然模仿意大利艺术家萨尔瓦多·罗萨的风景画风格，从而为美国的地貌注入一些欧洲艺术谱系。祭坛形状的天然地质结构，暗示着美国作为上帝"应许之地"的神圣地位，是基督教的预言应验的国家风景。然而，北美风景所包含的《圣经》的昭昭天命论，也暗示着原住民文化的陨落，因此，这一古怪的地质结构也可以被视为原住民的古迹。自托马斯·杰斐逊以来，美国古文物研究者和自然历史学家都痴迷地探索地质特征、原住民的石坟和祭典岩石的古老传说。纵使在推崇美国风景绝不可能被腐化的荒野之时，科尔依然不忘触及过去和未来文明的交点。在这幅画中，哈德逊河位于崇高而模糊的山脉之外，犹如一条蜿蜒的丝带，阳光照耀之下，船在平静的河面行驶。画面中矛盾的处理手法（优美与崇高、遥远与亲近），再加上科尔的艺术通常被等同于这片地区，表明商业和旅游业的兴旺正在改变哈德逊河的风景，令它不再能够维持所号称的地位——真正的荒野。

在19世纪30年代，杰克逊（Jacksonian）的民粹主义民主制度及其所要求的无限制的国家发展的扩张主义，愈发加深科尔的政治焦虑。他的艺术和写作都体现了这一层焦虑。从欧洲旅行回来之后，科尔开始创作他所称的"风景的更高风格"，也将透纳和马丁的风格应用于历史和寓言风景。当然，科尔希望创作一系列超越风景艺术描绘性界限的作品，去探索哲学和历史的问题。1836年，他完成以5幅作品构成的油画系列，题名为"帝国的进程"（*Course of Empire*）【图6-16】，委托者是纽约一位成功的商人鲁曼·里德（Luman Reed），属于科尔常在书信里讥嘲的"崇拜美金上帝的功利主义者"。里德尽管是精明的重商主义者，或者正是因为如此，他格外耐心地迎合科尔作为历史风景画家的傲慢自大的壮志。

"帝国的进程"系列融合人类与自然历史的时间循环，以同一风景的五个"状态"展示一种文明的崛起和衰落。这一系列始于原初人类的狩猎和采集，发展到牧耕和开化的状态，再到貌似人类文明的巅峰——体现为希腊-罗马式的帝国，被赋予奢华的晖丽——继而，可以预料地，战争和暴力摧毁繁华建筑之后的废墟。这个系列的最后一幅作品的标题为《荒凉》（*Desolation*）【图6-16】，描绘自然世界不可避免地索

图6-15上：托马斯·科尔
《卡兹奇山的圆顶》，
1827年。布面油画，
47.6厘米×64.1厘米

图6-16：托马斯·科尔
《帝国的进程：荒凉》，
1836年。布面油画，
99.7厘米×160.7厘米

回其风景。科林斯式圆柱长满藤蔓，柱脚散落着零碎的大理石，典型地体现了人类文明的脆弱。就连惨淡的月亮，在寂静的海港投下微微闪烁的一柱倒影，似乎也在谴责文明的庞大废墟。这幅作品原是描绘夜景，但画面保留色彩的明度，并且笔触生动，从而似乎暗示自然的复原力量正悄然遮蔽人类的历史。沃尔尼伯爵（Comte de Volney）的雅各宾派著作《帝国的废墟》（*Ruins of Empire*，1791年）探讨文明与宗教的堕落，将历史循环理论通俗化，广受读者的喜爱。科尔既受了通俗版历史循环理论的影响，也从拜伦的废墟哲学沉思诗歌汲取灵感，因此，这一系列作品也许并不是描绘意志的消沉，而是传达重生的希望。

1836年，科尔发表一份演讲稿，题名为"论美国风景"（*Essay on American Scenery*），文中谈及"帝国的进程"的时代关联性。科尔指出，欧洲的风景与美国的风景具有不同的历史关联，后者的长处在于野性、伊甸园般的特征。美国的风景虽不沾染"古代的遗迹"，依然充满预期的意味——也即仍未展开的历史。而这正是困扰科尔的问题。"帝国的进程"暗示，

历史的循环模式是欧洲文明的诅咒，美国或许能够设法避免这条道路。然而，在《论美国风景》里，科尔感慨美国风景可能落入另一模式的荒芜和摧毁："最高贵的风景，在简直不可能出现于文明国度的任意妄为和野蛮行径之下变得荒芜……被一种叫作改良的东西亵渎。"对自然世界的功利主义控制构成美国繁荣和发展的根本，科尔却将其谴责为未开化和衰退的特征。他惋惜大片荒野被开垦定居、铁道线无限延伸。纵然如此，他不得不接受事实，承认"这是一个社会必须走的道路"。

科尔的美国风景艺术继承者则公开推崇科技进步的可见迹象和历史影响，以及昭昭天命论的意识形态（从神学和民族主义方面认可美洲大陆的"文明化"）。阿舍·布朗·杜兰德是科尔的朋友和同事，极力地歌颂正在消失的荒野（以他自己的话说是"幸免于文明的污染"），但他也为铁路金融家查尔斯·古尔德（Charles Gould）绘制史诗风景画，题名为《进步》（*Progress*）或《文明的发展》（*The Advance of Civilization*，1853年）【图6-17】。这幅作品宣扬科

图6-17：阿舍·布朗·杜兰德《进步》或《文明的发展》，1853年。布面油画，148.4厘米×208.9厘米

图6-18：乔治·英尼斯
《拉卡瓦纳山谷》，约
1856年。布面油画，86
厘米×127.5厘米

技的田园主义，虚构地描绘哈德逊河的一片广阔风景，在其中容纳科尔所排斥的现代进步：铁道高架桥、电线杆、汽船，新兴的社区安全地依偎着全景图一般宏大的壮丽晨景。画中的悬崖从前景取景，崖上生长经受狂风冲击的树木和残桩（额外增添克劳德式的背光的峡谷）。两个原住民站在高处，俯瞰这片景观，他们显然不是这幅作品所歌颂的美国进步的受益者，而是少数幸存的受害者。这些原住民几乎等于历史本身，惊奇地观望眼前这一幅确保他们自身灭绝的未来的景象。具有深意的是，观众的视角与原住民相同，从而让人用一种疏离的文化视角，去观看这幅关于国家权力及其在自然秩序中莫须有的和谐的乐观景象。杜兰德的作品将科尔在"帝国的进程"所描绘的五个时间段折叠起来，浓缩为科技决定论和民族主义自信的现代寓言。当时有一位评论者感慨："这幅画用美国的事实讲述美国的故事，用真正的美国感情描绘出来。"

19世纪美国最好的科技风景画当属乔治·英尼斯

的《拉卡瓦纳山谷》（*The Lackawanna Valley*）【图6-18】。英尼斯从法国和意大利返国不久后，便为德拉瓦（Delaware）、拉卡瓦纳（Laokawanna）西部铁路公司（Western Bailroad Companies）绘制一系列地志画，其中一幅描绘宾夕法尼亚州急剧繁荣的煤矿镇斯克兰顿（Scranton）郊区新建造的圆形机车库。这幅作品虽接近科尔的"帝国的进程"，从高空视角俯瞰以铁道线为主导的清晨风景，但英尼斯的画面更具有视觉即时感，并附以一种清新的注解风格，这源自他在欧洲旅行期间特别欣赏的巴比松画派。这幅作品大片的风景元素以水平方向流畅地延伸，再加上充满生机的大气，在很大程度上摒弃了哈德逊河画派风景画所运用的设计手法。英尼斯的风格生动、活跃，完全符合欢欣地宣扬对科技改进世界的坚定信念。至于《拉卡瓦纳山谷》前景山坡的残损的树桩，倘若在科尔的手里，可能被用来传达道德耻辱，在英尼斯的处理之下却有一股驯化意味，表明这片风景已作好充分准备迎接铁路的到来。画面前景的农人也是泰然地观看远处微光闪烁的机车库，以及喷吐烟雾的火车头冲进铁道线。蜿蜒的铁路重新安排了这片自然风光。英尼斯创造出一种企业景观，用以协调乡村与工业之间的关系。他的作品欲向观者保证：进步不是历史的过渡，而只是一个无尽的早晨。

## 保持沉默，还是揭示自然的寓言？

19世纪中叶美国风景画家中间有一群画家，在现代艺术史上被称为"光影派"（luminists），他们认为自然世界不必作为历史变迁和民族自我定义的舞台。约翰·肯塞特（John Kensett，1818—1872年）和费兹·亨利·莱恩（Fitz Henry Lane，1804—1865年）的职业生涯始于泥金装饰版画，在技术和风格方面始终遵循泥金装饰的传统。他们之所以被命名为"光影派"，是因为光和倒影宁静地弥漫他们的风景画。相比科尔和杜兰德，肯塞特和莱恩倾向于创作小幅绘画，取景地点大多是特定的地区，从而摆脱了荒野审美这一迫切的民族含义。莱恩的平凡的事业生涯及其所选择的风景母题，令他拘限于马萨诸塞州（Massachusetts）和缅因州（Maine）海岸的一些海港。偏狭的专业选择可能部分导致他的风景艺术既驯化又激烈。至于肯塞特，他在事业生涯早期与哈德逊河画派交往密切（在19世纪40年代与杜兰德结伴同游欧洲），他的专业生活以纽约城为中心，并创下可观的名望。在19世纪60年代，他在描绘阿迪朗达克山脉（Adirondack）和新英格兰海岸的自然胜景之时，开始在形式上沾染一些赫耳墨斯主义（Hermeticism）。他经常在夏季回到新英格兰海岸进行野外写生，寻找灵感。

莱恩和肯塞特的艺术，摒弃哈德逊河画派惯有的戏剧化夸张的风景意象，专注于相对缺乏人类的迹象的沉静的自然风景。他们将绘画的叙事内容降至最低限度，因为这一做法能够掩饰他们对画面构图的微妙控制。莱恩的《布雷斯的岩石，布雷斯的海湾》（*Brace's Rock, Brace's Cove*，1864年）【图6-19】、肯塞特的《乔治湖》（*Lake George*，1869年）【图6-20】，都专注于描绘自然世界的超自然的静谧。光影派的风景似乎包容一切，却又似空虚无物。这些作品极其写实地描绘特定地区的风景，一丝不苟地刻画地貌特征、自然界的肌理，但并不求助于色彩对比或

图6-19：费兹·亨利·莱恩《布雷斯的岩石，布雷斯的海湾》，1864年。布面油画，25.4厘米×38.1厘米

图6-20：约翰·弗雷德里克·肯塞特《乔治湖》，1869年。布面油画，111.7厘米×168.9厘米

闪烁的大气效果等绘画手法。大片土地（无论是单薄阴暗的防波堤，还是雄奇的山脉）构成不对称的块面，点缀着清澈广阔的水和天空。在这些作品里，倒影效果被赋予一种缭绕不散的可触性，益发加深画面催眠般的静寂。诚然，相比肯塞特的《布雷斯的岩石，布雷斯的海湾》所描绘的旅游胜地的壮丽风景，莱恩的《乔治湖》那一片无人栖居的海湾显得颇为凄凉，甚至平庸。然而，这两幅作品都同样地拒绝使用如画或崇高的审美趣味体现自然世界。当然，他们的画中并非全然没有人类的参照系：莱恩的画面前景有一艘破败的渔舟，肯塞特的中景有人划艇，从而让观者意识到人类面对的是冷漠的自然。

研究美国艺术的学者认为，美国超验主义哲学与光影派的风景存在着密切的关系。芭芭拉·诺瓦克（Barbara Novak）指出，拉尔夫·沃尔多·爱默生（Ralph Waldo Emerson）的著作与费兹·亨利·莱恩的绘画，都是专心致志地观察自然世界的具体特征，都有益于人类的心灵与宇宙精神的无私的结合——半透

明的交流，观察者借此领会自然的外部特征，以便洞察身内或身外的更高意识或神圣的代理。然而，鲜有历史证据能够支持诺瓦克的观点。尽管莱恩以卓越的才能为熟悉的自然形式渲染奇异的美丽，彰显他对风景艺术的形而上学含意具有高度的悟性，但莱恩与其他光影派画家的艺术并不能归因于超验主义理论。从总体上说，光影派画家对风景画的构思，力图规避任何体系化的思想。他们的作品拒斥文化主流最关注的问题，即在风景画里灌注民族主义的重要意义或者宗教哲学的真理。也许，这一立场能够解释光影派风景艺术的一大特征——超脱高远的氛围。

纵然如此，美国风景艺术的民族主义修辞在整个19世纪继续发展。弗雷德里克·埃德温·丘奇是科尔最有成就和名望的学生，专门创作展览尺寸的宏大风景画，以精心筹谋的构图体现美国民族与自然之间不可阻隔的纽带。丘奇的《荒野暮色》（*Twilight in the Wilderness*，1860年）【图6-21】结合科学的自然主义和崇高美学的形象化夸张，被视为典型的美国风景绘

画。在这样的风景画里，艺术家的身份被视为与神圣自然的意志和精神相融通。丘奇在描绘大气、树木、山脉远景之时，虽一丝不苟地保持经验主义，但他所体现的自然具有一股圣洁的敬畏。当时的批评家分为两个阵营，争论这幅风景画是弥漫着神圣的寂静，还是充满世界末日的动荡。正如在光影派的作品里，丘奇的《荒野暮色》包含观察之外的沉思，然而，猩红黯然的重云极尽戏剧效果，在画面中心消逝的河水又映现天空诡异的倒影，将整个风景活化，驱使视线投向远处，望向逐渐消隐的余晖。看着这幅作品的纯净空间和完美的自然主义之时，有一位评论家形容道，"丝毫不见任何氛围或风格的迹象。"然而，身为科尔忠诚的学生，丘奇竭力追求风景画的寓意，但绝不沿袭浪漫主义风景传统里过时的历史和诗歌的幌子。乍看之下，《荒野暮色》似乎没有人物或象征的形象。然而，丘奇在左侧前景的树桩上方放置一个十字架形状的树枝，再将这一形状衬托着反光的水面：神圣的天命在守护、同时似乎在威胁这片壮丽的荒野风景的安宁气息。此外，画题似乎刻意使用错误的介词（*twilight in the* Wilderness，而不是 *twilight of* the Wilderness）。这

片风景凝滞又变幻，颠覆了荒野审美的民族神话和宗教承诺。而这正是这幅作品本身的目的。

丘奇希望拓展风景艺术的地理和自然历史的范围，便转向南美洲的热带地貌，寻找大型作品的题材。这些作品的展览通常布置为奇异的幻觉场景，旨在将观者转运到天堂般的奇境。丘奇的自然观念日益全球化，多半是受到亚历山大·洪堡（Alexander Humboldt）的著作《宇宙》（Cosmos，1845—1849年）这部题名简洁的自然历史百科全书的影响。洪堡著作也为风景画作出最早的历史综述，并罗列了自然现象的无限的排列与组织，同时提出在天空和大地之间的繁复多变的条件里，可以找到自然秩序的神圣分类法。丘奇的南美风景画也包含一系列科学特性，从中可以看到洪堡所谓的"自然的伟大图画"的天意运作。丘奇的卓绝的火山风景画《科多帕希火山》【图6-22】在同一场景里容纳了百科全书式的自然元素：喷薄的火山面对落日，下面是一片澄静的湖水，茂密的丛林紧挨着奔腾的瀑布和陡险的绝壁。整个视野的取景虽似全景图，但观者的视线追随着画面的垂直元素，譬如画面下方的净化的瀑布，呼应火山迸散的硫

图6-22：弗雷德里克·埃德温·丘奇《科多帕希火山》，1862年。布面油画，121.9厘米×215.9厘米

黄烟雾。《科多帕希火山》表面看似源自丘奇新近在厄瓜多尔旅行的观察，但其形象和构图手法——地质元素与天空生动地相互映衬，无人之境的前景空间，将观者悬置于虚空——实际上是借鉴约翰·马丁的大灾难风景画，而不是得益于实地科学考察。

《科多帕希火山》的多样化风景激发了同样多样化的诠释。这片风景同时被视为具备人类堕落之前与世界末日的特征。丘奇以科学和艺术的方式容纳南美洲风景的做法，有助于昭昭天命的教义扩张到南半球的野心，因为他的作品似在暗示，美国征服荒野的事

业，要求不断发现新的地平线，开拓更多原始的土地。画中的光与黑暗、净化的水与压抑的烟雾之间的象征性竞争，颇为尖锐地影射美国内战的民族冲突。于是，遥远异国的火山风景所具有的摧毁与改变的力量，便被赋予了人类历史的意味，而不只是属于自然历史。当时有些评论者指出，血红的阳光构成基督学的符号，令这幅风景更接近宗教想象的领域和民族寓言。在美国历史经历前所未有的动荡时期，丘奇的风景画当然不可能与自然意象的文化和政治气息划清界线。

---

**问题讨论**

1. 路加联盟有哪些道德和审美思想？描述路加联盟艺术作品的风格特征。

2. 在卡斯帕·大卫·弗里德里希的《海边的僧侣》中，那个微小孤立的人物形象有何深意？

3. 比较托马斯·科尔的《卡兹奇山的圆顶》与乔治·英尼斯的《拉卡瓦纳山谷》。这两位艺术家为美国的过去和未来展现怎样的视野？

# 摆脱桎梏的建筑：1790—1851年

## 第7章

**布赖恩·卢卡彻**

## 导言

18世纪流行一场争论，其辩驳的焦点在今日被称为"符号的任意性"（the arbitrariness of signs）。词语及其意义之间具有本质或偶然的关联？众所周知，亚里士多德驳斥了词语与事物之间存在任何固有的联系，约翰·洛克（John Locke）、塞缪尔·普芬道夫（Samuel Pufendorf）等17世纪思想家也秉承同样的观点。然而，18世纪的学者和哲学家，譬如让-雅克·卢梭、赫尔德，则主张语言根植于自然。最早人类的嚷喝哼哈等原始表达方式，奠定了语言的基础。他们论述道，随着时间推移，这些声响演化为古代的语言，继而发展为现代语言，在自然环境和后续世代的文化里浸渐赋形。

建筑理论家中间也展开类似的争论。建筑的形式，尤其是古典主义形式，是永恒、根本的语言，还是源自自然原型、世代积累的习惯？英国建筑师小乔治·丹斯和约翰·索恩、德国的弗里德里希·吉利（Friedrich Gilly，1772—1800年）、法国的艾蒂安-路易·布雷等人都支持后一观点，但也认为古典主义是束缚想象力和实用性的枷锁。他们所创造的预示现代主义的建筑（很多只是未实现的设计图稿），实际上是古典主义风格的删减版，着重强调体积和纯粹的功能（参见第14章结论）。

很多建筑师与其他人士，尤其是雅克-日尔曼·苏夫洛（Jacques-Germain Soufflot，1713—1780年）和克劳德-尼古拉·勒杜，认为如果要摒弃古典主义这一悠久、退化的语言，建筑必须回归源头，甚至回归原始屋舍的梁柱山墙的最基本结构——这是马克-安托万·洛吉耶（Marc-Antoine Laugier，1710—1769年）在其著作《论建筑》（*Essay on Architecture*，首版1753年）所推断的源头。洛吉耶是建筑理论界的卢梭，其思想至今留有

回响。勒杜设计的阿尔克-塞南（Arc-et-Senans）的皇家盐场（1774—1778年）与未曾建造的肖（Chaux）的理想城市，都是贯彻所谓的"言说的建筑"（architecture parlante）风格，建筑的形式和装饰都直接体现其功能。这一风格的目标是明确建筑的表面、体积和容积，并协调建筑内部的工作和生活的各个社区。类似的动机也激励着监狱和劳动救济所的设计师，譬如宾夕法尼亚州切里希尔（Cherry Hill）的东部州立监狱（Eastern State Penitentiary，1825—1836年）、诺丁汉郡绍斯韦尔劳动救济所（Southwell Workhouse，1824—1826年）。这两座建筑皆清晰又实用，尽管也让人感觉强横，甚至令人窒息。

"摆脱桎梏"（unshackled）的建筑并非只有简化、"言说"、功能主义的设计形式。在有些情况之下，它也从与基督教中世纪和如画审美的自然世界相关联的哥特式汲取灵感（哥特式建筑结构的肋架和拱顶被比拟为树干和树冠）。然而，在英国，19世纪伟大的哥特式典范都是出现在毫无历史先例的建筑里，譬如威斯敏斯特宫（Palace of Westminster，1835—1856年）、圣潘克拉斯站和酒店（St. Pancras train station and hotel，1868—1876年）、约瑟夫·帕克斯顿（Joseph Paxton，1803—1865年）设计的伦敦水晶宫（London's Crystal Palace）博览会展厅（1850—1851年）。水晶宫的建成标志着"摆脱桎梏"的建筑似乎臻及巅峰。水晶宫是一座长方形廊柱大厅，仅用玻璃、木材和钢铁为建筑材料，将建筑语言减至最基本要素。在深受古典主义浸润的人们看来，水晶宫缺乏语法和文理，只有功能和净化的形式。在19世纪末，这座建筑将成为工业时代建筑的完美典范。

## 一种现代的启蒙运动

1804年，英国建筑师小乔治·丹斯、诗人和形而上学哲学家塞缪尔·泰勒·柯勒律治、艺术收藏家乔治·博蒙特爵士（Sir George Beaumont）等显赫的宾客夜聚纵谈。他们的话题涉及自然、想象、幽灵等。后来，丹斯曾谈及，他感觉当晚的谈话格外地让人疲惫，便主动插入一些关于现代建筑发明创造的即兴思考。另一位客人在日记里记录了他的评论："他（丹斯）嘲笑用一些原则限制建筑设计的偏见，那些原则被当作法则，实际上从来没有让人满意的解释……他认为，摆脱桎梏的建筑可以为最伟大的天才提供最大的机会，创造出人类头脑最强大的成果。"丹斯认为当下主宰着建筑设计的那些标准和原理不是权威性的存在，而只是任意、未经证实之物。此外，如果建筑想要实现其无限的潜能，就必须摒弃死守古典主义传统的忠诚。至于摆脱桎梏的建筑和人类头脑最强大的成果，是仅指艺术创作的领域，还是大不列颠新兴的商业社会和国家政府的更大野心，丹斯并没有作出具体的解释。丹斯的这番话虽不是正式的书面表述，却犀利地预告了19世纪早期西方建筑的实践和理论的转向。在这一时期，新兴的科技考古学揭示了庞大的知识体系，世界各国多样化的历史风格，都在挑战和激励着建筑师。社会需求和生活新科技的革命，尤其是工业和运输领域的革命，迫切地需要全新的建筑方案。而这些方案最终将会削弱古典主义传统的权威。

从20世纪现代主义建筑的透镜看去，1800年间所开展的摆脱桎梏的建筑既是预言，也是预测。譬如，丹斯本人的一些实验性绘图，体现了他藐视封闭空间的传统，他留下一份建筑内部穹顶设计图稿，预示了"开放式设计"的现代理念。这份出自18世纪90年代早期的图稿，可能是英伦银行或陵墓的内部设计【图7-1】，采用毫无接缝的连续空间和结构支撑，彻底地脱离古罗马和拜占庭的原型。支柱处理为穹顶朝下延展为柔和的圆弧，将古典主义万神殿的圣化范式转化镂空扁圆球，从而排除了作为支撑的石壁和穹隅拱顶。丹斯的追随者约翰·索恩爵士也采用类似的思路，

图 7-1：小乔治·丹斯 穹顶建筑设计初稿（细节），约1791年

图7-2：约翰·索恩爵士 匹茨汉尔庄园未实现的改建设计稿（细节），1806—1810年

为自家的郊区别墅匹茨汉尔庄园（Pitzhanger Manor，1806—1810年）【图7-2】设计前包豪斯风格的悬挂式玻璃幕墙。这座庄园是乔治时代新古典主义的砖石别墅，额外增添一道不设任何传统装饰的几何形玻璃外墙，颇似现代主义者所追加的格栅。德国建筑师弗里德里希·吉利曾提出重新规划进入柏林城的入口广场，改造为巨大的雅典式市集广场，并在18世纪90年代末为普鲁士国王腓特烈二世纪念堂绘制一系列设计图稿【图7-2】，将建筑简化为光秃的梁柱结构，整个效果既似新石器时代，又似太空时代。最后，在18世纪末，法国建筑师和教育家艾蒂安-路易·布雷绘制的皇家图书馆室内设计图稿【图7-4】，虽以罗马温泉

图7-3：弗里德里希·吉利 腓特烈二世纪念堂设计图，1797年

图7-4：艾蒂安-路易·布雷 皇家图书馆室内设计图，1784年

火车站。"诚然，1800年前后这些摆脱桎梏的建筑的范例，都只是纸上的构想，没有一个真正地实现，但是在某种程度上预示现代主义建筑的未来发展。

我们必须承认，这些纸上构想是那个时代的例外，而不是常见的典型。丹斯、索恩、布雷无疑自视是继承了大型建筑的希腊-罗马传统。然而，他们大胆创新（偶尔地）释放古典主义正统世系的重负——其本身便得到启蒙运动建筑禁令的认可。这一事实预示，这种现代主义在一个世纪之后与工业时代大规模生产占据统治地位之时才会实现。早在1753年，耶稣会士和哲学家马克-安托万·洛吉耶的思想偏颇的著作《论建筑》，便以净化古典主义建筑语言为中心论题。与伏尔泰和卢梭一样，洛吉耶将精致的装饰和文明的炫耀等同于堕落和腐化。转译为建筑术语，这就意味着摒弃嵌墙柱、暗拱、复合式柱式（洛吉耶斥之为"建筑的浮雕"），因为这些元素标志着罗马时代晚期对希腊神庙纯粹原型风格的削弱，后者的结构完整性和独立柱是从早期人类的原始建筑庇护所中提取出来的。洛吉耶这部火气旺盛的著作的第二版卷首插画（1755年）【图7-5】，后来成为18世纪最著名的建筑插图，描绘一位缪斯女神伸手指向建筑的自然原型。这座原始森林的原生态神庙，可谓是调和柔弱精雅的洛可可风格那些繁琐设计的解药。洛吉耶的著作汲取又反驳所有基于古典主义的建筑理论［从维特鲁威（Vitruvius）到文森佐·斯卡莫齐（Scamozzi）］，但他为现代建筑所推荐的改革措施，却并不似卷首插画一般极端地倒退和简化。

浴场建筑为原型，但设计隐含了空间无限性，不必要地简化了古典主义元素（无尽的伊奥尼亚式列柱，斜度夸张的筒形穹顶运用方格嵌板构成视觉重复），都体现了建筑师从古代到未来的极端过渡。文化理论家瓦尔特·本雅明评价道："布雷的图书馆设计貌似一个

全欧洲的建筑师都在争论洛吉耶的"归谬法"建筑起源论。洛吉耶的一些建议，譬如鼓励在基督教建筑里混合使用希腊风格与哥特式，城市规划应当借鉴林园设计的如画审美等，这些有力地影响了欧洲各地最先进的设计潮流。雅克-日尔曼·苏夫洛所设计的巴黎圣吉纳维夫教堂（Ste.-Geneviève）【图7-6】，整个设计和建造时间跨越1756—1790年，通常被视为部分实现洛吉耶理论的范例。巨大的科林斯柱式沿中殿和侧廊构成连续的横梁式结构（垂直支撑加柱上楣构），区分希腊式十字架平面布局，为整个巨大的室内空间注入古典主义的清晰和高雅。这座建筑参考、引用了新近的考古知识。譬如，苏夫洛在教堂内

图7-5：马克-安托万·洛吉耶《论建筑》第二版卷首插图，1755年

部和门廊所运用的科林斯柱式，实则基于罗伯特·伍德（Robert Wood）在1755年测绘的巴勒贝克太阳神庙（Temple of the Sun at Baalbek，位于今日黎巴嫩）。教堂的地下圣堂采用冷酷、原始化的多利安柱式，这是依据苏夫洛在意大利旅居之时所绘制的帕埃斯图姆（Paestum）多利安式神庙的考古制图。圣吉纳维夫教堂虽包含许多博学的古代引用［以及罗马圣彼得大教堂（St. Peter's）、伦敦圣保罗大教堂的灵感］，但室内的一系列碟形穹顶和侧廊的横向帆拱具有鲜明的哥特式气息。连绵的拱顶似乎完全不依赖雄伟的梁柱结构的支撑。中殿和侧廊原本依靠侧翼的一排窗户照明，然而，在1790—1791年间，圣吉纳维夫教堂改造为共和国万神殿，或称先贤祠，这些窗户都被堵塞，从而削弱了苏夫洛用哥特式营造的透明感以及令石砌墙壁变得轻薄的效果。这座创新的基督教堂设计依据洛吉耶的理论，将哥特式建筑的空间和结构原则（摒除哥特式的风格属性）应用于考古学影响之下的古典主义建筑的理性形式。

洛吉耶曾说："有些明智的人认为，美术是一个国家的祸根。"然而，他的建筑理论的核心思想便是启蒙运动所倡导的节制的文化。这一文化推崇清晰的目标和含蓄典雅的表现手法。在详尽地阐述"合宜"（bienséance，即建筑设计及其装饰适合建筑的功能和意图）这一概念之时，洛吉耶简直发出最高理性的声音。然而，在谈及社会机构（如医院、救济院）的建筑类型之时，他毫不犹豫地评判："容纳穷人的建筑必须具有一些贫穷的痕迹。"这就是一个拒斥启蒙运动所隐含的极端平等主义的自由派哲学家为建筑改革所设定的界限。

## 福利机构的新建筑

然而，自18世纪晚期以来，建筑师和社会改革者逐渐地开始重视新兴的现代工业社会所面临的收容和管理贫穷、病患、易犯罪人口的迫切需要。在这类非精英的社会形式的建筑中，设计师也依然谨记洛吉耶的"错置的华丽"的禁令。然而，尽管由于经济限制和阶级偏见，确保决不会在穷人的集体住宅上浪费古典主义柱式，专业的建筑师却依然按捺不住创作冲动，意欲掌握启蒙运动晚期福利机构建筑类型特有的工程和科学，甚至于道德原则。后结构主义哲学家米歇尔·福柯有一个著名的批判，将这类建筑称为监

图7-6：雅克-日尔曼·苏夫洛 巴黎圣吉纳维夫教堂（先贤祠），1756—1790年

视和分类的设计，其目标是为现代社会制定、维护特权与限制、常态与异常、社会的包容与排斥之间的界线。这一元历史的批判，总体上谴责社会慈善家和官僚改善社会弊病的意图，充其量是欺骗或纯粹的意识形态。然而，随着城市发展和工业化的进程，肮脏的公共卫生条件和穷人的救济问题越发显著，从而带来一些不只是属于意识形态影子戏的建筑。1785年，伯纳德·波耶特（Bernard Poyet，1742—1829年）为巴黎天鹅岛的主宫医院（Hôtel-Dieu hospital on the Île des Cygnes）【图7-7】提出宏伟的设计方案。这一方案体现了启蒙运动晚期社会改革派回应社会问题的努力。1772年，巴黎圣母院对面的主宫医院发生火灾，摧毁了破旧与拥挤的街区。医疗机构的复杂需求，诸如密集的人口，依据疾病和社会阶级区分病人，医护人员须高效地流通，有益健康的水和空气的供应与排出，在设计图上都通过清晰界定的同心圆几何体与空间划分法得到良好地处理。一方面，这座自给自足的车轮形建筑依据文艺复兴时期的理想城市和堡垒，另

一方面，这份设计图是一张机械化图表，预示往后数世纪间工业化设计可复制的高效率、去人性化的统一性。在设计图上，正面俯瞰塞纳河，用蚀砌石工的水道入口建筑为标识，重复使用宽广的拱形门窗（位于病房区共用走廊辐条的轴线），旨在为厚重的砖石建筑引入必需的光照和空气。病房之间的楔形庭院也为建筑内部提供呼吸的空间。这座医院的设计采用近乎毫无二致的外墙，期望营造严峻的外表，而实则是罗马竞技场的启蒙时代版本，只不过其目的是维系生命，而不是安排死亡。圆形轮毂的中心是一个宽阔的庭院，附设一座新古典主义礼拜堂。这一建筑机器的环状系统均匀又理性地区分病人和垂死者，让他们抬眼便可以望见简朴的礼拜堂，犹如提沃利的西比尔神庙（Temple of the Sibyl at Tivoli）立在近前。

启蒙运动相信建筑的力量可以为社会实体及其环境打造精心策划的秩序、集体的卫生、清晰的修辞。克劳德-尼古拉·勒杜的雄心勃勃的乌托邦提案，也深受这一信念的影响。勒杜得到巴黎王室胄裔的委托项目，为他们建造高雅的联排别墅和宾馆，但他最重要的作品却是实用性建筑，尤其是巴黎郊区的威赫的收费站大门、1774—1778年所设计的阿尔克-塞南皇家盐场【图7-8】。皇家盐场采用古代圆形大剧场的半圆式，中央的展馆和办公楼使用粗暴的风格主义、夸张的蚀砌石、最基本的多利安式柱廊，厂房则借鉴弗朗什孔泰（Franche-Comté）地区农场和磨坊的民间风格，加以极度的简化和规律化。在恐怖统治时期，勒杜被关进监狱。出狱之后，他一直未能再在建筑师行业站稳脚跟。然而，1784年，他出版一部题名宏大而言过其实的专著，书名为《从艺术、道德与立法的关系思考建筑》（*Architecture considered in relation to art, morals, and legislation*）。在这部著作里，勒杜提出要建造一座名为"肖"的理想城市方案。他将这一理想社区构想为重农主义的乌托邦，也即男性家长制的社区，结合农业和工业模式以及各种生产关系。他在冗赘、自以为高明的行文之间，搭配吸引眼球的版画插图，着重体现崇高风景之中的简化的几何体建筑。勒杜论述，在这个模范社区里，建筑

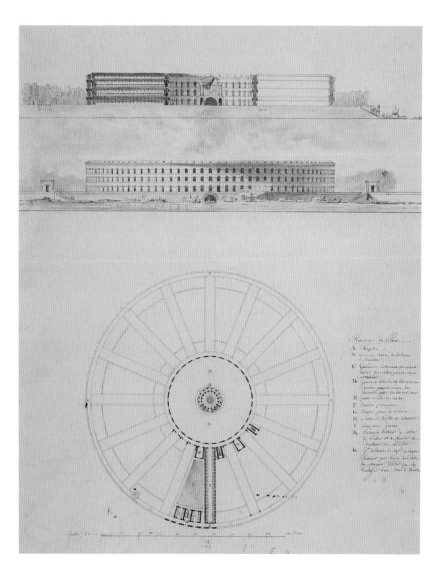

图7-7：伯纳德·波耶特 巴黎天鹅岛主宫医院设计图。图片出自克劳德·菲利伯·考科（C.-P. Coquéau）与伯纳德·波耶特合著的《关于巴黎主宫医院转移与重建必要措施的专题文论》，1785年

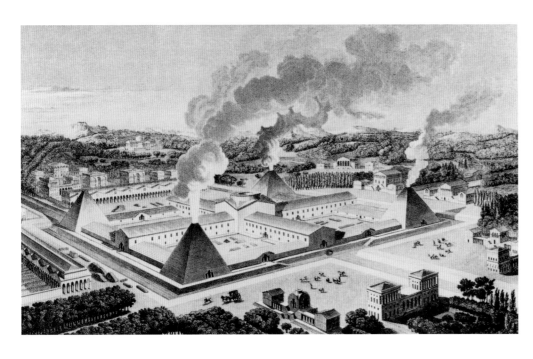

图7-8：克劳德-尼古拉·勒杜 阿尔克-塞南皇家盐场，1774—1778年

结构通过大胆地使用抽象的立体几何形状和透明的标识，在隐喻和真实的双重层面体现其居民与劳工的职业。因此，水利工程师的住宅是河水直接涌过的圆柱状管道，樵夫则住在木材堆叠的富有乡野气息的长方体梯塔等等。这便是后世批评家所称的"言说的建筑"。人生的每一个方面，从性启蒙、学习文化和技术知识，到所有法律和经济事务，都安排在形似神庙的、"言说的"单独建筑结构中。勒杜深信这些简化建筑的光秃表面和鲜明的轮廓，可以激发甚至决定人的劳动能力。他在文中吹嘘道："且让我的城市及其建筑的性格，如同它们的本质，致力于宣扬和净化道德习俗……人类表达自己的需要之时，通常表达得相

当糟糕；因此，建筑师须加以修正。"社区的构造及其建筑性格被视为永远不可瓦解的东西。获得永恒启迪的肖城居民，大概只能拥有一种经过建筑调停的主体性。然而，即便在这个理想城市里，也充分地考虑到了人类冲突的潜在可能，为国家安全和军事力量作了预备。书里最后一幅插图以新颖又惊悚的画面，显示从半空俯瞰大炮制造厂的效果【图7-9】。工厂里喷吐废气的巨大金字塔构成一座四方院落，中间纵横相连的石砌工棚，可容纳数量庞大的武器和工人，甚至似乎超越乌托邦的逻辑。然而，持续近15年的拿破仑战争确实印证了勒杜这一假想工程的黑暗逻辑。

用艺术史家迈耶·夏皮罗（Meyer Schapiro）的

图7-9：克劳德-尼古拉·勒杜 理想城市肖城的大炮制造厂设计图，出自《从艺术、道德与立法的关系思考建筑》，第1卷，1804年

图7-10：约翰·哈维兰德 宾夕法尼亚州切里希尔东部州立监狱，约1855年

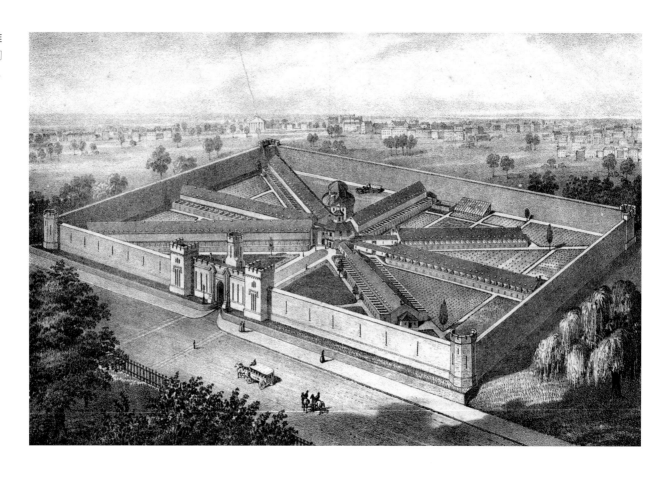

话，绝大多数乌托邦建筑就是"在制图板上纠正社会"。勒杜的乌托邦也不例外，它忠实于启蒙精神的遗产，既要保留田园风光的原始主义，又具有目空一切的未来主义。肖城表面看似致力于解放自然和理性，同时又预设一个政府严格控制的匿名的社会，人类自由的所有可能性都被纳入建筑的工具性。我们将在第14章看到，19世纪中叶以来的建筑师和规划师，包括工业城市规划者提图斯·索尔特（Titus Salt）、让-巴蒂斯特-安德烈·戈丁（J.-B.-A. Godin，1817—1888年）、花园城市设计师埃比尼泽·霍华德（Ebenezer Howard，1850—1928年），都会重新考虑勒杜在理想化和综合性建筑体系之内融合家庭、公民社会和国家权力所作出的尝试。

19世纪早期社会改革的新建筑，在大胆创新方面都难以企及勒杜的假想工程。然而，建筑体积的威迫风格，依赖辐射状几何体和空间的控制等特征，却一直经久不衰。约翰·哈维兰德（John Haviland，1792—1852年）为宾夕法尼亚州费城郊外的切里希尔设计了东部州立监狱（Eastern State Penitentiary）【图7-10】。这份设计结合刑罚改革方面最进步的技术，在当时得到大力推崇。这座监狱在1825—1836年间建造，实现了整整一代人关于监狱能否通过建筑设计为因犯带来人性化待遇和改善的社会和道德讨论。建筑作家詹姆斯·埃尔姆斯（James Elmes）是哈维兰德的老师，曾在不列颠群岛研究刑罚和司法建筑。在刑罚建筑当中，极具影响力的是实用主义哲学家杰里米·边沁于1791—1792年间构想出了环形监狱（panopticon）。在这座理论构想的监狱里，网络般的因室系统地分布于中央瞭望塔的四周，瞭望塔的功能和象征意义是作为社会的全知、全能的审判之眼。东部州立监狱无疑是要实现边沁式的监狱改革，因为这座监狱确实造有一座中心亭和两层高的塔楼。7座单层因室区以这一圆形建筑为中心，围绕且有规律地朝外辐射。这些设计确保每个因犯可以单独监禁，每间因室自带小院。这里没有公共空间，每间因室配备简易的抽水马桶——即使在当时较体面的住宅区，也没有现代便利的卫生设施。单独监禁这一冷酷的刑罚部分源自当地贵格会（Quaker）的宗教和律法传统，其教义规定罪犯须接受寂静主义的良知谴责，而不是肉体的惩罚或强迫劳动。亚历西斯·德·托克维尔（Alexis de Tocqueville）访问新落成的监狱之时，总结了这一道德假设："独处的考验引导因犯从反思走向悔过。"这里唯一的象征位于四方形围场的外墙。墙头装饰着封建时代的雉堞，并在入口和塔楼设置倾斜

图7-11：贝切神父与威廉·尼科尔森 诺丁汉郡绍斯韦尔劳动救济所，1824—1826年

墙和吊门。当时有一份报纸的社论指出其具有"威肃、可畏的特征"。这些特征以及精确的几何格局所呈现的新奇的刑罚功能主义，贯穿着整个设计的基本理论：往囚犯的集体头脑灌输悔过自责的思想。这座建筑很快成为旅游胜地，成为外国贵宾和社会工程系学生考察访问的著名景点。

环形监狱的理念，以各种改良的形式渗透到19世纪所有机构建筑，诸如精神病院、乌托邦公社、大学学院（建筑类型并没有人们可能以为的多样化）。相比监狱建筑，英国的劳动救济所（19世纪20—30年代出现的社会福利机构）在改良方面更进一层。从18世纪至维多利亚时代早期，堂区救济穷人的经济负担日益加重，这多半是因为急剧扩张的圈地法限制农民使用公地，以及工业化过程所滋生的仅够糊口的日薪经济。上流社会怀疑穷人贪图政府救济，在1834年向议会提出申诉，要求修改《济贫法》（*Poor Law*），其中一项措施是建造堂区或郡县劳动救济所，登记入住的贫困人口，将置于严格的监督之下，形同囚犯一般进行体力劳动。诺丁汉郡的贝切神父（Rev. J. T. Becher，1770—1848年）是这一改革运动的先驱。1824—1826年，在《济贫法》修正案通过之前，他与建筑师、承包商威廉·尼科尔森（William Nicholson）合作，开始设计绍斯韦尔劳动救济所（workhouse of Southwell）【图7-11】。这一设计充分地应用通过建筑实现社会改革的严酷技术。绍斯韦尔劳动救济所是一座宽阔的三层楼建筑，以本地产的红砖砌墙、宽木地板建造而成，并由八角形庭院周围的三个建筑单元组成。建筑群以掌理所有职能的主管住宅为中心，这座住宅的正面外墙装饰一道实心浮雕拱门和新帕拉第奥式（neo-Palladian）山墙门廊入口，越门彰显其主宰地位；主管住宅背面敞向一个内部庭院，可以监督整片建筑的日常运作（放风的庭院、洗衣房、木工棚屋等等）。两侧的建筑可容纳160人，依据性别区分为东西两翼（儿童和病人安排在建筑后方）。东西两翼再依据居民的道德品质作进一步的区分（健壮/虚弱、虔诚/不敬，合格/不合格）。这些完全由主管规定的歧视和责罚，势必摧毁穷人中间传统的家庭纽带——当然，这正是这类建筑的目标。救济所的严酷的管理体制，原本旨在迫使穷人不惜一切代价寻找工作，以便脱离政府的救济，从而降低他们给社区造成的经济负担。绍斯韦尔劳动救济所最揭示真相的建筑标志便是每道窗户上方的弓形石拱，这些单调重复的沉重的白色条石似乎意味着保护和力量，但也承诺着重负，要求服从。

## 建筑与哥特式想象

19世纪早期欧洲建筑设计的风格解放，首先出现于享有社会特权和政治不稳定的精英阶层的住宅、时尚居所、园林趣玩、墓葬等地方。这一事实并不出乎意料。如画美学的兼收并蓄开始取代古希腊-罗马风格的霸权。住宅与周边优美或壮观的自然风景之间的关系，建筑历史特征的综合选择，建筑内外的不对称的结构与惊人的视角，所有这些都成为英国、美国和

欧洲大陆所流行的观赏性村舍和艺术别墅设计的新标准。建筑批评家柯林·罗（Colin Rowe）谈及这种形式的混乱状态和风格的相对主义趋势，说道："今日的建筑师解放了同情感，拥有了时间的自由，成为所有时代的继承人。对他来说，不单是整个自然界，甚至连整个历史都是现在——都可为他所用。"

在德意志的公国，反对拿破仑军事占领而兴起的政治抵制的爱国主义，象征形象和民族起源的统一神话，也卷入哥特风格的文化探讨。1810年，杰出的建筑师、布景设计师、全景图画家卡尔·弗里德里希·申克尔（Karl Friedrich Schinkel，1781—1841年）在其顾主普鲁士王后露易丝（Queen Luise）逝世之后，提议为王后建造陵墓和纪念礼拜堂【图7-12】。这座纪念堂设计如哥特式神庙，在暮光下的森林里隐现。陵墓的棕榈叶肋条状拱顶，纤长的支撑，拱顶立着天使，水晶般的照明营造哥特风格藐视重力的特征。在设计图稿的展览说明里，申克尔以论战的词锋，宣告陈旧的古典主义在现代已经死亡，古典主义束缚的构造原则不能企及永恒和无限。他主张重新启用哥特风格，以便适应普鲁士的精神和政治需要。尽管依据皇家法令，这座陵墓最终建造为多利安式神庙。普鲁士国王腓特烈·威廉三世（Friedrich Wilhelm III）拥护

图7-12上：卡尔·弗里德里希·申克尔 普鲁士王后露易丝陵墓和纪念礼拜堂设计图，1810年

图7-13：詹姆斯·怀亚特和（？）透纳 威尔特郡放山修道院的预期设计，1798年。水彩和石墨，72.4厘米×110.5厘米

自由的信念，决意创立开明的君主立宪制和文化民族主义的政治。普鲁士在拿破仑手中的彻底惨败，从而愈发激励叛逆人士将哥特风格和民族解放相关联。然而，在驱逐法国军队、维也纳会议上重新划分欧洲版图之后，独裁统治的传统政策取代了普鲁士国王的政治改革纲领。自此以后，申克尔在构想柏林这座王室都城的乌托邦景观之时，保持着古典主义的冰冷气息，唯一例外的是数座著名的圆拱风格设计（Rundbogenstil）。

在这一时期，中世纪的宗教权威仍是一个重大问题，抱持如画美学的游记作家往往将哥特式修道院和基督教堂废墟（宗教改革前的英国和北欧）贬抑为"迷信、偏执、无知的陈旧温室"。哥特式的殊异的空间效果和晖丽的装饰，在民族主义的历史主义、浪漫主义的形而上学和如画美学的构图里回收利用。英国艺术收藏界与审美意见制造界的领袖人物威廉·贝克福德（William Beckford，1760—1844年）决定建造一座大宅，同时当作奢华的主题艺术画廊，他的首选风格便是哥特式。贝克福德是被社会遗弃的同性恋伪贵族，其财富来自西印度甘蔗种植园，并创作有一部东方主义神秘学中篇小说《瓦泰克》（Vathek，1782年）。在1792—1812年，他主持建造威尔特郡的放山修道院（Fonthill Abbey）【图7-13】。修道院的设计师是擅长风格变通的建筑师詹姆斯·怀亚特（James Wyatt，1746—1813年）。贝克福德的庞大的艺术和图书收藏俱收在这里，他的渊博而奢侈的占有欲，足可匹配他对于建筑的侈靡的夸大狂趣味。在放山修道院，"哥特式建筑"简直疯狂失控，因为这幢建筑集中了考古学家的专业和寻觅奇观的锐眼，汇聚了修道院、大学和基督教堂的特征。在这座"艺术的大教堂"里，贝克福德滑稽地模仿亵渎神圣的放纵行为，将天主教壮丽的宗教装饰运用于私人的感官帝国。所有饰品都是采用中世纪的工艺专门定制，以便彰显长长的走廊和建筑的典礼大道。放山修道院成为摄政时期仪式性朝圣的时髦地标。然而，好景不长。1822年，经济破产的贝克福德被迫出售这幢富有创意的圣所。3年后，高达68.88米的中心塔楼坍塌，顿时将这座建筑化为废墟——不过，只是一座徒劳地丧失了如画审美时代的价值和文化怀旧的废墟。

事实证明，驯化的哥特风格颇适宜迁徙。在美国，就其历史或政治关联而言，"英国化"的哥特式

图7-14：詹姆斯·怀亚特
威尔特郡放山修道院，1792—1812年。取景角度：从圣米迦勒楼座（St Michael's Gallery），穿过八角厅（Octagon），望向爱德华王楼座（King Edward's Gallery）。W.芬利（W. Finley）绘制素描，小沃尔斯滕霍姆（D. Wolstenholme Jnr）制作雕版，插图7。依据约翰·卢特（John Rutter）的《放山及其修道院素描》（Delineations of Fonthill and Its Abbey），1823年

复兴似乎不太可能实现。然而，美国人对如画美学的崇拜，对简朴又时尚的住宅的需求，却使得哥特式成为流行的选择。亚历山大·杰克逊·戴维斯（A. J. Davis，1803—1892年）、安德鲁·杰克逊·唐宁（A. J. Downing，1815—1852年）出版了专著和设计图稿，宣传他们在新格兰和哈德逊河谷设计的如画村舍和小型哥特式公馆。1838年，戴维斯在纽约州的塔里敦（Tarrytown）设计的圆丘（Knoll）【图7-15】，便是美国接纳与改造如画美学无规律性的最精湛范例。圆丘坐落于哈德逊河畔的峭壁上，占据有利的景观优势，不对称的游廊结构，衬托了哥特式大门的尖塔，尖塔浪漫地联接了建筑内外。十字形的平面规划既简洁又实用，并且无须牺牲内部装潢的最显著的特征，譬如标志历史的城堞、都铎时代的装饰和线脚，以及戴维斯专门为这幢住宅设计的哥特式家具。戴维斯和唐宁出版大量论文，探讨如画美学的哥特风格如何适宜美国绅士符合常理的雄心，又依然轻快的想象力。戴维斯所称赞的"共和党人得体的骄傲"，并不是贝克福德的谵妄而炫耀的自我主义。唐宁甚至警告其潜在客户，"除非你的内心具有城堡一般的东西"，否则的话，通过住宅表达本人的个性和感情之时，应该保持适当的谦逊，尽管也无须求助于希腊复兴式的贫瘠的壮丽。履行如画美学的住宅所隐含的美国意识形态，通常既

图7-15：亚历山大·杰克逊·戴维斯《为威廉和菲利普·鲍尔丁设计的塔里敦圆丘》（*Knoll for William and Philip R. Paulding, Tarrytown*），南面和东面（正面）立面图，1838年。水彩、墨水，27.9厘米×20.3厘米

模棱两可，又易受特定社会的影响：既可暗示超脱寻常人家的贵族地位，又可象征普通人勤劳进取的诚实品德。它既是抵御杰克逊时代强大的经济和国家扩张主义的文化堡垒，也是夸耀地体现失控的经济发展本身。唐宁不愿使用过于清教徒的口吻描述如画审美的阳刚版本以及克制与冲动的美国式融合，便改用热烈地语气感叹："这样的人——他们的抱负永远不会让他们平静，他们的野心和精力不会让他们在理性的界线内得到安宁——这样的人适合如画的住宅。"

## 城市景观的变迁

19世纪早期，私人住宅设计盛行如画的哥特风格，但古典主义的建筑外观继续主宰着首都城市新建的公共和市政建筑。伦敦的建筑景观，因其掠夺性的工业和商业发展，被视为"世界的首都"。于是，那些在城市发展和社会变化面前依然坚持过时的礼节的建筑师，便面临非同寻常的挑战。终其事业生涯，约翰·索恩爵士担任伦敦市政府英伦银行的建筑师，深刻地见证了这一困境。从1788—1833年，索恩设计和建造了一系列宏伟、结构松散的圆形建筑和地方法院庭院，构成占地1.2万平方米的银行建筑群【图7-16】。建筑的立面采用权威性的古典主义形式，附加罗马凯旋门的浅浮雕构成宽阔的轮廓，再使用蚀砌和刮线的墙壁。索恩在1803—1805年间设计建造的蒂沃利大楼（Tivoli Corner）【图7-17】，可谓是英伦银行街面的最繁复的设计宣言。索恩借鉴罗马蒂沃利的圆形维斯塔神庙（Temple of Vesta）的结构形式，在转角切割为一半，为银行背后西北面的单调街角创造了意想不到的戏剧效果。索恩期待他的老师丹斯能够实现城市翻新的宏伟方案，从芬斯伯里广场（Finsbury Square）到城北建造一条巨大的住宅街，这条街道的华丽终点将是他的蒂沃利大楼（可惜这个方案从未实现）。索恩别开生面地将古代圆形建筑（圆形神庙）与精美的科林斯柱式相结合，运用于商业化的城市街道，圆形建筑的高耸的阁楼，令街景益发雄伟。索恩在楼顶两侧布置亭台，四周一圈骨灰瓮和山尖饰（雕塑的母题和装饰花卉的柱基）拥护着形似陵墓的中心装饰。当时的批评家嘲笑索恩的建筑充满墓葬配饰，贬抑为病态的随意搭配，过于阴郁，不适合现代国际大城市的繁忙生活。然而，撇开这些批评，索恩的蒂沃利大楼具有多变的空中轮廓线，建筑群体尤其赏心悦目。制图师约瑟夫·甘迪（Joseph Gandy）为蒂沃利大楼绘制的精彩的透视图。在这幅图中，这幢建筑简直是英国在英法战争期间（所希冀的）经济和军事霸权的民族主义宣言。

约翰·纳什（John Nash，1752—1835年）是索恩的对手和同事，他在决定现代伦敦的城市结构之时，提出了建造新街（New Street）和马里波恩公园（Marylebone Park），后更名为摄政街（Regent Street）、摄政公园（Regent's Park，1812—1826年）的方案。这个工程是当时欧洲规模最大的城市改造项目。纳什是摄政王［也即日后的乔治四世（George IV）］最钟爱的建筑师，具有敏锐的企业家直觉——为设计方案协商经济和政治需求之时尤其需要这份才能。他的城市改造项目以位于林荫路（the Mall）西北路段的卡尔顿王府（Prince's Carlton House）为起点，

图 7-18：约翰·纳什
《摄政街的象限柱廊》
(The Quadrant, Regent
Street)，1822年。约
翰·布赖克（John
Bluck）制作蚀刻版
画，依据托马斯·H. 谢
泼德（T. H. Shepherd）
的作品。（右侧是罗伯
特·亚伯拉罕（Robert
Abraham）设计的威斯
敏斯特自治市消防所）

图7-19下：约翰·纳什
《布莱顿的英皇阁》
(Brighton, the Royal
Pavilion)，改造工程始
于1816年

穿过皮卡迪利街（Piccadilly）到牛津街，开辟一条大干线，再从这里连接摄政公园新开发的郊区。这些改善措施既实用又美观，并且具有社会功能。纳什写道这个方案的目标是"为贵族和绅士居住的街道和广场与社区的工匠和交易街区之间划分边界"。事实上，摄政街的长度（最后造价为150万英镑）带来更便捷的商业流通，从而在多样化的社会阶层之间创造更具渗透性的关系。纳什的设计迥异于查尔斯·佩西耶（Charles Percier，1764—1838年）和皮埃尔-弗朗索瓦-莱昂奥纳多·方丹（P.F.L Fontaine，1762—1853年）在帝国盛期为拿破仑设计修建的巴黎里沃利拱廊街（Rue de Rivoli），绵延地铺展一排罗马式多利安式列柱，称为象限柱廊【图7-18】。从这里开始，新街偏离皮卡迪利街，通向牛津广场。如画美学所钟爱的曲线、视觉和心理的刺激，都在城市背景里得到生动的体现。列柱近两层楼高，以铸铁为材质，这是纳什曾在私人住宅采用的材质。纳什是风格的变色龙，尝试将铸铁圆柱、阳台、托架用于早些时期所设计哥特式科舍姆庄园（Corsham House），改造摄政王在布莱顿的英皇阁（Royal Pavilion）【图7-19】。英皇阁是"印度"复兴风格的一种新奇、轻浮的冒险尝试，属于如画美学外围的殖民风格。作为城市景观，象限柱廊极其可观，但它在城市生活里的实用功能颇为累赘

且短暂。尚且不论象限柱廊拘束的古典主义外观，租赁的店家抱怨内部照明和透风糟糕，加盖的步行街最终为卖淫者和孤独的人提供计划外的庇护。及至1848年，生锈的柱廊已全部拆除。

19世纪城市的商业生活要求不断改变建筑形式。在这些形式里，僵化的历史风格与新兴的建筑技术怪异地结合。复辟时期和七月王朝时代的巴黎拱廊中都是繁忙的店铺，充斥着奢侈品和时尚人士的自我炫耀。这些封闭的购物走廊，在私密的私人室内空间和公共街道之间打造了一块中间地带。雅克·比约（Jacques Billaud）在1826—1828年间设计的科尔伯特拱廊街（Galerie Colbert），便是源自早期长方形基督教堂，并采用庞贝壁画式彩饰和斜坡玻璃屋顶增添生机。木质山墙靠悬臂支撑，花格玻璃穹顶的凸窗分隔与下面的拱廊楼座对齐。铸铁墙环和肋条支架撑起巨大的圆形建筑及其玻璃穹顶。从内部看去，穹顶的结构支撑彩绘得形似帐篷杆和绳索，穹顶鼓座上方装饰帆布幻觉画，增添透明和轩敞感。科尔伯特拱廊街附近的皇宫区（Palais Royal）是以妓馆、咖啡馆、赌博场闻名的街区，其中有一条建造于1830年大革命前后动荡时期的奥尔良拱廊街（Galerie d'Orléans）【图7-20】，其设计师是方丹。奥尔良拱廊街更戏剧化地结合了传统建筑和工业铸铁/玻璃结构。拱廊的交叉

图7-20：皮埃尔-弗朗索瓦-莱昂奥纳多·方丹 巴黎奥尔良拱廊街，1829年。石刻版画，依据阿尔诺的插图，出自《巴黎的流逝时代》，1875—1882年

轴围绕一圈多利安式圆柱，内部空间极其巨大，楼座的支柱镶嵌玻璃镜，铸件托架支撑球状煤气灯，愈发烘托拱形屋顶温室般的轻盈感。1830年，一个惊叹不止的游客写道："难以形容那份炫丽和壮观……昨天傍晚，我第一次看到它被煤气灯照亮的景象，简直像阳光，就像是一间巨大的魔法房间。"奥尔良拱廊街优化了这片街区，放荡不羁的人群被驱逐，取而代之的是较体面的顾客前来寻找新兴的闪亮的消费文化。19世纪40年代，奥尔良拱廊街及其中的精品店和咖啡馆已经失去时尚引力。19世纪90年代，这里的大半东西早已被废弃。巴尔扎克在《驴皮记》（La Peau de chagrin，1831年）里运用皇宫区这个短暂易变的城市景观，象征现代巴黎永不知厌足地追求转瞬即逝的时尚和物质的炫耀，同时又意识到"我们的世纪站在废墟中间欢笑"。

图7-21：奥古斯塔斯·普金 同一座城市，分别为1840年和1440年，出自《论对比》第二版，1814年。现代城市的前景有一座辐射结构的监狱（参见图7-10）

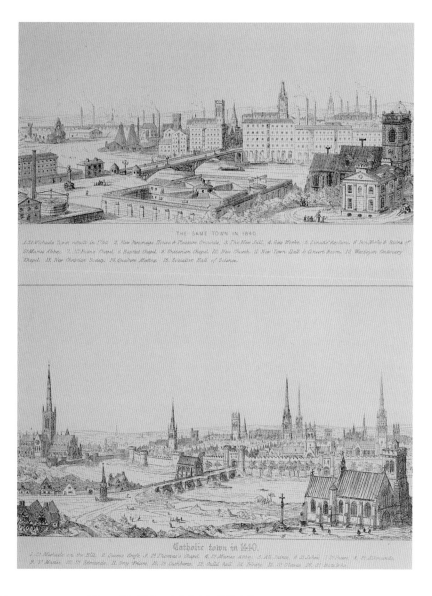

## 信仰或科技

如画美学的兼收并蓄的做法及其所宣告的风格自由，导致建筑意义的贬值。城市商业生活与新兴的工业促进建筑技术的创新，从而让人开始质疑历史典范是否仍有积极的关联性。奥古斯塔斯·威尔比·诺斯摩尔·普金的著作《论15世纪与19世纪建筑之间的对比或类似》[ Contrasts, or a parallel between the architecture of the 15th and 19th centuries，简称《论对比》] 在1836年出版，1841年发行增订版，正是专门探讨这一难题。普金的词锋极其尖锐，在维多利亚时代引发激烈的建筑争论。普金是哥特式复兴风格的建筑师，但他与其他建筑师有一个重要的区别：他是虔诚的天主教徒，对他来说，宗教改革前的英国建筑不只是象征着一种历史风格，而且具备精神和社会的权威，而这些都被当代生活悲剧性地、有系统地驱逐了。普金抨击"异教主义的锁链"和"混合风格的学院"，谴责它们从16世纪解散修道院以来（亨利三世执政时期及其后解散天主教的宗教和教育机构）主宰着英国的文化。这些批评的言论当然不只是指向当时的建筑趣味。他的谩骂式文论源自对现代社会本身的更深层的怀疑。书中的插图都是比照中世纪与维多利亚时代的建筑设计或景观【图7-21】。譬如，"1440年的天主教城市"体现中世纪的天空勾勒着堂区教堂的塔楼、封建时代的城堡、大教堂的尖塔的壮丽轮廓，"1840年的同一座城市"则体现了窑炉、监狱、"科学的社会主义大厅"所构成的工业城市的衰萎的天空轮廓。在另一"对比"里，"古代的济贫所"被体现为秩序井然的修道院飞地，为"贫穷的兄弟"举行肃穆的葬礼，其现代对应者则是恐怖的环形监狱式劳动救济所，将死者摆在解剖学家的解剖台。普金的插图虽在评述建筑的风格，却也构成对于维多利亚时代的社会学谴责。哥特式的过去被诠释为历史的黄金时代，当代社会若想拥有精神和建筑的救赎，便须回归往古的时代。普金评论现代教堂建筑的恶化状况之时，感慨道："它们的建造者都是在贷款和铁路或礼拜堂之间掂量盈亏的人。"

尽管我们不禁纳闷，对于建筑师来说，普金的教条描述的哥特式结构在考古和精神上都正确，但是否比洛吉耶的原始主义木屋更有用或更无用。这两种过去的教条主义典范具有怎样的前景？普金困守他自创的功能主义，或者他所谓的"称职性"。他视为自己最卓越的成就是位于德比郡奇德尔（Cheadle）的圣吉尔斯大教堂（St. Giles，1841—1847年）是【图7-22】。教堂外部旨在传达内部的礼拜功能和天主教仪式空间。万花筒般的内部装饰图案，简直可以作为宗教术语和中世纪装饰工艺媒介的简明百科全书，完全吻合这座建筑的结构和神圣的形式。牛津运动（Tractarian）的领袖、创立天主教安立甘宗（Anglican Catholicisrn）的红衣主教约翰·纽曼（Cardinal John Newman）看到这座教堂之时，感动得宣告道："奇德尔的新教堂是我一生所见最壮丽的建筑。内部每一寸空间都有最丰盛的色彩。"普金的建筑精神始终是依据宗教信仰——作为观者，如果你不只是将圣吉尔斯大教堂的菱形花纹和彩饰欣赏为"最神秘的感情和最纯洁的设计"，便是犯下罪过，亵渎了神圣。

普金的宗教虔诚并没有妨碍他用切实的眼光考虑世俗和市政建筑类型。1835—1868年间，他负责设计伦敦新威斯敏斯特宫的内部装潢。在英国首都这座最具历史和政治象征意义的建筑里，他为每个装饰纹样、配件、饰物绘制了数千幅草图。他也设计一些建筑外部细节，包括托起"大本钟"的著名高塔【图7-23】。詹姆斯·巴里爵士（Sir Charles Barry，1795—1860年）负责新威斯敏斯特宫的整体外观设计和规划。他在这个备受争议的项目里结合垂直哥特

图7-22：奥古斯塔斯·普金 德比郡奇德尔，圣吉尔斯大教堂，1841—1847年

图7-23：詹姆斯·巴里爵士和奥古斯塔斯·普金 伦敦威斯敏斯特宫，1835—1856年。大本钟位于右侧边缘

式晚期风格和都铎风格，为作为国家风格的古典主义敲响丧钟。巴里爵士为英国政府所在地赋予界定性的哥特式天空轮廓线，但普金批评这个建筑群的不严格对称和内部坐标轴的分布问题，说出一句著名的批评："先生，你把所有希腊和都铎的细节，加诸于一具经典的身躯。"普金所设计的内部细节豪华隆重、材质奢丽。上议院的宝座和华盖是镀金橡木嵌板和珐琅构成的哥特式幻想【图7-24】，尖顶配附繁琐的叶形花饰图案、葱形拱顶、细工镶嵌。骑士团的纹章、王朝的徽章见证着王权传统的中世纪象征。随着19世纪的进程，君主制在国家的实际统治里日益丧失权威，因此，华盖宝座的堂皇富丽与王权构成反比。上议院大厅的过度装饰与精巧的工艺，再次表现了普金坚定持久的历史怀旧——对于骑士和王朝，所向往的实则只是一点残余和仪式化的东西。

在其事业生涯终结之前（以挫败和疯狂告终），

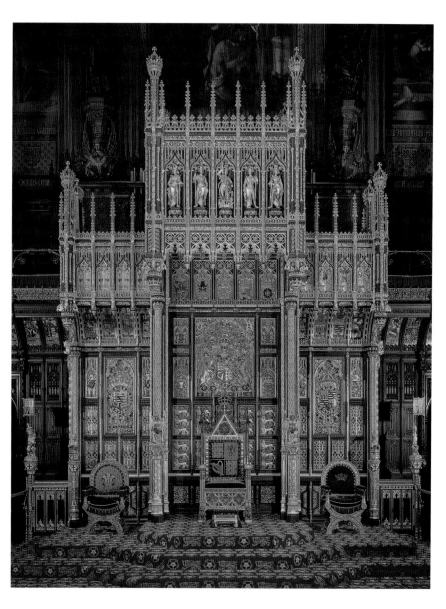

图7-24：奥古斯塔斯·普金 伦敦威斯敏斯特宫，上议院的宝座和华盖，1847年

普金设计了一些工业厂房和火车站等实用性建筑。然而，他在现代建筑领域的影响，在他逝世后才开始呈现，尤其体现于乔治·吉尔伯特·斯科特（George Gilbert Scott，1811—1878年）为圣潘克拉斯站米德兰大酒店（Midland Grand Hotel, St. Pancras，1868—1876年）所设计的维多利亚盛期的哥特风格【图7-25】。米德兰大酒店这座多面建筑的铁结构，完美地融合彩色石砌墙壁，借鉴了德国、法国和意大利的各种尖顶拱、繁丽的中世纪彩绘。这些特征概括了国际旅行的当代经验和商业日程的独裁。斯科特所设计的米德兰大酒店紧挨着威廉·钱宁·巴洛（W. H. Barlow，1812—1902年）设计的火车站。酒店楼顶筑有尖塔和城堞，企图调和普金的对比理念所展现的两分的世界观，既追忆信仰的时代，又能拥抱新兴的工业时代。在巴黎，法国-德国建筑师雅克-伊尼阿斯·伊托尔夫（Jacques-Ignace Hittorff，1792—1867年）在1857—1866年间重新设计巴黎北站，努力保持北站的古典美术倾向。为了奉承拿破仑三世的帝国野心，伊托尔夫将入口设计为凯旋门，装饰弦月玻璃大窗，庞大的对柱，屋顶陈列像柱和雕塑（铁道线所及的城市拟人形象）。史诗般庞大的石砌正面，预告内部的机车库和看台将是依据教堂中殿和侧廊的三分法，再增设铸铁支柱和精巧的彩色圆柱。伊托尔夫设计的巴黎北站有效地结合了修辞的壮观效果和清晰的功能，成为第二帝国时期巴黎一道庄严的地标。巴黎北站浮夸的帝国修辞，后来被视为悲剧性的误置。譬如，瑞士历史学家雅各·布克哈特（Jacob Burckhardt）称其为"我们这个世纪最可恶的一大建筑劣行"。

据传说，巴黎北站曾是19世纪的大教堂［法国浪漫主义作家泰奥菲尔·戈蒂耶（Théophile Gautier）惊奇地观看"新人类的大教堂"］。然而，维多利亚时代的艺术批评家和建筑理论家约翰·拉斯金（1819—1900年）就这一问题作出最坚决的判断："水晶宫是本世纪国际大都会的大教堂。"【图7-26、图7-27】水晶宫是为举办1851年伦敦万国工业博览会而建［水晶宫这一名称源自《潘趣》（Punch）杂志一位漫画家的尖刻的嘲讽］，可以说是现代矛盾的典型的纪念碑，融合了物质主义与完美、沙文主义与国际性、标准化与超然等现代矛盾。水晶宫原计划只是充作实用性的临时装置。在这一层意义上，它为继后150年间的展览和世界博览会展厅提供了机械制造的原型（参见第

14章）。水晶宫忠于这一时代对实用性、实证主义和进步的信念，简直成为统计数字的大教堂：在海德公园占地18英亩，1,851英尺的长度正好也是其建造时代、建造时间，更确切地说，安装时间为6个月，使用10,000余个预制构件（玻璃板、空心铸铁圆柱、锻铁大梁、木质屋顶框架、地板）。1851年博览会最后一星期，日常人流量超过10万，这一数目接近水晶宫所展览的来自英国与其他欧洲各国及其殖民地的产品、机器、饰物、工业样品、科学标本、历史遗物等数量总和。

水晶宫的设计师约瑟夫·帕克斯顿（Joseph Paxton，1803—1865年）曾为查茨沃斯庄园（Chatsworth House）设计建造大温室，他的水晶宫设计胜过其他240份提案，赢得这一界定他的事业轨迹

的竞标。帕克斯顿的目标是创造前所未见的透明效果，同时确保广阔的展览空间，容纳拥挤的人流。工程、工业和科学的制造技巧似乎跟这座建筑所主宰的自然世界具有共同的外延。在水晶宫高耸的拱顶式耳堂内，包容着一棵巨大的古榆树。大梁涂饰明亮的原色，在视觉上跟变化的天气和光照相互映衬。当时盛行的彩色石刻版画描述了水晶宫的内部效果。据当时的新闻记者和旅行作家的描述，尽管水晶宫的构成部件具有机械的重复，整个建筑依然散发着一种无限感、超越理性和感知的理解能力。风景画家透纳（其晚期作品也是通过大气雾霭与折射光线捕捉类似的分解和脱离形体的效果）曾在现场观察仿照工厂生产线的搭建过程，逝世前不久，他在一封信中写道："水晶宫现身成它自己想要的形式和尺寸……如同一个巨人。"

图7-25：威廉·钱宁·巴洛 伦敦圣潘克拉斯站和宾馆：图中可见1868—1869年的火车机车库，位于乔治·吉尔伯特·斯科特爵士在1868—1879年间所设计的米德兰大酒店前身的左侧边缘。

图 7-26：欧文·琼斯 (Owen Jones) 伦敦水晶宫室内装潢配色设计，1850年。水彩

万国博览会的王室赞助者阿尔伯特亲王（Price Albert），如此宣告这项事业的惊人规模："无人会怀疑，我们正生活在最非凡的过渡时代，朝着所有历史指示的伟大目标而奋斗：全世界人类联合起来。"有些社会和政治观察者却怀疑这一普遍化的主张，质疑世界各国的民族和产品能否通过这类展览实现有意义的聚集。在万国博览会长达6个月展览期间，托马斯·卡莱尔笔耕不缀，嘲讽水晶宫为"玻璃肥皂泡""巨大

的鸟笼"。他的评论不太注重展览的本质及其工业崇拜，而是从社会学角度批评人群接受这些现象。卡莱尔认为，英国公众沦为"伸着脖子傻看的看客""无所事事的闲逛者"——一个被动的社会，欢快地没有意识到这类工程所需的无名的劳动和蓄意利用的权力。当然，普金也谴责了水晶宫。即使如此，普金还是毫不避讳地将他所设计的礼拜和装饰用品摆在了中世纪展厅展览。

图7-27：**约瑟夫·帕克斯顿** 伦敦海德公园水晶宫博览会，1851年。版画

拉斯金可能是为这场博览会及其展馆感到最头痛的人。他的建筑论文《建筑的七盏明灯》（*The Seven Lamps of Architecture*，1849年）、《威尼斯的石头》（*The Stone of Venice*，1851—1853年）以两大基本观点为中心：建筑若要美观又有意义，必须烙印着制造者个性化的物质痕迹，并且必须烙印着——在自然的帮助之下——历史和传统的伤痕。在现代社会，这些标准日益难以维持，几乎成为不可能。他安慰自己，说水晶宫根本不该被视为建筑。现代建筑和社会的所有方面，譬如预制的部件，抹除手工技术的不确定性，形式的几何规律性，魔术般地颠倒内部和外部，科学

和工业转化为国家荣誉的商品，国际大都会展览空间融汇非西方文化，这些都是拉斯金无法想象的现在和未来。至于小乔治·丹斯是否会视水晶宫为摆脱桎梏的建筑，他的答案无人能知。水晶宫推翻历史风格的传统界限，开始启动科技决定主义的原则，从而消除艺术与工业、建筑与机械之间的区别。拉斯金描述万国博览会及其后世的效仿者："摆脱了先例和记忆纠缠的麻痹，各个国家确实再没有其他任何感情，只有庆祝胜利的欢欣。"后一代的建筑师和建造商，须花费漫长的时间思索这一强大的真理：如何从遗忘的依赖中解放现代性。

## 问题讨论

1. 19世纪建筑的新形式提出哪些新需要、科技和发明？各列举两种，探讨它们在建筑方面的解决方案。

2. 何为环形监狱？在何地、如何使用？

3. 19世纪早期，哥特式为什么成为德国、英国和美国的建筑师和顾客的首选风格？讨论一个范例。

4. 讨论伦敦水晶宫的科技和社会意义。

第8章

# 旧世界与新世界：美国边疆的文化碰撞 1790—1900年

**弗兰西丝·K. 波尔**

## 导言

1941年，人类学家克劳德·列维-斯特劳斯（Claude Lévi-Strauss）描述他在纽约公共图书馆（New York Public Library）美国阅览室的奇特经历："新古典主义的拱廊之下，老橡木嵌板的墙壁之间，我坐在一个印第安人旁边，他戴着羽毛头饰，身穿装饰珠子的鹿皮夹克——手握派克钢笔写笔记。"让列维-斯特劳斯感到惊异的是这些意外的并列：羽毛头饰和新古典主义拱廊，装饰珠子的鹿皮夹克和派克钢笔，法国人类学家和美国原住民学者。在20世纪早些时期，美国摄影师爱德华·柯蒂斯（Edward Curtis）以不同的方式回应类似的并列：他修改了原住民的照片，删除诸如吊裤带、遮阳伞、闹钟等"杂质"。

自16世纪欧洲殖民地移民抵达，列维-斯特劳斯所惊异、柯蒂斯所删抹的这些并列，早已成为北美大陆居民的日常经验和文化表现的基本部分。在新世界，征服和控制北美洲原住民成为欧洲计划的主要项目。然而，征服和控制从未彻底地实现。原住民及其文化继续存在，不断地适应现状、改变自身，甚至对前来镇压和记录原住民文化（这两个过程通常相互伴随）的欧洲人反施自己的影响。

美洲原住民和欧洲美国人的形象艺术有许多形式，譬如，摄影、雕刻、石刻版画、素描、纺织品、绘画、雕塑。这些作品出现于不同的空间，诸如家庭、画廊、社区活动中心（通常是巡回展览的场地）、商业机构、政治档案、公共广场。特定形象的意义，通常取决于展览的场合和观众。譬如，一幅画挂在画廊里，被艺术批评家观看，其意义可能迥异于一个工人在杂志上看见这幅画的雕版插画。认可展示的场合和观众之于作品意义的影响，可以让我们更全面地理解19世纪形象艺术的广泛而多样化的影响。

19世纪出现的数以千计的艺术作品，体现了原住民与欧洲人的遭遇，本章只能涉及其中数个范例。然而，这些范例所提出的问题，也适用于这一主题的所有艺术作品，可以引导人们更清晰地意识到这一主题曾经（并继续）深刻地影响美国及其人民的主导观念。本章大多数作品并不是描绘我们通常所理解的暴力的碰撞——美国士兵杀害或拷打原住民或相反的情况，而是侧重于探讨白人艺术家绘制的美洲原住民肖像，或者原住民在村落或教室里的场景，旨在彰显这些貌似非暴力的遭遇实则也暗含强力的手段。这些作品揭露了用形象艺术和强力控制或镇压某些群体的社会体制。美洲原住民的艺术作品展现了创作者奋力抗拒自身的文化被灭绝的趋势，他们通过记录身边不断改变的世界，也是在抵制自己的文化仅被作为静态的人工制品放置在博物馆的命运。

## 边疆神话

据历史学家理查德·斯洛特金（Richard Slotkin）所说，边疆神话是美国最古老、最悠久的民族神话。自殖民时代以来，这个神话巩固着开辟进步、世界使命、反对黑暗和颠覆的永恒战争等宣传修辞。这一神话始于边疆生活的物质层面，但在人们早已脱离边疆的生存条件之后依然流传。1893年，历史学家弗雷德里克·杰克逊·特纳（Frederick Jackson Turner）在芝加哥举办的哥伦布纪念博览会的演讲中阐述了边疆神话的四大元素。在他看来，边疆或者"西部"，实则是美国的同义词。正是在这里，野蛮与文明不断地碰撞，并且得到化解；正是在这里，美国公民变得顽强、独立。欧洲人抵达太平洋海岸之时，边疆在实质上便已经消失。然而，特纳认为边疆在这个国家的性格中、在标志着国家精神的粗犷、好奇和进取的个人主义中继续存在流传。

据斯洛特金所说，边疆神话之所以作为美国历史记忆的首要结构流传至今，是因为它能用易懂的故事或流行词汇编译"历史教训"。因此，历史被成功地伪装为原型。美国的敌人变成"印第安人"、高贵或卑鄙的野蛮人，美国军队则披上"牛仔"的外套。牛仔和印第安人的故事充斥着大众媒体，诸如电影、电视、漫画书、小说，全国各地的儿童在游乐场和自家院里反复地模仿扮演。这个神话的力量如此巨大，假若有人质疑其"真实性"，便会被指责为"不是美国人"。然而，这些批评的挑战必须存在，以便澄清19世纪美国制造的成千上万个边疆形象所蕴含的复杂含意。

在19世纪，美洲原住民一直被表现为边疆的参与者。然而，在先前时期，他们被视为边疆本身，象征着需要驯化，需要成为"有产量"的荒野。这个地理的拟人形象——美洲原住民作为新世界——几乎总是体现为长着古典化面部特征的半身赤裸的"印第安女王"。自欧洲人抵达新世界以来，这个形象使被象征着整个新世界——北美、中美、南美。在18世纪晚期，初建的美国积极地寻找象征形象之时，"印第安女王"更是被推崇为美国的国家标志。奥古斯丁·迪普雷（Augustin Dupré）设计的外交勋章（1790年）【图8-1】就是这样的范例。在这枚勋章上，长翅膀的使者墨丘利（Mercury）象征欧洲（旧世界），作势欢迎象征美国的女性拟人形象——头戴羽饰，身穿半身裙（新世界）。她坐在一些包裹旁边，伸出右手指示这些

货物，左手托起盛满水果的丰饶角递给墨丘利。这组形象表示初创的美利坚合众国拿出食物和原材料，交换欧洲的制造产品。前景放置一只铁锚，呼应墨丘利身后的航船，以便更清晰地将女性形象左侧的包裹与欧洲相关联。最后，下方的纪念日期（1776年7月4日）表明这位女性象征美国，而不是整个新世界，硬币上方刻有半圈文字——"致和平与贸易"。

在19世纪初期，另一更强调"希腊化"的形象取代"印第安女王"，如这幅出自1804年的作者不详的雕版画《美洲》（America）【图8-2】。形似古希腊女性服饰的简单连衣裙，取代外交勋章上女性祖露的胸脯和羽饰长裙，但这位希腊式女性也具有清晰的当代特征。19世纪早期，女性服饰设计师，尤其是法国的设计师，通常以希腊世界为灵感源泉。美洲女神的肩头披着一件精致的斗篷，左臂握着一根长杆，杆头挑起一顶自由帽。这顶帽子同时指涉1776年的美国革命和1789年的法国大革命。确实，我们简直可以想象她要去巴黎参加为拿破仑·波拿巴举办的舞会。在这幅版画创作的同一年，拿破仑举行登基典礼，结束了（至少暂时地）法国大革命带来的共和统治的政治实验。

这幅版画的题名也许表示这位女性象征着整个新世界。然而，自由帽和盾牌（装饰着新的国家标志美

图8-2：作者不详《美洲》，雕版画，出自《四大洲》（The Four Continents），1804年。美柔汀铜版画

的印第安女王，而她既象征旧世界（古典化的面貌特征），也象征新世界（羽毛裙和头饰）。墨丘利和印第安女王都处于水平线构图之内，体现为彼此独立；两者尺寸大约相同，位于同一高度；两者都具有"高贵化"的古典特征。新世界被体现为女性，象征土地或自然；旧世界被体现为男性，将女性所提供的自然成果转化为文化产物和人工制品。

在版画《美洲》里，欧裔美国人与美洲原住民之间的关系不再是外交关系，而是国内关系；两者是主子和随从，而不是平等者。构图也是等级化，在三角形构图里，原住民形象位于底部，三角形顶端是美国女神的头部；原住民儿童身高仅及女神的半身，他的身体倚向女神，抬头仰望；美国女神则笔直挺立，目光远望。就肤色和装束而言，原住民形象与土地赋有更密切的关联，在构图上跟美国女神右侧的猎驼鹿场景形成呼应（在外交勋章上，这是航船的位置，这里再次构成国内生产和外贸的对比）。原住民的形象没有清晰的性别特征，只是一个孩子，须得到美国母亲和欧裔美国人政府盾牌的保护。事实上，孩子的深色皮肤、卷曲的短发和宽阔的五官特征既似原住民，又似非洲人。非洲逃奴常在原住民社区找到庇护。奴隶也被以同样的艺术手法体现为婴孩，依赖于欧裔美国人，即便在19世纪60年代美国内战终结奴隶制之后，这种艺术手法依然盛行（参见第9章）。

19世纪早期，美国的代言人开始将美国宣传为新兴的古希腊民主国家或古罗马共和国，美洲原住民愈发淡出美国重要的象征形象，国家的象征愈发古典化。叙事绘画大体上顺应这一趋势。1804年，约翰·范德林的油画《简·麦克瑞之死》（Death of Jane McCrae）【图8-3】，描绘了两名莫霍克族武士准备剥下年轻的殖民者简·麦克瑞的头皮，便是运用古典化手法表现他们的体格和姿势。这幅作品的委托者是杰斐逊总统派驻法国特使乔尔·巴洛（Joel Barlow），他创作的一部以反英国为题材的史诗《哥伦比亚》（Columbiad）纪念了油画中所描绘的这一事件。这桩事件据称发生在美国革命期间，英国军队雇佣莫霍克人，帮助他们打败反叛的美国殖民者。当时，麦克瑞和她的兄弟住在一起，她违背兄弟的意愿，前去投奔英国军队里的未婚夫。在找到未婚夫之前，她被两名莫霍克人杀害。在这幅作品里，麦克瑞既是一个历史人物，也是一个符号，象征着殖民女性和整个美国。

国鹰，鹰胸前挂一枚镌有星条国旗的勋章）令这个形象成为专属美国的象征。她与新世界原住民的关联没有完全消失，但原住民仅体现为跟随她的一名儿童。外交勋章上的女性的羽饰和裙子被转移到小孩身上。这幅版画的女性头上插有两支羽毛，但这些羽毛更是一种时尚装饰，而不是种族的标志。

艺术史家芭芭拉·格罗斯克罗斯（Barbara Groseclose）认为，《美洲》从具有鲜明原住民特征的重要女性象征到从属地位的儿童形象这一转变，对应于19世纪美洲原住民被迫依赖美国联邦政府的生存条件。而今，原住民的面貌特征或衣饰被称为"条件，而不是地理；是种族，而不是地方"。这一转变彰显于版画中孩童被安排在盾牌后面的构图，并让孩童用仰慕的目光注视美国女神。假若比较外交勋章和《美洲》版画的构图，就能更清晰体现孩子的恭顺。在外交勋章上，美国与欧洲之间的关系被体现为平等者之间的礼物交换：墨丘利拿出欧洲的权力，献给宝座上

图8-3：约翰·范德林
《简·麦克瑞之死》，
1804年。布面油画，
82.5厘米×67.3厘米

美国政府屠杀原住民的一大理由，就是因为他们对殖民女性、从而便对整个美国的未来构成可怕的威胁。

　　运用殖民女性象征殖民事业的脆弱性这一手法，尤其体现于原住民俘虏欧洲人的叙事记载。这类书面故事最早出现在17世纪末以及18世纪晚期的版画和范德林等人的绘画作品中。19世纪初，最受欢迎的俘虏故事以男性原住民为掠夺者，欧洲女性为俘虏。然而，这类故事不能简单地诠释为17世纪和18世纪的

俘虏历史记载。譬如，这些故事从未表明在英国殖民边疆上，包括男性、女性、儿童的原住民构成了最庞大的俘虏群体，也从未曾透露这些原住民俘虏遭受残酷的折磨，丝毫不亚于白人所讲述的俘虏故事。

　　欧洲人被原住民俘虏的故事，实则是有意识地构造的叙事，旨在推进制造或宣传这些故事的英国殖民者的利益。正如人类学家宝琳·特纳·斯特恩（Pauline Turner Strong）所指出，殖民牧师（通常是这类故事

的编辑或作者）所宣扬的俘虏叙事，"女性俘虏代表英国殖民地在新世界的脆弱性，在那里，她们被野蛮和邪恶的荒野力量所掠夺，这些力量摧毁了驯化和文明的秩序，令殖民地沦为牺牲品，并被诱奸或吞噬"。

范德林的作品形象地描绘了原住民男性作为邪恶的力量与欧洲女性作为脆弱的俘虏之间的对立。然而，这幅绘画也揭示吸引与憎恨的复杂关系，这种关系体现于欧裔美国人以美洲原住民为题材的无数绘画作品，也见于一些俘虏故事的书面记载。19世纪早期记录男性俘虏的文献，譬如，丹尼尔·布恩（Daniel Boone）的故事讲述欧洲美国男性在原住民中间的经历既让他们变得坚韧，也让他们更健壮，更有男子气概。当然，这些男性回归自己人中间后愈发意识到自己所经历的转变。然而，并非每个人都想回去。约翰·威廉姆斯（John Williams）神父记载本人和家人在1704年的被俘经历。他写道，他和家人被释放以后，他未能"收回"他的女儿尤妮丝（Eunice）。尤妮丝被俘之时只有7岁，最后跟被法国耶稣会士劝服皈依天主教的莫霍克人成婚，终身生活在卡纳瓦加居留地（Caughnawaga）。因此，对她的家人来说，她是双重的损失——失给天主教和莫霍克族男性。

当时有无数传说，讲述通过神圣干预（范德林的作品则是通过死亡）拯救女性脱离美洲原住民的邪恶力量。于是，尤妮丝的故事很快便被淹没。范德林的莫霍克族武士是可怕的野蛮人，威胁着"诱奸或吞噬"简·麦克瑞。原住民男性的魅力或"诱惑"体现于画面的性感、男子强壮的体格、屈膝求饶的简·麦克瑞几乎袒露的胸脯。这些元素，再加上即将砍落的印第安战斧，既激怒和刺激（在两性的意义上），同时又威胁白人的心灵，包括购买门票参观范德林为这幅作品所举办的展览的男女观众，以及纽约、巴尔的摩、新奥尔良等美国各城市的观众。范德林似乎刻意强调原住民男性的力量，将麦克瑞的未婚夫这位欧洲男性体现为细弱的形象，他位于右侧背景，正徒劳地奔向情人。范德林刻意将他的红色英国军装替换为大陆军的蓝军装，以便让观者忽略简·麦克瑞不爱祖国的意图——跑去投奔敌营的情人。

在19世纪，原住民不再被当作国家的象征符号。然而，在文学和绘画表现里，他们依然被密切地关联到这片土地——欧洲人分外眼热的土地。自从欧洲人抵达新世界，殖民定居者便相信，他们的繁荣和新生活的契机就在于获得更多更多的土地。然而，他们渴望得到的土地早已有人定居，并且那些人共同享有土地，而不是私占。原住民不似欧洲人采用高强度的耕作或开矿，也不要求土地提供超过部落生存必需的出产。欧洲人认为这种集体所有和生产效率低下是一种未开化状态。在19世纪晚期，甚至视之为共产主义。美国物质成就的重要部分便是通过强迫美洲原住民迁移，驯服与开化原住民和土地，这一过程也印证了美国作为国家的存在本身，实则依赖于私有制和个人的权利——尤其是剥削土地的权利。

在19世纪大半时间里，密西西比河以西是最肥沃、依然未被欧洲殖民者及其后代剥削的土地。人们听到"西部"之时，脑海里通常浮现的就是这片地区。伊曼努埃尔·洛伊茨（Emmanuel Leutze，1816—1868年）的油画作品《帝国的道路向西》（Westward the Course of Empire Takes its Way），也称《西去，嗬！》（Westward Ho!）【图8-4】，在1861年完成，用于装饰华盛顿哥伦比亚特区的国会大厦。洛伊茨出生于德国，在美国成长，从1841—1859年在德国的杜塞尔多夫（Dusseldorf）学习和工作。1854年，有关人士与他接洽装饰国会大厦的可能项目。洛伊茨这幅作品的题名源自爱尔兰理想主义哲学家乔治·贝克莱主教（Bishop George Berkeley）的一首诗歌，诗题为《歌颂在美洲传播艺术和教育前景的韵诗》（Verses on the Prospect of Planting Arts and Learning in America，1752年）。1726年，贝克莱想在百慕大（Bermuda）创办一所实验性学院，教导美洲原住民皈依基督教。这首诗便是因此有感而发，最后一节诗写道：

> 帝国的道路朝向西方，
> 四场第一幕已经过去，
> 第五场在落日前终结这场戏；
> 最后是时间最高贵的后裔。

洛伊茨的作品挂在国会大厦，传达着欧洲殖民者的信念。他们从16世纪以来便抱持这份信念，自以为担负着基督徒扩张疆域的、权力的神圣职责和不可剥夺的义务。在19世纪，美国人将这份信念编造为"昭昭天命"的主张，为征服和殖民西部边疆作出正义的辩护。在触及新世界的最后一个边疆之时，欧洲美国人终于将文明的进程推至极限。

图8-4：伊曼努埃尔·洛伊茨《帝国的道路向西》/《西去，嗬！》，1861年。布面油画，84.5厘米×110.2厘米

在洛伊茨的《帝国的道路向西》，画面中心的被阳光晒白的骨骸、葬礼的场景，见证了拓荒者穿越广袤的土地所经受的苦难。积雪覆盖的巍峨山脉、辽阔的高原、金门湾、旧金山港，都呈现这片土地的力量和美丽。穿越北美大陆的旅途势必遭遇无数曾被反复书写的苦难，洛伊茨却只选择其中一桩，轻描淡写地描绘美洲原住民攻袭的场景。画中只有两处指涉这类攻击：前景中央的年轻男子包扎着头部，驱赶第一辆牛车的男孩握着弓箭（没有出现在早期的研究习作中）。洛伊茨将原住民安排在构图边缘，与野兽一起缠绕在画框镶边的植物藤蔓中间——野兽和原住民，以及这片土地本身，都必须被征服和驯化。于是，在实际和象征的双重意义上，美洲原住民被边缘化，贬抑为美国拓荒者英雄业绩的框架手法。

此外，画框的镶边包含一些圆雕图案，绘有摩西（Moces）、手捧迦南（Canaan）水果的以实各谷（Eshcol）的间谍、赫拉克勒斯（Hercules）。然而，这些旧世界的形象并不是作为原住民的对应，甚至并不占据同一个世界。它们自成独立的世界，位于圆雕图案的花叶边饰之内，完全而不似原住民和野蛮那般被藤蔓缠绕。这些旧世界的男性形象是为了巩固中心场景的神圣意义和重要地位。美国殖民者与这些旧世界的男性一样，登上充满磨练和苦难的探索征途。

## 画家调色盘里的污渍：查尔斯·比尔德·金和乔治·卡特林

在洛伊茨为《帝国的道路向西》所绘制的研究习作里，另有一处指涉美洲原住民的生活【图8-4】。那就是探险家威廉·克拉克（William Clark）的圆雕形肖像画。在画面左侧的肖像画里，丹尼尔·布恩身穿特征清晰的欧洲服饰。右边克拉克的肖像画却截然不同，他身穿鹿皮夹克外套，佩戴兽皮头饰，都是一眼便可辨识的美洲原住民服饰。在最后的作品里，这些圆雕形肖像转移到底部两侧边框位置，底部的边框则描绘采矿、农业、狩猎等将荒野转化为文明的高效率劳动。

在19世纪，白人男性打扮为美洲原住民的做法并不罕见。似克拉克这样的探险家，穿戴美洲原住民服饰，学习美洲原住民的生活方式，通常是他们生存的基本要求。至于生活在城市的白人男性，他们穿戴美洲原住民服饰，通常是为了象征性地表达他们对政府扩张主义政策所造成的物质后果的不满，譬如政府屠戮原住民部落，彻底摧毁他们赖以生存的森林，甚或抗议进步这一概念本身。这种不满的形式在19世纪很多戏剧里真实地上演，譬如约翰·奥古斯都·斯通（John Augustus Stone）的《麦塔莫拉或最后的万帕诺亚格族人：关于印第安人的五幕悲剧》（*Metamora: or, The Last of the Wampanoags; An Indian Tragedy in Five Acts*，1828年）。在这部悲剧里，美洲原住民被表现为属于城市发展和工业化以前的纯真和高贵的时代。如前所述，原住民生活也代表着——因为很多男性而今也被卷入城市职业——更赋有"男子气概"的环境。

　　然而，有些白人男子不肯只满足于穿戴美洲原住民的服饰，他们还要重新替原住民装扮，通过形象界定何为真正的或者看似"印第安人"。查尔斯·比尔德·金（Charles Bird King，1785—1862年）、乔治·卡特林（George Catlin，1796—1872年）就是这类人物。至于这两位画家的作品，我们只能放在19世纪上半叶美国政府针对美洲原住民的官方政策和行动的背景之下才能理解。1803年，杰斐逊总统与法国签署协议，以1500万美元购买路易斯安那（Louisiana）。这片土地从密西西比河绵延至洛基山脉，从墨西哥湾至英属北美，从而令美国的领土增加两倍。然而，这片土地上有无数美洲原住民。因此，美国印第安政策的首要目标便是撤离这些居民。在不能靠条约或贸易解决的地方，政府就诉诸于武器或疾病。政府官员的声明进一步地推动迁移原住民的行动。美国人宣称这些部落注定要毁灭，这并不是因为美国政府的行动，而是因为他们天生是低等生灵，劫数注定如此。此时期的大众文学充满以"最后的印第安人"为题材的故事，讲述高贵的野蛮人由于文明必然的进步，自动放弃自己的领地。

　　1824年，美国战争部长宣布，印第安人作为一个种族已濒临灭绝，尽管他们的人口实际上依然相当庞大。听到这个宣告，很多艺术家便急忙去描绘美洲原

图8-5：查尔斯·比尔德·金《年轻的奥马哈、战鹰、小密苏里、两个波尼族人》（*Young Omahaw, War Eagle, Little Missouri, and Pawnees*），1822年。布面油画，71.1厘米×91.8厘米

住民的最后一代人。1856年，艺术杂志《蜡笔》(The Crayon)的编辑如此写道：

> 我们以为印第安人未曾在美国艺术里得到应有的重视……我们必须负责任地纪念这个种族即将在地球上消逝的事实……这个种族专注地保持安静的尊严、勇敢、坦率，他们格外地诚实，总是无比地勤恳，迥异于其他已知的野蛮人。因此，为了正义之故，请允许我们时或表现他们的形象吧。

政府也鼓励此类艺术表现，委托查尔斯·比尔德·金等艺术家描绘原住民部落首领的肖像画。金先后在伦敦皇家艺术学院、本杰明·韦斯特为美国侨民画家开设的画室学习，在1812年归返美国。1819年，他在华盛顿开设肖像画室，在1821—1842年间，完成近143幅美洲原住民的肖像画。在19世纪20年代至30年代，很多原住民部落代表团来到首都，与美国政府谈判、签定条约，为西部的扩张转让土地所有权，因此，金得以在华盛顿舒适的画室里记录原住民的形象，捕捉边疆的生活经验。代表团的成员通常为这些画像当模特，最后的作品被战争部收藏，或者出售给私人画廊。因此，这些肖像画成为一种文献，记载了土地所有权从原住民部落转移到联邦政府的"合法"让渡。这一让渡标志着野蛮边疆开化的起点。

在这类最早的肖像画中间，有一幅是金在1822年绘制的《年轻的奥马哈、战鹰、小密苏里、两个波尼族人》【图8-5】。正如作品的题名所示，这幅肖像画描绘5个相貌不同的男子，但他们之间具有惊人的相似之处。艺术史家茱莉·舒密尔（Julie Schimmel）认为，这些男子的相貌都是依据两位波尼族首领，一位是波尼狼族的首领佩塔勒沙罗（Petalesharro），另一位是波尼族共和国的首领佩斯克勒查可（Peskelechaco）。1821年，这两位首领与部落代表团访问华盛顿之时，金为他们绘制肖像画。金可能想强调他们的高贵，便选择牺牲个人特征，虚构一种拼凑的面貌，希望博得白人观众的同情。英国旅行家威廉·弗克斯（William Faux）也在华盛顿亲眼看到这个代表团，将这个类型化的面孔诠释为古罗马人。弗克斯指出，所有男性都是"体格强壮，肌肉发达，神情优雅明朗，高贵的罗马鼻梁，仪态庄重，举止从容安详"。罗马鼻子和战鹰胸前佩戴的和平勋章强调五人的高贵和"从容安详"，但他们的脸彩、首饰、发式、印第安战棍（刀尖不祥地瞄准战鹰的脖颈）却表明他们的差异，以及归根结底的野蛮本性。印第安人只能抛弃这些差异性，采用文明的标志——欧裔美国人的服饰和举止——才能够得到生存。

19世纪中叶的观众将金这幅群像画的服饰、脸彩和发式诠释为"高贵的野蛮人"。20世纪后期的学者则开始将这些特征视为线索，用以理解很多美洲原住民部落所使用的复杂的形象语言。面部的彩绘图案关涉特定的宗教仪式，通常表示一种个人的治疗和护佑。水牛袍的披穿方式也包含特殊的含意。现已识辨9种传递信息的披袍方式，其中2种袒露一只肩膀的方式，可能表示求爱或者警告。在奥马哈族和波尼族人中间，发式表示部落的隶属关系。美国政府颁发的和平勋章，通常被视为珍贵的财产和地位的象征。因此，尽管有些当代艺术史家质疑金的肖像画是否包含这五人的准确的面貌特征，但也有些学者认为这幅作品为一个历史谜团提供了宝贵的信息。当代学者重构这个历史的谜团，企图理解19世纪原住民文化的动态，纵然只能经由19世纪和20世纪欧裔美国人的过滤。

1830年，安德鲁·杰克逊任总统两年之后，在国会通过《印第安人迁移法》(Indian Removal Bill)。至1838年，7万美洲原住民被迫撤离密西西比河以东的家园，迁入河西的平原地区，尽管先前所签署的协议保证他们享有土地所有权。成千上万人在被迫的迁徙途中死亡。19世纪30年代早期，佐治亚州长辩护这一撤离行动，形容切罗基族是"无知、不可教化的野蛮人"，必须让出"造物主指令"属于"开化"民族的土地。这一宗教辩解成为"昭昭天命"意识形态的道德基础，在欧裔美国人压迫原住民之时被反复引用。白种欧洲人是上帝选中的民族，美洲原住民是异教野蛮人，是改变了信仰或已被摧毁的恶魔的代理。

然而，由于切罗基族极其成功地采用欧洲文明的标志，从而越发加深美国人对切罗基族的敌意。1825年，佐治亚州在切罗基族进行统计调查，发现原住民竟然拥有33座磨坊，13座锯木坊，69家铁匠铺，2486架纺车，2923张犁。这些数字在较挫败的美国人邻居心里点燃炉火。有些富裕的切罗基族人从事非洲奴隶贸易。譬如，据历史学家提亚·迈尔斯（Tiya Miles）和詹姆斯·范恩（James Vann）所说，19世纪早期，切罗基族最富有者，在佐治亚州斯普林普莱斯（Spring Place）拥有庞大的种植园，庄园内有近100名非洲奴隶，还有一座宅第，周围环绕着拥挤的奴隶工坊。

因此，在争取国家独立的奋斗过程中，美洲原住民不光是野蛮与文明之间必然发生的冲突的视觉形象，事实上，他们主动地质疑这些观念本身。就切罗基族来说，他们采用欧洲美国人的农业技术，包括奴隶制，仿照美国宪法以书面文字表达自身对公民权利和国家独立主权的要求。然而，他们终究不够强大，难以抵挡美国政府强加的西迁政策。

乔治·卡特林与查尔斯·比尔德·金不同，并没有在首都等候美洲原住民上门找他绘制画像。1830年，他放弃在华盛顿和费城的成功的肖像画事业，前往边疆城市圣路易斯。此后6年间，他5次进入密西西比河以西的土地。1832年，他如此解释自己何以想要描绘美洲原住民生活：

> 过去数年间，我一直在思索红色人种这一高贵的种族，而今他们分布在人迹罕至的森林、无垠的草原，在文明的脚步之下逐渐消失。他们的权利被侵犯，他们的道德被腐化，他们的土地被攫夺，他们的习俗被更改，从而永远在这个世界遗失。他们最终沉没进入大地，铁犁翻转他们墓地的草皮，我飞来挽救他们——不是挽救他们的性命或种族（因为他们注定灭亡，必须消失），而是挽救他们的面貌和风尚。无论这个贪婪的世界如何地毒害，如何摧残，把他们踩踏，把他们碾死，然而，犹如凤凰，他们会从"一个画家的调色盘的污渍之中"重生，在画布上复活，在未来的无数世纪间挺立，一个高贵种族的鲜活的丰碑。

卡特林虽同情美洲原住民，但他依然相信他们"注定灭亡，必须消失"。他并不企图拯救"他们的性命或种族"，而只是想保存"他们的面貌和风尚"。美洲原住民只能在一个白人艺术家所构造的形象里存活。卡特林的行为属于人类学家雷纳多·罗萨多（Renato Rosaldo）所形容的"帝国主义者的怀旧情怀"，向往一种本人直接或间接参与摧毁的东西，

在"可悲又必然的"种族摧毁之下保存被灭绝种族的"面貌和风尚"。

卡特林绘制了500余幅美洲原住民生活的作品，譬如1832年的《最后的赛跑，奥基帕仪式之一》（曼丹族）（Last Race, Part of Okipa Ceremony）【图8-8】、1834年的《部落大首领克莱蒙》（欧塞奇族）Clermont, First Chief of the Tribe）。他将自己的绘画作品，以及所收集的原住民服饰和物件，策划为"印第安画廊"，从1837—1840在美国巡回展览，并在19世纪40年代到伦敦和巴黎展览。1837年，卡特林的巡回展览开始那一年，他所挽救"面貌和风尚"的曼丹族几乎全部死于天花瘟疫。卡特林的父亲在信中告诉儿子，这桩事件将会极大增加他这些作品的价值和重要性，因为它们是一个曾经辉煌的部落为数不多的遗物之一。美洲原住民部落的灭绝预言似乎就要应验。

卡特林的"印第安画廊"在欧洲大获成功，部分是因为卡特林所展览的东西，更进一步地印证早已确定的观念：美洲原住民是"高贵的野蛮人"。英国诗人和戏剧家约翰·德莱顿（John Dryden）在1670年创作一部以新世界为题材的戏剧，戏名为《格拉纳达的征服》（The Conquest of Granada）。德莱顿在剧中最早使用"高贵的野蛮人"这一说法："我因自己为自然最早创造的人类而自由，在奴隶的卑劣的法律开始之前，高贵的野蛮人在森林里纵情奔跑。"在18世纪，卢梭、伏尔泰等法国启蒙思想家批判眼前所谓的当代法国的道德和习俗的败坏堕落，再度倡导"高贵的野蛮人"这一观念，作为一种可取的生存条件。相较于早期欧洲人较笼统的"高贵的野蛮人"的文学表现，卡特林的作品更为具体化。然而，他的作品依然能够汇入较宏大的理论探讨，表明"纯真"或"纯洁"虽难能可贵，却依然只是属于不可能重现的过去。

因此，尽管卡特林企图准确地在帆布或纸上复现眼前所见的东西，但他所描绘的美洲原住民生活，却是经过他本人与观看者的反复过滤，通过歌颂"高贵的野蛮人"这一理想观念的"帝国主义者的怀旧情怀"的视镜去观看。1841年，卡特林在伦敦出版回忆录《通信与笔记……》（Letters and Notes…）。这部回忆录的卷首插画彰显了他篡改场景或构图的刻意谋划【图8-6】。这幅插画下方的说明文字写道："作者在洛基山脚为一位部落首领绘制画像"。在回忆录正文，卡特林描述这一场景，提及他在室内为曼丹部落

第二大首领马托托帕（Mah-To-Toh-Pa，卷首插画里的人物）绘制肖像画，马托托帕腰扎皮带，插一把印第安战斧和剥头皮的尖刀，佩戴熊掌项链，周围环绕着妇女儿童。卷首插画（以及仅包含这个人物的其他绘画作品）删除所有这些配件，绘画场景转移到室外，人群背面增添两个圆锥形帐篷。

这些修改有何重大意味？又是如何改变这个形象的含意？删除部落首领作为武士和精神领袖的权威象征——印第安战斧、剥头皮的尖刀、熊掌项链——便是令他在画内的卡特林本人和回忆录的读者面前失去威力。将场景转移到室外，画家便可随意增添围观人群，让更多人见证自己记录曼丹部落首领的面貌的场景。这个庞大的人群，除了原本的妇女儿童，再增添男性，从而越发证明画像事件的重要性和卡特林的艺术造诣。围观者面露敬畏和惊异，不但证实了卡特林作为艺术家的成就，也见证了欧洲艺术模仿的伟大。在卡特林的画中，曼丹族人将画家在画布上描绘部落首领的形象的能力视为施行魔法。卡特林效仿新古典主义者约翰·斐拉克曼（斐拉克曼采用希腊陶器绘画风格的素描，通常被称为"新原始主义"），将人物简化为平面，但他的中心人物依然较为立体，不似锥形帐篷上曼丹族艺术家所绘的简笔画。

在回忆录里，卡特林谈及他很熟悉曼丹族的绘画艺术。马托托帕赠予他一件彩绘水牛袍复制品，袍上描绘他的战斗功绩。这件水牛袍现今下落不明，但另有一件袍子（1837年收藏）【图8-7】近似卡特林的文字和图画所描绘的那件赠礼。袍上的马匹和人物都是平面图案，极其形式化。然而，相比卡特林在帐篷上所绘的简笔画，这些形象的描绘手法相当精湛。三角形的身躯和正面头部，近似早在1805年探险家路易斯（Lewis）和克拉克赠予杰斐逊总统的曼丹族水牛袍。在杰斐逊总统得到的水牛袍上，曼丹族艺术家描绘人兽身躯的笔法更笃定，装饰纹案绘制得更精巧。在19世纪，北美大平原上很多艺术家继续发扬这一叙事艺术形式，将它当作书面交流的工具，在观察卡特林等白人艺术家的作品之时积累知识，融入自己的创作，同时保持自身独特的风格和图案象征。19世纪中叶，由于纸业贸易和新的颜料迅速传入，原住民艺术形式的物质材料经历急剧的变化。下文将详细地探讨新创作的数个范例。

卡特林在卷页插画增添锥形帐篷这一手法，委实

The Author painting a Chief at the base of the Rocky Mountains

让人不得其解，因为他明知曼丹族的独特建筑是圆球体土质结构的住宅，并且这一建筑形式出现在他的绘画作品《最后的赛跑，奥基帕仪式之一》【图8-8】。卡特林使用锥形帐篷，也许是出于构图的缘故。画面中央的帐篷体现美洲原住民的形象，也能连接画内的两位中心人物——卡特林和马托托帕。帐篷两侧的线条贯穿二人的头顶，将他们锚定在金字塔构图内，暗示二人的平等地位。两人中间的画架呼应帐篷的外形，愈发强调帐篷表面的简笔画与画架上肖像画之间的对照，也即曼丹族人"孩童般地"记载持枪行凶的事迹与欧洲人歌颂高贵品格之间的对照。艺术史家凯特琳·海特（Kathryn Hight）指出，卡特林将曼丹族人放置在属于平原游牧部落的锥形帐篷前面，而不采用农耕的曼丹族定居的真实建筑，这一处理手法表

明，他实则是在参与制造美洲原住民的大众化观念。尽管卡特林声称记录这些美洲原住民的特性，制造这类大众化观念，却是抹杀各部落之间的差异和特性（锥形帐篷很快成为"印第安人"的标志）。

稍后时期，卡特林依据回忆录的卷首插画绘制了一幅油画，题名为《卡特林为曼丹首领马托托帕画像》（*Catlin Painting the Portrait of Mah-To-Toh-Pa—Mandan*）【图8-9】。卷首插画与这幅油画作品形成饶有深意的对比。在油画里，卡特林删除锥形帐篷，把马托托帕移得更靠近画面中心，并在他身后增添曼丹族的人数。他用树枝扎起一个简易画架，形似锥形帐篷的结构支撑，取代卷首插画里的欧洲画架。此外，他将帆布简陋地固定在框架上，如同帐篷上覆盖松散的兽皮。如此之下，卷首插画的锥形帐篷与画架在油画里合二为一。

这些改变都在强调曼丹族首领在构图上的中心地位以及曼丹族与自然的关联，并且将艺术家卡特林清晰地置于曼丹族的世界。作为回忆录的卷首插画，画面当然更应该强调艺术家本人及其作为美洲原住民画家的身份。在"印第安画廊"系列中，鉴于卡特林声称要重新创造美洲原住民部落的"面貌和风尚"，观众自然更想看到马托托帕的面容和特征，在具体的自然环境中看到曼丹族文化，因此，他的油画作品便着重强调原住民文化。然而，即便在《卡特林为曼丹首领马托托帕画像》，作为艺术家和创造者的卡特林依然拥有强大的在场感，甚至可能超过回忆录的卷首插画，因为在这幅绘画里，卡特林将本人表现为正在重新描绘"印第安"锥形帐篷，重新定义曼丹族首领和艺术形象在曼丹族文化里的重要地位。

## 其他表现方式：摄影和账簿艺术

乔治·卡特林和查尔斯·比尔德·金用颜料构造他们所谓的美洲原住民形象，另有一些艺术家则采用一种迥异的媒介，那就是摄影。他们宣称这种媒介虽只有黑白两色，却能更准确地传递边疆的面貌。相比查尔斯·比尔德·金的《萨克族基首领奥库克》（*Keokuk, Sac*）又名《警惕的狐狸》（*Watchful Fox*，1827年）【图8-10】和托马斯·伊斯特莱（Thomas Easterly）的《基奥库克》（*Keokuk*）或《警惕的狐狸》（*the Watchful Fox*，1847年）【图8-11】，便可看出摄影肖像和绘画肖像之间的区别。

萨克族的基奥库克以外交能力著称，擅长与政府官员谈判。1837年，他成功地为索克（Sauk）和狐狸（Fox）两个部落维护爱荷华州的土地所有权，驳倒苏

**图8-7**：曼丹族水牛皮长袍，收集于1837年。宽210厘米

图8-8：乔治·卡特林
《最后的赛跑，奥基帕仪
式之一 》，1841年。布
面油画，58.8厘米×71.3
厘米

图8-9左：乔治·卡特
林《卡特林为曼丹首领
马托托帕绘制画像 》，
1861—1869年。板上油
画，47厘米×62.3厘米

族（Sioux）的反诉。早在1824年，基奥库克与索克族、狐狸族、爱荷华族、皮安卡肖族（Piankashaw）首领代表团来到华盛顿。访问期间，金为他描绘肖像画。1827年，金绘制这幅画像的复件，即《萨克族首领基奥库克》（《警惕的狐狸》）。从这幅肖像画可以看出，艺术家全然依赖欧洲肖像画的传统。基奥库克仪态从容，面露一丝微笑，视线落在画框之外。背景的树木和天空——英国肖像画常见的安排——把这位部落首领置于轮廓模糊的风景，掩盖了金在画室绘

制的事实。观者的视线在基奥库克的身上游移，时或凝神观看彩色的首饰和羽毛，或者颈项佩戴的和平勋章。观者/画家和模特之间似乎达成共识：基奥库克似乎甘愿袒露自己，供人观赏。

伊斯特莱为基奥库克拍摄的照片则截然相反。在摄影照片里，对抗取代共识。尽管基奥库克本人的在场感让观者备感震慑，基奥库克的姿态僵硬，身处单调的室内空间，目光直视前方，迫使观者承认模特硬摆姿势供人拍摄的人为状态。查尔斯·比尔德·金的绘

图8-10：查尔斯·比尔德·金《萨克族首领基奥库克》（《警惕的狐狸》），1827年。板上油画，44.4厘米×34.9厘米

图8-11：托马斯·伊斯特莱《基奥库克》(《警惕的狐狸》)，1847年。银版摄影，23厘米×31.2厘米

画作品可以作伤感或浪漫的处理，从而可以在观者和对象之间营造让人感觉安稳的距离；伊斯特莱的摄影作品，正如19世纪中叶的许多摄影作品，却不能做到这一点。相反地，伊斯特莱的作品以黑白两色呈现冷漠的面孔，人物细节清晰，但在情感上难以接近。这幅照片捕捉了白人摄影师与美洲原住民部落首领之间暗藏的根深蒂固的敌意。基奥库克的形象拘限于摄影相框之内，可以视为象征着他的部落被囚禁在保留地（如前所述，征服和记录通常携手并进）。

在伊斯特莱的摄影作品里，年迈的基奥库克身躯肥硕，与金的肖像画里少年身材的年轻人形成对照。我们难以想见画像中的基奥库克确实是人种学家亨利·罗韦·斯库尔克拉夫特（Henry Rowe Schoolcraft）所描述的那位原住民部落首领。1825年，斯库尔克拉

CUSTER'S INDIAN SCOUTS CELEBRATING THE VICTORY OVER BLACK KETTLE.—[SKETCHED BY THEO. R. DAVIS.]

### THE INDIAN WAR.

The Indian Peace Commission of 1867 accomplished greater harm than benefit. Treaties were entered into with the Cheyennes, Arrapahoes, Kiowas, Comanches, and at the recommendation of the Commission the Powder River country was abandoned. This latter action was construed as the result of timidity on the part of the Government, and immediately the Sioux extended their depredations to the Pacific Railroad, on the Platte, while the Indians south of the Arkansas attempted to drive the whites out of the Smoky Hill country.

Last August the Cheyennes took the war-path, and the valleys of the Saline and Solomon rivers became the theatre of a relentless savage war. It was at first supposed that the Cheyennes were about to attack a hostile tribe, but soon the mask was laid aside, and in less than a month one hundred whites fell victims to the tomahawk and scalping-knife. The chiefs of the Arrapahoes had promised to

THE SCALPED HUNTER.—[PHOTOGRAPHED BY WM. S. SOULE.]

proceed to Fort Cobb and get their annuities, and thence withdraw to their reservation. Instead of fulfilling their promises, they began a series of depredations on the line between Fort Wallace and Denver, in Colorado Territory. The Kiowas and Comanches about the same time entered into an agreement at Fort Zarah to remain at peace, and left with that impression fixed on the minds of those who represented the Government. The next information was that the Kiowas and Comanches had joined the Cheyennes and Arrapahoes, General SHERIDAN, taking the practical view of the condition of affairs within the limits of his department, at once transferred his head-quarters to the field, and commenced preparations for a determined war. General KELLY's fight near this point, FORSYTH's gallant fight on the Arrikaree fork of the Republican, CARPENTER's and GRAHAM's fight on the Beaver branch of the Republican, General CARR's decisive fight in the same vicinity, and General Cus-

CUSTER'S COMMAND SHOOTING DOWN WORTHLESS HORSES.—[SKETCHED BY THEO. R. DAVIS.]

图8-12：西奥多·R. 戴维斯、威廉·S. 苏利
《哈泼周刊》第41页，1869年1月16日

夫特见到基奥库克，形容他"如同另一个科利奥兰纳斯"，"一位王子，威严、双眉紧锁。人类天生的、粗野的骄傲，在野蛮状态下因战争胜利而满面发光，自信自己的手臂的力量。我觉得这些特征在他身上得到最完美的体现"。斯库尔克拉夫特的描述极尽渲染"高贵的野蛮人"的野蛮，查尔斯·比尔德·金则选择强调高贵，将威胁或敌对的情绪一笔带过。

19世纪下半叶，伊斯特莱等摄影师制作无数美洲原住民的银版摄影照片进行销售，供白人在家中欣赏。这些照片也收入政府官方档案，记录原住民部落与政府代表之间的交易，并且雕刻印刷为插图，刊登于流行的杂志和小说。有些时候，这些照片只为版画

插图提供灵感，但有些插图一丝不差地复制照片。杂志插画家有时运用画家的习惯手法创作形象，有时细致地复制某些特定的绘画或素描作品。

《哈泼周刊》（*Harper's Weekly*）在1869年1月16日一期第41页刊登一系列插画，都是摘自美术和摄影的作品【图8-12】。这篇报道讲述1868年11月27日乔治·阿姆斯特朗·卡斯特少将（General George A. Custer）在俄克拉何马州的沃希托河（Washita River）奇袭夏延族首领黑水壶（Black Kettle），并取得大捷。卡斯特杀死黑水壶及其102名武士，然后率军进入毫无防御的村庄，杀尽8岁以上男性，屠戮无数女性和儿童。卡斯特摧毁居所、冬粮和武器，令幸存者慢慢地饿死或冻死，并杀害875匹原住民的马驹。

3幅木刻版画占据这一页报道的大半篇幅。这些插画既丰富报道的内容，也为这场被称为沃希托河大屠杀（Washita River Massacre）的暴行辩护。上面两幅版画以《哈泼周刊》的著名插画师和记者西奥多·R. 戴维斯（Theodore R. Davis）的素描为底本。1867年，戴维斯跟随卡斯特的部队征战6个月，但他在沃希托河大屠杀一年前便归返东部。戴维斯跟随卡斯特征战的经验，无疑令他成了为这篇报道绘制插画的理想人选。

戴维斯的素描极尽细致之工，并且他在每幅图画的说明文字后面的添加"西奥多·R. 戴维斯绘制"的字样，营造他亲身经历沃希托河事件的假象。戴维斯没有描绘战斗本身，而是选择战斗结束后的两个事件。报道页端的插画说明文字为"卡斯特的印第安侦察兵庆祝战胜黑水壶"。文明的白人士兵和野蛮的印第安侦察兵之间的对照，鲜明呈现在篝火照耀之下的奥塞奇族（Osage）和考族（Kaw）侦察兵狂野的舞蹈姿势、脸彩、戏装与观看的白人士兵的冷静的面孔和姿态。印第安侦察兵所穿的戏装拖着长尾巴，进一步衬托他们的恶魔形态。如此之下，这幅素描表明，美洲原住民部落和白人军队对于沃希托河大屠杀负有同样的责任。美国军队利用各部落之间由来已久的敌意，挑拨他们相互争斗，承诺用土地或武器交换他们的合作。

页底最后一幅插画显示卡斯特的士兵们枪杀马驹的场景，说明文字描述为"射杀无用的马匹"。这幅插画也呈现鲜明的对比：马匹惊慌狂野，士兵冷静地近距离瞄准马首开枪。因此，这些马驹（未驯化的自

然）被等同于美洲原住民。这并不是白人第一次将杀害动物比拟为摧毁美洲原住民。不过，通常被杀害的水牛正如杀害夏延族的马驹（当然不是无用的）属于1868—1869年战争策略。杀害水牛也属于一项更庞大的军事策略，有一名军官提出高见："尽你所能杀死每一头水牛。死一头水牛，就等于弄掉一个印第安人。"

这篇报道的页首和页底两幅插画表现狂乱的行动，与中间的插画形成鲜明的对照。中间这幅插画的说明文字为"被剥了头皮的猎人"，后面括号加注"威廉·S.苏利摄影"。素描与摄影的媒介区分解释了插画之间的对比。当时的摄影技术要求对象长时间地保持静止——大约5—20秒。因此，军事行动的照片，通常以被焚烧的建筑或尸体遍地的战场为题材。摄影师马修·布雷迪（Mathew Brady）和亚历山大·加德纳（Alexander Gardner）所拍摄的大量美国内战摄影记录，尤其能够说明这一题材选择（参见第295页）。素描、速写能够捕捉战争动态——纵然只是艺术家的想象力的构造，摄影则只能清晰地捕捉战争的毁灭性后果。

《哈泼周刊》这篇报道的木刻版画依据威廉·S.苏利（William S. Soule）的摄影原作，图中仅显示一具尸首。死者是猎人拉尔夫·莫里森（Ralph Morrison）。1868年12月7日，在距离堪萨斯州道奇堡（Fort Dodge）不到2公里的地方，夏延族武士将他杀死，剥去他的头皮。威廉·苏利当时跟随军队驻扎道奇堡，"便利用这次机会不仅造益于科学，并满足读者的好奇，几乎在当场拍摄了这具尸身所呈现的状态"。据这篇报道的作者讲述，这是"美国平原上被剥头皮者的唯一一幅拍摄作品，直接以受害者的尸体为题材，在事件发生后一个小时以内拍摄"。作者继续写道：

> 尸身原封不动，仍是野蛮人暴行之后的模样，惨白的面容可怕地扭曲，致命的子弹留下的疮孔，恶臭的头皮、伤口、受害者被劫掠的衣袋，所有这些都符合现实，尽管这个死亡的场景貌似反常。

这段惊悚的细节描述不但想要激发读者的兴趣，也是渲染插画的真实性。记录这一场景的科学方法——摄影技术——进一步确保这份真实性，尽管文本的描述包含很多插画里难以看清或没有的细节。

当然，纵使死者的尸身是原封不动地被拍摄，尸身后的两个人显然是刻意的安排，意欲在死者和发誓为他报仇的士兵之间构造联系。

于是，中间的插画形象地辩解了另外两幅插画所显示的沃希托河大屠杀及其后果的正当性，尽管这个猎人是在大屠杀10日之后被杀害的。然而，这两个事件之间确有关联。在11月12日进军沃希托河之前，卡斯特率领军队和侦察兵驻扎在道奇堡。大屠杀之后，卡斯特的军队归返营地，掳回43名妇女和儿童。夏延族攻袭道奇堡附近的猎人，想必是报复卡斯特在沃希托河的屠戮。

从19世纪60年代晚期至70年代早期，美洲原住民武士与美国军队之间冲突频仍，但美国军队很快占据上风。1875年春，72名南方平原部落首领和武士被囚禁在佛罗里达州圣奥古斯丁的马里昂堡（Fort Marion）。这些部落首领来自夏延族、阿拉帕霍族（Arapaho）、科曼奇族（Comanche）、喀多族（Caddo）。由于他们在战时的军事行动，美国政府把他们当作"危险的罪犯"，关押在马里昂堡，以确保其部落顺从地适应在保留地的生活，也即美国政府在南方平原战争以后强迫美洲原住民所接受的有限的定居地。

在3年的牢狱生活中，很多囚犯在图画本里描绘彩色的平原生活场景。事实上，这类图画并非专属马里昂堡监狱的独特画种。早在19世纪初，白人商贩便为平原艺术家带来纸张和绘画材料。至19世纪最后30年间，账簿艺术（因为画纸通常是印有横格的会计账簿）成为跟水牛皮传统绘画具有同等重要地位的原住民艺术。（这些账簿通常留有白人所有者的记账字迹，美洲原住民再在这些旧纸上绘画，譬如下文要介绍的最后公牛的图绘）。账簿艺术是在南方平原文化经历剧变时期的衍生物，因此见证了平原原住民部落顺应境况的改变。

夏延族账簿艺术的一个范例出自19世纪70年代年代。这份作品收存在约翰·格雷戈里·博尔克（John Gregory Bourke）队长的文件里【图8-13】。博尔克是美国陆军驻怀俄明领地第3骑兵团乔治·克鲁克将军（General George Crook）的副官（参见第206页）。这幅作品的创作时间是1871—1876年，描绘夏延族武士最后公牛正在捕捉一匹马。最后公牛是夏延族军事精英组织草原狐（Kit Fox Society）的大统领（以盾

图8-13：作者不详（夏延族）《最后公牛捕捉一匹马》，1871—1876年。纸上铅笔画、彩色铅笔，17.7厘米 × 26.7厘米

牌和飞狐组的弓形长矛为标识）。画中的情节取自一场战争，展现了子弹在最后公牛的身边穿梭，却无法阻止他的场景。正如账簿艺术的典型特征，以及较早时期兽皮绘画的手法，这幅画里的人物都是平面的，轮廓清晰，平面区域细致地填色。正如绝大多数描绘战斗或狩猎的账簿艺术，这幅画里的人和动物也是侧面形象，动作自右向左（两个人物对战之时，胜者几乎总是位于右边）。

账簿艺术最常见的主题是武士和猎人的英勇事迹，此外还有求爱场景。男性的绘本是深刻的自传式叙述，通常被随身带到战场。在这三类绘画主题里，马扮演着重要角色，作为武士的坐骑、战利品，或者象征着一个男子的社会地位。马匹是在17世纪西班牙人带来的，改变了北美平原印第安人的生活，改变人们狩猎水牛和战争的能力。马是男性武士身份的最大标志，既象征军事权力，也象征个人的地位。因此，当我们看到马在19世纪平原印第安艺术家的作品里发挥如此重要的作用之时，便就不会觉得奇怪。然而，在19世纪最后25年间，印第安人受到更大的限制，被圈定在保留地，马不但象征个人的英勇，而且也开始象征整个平原印第安社区的种族身份。正如艺术史家大卫·潘尼（David Penney）指出，保留地的生活令男

性没有机会上战场建立功勋，也不能狩猎水牛，因为至19世纪80年代，水牛群不见了踪迹。然而，人们继续以绘画和珠饰细工创作骑马的武士和猎人。他认为这些形象"见证先辈们的伟大成就，让他们的记忆继续流传下去"，并且象征着"各部落的团结和区别"。

与很多美国士兵一样，博尔克队长可能通过两种手段获得这些账簿绘本。一种是洗劫美洲原住民的营地和战场，另一种是从作者或士兵或商人那里购买（博尔克收藏有1000余幅账簿图画）。1881年，博尔克队长迎合人们对美洲原住民文化日益高涨的兴趣，在内布拉斯加州（Nebraska）的奥马哈（Omaha）展览其收藏。另有一位加里克·马勒里上校（Garrick Mallery）趋附大众的兴趣，撰写文章讲解拉科塔族（苏族）的"孤寡狗的冬历"（Lone Dog's Winter Count）。这是拉科塔族的编年史，逐年记载自1800—1876年间的大事（每年采用一、二幅图画，象征该年的重大事件）。马勒里的文章甚至吸引了联邦政府的注意，美国地质与地理勘察局（The US Geological and Geographical）聘用他调研北美原住民部落。5年后，美国民族学局（Bureau of American）的年度报道使用全部篇幅介绍马勒里长达822页的著作《美洲印第安图画文字》（*Picture-Writing of the American*

*Indians*）。在这部著作里，马勒里说道："印第安人绘制的图画文字都经过了深思熟虑，极少只为单纯的消遣。纵然只是为商贩制作彩绘衣袍、雕刻烟斗和树皮记录，他们也是慎重严肃地创作。"

马里昂堡的艺术作品无疑便是如此。理德特·H. 普拉特（Richard H. Pratt）队长鼓励他手下的囚犯创作绘本，为他们提供绘画材料，允许他们将作品卖给游客。于是，这些艺术家的作品就有了新的观众，不再是武士同伴或者本家族和本社区的成员，而是白人游客。绘画题材也反映了囚禁的生存境况和全新的观众群体：除了战争和狩猎，增添了马里昂堡的日常生活——白人和美洲原住民碰撞出的新的艺术表现。马里昂堡有一位艺术家是夏延族的"嚎叫的狼"（Howling Wolf），他曾前往波士顿接受治疗，期间广泛地接触到欧洲艺术传统，因此他的作品有了一些风格变化，尤其是加强了绘画感，不同于他早期账簿艺术的平面性。

夏延族武士珂赫（Cohoe）的《马里昂堡的囚犯为游客跳舞》（*Fort Marion Prisoners Dancing for Tourists*，1875—1877年）【图8-14】，为野蛮的印第安人取悦文明的欧裔美国人这个主题作出了他自己的诠释。1869年，戴维斯为《哈泼周刊》绘制的一幅插画便是阐发这一主题【图8-12】。珂赫与戴维斯的作品之间存在一些显著的差异。首先，戴维斯将观者摆在视平线，属于军官的圈子，珂赫则运用双重视角：观者既位于地面，又位于地面上空。相对于戴维斯的融入感，双重视角让人产生距离或超脱感。其次，戴维斯运用阴影和透视手法营造三维效果，珂赫则使用大色块，将轮廓鲜明的形象置于缺乏地平线等方位参照的空间，强调形象的平面特征。再次，戴维斯精心绘制侦察兵的戏装，珂赫则同样精心描绘白人游客的服饰，尤其是女性的服饰。事实上，珂赫的人物身份（原住民和白人）似乎仅体现于服饰，而不是相貌特征，因为他们的面孔完全是空白。

戴维斯和珂赫的目标对象都是白人观众，但二人的创作立场迥异。白人艺术家戴维斯在西方欧洲艺术传统里创作，他的雇主想要为渴望边疆经验的观众提供轰动性的信息，或者至少让他们间接地感受激动，这些观众大多数早已接受戴维斯的作品所隐含的"野蛮"与"文明"的区分。被囚禁的夏延族珂赫则不同，

图8-14：**珂赫**《马里昂堡的囚犯为游客跳舞》，1875—1877年。纸上石墨画、铅笔

图8-15：沃霍《马里昂堡的教室》，约1875年。纸本绘画，铅笔、蜡笔，22.2厘米 × 28.5厘米

他身负平原印第安人兽皮绘画的传统，只是为想带监狱纪念品回家的白人游客创作。艺术史家简妮特·伯洛（Janet Berlo）形容这座监狱是"理想化的刑罚殖民地。在其中，一群最具代表性的平原印第安武士上演着简化、净化的模拟战争，供俘获者消遣"。在白人观众看来，戴维斯的立体形象和模仿艺术看似"真实"，珂赫的平面形象则孩子气、稚拙。用伯洛的话说，离开马里昂堡的时候，游客带着"偷窥体验的纪念品，带着优越感洞察'印第安问题'及其解决方法，心里感到踏实安稳"。

珂赫的狱中同伴却会以迥异的眼光观看他的作品。他们亲身经历这些侮辱，被迫穿戴传统服饰为游客表演。他们想必只会将这个场景视为羞辱，而不是愉悦的娱乐。平面风格想必并不是孩子气，而是传承艺术传统。游客僵立着围观跳舞的原住民，可能是传达舞者被围困的境况，既表现他们被囚禁在马里昂堡的事实，也象征性地表现原住民文化被异族文化扼制。然而，游客人群中的空隙表明，这一围困仍未彻底地实现。此外，尚且不论他们在形式上作过多少妥协，原住民武士的仪式和视觉艺术传统的延续，也许可以成为抵制白人强加秩序的方式。通过账簿艺术，

囚犯们不仅为自己和白人游客描绘马里昂堡的场景，而且可以跟部落成员保持联络。马里昂堡的囚犯常将账簿绘本当作"家书"寄给亲人，也会收到类似的绘本回信。

在马里昂堡监狱里，基奥瓦族的沃霍（Wo-Haw）也描绘美洲原住民在白人文化里的围困感。在《马里昂堡的教室》（*School Room at Fort Marion*，约1875年）【图8-15】，沃霍使用平原印第安的平面风格，但也掺入了一些欧洲艺术传统，将教师安排在长桌后，又将一张较短的课桌呈直角摆在长桌顶端，体现出三维空间。9个美洲原住民男子剪了短发，穿了西装，戴了领带，正专注地看着画面中心的女教师。在画面右侧，另有一人在看着他们。但此人不是白人教师或士兵，而是美洲原住民男性的幽灵。他长发披散，头上插着一根羽毛。这个形象表示武士们被迫脱离的原住民文化的幽灵依然存在。白人俘获者强迫他们忘记本族的文化，或者仅在为游客娱乐之时拿出来消遣。

在19世纪晚期，"印第安问题"有两种解决方式：同化和灭绝（"只有死印第安人才是好印第安人"）。在1876年6月25日、26日，苏族在蒙大拿州东南部的小大角（Little Bighorn）打败卡斯特的军队。美国

政府遭受如此挫败之后，越发迫切地需要解决"印第安问题"。1876年9月，《弗兰克·莱斯利大众月刊》（*Frank Leslie's Popular Monthly*）刊登一篇文章，建议废除保留地和印第安生活方式，给印第安人派发衬衫和长裤，而不是毛毯。10年后，印第安之友协会（The Friends of the Indians，包括很多富有的慈善家和新教牧师）也倡导这一生存的蓝图，他们认为美洲原住民该被赋予美国社会的成员资格，作为交换条件，他们须彻底地放弃印第安生活方式。印第安之友游说国会支持《道斯法案》（*Dawes Act*），国会在1887年通过这项法案，宣称但凡与部落断绝关系，接纳欧裔美国人"文明"习惯的原住民男性，便可得到一块土地，有资格享受完全公民权利。

然而，《弗兰克·莱斯利大众月刊》这篇文章的作者也承认，相比美洲原住民，非洲人的同化过程都取得较大成功，主要是因为后两者离开了祖国和文化环境，他们在新国家的生存便更依赖于同化。然而，美

国不是美洲原住民的"新"国家，他们有强烈的意识，知道自己有权居住在祖传的土地，保持自己的生活方式。只有在绝大部分原住民人口被杀害之后，同化才得以成功。然而，纵使在那个时候，也只是部分成功。正如美洲原住民的账簿艺术所示，他们曾经居住、而今依然居住的土地，一直让他们意识到自身的文化和历史。

有一幅摄影作品触及这个同化过程。1890年12月29日，美洲原住民和美国军队在南达科他州（South Dakota）的"受伤膝盖"（Wounded Knee）发生最后一次大型军事冲突。美洲原住民在战斗里溃败。这幅照片题名为《美国历史课》（*Class in American History*，1899—1900年），大约拍摄于这场战争的10年后，摄影师是来自华盛顿的弗兰西丝·本杰明·约翰斯顿（Frances Benjamin Johnston）【图8-16】。约翰斯顿接受官方委托，在汉普顿学院（Hampton Znstitute，南北战争结束后为非裔美国人和美洲原住

图8-16：弗兰西斯·本杰明·约翰斯顿《美国历史课》，1899—1900年。明胶银盐摄影，19厘米×24.1厘米

民设立的男女同校学院）拍摄一系列纪录照片，这幅照片便是其中之一。1900年，这一摄影系列在巴黎世界博览会展览，作为非裔美国人在南北战争后急剧进步的证据。在这幅摄影作品里，正如在沃霍的账簿绘画中，美洲原住民留着短发，身穿欧洲服饰，站在非裔美国人中间，面对的是一个身穿传统服饰的原住民。只是，这个原住民被视为历史和遗迹，象征一种虽高贵却"野蛮"，已被进步的力量彻底地废除的文化。墙头贴着画片，显示持枪的牛仔或美国骑兵，以及孩子身上的衣服，都象征着进步的力量。

沃霍和约翰斯顿在各自的作品里体现了人类学家列维-斯特劳斯感到惊异、摄影师柯蒂斯删除的并置。这些并置标志着两个世界的结合。这一结合正是19世纪美国视觉文化和民族身份的重要构成部分。沃霍将美洲原住民文化描绘为属于部落日常生活的鲜活存在（尽管只是幽灵般的形象），约翰斯顿则将它体现为一件文物，须被抛在身后的历史经验，同时又有必要将它当作记忆，在无尽的图像艺术里流传。正如斯洛特金所说，为了安抚美国的良心，接受以几乎灭绝整个种族为代价打造这个民主国家，这份鲜活的记忆是必要的存在。然而，沃霍的账簿艺术以及其他相似的作品，也该摆到显著的位置，以便提醒我们美洲原住民文化并没有在19世纪灭绝，而是依然在美洲原住民生活中赋有弹性和张力。认识到这些事实，便有益于我们用批判的眼光观看这些美国边疆的艺术形象，避免将它们视为无可置疑的事实或真理的记录，而只是视为个人试图延续或抵抗殖民和征服所强加的物质和意识形态。

## 问题讨论

1. 18世纪晚期和19世纪早期艺术作品中的性别和种族如何象征新成立的美利坚合众国？

2. 查尔斯·比尔德·金、乔治·卡特林、托马斯·伊斯特莱的美洲原住民肖像画有何相似之处？又有何差异？

3. 欧裔美国画家如何以及为何运用希腊或罗马的古典模式或原型描绘美洲原住民？

4. 西奥多·R. 戴维斯的素描《卡斯特的印第安侦察兵庆祝战胜黑水壶》（1869年）和珂赫的账簿艺术《马里昂堡的囚犯为游客跳舞》（1875—1877年），两者在风格、内容和受众方面有何区别？

5. 弗兰西丝·本杰明·约翰斯顿的摄影作品《美国历史课》（1899—1900年）在讲台前放置一个美洲原住民，这个形象有何象征意义？

# 美国的黑人和白人 1810—1900年

## 第9章

**弗朗西丝·K. 波尔**

## 导言

1862年12月，伊曼努埃尔·洛伊茨的油画作品《帝国的道路向西》出现在华盛顿国会大厦。这幅作品的完稿与1861年的习作颇有不同。我们在第8章提及其中一处修改，那就是增添采矿、狩猎和农业的图景。另一处修改可能最为重大，在前景中心增添一个非裔美国人，领着一个白种女人和骑骡的孩童。

1861年6月，美国南北战争爆发后数月内，洛伊茨得到国会大厦的委托，绘制一幅油画。南北战争的一大争端便是新开拓的领土是否允许奴隶制。战争部长西蒙·卡梅伦（Simon Cameron）是反对非裔美国人移居西部领土的扩张主义者，批准了洛伊茨提交的底稿。在这幅颂扬西部扩张的最后作品里，洛伊茨在显著位置增添一个非裔美国人，表明他不认同卡梅伦的观念（洛伊茨支持废奴运动的态度是众所周知的）。洛伊茨认为非裔美国人应当跟白人一样，可以在西部体验新的自由。再加上白种女人和骑骡的小孩，这个场景让人联想到耶稣圣家庭逃离希律王的迫害与非裔美国人逃离东部白人的迫害之间的呼应。于是，洛伊茨再次为"昭昭天命论"这一主题提供注释，并且这一次是强调废奴运动所包含的道德意味。

历史学家小勒鲁尼·班内特（Lerone Bennett, Jr.）指出："倘若不理解非洲给予新世界的礼物，我们就不可能理解美国白人，不可能理解托马斯·杰斐逊、乔治·华盛顿（George Washington）或美国宪法。这意味着……迥异于普遍接受的观点，美国实际上既是欧洲也是非洲的发明。"自16世纪以来，北美大陆的大量非洲后裔，深刻地影响了美国的社会、政治、经济机构的衍化过程。譬如，在17和18世纪，非洲奴隶劳工使南方种植园的发展得以可能；在19世纪晚期，非裔美国人的雇佣劳动推动北方工业化进程。北欧的殖民者企图构造"高贵的野蛮人"的边疆神话，辩解摧毁美洲原住民的正当性；他们及其后代采取同样的手段，将非洲人和非裔美国人贬抑为低于欧洲白人，辩解奴隶制和剥削的正当性。在这些艺术表现里，非洲人和非裔美国人如同儿童，需要白人的照顾，或者如同野蛮人，需要白人的管教（不过，他们倒没有"注定灭亡"，因为他们的劳动构成国家的经济支柱）。

在构造与延续这些信念、界定美国文化方面，非洲人和非裔美国人的艺术形象发挥了不可或缺的作用。然而，艺术形象同时也挑战这些信念和定义。在19世纪中叶，这些挑战愈发激烈，最后导致南北发生武装冲突。本章将探讨双方的内容：一方如何试图强化种族的定型观，另一方如何谴责前者，竭力为观众提供作为美国人的非洲人形象。

## 废奴运动与挑战种族定型观念

在美国南北战争（1861—1865年）以前，19世纪关于非裔美国男性最普遍观念是欢快、弹班卓琴的"黑仔"（darkie）。他们不是在田地间心满意足地劳动，就是兴高采烈地、孩子气地为家人或白人主子弹班卓琴。非裔美国女性则是"保姆"，呵护白人孩子，为自己在白人主子家作奴仆、侍婢、保姆而自豪。奴役是白种人对非洲人的慈善，他们天生"野蛮"，必须在奴役中被驯化。因此，倘若给他们人身自由，只能伤害他们，因为他们会丧失孩童般的天真，复归野蛮状态（有些人认为非裔美国人的孩童般的天真源自奴役，另一些人认为是天性）。

约翰·刘易斯·克里梅尔（John Lewis Krimmel，1786—1821年）的作品《缝被子游戏》（*Quilting Frolic*，1813年）【图9-1】，便体现了这类种族定型观念。克里梅尔出生于德国，师从风俗画家约翰·巴

蒂斯特·瑟尔（Johann Baptist Seele），1810年来到美国。克里梅尔仰慕英国艺术家威廉·荷加斯和大卫·威尔基（David Wilkie，1785—1841年）的作品，与这两位英国艺术家一样，他也记录农民、商贩、工匠阶级的面貌和喜好。

《缝被子游戏》描绘一户人家在缝制绗缝棉被之后，准备傍晚的娱乐活动，画中仔细地描绘了中产阶级的家庭摆设。墙上挂着图画，中间是华盛顿的肖像，两侧各有一幅海景画，其中一幅描绘海战。这些图画表示这个家庭的文化素养和爱国精神。墙头所挂或橱柜所摆的其他日用品透露这个家庭的社会地位和家族谱系。黑人女仆和黑人小提琴手也标志了这个家庭的社会地位。正如艺术学家盖伊·麦克尔罗伊（Guy McElroy）指出，克里梅尔大概是最早采用"扭曲的面部特征（龅牙的笑容、肥厚的嘴唇），作为描绘非裔美国人的基本元素；他的滑稽肖像或许旨在构造幽默欢快的场景，但这个形像深

**图9-1：约翰·刘易斯·克里梅尔**《缝被子游戏》，1813年。布面油画，42.8厘米×56.8厘米

刻地巩固了当时正在形成的种族观念，将这一幽默、带有'贬低'性质的相貌作为典型的非裔美国人特征。"

克里梅尔等艺术家所构造的非裔美国人的模式化形像主宰着19世纪上半叶的艺术世界。然而，这类形象也受到挑战，尤其是在1833年美国反奴隶制协会（American Anti-Slavery Society）成立之后。美国反奴隶制协会经常跟其他非裔美国人反奴隶制组织合作，譬如成立于1787年的自由非洲人协会（Free African Society），成立于1826年的有色人种联合会（General Coloured Association），成为美国废奴运动的最重要组织。反奴隶制协会的领导人物有非裔美国人和白人，成员们携带废奴传单和手册涌进推行奴隶制的南部，在美国各地演讲，提倡终结奴隶制。19世纪20年代，基督教福音主义的兴起加剧了废奴运动的进程。福音主义者呼吁终结罪恶的奴役，允许非裔美国人成为其教众。正如18世纪末英国社会谴责革命叛逆者，早期的废奴运动也被冠上政治伪善的骂名。诅咒者说，这些革命者自己在奴役整个民族，又有何资格打着自由和解放的旗号宣告独立？许多艺术家和作家致力于废奴运动，或者受其启发，将其信念转化为文字或绘画。

纳撒尼尔·乔斯林（Nathaniel Jocelyn，1796—1881年）便是这样的艺术家。他原是雕版师，1820年转行绘画，在康涅狄格州（Connecticut）的纽黑文（New Haven）地区成为颇为知名的肖像画家。然而，在他的事业生涯尾声，画室发生火灾，令他重拾雕版艺术。1839年，他绘制了一幅大型肖像油画，题名为《辛克》（Cinque）【图9-2】。1839年，非洲门迪（Mendi）地区有53名男女被掳，葡萄牙奴隶贩违背禁止国际奴隶贸易的条约，购买了这些俘虏。乔斯林的《辛克》便是以其中一个俘虏为主题。葡萄牙人在哈瓦那将这些非洲人转卖给西班牙奴隶贩。西班牙人的阿米斯塔德号（La Amistad）从哈瓦那驶往波多黎各。途中，辛克在船上领导同伴反抗奴隶贩子。辛克等人要求船返回非洲，船员却在黑夜里偷改航线，将船驶到长岛。美国军队逮捕了反叛者，解救了船员。废奴运动成员出面维护反叛者，经过两年的法庭审理，最高法院判决这些非洲人属于非法掳获。获得自由以后，辛克及其同胞到美国西北部巡视，出席无数反奴隶制的集会，并在1841年归返非洲。

克里梅尔在描绘黑人小提琴手时，运用面容扭曲的手法，乔斯林则为非洲男子创作了极具个性特征的

图9-2：纳撒尼尔·乔斯林《辛克》，1839年。布面油画，76.8厘米×64.8厘米

高贵肖像。乔斯林支持废奴运动的精神态度，无疑在相当大的程度上影响辛克的肖像画。不过，乔斯林想必也受到报刊文章的影响。当时无数文章描述辛克的事迹，有些将他形容为"体魄强健、仪态威严"。颅相学专家细致地分析辛克的头颅，企图理解他的勇敢行为，最后得出结论，说他的头颅形状显示"身体和头脑的强健活力……野心，独立……热爱自由"。这类好奇的心态表明，尽管贩奴船上频繁发生奴隶暴动，类似的报道屡见不鲜，很多欧裔美国人依然认为策划一次成功的暴动所必需的"野心""独立""智力"，并不是非洲人通常具备的特征。白种人痴迷地研究辛克的外貌，正如乔斯林的肖像画所展现的，也表明他们认为这个非洲人的高智商可能源自他"不像非洲人"这个事实。换言之，辛克的相貌不似美国白人艺术家所创造的非洲人定型模式。

在衣着方面，乔斯林给辛克披上古希腊和罗马的白袍。乔斯林运用欧洲新古典主义绘画的手法，将辛克和广大非洲奴隶的自由斗争比拟为古希腊人和罗马人的斗争。于是，辛克被重新装扮，他被脱去非洲服饰，"他者"的暗示转换为背景的棕榈树，从而让白人观众更易接受画中的形象所要传达的信息，因为这些观众惯于自视美国延续了古希腊民主制和罗马共和国的政治理念。古希腊的指涉也具有密切的当代关联性。从1821—1830年，希腊人在进行独立战争，反抗土耳其统治，美国站在希腊一方。许多美国政治家

图 9-3：罗伯特·斯科特·邓坎森《汤姆叔叔和小伊娃》，1853年。布面油画，69.2厘米×97.2厘米

和废奴主义者认为这场斗争是文明和英勇的希腊人反抗野蛮和异教的土耳其人，并且土耳其人也从事奴隶贸易。不过，在乔斯林的画中，至少有一处特别指涉非洲奴隶的现实状况。辛克手中所握的不是长矛，而是一根甘蔗，影射加勒比地区的甘蔗种植园——这是辛克和52名非洲同伴原本要被送去做奴隶的地方。

继后，废奴运动开始倡导非裔美国人的普及教育。有些非裔美国艺术家得到了迫切需要的经济和精神支持，在自己选择的艺术领域里作出重要的成就。罗伯特·斯科特·邓坎森（Robert Scott Duncanson，1821或1822—1872年）便是其中一位艺术家。邓坎森在俄亥俄州（Ohio）辛辛那提（Cincinnati）开始绘画事业，以静物画和"装饰画"为主。他得到反奴隶制联盟（Anti-Slavery League）和一些私人赞助，前后三次旅欧学习欧洲风景画传统（1852年、1865年、1870年）。此后，他创作数幅风景画，诸如《山谷牧场》（Valley Pasture，1857年）、《明尼哈哈瀑布》（Falls of Minnehaha，1862年）、《有维苏威火山和庞贝的风景》（Landscape with a View of Vesuvius and Pompeii，1871年）。这些作品透露了美国风景画家托马斯·科尔和欧洲风景画家克洛德·洛兰、透纳的影响。

邓坎森只有两幅作品直接以非裔美国人为题材，其中一幅是《汤姆叔叔和小伊娃》（Uncle Tom and Little Eva，1853年）【图9-3】。这幅作品以哈丽叶特·比彻·斯托（Harriet Beecher Stowe）著名的废奴主义小说《汤姆叔叔的小屋：卑贱者的生活》（Uncle Tom's Cabin; or, Life Among the Lowlf，1852年）的两个主角为题材，画面结合鲜亮的海港远景和芜蔓的藤萝架前景。邓坎森的构图仿效哈马特·比林斯（Hammatt Billings，1818—1874年）以同一题材创作的木刻版画。这幅版画成为小说的插图（1852年），也作为约翰·格林里夫·惠蒂埃（John Greenleaf Whittier）创作的流行歌曲《小伊娃，汤姆叔叔的守护天使》的专辑封面（Little Eva; Uncle Tom's Guardian Angel，1852年）【图9-4】。

比林斯的版画描绘的是小说第22章开头的情节，讲述圣克莱尔家在别墅避暑。在庞恰特雷恩湖（Lake Pontchartrain）边一个礼拜天傍晚的日落时分，小伊娃给她的卑微、忠诚的仆人和朋友汤姆叔叔朗读《圣经》。这幅版画表现小伊娃教育黑人奴隶的坚定决心，并且发誓将来要用继承的遗产，在自由州购买一所房子，让家里的奴隶全部得到自由。这幅版画也见证了小伊娃的（也是斯托的）信念：非裔美国人可以在基督教上帝的信仰里找到精神和肉身的救赎。因此，金发小伊娃代表废奴主义理念和基督教之爱的最好的一面。然而，在湖边这一情节之后不久，小伊娃就逝世了，将解放非裔奴隶的任务交给那些被她感动的读者。

《汤姆叔叔的小屋》这部小说和版画都流露清晰的优越感：金发白人儿童引导年长的黑人从黑暗和愚昧走向救赎和光明。邓坎森的绘画沿袭这一基调，但他的构图在戏剧夸张方面胜过比林斯的版画，将小伊娃安排在汤姆叔叔前面，她站立、抬头仰望、伸手指向落日。她的身姿颇似基督，暗示即将死亡；汤姆叔叔的姿态呈现同样的宗教虔诚。邓坎森依据斯托的文本诠释了这个场景："汤姆叔叔把她当作娇弱的、俗世的对象爱着，又几乎把她当作天上的神灵崇拜。他凝望她，如同意大利的水手凝望圣婴耶稣的形象——崇敬和深情交织的目光。"

白人废奴主义者认为，汤姆叔叔的被动状态和虔诚表明他的人道，也表明他值得人们努力去解放。为了让废奴运动取得进展，这类形象描绘虽有必要，但并不是所有非裔美国人都能够欣然接受。"汤姆叔叔"很快演

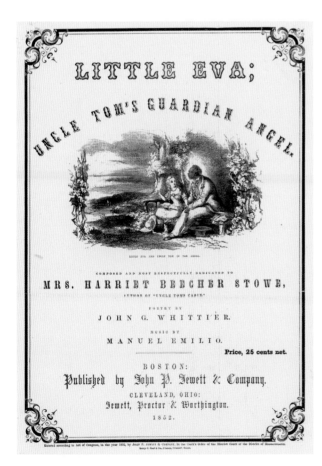

图9-4：哈马特·比林斯《汤姆叔叔和小伊娃》，约翰·格林里夫·惠蒂埃歌曲封面版画，1852年。14厘米×8.9厘米

变为贬义的标签，被一些非裔美国人用来嘲讽另一些同胞，因为他们为了得到人身自由，心甘情愿地替白人及其利益效命。在哈丽叶特·比彻·斯托的第二部反奴隶制小说《德雷德》（Dred，1856年）中，她重申"汤姆叔叔"的解放模式。在这部小说里，斯托谴责非裔美国人企图通过报复白人而获得自由的观念。小说里的非裔奴隶叛乱分子，以奈特·特纳（Nat Turner）为原型。特纳在1831年领导弗吉尼亚奴隶暴动。奴隶起义令南方种植园主与人口不断增长的奴隶之间的关系日益紧张。

## 南北战争的前奏

奈特·特纳等人拒绝用"汤姆叔叔"的模式解决奴隶制问题，倡导公开的暴动。事实上，南方奴隶的反抗，迫使联邦政府直面这一真实的可能性：大规模奴隶起义也许会终结奴隶制。并且，这类起义极有可能扩大，演变为大范围的攻击奴隶主和特权阶级。尽管很多人以为南北战争关涉非裔美国奴隶的解放问题，但这场战争实则也关涉控制奴隶被解放的方式。

1859年，南方各州再次真切地感受大规模奴隶起义的可能性。这一年，60岁的白人约翰·布朗（John Brown）带领22名男子，其中有5名非裔美国人，企图夺取位于西弗吉尼亚州哈珀斯费里（Harpers Ferry）的联邦军火库，以便在整个南方发动奴隶武装起义。布朗的计划失败，在联邦政府的同意之下，他被弗吉尼亚州处决。绝大多数南方人认为，北方的废奴主义者和政客才是布朗背后的主谋。他们认为北方不但想剥夺南方白人的财产，而且不惜通过武装南方奴隶来实现目标。

当时美国奴隶制问题所激发的紧张局势，生动地体现在观众对1859年两件艺术作品所作出的反应。约翰·罗杰斯（John Rogers，1829—1904年）是耶鲁大学培养的工程师，在19世纪50年代晚期转向雕塑，创作了很多小型风俗雕塑，并出售大量石膏复件。他的《奴隶拍卖会》（Slave Auction，1859年）【图9-5】是第一件批量生产的作品，以邮购方式销售，在约翰·布朗被处决后数星期内便开始供货。这件雕塑显示一个白人拍卖商站在中间，招呼顾客竞价购买奴隶；拍卖台的前面和左右两侧站的是一个奴隶家庭，男子摆出愤怒的挑衅姿态，双臂合抱在胸前，面容凶狠；妇女怀里搂着一个婴孩，另一个孩子藏在她的身后。这件雕塑传达了双重意义：奴隶制侮辱非裔美国人的尊严和人性，非裔美国男性绝不被动地接受被

图9-5：约翰·罗杰斯
《奴隶拍卖会》，1859
年。石膏，高33.7厘米

卖为奴隶。这件作品没有实现罗杰斯预期的销量，致使他在年末感慨道："我感觉时代把我拦截……因为《奴隶拍卖会》讲述的故事过于激烈，以致于没有一家商店肯进货销售，生怕得罪南方的顾客。"

1859年的另一作品是伊士曼·约翰逊（Eastman Johnson，1824—1906年）的《南方的黑人生活》（*Negro Life in the South*）【图9-6】。这幅油画后来更名为《肯塔基故乡》（*Old Kentucky Home*），取自斯蒂芬·福斯特（Stephen Foster）在1853年以黑人方言谱写的流行歌曲，画家将这幅作品提交1859年国家设计学院（National Academy of Design）的春季展览。在这幅画中，约翰逊描绘了非裔美国人的娱乐休闲活动：弹班卓琴、跳舞、交谈、跟孩子嬉戏。在风景和题材方面，这幅绘画体现了约翰逊在1849—1855年间在德国杜塞尔多夫和荷兰学习的成果。在欧洲时，约翰逊特别专注于荷兰艺术家（尤其是17世纪的画家）描绘农民和小镇生活的精细绘画。

在《肯塔基故乡》里，奴隶和主人的生活区相隔一道栅栏，栅栏留有豁口，一个白人少女正探身钻过

图9-6：伊士曼·约翰逊
《南方的黑人生活》，
又名《肯塔基故乡》，
1859年。布面油画，94
厘米×116.8厘米

豁口。如同克里梅尔在《缝被子游戏》的绘画手法，白人少女身穿精美的服饰，跟奴隶的破烂衣衫形成鲜明的对照。奴隶区有两个年少的女孩，二人的肤色差异可能是表现西非的不同人种，但更可能是白人主子强奸黑人女性奴隶的结果。如此生育的孩子毫无例外地被视为黑人。在法律上，只须"一滴黑血"，就足以将一个人定义为黑人，从而被视为奴隶。

由于绘画的风格和内容，这幅作品一举成功。约翰逊采用精致的细节描绘，这些细节吸引观者的眼睛，信服艺术家的精湛才能。此外，这幅作品没有就奴隶制问题作出明确的表态。北方的废奴主义者将这幅作品诠释为谴责南方奴隶的悲惨的生存境况，南方的奴隶主则觉得这幅作品印证自己的信念，认为南方奴隶的生活条件虽然"不太舒适"，但他们基本上是快乐的。奴隶的住所破敝颓朽，与白人奴隶主的宅第形成截然对照。这一对照也可以作出两种诠释：预示着黑人获得自由以后的未来生活，或者表明主人与奴隶之间的和平共存。

## 非裔美国人与南北战争

《肯塔基故乡》等艺术作品所体现的快活欢欣的奴隶，跟南方奴隶的物质条件之间有何关系？获得自由的奴隶约翰·里特（John Little）为我们提供了部分答案：

> 他们说，奴隶很快乐，因为他们欢笑。
> 我自己，还有另外三四个人，一天挨了两百记鞭笞，双脚锁着镣铐。可是在夜里，我们还是唱歌跳舞，任由他们嘲笑我们当哐响的锁链。我们必定看起来很快乐！我们用唱歌跳舞压住烦恼，不让心灵彻底崩溃……

然而，唱歌跳舞也无法压制南方的麻烦。1860年秋，亚伯拉罕·林肯（Abraham Lincoln）当选总统，南方6个州退出联邦，继而又有5个州退出。这些州的目标是设置独立主权国，控制自身依赖奴隶劳动的农业经济。北方工业州意欲扩大经济，采用雇佣劳工，发展自由市场经济，征收高昂的制造品贸易保护关税。南方农业州反对所有这些措施。在南北战争最初数月，林肯的主要目标是维持联邦，这意味着向南方保证他绝不会推翻奴隶制。迟至1862年，林肯在发表《解放黑人奴隶宣言》（Emancipation Proclamation）初稿之时，依然向归

顺北方的南方州承诺，绝不动摇奴隶制。1863年1月1日，《解放黑人奴隶宣言》宣布要解放在跟北方作战的地区的奴隶，但并未提及南方联盟战线后方的奴隶。然而，废奴主义者要求包括所有奴隶的解放宣言，1864年4月，参议院通过第十三条修正案，宣布终结奴隶制。1865年1月，众议院投票通过这项法案。

南北战争期间以及刚结束后的一段时间里，出现很多以奴隶家庭逃亡为题材的绘画。这些作品的根据通常是艺术家在联邦军队服役或随军时亲眼目睹的事件。1850年，加利福尼亚申请成立州政府的那一年，如何对待逃奴的问题成为格外变化无常的政治问题。在此之前，美国有15个自由州，15个蓄奴州。假若加利福尼亚成立州政府，局势便会有利于自由州。为了让加利福尼亚作为自由州加入联邦，南北达成妥协。这个妥协的一大成果便是《逃亡奴隶法案》（Fugitive Slave Act）。法案要求自由州解送逃奴返回南方。1857年，最高法院对德雷德·斯科特（Dred Scott）案件的判决进一步巩固了这个法案，证实奴隶抵达自由州这一事实本身并不能自动地赋予此人自由的权利。通过这项法案的三位法官也主张奴隶的后裔不享有美国公民权利，从而没有法律地位。南北战争结束以后，尤其是在1863年颁布《解放黑人奴隶宣言》之后，抵达自由州这一事实本身便标志着奴隶获得了自由。

这里列举描绘奴隶逃往北方的两幅作品。一幅是伊士曼·约翰逊的《骑向自由：逃亡的奴隶》（Ride for Liberty: The Fugitive Slaves）【图9-7】，另一幅是西奥多·考夫曼（Theodor Kaufmann，1814—1877年后）的《奔向自由》（On to Liberty）【图9-8】。在1862—1863年间，约翰逊数次随联邦军队征战，他的绘画取材于随军途中的见闻。《骑向自由》迥异于他在早些时期创作的《肯塔基故乡》，描绘一家人夜间逃离危险的场景。马背上全家人的面孔和马匹都只是幽暗的轮廓，衬托着雾气迷蒙的灰暗天空。这幅作品无疑揭穿了南方人宣称奴隶满足于南方种植园生活的谎言。这个逃亡的家庭，如同洛伊茨的《帝国的道路向西》那组人物，也包含基督教的蕴意，可以比拟为圣母玛利亚、约瑟夫和圣婴耶稣逃往埃及的情景。

西奥多·考夫曼在1861加入联邦军队，在文章、演讲和绘画作品里主张与拥护联邦事业。考夫曼出生于德国，在慕尼黑和汉堡接受艺术训练，19世纪50年代早期来到美国。在《奔向自由》里，考夫曼创造了

图9-7：伊士曼·约翰逊《骑向自由：逃亡的奴隶》，1862—1863年。板上油画，55.8厘米×66.6厘米

图9-8下：西奥多·考夫曼《奔向自由》，1867年。布面油画，91.4厘米×142.2厘米

图9-9：**战争摄影展览公司**《一群"违禁品"》（细节），1861—1865年。立体摄影，10厘米×18厘米

非裔美国女性和儿童逃亡的动态景象。尽管相较约翰逊的《骑向自由》，考夫曼在服饰和面容特征的细节描绘方面倾向于轶事化。这群女性和儿童走出昏暗的森林，跑向画面右侧远景的联邦边境。整个画面涌动着紧张的气氛，但考夫曼在画面右侧用一组孩童作为幽默的调剂元素，让年纪较大的男孩揪着年幼小孩的颈后衣领奔走。此外，他也为画面添加偷窥的元素，让左侧边缘一个妇女的上衣松脱，她的胸脯半隐半现。画中没有成年男子，表露出这样一个事实：在南北战争期间，男性奴隶通常被联盟军征募，用作苦力，因此不太可能跟家人一同逃亡。

无数非裔美国人参加北方战线，为南北战争出力。他们主要以两种身份出现在战场，一是作为"战时违禁品"或逃亡奴隶，一是作为士兵。无论是哪种身份，男性奴隶一概从事军队里低贱的粗活，譬如炊事、修筑道路、驱赶骡车、埋葬死者。及至1864年，非裔美国士兵的补助金一直低于白人士兵。

摄影、绘画和版画都有记录非裔美国人在联邦军队的生活。正如前章所述的美洲原住民艺术，相比绘画和版画，摄影更倾向呈现战时的严酷实况。在战争

期间，许多摄影公司开始制作大量战争立体摄影，供应后方的民众。鉴于当时的摄影技术仍不能清晰地记录移动对象，绝大多数摄影照片显示的是军营生活或者战斗后的场景。在很多情况之下，每个场景配有一段说明文字，从而使观看图片成为一种教育。

《一群"违禁品"》（*A Group of "Contrabands"*）【图9-9】是战争摄影展览公司（War Photograph and Exhibition Company）的作品。这幅照片显示一群赶牛车或骡车的非裔美国人排成一队，站在一辆大马车前，背景的棚屋是他们的住所。各色混杂的服装表明他们的非法身份，他们的神情严肃，被安排在构图的中间地带，暗示着他们与观者之间存在物理和心理的距离。这些非裔美国人的形象与早些时期绘画作品所描绘的载歌载舞的奴隶形象截然不同。

另一幅立体摄影照片【图9-10】出自泰勒与亨廷顿出版社（Taylor and Huntington Publishers），显示联邦军队一名非裔美国士兵的命运，他名叫约翰生（Johnson），被指控在弗吉尼亚州彼得斯堡（Petersburg）附近"企图强奸一个白人妇女"，经过军事法庭审理被判有罪，并处以绞刑。所有这些信息都附在这幅照片背

面。这幅照片题名为《处决一名黑人士兵》(*Execution of a Colored Soldier*)，呈现了一名士兵吊在绞刑架下，脸上蒙着白布。在照片右侧，一些联邦士兵坐在树下休息。照片背面有这样的描述性文字："联邦军队向叛军提出休战请求，打起休战旗，以便我方在两军面前，在前线阵地交界地点，对约翰生执行绞刑。我军的请求得到认可，这幅照片显示约翰生在两军面前被绞死的场景。"这幅照片的教育价值显然是宽慰观者，保证非裔美国人的自由绝不会以"白人妇女"为代价。尽管背景的说明文字声明约翰生得到了公正的审理，然而，黑人被指控侵犯白人之时，极少——假若有的话——得到无罪宣判。行刑特意安排为两军的公开展览，表明战争

双方的白人都视这场绞刑为种族歧视的消遣。

艺术家温斯洛·霍默（Winslow Homer，1836—1910年）也捕捉了非裔美国人在军营的生活。霍默出生于波士顿，在他的成长时期，这座城市充满废奴主义者的辩论和争议。19世纪50年代中期，他在一家平版印刷厂做学徒，继后作为个体插画师接取委托工作。他在1859年进入国家设计学院接受美术训练，次年在学院展览首件作品。南北战争爆发后，霍默作为《哈泼周刊》的艺术家通讯员参加联邦军队。1863—1864年间，他也接受路易斯·普朗出版公司（Louis Prang and Co.）的委托，绘制一系列战争速写，并以平版印刷的形式出版画集。

图9-10：泰勒与亨廷顿出版社《处决一名黑人士兵》，1864年。立体摄影，9厘米×18厘米

《波托马克河边的篝火晚会》（*A Bivouac Fire on the Potomac*）【图9-11】是霍默最早的战地作品，制作为木刻版画，刊登在1861年12月21日的《哈泼周刊》。正如他作品中的大多数战时形象，这幅作品描绘了营地生活，而不是战斗前线。霍默的画面类似戴维斯在8年前为《哈泼周刊》绘制的素描【图8-12】。唯一不同的是，在霍默的作品里，绕着篝火跳舞，给联邦白人士兵提供娱乐的不是美洲原住民，而是非裔美国人。霍默运用当时所有非裔美国人形象的定型模式——破烂的衣衫，舞者抬高膝盖的舞步，螺旋卷的头发，火堆旁为舞者伴奏的小提琴手咧开肥厚的嘴唇傻笑。在19世纪40年代，由于新兴的娱乐类型——黑脸走唱秀广受欢迎，这类滑稽的举止和扭曲的面容在流行文化和艺术形象里确立了牢固的地位。艺术史家阿尔伯特·布瓦姆（Albert Boime）认为黑脸走唱秀"将白人的幻想投射到黑人身上，因此，也难怪美国白人会钟爱这样一个无论发生什么都照样雀跃地蹦

跳、露出傻笑的黑人的安全又熟悉的形象"。

霍默的的石刻版画《我们的欢快的厨子》（*Our Jolly Cook*，1863年）以更怪诞的漫画描绘了这个非裔美国舞者，这次是弹奏着班卓琴的傻笑的乐手。1864年，霍默以联盟军为主题创作一幅作品，再次使用这个班卓琴手形象，作品题名为《在弗吉尼亚州彼得斯堡前用激将法引诱敌人开枪》（*Inviting a Shot before Petersburg, Virginia*）。无论这些非裔美国人是在联邦军队还是在联盟军队，无论他们身为违禁品、招募的士兵，还是奴隶劳工，霍默一律运用现成的定型模式，巩固非裔美国人的顺从地位（以及他们对这个位置的满足感）。

在他的小幅油画《朝阳的一侧》（*Bright Side*）【图9-12】，霍默开始摒弃描绘南北战争时期非裔美国人的定型模式，逐渐摆脱观念中的偏见。这幅作品描绘5个赶骡车的车夫，四人靠着阳光照耀的帐篷打盹，第五人从帐篷口探出来，只露出脑袋。霍默声称这是

图9-11：温斯洛·霍默
《波托马克河边的篝火晚会》，1861年。木刻版画，34.9厘米 × 50.8厘米

现实场景的速写，正当他完成四人的速写之时，第五人从帐篷里探出头来。1865年3月，这幅作品在布鲁克林艺术协会（Brooklyn Art Association）的春季展览首次展出，同年4月在国家设计学院年度展览展出，获得批评家和公众的好评。霍默能够在同年5月被国家设计学院录取，至少部分归功于这些肯定的评论。

批评家们称赏《朝阳的一侧》既"逼真"又"幽默"。有一位批评家写道："懒洋洋的阳光，懒洋洋地摇摆脑袋的毛驴，懒洋洋地闲躺的黑人，构造了一幅构思幽默、描绘逼真的图画。"在这位批评家以及许多其他艺术家看来，"逼真"地描绘非裔美国人本身便意味着幽默。正如学者罗伯特·F. 路西特（Robert F. Lucid）说道："人们习惯地认为黑人滑稽可笑。"此外，人们习惯地认为黑人懒惰。尽管大量记载显示，车夫的日常工作辛苦而残酷。他们常被比拟为自己所驱赶的骡子。当然，驮畜也常被形容为愚笨、倔犟、懒惰，尽管事实正好相反。

然而，艺术史家马克·辛普森（Marc Simpson）指出："设若霍默的车夫身上可以看到貌似种族歧视的幽默，那么其中也能看到一些较复杂的元素，一些让人不能看过一笑了之的东西。"中间的车夫目光直视，就是这样一个复杂的元素。另一复杂元素是五个男子都被仔细刻画出了个人特征，而不是相似的固定形象。霍默虽摒弃非裔美国人面貌特征的模式，但仍将他们放置在这样一个背景里：容许绝大多数观众拒斥的个人特征，执着于普遍接受的定型成见。

此外，这幅作品的名字流露出某种哲学的反思。表面看来，《朝阳的一侧》是指阳光照耀的帐篷一侧，但也可以诠释为这五人的职业和地理位置。在北军战线后方为联邦军队赶骡车，自然胜过在南方的棉花地里做奴隶。当然，霍默必定知道这一事实："违禁品"车夫一旦被联盟军俘虏，通常都是就地处决。

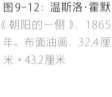

**图9-12：温斯洛·霍默**
《朝阳的一侧》，1865年。布面油画，32.4厘米×43.2厘米

托马斯·纳斯特（Thomas Nast，1840—1902年）也是为《哈泼周刊》报道南北战争的艺术家，他最著名的作品是19世纪晚期创作的尖刻的政治漫画。纳斯特出生在德国，1846年来到美国，师从考夫曼，后来进入国家设计学院学习。他先后任职《弗兰克·莱斯利画报周刊》（*Frank Leslie's Illustrated Weekly*）、《纽约新闻画报》（*New York Illustrated News*），1862年夏季受雇于《哈泼周刊》，报道南北战争。1865年，纳斯特创作了一幅以战时非裔美国人为题材的作品，画面惊人地迥异于绝大多数同类作品。他的《1865年2月21日马萨诸塞州第五十四步兵团（黑人）进入南卡罗来纳州查尔斯顿》[ *Entrance of the Fifty-fifth Massachusetts (Colored) Regiment into Charleston, South Carolina, February 21, 1865*，1865年 ]【图9-13】属于极少数认可非裔美国人作为联邦军队的战士在南北战争的大规模战役里冲锋上阵。林肯最初反对联邦军队招募非裔美国人，但最后作出让步。随着战争激化，非裔美国士兵人数日益

壮大。官方记载近185,000名非裔美国人参加联邦军队。200,000余名非裔美国人在联邦军营后方劳动。现今的历史学家也开始承认，在1864—1865年间，正是因为得到如此众多的非裔美国人的帮助，联邦军才能扭转形势，战胜联盟军队。

因此，在纳斯特的画里，前景中央跳舞的非裔美国人并非为了取悦画中两名白人军官，而是因为英勇的非裔美国兵团进驻查尔斯顿而喜悦。兵团后面矗立的建筑废墟形象地体现了他们胜利的代价。这些废墟让人联想起战争结束时无数摄影照片所呈现的烧毁的建筑。事实上，有些人揣测纳斯特的作品至少部分依据了摄影作品。

在南北战争期间，50余万奴隶逃离南方。400万奴隶仍留在南方，但这只是时间问题。不久之后，大多数人逃到北方。非裔美国人活动家和学者威廉·爱德华·伯格·哈特杜波依斯（W. E. B. Du Bois）在《美国的黑人重建》（*Black Reconstruction*，1935年）写道：

图9-13: **托马斯·纳斯特**

《1865年2月21日马萨诸塞州第五十四步兵团（黑人）进入南卡罗来纳州查尔斯顿》，1865年。油画颜料、棕色淡彩薄涂、石墨底稿，36.2厘米×53.9厘米

南方要么与奴隶合作，给他们自由，用他们与北方作战，因此不再把他们当作奴隶；要么向北方投降，预设北方在战后必定会帮助他们一如既往地维持奴隶制。

罗伯特·爱德华·李（Robert E. Lee）将军选择后一条出路。1865年4月9日，林肯总统被暗杀前五日，李将军在阿波马托克斯（Appomattox）向尤利西斯·辛普森·格兰特（Ubysses S. Grant）将军投降。尽管官方从未正式在南方恢复奴隶制，但北方的白人政客与南方人共同筹谋，用新的方式加深非裔美国人的服从地位。

## 重构的形象：《来自前线的俘虏》和《老女主登门造访》

南北战争结束后的第一个十年，通常被称为重建时期，南方的教育向非裔美国人开放，非裔美国人被赋予选举权，可以竞选政府职位。很多非裔美国人被选举担任地方政府、州政府和联邦政府的职位。1875年的《民权法案》（Givil Rights Act）明令禁止使用公共设施歧视黑人。然而，绝大部分南方白人不认可新法令，诸如3K党（成立于1866年）等群体对非裔美国人展开恐怖行动，阻挠他们行使新获得的自由权利。联邦军队驻在南方之时，非裔美国人受到一定程度的保护，可以避免恐怖袭击。然而，1877年，联邦军队撤离，因为北方的共和党与南方的民主党达成一桩庞大的政治交易，共和党同意如若南方民主党给予共和党总统候选人卢瑟福·伯查德·海斯（Rutherford B. Hayes）足够的选举团投票，让他当选总统，北方便不干涉南方重建白人统治。1883年，最高法院宣告《民权法案》违背宪法，从而在法律上无效。1896年，最高法院的一项判决取代《民权法案》，允许铁路和其他公共服务部门，在隔离设施"平等"的情况下，隔离黑人和白人。及至1900年，南方所有州政府立法剥夺黑人选举权，实施种族隔离。

霍默创作一系列绘画，体现战争结束与"重建"南方的努力所造成的紧张和妥协，其中一幅便是绘于1866年的《来自前线的俘虏》（Prisoners from the Front）【图9-14】。这幅作品运用战斗场景的传统构图，这类场景通常体现战斗结束后胜败双方的对峙。在许多欧洲著名的战斗绘画里，尤其是涉及特定的军事战争，譬如拿破仑的征战，胜败双方都有清晰的标

识。战败者跪倒或夸张地朝左鞠躬，由胜利的军队严加看守。胜者则站在右边检阅败军，通常周围簇拥着扈从。霍默保持这一构图模式的总体安排。画面中央偏左的位置站着三名刚投降的联盟军士兵，两名联邦军士兵站在右侧，位于前一组人物的后方。右边一位联邦军官独自站立，面对联盟军的降兵，但他身后的远处有更多联邦军士兵，牵着马，挥舞分离旗帜。

联盟军把步枪放在地上，表示归降，但他们没有弯腰屈服。最靠近联邦军官的俘虏藐视地挺立，一手插腰，直接注视着联邦军官的眼睛。这两位军官都看似二三十岁，另两名俘虏体现出不同的年纪：中间的老兵长着白胡须和白发，在三名俘虏当中显得最顺从，双手摆在身前紧攥；老人左侧的俘虏是一位少年，大约不到20岁，双手插在裤兜里，试图表现得满不在乎，脸上却掩饰不住愁容。态度傲慢的俘虏是画面的焦点，占据构图的中心。然而，画中没有一个人物高过其他人，三名俘虏、两名看守和联邦军官都处于前景同一平面，等齐的水平线将他们固定在原地。

1866年，《来自前线的俘虏》在国家设计学院年度展览上获得好评。1867年，这幅作品和《朝阳的一侧》一同参加巴黎世界博览会。正如艺术史家帕特里夏·希尔斯（Patricia Hills）所指出，该年巴黎博览会的美国展厅至少有15件作品（共82件）以南北战争或非裔美国人为题材，表明艺术家和策展方对南北战争、尤其是对非裔美国人的浓厚兴趣（在19世纪60年代末，随着重建改革的政治支持率下降，这份兴趣便骤然冷却）。

霍默的作品虽在纽约和巴黎获得肯定，但有些批评家发现《来自前线的俘虏》这样的作品难以归类，该视为人物画、风俗画，还是历史画？历史画通常包含一些象征符号，宣扬崇高的理想或永恒的真理，或者至少纪念特定的胜利或英雄。然而，《来自前线的俘虏》不涉及任何这类元素。联邦军官的原型显然是弗朗西斯·钱宁·巴洛将军（General Francis Channing Barlow）。霍默与巴洛将军是远亲，在战争初年，霍默曾到前线看望他，但联盟军士兵的身份未能得到确认。

不过，也有些批评家将《来自前线的俘虏》诠释为对整个南北战争的象征性评论，而不是简单地记述战时发生的一桩特殊事件。在这层意义上，这幅作品可以视为历史画，而非轶事性的风俗画。此外，另有一些理由证明这幅作品可以归入历史画。1869年，艺术批评家尤金·本森（Eugene Benson）撰写《论美国的历

史艺术》（*Historical Art in the United States*）。这篇文章主张历史画不应描绘先于画家的历史事件，而应当描绘与画家同时代的事件。历史画应当"为我们提供将要成为历史的艺术，而不是想要成为历史的艺术"。他认为《来自前线的俘虏》是历史画的最佳范例。

那么，霍默在《来自前线的俘虏》里对南北战争所作的评论有何本质？1866年4月，本森使用索尔代洛（Sordello）为笔名，在《纽约晚报》（*New York Evening Post*）发表文章论述：

> 一面是强健、面容坚硬的新英格兰人，毫无盛气凌人的架式，流露着处事恪守原则的尊严。对面是狂妄、鲁莽、肆无忌惮的弗吉尼亚年轻人，有能力作出英勇的事迹，他冲动，但没有坚忍；他太热切，从而没有耐心。他身旁站着不知所措的可怜的老人，看他一脸鬼祟，也许是间谍……老人后面站着的"可怜的白人"，愚笨、冷漠、无助，追随着强者，无力抵抗权威。霍默先生向我们

展示了北方与南方的对峙。观看他摆出的事实，我们不难想象南方为何让步。

事实上，并非只有本森（索尔代洛）注意到这两位中心人物在阶级和教养方面形成对照。另一位批评者说道："南方军官与北方军官是一个鲜明的对照，准确地代表了他们所属的相距遥远的阶级。"

因此，《来自前线的俘虏》的主要人物被诠释为"类型"，而不是"个人"。作为类型，他们成为一种解释南北战争的意义、起因，甚至战争的结果"答案"。于是，画面中心那个傲慢的联盟军士兵，代表着南方面临被北方挫败之时的刚愎自用。联邦军官沉思的目光则代表北方的审慎的思虑，估算如何最稳妥地对付南方的顽固与刚愎自用。有一位批评者说道："两个都是年轻人，两人能够彼此理解。"1888年，另一位批评者写道："这幅作品流露强烈的兄弟情谊。"正是"理解"和"兄弟情谊"最后有助于达成前文所提及的南北协议。南方白人向北方工业家和政客作出让步，换取自身在南方的政治和经济统治，从而创造

图9-14：温斯洛·霍默《来自前线的俘虏》，1866年。布面油画，60.9厘米×96.5厘米

了新的联邦政府。在这桩交易里，唯一吃亏的是黑人，尽管这场战争宣称以他们的名义开战。早在1865年和1866年，正是霍默创作《来自前线的俘虏》的时候，南方立法机构通过《黑人条款》（Black Codes）的流浪管制法和学徒法，限制自由奴隶的权利。

在《来自前线的俘虏》这幅以南北战争为题材的作品里，霍默可曾体现被出卖的非裔美国人？三名俘虏身后站着一个阴影般的黑皮肤人物，或许可视为传达这一层含义。这个形象不同于前景的人物，仅勾勒出模糊的面容，初看之下，让人误以为是站在阴影里的白人士兵。然而，只有三名俘虏可能投下阴影，但他们的位置不可能完全遮挡阳光，从而不可能营造阴影。那么，这名士兵是非裔美国人？

X光摄影显示霍默的初稿不包括这名士兵。联盟军俘虏及其周围的棕色土地都已铺好色彩之后，才增添这个士兵。然后，这个形象并没有似其他人物一般刻画细节，他的面孔依然保留土地的颜色。红外线摄影进一步显示霍默曾绘制这个士兵的面部，然后至少又刮掉过一次。霍默也许打算将他描绘为看守俘虏的联邦白人士兵，但在1866年提交国家设计学院展览的"成品"里，俘虏身后的这名士兵仍是深色皮肤，形象模糊。

在评论《来自前线的俘虏》的所有批评家当中，没有一人提及这名士兵的深色皮肤。霍默支持废奴运动，他不断地意识到非裔美国人作为战士和后方支援对战争所作出的贡献，因此，极有可能想在这幅南北战争的象征性评论绘画里指涉黑人士兵，从而指涉奴隶制。在铺设了荒芜的风景背景，勾勒了联盟军俘虏和巴洛将军之后，霍默可能翻阅了自己从前的作品，看到非裔美国人作为驱赶大车的"违禁品"和艺人的形象。他可能思忖是否在这幅画中使用类似的形象，或者是否有更好的方式展现非裔美国人在这场战争里的形象？如何把非裔美国人体现为积极主动的对象，作为机敏的战士，而不是沉睡的车夫或跳舞的艺人？如若在作品里包括黑人士兵，批评家会有什么反应？黑人和白人虽在战场上并肩作战，但他们被编派为种族隔离的小分队，不可能同时出现在类似《来自前线的俘虏》这样的战后场景。

也许是因为霍默预料到批评者和公众可能会抗拒黑人士兵的形象，便放弃了完整地描绘这个形象，但他没有彻底地删除这名士兵，也没有将他画成清晰可辨的白人。也许他最终决定，索性保留这个非裔美国

士兵的幽灵般形象，作为一种更微妙的"暗示"，去诠释南北战争及其后果的本质——非裔美国人是战士也是奴隶，前者帮助北军在战场上取得胜利，后者赋予这场战争道德辩护。霍默画布上的颜料未干透之时，南北"兄弟间"的战后谈判便已开启。在这场谈判里，作为奴隶的非裔美国人承受最惨重的损失。

霍默的另一幅以南北战争及其后果为题材的作品是《老女主登门造访》（A Visit from the Old Mistress）【图9-15】。这幅作品也呈现对峙场景，但对峙发生在室内，体现白人女性与前黑人女奴之间的对立。正如《来自前线的俘虏》中的联邦军官，白人女主身穿深色服饰。此外，也正如《来自前线的俘虏》的联邦军官，白人女主面对三个成年黑人女性——曾经为奴隶，就像那两名联盟俘虏，身上穿着破蔽的衣衫。在绘画风格方面，《老女主登门造访》比《来自前线的俘虏》更似"未完成"，但白人女主的面孔和上身服饰都加以精细的刻画。与最靠近她的黑人妇女相比较，这一细节处理便显得格外醒目。黑人妇女的面部特征，正如《来自前线的俘虏》的联邦看守的面容，只有粗略的造型。事实上，这个黑人妇女不但在造型上呼应联邦看守，她的头形和构图位置也类似联邦看守。因此，如果说非裔美国人走出了邦联的阴影，但他们是作为家庭妇女而不是战场上的士兵走出来的。

那么，这个对峙的本质是什么？谁是胜者，谁是败者？作品的题名或许暗示左边的女人是胜利者。毕竟，白人妇女是"老"主子。当然，"老"可能指白人妇女的年龄或花白的头发。就构图而言，白人妇女站在胜利者的位置，脸上略带微笑，眼睛直视面前的黑人妇女。然而，正如《来自前线的俘虏》，黑人妇女也毫无恭顺的意思。从历史角度来看，非裔美国妇女是胜者。这一场景发生在1876年，也就是美国内战和奴隶制终结的十余年之后。当白人女士进门之时，左侧的妇女依旧坐着这一事实象征着白人女主及其前女奴之间的关系转变。然而，就在次年，北方与南方的政客达成交易，推选海斯为总统，从而实质上结束重建时期。这场交易紧接着美国百年庆典之后达成。这个时机可谓合乎时宜，因为它重申了"国父们"——其中很多依然拥有奴隶——的利益所在。自此以后，非裔美国人在前十年奋斗所争取的一切将会被逐步废除。

因此，正如《来自前线的俘虏》，《老女主登门造访》也没有体现界定清晰的胜利或失败。即便是白

图9-15：温斯洛·霍默《老女主登门造访》，1876年。布面油画，45.7厘米×61.3厘米

人女主造访奴隶住所这一行动本身，也不能被视为投降。这类探望在蓄奴时代早期颇为普遍，19世纪70年代的大众报纸杂志经常刊登此类题材的版画，体现"过去的美好时光"，宣扬从前的奴隶知道自己的位置，懂得感激主子的仁慈。

霍默在《老女主登门造访》中创造一个封闭、近乎幽闭恐怖的空间（就尺寸而言，《来自前线的俘虏》比这幅作品大一倍），体现种植园白人女性与为自己劳动的黑人女性之间的密切接触。尽管白人男性也有贴身的奴仆，但他们与奴隶接触最多的地方通常是住宅以外的田地和工坊。白人女性主要控制家庭在室内劳动的奴隶。这些奴隶的劳动直接关系着白人家庭的健康和舒适，诸如烹饪、清洁卫生、抚养子女。正如《汤姆叔叔的小屋》所示，家庭奴隶常成为他们所侍候的白人孩子的朋友，也会成为成年白人的朋友。这种

友谊使得白人理解奴隶制的不平等，并萌发结束整个奴隶制的愿望。因此，相较于男性的事业和政治领域，女性的家庭领域似乎更可能促进两个种族的相互理解。

然而，家庭奴隶被主人鞭笞或者企图（偶尔成功地）谋杀主人的无数例子表明了家庭生活中也潜藏着激烈暴力的可能性。家庭奴隶的劳动虽不似田野奴隶那般艰苦，但他们随时处于白人监视之下，一刻也不能摘下伪装的面具。然而，小勒鲁尼·班内特（Lerone Bennett Jr.）指出，19世纪中叶的法院卷宗"提供充分的证据，表明大量奴隶拒绝表演奴隶制的游戏：他们不笑，不鞠躬；有些奴隶鞠躬，但不露笑容"。也有些奴隶既鞠躬也微笑，但暗地里蓄意破坏，打破器具或拖延劳动。在霍默的画中，四个女性紧紧挨着，暗示着相互理解和伤害的双重可能性。白人与黑人女性之间的现实和心理距离虽饱含紧张和怀疑，却也能通过一个手势而消除。

## 本土和海外的非裔美国艺术家：埃莫尼亚·路易斯和亨利·奥萨瓦·坦纳

如前文所述，许多白人废奴主义者试图通过鼓励和支持非裔美国人的教育和职业追求消弭种族的距离。前文所探讨的罗伯特·邓坎森、雕塑家埃莫尼亚·路易斯（Edmonia Lewis，约1845—1909年之后）都是受益于这类赞助的非裔美国艺术家。19世纪40年代早期，路易斯的原姓为野火（Wildfire），出生于纽约州边远地区，她的母亲是美洲原住民齐佩瓦族人（Chippewa），父亲是非裔美国人。她4岁成为孤儿，由母亲的族人抚养至12岁。在13岁那年，路易斯在兄弟和废奴主义者的帮助下进入欧柏林学院女子预科班（Young Ladies Preparatory Department of Oberlin College），改用基督教姓名玛丽·埃莫尼亚·路易斯（Mary Edmonia Lewis）。路易斯被白人同学指控偷窃、企图毒害两个同学。她出庭受审之时，著名的非裔美国人约翰·默瑟·朗斯顿（John Mercer Langston）为她辩护，所有罪名被宣判为不成立，但校方不允许她毕业。在废奴主义者威廉·劳埃德·加里森（William Lloyd Garrison）的帮助之下，路易斯迁居波士顿，遇见雕塑家爱德华·布拉克特（Edward Brackett）。布拉克特将自己的雕塑残片借给路易斯临

摹，并与雕塑家安妮·惠特尼（Anne Whitney）一同培养她的艺术技能。

路易斯最早的作品都是废奴运动领袖和英雄的胸像和圆雕饰，包括加里森、查尔斯·萨姆纳（Charles Sumner）、玛丽亚·韦斯登·查普曼（Maria Weston Chapman）、罗伯特·古尔德·肖上校（Colonel Robert Gould Shaw）。肖逝世之后，路易斯为他创作了一尊雕像（1865年），他的亲属对这件作品推崇备至，组织亲友以每件15美元的价格购买了100个复制品。这一大笔资金，再加上斯托利家族（Story family）的赞助，令路易斯拥有足够的经费在1865年去往意大利。路易斯在罗马加入以美国雕塑家哈丽特·霍斯默（Harriet Hosmer，1830—1908年）为首的女性艺术家团体，她们周游欧洲搜寻大理石良材和古典雕塑的历史藏品，以及肯教导女性艺术家的雕塑师。这些女性艺术家身后都有开明的父母给予她们全部或部分经济支持（路易斯身后则是朋友），她们终生独身，将全部生命投入艺术追求。

哈丽特·霍斯默出生于马萨诸塞州，先在密苏里州圣路易斯学习解剖学，接着去探索美国西部，然后在1852年前往罗马。直至事业生涯终点，霍斯默一直留在罗马。她既为路易斯在罗马提供良好的创作环

图9-16：哈丽特·霍斯默《贝亚特丽切·倩契》，1857年。大理石，44.1×106.3厘米×43.8厘米

境，也为她提供奴隶制和反叛问题的艺术范例。1857年，霍斯默创作了《贝亚特丽切·倩契》（Beatrice Cenci）【图9-16】，表现一位罗马贵族女性的卧像。在16世纪晚期，倩契和母亲卢克蕾齐亚（Lucretia）一同谋杀残暴专制的父亲弗朗切斯科（Francesco）。尽管当时无数人请求当局宽恕她们的罪行，但这两位女性都被判斩首。霍斯默的雕塑表现行刑前夜沉睡的贝亚特丽切，在祈祷中泰然接受自己的行动和命运。

两年后，霍斯默创作《锁着铁链的芝诺比娅》（Zenobia in Chains，1859年）【图9-17】。芝诺比娅是公元3世纪帕尔米拉王国的女王。帕尔米拉王国被罗马人征服，芝诺比娅被俘虏。霍斯默将她体现为战败后依然保持高贵、坚定的姿态。雕塑表现了芝诺比娅似乎在沉思自己的未来，她将锁链和长袍一同托起，牢牢地抓在手里。1863年，这件雕塑在美国展览，获得热烈的称颂，被推崇为体现道德的正直和抵抗失败的精神，贴切地象征了深受内战煎熬的美国。艺术史家惠特尼·查德威克（Whitney Chadwick）指出，霍斯默的作品与另一件同样著名、广受推崇的被锁缚的女性雕塑形成惊人的对比。那一件雕塑便是希尔姆·帕乌斯（Hiram Powers，1805—1873年）的《希腊奴隶》（Greek Slave）【图9-18】。查德威克认为，尽管这两件雕塑都是表现女性俘虏，但"《芝诺比娅》的坚定的尊严，似在谴责《希腊奴隶》那具引诱挑逗的裸体——即使只是寓言式的裸体。不止一位批评家称赞霍斯默的雕塑是女性新理想的化身"。

霍斯默注重表现女性反抗男性以及男性所界定的体系的政治和个人斗争；路易斯则将注意力转到非裔美国人反抗美国奴隶制度的斗争，尤其善于体察女性奴隶的苦难。路易斯在一篇文章中写道，《旧约》中的埃及人夏甲是亚伯拉罕的妻子撒拉的侍女，撒拉因夏甲为亚伯拉罕生下儿子而妒恨寻衅，夏甲便逃进沙漠避难。路易斯如此形容夏甲："我对所有受苦和奋斗的女性抱有深刻的同情。"

在罗马之时，路易斯创作了两件雕塑，都是直接评论美国的奴隶制度。一件是《获得自由的女人和孩子》（The Freed Woman and Her Child，现已佚失），另一件是《永远自由》（Forever Free，1867年）【图9-19】。《永远自由》的原题为《自由解放的早晨》（The Morning of Liberty），试图捕捉1863年1月1日早晨林肯发表《解放黑人奴隶宣言》后给黑人奴隶带来的感情冲击。这份宣言声称（在依然跟北方作战的地区）"所有身为奴隶的人从今以后都是自由人"。在路易斯的雕塑里，一个妇女仍脚戴镣铐，跪倒在地上，双手合拢在感恩的祈祷，一个男子站在她的身旁，一手搭在她的肩头，另一手举起原本锁着他双脚的镣铐和铁链，但他的手腕仍锁着镣铐，表示自由还没有完全实现。两人都举目仰望，认可更高力量的存在和援助（路易斯在这个时期改信天主教）。

路易斯希望观众将这两个形象视为非裔美国人。然而，除了男子卷曲的头发和略为宽阔的五官，两人的相貌特征很难让观众作出这样的诠释。或许可以争辩说，正如约翰逊的《南方的黑人生活》【图9-6】，路易斯想要表现非裔美国人的多样化相貌。正如路易斯本人，很

图9-17：哈丽特·霍斯默《锁着铁链的芝诺比娅》，1859年。大理石，高124.5厘米

多非裔美国人是非裔和欧洲白人或者非裔和美洲原住民的后代。艺术史家克丝汀·别克（Kirsten Buick）也认为，在《永远自由》里，路易斯选择将黑人妇女的相貌欧洲化，实际上是试图避免人们将这件作品诠释为她的自传或"自画像"，而是视为黑人女性的宣言。然而，迥异于约翰逊的绘画媒介，路易斯不能依赖材质（大理石）体现非裔美国奴隶的微妙的肤色差异。因此，深色皮肤（在雕塑中缺席的元素）与白色（大理石）之间构成一种对立。在这种对立关系中，深色以白色为衡量标准，并被判断为有所欠缺。作为古希腊和罗马艺术家的首选材料，大理石为这两个被解放的奴隶提供美学和历史的合法身份，同时又抹除了他们的种族的视觉标志，从而抹去被奴役的痕迹。

1916年，非裔美国作家弗里曼·亨利·莫里森·穆雷（Freeman Henry Morris Murray）谈及《永远自由》及其创作时代之时写道：

反动力量——再次被奴役，我几乎要说——即将来临……路易斯女士和"她的族人"已有预感。自由解放的太阳在1863年升起，在1865年似乎已升至中天，政府通过了第十三条修正案废除奴隶制。然而，阴云已经覆盖这条法案。警察的手铐已经取代前奴隶主的铁链，链条和拴囚犯的拘留营已经取代关押奴隶的围栏……在北方，自由的妇女被告知，为了她的孩子，最好送他们去

图9-18：希尔姆·帕乌斯《希腊奴隶》，1846年。1841—1843年造型，1872年雕刻。大理石，167.5厘米

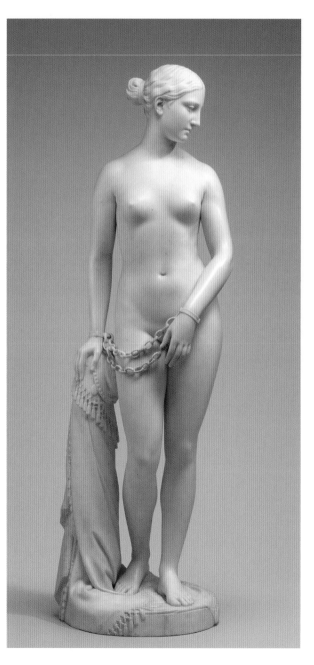

图9-19：埃莫尼亚·路易斯《永远自由》，1867年。大理石，104.8×27.9厘米×17.8厘米

"隔离的"学校……在公共交通工具和公共场合接受"种族隔离"。她得到庄严的保证，叫她放心，这一切绝不是屈辱或伤害。

因此，不足为奇的是，在19世纪60年代晚期至70年代早期，路易斯在美国名望虽然渐增，但她仍然选择留在罗马，仅为了推广作品到美国数次短暂停留。1869年，路易斯到波士顿向特里蒙特庙（Tremont Temple）教堂的格莱姆斯（L. A. Grimes）神父赠送《永远自由》。1873年，她到加利福尼亚州，提交5幅作品参加旧金山艺术协会展览。1876年，正值费城百年纪念展览之际，路易斯访问波士顿。据布瓦姆所说，她"经常携带作品参加西部展销会的巡回展览，避开纽约的竞争，搭建印第安人式的圆顶棚屋作为展棚，强调西部与她的美洲原住民传统之间的关联"。

路易斯至少创作了两件直接以原住民传统为题材的小型大理石雕塑，其中一件题名为《老箭匠》（Old Arrowmaker）【图9-20】。这件雕塑依据了亨利·沃兹沃斯·朗费罗（Henry Wadsworth Longfellow）在1855年创作的诗歌《海华沙之歌》（Song of Hiawatha）。正如《永远自由》《老箭匠》里女孩的五官显然也是欧洲化。年长的男子正在制作箭矢猎杀森林里的动物，年轻的女孩准备剥下兽皮制衣，取肉烹饪。这组雕塑的气氛静谧，但绝不是封闭的世界，因为两人的目光注视外面，也许是落在海华沙身上：他正送来一头鹿献给明妮哈哈（Minnehaha），作为求婚礼物。

路易斯的经济成功，表明她擅长创作19世纪晚期美国艺术消费者所期待的题材和品质的作品。然而，纵使在罗马，她也须面对艺术世界只认可白人男性的习惯性偏见。由于她的性别、肤色和服饰（通常被形容为"男性化"），她常被视为"新奇""异国风情"。亨利·詹姆斯（Henry James）描述路易斯是"一个女黑人，她的肤色与她的雕塑材料形成生动的对比，为她的名声提供辩护"。换言之，路易斯的成功并非由于艺术天赋，而是由于她的新奇。詹姆斯认为这份新奇源自她的深色皮肤与白色大理石之间的对比。1871年，艺术批评家劳拉·柯蒂斯·布拉德（Laura Curtis Bullard）如此写道：

> 埃莫尼亚·路易斯中短身材，肤色和五官泄露她的非裔身份，她头发更似印第安人，浓密直黑……她的举止颇有孩童般的天真，十分招人喜爱。她具有印第安祖先的骄傲，如果说她的外貌接近非洲人，那么她的性格更似印第安人。

布拉德写下这段描述之时，路易斯年近三十，已是功成名就的艺术家。但她仍被视为孩童般的招人喜爱，这些特征贬抑她作为艺术家和独身女性的成就和独立性，令她不会对男性以及一些虽在从事曾经排除女性的职业，却仍认为自己必须维持"女性气质"的事业女性构成威胁。在这段居高临下的描述里，布拉德结合两个定型观念："骄傲的"美洲原住民和"孩童般的"非裔美国人。在19世纪80年代中期以后，路易斯的事业生涯鲜有人知。她从展览记录和艺术报刊彻底地消失，最后提及她的一份印刷品是天主教杂志《玫瑰经》（Rosary）。1909年，这份杂志提及路易斯年事已高，但"仍与我们同在"。

另一位在欧洲度过大半成年时代的非裔美国艺术家是亨利·奥萨瓦·坦纳（Henry Ossawa Tanner，

图9-20：埃莫尼亚·路易斯《老箭匠》，1872年。大理石，69.6厘米

图9-21：托马斯·艾金斯《德拉瓦河上猎秧鸡》(*Rail Shooting on the Delaware*)，1876年。布面油画，56.2厘米×76.8厘米

1859—1937年)。坦纳出生于宾夕法尼亚州的匹兹堡(Pittsburgh)，童年时代随家人迁居费城。他的父亲是非洲卫理公会(African Methodist Episcopal Church)的牧师，后来成为主教。非洲卫理公会成立于1816年，源于18世纪70年代晚期的非裔美国人独立教会运动，在南卡罗来纳州成立的第一个非洲浸信会教会(First African Baptist Church)，并在19世纪继续扩展，为非裔提供美国精神、政治、教育、领导的资源。坦纳的父亲给儿子灌输基督教的坚毅信念，笃信宗教才是将非裔美国社区联合起来的力量，能够帮助所有人类不论肤色地实现人格尊严。坦纳的父亲是高产的作家和知识分子，出版有《非洲卫理宗的辩护》(*An Apology for African Methodism*，1867年)，讲述卫理公会内部非裔美国人与白人的分裂状况。另有《黑人的起源以及黑人是被诅咒的？》(*The Negro's Origins and Is the Negro Cursed?*，1867年)。坦纳的父亲也

编撰非洲卫理会公报纸《基督教实录报》(*Christian Recorder*)，创办《非洲卫理会公评论报》(*A.M.E. Church Review*)。坦纳家经常聚集美国重要的非裔知识分子和政治家。

1880年，坦纳进入宾夕法尼亚美术学院(Pennsylvania Academy of Fine Arts)，师从托马斯·艾金斯(Thomas Eakins，1844—1916年)。艾金斯当时已是颇具名望的肖像画和风俗画艺术家。然而，南北战争以后，人们以怀旧情怀看待战前或前工业时代的美国，当时社会、经济和政治的混乱局面，使得很多人渴望回归"较简单的"时代。风俗画在这种怀旧情怀里没有位置。艾金斯规避流行的乡间趣闻题材，注重体现时事和新兴的社会经济群体，即从事职业的中产阶级。他特别感兴趣的是中产阶级的工作和闲暇活动，譬如，外科医生做手术、男子在费城的斯库基尔河(Schuylkill River)划船或赛艇【图16-7】(参见第

图9-22：托马斯·艾金斯《舞蹈课》(*Dancing Lesson*)，1878年。水彩，46厘米 × 57.7厘米

392页）。在19世纪80年代，他与摄影师埃德沃德·迈布里奇（Eadweard Muybridge）合作，使用静止摄影照片序列研究人类和动物的运动。

艾金斯在数幅作品里表现了非裔美国人，其中一幅是创作于1876年的《德拉瓦河上猎秧鸡》【图9-21】。正如以划船为题材的作品，艾金斯在这幅画里表现许多中产阶级白人喜爱的休闲活动。这类活动通常要求高度集中的注意力、技能、自律。就猎秧鸡而言，也需要雇佣划船的向导，这幅画中向导便是一个非裔美国人。在画中，艾金斯以同样精细的笔触描绘两个人物的服饰和面部特征，两个人物都聚精会神地专注于自己的任务：猎人瞄准画外的秧鸡，船夫眼望秧鸡，同时稳住船身，准备回应枪击的反弹。这个非裔美国人虽只有种族符号，但他的容貌细节表明此

人必定是某个真实人物的画像，正如艾金斯野外作品里的许多人物都有特定的模特。

艾金斯另一幅描绘非裔美国人的作品是《舞蹈课》【图9-22】。这幅作品的原题是《黑人研究习作》（*Study of Negroes*，1878年），创作于《猎秧鸡》两年之后，但这两幅作品同时在纽约城的美国水彩画家协会（American Society of Painters of Water Color Exhibition）展览。在《舞蹈课》里，艾金斯以跳舞和弹班卓琴的非裔美国人为题材，但使用迥异于约翰逊的《肯塔基故乡》【图9-6】等早期作品的表现手法。艾金斯将三个非裔美国人安排在一个房间里，室内只有两把椅子、一张小桌、一只条凳，墙上挂着一幅椭圆形肖像画。家具和人物安排为金字塔构图，老黑人位于金字塔尖，年轻的男子坐在左边弹班卓琴，小男

孩在右边跳舞。每个人物的形体特征和服饰都加以细致地描绘，各人的面部表情都有精心的刻画——小男孩抿着嘴专注的样子，老人露出欢喜的笑容，弹班卓琴的少年默默地鼓励。三个人物构成一个自足自给的单元。正如《猎秧鸡》里的威尔·舒斯特（Will Schuester）和黑人船夫，《舞蹈课》里的三个人物也是专注地做着自己的事。光秃秃的室内场景，让观者专心地观察室内人物的行动和状态。摆在椅上的高礼帽和手杖表示这一堂私下的舞蹈课将要在公开场合表演，然而，在这个练习的时刻，所有的注意力都专注于学习技艺，专注于向下一代传授知识。

对于曾经为奴隶、在南方被体系性地剥夺接受教育的权利的非裔美国人来说，教育——正式的学校教育和非正式地传承文化传统——具有极其重要的意义。很多艺术家描绘非裔美国人在家中或简陋的教室埋头读书。《舞蹈课》画面左上角的椭圆形肖像画是1864年马修·布雷迪摄影工作室的作品，显示林肯给儿子泰德（"Tad"）进行阅读训练，艾金斯将这个场景形容为父子一同读书。不过，艾金斯的这幅作品描绘将更广阔的文化知识（舞蹈和班卓琴）传递给下一代，以及掌握和继承这份知识所带来的骄傲、期待和成就感。

坦纳可能从艾金斯的《舞蹈课》得到启示，决定用自己的方式歌颂知识的世代传承。他的《班卓琴课》（Banjo Lesson，1893年）【图9-23】在三个层次上传达教育的主题。首先，坦纳作为艺术家的教育；其次，祖父对孙儿的教育；最后，这幅作品本身对观众的艺术教育。

坦纳虽在艺术上得益于宾夕法尼亚美术学院的教育，但他也无法逃避迫使很多有色人种艺术家放弃艺术追求或离开美国的种族歧视。约瑟夫·彭内尔（Joseph Pennell）与坦纳同时进入宾夕法尼亚美术学院，他在自传体作品《一名插画师的冒险故事》（Adventures of an Illustrator，1925年）里描述某个年轻人，"八分之一的黑人混血，衣着十分讲究……安静、谦和"，修剪极短的"羊毛卷"，蓄着小胡须。有一天晚上，"他挺身自护之时"，被一群白人学生绑在画架上，放到布罗德街（Broad Street）中央。"关于我的黑人同胞在白人学校所经历的羞辱，我只见过这么一次，"彭内尔说道，"但一次就已经足够。"尽管彭内尔没有提及坦纳的名字，但他的相貌描绘符合坦纳当时的照片。

1891年，坦纳来到巴黎，进入朱利安学院（Academie Julian），师从让-约瑟夫·本杰明-康斯坦特（Jean-Joseph Benjamin-Constant）、让-保罗·劳伦斯（Jean-Paul Laurens）等艺术家，参加巴黎美国艺术学生俱乐部。他数次前往布列塔尼（Brittany）的阿旺桥（Pont-AVen），相比宾夕法尼亚美术学院的氛围，这里的艺术家同伴不太抱持种族歧视。坦纳的早期绘画主要以海景、风景、动物为题材。及至1890年中期，他才开始转向宗教题材——他在20世纪早期的绝大多数作品是宗教绘画。在转向宗教绘画之前，坦纳创作了数幅表现非裔美国人日常生活的风俗画，其中最著名的是《班卓琴课》。

1893年夏天，坦纳感染伤寒后康复，回到费城休养。同年8月，他在非洲问题世界大会发表题为"美国艺术界的黑人"（The American Negro in Art）的演讲，这次大会属于芝加哥哥伦布纪念博览会的一部分。这场演讲，再加上费城的环境，令坦纳不可避免地重新遭遇在两年前所逃离的种族歧视。也许正是这些经历，激励坦纳开始以非裔美国人为绘画题材。次年，坦纳在一篇文章里解释他描绘非裔美国人的原因。他在文中以第三人称自称：

> 自他从欧洲归返以来，他描绘了很多黑人，觉得被这类题材深深地吸引。这既由于这个领域的新鲜感，也是他对表现他们生活中的严肃和凄惨的方面的渴望。他个人以为，如若其他才能或条件都相同，最能与绘画题材产生共鸣的他，想必可以创作出最好的作品。在他看来，很多表现黑人生活的艺术家只看到他们的喜剧、荒唐的一面，缺乏同情和深情，不能察知这些粗糙的外表之下温暖宽厚的心灵。

坦纳这句话可能影射的是克里梅尔和约翰逊早期的作品【图9-1、图9-6】。

那么，坦纳的作品与那些被他形容为只看到非裔美国人生活的喜剧和荒唐方面的艺术家有何区别？约翰逊借鉴17世纪荷兰艺术家描绘农民生活的风俗画，坦纳则仿效17世纪一位迥异的荷兰艺术家——伦勃朗·梵·莱茵（Rembrandt van Rijn）。坦纳采用伦勃朗的奔放的笔法，但在画中削弱静物的存在感，迫使观者将注意力聚焦于画面的主要人物及其活动，忽视他们的服饰或容貌特征。此外，他运用侧面照射的金色光线——伦勃朗无数作品的标志性采光，使用高光突显人物面部，在背景里鲜明地映衬出人物的轮廓，从而为画面增添肃穆和宗教气氛。在继后数年的圣经绘画里，坦纳进一步发挥同样的用笔和采光手法。在《班卓琴课》里，宗教的虔诚被用来渲染非裔美国人的日常生活，提升贫苦人的生活意境。在这个方面，坦纳再次借鉴伦勃朗，表达他对17世纪荷兰穷人的敬意。

坦纳效仿艾金斯，将《班卓琴课》的人物描绘个人特征，以及人物专心于手头做的事。班卓琴成为一种导管，连接祖孙两代；班卓琴也是连接非洲和美洲的桥梁，因为这种乐器衍化自非洲带来的弦乐器。20世纪90年代，凯伦·S. 林（Karen S. Linn）研究美国流行文化里的班卓琴，发现在南北战争以后，由于班卓琴被融入全国性商业文化，从而被赋有不断演变、相互矛盾的历史意义。南北战争以前，班卓琴主要被视为非裔美国人的乐器，而在19世纪晚期，城市创业家试图将班卓琴引进白人精英文化潮流，在此过程中

图9-23：亨利·奥萨瓦·坦纳《班卓琴课》，1893年。布面油画，121.9厘米 × 88.9厘米

图9-24：亨利·奥萨瓦·坦纳《报喜》（*The Annunciation*），1898年。布面油画，144.8厘米×181.6厘米

淡化了班卓琴与非裔美国人的生活和文化的关联。淡化的一种方式便是推销新的演奏方式。传统的演奏方式是朝下拨弦，为游唱艺术伴奏，歌曲则是源自非裔美国人的文化。"新"的演奏方式如同弹奏吉他，逐根地向上拨弦，用以演奏时新的客厅音乐。在19世纪80年代和90年代，许多白人学院和年轻人的社交俱乐部教习班卓琴，既是因为这种乐器的推销广告与吉他、钢琴一般风靡社会，也是因为班卓琴象征着"非官方"、被禁止谈论的非裔美国文化的世界。

　　然而，许多非裔美国人很快便精通新的班卓琴演奏法，在美国和英国各地巡回演出。事实上，在坦纳的《班卓琴课》里，小男孩的右手位置便表示他使用向上拨弦的新演奏法。因此，坦纳的作品可以诠释为重申班卓琴属于非洲和非裔美国人特有的乐器，

重申非裔美国人在这个领域——正如在许多其他领域——具有掌握与精通新技法、新知识的才能。在非洲问题世界大会的演讲里，坦纳虽只提及画家和雕塑家，但我们或许可以再增添音乐家。有一篇大会的报道中这样描述："坦纳教授（美国人）提及黑人画家和雕塑家，宣称他们的实际成就证明黑人拥有才能和天赋，足以成功地与白人艺术家竞争。"

　　1893年10月，坦纳的《班卓琴课》在费城厄尔画廊（Earle's Galleries）展览，次年参加巴黎沙龙年展。罗伯特·柯蒂斯·奥格登（Robert C. Ogden）是约翰·沃纳梅克（John Wanamake）干货生意的合伙人、非裔美国人公立教育的倡导者，他购买了这幅作品。在1894年11月，奥格登将这幅作品捐给汉普顿学院。汉普顿学院致力于美洲原住民和非裔美国儿童的

教育，得到这样一幅以如此庄严、感人的方式表现教育在非裔美国人生活中的地位的作品，确实相当地适宜。这幅作品无疑有助于抵销教室里张贴的牛仔和印第安人图画，譬如约翰逊的《美国历史课》所描绘的生动形象【图8-16】。坦纳并没有将美洲原住民和非洲的文化传承贬抑为过去的历史，而是鲜活地见证不断演变、充满生机的文化传统，表明非裔美国人（以及美洲原住民）不懈地追求为20世纪继续争取平等而必备的知识。

奥格登虽是虔诚的基督教徒，但并不完全认同坦纳转向宗教绘画。奥格登认为，相比不能轻易被识别为出自非裔美国艺术家的"较抽象的"宗教绘画，坦纳应该通过风俗画在非裔美国人中间发挥更大的影响力。奥格登与非裔美国教育家和政治人物布克·T. 华盛顿（Booker T. Washington）一样，认为非裔美国人须通过教育而非政治暴动改善生活状况，成功人物应该成为"种族"进步的公众榜样。1899年，华盛顿和坦纳在巴黎见面之后，如此写道：

> 我与坦纳先生的会面，再次巩固了我心中的这个真理。这个真理我一直试图传达给塔斯基吉（Tuskegee）的学生，并且尽我的声音所及，传达给遍布全国的族人。这个真理就是：每个人，无论肤色，都会以他如何地擅长做一件事——无论这件事多么地低微——得到相应的认可和回报。所以，要学得比其他人好。

坦纳深知他的肤色影响公众对于他作品的反响，也真诚地致力于推翻关于非裔美国人的负面定型观念。与此同时，他不希望肤色成为自己的艺术被评判的标准。奥格登谈及在自家展览坦纳的《报喜》【图9-24】之时的情景：

> 我认为，有些只是因为坦纳的种族而对他感兴趣的人们，或许可以借着这个机会好好地看看他的作品。不过，我担心这个展览可能会冒犯他的细腻、略有些敏感的性格，因为他无意扮演一个专业的有色人种，宁可冒险失去所有的成就，就像任何人一样靠自身的价值成为艺术家。

坦纳的浅色皮肤为他开启许多向深肤色人种关闭的门。然而，较为自如地出入白人世界这一事实本身随时地提醒坦纳，他并不能完全地拥有那个世界的特权。

坦纳转向宗教题材，可能是因为他看到这类作品在白人市场的销路更广，远胜于非裔美国风俗画（非裔美国社区本身很难提供经济资助）。当然，这些宗教绘画也概括了他父亲的激进思想——相信在上帝眼里人人生而平等，相信犹太人和基督徒之间的斗争类似黑人挣脱奴役的束缚。

相比当时许多同类题材的作品，坦纳的宗教绘画较为沉重，绝不渲染感伤的情怀。正如《班卓琴课》，坦纳的《报喜》运用采光，使得画面充满神圣的光芒。天使加百列（Gabriel）被体现为一道灿烂的金光，照亮圣母玛利亚的面容，呈现她听闻自己将孕育上帝之子的喜信之时的敬畏和谦卑。1924年，坦纳写道，"不只是将这个圣经事迹放置在原初的背景……也想为这个事迹赋予'让全世界成为一家人'、永远不变的人类情感"。或许可以说，无论是宗教绘画，还是非裔美国生活风俗画，坦纳都成功地用具体的事迹体现他的普遍理念，因为这两类作品都体现庄严的人物，专注于简单而高贵的活动，无论这个活动是谦卑地接受上帝派遣给凡人的任务，还是确保文化知识的世代传承。

1900年，杜波依斯为巴黎博览会的美国黑人展厅策划一系列摄影肖像，反映肤色和种族问题。由于这些肖像照片的摄影师身份不明，杜波依斯负责收集、组织和展览这组照片，因此便被归于他的名下。杜波依斯将照片编排为四个专辑：《美国黑人类型》（*Types of American Negroes*）、《乔治亚州》（*Georgia*）、《美国》（*USA*）、《美国乔治亚州的黑人生活》（*Negro Life in Georgia, USA*），其中包括正式的摄影室肖像照，人们工作或休闲的随意快照，中产阶级家庭的室内生活照。杜波依斯的意图是提供充足证据，反驳非裔美国人为低等人种的定见。他在评注里写道，参观美国黑人展厅的人们会发现"典型黑人的照片，完全不符合美国人的习惯看法"。

每个专辑以正式的个人肖像作为开场白。每个人物拍摄有两幅照片，一幅正面像，另一幅侧面或半侧面像，譬如图示的非裔美国少女的头胸像【图9-25】。这个少女身穿时尚的服饰，说明她家拥有一定程度的财富。在正面像里，她坐在灰暗的素色背景前，自信地注视观众。

图9-25：W.E.B. 杜波依斯《非裔美国少女，头胸像，正面与面朝左》，1899—1900年。明胶银版印相

　　这类成对匹配的摄影肖像及其背景呼应19世纪的科学摄影档案。这类图象档案通过重复类似的身体，通常是上半身赤裸的形象，试图将种族上的"他者"编为法典。然而，在杜波依斯的相册里，这些人没有相似的身体或相貌。正如文学批评家肖恩·米歇尔·斯密斯（Shawn Michelle Smith）所说，"杜波依斯的相册通过再现'肤色、头发和骨骼'的多样性，反驳世纪初法律所谓的'一滴血'身份鉴定法，质疑美国白人对肤色界线的执念"。杜波依斯的摄影照片并非想

要体现"真实"或"真正"的黑人，也不试图似弗兰西丝·本杰明·约翰斯顿那样［她在汉普顿学院拍摄的美洲原住民照片也在1900年巴黎博览会展览【图8-16】］记录非洲人如何转变为"美国人"。相反地，斯密斯写道，这些照片希望让白人观者"看到造成种族歧视的文化逻辑和特权习惯"。杜波依斯在选择跟观者直接对视和交流的个人肖像照之时，创造了一份个性化、具体化的美国身份档案，并将这份档案"直接地摆在协商、冲突和'种族'的地带"。

---

### 问题讨论

1. 约翰·罗杰斯的《奴隶拍卖会》（1859年）在创作当年为何销路不佳？伊士曼·约翰逊在同年绘制的《南方的黑人生活》，又名《肯塔基故乡》为何如此成功？

2. 温斯洛·霍默的《来自前线的俘虏》为何被视为历史画？

3. 温斯洛·霍默的《老女主登门造访》与《来自前线的俘虏》在构图和主题方面有何相似之处？这两幅作品如何地揭露美国重建的成果和失败？

4. 埃莫尼亚·路易斯的人生经历如何影响她所选择的雕塑主题？又是如何影响观众对于她的作品的反响？

5. 亨利·奥萨瓦·坦纳、托马斯·艾金斯和杜波依斯如何反驳克里梅尔等早期艺术家在绘画和摄影里所构造的种族定型模式？

# 19世纪30年代的艺术家与1830—1848年的公共领域危机

## 第10章

## 导言

浪漫主义时期有时被称为艺术的英雄时代：画家、诗人和音乐家一面全身心地投入创作，一面鄙视庸俗的公众。这一番陈词滥调的确包含一些真相。在这个时期，官方不再提供赞助，文化（和经济）强调个人主义和独特的创造，这两大因素加深了艺术家和公众之间的分歧，人们只能用神话弥补艺术天才。布莱克、德拉克洛瓦、马丁和特纳等艺术家便是这样的范例。

与此同时，尤其是在1830年大革命以后的数个年代（路易-菲利普统治的七月王朝），许多法国艺术家试图寻找赞助渠道，跟统治精英（贵族和资产阶级）或者新兴的社会阶级（小资产阶级或无产阶级）建立牢固的联系。与统治精英建立关系的主要艺术家有让-奥古斯特-多米尼克·安格尔、霍勒斯·韦尔内、阿里·谢弗（师从新古典主义画家盖兰）、保罗·德拉罗什（在格罗的画室学习历史画）、让-里奥·杰洛姆（Jean-Léon Gérôme，1824—1904年，师从德拉罗什）。杰出的艺术家奥诺雷·杜米埃（Honoré Daumier）和大卫·德昂则跟新兴社会阶级者建立关系。

安格尔和德拉罗什等保守画家，以及雕塑家菲丽西·德·福沃（Félicie de Fauveau，1799—1866年），一同开创了一种混合艺术，被称为历史风俗画。正如此时期的政权本身，这个艺术风格包罗万象：揉杂一点风俗画（日常生活）和历史画的元素，再掺杂一点古典主义和浪漫主义，然后混入一点社会等级制度和平等主义。这一风格也被称为中庸艺术（juste milieu），其作品通常借鉴古典传统，再增添当代的轶事和感伤情调。德拉罗什在巴黎美术学院的半圆形壁画《所有时代的艺术家》（Artists of All Ages，1836—1841年）是这一风格的典型作品。托马斯·库图尔（Thomas Couture）大概也可以归入这个阵营，因为他的艺术代表最卓越的综合手法。然而，库图尔的艺术并非只有风格，没有实质。他的巨型作品《堕落的罗马人》（Romans of the Decadence，1847年）【图10-16】体现狂欢后的场景，画面中呈现真实或雕塑的罗马人在目睹与谴责这场狂欢。这幅作品具有极大的震撼力，从而克服了历史风俗画种本身的自相矛盾。《堕落的罗马人》触及当时法国的阶级、权力和性别（揭示女性被压迫的地位）的问题，似乎预示即将来临的革命。

杜米埃和德昂的作品则主要面向当时新兴的叛逆的阶级，尤其是城市和乡村的工人。奥古斯特·布朗基（Auguste Blanqui）称这个阶级为无产阶级（prolétaires）。"Prolétaires"一词源自古罗马，原指没有财产、只能以生育子女的方式为国家作贡献的低层阶级。杜米埃是讽刺漫画大师，他的石版漫画在《讽刺漫画》（La Caricature）、《喧声报》（Le Charivari）等报刊批量复制。德昂是19世纪杰出的大雕塑家，他最著名的作品是巴黎先贤祠山墙（1830—1837年），每天吸引数千游客观览。杜米埃的早期漫画，譬如《1834年4月15日特朗斯诺宁街》（Rue Transnonain, April 15, 1834，1834年），犀利地抨击君主统治及其镇压持政治异见的报社和言论自由的行径。事实上，《1834年4月15日特朗斯诺宁街》的印刷件全部被警方没收，印刷漫画的雕版被砸得粉碎。杜米埃的漫画经常以审查制度本身为讽刺对象，譬如《轮到你发言了，解释你自己的行为》（You have the floor, explain yourself，1835年）、将被囚禁的新闻记者比拟为那位著名的天文学家的《现代伽利略》（A Modern Galileo，参见第240页）。

德昂的先贤祠山墙体现法国大革命时期的知识和政治传统，塑造了伏尔泰、卢梭、马勒泽布（Malesherbes）、米拉波（Mirabeau）、拿破仑·波拿巴的真人尺寸雕像。因此，这面山墙便成为路易-菲利普日益保守的统治阶层的眼中钉（这也许能够解释建造工程何以屡次拖延竣工和揭幕时间）。德昂的小型雕塑和浮雕也极为出色。他从流行的版画借鉴造型比例、面容特征和人物组合，自创了一种独特的风格。就这一层意义而言，雕塑家德昂与讽刺漫画家杜米埃开创了现实主义——这是1848年革命年代后兴起的叛逆与民主的艺术。

图10-1：奥诺雷·杜米埃《现代伽利略》，1834年。石刻版画，22.5厘米×27.5厘米

## 浪漫主义与沉重的真理

19世纪早期风景画的流行盛况，可能让艺术家们也感到惊异。风景画在今日备受称赏的特征——抽象和表达，正是这个画种曾经受嗤鄙的方面。康斯坦布尔在1802年写道："而今最大的恶习是狂妄，企图将事情做得超越真实的界限。"一个世代后，弗里德里希写道："享受强烈的色彩是我们时代（不幸）的趣味……如今的风景画不再追求对象的精神构思。"然而，20世纪迥异于19世纪的忧虑，在风景画里热切地拥抱这种狂妄和夸张。透纳、康斯坦布尔、弗里德里希被推崇为印象主义和表现主义的先驱，他们精湛的艺术造诣被视为自身的辩解。事实上，当我们看到康斯坦布尔在创作《哈德利城堡》（1829年）【图5-11】之时就放

弃模仿，转而抒发他自己的情感，我们觉得被他触动了心弦，感受到了他的正直。1821年，当他写下"对我来说，绘画是感觉的另一个名字"之时，我们震惊地领会他的含意，并且深信他在向后人述说。

相比先前所有世代的艺术家和文学家，浪漫主义者更珍视个人的自主和独创。他们自称拥有几乎是神圣礼物的想象力。关于想象力，布莱克如此写道："真实地、不可更改地表现永恒存在的东西。"正如布莱克、康斯坦布尔、拉斯金和弗里德里希的文辞所示，浪漫主义者并未宣告不受约束的艺术抽象和放纵不拘。艺术需要表现"永恒存在的东西"，也需要不止于简单的模仿和个人的表达。浪漫主义者甚至将超越艺术造诣和表现力的公共道德、伦理规范加诸于风景画

（在某种程度上，由于这个画种专注于自然而不是人世，从而最不需要承担道德的意味）。拉斯金正是这种传统的理想主义艺术观念的代表人物。他评价特纳的风景艺术是"无价的思想载体，但其本身没有价值"，在《现代画家》（1843年），拉斯金继续写道："所有那些专属于画家的卓越品质，实际上只是演说家和诗人的韵律、旋律、精确和力量，这些是他们的伟大的必备品质，但不是他们的伟大的试金石。画家或作家的伟大的最终判断，并非取决于表现或叙述的模式，而是被表现或表达的东西。"

拉斯金认为艺术家有责任模仿社会的最根本真理，而不只是模仿自然的表象。无数信奉不同政治理念和趣味的人士也认同他的观点。比方说，康斯坦布尔属于托利党，拉斯金则是社会主义者（虽然只是在道德上，而不是政治上），即使有这样的政见分歧，康斯坦布尔依然赞同这位批评家的艺术观念，认为风景画家须担负道德和伦理的责任。正如前文所述，康斯坦布尔的理想是科学地记录他所推想的英国，将其描绘为丰产、祥和、等级关系稳定的国度，用这样的绘画来教导人心和道德的说服。事实上，康斯坦布尔的"六尺画"旨在承载历史画的意识形态：为未来的世代庄严地记录一个保守派眼中所见的勤劳的乡绅阶层（艺术家所属的阶层）的社会图景。

德国艺术家弗里德里希的风景画也旨在提供道德寓意。弗里德里希称他自己的作品为超验的练习，具有帮助个人克服社会的精神隔绝的潜能。因此，弗里德里希与康斯坦布尔一样，认为画家的责任是借助风景画的模仿和理想化这一独特过程，在自我与他者、自我与社会、自然与社会之间作调解。自然哲学家谢林（F. W. Schelling）认为，艺术家必须"从自然退身……但只是为了将自己提升到创作的高度，在精神上把握自然。因此，他上升到纯粹思想的领域；他摒弃造物，又带着更深刻的兴趣重新找到造物，在这个意义上回归自然"。尽管谢林的措辞很抽象，但他给艺术家的指示却十分清晰：艺术家须通过创作既理想又真实的作品，向人们展现超验的真理。艺术是一种手段，通过艺术作品，人们可以理解自身的自由恰是在于服从道德律令。

总之，我们已经看到浪漫主义时代英国和德国（以及美国）的风景画虽貌似具有创新精神、艺术造诣和独创性，却也被期待在政治、伦理和道德的舞台上

扮演重要又无关艺术的角色。与此同时，画家和批评家已经意识到艺术表现与公共意义之间不断扩大的差距。这一差距本身揭示了早已启动的文化危机。首先，艺术家愈发疏远他们认为变化无常、"头脑简单"的公众（英国诗人雪莱的措辞），从而难以确定自己该效忠何人。再次，艺术家日益被他们视为粗俗、派系化的市场所控制，从而开始缺乏信心，不知如何衡量自己的成败。最后，尽管浪漫主义艺术家摆脱了贵族赞助的压迫体制，却同时被切断经济资助，从而难以决定该在自己的作品里体现何种价值观、道德观和信念。1830年的法国大革命与登上历史舞台的无产阶级（奥古斯特·布朗基于1832年最早在现代意义上使用这个词语），更进一步地恶化这场文化意义的危机——最终促成19世纪的现代和批评的艺术。

## 七月王朝和中庸艺术

欧仁·德拉克洛瓦致力于恢复历史画种的声望，在1830年创作《1830年7月28日：自由女神引导人民》【图2-33】，及时赶上1831年的沙龙。这幅作品非但没有获得他所期冀的成功，反倒几乎沦为公共灾难。《自由女神》大胆地运用法国国旗的三种不和谐颜色，画面拥挤地安排着工人和手艺人，还有挥舞手枪的街头流氓和大学生。这些人物安排显然违背了新倡导的共识：七月革命是巴黎所有阶级和谐合作的成果。德拉克洛瓦将一名女性领导之下的工人阶级表现为革命的媒介，从而拒斥了跨越阶级的团结一致等宽慰人心的道德说教，譬如，霍勒斯·韦尔内在1833年创作的《1830年7月31日奥尔良公爵进入巴黎市政厅》（*The Duc d'Orléans Proceeds to the Hôtel-de-Ville, July 31, 1830*）【图10-2】所描绘的道德寓意。然而，那些希望尽快回归法治和秩序的人们谴责德拉克洛瓦的理念，包括他的朋友亚历山大·仲马（Alcxander Dumas）。大仲马诘问道："在七月那些著名的日子，难道只有这一群乌合之众？"法国内政部（廉价）购买了这幅作品，于1832年在卢森堡博物馆（Musée Luxembourg）展览，但当局害怕《自由女神》会煽动叛乱，自这次展览之后，便将这幅作品秘密地藏匿，不再公诸于世。这份担忧并非毫无缘由。

在七月革命里，那些突破路障的巴黎工人不再是1789年的乌合之众或无裤党，而是将要成为具有自我意识的无产阶级。对他们来说，大革命不只是争取

图10-2：霍勒斯·韦尔内《1830年7月31日奥尔良公爵进入巴黎市政厅》，1833年。布面油画，228厘米×258厘米

图10-3：奥诺雷·杜米埃《1834年4月15日特朗斯诺宁街》（Rue Transnonain, April 15, 1834），1834年。石刻版画，28.6厘米×44.1厘米

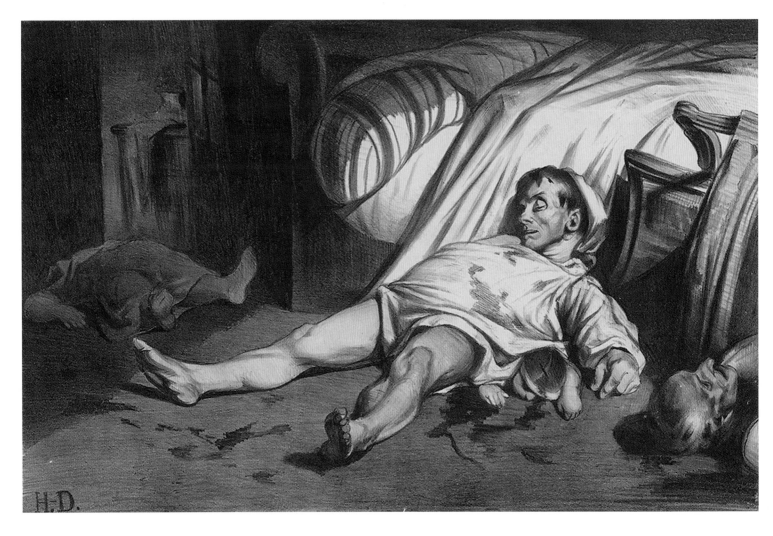

波旁王朝查理十世所篡夺的宪章，也是争取工作、公平工资、组织工会的权利。大革命结束后一年以内，又开始新一轮暴动：1831年11月里昂丝织工人罢工；1832年，巴黎工人在一位深受欢迎的波拿巴派系将军的葬礼之后掀起叛乱；1834年，里昂工人在当地共和党的支持之下再次叛乱；同年4月，里昂起义的数日内，当局关闭激进报社，逮捕无产阶级人权协会领袖，法国首都的工人愤起暴动；4月14日，工人在巴黎无产阶级郊区筑起路障，阻挠军队行进。然而，这个战略没有成功。在短暂的时间内，工人暴动就被镇压。年轻的讽刺漫画家奥诺雷·杜米埃创作一幅大型石刻版画《1834年4月15日的特朗斯诺宁街》【图10-3】，描绘政府对工人的屠杀。这幅版画的印刷品随即被警察没收。数月后，当局颁布一系列严格的出版审查制度，彻底地脱下宪政主义的伪装。1834年叛乱者接受法庭审判的期间，德拉克洛瓦的历史画和杜米埃的政治讽刺漫画，都被禁止出现在公众眼前，譬如杜米埃的《轮到你发言了，解释你自己的行为》【图10-4】。

七月革命之后的近20年间，法国的绘画和雕塑极其受制于法兰西学院和路易-菲利普的政府。古典主义传统曾是启蒙运动和革命的庄严语言，却在中产阶级的历史主义之下妥协，譬如德拉罗什的半圆形壁画《所有时代的艺术家》【图10-5】所体现的风格。德拉罗什为巴黎美术学院的半圆形礼堂绘制壁画（底部近25米），描绘了75位人物，代表了自古至今的艺术进步。德拉罗什渴望企及安格尔的《荷马的神化》的雄伟，但他抱着调和、折中的态度创作，并且专门拣取轶事充当壁画的内容。画中的艺术家，从契马布埃（Cimabue）到皮埃尔·普吉（Pierre Puget），都放松地围聚闲聊，好似剧院幕间休息的场景。浪漫主义雕塑家德昂称这幅壁画为"学者型风俗画"，犀利地揭示了其画面虽宏大，本质上却只具有亲密、嗜古的特征。

图10-4：奥诺雷·杜米埃《轮到你发言了，解释你自己的行为》，1835年。20.7厘米×28.2厘米

图10-5：保罗·德拉罗什《所有时代的艺术家》，1831—1841年。蜡画法，388.6厘米×2499.4厘米

图10-6：让-里奥·杰洛姆《希腊年轻人斗鸡》（*Young Greeks Attending a Cockfight*），1846年。布面油画，143厘米×204厘米

## 历史风俗画

在路易-菲利普执政时期，古典主义艺术传统让位于嗜古癖，历史画（tableau d'histoire）也开始让位于一种混杂的历史风俗画（genre historique）。政府和法兰西学院企图阻挠艺术家用古希腊和罗马的题材创作具有政治争议的大型作品，便鼓励展览和出售架上绘画，推崇法国的历史和当代取材的民族主义、爱国主义和家庭的题材。这种被批评家称为历史风俗画的新画种，符合弗朗索瓦·基佐（François Guizot）、阿道夫·梯也尔（Adolphe Thiers）、儒勒·米什莱的历史著作，他们强调法国伟人的成就，注重过去时代的信仰、习俗和人们的日常生活。诸如，让-里奥·杰洛姆的淫荡作品《希腊年轻人斗鸡》【图10-6】，阿里·谢弗的感伤作品《圣奥古斯丁和圣莫妮卡》（*St. Augustine and St. Monica*，1854年）【图10-7】，背后都透露着极为保守的政治动机。杰洛姆的作品推崇男子气概，谢弗则推崇天主教信仰，两人都无视历史的变迁，在画中仅通过服饰暗示过去和现在的区别。过去的历史

画旨在成为道德的典范，历史风俗画则企图贬抑昔日的辉煌和恢宏，借此提升今日的成就。就贬抑前者而言，政府和法兰西学院的绘画做得极为出色，及至托马斯·库图尔的《堕落的罗马人》（*Romans of the Decadence*，1847年）【图10-16】面世之时，古典主义的手法大多只用于反讽、讽刺和戏剧性的夸张。

在七月王朝时代，历史风俗画的风格不但在绘画里盛行，而且也见于雕塑媒介。菲丽西·德·福沃的《瑞典女王克里斯蒂娜拒绝宽恕扈从莫纳尔代斯基》（*Christina of Sweden Refusing to Give Mercy to Her Squire Monaldeschi*）【图10-8】，曾在1827年大革命前的沙龙展览，但这件雕塑典型地体现了19世纪30年代浮雕作品的流行趋势：便携的、轶事化、历史主义、亲密的。由于雕塑的处理手法和主题，福沃的作品称得上是历史风俗画风格的卓越典范。这件浮雕以严肃而含蓄的方式处理戏剧行动和场景，在空白的背景前安排特征鲜明、距离接近的两组人物。作品的题材同时吸引人，集中表现人物的战斗行动和决心。事实上，雕塑的事迹无异于雕塑家本人的行动。1832年，福沃参与波旁王朝正统派策反路易-菲利普的密谋而被捕入狱。

安托万-路易·巴里（Antoine-Louis Barye，1796—1875年）更能典型地代表七月王朝的雕塑艺术。与此时期的绝大多数雕塑家一样，巴里出身于工匠，终生跟工业和装饰艺术传统保持紧密的关系。他和稍微年长的大卫·德昂一同复兴青铜雕塑，也是最早开始使用复制技术的艺术家，连续复制自己的艺术作品，以便接触到更广大的中产阶级受众。然而，巴里的阶级背景和技术创新精神，以及他和工会组织的青铜铸造工人的深厚交情，都没有影响他在政治上

彻底效忠于奥尔良王朝。他的《雄狮镇制蟒蛇》【图10-9】被视为七月革命的寓言象征，为他赢得法国荣誉军团勋章。这件雕塑可以诠释为法国人民推翻波旁王朝，或者奥尔良王朝的法律摧毁共和党的无政府主义（无论哪一种含意，都能呼应路易-菲利普自视为道德秩序和国家繁荣的倡导者这一鼓吹理念）。此后，

图10-8：菲丽西·德·福沃《瑞典女王克里斯蒂娜拒绝宽恕扈从莫纳尔代斯基》，约1827年。石膏，40厘米×58厘米

图10-9：安托万-路易·巴里《雄狮镇制蟒蛇》（Lion Crushing a Serpent），1835年。青铜，205厘米

巴里极少运用这类政治寓言模式，但王室钟爱戏剧性的夸张和科学的自然主义，颇为青睐他的动物搏斗青铜雕塑。巴里的雕塑部分借鉴古代和文艺复兴时期的理想原型，部分依据他本人在巴黎比较解剖学展馆〔Paris Cabinet d'Anatomie Comparée，乔治·居维叶（Georges Cuvier）在18世纪晚期创办〕积累的自然主义观察知识，因此，他的青铜作品可以说是七月王朝妥协精神的产物。

七月王朝的绝大多数艺术家都跟巴里一样，试图在作品中实现政府所追求的中庸（juste milieu）。路易-菲利普认为他的王朝是1789年的革命与复辟王朝神圣注定的调解。他的王朝要歌颂和纪念英雄的波拿巴，也要重视似路易-弗朗索瓦·博尔汀先生（M. Louis-François Bertin）这等头脑冷静的中产阶级。图示是安格尔在1832年为博尔汀先生绘制的肖像画【图10-10】。自由与秩序、民主与稳定、科学与信仰、进步与正常的生活是中庸理论的对称支柱，对应于法国的双重革命和双重君主传统。因此，国王及其意识形态（idéologues，拿破仑创造的新词）在文化和经济政策方面都运用兼收并蓄和综合统一。地方性的垄断伴随新生的工业化而兴起，国内关税和外国贸易保护主义伴随新兴的国家银行而出现。古典主义的安格尔和德拉克洛瓦的浪漫主义同时并存。在谢弗的官方的、浪漫主义的理想主义之外，杰洛姆的学院派和新古典主义的貌似真实也很繁荣。

正如艺术史家阿尔伯特·布瓦姆所说，七月王朝所追求的政治和艺术，通常能够和谐地融合那些不能兼容的东西。愤世嫉俗的社会主义者皮埃尔·勒鲁（Pierre Leroux）在1839年写道："取一份君主制度，取一份贵族制度，取一份民主制度，你就有了复辟王朝或者他们的中庸，这就是兼收并蓄。"富有影响力的哲学家维克多·库辛（Victor Cousin）在其著作《论真、美、善》（Du vrai, du beau et du bien，1853年）写道："天才是机敏又准确地感知理想与自然、形式与思想的适当比例。这一结合即是艺术的完美：遵循这一比例便能创作伟大的作品。"然而，正如中庸的政治，中庸的艺术归根到底仍是自相矛盾的，缺乏稳固的根基。七月王朝终结时期所出现的两件作品最能说明这一事实。一件是大卫·德昂的巴黎先贤祠山墙（1830—1837年）【图10-11】，另一件是库图尔为1846年沙龙创作的《堕落的罗马人》【图10-16】。

## 爱国主义的吊诡：大卫·德昂的先贤祠山墙

大卫·德昂在1830年开始创作先贤祠山墙。同年，德拉克洛瓦正在绘制《自由女神引导人民》【图2-33】。这件雕塑致力于体现进步和爱国的中产阶级的想象力和能量。就受众的反响而言，先贤祠山墙遭遇德拉克洛瓦的《自由女神引导人民》同样的命运。面对这件巨型雕塑，政治温和派和保守派皆感到愤怒，茫然不解。两大派系的同样反应，揭示了公共领域正在拉大的分裂。先贤祠山墙的浮雕下方刻有一行铭文，宣告这件雕塑的主题是深怀感激的祖国向伟人致敬。祖国的寓言形象屹立于山墙中央，伸手接取右侧的自由女神呈送的桂冠，颁发给两旁的伟人。历史女神坐在祖国的左侧，在写字板上镌刻被授予荣耀的军事和政治的伟人。

军事伟人位于山墙右边，领头的是年轻的波拿巴，举手探过历史女神的头顶接取桂冠。山墙左边是政治和文化伟人，主要表现自由派启蒙运动的权威人物，包括卢梭、伏尔泰（并排坐在长凳上）、雅克-路易·大卫（手拿调色盘和画笔站立）、恐怖时期的受害者法学家马勒泽布（身穿宫廷顾问礼袍站立），其身后是议员曼纽埃尔（Manuel），1823年由于反对法国出面卫护西班牙君主制被逐出下议院。此外还有居维叶、费讷隆大主教（Fénélon）、拉法耶特侯爵

AUX GRANDS HOMMES LA PATRIE RECONNAISSANTE

图10-11：皮埃尔-让·大卫·德昂 巴黎先贤祠山墙，1830—1837年

（Marquis de Lafayette），他是拥护路易-菲利普登基的重要人士，但不久以后便对君主制失望。

大体上说，大卫·德昂怀着爱国精神遴选这些伟人，体现了他本人的雅各宾自由派政治倾向，同时反映了奥尔良王朝初创时期开明的意识形态。可惜的是，1830年以后，作为这件山墙雕塑必备的创作基础——艺术家、赞助者和受众的共识——已经不再存在。随着革命的夏季进入专制的冬季和春季，大卫·德昂的这组伟大人物——正如德拉克洛瓦的《自由女神》——日益被视为是偏激的和具有煽动性的，或者只是毫无条理。1832—1834年间相继上任的内政部长都企图阻挠雕塑的创作进度，揭幕仪式一直拖延至1837年7月，可能是担心政治内容不合时宜。然而，大卫·德昂不懈地努力，执着地完成并展览自己的作品。1837年9月，他终于成功，当局撤除遮挡山墙的帆布和脚手架，让公众观看这堵山墙。

继后的岁月里，先贤祠山墙受到政治左中右三派的波旁王朝正统派、奥尔良王朝派、教皇绝对权力主义者的激烈抨击。大卫·德昂竟然在原本供奉圣吉纳维夫的建筑上雕塑无神论者伏尔泰和卢梭等人，让包括艾米莉王后（Queen Amélie）在内的保守的天主教徒深恶痛绝。此外，他接纳1789年和1830年革命时期的人物，被官方视为既过时，又蓄意挑衅：说他过时，是因为国王已经拒斥给予他宝座的革命原则；说他蓄意挑衅，是因为新近的一系列财政危机势欲导致又一次暴动。因此，当前的时局亟须艺术作品体现调解和寂静主义。因此，相对于右派，左派（但其声音

被言论审查减弱）自然较正面地看待这件山墙雕塑，因为他们能够在其中看到天主教的复仇主义、奥尔良王朝派的专制主义和中产阶级的腐败。

然而，设若以为大卫·德昂的先贤祠山墙完全地脱离中庸的意识形态轨道，那只能导致误解。原因如下：其一，这件山墙雕塑所体现的伟人观念，完全符合奥尔良王朝及其官方史家弗朗索瓦·基佐的历史主义兴趣。（前文提及德拉罗什的《所有时代的艺术家》便是这一兴趣的中庸产物）其二，大卫·德昂所雕塑的中产阶级启蒙运动代表人物的殉难者列传，反驳新兴的激进主义推崇无产阶级为革命的中心人物，诸如奥古斯特·布朗基的观点。其三，在风格方面，先贤祠山墙体现了中庸的妥协精神，因为它将历史风俗画的元素融入巴洛克古典主义。正如大卫·德昂为居维叶创作的独立式纪念像（1845年），这件山墙具有大革命前旧制度晚期伟大雕塑家特有的庄严和等级体系，尤其是布沙东（Bouchardon）、皮加勒（Pigalle）、帕如（Pajou）等人的作品，但个别人物也呈现随意和具体的特征，甚至朴实感，让人联想到德拉罗什、谢弗、杰洛姆等人的作品。

然而，大卫·德昂的中庸版本与同时代的艺术家存在重要的差异，预示了前卫艺术家的新兴态度。他的最好的雕塑作品通常接纳官方主流艺术以外的大众艺术传统，从而传达了前卫艺术的力量和洞见。先贤祠山墙人物的比例、面貌特征、空间安排可能受了当时民间版画的影响。这些版画在法国东北部的埃皮纳勒（Épinal）大量刊印。大卫·德昂的先贤祠山

图10-12左：让-巴蒂斯特·蒂耶博、弗朗索瓦·乔金《拿破仑升天》，约1835年。彩色版画，40.6厘米×58.2厘米

图10-13下：皮埃尔-让·大卫·德昂《祖国母亲号召儿女保卫自由》（*Motherland Calling Her Children to the Defense of Liberty*），1834年。石膏，135厘米×284厘米

墙和弗朗索瓦·乔金（F. Georgin）、让-巴蒂斯特·蒂耶博（J.-B. Thiébault）的木刻版画《拿破仑升天》（*The Apotheosis of Napoleon*）【图10-12】，都摒弃学院派所遵循的高贵的人体比例标准，取用较粗短或强健的比例。此外，大卫·德昂的先贤祠山墙和蒂耶博的《拿破仑升天》都尽可能避免使用透视：后者的士兵队伍醒目地平面化，山墙的浮雕也具有清晰的平面特征。大卫·德昂并未将山墙空间视为真实世界的立体空间，而是创造数重叠缩的浅平面，让人物在平面层次重叠或叠映。在某种程度上，这一构图方式是由于山墙的三角空间拘限而不得已为之，但大卫·德昂所使用的民粹主义风格也体现于他的长方形浮雕作品，诸如马赛的艾克斯凯旋门（Gate of Aix）的《祖国母亲号召儿女保卫自由》【图10-13】。在这里，大卫·德昂用浅浮雕塑造英勇的平民百姓，将他们杂乱地堆叠，构成喜剧化的骚乱场景，既重温老彼得·勃鲁盖尔的绘画作品，又预示了迭戈·里维拉（Diego Rivera）的壁画。

图10-14：弗朗索瓦·吕德《马赛曲》或《1792年志愿军出征》(*The Departure of the Volunteers of 1792*)，1833—1836年。石灰岩，高1280厘米

七月王朝另有两位出色的雕塑家，也具备大卫·德昂这般综合各种风格和传统的杰出才能。这二人便是弗朗索瓦·吕德（François Rude，1784—1855年）和安托万-奥古斯汀·普罗特（Antoine-Augustin Préault，1809—1879年）。吕德最著名的雕塑《马赛曲》，又名《1792年志愿军出征》【图10-14】，位于巴黎的凯旋门。在《马赛曲》里，吕德将战争塑造为丑陋的塞壬（Siren），号召1792年的志愿兵拿起武器上战场。这件繁复的浮雕部分旨在宣扬国内和平。战争拟人形象耸立在上方，发出令人毛骨悚然的尖叫，下方的士兵则报之以混乱骚动。他们武装不齐、衣冠不整，为整个场景增添一种日常主义，颇有悖于雕塑表面的英雄主义。普罗特曾师从大卫·德昂，他的作品也透露着高贵与卑微或理想与琐碎相结合的手法。

普罗特的石膏浮雕《屠杀》（Slaughter，1834年，后来模铸为青铜）【图10-15】，表现一个戴盔甲的武士屠杀一家人，构图左上方显示一个黑人（这件作品的确切主题至今未知）。这件作品虽部分受到巴洛克雕塑家皮埃尔·普吉和亚历山德罗·阿尔加迪（Alessandro Algardi）的浮雕影响，但总体上极具抽象和实验性。整个构图具有古代"浅浮雕事件残片"的紧凑感（普罗特本人的措辞），以及埃皮纳勒版画

的平面化空间。然而，《屠杀》的场景绝不是静态。事实上，二维化的空间，形体和人物推挤与并置的处理方式，简直如同未来的立体派。[一百年以后，毕加索的《格尔尼卡》（Guernica）便借鉴了尖叫的母亲这一形象。] 普罗特的《屠杀》没有遇到同情的观众。此后15年间，普罗特的作品一直被沙龙排斥。

大卫·德昂不似他的学生这般咄咄逼人，并有较广的人脉，因此没有遭受类似的排挤。纵是如此，在先贤祠山墙之后，他不得不开始应对公共雕塑的政治矛盾。事实上，他的创作本身似乎在其时代没有立足之地。推崇启蒙运动的圣人谱系，歌颂1789年的革命原则，接纳另类或大众艺术传统，所有这些都是面向一个已经不再存在的进步的中产阶级观众。巴黎和里昂的起义事件，终结了各阶级以自由之名团结一致的神话。自此以后，艺术家们要么放弃高尚的政治原则，要么推崇这一原则，从而宣泄七月王朝控制分裂性的意识形态的力量。换言之，公共领域和中产阶级的中庸艺术互不兼容。

在其生命的最后数年，大卫·德昂积极地从事政治，并继续怀抱艺术希冀。然而，他想要创作宏大作品《解放纪念碑》（Monument to Emancipation）的梦想一直未能实现，仅留下一些构图和模型。此外，他的纪念作品

图10-15：安托万-奥古斯汀·普罗特《屠杀》，1834年。青铜，109.2厘米 × 139.7厘米

《伟人》（*Grands Hommes*）小型青铜圆雕增至500余件。1841年，大卫·德昂为交涉一件小型自由女神赤陶雕像，致信德国生理学家和画家卡尔·古斯塔夫·卡鲁斯（Carl Gustav Carus，1789—1869年）。他在信中写道："所有国家的统治者甚至害怕看见它的画像。他们的恐惧情有可原，因为自由是达摩克利斯（Damocles）之剑，永远悬在他们的头顶。自由是人类强大的声音，有一天会从地球的一端传至另一端。"确实，在10年之内，这个声音又在法国和其他国家响起。届时，一种全新的、前卫的艺术将会出来回应这个声音。

## 古典主义与女性问题：托马斯·库图尔

七月王朝终结之际，托马斯·库图尔创作了《堕落的罗马人》【图10-16】，力图在公共领域复兴巨幅历史画。正如艺术史家阿尔伯特·布瓦姆指出，这幅作品在许多层面汇总了中庸文化，融合历史画和历史风俗画、古典主义与浪漫主义、色情与性压抑、政治批评与奥尔良王朝派的逢迎阿谀。在1847年沙龙上，这幅作品获得如此巨大的成功，足可匹配其画面尺寸和艺术家的野心，并很快成为19世纪极受喜爱、极具

讨论性、复制量极多的作品。然而，纵使具有如此盛名，《堕落的罗马人》既是库图尔的开端，也是他的终结。正如大卫·德昂的先贤祠山墙，库图尔的作品也是自相矛盾。尽管库图尔试图拯救大型古典主义公共艺术，实际上却可能加速了其摧毁过程。

《堕落的罗马人》描绘一个纵欲狂欢夜后放荡的早晨。在形式和主题方面，库图尔描绘的狂欢场景借鉴了文艺复兴时期艺术家贝利尼、提香、拉斐尔、委罗内塞的作品，以及热里科、安格尔、德拉克洛瓦等人的绘画。《堕落的罗马人》还有两幅相近的模型作品，一幅是德拉克洛瓦的《阿尔及尔的女人》（*Women of Algiers*）【图10-17】，另一幅是多米尼克·路易斯·帕佩蒂（Dominique Papety，1815—1849年）的《幸福的梦》（*Dream of Happiness*）【图10-18】。这两幅作品为库图尔提供基础，有助于他融合浪漫主义的用色与古典主义的素描技法，以及他特有的感官主义和正直道德。

德拉克洛瓦的《阿尔及尔的女人》灵感源自他在1832年参观摩洛哥后宫的经验，旨在虚构一种"东方式"慵懒。在画中，三个后宫女人及其侍女代表了

图10-16：托马斯·库图尔《堕落的罗马人》，1847年。布面油画，472厘米×772厘米

# 三个基本概念：学院艺术、前卫艺术、现代主义

在19世纪30、40年代，由于官方赞助的衰减和资本家的成功，以及挑剔的新兴观众群体，艺术家相应地作出或屈服或蔑视或退出艺术界等各种回应。（有些艺术家，譬如爱德华·马奈，先后采用所提及的三种回应。）学院和官方的艺术、前卫艺术和现代主义等宽泛的范畴是研究19世纪中后期视觉艺术的大框架，并且也为我们提供一个有利视角，去观察19世纪艺术不断拓展的批评意识。

**学院艺术**：1648年，路易十四创办法国皇家绘画与雕塑学院，自此创立艺术职业化和官方赞助的模式。这一模式逐渐传播到欧洲及世界其他国家。1744年，西班牙国王费利佩五世（Phillip V）在马德里开设圣费尔南多皇家美术学院，4年后，英国国王乔治三世在伦敦创立皇家学院。1825年，托马斯·科尔等人在纽约创办国家设计学院，多半也是受欧洲皇家学院的影响，尽管科尔的学院并不属于政府机构。

简单地说，这些学院的目标是向观众灌输有利于君主和统治阶级的文化价值和艺术传统，确保本国艺术家有能力在世界舞台成功地竞争。因此，学院艺术或官方艺术（后者得到政治行政机构的资助）自然相对地较为保守。在法国，七月王朝（1830—1848年）和第二帝国（1852—1870年）的学院和官方艺术倡导一种古典主义版本，尤其强调清晰的轮廓和光滑的笔触，并借鉴一些浪漫主义用色。以事后聪明的眼光去看，学院和官方艺术也许可以视为大众文化或庸俗艺术的早期范例，属于法国和欧洲政府为百姓供应"面包和娱乐"的宏大计划，旨在吸引工人阶级和小资产阶级效忠于资本主义。关于这类艺术的历史起源和风格变化，参见第10章的"七月王朝和中庸艺术"和第13章的"法国沙龙艺术的个人主义"。

**前卫艺术**：自19世纪30年代开始，少数艺术家意欲重申文化独立和政治参与，便选择代表观众、选民、统治王权和大资本家以外的顾客兴趣和利益。换而言之，这些艺术家决定面向农民、无产阶级、小资产阶级。法国赋有深厚的革命传统，因此这个雄心高远的艺术趋向尤其显著。选择这条道路的艺术家经常面临个人和专业的危机，因为他们的艺术作品试图吸引缺乏政治、财政和必要的批评能力等资源的观众。因此，这个被称为前卫派（avant-garde）的艺术模式，通常只能在统治阶级摇摇欲坠或者民众掌握政权的时期流行。"Avant-garde"原本包含军事意味。19世纪20年代，克劳德·昂列·圣西门（Saint-Simon）在其著作使用此词指代作为整体的艺术。及至19世纪50年代，这一词语开始指代激进的艺术家群体。

法国前卫艺术始于第二共和国时期（1848—1851年），最伟大的倡导者是现实主义者古斯塔夫·库尔贝。数年后，法国的莫奈与其他印象主义画家、意大利的马基亚伊奥利画派（Macchiaioli）再度倡导前卫艺术，意外地吻合第二帝国衰亡（1870年）和意大利独立和统一运动（Risorgimento）。前卫艺术行动也出现在19世纪早期和晚期，譬如前文探讨的戈雅和热里科，以及后文将出现的文森特·威廉·梵·高、乔治·修拉，或许也可包括保罗·高更。

**现代主义**：1850年后，少数艺术家（但人数逐渐增多）摒弃艺术的社会或政治功用，既不参与前卫艺术家群体，也拒绝进入官方和学院机构，而是追求变化莫测的独立自主。他们精心培养独特的艺术风格和意识形态的超然姿态（他们的口号是"为艺术而艺术"，拒斥艺术的道德和教育功能）。现代主义艺术家的顾客寥寥无几，批评者则举目皆是。这些艺术家既欣然拥抱又鄙视现代生活，躲避在边远地区，或者混迹于缺乏明确的阶级归属或意识形态认同感的人们中间，譬如流氓无产阶级、小资产阶级、外国或本土的"原始部落"。在今日，这条艺术道路被通称为现代主义（modernism），其源头或许至少可以追溯到戈雅、布莱克和康斯坦布尔。现代主义在历史过渡、政治停滞或者文化悲观主义时期流行，其中著名的范例有第二帝国时期的莫奈、世纪之交的象征派。

欧洲大男子主义者所想象的肉感的、非理性的中东和北非女性。这幅作品在许多方面体现了种族特征的构造，譬如艺术与社会理论方面，或者生物学和政治方面（参见"种族与种族歧视"，第256—257页）。左侧第三个女人是《堕落的罗马人》中央裸女侧影的原型，她手持一管水烟筒，暗示着永恒的陶醉和性愉悦。德拉克洛瓦的《自由女神引导人民》赞美七月革命的各阶级和英勇的个人，《阿尔及尔的女人》则完全相反，歌颂社会和文化的被动性：艺术家将东方生动地表现为性自由和倦怠的国度，不受政治、历史和阶级的干涉。在丹吉尔（Tangier）旅行之时，德拉克洛瓦在日记里写道："他们想必难以理解基督教徒的随和举止，无法懂得迫使我们永远不停地追求新思想的躁动。我们看到他们所欠缺的千万件东西，但他们的无

知构筑他们的安详和快乐。难道我们已经走到发达的文明所能企及的终点？"

对于德拉克洛瓦以及随后许多东方主义者来说（最后一位极端的东方主义者是象征主义者保罗·高更），"东方"是一个理想的休憩地，让他们暂时退出"西方"社会令人沮丧的意识形态和性的冲突。正值此时，巴黎的女性开始提出财产改革、子女抚养权、离婚法等要求，东方的女人却貌似私产奴隶。在巴黎，女性主义者、激进分子弗洛拉·特里斯坦（Flora Tristan，1803—1844年）出版数本宣传册和一部小说《女贱民游记》（*Méphis*，1838年），高调提倡女性和无产阶级的解放是必然且相关联的事业，东方的性别和等级制度貌似稳定而永恒。然而，无论今日的种族和性别歧视者如何看待《阿尔及尔的女人》，这

图10-17：欧仁·德拉克洛瓦《阿尔及尔的女人》，1834年。布面油画，180厘米×229厘米

图10-18：多米尼克·帕佩蒂《幸福的梦》，1843年。布面油画，370厘米×635厘米

幅作品依然不失为乌托邦的宣传手册。正如圣西门主义哲学家普罗斯佩·安凡丹（Prosper Enfantin）在1832年幻想一支妓女组成的"美丽军队"，通过满足自然欲望令肉体圣化，德拉克洛瓦也在《阿尔及尔的女人》里想象一个生动多彩的东方乌托邦，充满女性的性愉悦。德拉克洛瓦从丹吉尔给友人写信道："这里是画家的天堂。从男性的权利和法律面前人人平等的角度去看，经济学家和圣西门主义者会在这里看到很多值得批判的东西，但是，到处是美女……在这里，你会看到在我们国家总是掩藏起来的东西自然地坦露在你眼前；在这里，你会感觉太阳珍贵罕见的光芒，赋予万物强烈的生命力。"因此，德拉克洛瓦的《阿尔及尔的女人》既见证也谴责当时"发达的（欧洲）文明"，为库图尔对性的谴责和赞美提供了范例。

帕佩蒂的《幸福的梦》【图10-18】在1843年沙龙展览，画中描绘了24个人物休憩、卧躺、阅读、唱歌或者在古典主义的雕塑和建筑所环绕的树荫之下寻欢作乐。这幅作品显然吸收了乌托邦社会主义者夏尔·傅立叶（Charles Fourrier，1772—1837年）的理论。当时右派较低层的年轻男女都捧读傅立叶的《宇宙统一论》（Unité universelle）。库图尔和帕佩蒂一同在德拉罗什的画室学习绘画，他借鉴帕佩蒂画中年轻男子举杯向吹笛者雕像敬酒的母题，用到《堕落的罗马人》，修改为半裸体男子向格马尼库斯雕像敬酒。与《阿尔及尔的女人》一样，帕佩蒂的《幸福的梦》超脱于欧洲历史之外，描绘了一个富足、和平、享乐的未来乌托邦，依据理想化的过去模型，又将古典时代的"高贵的简单和淡泊的壮丽"融入法国旧制度下的奢华和慵懒。《幸福的梦》似是中庸的裸体主义者殖民地，既简朴，又放荡不羁，为库图尔提供结合守旧和开明的范例。

《堕落的罗马人》虽借鉴上述两幅以及其他许多作品，但它有独特的内容和创作原因。1847年沙龙展览目录记载这幅作品的主题源自罗马作家尤维纳利斯（Juvenal）的《讽刺诗》（Satire）第6首《反女人》（Against Women）的两句诗。这首诗将诗人在老年时代看到的女性性欲比拟为背叛的"瘟疫"，将他在年轻时代看到的女性贞洁和忠诚比拟为"福气"，再将两者相互比较。诗人感慨道："如今我们忍受漫长的和平时期的邪恶。奢侈所孵化的恐怖，比战争更可怕，

# 种族与种族歧视

在18世纪末，英国哲学家大卫·休谟（David Hume）、德国哲学家伊曼努尔·康德（Immanuel Kant）、法国自然主义者乔治·居维叶等人为新兴的观念共识作出重要贡献。这一共识认为人类具备不可更改的"种族"特征，并且这些特征先天决定某个种族所能实现的物质成就、道德和精神价值。这显然是虚妄的观念。特定种

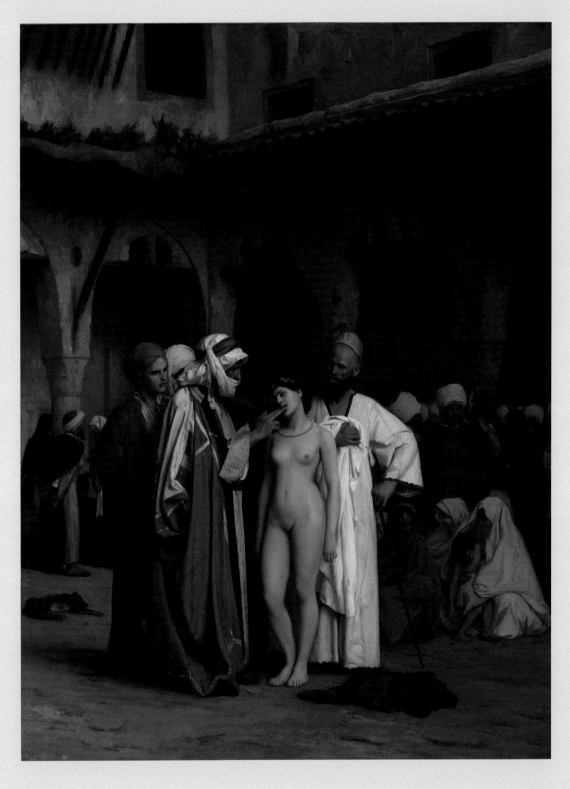

**让-里奥·杰洛姆**《奴隶市场》（*The Slave Market*），1866年。布面油画，84.6厘米×63.3厘米

族内部的个人差异，譬如健康、体力、智力、生育能力，等同于甚至超过不同种族成员之间的差异。更甚者，当时出现大量证据说明这一观念。由于一些显而易见的理由，种族歧视观念深得人心：这种观念为18世纪和19世纪的剥削、殖民主义、奴隶制，甚至种族灭绝提供理论依据。

如果上帝（或人种演化）赋予欧洲和美国白人最高等的头脑、四肢和生育能力，那些他们的暴行和掠夺必然也是先天注定。如果欧洲白人（自称为雅利安人或高加索人虚构一个原创性的地理家园）代表造物的巅峰，那么他们主宰非白种人类的宣言便等于表达高尚的道德情操。事实上，在拿破仑统治时期（1802年），法国的海外殖民地恢复奴隶制，并在波旁王朝复辟时期和第二帝国（1815—1848年）都继续维持。居维叶、自然主义者路易·布丰（Louis Buffon）、出生在英国的生物学家和语文学者威廉·爱德华兹（William Edwards）的著作和理论都支持奴隶制度。在美国，从1842年通过《逃亡奴隶法案》，及至林肯发表《解放黑人奴隶宣言》（1863年），其间有乔治·格利登（George Gliddon）、罗伯特·诺克斯（Robert Knox）等人著书辩护奴隶制。大英帝国的殖民扩张，也得到诗人和批评家马修·阿诺德（Matthew Arnold）、人类学家约翰·贝多（John Beddoe）等人理论支持。所谓的不列颠治世（Pax Britannica），实则是英国在1815—1914年结合帝国的霸权强行施加国际和平，构成第一次世界大战的世界格局。

艺术家在宣扬种族观念和种族歧视方面也扮演了重要的角色。奥古斯汀·普罗特的《屠杀》【图10-15】可能想要谴责政府报复政治异见者，便在残暴的军队中间夹杂一名黑人。大约在同一时期，有一群东方主义艺术家（Orientalists），包括霍勒斯·韦尔内、德拉克洛瓦，以及较不知名的人物（杰洛姆随后加入其中），前往北非旅游，然后编造当地穆斯林和犹太人生活的浪漫主义绘画。德拉克洛瓦的《阿尔及尔的女人》【图10-17】描绘阿尔及尔妇女在内宅慵懒享乐的场景，黑人奴隶在旁服侍。这幅作品为法国人同年吞并阿尔及尔提供兴奋刺激的正当理由。（法国人用了近40年时间实现彻底的征服，或者可称为种族灭绝，其间80万阿尔及尔人被杀害。阿尔及尔在1962年才获得独立。）杰洛姆的《奴隶市场》（1866年，第256页）描绘一个女人在开罗市场被出售。

这幅作品打着谴责的幌子，实则是种族歧视和性别歧视的名副其实的启蒙读本。

19世纪少数艺术家挑战种族歧视，或者至少质疑其暴虐的后果。在《梅杜萨之筏》【图2-21】，热里科将一个英勇的年轻黑人置于金字塔构图的顶尖，试图用巨幅油画抨击奴隶贸易。特纳的《贩奴船》【图5-19】借鉴托马斯·克拉克森（Thomas Clarkson）的著名的废奴主义者著作《英国议会废除非洲奴隶贸易的缘起、进展及完成》（History of the Rise, Progress . . . and Abolition of the African Slave Trade）。当然，非裔美国艺术家罗伯特·邓坎森、埃莫尼亚·路易斯、亨利·奥萨瓦·坦纳都勇敢地抵制奴隶制度和种族歧视，或者体现非裔美国人生活的丰富和复杂性。坦纳的《班卓琴课》（1893年，第235页）就谴责了种族歧视，其创作时间正是美国史上私刑处死人数最高的一年（230人）。

至19世纪末，种族和种族歧视构造了庞大的社会学和半科学的基础设施。法国心理学家古斯塔夫·勒庞（Gustave Le Bon）、德国医生马克斯·诺尔道著书普及这一理论：殖民地或城市里的时尚人士和罪犯中间种族混杂，导致道德和生理的倒退，长此以往，种族混杂注定要摧毁殖民地和大城市。据勒庞、诺尔道等人的论述，种族、血液、土地决定一个国家在世界霸权争夺战里的成败。在这一背景之下，法国和欧洲的前卫艺术作品尤其值得关注。

莫奈和其他印象主义画家［包括梵·高、古斯塔夫·莫罗（Gustave Moreau，1826—1898年）、雷东、高更］与诗人保尔·魏尔伦（Paul Verlaine）和阿蒂尔·兰波（Arthur Rimbaud），都被批评家们形容为"颓废者"——对种族的诅咒转移到艺术家群体的道德品行。至于这些艺术家在多大程度上将自己等同或者区别于其作品所描绘的黑人、工人、农民、布列塔尼人、马提尼克岛民、太平洋岛民，艺术史依然没有答案。即便是在反种族歧视的艺术作品里，种族所涉及的各种尴尬棘手的修辞，总会扰乱人的意识。这正是种族歧视的最初构想，在其地位崇高的使徒们的倡导之下，这一构想至今犹存。

正在报复一个早已摧毁的世界。"库图尔的绘画用一个关键的并列手法简洁地体现尤维纳利斯这篇厌恶女性的诗歌：格马尼库斯勃起的雕像之下躺着一个女人（被时人识辨是一名高级妓女）。正如性欲旺盛的女性毁灭威赫的罗马（这是现代学者的观点），库图尔画中的妓女也威胁着法国的高贵和尊严。假若古典主义传统被污染腐败，其罪魁祸首就是现代女性。简而言之，库图尔的《堕落的罗马人》将女性性欲比拟为悲剧的堕落。都是以色情化女性象征现代的堕落和死亡的重要范例。库图尔的《堕落的罗马人》与同时代的让-巴蒂斯特·克雷辛格（Jean-Baptiste Clésinger，1814—1883年）的作品《被蛇咬的女人》（Woman Bitten by a Snake）【图10-19】，比利时艺术家安托万·维尔茨（Antoine Wiertz，1806—1865年）的《两个少女或美丽的罗辛小姐》（Two Young Girls or The Beautiful Rosine）【图10-20】，都将女性视为中产阶级恐惧和男性憎恨的焦点。女性的性独立既构成对男性政治特权的威胁，同时又嘲讽男性性欲。诗人夏尔·波德莱尔在同一时期创作诗集《恶之花》（Flowers of Eril，1861年）和《巴黎的忧郁》（Paris Spleen，1869年），也是以恶毒的妓女为主题。德拉克洛瓦似乎很享受在北非女眷内宅看到的所谓性自由，波德莱尔则完全相反。他憎恶妓女，因为她们和他十分相似——妓女的性能力就像新闻记者的独立性，全然取决于市场变迁，

纯粹只是自由的假象。因此，波德莱尔的性欲修辞实则是一种反讽。《堕落的罗马人》画面中心的女人全然不乏热情：她显得无精打采，只是因为她无法得到满足。批评家泰奥菲尔·戈蒂耶质问道："彻夜纵欲狂欢之后，她究竟还想要怎样荒唐的性事？"

《堕落的罗马人》公开展览一年后，淫荡女人颠覆道德与嘲讽男性欲望的主题便已经过时，取而代之的是一种更恶毒的寓意：现代妓女被等同于激进者引导社会扑向混乱和毁灭。这个主题实则在1848年以前便已出现，社会学家克劳斯·特韦莱特（Klaus Theweleit）称之为"红色妓女"。诚然，保守派谴责德拉克洛瓦的《自由女神引导人民》之时便已隐指这一寓意，譬如德国诗人和批评家海因里希·海涅（Heinrich Heine）称这位自由女神为"后巷维纳斯"。在1848年7月无产阶级起义后数月间的普遍恐慌里，妓女在路障前冲锋陷阵的形象深深地烙进中产阶级的记忆。让-弗朗索瓦·米勒在一幅已佚失的色粉画里描绘这一主题，许多反动讽刺漫画家也以此创作。事实上，1848年大革命后一个世代里，妓女这一群体——无论是真实人物还是艺术形象——成为阶级和性别斗争的战场。库图尔的《堕落的罗马人》无疑站在一个时代的终点——这个时代的资产阶级公共领域的竞争和争论偏爱以古典主义传统的比喻方式——也站在性别和政治冲突的新时代门槛前。

图10-19：让-巴蒂斯特·克雷辛格《被蛇咬的女人》，1847年。大理石，长70厘米

图 10-20：安托万·维尔茨《两个少女或美丽的罗辛小姐》，1847年。布面油画，140厘米×100厘米

## 问题讨论

1. 及至19世纪早期，历史画被视为最崇高的艺术，19世纪30年代法国的雕塑和绘画开始采用怎样的混合形式？

2. 政治和艺术的中庸（juste milieu）有何含意？

3. 奥诺雷·杜米埃有时被称为历史上最伟大的政治漫画家。他做过什么，他的成就为何如此伟大？

4. 比较德拉克洛瓦的《阿尔及尔的女人》和库图尔的《堕落的罗马人》的女性艺术表现。

## 第11章

# 现实主义的修辞：库尔贝与前卫艺术的源起
## 约1840—1880年

## 导言

对于学习19世纪艺术史的学生来说，现实主义的故事格外令人困惑。在文化领域，英文小写的"realism"通常指某个艺术或文学作品忠实地体现真实对象。若一幅绘画酷似现实的某个人或某件物事，或者一部小说的叙述貌似真实，我们大约便形容它为"写实"。然而，在19世纪艺术的背景之下，大写的"Realism"有截然不同的含意。

在1848年革命期间，欧洲和美国大城市的工人和中低层中产阶级开始要求与期待一种使用他们能够理解的语言的全新文化。在圈地法、高昂的地租、愈发瘠薄的土壤、连年歉收的重重逼迫之下，这些人离开农村，进入城市的工厂、建造行业、零售业或家政服务业，他们想要一种文化印证自身的价值，激励自己坚持争取经济安稳和政治权力的斗争。如果巴黎沙龙或伦敦皇家学院所展览的作品取材于晦涩的古典、宗教或神话，他们便加以鄙弃。如果这幅作品所运用的风格让他们联想到自己完全陌生的精致或高雅，他们也照样加以拒斥。他们想要的艺术，须有通俗的内容、清晰的形式和熟悉的风格。当然，这样的艺术很快便出现，那就是现实主义。在法国，现实主义的先驱是古斯塔夫·库尔贝，在英国则是一群自称拉斐尔前派的年轻艺术家。（"Realism"这一术语在大不列颠不太常见，不过，在1847—1855年间，英国的艺术文化接近法国。）

事实上，法国的库尔贝、杜米埃、米勒以及英国的拉斐尔前派所开创的现实主义，并不是纯粹的民粹主义。这种现实主义跟先前的艺术一样高雅、复杂。但它做出一桩可观的新事：以叛逆的阶级为对象——也即卡尔·马克思的《共产党宣言》（1848年）所面向的受众，有时甚至采用这一阶级的语言或行话。在威廉·霍尔曼·亨特（William Holman Hunt，1827—1910年）的《黎恩济发誓为柯隆纳与奥吉尼家族派系争讧中被杀的弟弟报仇》（*Rienzi Vowing to Obtain Justice...*，1848—1849年）【图11-4】，我们看到前景左侧三名普通的英国人（模特是拉斐尔前派的年轻成员）发誓要向贵族武士报仇，因为他们无端杀死横卧在前景的男孩。这幅作品构图清晰，人物姿势容易认读，细节形似逼真的照片。米勒的《播种者》（*The Sower*，1850年）【图11-10】具有画匠特质，用粗犷的笔触塑造农民，形象地体现人们所熟悉的圣经寓言，将基督比喻为播种者，只能在优质土壤里播种。这幅绘画想必激励了无数曾经的农民、城市工人和激烈的革命者更积极地宣传平等和民主的信念。

库尔贝大概是造诣最深、成就最高的现实主义者，并且是他实际上发明的这一术语。自1850年以来，库尔贝杰出的绘画三部曲——《采石工人》、《弗拉热的农民从市集回家》（*The Peasants of Flagey Returning from the Fair*）、《奥尔南的葬礼》（*A Burial at Ornans*）——创造一种独特的绘画机制，既利用历史画的尺寸和题材，又充分发挥通俗艺术的风格。譬如，《奥尔南的葬礼》的单一色调和平面化手法，便是源自全国各地农民和工人所熟悉的廉价的手工上色的木刻版画。由于当时的革命激情继续高涨，库尔贝的现实主义简直势欲推翻皇家学院和官方艺术的整个体制，并帮助摧毁支撑这一体制的资产阶级政治秩序。然而，至1851年，政治革命在法国、整个欧洲大陆和英国相继失败，现实主义随之消沉，或者至少失去锋芒。继后，一种"官方"或保守的现实主义取代真实的现实主义。这一术语的含意跟着衍化，变成大概接近今日使用的意义。

## 现实主义者的艺术和政治修辞

古斯塔夫·库尔贝是法国艺术家和作家中间的后浪漫主义一代，侪身奥诺雷·杜米埃、让-弗朗索瓦·米勒、古斯塔夫·福楼拜（Gustave Flaubert）、夏尔·波德莱尔等行列。这些杰出的人物出生于英雄时代末年。在年轻时代，他们目睹古典主义的通用语言破碎，革命的理想主义消亡，艺术家与公众之间的隔阂日益加深。在成熟年代，他们见证启蒙运动的原则废弛，社会各界坦然接纳专制主义。在人生的终点，他们看到共产主义起义的希望和威胁，基于理性辩论和追求共识的中产阶级公共领域的彻底崩溃。所有这些危机和阻挠，让19世纪中叶及其后的艺术家和作家坚信自己生活在前所未有的文化断裂期。这一划时代的变迁被称为"现代性"，这一后浪漫主义世代则被称为现实主义者（Realist）。1851年，库尔贝致信一份报刊，蓄意挑衅地写道："我不单是社会主义者，也是民主主义者、共和主义者。一句话，我拥护所有革命党派，我最重要的身份是现实主义者……因为'现实主义者'真诚地热爱诚实的真理。"

然而，现实主义的修辞不单拘限于艺术家的宣言，或者仅出现在法国，而是扩展至整个时代和整个欧洲大陆的政治、文学和绘画领域。前文所提及的艺术家和作家或许未曾阅读马克思的《共产党宣言》（1848年），但他们的作品都具有一个共同特征，同样地传达时代的焦虑、变迁、被剥脱的神圣的光环。正如马克思在《共产党宣言》中写道：

> 资产阶级抹去了一切向来受人尊崇和令人敬畏的职业的神圣光环。它把医生、律师、教士、诗人和学者变成了它出钱招雇的雇佣劳动者……生产的不断变革，一切社会状况不停地动荡，永远的不安定和变动，这就是资产阶级时代不同于过去一切时代的地方……一切等级的和固定的东西都烟消云散了，一切神圣的东西都被亵渎了。人们终于不得不用冷静的眼光来看他们的生活地位、他们的相互关系。

马克思的措辞让人联想到现实主义者的艺术和文学作品。福楼拜的乡村生活讽刺小说《包法利夫人》（*Madame Bovary*，1857年）便是讲述这样一些医生、律师、教士、诗人和学者等角色。杜米埃的《三等车

图11-1：奥诺雷·杜米埃《三等车厢》（*The Third-Class Carriage*），1862—1864年。布面油画，65.4厘米×90.2厘米

图11-2：让-弗朗索瓦·米勒《拾穗者》，1857年。布面油画，83.8厘米×111.8厘米

厢》【图11-1】、米勒的《拾穗者》(*The Gleaners*，1857年)【图11-2】、库尔贝的《采石工人》(1850年)【图11-15】，都体现了"一切社会状况不停地动荡，永远的不安定和变动"这类萧条的人类境况。波德莱尔在《巴黎的忧郁》所收录的讽刺散文诗《一轮光环之失落》(*The Loss of a Halo*)，讲述被剥脱了神圣光环的诗人。

库尔贝和福楼拜的艺术和文学作品里没有古典的理想和荣誉的位置。他们的作品里完全不见穿托加袍的罗马贵族（除非用以讽刺）或者披挂铠甲的中世纪骑士。他们推崇衣衫褴褛的拾荒者，穿不合身的时髦衣服的乡下佬，穿黑色西装的资产阶级男性。在这个新时代的开端，波德莱尔在《论现代生活的英雄主义》(*On the Heroism of Modern Life*，1848年)里写道："确实，伟大的传统早已遗失。"他认为：

我们这个时代，其瘦弱的黑色肩头佩戴永远哀悼的标记。也请留意燕尾服和礼服不但赋有政治的美——那是普遍平等的表现方式，而且赋有诗意的美——那是公共灵魂的表现方式，浩荡的送葬队伍埋葬的哑巴（爱情的哑巴、政治的哑巴、资产阶级的哑巴……)。我们都在各自举办一场葬礼。

波德莱尔继续解释道，相比这些身穿"礼服"的现代男性（经常出现于巴尔扎克的小说），"伊利亚特的英雄只是一群侏儒"。

杜米埃与讽刺漫画家同事格兰维尔[Grandville，他的本名是让·伊尼阿斯·伊西多尔·热拉尔(J.-I.-I. Gérard)，1803—1847年]的手法迥异于波德莱尔的反讽。他们选择时代错误手法，用以讽刺这个"苦难

图11-3：让-雅克·格兰维尔《赫斯帕里得斯的苹果
与朗姆冰淇淋》，出自《另一世界》报，1844年

时代"的"真实境况"。在19世纪40年代，两人通过
描绘古典时代人物的时髦气息，强调当下可疑的英雄
主义。譬如杜米埃发表于《喧声报》的石刻版画《诱
拐海伦》（The Abduction of Helen，1842年），格兰
维尔的版画《赫斯帕里得斯的苹果与朗姆冰淇淋》
（Apple of the Hesperides and rum ice）【图11-3】，
描绘罗马人在餐馆吃的两道点心后一幅作品发表于
《另一世界》（Un Autre Monde）报，配图的说明文字
传达了夏尔·傅立叶的乌托邦社会主义理想，讲述一
个时髦的家庭，脚穿罗马式凉鞋，坐在酒馆里吃点心，
前来斟酒的侍者以古典传统的对立式平衡姿势站立，
脸上流露不悦的神色。在格兰维尔的作品里，我们可
以再次看到现实主义艺术和政治的修辞有所重叠。数
年后，卡尔·马克思试图描述资产阶级的虚伪和奴性，
也是运用时代错误手法和讽刺漫画这两种语言学武
器。由于资产阶级在1851年12月2日的政变里允许路
易·拿破仑（第一位拿破仑的侄子）摧毁第二共和国，
马克思批判道：

黑格尔在某个地方说过，一切伟大的世
界历史事变和人物都要出现两次。他忘记
补充一点：第一次出现是悲剧，第二次出现
是闹剧。科西迪耶尔（Caussidière）代替丹
东（Danton），路易·勃朗（Louis Blanc）代
替罗伯斯比尔，1848—1851年的山岳党代替
1793—1795年的山岳党，侄子代替伯父。在
雾月十八日事变再版的那些情形里，也可看
出一幅同样的漫画！

马克思认为古典时代的风尚不再能够合理地掩饰1851
年那些不光采的事迹和姿态。资产阶级及其对手无
产阶级都不再能够诉诸于理想主义的"自欺"。因为
1789年的革命只是解放了资产阶级，而不是将全人类
从压迫中解放。马克思写道："从前的革命需要回忆过
去的世界历史事件，为的是向自己隐瞒自己的内容。"
另一方面，无产阶级举着全人类的旗号展开当前的
革命，从而需要彻底认请自己的手段和目的。马克思
说道："19世纪的革命一定要让死者埋葬自己的死者，
为的是能够弄清自己的内容。从前是辞藻胜于内容，
现在是内容胜于辞藻。"

## 拉斐尔前派

英国的情形不亚于法国，古典时代的风格和辞藻
随即让位于另一种艺术和文学，强调忠实于物质性，
直露地诉诸于情感，真实地描绘本然表象。英国振兴
艺术的动力也是源自社会和政治领域，主要体现于
1848年聚集起来的一群年轻艺术家，他们自称为拉斐
尔前派。英国的1848年间被称为"饥饿的40年代"，
当时英国进入经济萧条时期的最低谷，同时也是宪章
运动最激烈的时期。宪章运动是一场广大工人阶级
的运动，旨在推翻1834年的《救贫法修正案》（Poor
Law Reform Act），这项法案拒绝给予穷人和失业人
员上门救济，要求赋予工人选举权，颁布一系列财富
税。1848年4月10日，宪章运动策划举行群众示威游
行，向政府递交普遍（男性）选举权请愿书，结果导
致英国历史上和平时期最大规模的军队和民兵总动
员。当局用沙袋封锁保护政府建筑，女王逃离首都，
100,000余名武装警察和特别调动的治安民警在伦敦
各处战略位置准备对抗示威者。及至1850年，宪章运
动已经死亡，几乎淡出人们的记忆。英国社会的就业

率和工薪普遍上涨，从而驱散了民间的极端情绪。工人阶级的运动须再过一个世代，才能重新站稳脚跟。1851年，水晶宫博览会颇似公鸡报晓，宣告不列颠帝国苏醒的黎明。

在1848年2月（法国大革命的时间），年轻艺术家中间的领袖人物威廉·霍尔曼·亨特、约翰·埃弗里特·米莱斯（John Everett Millais，1829—1896年）、但丁·加百利·罗塞蒂（Dante Gabriel Rossetti，1828—1882年）组建了拉斐尔前派。他们早期的聚会地点在雕塑家托马斯·伍尔纳（Thomas Woolner，1825—1892年）的工作室，或者米莱斯位于布卢姆茨伯里（Bloomsbury）的祖宅。日后，亨特回忆说，他们聚会讨论的话题多半涉及同情穷人、谴责富人。这些艺术家一同阅读《圣经》和诗歌，争论政治，谴责皇家学院的政策和纲领。这个群体取用这一绰号，表示他们渴望一种惬意的无名身份。他们是一群男性技术专家，类似先前的共济会、烧炭党和骷髅会。并

且，他们的作品讲述色调明亮、颜色鲜艳、线条和自然主义的行话。他们既拒斥拉斐尔在后期的矫饰主义（Mannerism），也摒弃皇家学院画家多愁善感的新巴洛克风格，譬如理查德·雷德格里夫（Richard Redgrave，1804—1888年）的作品、戴维·威尔基（David Wilkie，1785—1841年）的《初次穿耳洞》（The First Earring，1835年）。拉斐尔前派将目光投向15世纪意大利和法兰德斯的画家，以及19世纪早期以朗格、弗里德里希和拿撒勒派为代表的德国艺术。[拿撒勒派1810年后在罗马活跃，成员包括彼得·柯内留斯（Peter Cornelius）、弗里德利希·奥韦尔贝克、弗朗茨·普费尔。参见第154页]拉斐尔前派依靠这些资源和宪章主义的政治源泉，试图创造一种能为英国文化和社会复兴提供基础的艺术运动。拉斐尔前派出版过一份短暂的刊物，名为《萌芽》（The Germ，印刷为黑色大写字体）。这个团体既似哥特时代赫尔墨斯主义封闭的宗教社区，也似推崇有机论隐喻的浪漫主义

图11-4：威廉·霍尔曼·亨特《黎恩济发誓为柯隆纳与奥吉尼家族派系争讧中被杀的弟弟报仇》，1848—1849年。布面油画，86.3厘米×122厘米

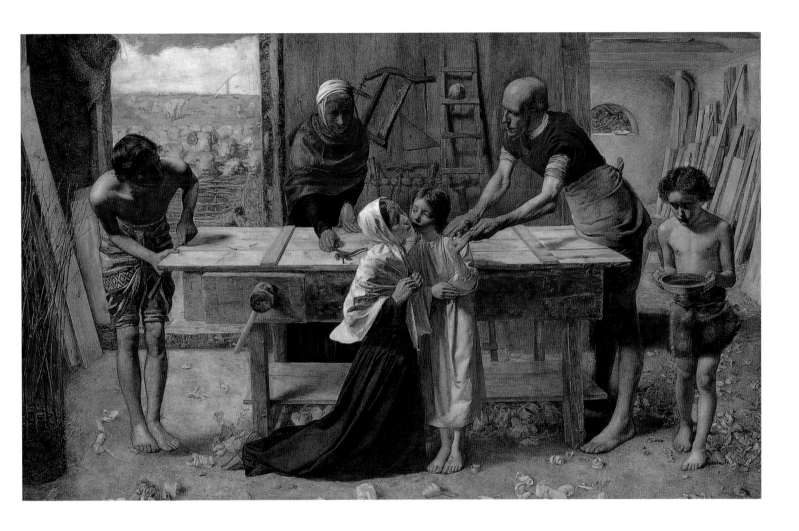

者、维多利亚时代科学探索的自然主义者。

在最早署名为拉斐尔前派的作品中间，有一幅绘制于1848年，1849年在皇家学院展览，其主题是倡导男性的军事团体精神和政治正义的价值。这幅作品便是亨特的《黎恩济发誓为柯隆纳与奥吉尼家族派系争讧中被杀的弟弟报仇》[以下简称《黎恩济发誓》（1848—1849年）]【图11-4】。这幅作品描绘了14世纪罗马平民领袖柯拉·迪·黎恩济（Cola di Rienzi）看到胞弟被柯隆纳贵族杀害，仰望天空发出愤怒的呐喊。这一主题源自真实的历史，也借鉴了爱德华·布尔沃-利顿男爵（Sir Edward Bulwer-Lytton）的小说《黎恩济：罗马最后一位护民官》（Rienzi, Last of the Roman Tribunes，1835年）。亨特的《黎恩济发誓》通过主题和形式对英国艺术和政治进行批评式干预，画面以高洁的年轻殉难者为中心，构图如同饰带，传达平等主义精神，让人联想起大卫在法国大革命前夕与革命期间的作品。此外，亨特运用生动的自然主义——体现于画面左右两侧的树木、草地、非理想化的主角面容（模特都是拉斐尔前派成员和朋友）——迥异于诸如查尔斯·罗伯特·莱斯利（C. R. Leslie，

1794—1859年）等皇家学院画家的理想主义作品，或者威廉·埃蒂（William Etty，1787—1849年）的情色古典主义历史画和裸体作品，其《黄金时代》（The Golden Age，约1840年）既表现威尼斯文艺复兴的氛围，也表现艺术家工作室放荡不羁的堕落行为。相比其他拉斐尔前派的作品，亨特的《黎恩济发誓》深刻地触及1848年4月10日宪章运动的骄傲和失败的伤痛。在拉斐尔前派的艺术里，再没有另一幅作品能如此鲜明地表现政治暴力。

米莱斯的《基督在父母家中》【图11-5】也彻底地摒弃古典主义的装束和建筑，以及文艺复兴全盛期的优雅和永恒。这幅历史风俗画描绘了割伤了手指的少年基督和工人阶级的亲人共处一室，将平淡的真实生活、体力劳动和非理想化的现代人体神圣化。米莱斯依据在伦敦牛津街一家木匠店铺的观察，描绘了准确的室内细节和行业特征，譬如用工具和刨花暗示着人类的汗水和手艺的精神价值。在这幅作品里，类型象征手法与残酷的现实相结合，譬如工具象征十字架，梯子象征基督被解下十字架，一碗水象征洗礼和圣灵的白鸽。这令保守的批评家震愕又惊慌。即便是

图11-5：约翰·埃弗里特·米莱斯《基督在父母家中》（Christ in the House of His Parents），1850年。布面油画，85厘米×137.2厘米

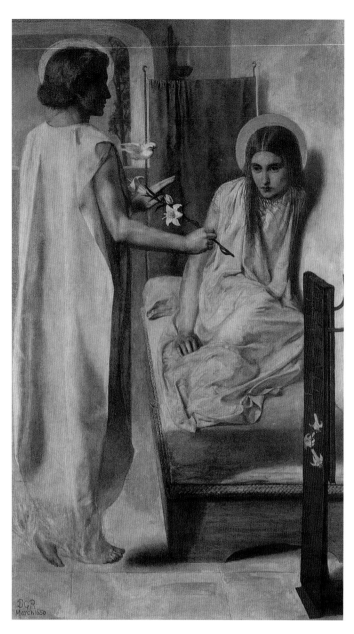

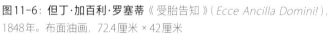

图11-6：但丁·加百利·罗塞蒂《受胎告知》（*Ecce Ancilla Domini!*），1848年。布面油画，72.4厘米×42厘米

图11-7：但丁·加百利·罗塞蒂《贝娅塔·贝娅特丽丝》（*Beata Beatrix*），1867—1870年。布面油画，86.4厘米66厘米

通常同情社会改革的查尔斯·狄更斯也在他主办的周刊《家喻户晓》（*Household Words*）谴责米莱斯的作品，形容它为"鄙劣、龌龊、可憎、令人作呕"。面对这些恶评，罗塞蒂的回应是拒绝公开展览他的画作《受胎告知》【图11-6】。罗塞蒂的作品运用赤裸裸的现实主义，将圣母玛利亚描绘为维多利亚时代的害羞少女。罗塞蒂最后彻底摒弃现实主义，他的《贝娅塔·贝娅特丽丝》【图11-7】是献给但丁的朦胧梦幻的颂歌，属于唯美主义运动和欧洲象征主义最初时期的艺术作品。

似1850—1851年这般鲜明或愤怒的艺术批评作品，此后在英国再不曾出现。社会相对地和平，1851年水晶宫博览会又为大众提供了丰富的娱乐活动，再

加上拉斐尔前派集体身份的崩溃，成员们从政治批评转向道德谴责，所有这些因素相结合，使得艺术批评的修辞急剧降温，令拉斐尔前派的艺术运动愈发接近主流艺术和意识形态。亨特的《良知苏醒》【图11-8】便迥异于米莱斯在《基督在父母家中》所描绘的工人阶级氛围，着重表现中低阶级的耻辱和艺术屈尊俯就的意味。亨特的画面充斥着维多利亚时代所流行的花哨廉价的饰物，记录一个少女"惊慌地作出虔诚的决定"的时刻，毅然逃脱不道德的人生。这间客厅本身如同画中的男女主角，也具有设计的面相学，正如拉斯金所说，这是"普通、现代、粗俗的……悲剧"。正如库图尔的《堕落的罗马人》【图10-16】，亨特的《良知苏醒》主张道德和物质的堕落与"女性问题"密不可分。不过，库图尔将女性描绘为现代社会腐败的动因，亨特则将女性视为无辜的受害者。

图11-8：威廉·霍尔曼·亨特《良知苏醒》(*The Awakening Conscience*)，
1853年。布面油画，74.9厘米×55.8厘米

图11-9：福特·马多克斯·布朗《劳动》（*Work*），1852—1865年。布面油画，68.4厘米×99厘米

## 福特·马多克斯·布朗的《劳动》

正如米莱斯的《基督在父母家中》，福特·马多克斯·布朗（Ford Madox Brown，1821—1893年）的巨幅作品《劳动》【图11-9】也宣扬基督教徒社会主义者的福音，将劳动视为治愈维多利亚时代中叶英国社会动荡和道德邪恶的良药。［事实上，这两幅作品的委托人就是利兹的股票经纪人和慈善家爱德华·普林特（Edward Plint）。］然而，与米莱斯不同的是，布朗依据当时伦敦的生活，而不是《圣经》的叙述。《劳动》所描绘的场景取自汉普斯特德的希思街（Heath Street）的一个下午，一群掘土工正在劳动，"他们典型地代表劳动的外貌和可见类型"，布朗撰写一篇长文解释这幅作品中的工人正在挖掘铺设新的供水系统总管道的沟渠。画面左侧站着一个"衣衫破烂的可怜人"抱着一篮野花兜售，这个形象代表无产阶级。在掘土工的身后，游惰的富人或骑马或步行，他们属于"无须劳动"的阶层。画面右侧边缘站着"两个男子，貌似无事可做"，实际上他们是"脑力劳动者"，他们的工作

是思考和批评，如同"古希腊的圣贤"，从而确保"井然有序的劳动与他人的幸福"。这两位"圣贤"实则依据真实人物为模特，右边的男子是基督教徒社会主义者弗雷德里克·丹尼生·莫里斯（Frederick Denison Maurice），左边的男子是伟大的论战家和"反动社会主义者"（马克思在1848年如此评论）托马斯·卡莱尔。

在这许多杂乱堆砌的人物、轶事和细节当中，"纵使极其芥微的东西，也没有被当作不值得沉思和研究"（布朗的孙女如此评论）。在《劳动》里，特别具有重大意味的是卡莱尔的在场。在其著作《过去和现在》（*Past and Present*，1843年）里，卡莱尔抨击当代英国社会丧失人类情感纽带，取而代之的是冷漠、无人情味的"现金支付关系"。他相信，若要解决当前的危机，必须依靠天才贵族的领导和辛勤劳动的净化能力。他写道，体力劳动如同"畅通的渠道，须靠高贵的力量分擘挖掘……排尽酸臭腐败的污水……将瘟疫的沼泽转化为青翠、果实累累的草地"。在《劳动》里，布朗将卡莱尔的隐喻转化为具体、真实的画面。正如艺术史家杰

拉德·柯蒂斯（Gerard Curtis）所说，布朗的掘土工铺设水管，提供新鲜的自来水，取代恶臭的河水——正是这个天然的河水令工人阶级的社区变成污秽、瘟疫繁衍的贫民窟。布朗和卡莱尔相信辛勤劳动是人类健康和人性的本质。劳动使人高贵，净化人的灵魂，而不是面对一个只会将人贬抑的体制让他们沦为不正之财的奴隶。

正如拉斐尔前派及其友人的许多作品，米莱斯、亨特、罗塞蒂和布朗的作品起初也遭到批评家的鄙屑，因为他们的作品不论描绘什么题材，都要体现显著的个性、当代性和时事性。事实上，当库尔贝以无产阶级的劳动和仪式为题材的作品在巴黎沙龙受到谴责，被谩骂为丑陋和粗鄙之时，米莱斯的《基督在父母家中》几乎同一时刻在英国皇家学院展览上被查尔斯·狄更斯形容为"鄙劣、腥臜、可憎、令人作呕"。布朗的《劳动》最终在1865年完成、展览之时，并未曾遭遇这等嗤鄙。然而，及至此时，宪章运动的斗争早已成为遥远的记忆，马克思和威廉·莫里斯等人所激励的英国工人阶级运动则还没有出现在历史舞台。在绝大多数情况之下，布朗的《劳动》被批评家和大众忽视。通贯整个19世纪，唯在1848年欧洲的骚乱时期，英国和法国的视觉文化才走得比较接近。英国宪章运动后的休眠期，也类似法国拿破仑三世执政和艺术现代主义的萌芽时期。

## 艺术与革命

19世纪中叶的政治和艺术领域是"内容胜于辞藻"——借用马克思的说法。1846—1848年间影响全欧洲的灾难性经济衰退，跟一系列国家政治危机同时发生，导致法国在1848年2月爆发大革命。德国、奥地利、匈牙利、波兰、意大利等邦国和王国随即相继发生暴动。然而，在法国的二月革命之后的同年6月又爆发声势更浩大的起义。第二共和国当局下令关闭国家工场（这是临时政府为敷衍塞责、安抚左派人士而设立的失业人员就业机构），导致无产阶级在6月23日掀起大规模起义。6月26日，工人（以及波德莱尔等知识分子同道中人）被围困在工人阶级的郊区，他们筑起的防御已经倒塌，斗争理想注定要失败。保守派政治理论家亚历西斯·德·托克维尔写道，6月的这些日子是"阶级反对阶级的斗争"。马克思同意他的看法，称这场起义为"现代社会里所分裂的两大阶级之间的第一场大战"。在1848年，法国与其他国家的革命都相继失败。然而，"1848年革命党人"（quarante-huitard）这一全副武装、洋溢着革命精神的形象，深刻地影响着这个时代的修辞。

1848年革命期间及其后，法国的艺术家和革命者（后者包括蒲鲁东、路易·布朗、奥古斯特·布朗基）前所未有地感到被迫"清醒地感觉人生的真实境况，人与人的同类之间的关系"。很多人开始相信，姑且不论起义的眼前结果，欧洲革命已经抵达一个新阶段。在这个阶段，劳动人民被生存境况所迫，只得结交同盟，形成自己的观念，从而不单有能力改造或推翻某些政策、部长、经济，甚或推翻政府，而且能够推翻或改造社会本身。在这一观点上，左派与右派、清醒的政客与机智的艺术家、新闻记者达成罕见的共识。在1848年2—6月这段紧张的过渡时期，右倾的托克维尔在文章里宣告，他看到"社会被切割为两截：一无所有的人结合为贪婪的共同体，拥有财产的人结合为恐惧的共同体"。左派分子杜米埃在《喧声报》（1848年5月5日）描述一个农民和当地市长之间的对话："'给我讲讲，共产主义者是什么东西？''他们想要有钱一起花，有活一起干，有地一起耕。''那倒不赖。只是，他们要是不往一处想，结果会怎么样？'"

在19世纪中叶，法国的艺术和文学中无疑存在着占支配地位的修辞特征。福楼拜、波德莱尔、托克维尔等迥异的作家，以及库尔贝、米勒、欧克塔夫·丹瑟尔特（Octave Tassaert）、伊西多尔·拜勒斯（Isidore Pils）等迥异的画家，都同样地感受到社会的混乱秩序，既感到与古典主义的过去断绝了关系，又为即将来临的革命忧虑或欣喜。现实主义者杜米埃在这个时期生活在巴黎第九区的工人阶级中间，在绘画和讽刺漫画里描绘当代城市的市井生活和闲暇活动，工人家庭的困苦和乐趣。现实主义者米勒在1849年离开巴黎，来到平静的乡村巴比松定居，在《拾穗者》和《播种者》【图11-10】中描绘农业劳动的价值，表现乡村的穷苦所赋有圣经的高贵品质。杜米埃和米勒之所以被视为现实主义者，是因为他们注重体现当代工人阶级的生活、城市和乡村的冲突。然而，在观看他们的作品之时，我们应当警惕的正是现实主义修辞的这一共同特征，因为我们所面对的是一种意识形态。而意识形态的功能正是既揭示又遮蔽1848年的"内容胜于辞藻"。在1855年，为了对抗库尔贝的叛逆的现实主义，独裁者路易·拿破仑成功地打造官方现实主义的保守流派，拜勒斯、丹瑟尔特、朱尔·布

图11-10：让-弗朗索瓦·米勒《播种者》，1850年。
布面油画，101.6厘米 × 82.6厘米

雷东（Jules Breton，1827—1906年）、罗莎·博纳尔（Rosa Bonheur，1822—1899年）、西奥多·立波特（Théodule Ribot）等画家都是这一流派倡导者。因此，在现实主义的广泛共识之下，隐藏着一场激烈的斗争，艺术家和艺术机构以各种手段推动或阻挠在法国和西方世界所展开的伟大的历史变革。

因此，关于库尔贝和现实主义者，最关键的问题并不在于他们看待现代性的态度，因为所有现实主义者或多或少地认同杜米埃的信条："我们必须跟随时代潮流"，也或多或少地认同小说家、批评家、民俗学家和政客尚夫勒里（Champfleury）、朱尔斯·休松（Jules Husson）的观点，即艺术必须表现普通人的日常生活。这里的关键问题更在于现实主义者的艺术作品在其时代的生产方式和生产关系之中的实际立场和功能。瓦尔特·本雅明写道："换一句话说，这个问题直接关涉作品的艺术技巧。"因此，下文将提出的观点是古斯塔夫·库尔贝的创新技术——挑战现存的艺术和大众之间现有的制度关系，推动了政治改革，其创新性胜过当时任何一位艺术家。

与先前的雅克-路易·大卫一样，库尔贝将既定的艺术传统与新技术相结合。对于赋有启蒙精神的大卫来说，这份疏离感源自他摒弃洛可可风格和贵族的时尚界，转而接纳新古典主义和资产阶级贵族。对于现实主义者库尔贝来说，这份疏离感必然地导致他拒斥学院派和资产阶级的中庸政府，转而接纳非经典的工人阶级或农民的通俗艺术里所发掘的形式原理。库尔贝试图通过这个方式将曾经被忽略的沙龙观众转化为艺术合作者。如此之下，观众被赋予高贵的品质和自主权，而曾经所谓的上等人在无形之中被削弱。在1848年后的10年间，库尔贝扮演干涉主义者的文化角色（此后被称为前卫艺术）。19世纪的前卫艺术（本章结尾再着重探讨）异常地出色，但也异常地脆弱。在库尔贝临终的时刻，前卫艺术已突变为一种近似寂静主义的现代主义。

## 库尔贝的三部曲：1849—1850年

库尔贝生在靠近贝桑松（Besançon）的奥尔南村庄，位于法国中东部地区的弗朗什孔泰大区。他的父亲雷吉斯（Régis）是富有的农场主，断然拒绝让儿子成为艺术家。纵然如此，在1839年，雷吉斯依然出资供儿子到巴黎学习艺术。库尔贝相继进入数个私人

图11-11：古斯塔夫·库尔贝《系皮带的男子》，约1845年。布面油画，100厘米×82厘米

工作室，师从一些平庸的学院艺术家，起初学习一种矫揉造作的浪漫主义，颇似库尔贝等人在19世纪40年代所用的"游吟诗人风格"（Troubador Style）。然而，在年轻时代，库尔贝就已展现独立和自信，他的自画像，包括《系皮带的男子》（Man with Leather Belt）【图11-11】、《受伤的男子》（Wounded Man，1844—1854年），实则标志着他从统治阶级中庸风格的某种解放。库尔贝摆脱同时代肖像画的新古典主义传统的线条主义，譬如让-希波吕特·弗兰德林（Jean-Hippolyte Flandrin）、泰奥多尔·夏塞里奥（Théodore Chassériau），后者的作品包括《亚历西斯·德·托克维尔肖像》【图11-12】。库尔贝的自画像体现了浪漫主义的绘画感，结合非正式甚至笨拙的构图。新兴的官方现实主义者，诸如丹瑟尔特、立波特、拜勒斯，其风俗画通常带有一种多愁善感的情调，譬如拜勒斯的《慈善会修女之死》【图11-13】。库尔贝的绘画则传达卡拉瓦乔和热里科所开创的复杂的心理状态、亲密的身体接触和情色意味。比如，《受伤的男子》可能借鉴了卡拉瓦乔的《入迷的圣法兰西斯》（Ecstasy of Saint Francis），《系皮带的男子》则可能借鉴了热里科的"疯子肖像"系列，以及卢浮宫所收藏的提香的《拿手套的男子》（Man with a Glove）。

在1848年之前，库尔贝只在三个地方度过他的时间：巴黎的博物馆，他在左岸的画室，波希米亚风

情的安德勒小酒馆。库尔贝在安德勒酒馆结识当时一些最进步、最有个性的人物，包括波德莱尔、无政府主义者蒲鲁东、左派民谣歌手皮埃尔·杜邦（Pierre Dupont）、尚夫勒里。在巴黎，波希米亚主义相对新潮，属于一种自相矛盾的亚文化姿态，等量地融合唯美主义、禁欲主义、蔑视当局和谄媚，类似一个试验现实主义各种修辞手法的实验室。1848年1月，库尔贝在家书里写道："我随时就要成名了，因为我周围都是报刊和艺术界极有影响力的人物，他们都很欣赏我的画。事实上，我们准备成立一个新流派，我就要成为这个绘画领域的代表人物了。"库尔贝的预测准确无误。只是，他没有料到，须有一场革命来助他实现自己的目标。

从他的书信看来，在1848年2月的革命里，库尔贝作为旁观者观望。诚然，他很高兴看到路易-菲利普被推翻，共和国政府上台。在同年6月的斗争里，他也是甘作局外人，站在安全的距离观望枪战，并在一封家书里如此写道："我不相信拿枪炮打仗的战争……这10年来，我一直在进行一场头脑的战争。"

图11-12：泰奥多尔·夏塞里奥《亚历西斯·德·托克维尔肖像》（Portrait of Alexis de Tocqueville），1844年。纸上铅笔，30厘米×24厘米

图11-13：伊西多尔·拜勒斯《慈善会修女之死》（Death of a Sister of Charity），1850年。布面油画，241厘米×305厘米

图11-14：古斯塔夫·库尔贝《在奥尔南晚餐后》，1849年。布面油画，195厘米×257厘米

他很快便看清资产阶级和"秩序党"农民的残酷和强硬，理解这场为"民主与社会共和"而战的斗争，绝不可能在6月的路障后面取得胜利。相反地，工人和农民争取工会、合理报酬、住房、债务减免、政治参与权的斗争，需要组织和宣传，以及基于广大人民的群众运动。因此，不屑于刺刀的库尔贝，决心拿起艺术形象打自己的战争。他认为这场战争的时机已经成熟，他决不会浪费这个机会。

两个月后，沙龙展览政策有所开放，库尔贝第一次有机会自由地参展。过去7年间，他仅勉强向公众展览过3幅作品。在1848年，他同时展览10幅作品，次年又展览了11幅，其中包括古怪的《在奥尔南晚餐后》(After Dinner at Ornans)【图11-14】。《在奥尔南晚餐后》虽是野心勃勃的作品，却颇有挑衅意味。尺寸大得离谱，并不适宜作品的题材，画面的采光和构图皆不明确，气氛和主题模糊不清。然而，撇开这些异常特征，库尔贝的这幅作品类似当时再度流行的荷兰风俗画，从而得到数位沙龙批评者的赞赏，并获得政府出资购买的殊荣。

然而，《在奥尔南晚餐后》的历史意义源自在艺术的缺陷或价值以外的两个因素。首先，库尔贝在1849年沙龙因为这幅作品获得的金质奖章，从而得到参加1850年沙龙的特权。其次，库尔贝对法国乡村和城市同时发生的危机有着浓厚的兴趣，《在奥尔南晚餐后》正是这份兴趣的真实写照。在法国的农业衰退和城市工人暴动之后，乡村和城市的定义和政治联盟可供任何人争夺，但凡以模棱两可的手法描绘这两个领域的作品，都有可能被视为煽动性。在1848年，《在奥尔南晚餐后》这幅作品本身并不具有煽动性，但作品所描绘的主题耸人听闻。库尔贝本人深知这一点。因此，1848年10月，库尔贝离开巴黎，回到奥尔南乡下，反思和筹划下一步的"智性"干涉。10月底，他致信魏氏（Weys）一家人，信中写道："我有点儿像一条蛇……正在冬眠。在这个至福的状态，思想多么顺畅！……不过，我很快就要醒来……"确实，随后8个月间，库尔贝创作了3幅改变艺术史的杰作：《采石工人》（已被损毁）【图11-15】、《奥尔南的葬礼》【图11-16】、《弗拉热的农民赶集回家》【图11-17】。正如艺术史家克拉克（T. J. Clark）所指出，也正如本文结尾所总结的，这三幅作品都是有力地攻

图11-15：古斯塔夫·库尔贝《采石工人》，1850年。布面油画，160厘米×259厘米

击资产阶级艺术的技术基础，也都是关于当时的阶级和政治对抗的专题论文。

库尔贝写道，《采石工人》取材于真实的生活，由两个可怜的人物构成。一个是老人，如同一部老朽的机器，身躯由于劳动和年岁而僵硬……他身后另一人是大约15岁的少年，患有坏血病。开辟道路的采石工作为艺术主题确实十分罕见，但并不是史无前例，埃德温·兰瑟（Edwin Landseer）在1830年曾描绘这个主题，只是从未有过如此坚定的处理手法，如此宏大的尺寸。几近真人尺寸的两个人物，他们的目光转离观众，四肢因吃力地劳动而紧绷，身穿破旧的衣衫。这幅作品的色彩和表面肌理（根据战前留下的照片和现存的油画习作推测）为泥土色调，使用厚重的色块，构图极其简单。正如库尔贝的文字所暗示，《采石工人》给人最突出的印象是人类作为机器的劳动：双手、手肘、肩膀、脊背、膝盖、脚踝和双脚，都被处理为

图11-16：古斯塔夫·库尔贝《奥尔南的葬礼》，1849—1850年。布面油画，315厘米×663厘米

异化的部件，拉斯金在《威尼斯的石头》（1853年）中写道，这些身体部位只能"将一个人充当一个工具"。

　　为了绘制《奥尔南的葬礼》，库尔贝在一座新开辟的墓地召集近51名成年男女和儿童，用近660厘米长的画布描绘他们的肖像。送葬者的队伍包括画家的父亲、姊妹、村长、库尔贝的已故祖父、一条斑点狗。棺材罩着饰有黑色泪滴和交叉骨图案的白柩衣。画面左侧身穿红袍、长着蒜头鼻的两个人物是教堂的执事；送葬队伍里没有一人看向棺材或死者未来的休憩地；事实上，整个队伍至少由三组互不关联的群体构成：右边是女性哀悼者，左边是神职人员和抬棺人，中间偏右侧是一个资本家和一条杂种狗。在构图和情感上，这三个群体之间以及与葬礼之间都毫无关联。画面除了让人感觉做作、焦点分散之外，库尔贝反复地使用黑白两色（试比较狗的毛色和棺材的柩衣），以及古怪的人物重叠手法。

《弗拉热的农民赶集回家》（*Peasants of Flagey Returning from the Fair*）【图11-17】也是以简单的色调、断裂的构图、晦涩的情绪为主要特征。与《奥尔南的葬礼》一样，这幅作品采用传统主题——先例包括鲁本斯的《农民去市集》（*Peasants Going to Market*，约1618年），托马斯·庚斯博罗的《从市集回家的路》（*Road from Market*，约1767年）——但库尔贝的处理方式绝没有因袭陈规。《弗拉热的农民赶集回家》描绘一些零零落落的人物和牲畜，他们之间只通过色彩和色调的重复而统一：前景和中景生硬地承接自左下方朝中间偏右延伸的道路边缘，一个男孩和两个农妇蹊跷地夹杂在一群尺寸变化无常的牛马中间，一个男子被一头猪牵引着，两者似乎在画中漂浮。罗莎·博纳尔（1822—1899年）的《尼维尔犁耕：葡萄接枝》【图11-18】怀着爱国精神和细致的刻画表现了特定地区的农业实践，库尔贝的《弗拉热的农民

图11-17：古斯塔夫·库尔贝《弗拉热的农民赶集回家》，1850年。布面油画，206厘米×275厘米

赶集回家》则完全无视人类和牲畜之间的文化和状貌的特殊性。朱尔·布雷东的《拾穗者》（1854年）将马洛特（Marlotte）村庄的贫穷农民描绘为一群没有面孔的畜群，库尔贝则不同，为画中的主角提供了个性和阶级身份，尽管只是模糊的界定。在《弗拉热的农民赶集回家》里，库尔贝并不是在证实即将主导官方现实主义的二元对立——城市与乡村、资产阶级与农民、无产阶级与农民的对立，而是展现跟巴黎城一样不自然、不明确、偶然的乡村世界。

因此，与《采石工人》和《奥尔南的葬礼》一样，《弗拉热的农民赶集回家》实际上是论述棘手的对抗情绪和社会阶级的伤痛。在《采石工人》里，两个农民迫于生计，只得靠采石为生。在《奥尔南的葬礼》里，整个农民社区穿上资产阶级最体面的礼拜天服饰举行葬礼；在《弗拉热的农民赶集回家》里，一群混杂的男女赶着牲畜从农贸市集回家，途中遇见一个穿马甲的乡绅牵着爱猪散步。这就是库尔贝三部曲的粗野的形式和主题，令他在1850—1851年的巴黎沙龙上备受抨击。

## 艺术与通俗文化

假若我们像1851年的批评家和讽刺漫画家那样反复地讲论《弗拉热的农民赶集回家》《采石工人》和《奥尔南的葬礼》在形式和题材方面的古怪断裂，这个话题自然可以拉得很长。然而，如此之下，我们便有可能忽视这三部作品的崭新与挑衅的连贯性。库尔贝摆脱依据古典主义模仿和清晰的等级体系为基础的学院派和政治逻辑，用通俗文化和社会或阶级的模糊性与不透明性为基础，创造了一种非传统的连贯性。迈耶·夏皮罗在1941年、克拉克在1973年相继指出，库尔贝三部曲的形式的试金石是"稚拙"的艺术传统，譬如埃皮纳勒（Epinal）的木刻版画、通俗的招贴画、廉价的画片和年历、宗教小书、歌本。在当时，整个法国掀起通俗艺术热潮，作为1848年政治和阶级斗争的一部分。尤其是在1851年12月2日拿破仑政变前数月间，通俗文化（非贵族精英的非官方文化）成为农民、工人及其城市资产阶级同盟的武器，用以争取第一次法国大革命所承诺而没有兑现的平等。库尔贝是投身这场战争的战士，这组三部曲便是他的武器。

《奥尔南的葬礼》缺乏空间深度、没有影子、色彩对比单调、人物重叠、情感中立，让人联想到通俗木刻版画、蚀刻画和石刻版画的风格和特征，诸如用于装饰乡间并宣传和纪念当地的亡故者的《亡者讣告》（souvenirs mortuaires），或者通俗民谣《马尔博罗的葬礼》（Funeral of Marlborough）等传统故事和民谣的木刻版画插图。在这个时期，库尔贝痴迷于通俗文化，除了创作数部民谣和圣诞童话剧，他在1850年为

图11-19：古斯塔夫·库尔贝《偶遇》（*The Meeting*），1854年。布面油画，129厘米×149厘米

一些歌曲绘制招贴画，献给傅立叶主义倡导者让·尤纳（Jean Journet）。10年后，他又为尚夫勒里的《法国民歌》（*Les Chansons populaires de France*）创作两幅素描插画。库尔贝对通俗文化的兴趣也体现于以1853年一场摔跤比赛为主题的作品。此外，1854年，他借鉴埃皮纳勒木刻版画的"流浪的犹太人"这一形象，创作了自传式绘画《偶遇》【图11-19】。

库尔贝拥抱通俗艺术和文化及其观众和主题，纯朴和平凡的风格，明确地拒斥路易·拿破仑任总统、继而自立为帝时代所孳生的等级制度和个人崇拜。这一个人崇拜的典型范例是让-希波吕特·弗兰德林的作品《拿破仑三世》【图11-20】。事实上，在1850—1851年冬季，正值库尔贝在巴黎展览作品之时，乡村省份的波拿巴主义者强行取缔书贩、民谣歌手、小手册作者的活动，认为他们过于积极地复兴通俗文化，建立激进的农民联盟。在巴黎，通俗娱乐行业，诸如小丑、街头音乐家、江湖医生、特技艺人，都被警察和执法人员当作颠覆分子和社会主义者的天然盟友。1849年后，当局以不符合秩序和社会安定为由取缔他们的活动。在如此狂热的政治背影之下，歌颂通俗的东西便

被视为拥护"民主和社会共和"，难怪观众会带着惊恐和敌意看待库尔贝的作品。有一位批评者称库尔贝在1851年沙龙的参展作品为"社会主义者的绘画"，另一位批评者则将这些作品形容为"属于民主和大众的东西"，再有一位宣告这些都是"革命的引擎"。

最让保守批评者感到不安，促使他们发出以上这些以及其他更不堪的谴责的，便是库尔贝的"刻意的丑陋"（deliberate ugliness）。这意味着他的艺术接纳通俗的内容（丑陋）和普通的沙龙观众（工人阶级）。沙龙的批评者曾经指出，艺术作品和观众在一种古怪而病态的切分节奏里结对跳华尔兹，自负虚荣的库尔贝便是舞蹈指导。克拉克全面审视对于库尔贝三部曲的那些批评，总结他的历史成就："他探索高雅艺术，包括技术、尺寸、某些精致的手法，以便用于复兴通俗艺术……他所创作的艺术，以规模和骄傲的题名宣称为'历史画'，一种凌驾于统治阶级文化的霸权。"这里值得指出的是，库尔贝的宣言颇为牵强，存活的时间又短暂。然而，对于当时许多人来说，这个"历史画"宣言似乎强大得足以动摇坚固的公共舞台。然而，库尔贝的宏大又精致的通俗艺术未能在政变及其势必导致的革命意识消散之时完好地保存。纵然如此，及至今日，他的三部曲依然是艺术激进主义的典范。

事实上，库尔贝的三部曲及其所引发的丑闻或许可以说是前卫主义最早成为意识形态对立面和政治争议的一种文化姿态的历史时刻。从库尔贝到超现实主义者，艺术前卫主义的目标一直是通过改变艺术语言，将被动的观众转变为积极主动的对话者，由此实现干预现实生活领域的目的。正如许多后世的艺术家，如马奈、印象派画家、梵·高、修拉、俄国前卫主义画家，库尔贝也企图通过诉诸于"通俗"来实现这种干预。换言之，他想要运用一种全然没有文化正统性和统治阶级权威的文化或传统的模式。然而，与上述这些艺术家不同的是，库尔贝终究未能追逐和实现他的宏图大志。世事侵袭而来，将他压倒，统治文化的令人无法抗拒的同化力量最后取得胜利。因此，库尔贝的三部曲也标志着现代主义作为一种审美的自我参照和政治弃权的形式化手法的开始。第二帝国时代的合并（尤其在1857年以后），积极参与政治的反对派销声匿迹，从而导致反对派绘画艺术的抽象化和普遍化，正如托马斯·克罗所指出，这正是库尔贝在1850年所采取的方式。自此以后，在现代主义的终极目的面前（从库尔贝到弗兰克·斯特拉，这一终极目的是实现艺术自主），前卫主义的干预目标通常黯然消逝。对于库尔贝来说，政治的无意义始终潜伏于民众参与的另一面。1850年7月，库尔贝将作品装箱运往巴黎之时，致信魏氏写道：

> 我站在人民这一边。我必须直接转向他们，我必须从他们那里获取我的知识，他们必须为我提供生计。因此，我刚刚走上流浪和独立的波希米亚生活。
>
> 不要误会，我可不是你所以为的荒唐无稽的行骗者。行骗的都是游手好闲的懒汉，只有吹嘘自己能耐的外表，就像皇家学院的院士，还有那些自驾马车买卖黄金的拔牙师。

对于库尔贝与继后胸怀大志的法国和欧洲艺术家来说，前卫和现代是钱币的两面，但不能拼成同一枚钱币。一面意味着社会性，另一面意味着个性；一面要求参与，另一面要求是象牙塔；一面欢迎波希米亚主义，另一面想要荒唐无稽。然而，由于前卫主义得以可能的技术程序，也必然导致现代主义，因此，前卫和现代都具有同样独特的引力。简而言之，笔者认为前卫主义的干预主义者姿态势必导致对既定的学院体制的拒斥，转而接纳通俗艺术的简单、清晰和平面化特征，常见于19世纪的招贴画、宗教小书、埃皮纳勒的木刻版画、手艺人的印记，以及特技艺术、民谣歌手、咖啡馆歌手的表演。采用这类形式，譬如一种新技术，意味着在当时的生产手段和生产关系的体制内为艺术开拓一个全新的领域，借此潜在地将曾经被异化或被动的工人阶级观众转变为积极的参与者。现代主义的冷漠的自我关注势必需要运用很多类似的形式策略。然而，现代主义缺乏志趣相投的反对派公众，所使用的技术充其量是干预主义梦想的一些残余。1852年以后，前卫和现代几乎接踵而行。库尔贝注意到这个形势，在1855年以此为主题绘制了一幅寓言画。

## 库尔贝的《画家的工作室》

1853年5月8日，法国政府宣布取消1854年沙龙，但将在1855年世界博览会设置规模宏大的艺术展览。博览会的宗旨是向全世界展示法国从拿破仑三世于1851年独裁统治以来在工业、文化、社会方面所取得的神奇进步。拿破仑三世为了展现开明和

慷慨，委托艺术督察官尼沃凯尔克伯爵（Comte de Nieuwerkerke）邀请古斯塔夫·库尔贝共进午餐，企图说服这位艺术家参加政府的计划，向博览会评审提交一件能让伯爵和皇帝满意的作品。库尔贝致信朋友和主顾阿尔弗雷德·布鲁雅（Alfred Bruyas），转述他自己如何愤慨地回应这桩赤裸裸的指定合作：

> 你能够想象，一听到这个提议，我便何等地勃然大怒……首先，因为他对我说他是政府，可我从未觉得自己是那个政府的一个成员；其次，我自己也是一个政府，因此我拒绝他的政府替我的政府做任何我不能接受的事……再次，我告诉他，我是我的作品的唯一评审。我不但是画家，也是一个人，我创作绘画，不光是为了艺术而艺术，也是为了赢得我的智性自由，并且我通过研究传统，设法让自己从传统解脱……

库尔贝在信中继续叙述他和尼沃凯尔克伯爵之间这一次激烈而失败的午餐会的细节——库尔贝的争

辩、训斥、诚挚、骄傲的声明和抗议，以及他"怀着对现实的清醒认识"继续在他所选择的艺术道路上勇往直前的决心。然而，这封信中最突出的一点可能是库尔贝在宣告未来作品的某种规划，特别是那幅巧妙地设法摆在博览会中心的作品，《画家的工作室：一个总结我七年艺术生涯的真实寓言》（*Studio of the Painter: A Real Allegory Summing Up Seven Years of My Artistic Life*，以下简称《画家的工作室》）【图11-21】。据上述书信的措辞看来，库尔贝在绘画中探索艺术家的社会和文化地位，既摒弃"为艺术而艺术"，同时又保持独立；他探索现实的复杂性，以便"表现和诠释我自己的个性、我自己的社会"。库尔贝在1854年11月启动他的宣言绘画，6个月后完成作品，正好赶上被博览会评审团否决。

《画家的工作室》尺度宏伟，画面沉闷地描绘库尔贝的画室及其中的30余名人物。构图划分为两大部分：画家本人位于中心位置，他正在绘制一幅风景画，身边陪伴着一个男孩和一个裸体女人，两人以欣慕的目光注视库尔贝。画面右侧是画家的"股东"，也即库尔贝在艺术和波希米亚圈的朋友，其中包括波德莱尔（在右侧边缘看书）、尚夫勒里（端坐着）、布鲁雅（Bruyas，蓄须的侧面像）。画面左侧是"人民，或悲惨或穷苦或富有，被剥削者与剥削者，靠死人为生者"。这个群体的界定较为模糊，但似乎包括路易·拿破仑（坐在椅上，身旁站着一条西班牙猎犬）、国务大臣阿齐利·福尔德（Achille Fould，坐在左侧边缘，手里抱着一只木盒）、已故的弑君者拉扎尔·卡诺（Lazare Carnot，身穿白外套，头戴尖顶帽），也许还包括欧洲革命家加里波第（Garibaldi）、科苏特（Kossuth）、科什乌兹科（Kosciuszko）。《画家的工作室》画面空间的上半部分是广阔的棕色地带，位于所有人物的头顶，粗略地掩盖《弗拉热的农民赶集回家》的底稿。

库尔贝提交数幅作品参加博览会，只有《画家的工作室》落选。于是，他计划仿照马戏团帐篷的样式搭起一座"现实主义展馆"，摆在博览会正门对面。库尔贝准备在帐篷里展览他的新作与最受抨击的旧作，并希望以此举抢夺官方所认可的艺术家的风头，诸如安格尔、德拉克洛瓦、韦尔内、德尚（Descamps）等人。

在布鲁雅的资助之下，现实主义展馆很快搭建成功。然而，公众的回应令库尔贝的期待和计划落空。事实上，对库尔贝的《画家的工作室》这幅作品最为深思熟虑的评论，来自德拉克洛瓦的私人日记：

巴黎，8月3日
去了博览会，在那里看到喷泉吐出人造花卉。我想所有这些机器让人感到万分沮丧。我憎恶这些机械装置，貌似完全依靠它们自己的意志生产奇妙非凡的东西。

图11-22：古斯塔夫·库尔贝《塞纳河畔的少女》（*Young Ladies on the Banks of the Seine*），1856—1857年。布面油画，173厘米×206厘米

图11-23：古斯塔夫·库尔贝《沉睡者》(The sleepers)，1866年。布面油画，135厘米×200厘米

接着，我去看了库尔贝的展览。他把门票降到十个苏。我独自一人在里面待了近一个小时，发觉一幅被他们否决的杰作……《画家的工作室》所有层次都有完美的诠释，有气氛，有些地方的处理手法委实高明，尤其是裸体的大腿、臀部和胸脯……就他的描绘来说，唯一的缺憾就是这幅画包含一种模糊感。画面中央看似有一片真实的天空。他们拒绝了我们时代最出色的一大杰作，但库尔贝不是会轻易被这类琐事挫败的人。

这段引文的开头和结尾体现了德拉克洛瓦的犀利洞见。"机械装置，貌似完全依靠它们自己的意志"这句话，可以说言简意赅地表达了"商品拜物教"——数年后，马克思在《资本论》创造和界定这一术语，认为商品拜物教"在物与物的神奇关系中掩盖人与人的社会关系"。1855年博览会大规模展示消费品和制造消费品的机器，确是将商品推崇为崇拜对象的早期重要标志。这场博览会预示着一个新世界的开端，日益将进步等同于生产的理性化；将自主性等同于自由地消费标准化商品；将人与人之间的亲密关系等同于性交换。对于这场博览会的历史性质，德拉克洛瓦

看似颇有体会，感觉这一场面"让人感到万分沮丧"（罕见的保守说法）。因此，在这个让人头脑清醒的现代性博览会上，库尔贝的作品反而被他评判为杰作。

关于库尔贝的《画家的工作室》，德拉克洛瓦的另一洞见是称赞画中裸体女性的大腿、臀部和胸脯"处理手法高明"，并指出画面中央的天空具有"模糊感"。这位浪漫主义画家用两句话概括了库尔贝的女性与自然的匹配。这一匹配手法正是库尔贝对博览会所展示的令人沮丧的现代化力量的回应。库尔贝将女性和自然作为始于1848年终于1855年的个人和政治"寓言"的试金石。

《画家的工作室》中的裸体女性（正如德拉克洛瓦和库尔贝所说的）只是一个模式，除此别无含意：她不是维纳斯。与安格尔在1856年创作的作品不同，这个裸体女性既不是缪斯，也不是源泉；与皮埃尔·皮维·德·夏凡纳（Pierre Puvis de Charannes，1824—1898年）在1867年创作的作品不同，这个裸体女性不是自由、共和、春天、苦难、悲剧或战争与和平的寓言形象。第二帝国无数学院派艺术家在她身上添加无数寓言负担，卸脱了她唯一的文化权力源泉：她只是一幅空白的画布，正如她自己手里那方白布。在这个空白里，现代男性画家可以自由地想象自己的权威和

独立性。直至生命的尽头，库尔贝在一幅又一幅的作品里重新演绎女性的辩证性，包括《塞纳河畔的少女》【图11-22】、《沉睡者》【图11-23】，以及挑衅而转喻式的《世界的起源》（*Origin of the World*，1866年）。库尔贝的女性被卸除了性权力，降低为承载画家的纯熟技法和权威的被动载体；被卸除寓言化责任之后，女性可能在西方艺术史上第一次被体现为拥有性能力。纵使有时只剩下性能力。［至于性能力解放的政治煽动意味，在爱德华·马奈展览《奥林匹亚》（*Olympia*），【图15-6】之时才会被批评界轰然揭晓。］

正如库尔贝的裸体模特是艺术家意志的代码一样，风景和"真实的天空"（借用德拉克洛瓦的措辞）也是画家的自主性锚。对于现实主义者来说，风景，尤其

是库尔贝画架上那片崎岖、难以接近的森林——被当作个人自由的梦想空间，或者用艺术史家克劳斯·荷尔汀（Klaus Herding）的说法，是社会和解的理想地点。在一幅又一幅的风景画里，从《奥尔南的城堡》（*Château d'Ornans*，1850年）、《海滩》【图11-24】，到《阿尔卑斯山全景：米迪峰》（*Panoramic View of the Alps, Les Dents du Midi*）【图11-25】，库尔贝拒斥这一画种的传统模式，追求表现梦想的自主性和社会平等（"我自己也是一个政府"）。正如印象主义画家的作品，库尔贝的风景画缺乏构图焦点、内在框架手法、推远法、大气透视、适度的用色和平衡。他们的作品都使用显著的笔触、造型粗疏、色彩鲜艳、色调明亮、空间平面化，并传递民主精神。换言之，画家

图11-24：古斯塔夫·库尔贝《海滩》（*The Beach*），1865年。布面油画，53.5厘米×64厘米

图11-25: **古斯塔夫·库尔贝**《阿尔卑斯山全景：米迪峰》，1877年。布面油画，151厘米×210厘米

以同等的专注对待画面的所有部位：边缘、底部、上方、四角，都跟画面中心一样得到细致处理。

因此，库尔贝的《画家的工作室》可以说既总结画家的过去，也预示他的未来。此外，这幅作品是继后世代所盛行的现代主义的早期范例。现代主义指代一种不再强调表现对象，而是追求和谐的材质表面的视觉艺术。这种艺术打着个性和绘画的自主之名，回避直接参与阶级和利益的持续斗争。或者换一种说法，简单地说，现代主义要求拒斥寓言，接纳所有矛盾的真实。库尔贝在给尚夫勒里的信里写道："那些想要评判《画家的工作室》的人，也有特意为他们安排的作品。"这幅作品所得到的相互矛盾的诠释足以证实库尔贝的预言。当然，艺术家本人也许在画题里为这幅作品作出了最好的阐释。

**问题讨论**

1. 1848年在历史和艺术上有何重要意义？列举能够代表"1848年"民族精神和态度的一位法国和英国的艺术家。

2. 拉斐尔前派包括哪些艺术家？他们有什么最重要的成就？这个运动何以如此短暂？

3. 库尔贝在1849—1850年间创作的作品三部曲面对哪个（或哪些）受众？他可曾接触到这些受众？我们如何得知结果？他试图向受众传达什么信息？

4. 根据现实主义这一术语的历史用法，界定现实主义艺术的定义。

## 第12章

# 摄影、现代性与艺术，约1830—1917年

大卫·L. 菲利普

## 导言

无论是使用传统的底片或数码相机，摄影在当代全球化文化之下如此普遍地存在，以致于我们很难——甚至不可能——想象没有它的现代性。镜头占据统治地位的媒体，如摄影、摄像和视频以及日益衍生的大量视觉形式和平台，很容易让人们习以为常地预设摄影技术发明的必然性。1839年1月，巴黎和伦敦几乎同时宣布暗箱永久捕捉形象的新技术。在当时，尽管法国政府随即认识到达盖尔银版照相法的实用性，他们却没有信心。英法两国在1839年所展示的两种新技术中，只有英国人威廉·亨利·福克斯·塔尔博特（William Henry Fox Talbot，1800—1877年）基于纸版负片的技术至今继续沿用。塔尔博特就他的"发现"所作的评论，至今依然是关于这种新媒介的最深思、最具先见的理论论述。

塔尔博特是维多利亚时代杰出的绅士学者，兴趣广泛，涉猎自然科学、数学、文物学、古典学和语言学。对塔尔博特来说，摄影技术可以制作形象，有助于他在不同的学术领域（从亚述学到植物学）作跨学科的研究。此外，摄影技术也属于他的理性探索的学科。及至1840年，塔尔博特的注意力已经转向其他领域。塔尔博特用来理解"photoglyphic"的最常用范例，实际上是书写和印刷的文字，而不是美术作品。（塔尔博特自造"photoglyphic"一词，用来指称我们现在所说的"photograph"。他的自造词由两个古希腊词语合成，photo-glyphic，意为"光—书写文字"。）

塔尔博特对摄影的理解也涉及审美的标准和评判，尤其在向大众推销这一媒介之时。然而，这两个方面不是他首要关注的问题，也不是理解摄影的框架——至少，对他来说不是。因此，我们切忌理所当然地将摄影技术的发明视为绘画手法和实践（譬如透视）的连续传统的一部分。正如塔尔博特在《关于光绘成像法的几点描述》（*Some Account of the Art of Photogenic Drawing*）一文中指出："这个神奇的现象，尚且不论应用于艺术时会有何种价值，至少可以作为证明现代科学归纳法价值的新证据。"这篇文章于1839年在皇家学会科学家专家面前宣读。简单地说，如果说塔尔博特不敢确定摄影与艺术的关系（这是本章的主题，也是困扰着大半部摄影史的难题），至少他对摄影的科学价值充满信心。然而，塔尔博特所理解的科学本身却没有明确的界定：19世纪早期所见证的自然哲学，起初部分依赖于对自然和自然界奇迹的被动观察和分类（包括摄影的"自然的魔术"），继而让位于依据直接实验和归纳法的专门研究。

关于这种新媒介的定义，塔尔博特也颇为犹豫。他的陈述包括一些自相矛盾的观念，譬如摄影作为一种发现与发明，作为科学与艺术，作为机械的与创造的手段，作为绘画与书写，作为审美对象与索引式文件。所有这些相反的观点至今依然影响着摄影的讨论。摄影媒介的不确定的地位也许是这种技术本身所固有的，尤其在摄影与现实之间的关系，但也揭示了运用这种技术和随意为之定义的社会内部的紧张状态。

## 法国的达盖尔法

　　1839年7月3日，巴黎天文台台长、法国科学院（French Academy Science）终身秘书、东比利牛斯（East Pyrénées）议员、医生和杰出的皇家学院院士弗朗索瓦·阿拉戈（François Arago，1786—1853年）向法国下议院提交一份报告，提议法国政府拨发两份年度终身津贴，分别为6,000法郎和4,000法郎，奖励给路易·雅克·曼德·达盖尔（Louis Jacques Mandé Daguerre，1787—1851年）与伊西多·涅普斯〔Isidore Niépce，约瑟夫·尼塞福尔·涅普斯（Joseph Nicéphore Niépce，1765—1833年）之子〕，"表彰二人转让暗箱影像固定成形的技术"【图12-1】。政府为发明家颁发终身津贴一事，简直史无前例。然而，7月9日投票之时，阿拉戈的提案几乎全票通过，法国上议院随后也通过提案。科学家约瑟夫·路易·盖-吕萨克（Joseph Louis Gay-Lussac）向上议院宣读提案报告，称达盖尔的"伟大发现"是"古老文明的一种新艺术的开端"。作为终身年度津贴的交换条件，政府得到了达盖尔摄影技术的专利权。7月30日，津贴最终审批通过。8月19日，达盖尔在科学院和美术学院的院士面前公开演示他的摄影技术。阿拉戈善于辞令，其政治游说不但确保达盖尔和涅普斯在1839年底获得国家津贴，而且有效地将达盖尔推崇为摄影的唯一发明者。如此之下，阿拉戈将自己（取代达盖尔）设置为这项新技术的公共声音。

　　将暗箱的镜像永久固定成形这一欲望由来已久。摄影的理念远在19世纪真正实现摄影之前便已出现，数个摄影必备的技术前提也已经出现。捕捉形象的装置早已存在，古希腊人已经知道针孔或暗箱原理，自文艺复兴以来艺术家们广泛使用这类装置。关于感光化学物品的知识也在不断地拓展，尽管仍有待完善。19世纪早期所欠缺的是一种能够将暗箱内的倒置影像固定的技术。尽管摄影的发明以数年代所积累的化学和光学研究成果为基础，阿拉戈却激动地将达盖尔描述为摄影的唯一发明者。事实上，另外还有数位同代人可以同样合理地声称自己为摄影的发明者。1839年，法国有12人提出专利申请，其中最显著的是希波利特·巴耶尔（Hippolyte Bayard），他是财政部官员，早在1837年便设计出一种简单的正片冲印法（他最终获得国家工业鼓励学会的3000法郎奖金）。

　　达盖尔出生于小资产阶级家庭，在巴黎打拼为成

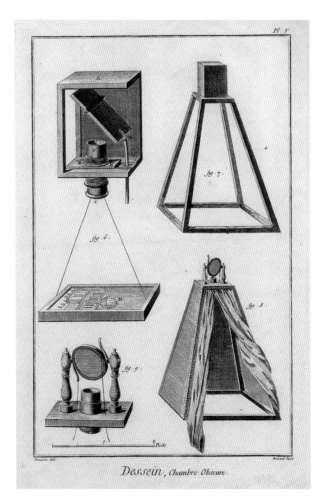

图12-1：菲利波·吉多特（F. Guidott）《暗箱》（*A Camera Obscura*），约1751年。A.J.德维尔特蚀刻版画，依照路易-雅克·古瑟尔（Louis-Jacques Goussier）的原作，1762—1777年

功的创业家、室内装潢师、布景设计师，并跟查尔斯-马利·布顿（Charles-Marie Bouton）合作推广新颖的娱乐形式透视画（Diorama）。透视画在1822年首次向公众开放，特制的剧场内设置圆筒形旋转观众席（便于快捷地替换场景）。透视画通常展示一场时长为10至15分钟，用灯光照亮巨大透明的错视画（绘于薄棉布），构成戏剧性的风景、火山效果和建筑内部。设计师通过巧妙地控制观众席的昏暗的灯光效果，模拟白天变成夜晚或大气效果，同时更换场景。这项娱乐融合了浪漫主义的题材和错觉效果，深受大众喜爱，类似的剧场很快在欧洲各地涌现。然而，达盖尔随即察知公众对视觉逼真的形象兴趣深厚，并且他本人曾经使用暗箱为彩绘透视画创造透视深度。于是，他开始寻找将暗箱的投影永久固定的方法。

　　约瑟夫·尼塞福尔·涅普斯已经在这方面作出了重要的改进。在其兄弟克劳德（Claude）的帮助之下，涅普斯尝试使用经感光处理的石版、金属板和玻璃板固定自制暗箱内的影像。起初，涅普斯的试验都没有成功，他的"heliography"技法（由两个希腊词语合成的自造词，helio-graphy，意为"太阳书写"），需

要在玻璃表面涂一层沥青，再置入暗箱内，曝光后沥青凝固形成影像。1822年，涅普斯已经能够使用这种方法复制雕刻画，但仍不能固定影像。1826年，他得到一架专业制造的暗箱，使用涂了沥青的锡镴板作为底版，拍摄了首幅摄影照片【图12-2】。这幅照片从涅普斯在索恩河畔沙隆的住宅楼上窗口取景，曝光时间用了8个小时（其间，影子移动，从而导致影像模糊），再用薰衣草精油进行显影。涅普斯前往伦敦，在皇家学会演示他的技术，期待得到赞助。但他无功而返，因为他拒绝透露自己的技术。于是，涅普斯转而寻找私人生意伙伴，他知晓达盖尔的摄影试验，便与他取得联络。1827年，涅普斯和达盖尔会面，随即建立合作关系。二人的伙伴关系一直持续至1833年7月涅普斯逝世。此后，达盖尔与涅普斯的儿子伊西多签定协议，后来修订合同，从而令这项发明仅冠以达盖尔的名号。

涅普斯的技术为达盖尔法奠定基础。不过，达盖尔在1831年发现碘化银的光敏性，并在6年后作出关键性的突破，在碘化银板上使用含汞烟气冲印和固定隐性的（不可见的）影像。达盖尔现存最早的摄影作品制作于1837年，这幅照片拍摄了一组石膏像静物，以涂银铜板为底版，使用上述的程序显影。达盖尔虽发现隐性影像和显影法，但他的技术包含一些显著的局限性。首先，达盖尔法冲印的照片形象（虽是横向颠倒的形象）极其清晰、细腻（须压在玻璃下），但只能得到一幅影像，因为这个技术须使用直接正片，不能冲印复件。其次，操作用于显影银板的碘蒸汽颇为危险，并且银板在使用后必须立刻进行显影，曝光时间至少需要半小时。由于这些缺陷，在达盖尔的《巴黎圣殿大道》（*Boulevard du Temple, Paris*），除了停下擦皮鞋的那个男子，所有行人都没有影子【图12-3】。

正是因为这些技术缺陷，达盖尔不能销售这项发明的优先认股权。但他意识到这项技术具有民族主义的吸引力，便向政府申请资助，并找到弗朗索瓦·阿

图12-2：约瑟夫·尼塞福尔·涅普斯《勒古拉斯窗口的风景》（*View from the Window at Le Gras*），1827年。锡镴，16.7厘米×20.2厘米

拉戈这位热忱的赞助人。阿拉戈是下议院共和党的开明议员，依然继承着启蒙运动和革命时代的信念，深信社会和工业进步之间具有内在联系，大力支持修建铁路和电报的提案。更具体地说，阿拉戈推动政府积极地奖励和赞助科学研究。自拿破仑执政以来，科学研究被推崇为国民事业。阿拉戈看到达盖尔的发明正是提升法国科学名望的机遇，也相信摄影技术的广泛应用可以造益于整个社会。他强烈要求政府购买达盖尔的技术，部分也是防止达盖尔申请垄断性的专利。

阿拉戈将达盖尔法形容为"我们国家值得骄傲的最神奇的一大发明"，认为摄影既是"全新的"法国发明，也是达盖尔一个人的"天才"所创造的成就（可能是因为阿拉戈是共和党人，憎恶涅普斯的保皇派倾向和贵族出身）。此外，阿拉戈着重强调达盖尔法在历史古迹委员会所开展的"国家的伟大事业"中的潜在作用，该委员会成立于1837年，旨在记录和修复法国中世纪的建筑。阿拉戈不但宣称摄影技术在保存国家遗产和历史方面的经济和图像记录潜能，而且进一步援引法国近40年前占领埃及的历史事件宣传摄影的功用（同时为法国殖民主义提供辩护）。他向议员同事们展示"达盖尔法的范例"（包括一件奥林匹亚朱庇特的头像雕塑、杜伊勒里花园、巴黎圣母院，数幅室内照片），并解释道："各位看到这些照片之时，必会想到我们远征埃及的年代，当时若有如此精确快捷的复制手段，会是多么卓越的优势。各位想必意识到，如果在1789年便有摄影技术，我们今日便能拥有忠实的图像记录，已知世界便会有机会认识阿拉伯人的贪婪和某些旅行者破坏遗产的恶劣行为……如果人工复制底比斯（Thebes）、孟斐斯（Memphis）、卡纳克（Karnak）等地神庙和陵墓外密布的数百万象形文字，需要一个军团的制图员花费数十年时间。使用达盖尔法，只需一人便可以成功地完成这项浩大的工程……就复制细节和当地的大气的忠实度而言，这些图像将会超越最精湛的画家的作品。"

图12-3：路易·雅克·曼德·达盖尔《巴黎圣殿大道》，约1838年。达盖尔法，13厘米×16厘米

### 福克斯·塔尔博特与英国的摄影技术

阿拉戈歌颂法国科学、共和价值、帝国主义的荣耀这一胜利者的信念，既是力图为摄影提供理论依据和身份，也是源自英法两国长期存在的对抗情绪。在19世纪30年代，这一敌对情绪衍化得尤其剧烈。法国政府向达盖尔购买专利5日后，向世界各国赠送摄影作品作为国礼，唯独英国没有收到礼物。英国一些科学家，著名人物有汉弗里·戴维（Humphry Davy）和托马斯·韦奇伍德（Thomas Wedgwood），已在光化学方面作出重大研究进展。达盖尔在英国的主要对手是威廉·亨利·福克斯·塔尔博特。1839年1月7日，法国科学院学报在巴黎宣布达盖尔法。塔尔博特得知这一消息之后，深受激励，便在同年1月30日在伦敦向皇家学会宣布通过曝光易感光纸张固定影像的技术，可惜未能似巴黎的达盖尔那般引起轰动。此外，达盖尔得到官方资助，而类似的经济支持在放任不管的不列颠根本不存在。因此，塔尔博特一直自筹资金进行研究，英国专利申请的繁琐程序更是进一步阻挠他的研究进展。

塔尔博特的经济状况类似涅普斯。与创业家达盖尔不同，塔尔博特是大学出身的学者，富裕的地主，曾担任国会议员，兴趣广泛，涉猎数学、语言学、古典学、化学和植物学。1833年，他在科莫湖旅行途中对现有的光学绘图辅助工具和自身有限的绘画技艺很失望，便萌生念头，想探索永久捕捉暗箱内所投射影像的可能性。塔尔博特回到拉科克修道院

（Lacock Abbey）的家族庄园后，便开始试验，将树叶等小型物体置于经硝酸银和盐溶液处理的纸面，摆在阳光下曝光。通过这一程序，塔尔博特制作出物体粗略的倒置影像，并称之为"光绘成像"（photogenic drawings）。继后，他把这个直接接触的原理应用到暗箱成像，制作一些小型镜头相机，相机内装配硝酸银盐溶液处理的纸板（他的妻子称之为"捕鼠器"）。这种相机需要近两个小时的曝光时间，但塔尔博特成功地得到形似邮票的负片，譬如他在1835年摄制的《拉科克修道院的格子窗》（Latticed Window at Lacock Abbey）【图12-4】。4年后，塔尔博特在《关于光绘成像法的几点描述》中写道："我刚才简要介绍的这个现象，在我看来确实具有奇迹的特征……众所周知的，譬如影子等最短暂的东西，象征着转瞬即逝、不可留驻的东西，却能被我们这个'自然的魔法'捕捉，并且也许能将它永久地固定在原本似乎注定只能占据一瞬间的位置。"

塔尔博特早期的光绘成像缺乏达盖尔法的清晰和细节，并且也需要长时间曝光，但他的技术得到一张负片影像的底片，可以无限地复制形象——这是摄影成为大众媒介的必备特征。（达盖尔起初只能将他的技术推销为新奇的稀罕物，作为"有闲阶级的……最诱人的消遣"。）塔尔博特最初公布技术之时，正负底片的潜能并没有引起注意，甚至连塔尔博特本人也没有察觉。然而，与达盖尔不同的是，塔

图12-4：威廉·亨利·福克斯·塔尔博特《拉科克修道院的格子窗》，1835年。卡罗法

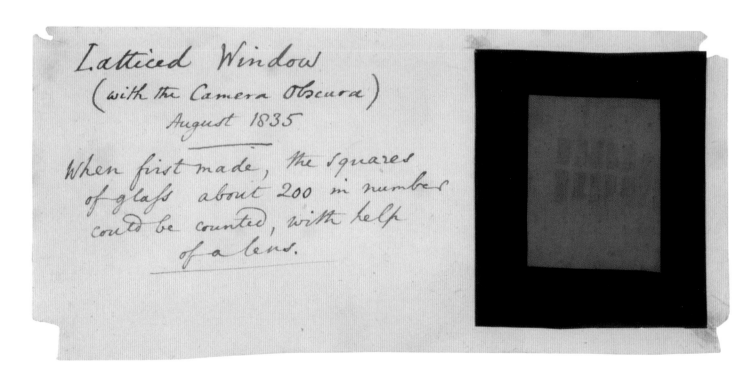

图12-5：威廉·亨利·福克斯·塔尔博特《敞开的门》，出自《自然的铅笔》插图6，1844年前。纸版负片盐印法，14.3厘米×19.4厘米

尔博特继续改良技术，最后为同一影像制作出多个复件。塔尔博特的初衷不同于法国人的试验（尤其是涅普斯的太阳书写法）：他想用机械绘图取代独一无二的铅笔素描。天文学家和科学家约翰·赫歇尔爵士（Sir John Herschel）在较早时期建议塔尔博特用"photography"（光书写）取代"photogenic drawing"，并且创造"negative"和"positive"（负片和正片）这两个摄影术语。塔尔博特经常与赫歇尔爵士通信交流。在后者的帮助之下，塔尔博特在1840年底开发出一种化学显影剂，能够呈现曝光纸面的隐性影像，并将曝光时间显著地缩短。1841年，塔尔博特取得第一项专利，认证他的纸版负片盐印法（将负片置于经盐溶液处理的纸面得到正像），并正式冠名为"calotype"（卡罗法）。这一名称取自希腊词语"kalos"（原意为"美"），后更名为"Talbotype"（塔尔博特法）。达盖尔法只能制作一幅独一无二的影像，塔尔博特的技术则相反，纸质显影为创作和使用影像成品提供极大的灵活性，颇似蚀刻画或石刻版画等印刷媒介。纸质显像可以剪裁、润色，也可使用不同的纸张，并能在显影过程加以修正。

尽管专利申请纠纷阻挠摄影技术在英国的进展，但塔尔博特敏锐地意识到摄影作品作为书籍插图以及摄影本身作为一种创作媒介的巨大潜能。1844—1866年，他以连载方式出版首部摄影照片插图书籍《自然的铅笔》（Pencil of Nature）。这部图册不但概述了摄影的原理和应用方法，而且书中的插图演示了摄影的审美可能性，诸如《敞开的门》（The open Door）【图12-5】参考荷兰风俗画的构图和采光，并表达塔尔博特本人的信念，认为摄影能够"构造科学与艺术之间的联盟，这一联盟必能促进双方的发展"。尽管《自然的铅笔》沿袭既定的绘画范畴（以建筑和静物照片为主），但塔尔博特刻意将照片和欧洲绘画传统相关联这一做法，并不只是为了将摄影纳入艺术，而是表示他对这种新媒介的审美潜能充满信心。出版这部图册之时，塔尔博特已认识到摄影不只是复制对象的机械手段，不是简单的抄写工具，而是一种诠释的媒介。正如约翰·沃德（John Ward）指出：《自然的铅笔》的文字表明塔尔博特不光是杰出的发明家，也是洞识摄影未来的最敏锐的预测者。他的无数同代人只把摄影艺术当作使用另一种绘画媒介，塔尔博特则视它为一种实用工具，一套记录体系，一种复制和操控视觉形象的手段，一种为他提供周遭世界的不同视角的方式……塔尔博特几乎独自一人以今日的用法看待当时的摄影。"

## 摄影的身份

塔尔博特或许预见了现代摄影的外在境况，然而，至于何为摄影这一问题，他仍未形成清晰统一的观念。《自然的铅笔》的手稿里包括许多几经修改、删除或现今早已废弃的术语，见证了他艰难地摸索、寻找适当的词汇描述他的发明的过程。这一事实印证了乔弗里·巴钦（Geoffrey Batchen）的评判："摄影的身份——既作为再现的体系，也作为一种社会现象——自这种媒介诞生以来便成为争论的焦点。"纵使我们已经意识到这一难题，但仍然有必要具体地回顾19世纪的摄影观念——通常迥异于20世纪和当代的观念。摄影如此地渗透现代社会，以致于我们不但难以完全掌握它对视觉艺术的影响（自19世纪中叶

以来），而且难以领会它如何影响了更广阔的现代性经验和意义。此外，尽管暗箱早已存在，摄影最初在大众中间制造出莫大的震骇和神秘感。正如塔尔博特在《自然的铅笔》所指出，摄影是"奇特罕见的艺术……与先前的东西毫无相似之处"。法国摄影师纳达尔（Nadar）更加直率，他说人们听说一块金属板能永远捕捉形象之时，"都惊呆了"。

摄影在诞生之初常被视为奇观，被赋予近乎魔法的地位。塔尔博特的说法，譬如他的"光生成"过程"将一点魔法变成现实"，当然无异于当代人将某个科学发明形容为"神奇"或"奇迹"的习惯。长久以来，摄影一直被视为现代炼金术（达盖尔法在市场上被推销为透视画"障眼法"错觉效果的改良版，无疑更加巩固这个成见）。然而，这个理解也体现于19世纪早期"科学"观念的模糊界限，正如塔尔博特本人兼收并蓄的广泛兴趣，当时的科学研究仍有待划分和界定清晰的专业学科。事实上，正是因为塔尔博特的博学研究更接近启蒙时代和浪漫主义时期的自然哲学观，而不似现代技术统治论的科学，才使他成功地开展摄影实验。

在科学与唯灵论的重叠领域，缺乏学科分界的现象尤其显著。即便是冷静的经验派塔尔博特，也不禁说出"推测……太精致了，不能有效地用于现代小说或传奇小说中"，认为摄影可以捕捉"某种不可见的光"，人类肉眼无法察觉的光，因此"在人类的眼睛只能看见黑暗的地方，照相机的眼睛能够清晰地观看"。事实上，这个"猜想"只是在重复塔尔博特的合作者大卫·布儒斯特爵士（Sir David Brewster）的观点。在其著作《关于自然魔法的信札》（*Letters on Natural Magic*，1832年）中，布儒斯特将人类的眼睛形容为"物质和精神世界的关隘前站岗的哨兵"。一些以灵魂和幽灵为主题的摄影作品直接地体现了摄影揭示和捕捉不可见者或神灵的物质痕迹，摄影与通灵术之间具有关联等观念【图12-6】。其次，19世纪典型的艺术类型临终肖像照【图12-7】，也体现了这些观念。此外，纳达尔在其回忆录里复述小说家奥诺雷·德·巴尔扎克所倡导的神秘的"幽灵理论"，评述道：

> 依据巴尔扎克的理论，所有物体由一层层幽灵般的形象构成，数量无限的、似树叶般的一层层皮肤重叠。鉴于巴尔扎克相信人类不可能将幻影或无形的东西变得具有形

图12-6：可能出自威廉·H. 马姆勒（William H. Mumler）女性的"灵魂"和桌上支靠相册的拜贴，1862—1875年。蛋白银盐法，9.8厘米×5.6厘米

体——也就是说，摄影不可能无中生有，他推出结论，认为人们每一次拍照，身上就有一层幽灵般的东西被剥除，转移到照片上。如果反复地拍照，势必导致继续失去一层层幽灵般的东西，最后也会失去生命的精髓层。

人类的身躯脱落自身形象这一观念，实则可以追溯到古希腊哲学家德谟克利特（Democritus）。在复述这段轶事之时，纳达尔虽摆出高人一等的姿态（戏言"巴尔扎克只须在失去一层幽灵皮肤后再去增肥，以他那丰腴的身体比例，完全可以毫不犹豫地挥霍他的幽灵层次"），但他并没有彻底地鄙弃这一观念。纳达尔坚决地主张，在改变19世纪社会的所有发明中（包括蒸汽引擎、电灯、留声机、无线电、细菌学），摄影最为神秘："所有这些奇迹，摆在这个最震撼、最惊人的发明面前，岂不是相形失色？这项发明似乎终于赋予人类创造的神圣力量，这个力量为瞬间即逝、镜中不留影、水面不留涟漪的无形影像赋予物质形式。"

摄影的奇异特征也可能暗含阴恶的弦外之音。纳达尔声称"黑夜……是暗箱内部肃穆的黑暗的至上主宰，指定给黑暗王子的住所"。这个形容也许是引用幻想和哥特文学，因为这类文学作品在摄影发明的最初年代尤其流行，摄影与恶魔的关联也并非前所未闻。譬如，布儒斯特曾称塔尔博特的摄影照片为"黑魔法的样本"，赫歇尔提及塔尔博特的实验为"魔法"和"超自然"的特征，并反诘道："当然，你总归要跟那个淘气的撒旦打交道的。"就连《雅典娜神庙》（*Athenaeum*）杂志也在1845年称赞《自然的铅笔》，将此书形容为"现代通灵术的神妙图示"。这类"非理性"的观念推崇摄影的超脱世俗的特征，掩盖了摄影和"科学"的客观统一性。在19世纪，形形色色的摄影种类和观念共存（譬如唯灵论、实证主义），揭示了摄影理论探讨中长期存在的两极对立问题，譬如，自然与文化，人类动力与机械化自动，人性与神性，外在世界与内在自我。诚然，这些对立不似固有的关联那般相互排斥，譬如，摄影的模仿能力及其魔法属性可以相互兼容。艾伦·塞库拉（Allan Sekula）揭示了其中重要的方面：

　　两个喋喋不休的鬼魅一直纠缠着摄影：一个是资产阶级的科学，另一个是资产阶级的艺术……因此，自1839年以来，对摄影的

图12-7：匿名艺术家 婴孩的死后肖像，约1855年。达盖尔法

肯定评价必是采用滑稽手法，在技术决定论与作者论、对机器的客观力量的信仰与对艺术家的主观和想象力的信念之间搪塞其辞。摄影的理论探讨反复地主张光学的真理和视觉的愉悦之间的和谐共存，为实证者的科学主义穿上浪漫主义的形而上学，企图弥合18世纪晚期以来资产阶级社会特有的科学和艺术实践的哲学性和机构性的分离。

## 摄影的理论探讨

从最早的评论可以看出，摄影的定义自始便难以确定。与阿拉戈一样，塔尔博特也不能决定摄影是一种发现（discovery，属于自然界发生的一种过程）还是一种发明（invention，人造的东西），便交替使用这两个词语。不明确的术语或双重身份（同时作为自然与机械的东西）的难题至今依然纠缠着摄影。19世纪尤其流行将摄影视为自然本身固有的过程这一观念。对于达盖尔来说，达盖尔法"不光是描绘自然的工具……相反地，它是一种化学和物理过程，赋予自然复制自己的能力"。对于阿拉戈来说，达盖尔法是"自然用最微妙的铅笔（光线）描绘的图画"。摄影是

图12-8：刘易斯·M.卢瑟福（Lewis M. Rutherford）《四分之三月亮，1870年9月16日》（*Third Quarter Moon, September 16, 1870*），1870年。蛋白银盐法，18.8厘米×12.3厘米

物体绘制自身形象的前所未有的程序，这一观念在摄影的理论探讨里反复地出现。1835年，塔尔博特在谈论一幅拍摄自家住宅的照片时说道："我相信这幢房子是世上首个描绘自身形象的建筑。"塔尔博特声称，《自然的铅笔》所展示的照片"都是自然之手亲自摁下印记"。大西洋另一端的塞缪尔·莫尔斯（Samuel Morse）呼应他的主张，认为达盖尔法是"自然本身以精微的细节描绘，只有她手中的光之铅笔能够勾勒如此精微的细节……这些照片不能被称为自然的复本，而该被称为自然本身的一部分"。在描述摄影的早期语言里，自然的手或铅笔（"火的铅笔"或"光线的铅笔"）等隐喻频繁出现，这类措辞虽有助于肯定摄影形象所声称的逼真度，同时却颠覆了摄影师的角色。对于阿拉戈来说，达盖尔法特有的属性——准确、便利、相对快捷——通常是独立于人类的行动，摄影的一大特征便是无须任何艺术技能。阿拉戈说道："人人都能操作达盖尔法。它不预设素描艺术的知识，不要求某种娴熟的技术。一步一步地遵循数个简单的步骤，人人都能跟达盖尔先生本人一样笃定、熟练地使用达盖尔法。"

尽管阿拉戈善于评估摄影的审美价值（称涅普斯的早期照片"色泽单调乏味，缺乏光和阴影对比所构成的悦目效果"），但他将摄影主要视为科学发明，其价值在于"实践用途"。阿拉戈提出四条标准，供同事们评判达盖尔法，并追问道："达盖尔先生的程序是否是一个原创发明？这个发明能否为考古学和美术提供有价值的用途？这个发明是否具有实用性？最后，科学能否期待从中受益？"阿拉戈非但未将摄影视为一种独立的艺术，或者是对传统艺术的挑战，并且引用画家保罗·德拉罗什（早期的摄影爱好者）的话，宣称达盖尔法的准确和清晰度使它可以成为艺术家的宝贵工具。阿拉戈想要确保摄影不会危及艺术家的生计，部分是为了消除当时跨越阶级的焦虑，因为人们普遍担忧工业化过程将会取代艺术生产。法国的西门主义者与英国的宪章主义者担心艺术家的收入，呼吁民众警惕机械化所导致的艺术贬值。理查德·比尔德（Richard Beard）极其成功地运用达盖尔法，在伦敦皇家理工学院创办首家专业摄影工作室。1842年，宪章主义报刊《工会》（*The Union*）以他为范例，论述"艺术似乎安全地避免了机器的侵袭；不过，这是通过比尔德的新专利而实现的"。

摄影的批评者认为摄影的自动化必然意味着摄影缺乏艺术潜能。拉斯金在早期称赏摄影，但随后对它大失所望，声称"一张照片不是一件艺术作品"，因为艺术须"再现伟大善良的人类灵魂的个性、行动、鲜活的感知"。波德莱尔视摄影为文化堕落的导因和症状，势必在艺术中引入一种狭隘、简化版的现实主义（艺术成为外在现实的精确无误的复本）。这类评论超越了摄影艺术的正当性讨论，揭露了人们对现代性的矛盾心态，尤其是机器和机械化所预示的技术现代化。正如20世纪50年代的人们忧虑社会和人口变迁（包括家庭共处时间减少，青少年犯罪率上升），电视便成为争论的焦点和替罪羊，19世纪的摄影也是如此。玛丽·华纳·玛瑞恩（Mary Warner Marien）指出："现代社会内部冲突的象征……象征着工业化、城市化、大众文化对个人和个人创造性所造成的社会效果。"与此同时，人们却又坚定地宣称摄影提供了一种绝对、不可侵犯的客观性——在急遽变化的世界保证真理——成为抵抗动态的现代性的防御措施。阿兰·特拉赫滕贝格（Alan Trachtenberg）指出："视摄影为准确无误的观点并不是可论证的真理，而只是一

　■■■　第三部分　现实主义与自然主义

种信念，无异于非理性地相信一个神话。尽管面对有力的反证，这一观点依然普遍流行……表明它顺应了一种文化需求。"

摄影理论探讨的结构性两极分化，以及摄影作为现代性的对立象征或换喻，巩固了摄影抵制归类或定义的力量，尽管人们反复试图捕捉摄影本质或身份，或者至少将它纳入传统的艺术史范畴和叙事中。约翰·塔格（John Tagg）认为："摄影本身并没有身份。它作为技术的地位，随着发明地点的权力关系而变化；它作为一种实践的本质，取决于它下定义与使用它的机构和人员；它作为文化生产模式的功能，与生存的特定条件直接相关联；它的产品只能在特定的流通条件下具有意义，被人理解；它的历史没有统一性；它是穿越制度空间的一点闪光。"

认为摄影只有外在的身份，实际上是认为摄影"本身"并不存在。这个观点跟一些反复的尝试相抵牾——譬如阿拉戈等人所作的最早评论。这些尝试企图为摄影构造一部内在历史，从而为它提供一种稳固的身份或统一性。阿拉戈描述达盖尔法的演变过程时，将其作为一种目的论叙述模式的逻辑结果，即机械制作精确肖像的熟练度不断提高。及至20世纪，技术递增进步的叙述模式依然主宰着摄影的历史叙述。阿拉戈将达盖尔法称为"暗箱捕捉形象"的不可避免的结论，便暗示早期研究者全都为了同一个清晰的目标而工作。然而，改进暗箱的设计实则只是达盖尔的诸多目标之一（其他目标包括改善透视画的错觉效果、研究光化学）。摄影的史前和早期历史更多只是意外的灵感、放弃的道路、死胡同，而不是必然发生的逻辑结果。事实上，对于许多早期先驱者来说，摄影的魅力正在于无限的可能性。

阿拉戈在1839年作了数场达盖尔法报告，大多报告侧重于技术演变过程。纵然如此，他的报告影响了后世许多摄影的历史叙述、概念框架和社会意图。然后，这些理论又反过来塑造摄影。阿拉戈称颂这项技术，强调摄影在各个领域具有巨大的潜在实用效益，包括物理学、医学、天文学、气象学、地形学、视觉艺术、民族主义、殖民主义、商业、经济（奇怪的是，没有包括肖像画）【图12-8】。如此之下，他又暗中颠覆了将摄影置于技术直线进步的叙述框架。因此，他的叙述揭示了摄影自始便被整个社会领域所塑造（包括阿拉戈本人的政治意图），从来不是作为自成一体

的发明或技术。达盖尔法公布后数十年内，摄影进入不同的文化实践，包括广告界、犯罪学、城市规划、科学研究、治安与监视、色情行业、医药与精神病学、旅行与旅游业，当然还有较传统的领域，譬如肖像画和风景画的创作。事实上，19世纪晚期所兴起的"艺术摄影"及其自称高于商业和业余摄影的理想【图12-9】，部分也是摄影大规模渗透社会所诱发的反作用。摄影的实践应用如此多样化，以致于传统艺术史的范畴和诠释框架完全不能容纳其历史。这里唯一可以肯定的是，摄影的身份和意义赋有深刻的历史意义，绝不能脱离使用摄影的社会背景去谈论。

## 达盖尔法在美洲

阿拉戈宣告人人都能使用摄影，可能为时过早，但他的主张确实激发了摄影具有民主化影响的悠久神话。达盖尔法向大众公布之时，同时出版有达盖尔法说明手册（3个月内销售9千余册，有30余次重版），引发"达盖尔摄影狂热"（Daguerréotypomanie）【图12-10】。当时的摄影器械和材料极为昂贵，加上运输和照相机使用的困难，意味着绝大多数人难以享用这种新鲜的技术。在19世纪40年代，除了达盖尔摄影师（绝大多数是营利性从业者），欧洲的摄影活动还仅限于一小群涉猎广博、经济独立的业余爱好者。这些人通常建立密切的合作关系，出于求知欲而不是商业利益，在近乎手艺人的创作条件之下进行摄影研究。瓦尔特·本雅明在1931年写道，这些前工业时代的研究

图12-9：罗杰·芬顿《斜倚的奥达利斯克》（*Reclining Odalisque*），1858年。玻璃负片盐印法，28.5厘米×39厘米

巩固了"摄影的最初繁荣……出现于第一个年代"。他们让摄影这一媒介在被商品和艺术崇拜的概念主宰之前，短暂地体验了真实的经历。

就公众接触新媒介及其传播知识的用途而论，最早提倡摄影的民主化可能性的是美洲，而不是欧洲。达盖尔法在美洲受到热烈欢迎，人们的反应完全不带欧洲评论者的焦虑甚或公然谴责。埃德加·爱伦·坡（Edgar Allan Poe）响应阿拉戈的阐释，在1840年声称达盖尔法"必须不容置疑地被视为现代科学最重要或许是最卓越的胜利"，其潜能将"超越……最具想象力的人的最奇异的期待"。当欧洲早已用纸质显影取代达盖尔法之后，南北战争前的美国依然以达盖尔法为主要摄影技术。塞缪尔·莫尔斯等美国人为达盖尔法作出重大的技术改进（主要是减少曝光时间），并在1840年春在纽约和费城开办肖像摄影室——比欧洲首家摄影室早了一年。美国拥有充满活力的创业文化

和赶超欧洲的斗志，因此也最早涌现新兴的摄影产业，出现大量的商业摄影室、画廊、器械设备公司等。

最初，美国的摄影文化追求大众普及和教育启蒙两大理想。1841年，拉尔夫·沃尔多·爱默生在日记中写道："达盖尔法无疑是名副其实的共和国风格绘画。"在19世纪20年代，奥利弗·温德尔·霍姆斯（Oliver Wendell Holmes）在三篇论文里探讨立体镜，相继在1859—1863年发表于《大西洋月刊》（Atlantic Monthly），文中概述百科全书式的幻想，认为摄影（"拥有记忆的镜子"）能够提供一切的形象："自然和艺术所有可以想见的东西，很快会为我们蜕去表皮。人们会寻觅一切奇异、美丽、宏伟的东西……去观察它们的皮肤（skin）……这一现象的后果将是极其巨大的形式收藏。这些形式须加以分类，安排在庞大的图书馆，如同现今的书籍。终有一天，人们想要观看某件东西之时，无论是自然的或人造的，就会去帝国

图12-10：**西奥多·莫里瑟**《达盖尔摄影狂热》，1839年。石刻版画，26厘米×35.7厘米

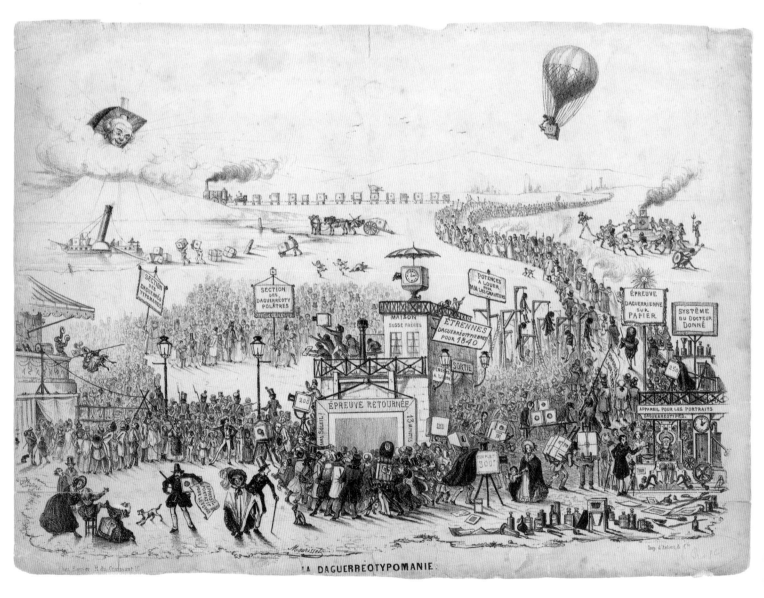

图书馆、国家图书馆，或者城市立体照片图书馆，查阅它的皮肤或形式，就像现代人在任何一个图书馆阅读一本书……为了帮助公共与私人立体照片的收藏，必须设置一套完备的交换系统，以便生成一种类似纸币的通货，或者承诺用坚固的实体支付——太阳在自然的伟大银行里铭刻的照片。"

霍姆斯使用"皮肤"比喻（令人联想到巴尔扎克的"幽灵理论"），将摄影描述为一种通用语言，建立于等值的"通货"之上。在这一体系里，照片不只是指示对象的一种模本，而是对象的替代。在其摄影形象和消费的货币模式里，霍姆斯将摄影描述为貌似自发的自然产物（"太阳在自然的伟大银行里铭刻的"），而不是工业化劳动的产物。可无限复制的照片（如同钱币）在"交换体系"里自然地流通，照片本身变成类似商品背后被隐藏的劳动。此外，霍姆斯将摄影视为一种自然的过程，同时又当作被交换价值限定的批量生产的商品。他的描述可以说预示了马克思的《资本论》（1867年）。马克思在开篇指出商品拜物教（fetishism）的"神秘"和"难以捉摸"的特征。霍姆斯虽未曾明确地提及将摄影与魔法相关联的早期讨论，但他的措辞以及其他许多19世纪的摄影探讨都跟马克思的术语具有惊人的相似之处。比方说，马克思在论述商品之时如此说道："一旦我们逃到其他的生产形式中去，商品世界的全部神秘性，在商品生产的基础上笼罩着劳动产品的一切魔法妖术，就立刻消失了。"

霍姆斯的三篇文章以立体摄影和纸版摄影为主题，但最能体现（或者至少在最初阶段）他所颂扬的摄影实用性的实际上是达盖尔法肖像照。达盖尔法肖像照很快被用作国家自我定义的有力工具。理查德·路迪希（Richard Rudisill）指出，美国早期摄影扮演三大角色："首先是直接辅助文化国家主义，其次是帮助美国人直观地调整自身，实现从农业社会到技术社会的转型，最后是反映激励着这个国度的精神关注。"对于许多摄影师来说，这种新媒介不但能够反映美国社会，而且积极地塑造社会，譬如培养爱国主义理想。据达盖尔摄影师和作家马库斯·奥勒留·路特（Marcus Aurelius Root）所说，达盖尔法甚至能够"训练社会"，"培养……大众的理想能力"。

以平版印刷画复制出版著名人物的达盖尔肖像照的流行现象最能彰显这种国民教育的努力。在这类出版物中，有1847年费城达盖尔摄影师小约翰·普伦伯（John Plumbe Jr.）出版的《全国普伦伯摄影图册》（*National Plumbeotype Gallery*），弗朗索瓦·达维尼翁（François d'Avignon）在1850年出版的《美国伟人图册》（*A Gallery of Illustrious Americans*）。达维尼翁的图册收录12幅依据马修·B. 布雷迪（Mathew B. Brady，1823—1896年）的达盖尔法摄影照片的平版印刷画。及至彼时，布雷迪已成为声名显赫的上流社会肖像摄影师，1844年在纽约开设达盖尔微型画廊，3年后在华盛顿开设分店。布雷迪拍摄的肖像照在1851年伦敦博览会展览，有一位评论者说道，美国人用机器抛光的达盖尔摄影"盖过全世界"，布雷迪本人也赢得博览会的一份奖项。在伦敦，布雷迪获悉新发明的火棉胶湿版法。归国之后，他使用这种方法制作"帝国"和名片肖像。1860年，他在纽约开办创业以来最大的画廊，名为国家肖像馆（National Portrait Gallery），同年，他拍摄第一张、也是出版次数最多的亚伯拉罕·林肯的肖像照【图12-11】、【图12-12】。林肯本人将次年当选总统的功劳归于这幅照片。同年，南北战争爆发，布雷迪致力于记录战事，雇佣一队摄影"技工"，包括亚历山大·加德纳、蒂莫西·奥沙利文（Timothy O'Sullivan）、约翰·里基（John Reekie）。他们的摄影照片都须符合工作室的实践要求，通常署名为布雷迪的作品。布雷迪预期大量出售这些照片，可是，这些自由职业者的摄影属于战争的历史记录，而人们更想忘却战争的创伤，因此这些照片未能兑现为利润。1875年，政府终于购买了布雷迪的摄影档案。布雷迪当时已被迫出售全部资产支付战时的开支，生活在极度贫困之中。

正如布雷迪的摄影，美国摄影很多都是源自创造这个国家的图像记录，捕捉独特的国家特色的理想。社会各界的个人被放置在摄影镜头前［主持人P. T. 巴纳姆（P. T. Barnum）希望通过摄影比赛找到第一位"美国小姐"］，以城市和地区为主题的相册大量出版。在摄影里，寻找一种独特的美国类型的同时，也在探索一种真正的民间表现形式【图12-13】。这个时期美国的达盖尔法迥异于欧洲摄影室惯有的刻意造作的姿势、讲究的灯光和拥挤的陪衬道具，而是采用正面形象、漫射的冷光、简约的形象——实则是一种"无风格"的风格。美国人一直保持着摄影实用性的坚定态度。及至世纪之交，阿尔弗雷德·斯蒂格里茨（Alfred Stieglitz）及其领导的摄影分离派运动

图12-11：马修·布雷迪《亚伯拉罕·林肯肖像》（*Portrait of Lincoln*），1860年。纸版负片盐印法，19.5厘米×14.5厘米

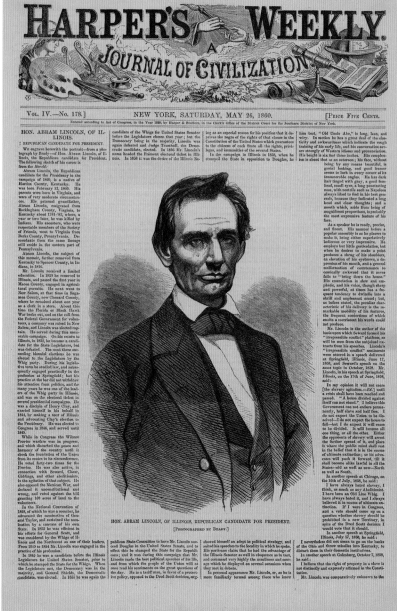

图12-12：无名艺术家（依据马修·布雷迪的伍德伯里法摄影照片）《哈泼周刊》，1860年。木刻版画

（Photo-Secessionist movement）开始积极地倡导画意摄影主义（Pictorialism）。于是，摄影作为一种艺术的观念才开始在美国流行起来。然而，对于一些美国达盖尔摄影师来说，一幅肖像照不只是一个模本或忠实地相像，而是既可作为一种物质记录，也可作为结合经验和精神真理的理想形象。民众普遍认为面部特征和举止仪态透露一个人的品格和道德，因此，摄影被视为提供一种途径，让人接触到超验的领域和自然内部的运行奥秘，诸如威廉·H. 杰克逊（William H. Jackson，1843—1942年）、蒂莫西·奥沙利文、卡尔顿·E. 沃特金斯（Carleton E. Watkins，1829—1916年）等摄影师的作品【图12-14】，都试图在美国西部史诗般的风景里寻找这些内涵。

爱默生说道："每个自然事实是某个精神事实的象征。自然界的每个表象对应于某个心理状态，而那个心理状态只能通过将自然表象体现为图画来描述。"曾为画家的阿尔伯特·桑兹·索斯沃斯（Albert Sands Southworth，1811—1894年）与约西亚·约瑟夫·霍斯（Josiah Johnson Hawes，1808—1901年）留下近1500幅达盖尔摄影照片【图12-15】，可以说是人像摄影的最佳例证。在1843—1862年，二人在波士顿开设摄影室（波士顿当时是超验主义哲学的中心）。索斯沃斯和霍斯拒斥大多数达盖尔摄影面无表情的格式和刻板拘泥的精确性，借鉴既定的传统，拍摄高度个性化、富有表现力的肖像照，包括自拍像。索斯沃斯认为，"对于艺术家来说，即便是摄影也须超越发现与事实的认识。艺术家必须创作与发明真理，使事实有新发展……不但该熟悉自然及其哲学，也该了解主宰或影响人类性格的原理……绝不可如其所是地再现自然；自然要求艺术家摄影师捕捉尽可能最佳的性格，一张特殊的脸所能流露的最好的表情"。

## 欧洲的照相纸

整个19世纪40年代，欧洲和美国都实行两种摄影工艺：达盖尔法（得到一幅独一无二的铜版形象）和卡罗法（使用负正片银盐纸版显影法）。专业人像摄影师通常采用达盖尔法，卡罗法则是业余爱好者、艺术家摄影师的首选，他们通常被纸版摄影的特征所吸引，譬如形象缺乏清晰度，显影效果变化多样。然而，这些特征，加上纸版显影相对缓慢，难以操作（相比达盖尔法），致使卡罗法缺乏商业吸引力，同时也受到了塔尔博特严格的专利限制的阻碍（他最终在1855年放弃专利）。

图12-13：无名艺术家（美国）《女性坐像，手持达盖尔摄影照片》（*Woman Seated, Holding Daguerreotype*），约1850年。达盖尔法

图12-14：卡尔顿·E.沃特金斯《靠近赛里罗的合恩角》（*Cape Horn near Celilo*），1867年。蛋白银盐法，40厘米×52.4厘米

图12-15：约西亚·约瑟夫·霍斯、阿尔伯特·桑兹·索斯沃斯《阿尔伯特·桑兹·索斯沃斯肖像》(*Portrait of Albert Sands Southworth*)，1845—1850年。达盖尔法，28.3厘米×23.4厘米

控风格。摄影照片包括牧师、爱丁堡显要人物的肖像照，还有风景、建筑以及近130幅摄于爱丁堡郊外纽黑文村庄的渔夫和渔妇的室外肖像【图12-16】。在希尔的艺术指导下，这些摄影照片仿效罗伯特·彭斯（Robert Burns）和沃尔特·司各特（Walter Scott）的文学作品风格，歌颂劳动人民的独立和正直，体现一种直接的自然主义和在场感，迥异于后世摄影室照片的习惯手法。本杰明·韦斯特观后赞叹道："通过摄影……我们会遭遇一种新颖陌生的东西：希尔的纽黑文渔妇，眼皮如此慵懒而诱惑地垂下，有一种东西超越摄影师艺术才能，某种不能被埋没的东西，让你心中充满难以控制的欲望，想要知晓她的名字，这个女人活生生地存在，即便在此刻也依然是真实的存在，永远不会彻底地消失进艺术中。"

在法国，德拉罗什的学生古斯塔夫·勒格雷（Gustave Le Gray，1820—1882年）改良了纸版摄影，并在1851年公布蜡纸显影法，增强卡罗法负片的透明度。同年，路易-德塞尔·巴兰夸特-伊沃拉德（Louis-Désiré Blanquart-Evrard，1802—1872年）宣布一种新式显影法，使用同一张负片快速制作多幅照片。塔尔博特的连续接触显影法需要不间断的强烈日照，巴兰夸特-伊沃拉德的显影法只需短时间在负片下曝光，再使用化学溶液显影。巴兰夸特-伊沃拉德的方法能在一小时内制作一百多张机器操作的照片，并且品质一致、形象持久（塔尔博特的照片通常效果不一）。巴兰夸特-伊沃拉德在里尔（Lille）开办了印刷厂，出版大量摄影图册，包括《埃及、努比亚、巴勒斯坦与叙利亚》(*Egypt, Nubia, Palestine and Syria*，1852年），收录125幅马克西姆·杜·坎普（Maxime du Camp）的摄影作品【图12-17】。在1849—1852年间，坎普与小说家古斯塔夫·福楼拜一同前往中东，旅行途中一路拍摄了这些照片。

巴兰夸特-伊沃拉德的技术是显影工艺的重大进展。及至19世纪50年代早期，卡罗法和达盖尔法已被能够大量复制照片的新技术所取代，其中最显著的是火棉胶湿版法和蛋白银盐法。正如19世纪30年代晚期法国和英国摄影的平行发明，法国的古斯塔夫·勒格雷和英国的宾汉姆（R. J.Bingham）、弗里德里克·司各特·阿切尔（Frederick Scott Archer）同时在1851年发现火棉胶作为感光乳剂的潜能（将火棉溶于酒精和乙醚）。勒格雷未曾全然公开他的研究成

在英国，银盐显影法的各种可能性早已变成现实，其中最显著的是化学家罗伯特·亚当逊（Robert Adamson，1821—1848年）、画家和石版雕刻师戴维·奥克塔维乌斯·希尔（David Octavius Hill，1802—1870年）的5年合作项目。希尔接到委托绘制一件巨幅油画作品，名为《苏格兰教会分裂图》(*The Disruption Picture*，1843—1866年），描绘脱离苏格兰教会自行成立苏格兰自由教会的470位牧师。为了帮助希尔开展这项浩大的工程，塔尔博特的同事大卫·布儒斯特爵士（新成立的自由教会成员）将亚当逊介绍给希尔。亚当逊建议可以使用各位牧师的卡罗法摄影照片作为绘画"模特"。在这里，摄影又被用作艺术的辅助工具，但事实上，较为经久的却是这些摄影照片本身。两个合作者一同制作了近1500张负片，亚当逊负责摄影和技术事务，希尔负责构图和把

图12-16：戴维·奥克塔维乌斯·希尔、罗伯特·亚当逊
《伊丽莎白·（约翰斯通）·豪尔夫人》[ *Mrs. Elizabeth (Johnstone) Hall* ]，1843—1847年。纸版负片盐印法

图12-17：马克西姆·杜·坎普《梅迪涅特-哈布（底比斯）拉美西斯三世祭庙柱廊的支柱》（ *Pillars in the Courtyard of the Palace of Rhamsès-Meiamoun, in Médinet-habou* ），1849—1850年。纸版负片盐印法，21.2厘米×15.3厘米

果，司各特·阿切尔则将他的发现毫无保留地公布于世，不设置任何专利限制，因此他的显影法成为标准。火棉胶湿版法的一大缺陷是须事先处理显影底版（这个过程需要使用粗重的器械，包括便携式暗室、显影器材、化学物品、水，以及一些永久保持湿润的经处理的玻璃版）。然而，感光乳剂更敏锐的感光度足以弥补这些缺陷，曝光时间降至一秒钟内，并制成清晰、易复制的负片。

火棉胶湿版的玻璃负片的高感光度须结合经过改良的正片显影法，避免使纸质纹理成为照片的一部分（譬如卡罗法的显影）。1851年，巴兰夸特-伊沃拉德发明了这种改良的工艺，使用加盐的蛋白涂抹相纸，因此得到的形象比银盐相纸更清晰、光滑。蛋白显影法的色调能从金黄渐变为深棕（19世纪摄影照片的典型色调），拓展了摄影的艺术可能性，及至19世纪90年代，一直被当作标准的显影技术。这些新工艺从根本上改变了摄影的外观。乔尔·斯尼德（Joel Snyder）评价道："摄影照片表面结构的改变及其多样化的色调具有双重效果：既让人注意到摄影的绘画源头——这个时期的其他显影法鲜能制作散发光泽的照片，又让观者感到这些照片是机器制作，可以准确无误地复制，而不是手工作品。于是，摄影被推上新的领域。"

## 摄影的拓展

19世纪50年代，更快捷可靠的火棉胶湿版法和蛋白显影法取代达盖尔法和卡罗法这一事实推动摄影进军商业界，尤其是人像摄影，而已能迎合公众对形象的需求。这个需求在18世纪90年代便已出现，当时流行诸如面相描摹器等装置（physionotrace，用描红的方式摹写面容轮廓，再将画像转移到铜版，用于制作多个复件）。19世纪60年代尤其流行两种摄影形式——立体摄影和名片肖像摄影，预示着大众摄影时代的来临。立体摄影模仿人类双眼的视觉（大脑结合每只眼睛所看见的略微不同的形象），在同一卡片镶嵌一对照片。这种摄影通常使用双镜头相机，镜头间的距离与双眼距离相等，所得到的照片几乎雷同，只有微妙的横向差异。透过立体镜观看（大卫·布儒斯特在1849年发明），这对照片便融为一体，营造更强的深度感，照片的形象类似透视画的错觉效果，并且弥满观者的全部视野。立体摄影狂热在19世纪60年代达到巅峰（譬如，1862年，伦敦立体照片公司销售30万件国际展览会立体照片），然后在19世纪90年代再度掀起热潮。观看和收藏立体照片的风尚一直持续到20世纪，欧洲和美国涌现数百家公司，销售了数百万各种风格的卡片。

19世纪60年代也是名片肖像和"名片狂"（制作和收藏名片肖像的时尚）的全盛时代。正如立体卡片，世界各地制作与销售数百万名片肖像。然而，第二帝国的巴黎最早见证了名片肖像的商业潜力。第二帝国（1852—1870年）是法国实现前所未有的经济发展和工业化的时期，导致阶级结构的重大变迁。拿破仑三世在1852年12月自立为法国皇帝，提出现代化议题，推动银行系统改革和信用拓展（通常得到政府补助），大规模投资项目急剧扩展（尤其是铁路等机械化项目），小型商业和海外贸易增长，巴黎人口翻了一番。波拿巴主义的经济活动（波德莱尔戏称为"工业的疯狂"）、政府官僚大量增衍，急遽扩充了资产阶级和小资产阶级的队伍。在不断壮大的阶级需求的刺激之下，这个时代最显著的消费形式便是巴黎最早开设的百货公司［乐蓬马歇（Bon Bon Marché）、美丽花园（La Belle Jardinière,）、卢浮（Le Louvre）］，以及1855年的世界博览会，其中专门设立摄影展览。

国际展览会和世界博览会为摄影带来全新的大众市场，其原型便是伦敦的万国工业博览会（参见第186—189页）。1851年5月，万国工业博览会在伦敦水晶宫开幕，吸引近600万观众【图7-26、图7-27】。展览包括四大部分（原材料、机械装置、制造商、美术），计有109,000余件展品，显著地提高了公众对摄影的认识。数位摄影师得到委托，实地记录水晶宫的搭建过程。约瑟夫·帕克斯顿所设计的水晶宫本身就是大规模生产技术的奇迹。许多展厅陈列摄影照片（使

用达盖尔法和卡罗法）、立体镜等新颖的摄影器材。尽管风景和建筑照片在美术部展览，但绝大多数摄影展览被归类为仪器，摆在计时器、望远镜、电报这些最新奇迹的行列。安妮·麦考利（Anne McCauley）谈及这个时期的国际经济竞争时说道："摄影提供一种客观性标准，所有工业化国家都可以使用这一标准衡量自身的经济成就。摄影的成功堪比中央集权官僚政府通过貌似民主的过程得到认可，并且须依赖的一次性用品的生产和消费不断增长的趋势。"

在19世纪中叶，社会和技术条件都足够地成熟，可以满足摄影的扩张需要。对于龚古尔兄弟来说，摄影师象征着19世纪60年代"巴黎街头的革命"。他们认为，"在20年前，一个巴黎男子，在城里行走，未婚，不是特别富有，对一切抱有好奇，热衷地参与……那么，此人可能是艺术家、资深的公务员、军官、资产阶级、年收入有6万英镑的风度绅士。在今日……这位巴黎人几乎都是股票投机者或者摄影师"。

## 迪斯德利与名片肖像

没有哪个摄影师能比安德烈-阿道芬-尤金·迪斯德利（André-Adolphe-Eugène Disdéri，1819—约1889年）更典型地象征和利用这一全新的社会景观——名片肖像。迪斯德利几乎只手撑起巴黎的肖像摄影行业，一跃成为白手起家的百万富翁，然后以同样的速度破产（后半生贫困潦倒，在尼斯作海滩摄影师为生）。他的人生传奇象征了日益扩张、投机性的经济的无常性质。迪斯德利运用各种摄影种类，认识到快捷廉价摄影技术的商业潜能。他宣传和推广名片肖像，在1854年取得专利，从而发迹致富。名片肖像的照片使用多重镜头相机同时拍摄数幅照片，或者使用单镜头相机在同一底片拍摄一系列形象，再用蛋白显影法得到形象，最后将照片粘贴在拜贴大小的纸面上。迪斯德利将照片缩减至拜贴的标准尺寸（大约为6.4厘米×8.9厘米），同一负片制作一套12张照片，标价为20法郎（先前一张照片需100法郎）。1859年，迪斯德利得到一个良机，从而更坚固地打造了他的名声。当时，拿破仑三世率领军队前往意大利，令迪斯德利拍摄其肖像照，随后钦命迪斯德利担任宫廷摄影师。

迪斯德利的"肖像工坊"将大规模制造方法引入人像摄影。在其事业巅峰，迪斯德利在巴黎、伦敦、马德里的摄影室雇佣70余名助手，每人负责生

产过程的一个方面，提供48小时肖像服务，满足暴发户的自我形象需要和中低阶级的社会追求。除了大规模生产方法，迪斯德利的摄影室采用一套固定的程式和手法。迪斯德利在《摄影的艺术》（The Art of Photography，1862年）一书中详细地列举这些技术【图12-18】。迪斯德利的模特衣着入时，置身于模拟贵族生活方式的繁复场景，通常为全身像，旁边陪衬圆柱、帘幕、台座等道具，或者装饰一些表示人物专业身份的配饰。

## 纳达尔与肖像摄影

迪斯德利将个别对象拍摄为阶级类型，或者实际上是当作摄影室的一件道具。这一模式预示了19世纪下半叶资本主义文化之下自我身份的商品化和标准化的症状。为了迎合消费者的需求，这类肖像照的功能依据当下的时尚规范寻找社会位置，巩固阶级身份，而不是企图捕捉个人独特的性格。然而，第二帝国的其他摄影师，诸如著名的纳达尔〔原名加斯帕德-费利克斯·图尔纳雄（Gaspard-Félix Tournachon），1820—1910年〕，至少在最初时期企图寻找一种迥异的肖像摄影，以早些时期的浪漫个人主义为灵感源泉。迪斯德利从宫廷和皇室中吸引顾客（包括皇帝本人），纳达尔的模特则主要来自他的波希米亚和共和党圈子。在其自传《我做摄影师之时》（When I Was a Photographer，1900年）中，纳达尔谈及古斯塔夫·勒格雷的摄影室在1860年停业事件，指出专业艺

图12-18：安德烈-阿道芬-尤金·迪斯德利《贝尔特》（Berthe），1862年。玻璃负片蛋白法，18.4厘米 × 24.8厘米

图 12-19：纳达尔（加斯帕德 - 费利克斯·图尔纳雄）《莎拉·伯恩哈特》（*Sarah Bernhardt*），1859 年。火棉胶湿版法，21.6 厘米 × 17.2 厘米

莱尔、马奈。纳达尔摒弃经过均匀过滤的光线、手绘的背景、传统人像摄影室的时髦道具，强调捕捉他所谓的"关于对象的道德领悟——让你与模特接触的瞬间顿时理解"。纳达尔对模特"性格"的构造，尤其是拍摄对象的特殊心理特性，预设了外貌和性格之间想当然的对应。这个观念不但透露了他作为讽刺漫画家的早期生涯，也类似巴尔扎克和狄更斯在小说里惯用的人物刻画手法。纳达尔制作全幅底版"实物尺寸"的照片，对象（通常不戴帽子）或坐或立，置身于暗色中性背景，拍摄四分之三身长的形象。他使用强烈的自然光线（通常直接从头顶照射下来）营造夸张的明暗对比效果，突显模特的面容特征和人体姿势，象征性地暗示内心创造性的灵感启示。摄影师运用刺目又难看的光线（至少德拉克洛瓦为纳达尔做过模特之后，从此拒绝拍照），强迫对象穿戴笨重的外套或宽松的斗篷，都是为了强调模特的天才般的才智，使得纳达尔的肖像照超越绝大多数肤浅的、炫耀式名片肖像。

纳达尔的事业获得成功，在 1860 年将位于圣拉扎乐（St. Lazare）路 113 号的第一个摄影室搬迁到卡布辛大道（Capucines）35 号较宽敞的店面（1874 年主办首届印象主义画展）。迁居新"水晶宫"的举动可以说是公然挑战早已在巴黎成立的大型商业摄影室，譬如迪斯德利、梅耶 - 皮尔逊（Mayer and Pierson）、比松（Bisson）兄弟。商业拓展势必要求纳达尔从精心打造的个人化肖像照转换到理性化的工厂制造方法。这一转换导致品质下降：在纳达尔的摄影室，蛋白显影法取代色调微妙的银盐纸版显影法，低劣统一的名片纸张取代巨幅照片。此外，纳达尔也开始采用先前鄙弃的摄影室道具和姿势，譬如莎拉·伯恩哈特（Sarah Bernhardt）的手臂搭着一根圆柱【图 12-19】。纳达尔雇佣近 50 名助手，他本人也不再是原创性的业余爱好者（尽管他向公众保证自己仍直接参与摄影底版的制作过程），而是摄影室的主管和"纳达尔"品牌的业主。1857 年，他向法院提出诉讼，成功地禁止其弟使用"纳达尔"商标自创摄影生意，从而成为品牌的唯一所有人。

纳达尔作为讽刺漫画家、小说家和摄影师的事业，形象地象征了第二帝国时期视觉和印刷媒介的急剧拓展，包括插图版报刊和杂志、连载小说、大众摄影（诸如明信片、名片肖像、立体摄影卡片、相册）。

术家摄影师面临大规模生产的新方法之时，只能"或服从或放弃"。纳达尔不屑迪斯德利的顾客群（尽管同时认可这位摄影师的"才智"），但也越来越不能无视廉价名片肖像的需求，正如他的时人肖像系列也参与了名片肖像和立体卡片市场的名人崇拜。

图尔纳雄（纳达尔）在 1820 年出生于巴黎，起初以写作和讽刺漫画为业，为《喧声报》和《幽默评论》（*Revue comique*）等出版物工作。他以摄影为辅助工具，创作著名但未完成的平版印刷作品《纳达尔万神殿》（*Panthéon Nadar*）第二版。正如希尔和亚当逊采用摄影照片创作巨幅油画群像《苏格兰教会分裂图》，《纳达尔万神殿》描绘近 300 位当代名人讽刺漫画肖像，刊登于《魔灯》（*Lanterne magique*，1854 年），数年后，《费加罗报》（*Le Figaro*，1858 年）刊登一幅包括更多名人的版本。纳达尔最初与其弟阿德里安（Adrien）合作，拍摄朋友和熟人，譬如戈蒂耶、奈瓦尔（Gérard de Nerval）、杜米埃、波德纳达尔自如地把握各种媒介，并预料到摄影的未来发展；他率先尝试高空摄影（使用热气球）、显微摄影、人造光线；他在《画报》（*Journal illustré*，1886年9月）杂志，所发表的文章预示了20世纪摄影新闻的摄影采访模式。他的报道所刊登的一系列照片使用其儿子保罗所发明的胶卷，记录纳达尔和化学家米歇尔-尤今·谢弗勒尔（Michel-Eugène Chevreul）之间的对话。纳达尔擅长吸引观众，具有敏锐的才干，但他归根结底是野心过大的商业经营者，然而，对于大规模生产所导致的经济和社会变迁的问题，他的心态也始终极为矛盾。安妮·麦考利形容纳达尔的事业生涯为"冷漠的艺术家和小镇商人的尝试性结合"，认为他"遵循一种反廉价、反波拿巴主义、反物质主义、反炫耀的精英主义姿态，而他所处的时代充斥着他所反对的东西，无意间便将他自己打造为摄影的殉难者"。纳达尔在回忆录里形容这个时期的摄影面临商业兴趣和艺术完整性之间的冲突。纳达尔宣称他的作品源自艺术（他的措辞颇似新兴的前卫艺术家将艺术性情和原创推崇至超越了技术和训练），但他的摄影作品不可避免地受到经济规则的制约。乌尔里奇·凯勒（Ulrich Keller）评判道："纵然我们很希望将纳达尔视为伟大的艺术家，我们仍然必须承认他首先是创业家……艺术史训练出身的研究者或许会认为他是'艺术家'经历'风格'演变，亲自制作'艺术'的'原创'作品的典型案例。然而，经过细致地审视，纳达尔可以被描述为另一种完全不同的现象，即'创业者'为每一种生意建立一套'标准'程序，在劳动分工的基础上制造'流线型'的——如果不说模式化的——视觉'商品'。"

## 摄影与艺术

及至19世纪60年代初，摄影已经不再"神奇"（塔尔博特的措辞），不再是主要面向一群爱好实验的业余者摆弄的稀罕玩意，而是日益成为标准化的大众消费品，由一群新兴的专业人士专门制造生产。摄影操作手册的出版，诸如梅耶兄弟和皮尔逊摄影室在1862年出版的《作为一种艺术与工业的摄影》（*Photography Considered as an Art and as an Industry*），印证了上述这一变化。1863年，安格尔目睹这个现象，不禁感慨道："他们如今想要混淆工业和艺术。工业！我们拒绝和它有任何瓜葛！"迪斯德利虽在《摄影的艺术》一书中提出经过反复推敲的观点，认为摄影师可以成为技艺精湛的艺术家。然而，他本人高度商业化的生意却证明——至少在敌视摄影的批评者看来——这种新媒介与传统美术之间存在巨大的鸿沟。在《论现代公众与摄影》（*The Modern Public and Photography*，这篇文章属于1859年沙龙展览评论的一部分）中，波德莱尔断言："摄影工业庇护所有因天赋不高，或因懒惰不能完成训练的失败画家时，这一普遍的狂热不但沾染愚人盲目迷恋的性质，而且具有报复的性质……摄影技术的拙劣应用，正如所有纯粹物质的进步，极大地导致法国艺术天才的贫瘠。"肖像摄影最显著地体现了向艺术的"复仇"。尽管波德莱尔本人为纳达尔和艾蒂安·卡雅（Étienne Carjat）当模特，拍摄了一些极其精彩的肖像照【图12-20】，但他对摄影的评论格外的刻薄："复仇的上帝听见民众的祈祷；达盖尔是他的弥赛亚……从那一刻起，我们这个可憎的社会就如纳西塞斯，急急地跑去沉思自己在金属版面投射的琐屑的影像。"

正如拉斯金等批评家，波德莱尔认为技术进步和文化发展之间没有必然的对应。然而，波德莱尔针对摄影的激烈抨击也是警诫大众文化的盲目顺从，以及"社会对于个人的压力，个人不可避免地服从社会"。具体地说，新兴的流行文化（"崇拜偶像的民众"）和维护个人主义（其极端形式是浪漫主义的天才理论）之间的紧张关系，被转移到现实主义的霸权，或者至少是现实主义的一个特殊版本。波德莱尔认为摄影典型地代表了民粹主义的艺术观念，视其为只能准确地复现外在现实，并且通常搭配煽动性的描述。波德莱尔将摄影等同于技术价值："当工业侵入艺术领域之时，简单的常识就成为艺术的道德敌人……如若摄影被允许代理艺术，开始执行某些活动，那么由于其天然的同盟——大众——的愚蠢，摄影随即便会彻底取代或腐化艺术。"在波德莱尔的审美框架里，摄影以机械的自然主义（真理被界定为准确的模仿）取代艺术的想象力和理想主义。再者，为了回应大众文化，摄影"拜倒在外界现实面前……画家则日益倾向于描绘他的所见，而非他的梦想"。波德莱尔认为模仿式记录既是摄影的强项，也是其局限，至多只能被视为"艺术和科学的侍婢"。因此，波德莱尔重申阿拉戈所提出的摄影的可能应用范围，呼吁道："让摄影快捷地丰富旅行者的相册，在他眼前复现他的记忆所欠缺的

图12-20：艾蒂安·卡雅《夏尔·波德莱尔》（*Charles Baudelaire*），约1863年。
伍德伯里摄影照片

图12-21：罗杰·芬顿《帕罗斯的陶瓶、葡萄和银杯的静物》（*Still Life with Parian Vase, Grapes and Silver Cup*），1853年。蛋白银盐法，42厘米×34厘米

精确形象；让它去点缀自然主义者的书房，放大微型的昆虫……一句话，让它成为那些因专业而需要物质准确性的人的秘书和档案管理员。"

英国人也有关于摄影降低艺术标准的焦虑。1857年3月，《评论季刊》（*Quarterly Review*）发表一篇（未署名）文章，题名为"论摄影"（Photography）。文章的作者伊丽莎白·伊斯特莱克夫人（Lady Elizabeth Eastlake）是查尔斯·伊斯特莱克爵士的妻子、皇家学会主席、皇家摄影协会首任主席。她在文中称颂摄影的精确和清晰度，但认为这些机械化特征将摄影排除在艺术领域之外。她写道："迄今为止，艺术被当作手段而非目的，摄影是一种被指定的代理，因为它只要求手工操作的准确度，纯粹的手工奴役，无须使用艺术家的情感。因此，它是最适合、最完美的媒介。它为这个时代而生。在我们这个时代，只有少数一群人赋有艺术欲望，普罗大众中间则普遍存在对于廉价、即时和正确事实的渴求。"伊斯特莱克夫人虽不似波德莱尔那般公然憎恶摄影，却也只是代表了文化精英的观念。他们惊慌地目睹中产阶级对于摄影的深厚兴趣，生怕这一现象会贬低"被称为艺术的神话"。火棉胶显影法使得摄影能大规模地制造各种风格类型的形象，从而导致商业摄影室在各地涌现。至19世纪60年代末，有130家摄影室在伦敦营业。在这一时期，欧洲和美国也纷纷成立摄影协会（the Photographic Club），譬如摄影俱乐部［也称为卡罗法协会（the Calotype Society）］和伦敦摄影协会［后更名为皇家摄影学会（the Royal Photographic Society）］相继在1847年和1853年成立，感光协会（Société héliographique）和法国摄影协会（Société française de photographie）分别成立于1851年和1855年，此外还有相关的摄影刊物，诸如伦敦的《摄影杂志》（*Photographic Journal*）、巴黎的《光》（*La Lumière*），旨在促进摄影的实践和艺术地位的广泛讨论。

尽管伊斯特莱克夫人将"少数一群人"的审美价值区别于大众，但她声称摄影的"如实的、不经推理的模仿"并不是要取代艺术，而是"卸脱艺术的一大负担"。换言之，艺术一旦摆脱了如实模仿的责任，便可以适得其所地追求美、表现和真理等问题。摄影服务于美术的一大功能便是复制艺术作品。塔尔博特早已认识到这一功能，在《自然的铅笔》里收录各种装饰品和艺术作品的摄影照片（称为"摹本"），其中包括一尊雕像［《帕特洛克罗斯胸像》（the Bust of Patroclus)］、一幅石刻版画、一幅"弗朗切斯科·莫拉（Francesco Mola）的速写"。塔尔博特指出："对于文物学家来说，摄影艺术的复制功能似乎注定具有强大的优势。"他的观点不但预料到摄影将影响19世纪后半叶艺术史新学科的转型问题，而且将会帮助艺术作品形象的广泛传播。各大艺术机构，诸如大英博物馆和伦敦南肯辛顿博物馆（South Kensington Museum），雇用罗杰·芬顿、查尔斯·瑟斯顿·汤姆普森（Charles Thurston Thompson）等摄影师拍摄博物馆藏品。这些照片公开销售或向各类组织免费派送［譬如伦敦艺术（Art Union of London）］，成为培养公众趣味的一种手段，巩固了19世纪50年代和60年代国际展览会的教育功能。芬顿善于拍摄各种类型的照片，他的作品不止单纯地记录艺术作品，并且拍摄静物照片【图12-21】，当作艺术作品举办展览。在克里米亚战争时期，芬顿随军拍摄。他的摄影淡化战争冲突，突显阶级关系的稳固的连续性和社会仪式，而不是战场的屠杀【图12-22】，迥异于美国南北战争期间惯见的摄影写照【图12-23】。

## 英国的艺术摄影

19世纪中叶的摄影仍被普遍视为平面艺术，与平版印刷画、雕刻版画、蚀刻版画归为同一种类。然而，有些摄影师渴望让摄影摆脱手工艺的卑微地位，致力于宣广艺术家摄影师和摄影的艺术起源等观念。这里涉及两个相关联的问题。首先，在艺术的等级体系里，摄影该摆在什么位置？其次，摄影有无独特的审美？正如伊斯特莱克夫人所指出，摄影"既不属于艺术领域，也不属于描述事实的领域，而是属于人与人之间交流的新形式：它既不是书信和便笺，也不是图画"。然而，伊斯特莱克夫人虽洞见了摄影是一种"新语言"，但她的摄影批评术语依然源自绘画。尤其在英国，人们在提倡具有自我意识的艺术摄影之时，并未曾认识到绘画和摄影之间的差异。相反地，高度戏剧化的叙事摄影，不但需要模拟历史画，而且必须拥有道德升华或教化的功能。

奥斯卡·古斯塔夫·雷兰德（Oscar Gustav Rejlander，1813—1875年）被称为"艺术摄影之父"，他的作品代表了这类高尚的艺术摄影。在19世纪30年代，这位生于瑞典的画家和石版画雕刻师在

图12-22：罗杰·芬顿《军营的艰苦生活：第4骑马步兵团乔治队长、罗威上校、布朗队长肖像》（Hardships in the Camp: Portrait of Captain George, Colonel Lowe, and Captain Brown, 4th Light Dragoons），1855年。纸版负片盐印法，18.5厘米×17厘米

图12-23：蒂莫西·奥沙利文《死神的丰收，宾夕法尼亚州盖茨堡》（A Harvest of Death, Gettysburg, Pennsylvania），1863年。蛋白银盐法，45.2厘米×57.2厘米

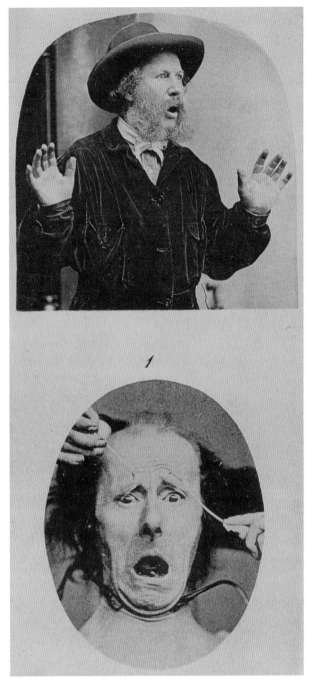

天空【图12-26】。雷兰德制作30多张独立的负片，分别拍摄每一个人物和场景，最后合成照片。他用清漆涂抹每张负片上不需要的部分，将感光相纸相继在每张负片之下曝光，才得到这幅照片。合成法是极其缓慢的过程，《人生的两条道路》的制作时间大约为6周，最后的照片（以两张蛋白相纸拼合而成）极为庞大，最大版本近40.64厘米×78.7厘米。

雷兰德为参加展览竞赛专门构思了这件作品。他期待这张照片在曼彻斯特展览上被视为可以匹敌欧洲绘画的艺术作品。他如此解释自己的创作动机：

> 首先，这幅作品需要有竞争力，足可比拟国外送来的展品。其次，我想向艺术家们展示，摄影可以成为他们的艺术的有用助手，不光在细节方面，而且可以用来准备最完美的想象力底稿，从而在他们着手进行繁琐的成品创作之前能够先评判效果。再次，我想展示摄影的可塑性。我试图包括着衣和裸体人物，有些人采用清晰的光线，身躯丰满；另一些人则身处阴影中，近乎透明。我想通过这个操作程序证明，在摄影里，你并非被拘限于一个层次，而是可以将人物和物体放置在任何距离，呈现他们相对清晰的形象。

《人生的两条道路》的构图和思路大致上依据了拉斐尔大约绘制于1510年的壁画《雅典学院》（*The School of Athens*）和托马斯·库图尔创作于1847年的《堕落的罗马人》【图10-16】。这幅摄影作品描绘善与恶、劳作与懒散之间的选择。照片中间是一位父亲和两个儿子，被安置于一道象征乡村与城市分界的拱门之下，他们各自受到天差地别的堕落与美德世界的召唤。这幅照片的副标题《悔悟的希望》（*Hope in Repentance*）与前景里可能象征忏悔的抹大拉的蒙面纱裸体女性，深化了作品的基督教寓意。然而，尽管这幅照片饱含道德的基调，照片里的裸体却受到谴责（次年，在爱丁堡展览之时，照片中的一些人物被遮盖）。纵是如此，维多利亚女王购下一幅《人生的两条道路》，赠给阿尔伯特亲王，称赞它是"同类当中最好的照片"。

罗马接受训练，摹写早期的名画，继而到英国成为肖像画家。雷兰德对面部表情和心理特征的深厚兴趣，鲜明地体现于他的自拍摄影肖像照。查尔斯·达尔文的著作《人类与动物在情感表达上的异同》（*The Expression of the Emotions in Man and Animals*，1872年），使用雷兰德的自拍像和法国面相学者杜兴·德·布洛涅（Duchenne de Boulogne）的照片为插图【图12-24】。雷兰德在1857年曼彻斯特艺术珍宝展上展览一幅寓言摄影作品，题名为《人生的两条道路》（*Two Ways of Life*）【图12-25】。这幅照片极端地运用古斯塔夫·勒格雷最早使用的合成法——通过双重显影（使用两张负片）抵销海景摄影里被漂白的

亨利·佩奇·鲁宾逊（Henry Peach Robinson，1830—1901年）也曾是画家，也依据绘画原理使用

图 12-25：奥斯卡·古斯塔夫·雷兰德《人生的两条道路》，1857 年。蛋白显影法，10.5 厘米 × 19.7 厘米

图 12-26：古斯塔夫·勒格雷《拖船》（*The Tugboat*），约 1857 年。蛋白银盐显影法，30 厘米 × 41.3 厘米

多重负片构造摄影照片。与雷兰德一样（鲁宾逊向他学习合成法），鲁宾逊跟拉斐尔前派有所往来（参263—267 页）。他的首部著作《摄影的绘画效果：给摄影师的构图与明暗对比秘诀》（*The Pictorial Effect in Photography: Being Hints on Composition and Chiaroscuro for Photographers*，1869 年），提出具有影响力的画意摄影主义。在摄影连环会（Linked Ring，成立于 1892 年，鲁宾逊是创始成员）等群体的努力下，画意摄影主义成为 19 世纪末艺术摄影的主要形式。鲁宾逊最流行的摄影作品《弥留》（*Fading Away*）【图

12-27】制作于1858年，使用5张负片合成，表现一个年轻女子可能因患痨病垂死的场景（也被维多利亚女王购买）。然而，如若联系另一幅题为《她从未吐露爱意》（*She Never Told Her Love*）的照片，我们不妨诠释这位年轻女子的病征实则源自单相思（也许暗恋窗前那个身份不明的男子）。正如先前的雷兰德，鲁宾逊也认为如果"真实与人工"的融合有利于实现严肃的（道德或教化）艺术目的，便意味着摄影媒介得到适宜的应用。他说道："摄影师可以任意运用'花招、诡计、魔术'，让它们属于他的艺术，而不是属于自然的虚妄……因此，他更应当履行的职责是躲避卑琐、赤裸和丑陋的东西，寻找能够提升他的对象，回避拙劣的形式，修正不符合如画美学的形象。"然而，有些观众嫌憎鲁宾逊的摄影作品，不但是因为他所选择的题材，而且也是因为他的刻意安排（包括鲁宾逊本人也承认的缺陷，用"健康美好的少女"作为垂死病人的模特）被视为违背摄影的真实可靠性。有一位评论者说道："亵渎这等神圣主题让很多人感觉不悦。此外，人们绝对知道这类现实事件绝不可能在照相机前呈现，

这个人物实际上是活生生的年轻女子。因此，这张照片拙劣地模仿具有想象力的画家给予精神存在的理想表现形式，让观众顿感整个事件的不真实性。"

合成摄影（composite photography）的批评者认为"刻意安排背叛了摄影唯一的优势"，即索引式真实性。再者，如果照片没有可信性，摄影便会成为多余之物。由于这类敌意的回应，合成摄影未能推广开来，但鲁宾逊抱有雄心大志，至19世纪80年代仍坚持不懈地使用。据雷兰德所说，公众对如画美学主题的需求，阻挠了合成显影法施展其潜能。这句怨言确有一些现实依据。然而，很多观众认为合成照片的"不自然"的形象（譬如所有元素和层次具有相同的焦距）完全符合其绰号"百衲被摄影派"。

鲁宾逊和雷兰德竭尽全力为摄影争取艺术地位，但他们的作品表明摄影不能直接套用绘画的原理和技法。鲁宾逊和其他艺术摄影师虽援用"艺术的语法"（尤其是题材和学院派的构图、明暗对比的规则）制作类似早期名画的摄影照片，但很多人将摄影的直译性视为传统古典主义的理想主义的反面。事实上，摄

图12-27：亨利·佩奇·鲁宾逊，《弥留》，1858年。蛋白显影法，23.8厘米×37.2厘米

影形象的自动生产过程（autogenesis，即对象描绘自身的过程）在本质上令摄影有别于其他要求高度专业技能的艺术劳动（包括体力和脑力的劳动）。雷兰德回避这个问题，声称"是艺术家的头脑而不是他所运用的材料的性质，使他的作品成为艺术品"。如此之下，他将摄影技术隐藏到（或者至少隶属于）照片的教育或升华的功能之后。然而，鲁宾逊勉强承认照相机的"绝对的复制"有别于艺术家所提供的再现，因为后者不为模特提供"精准的肖像"，但他依然希望超越媒介之间的差异，宣称"真正重要的是一幅图画的有效性——具有说服力，而不是真实的程度"。鲁宾逊力图在摄影和绘画之间建立均衡的局势，为双方圈定一个共同目标，主张"图像再现"的说服力比"现实的事实"更重要，但他仍然不能隐藏摄影的显著特征。比方说，摄影的直译性令波德莱尔嘲讽摄影的活人画（tableaux vivants）是"各种令人憎恶的诡怪形象"，并认为"一些民主作家该将摄影视为大众中间传播对历史和绘画憎恶情绪的廉价途径"。

颇为讽刺的是，摄影艺术将摄影镜头和显影技术的改良视为自身的威胁，并认为真实性（尤其是清晰的聚焦和过于精致的细节）不利于其艺术"效果"。早在1853年，微型肖像画家威廉·牛顿爵士（Sir William Newton）向摄影协会宣读一篇文章，主张"我以为整个主题不必完全专注于所谓的对准焦点。在很多情况之下，我发现主题略有些失焦，对象反而得到更好的表现，得到更多效果，从而更能暗示自然的真正本性"。牛顿的主张在摄影协会引发分歧，有一位名叫乔治·夏伯特（George Shadbolt）的摄影师在协会期刊发表评述，声称"这两个阶级的成员之间存在强烈的流派情谊，我想可以称他们为拉斐尔前派与现代派。我承认我本人属于拉斐尔前派"。

夏伯特维护摄影的精确性之时，另一些摄影师致力于规避它。法国的查尔斯·尼格尔（Charles Nègre，1820—1880年）使用卡罗法和凹版印刷制作照片之时，刻意抑制细节部分，追求如画美学绘画风格的大色块和抽象的色调效果【图12-28】。

尼格尔既想让他的摄影有别于直接与达盖尔法相关联的粗糙的细节，也想寻求一种保持摄影与传统显影技术相关性的方式。他读到伊斯特莱克夫人的论文，深受启发，便选择卡罗法（舍弃新近面世的火棉胶湿版法）。伊斯特莱克夫人提出"摄影在多大程度上可以胜任如画绘画的代理"这一问题，怀旧地谈起希尔和亚当逊的"小型、粗略、伦勃朗式的研究习作"，并惋惜这类作品"被细节过于精致的肖像照所取代"。她认为"摄像在早期不完美的科学状态反倒更能呼应我们对艺术的感觉……因为……它更符合我们对自然的经验"。

## 卡梅伦与聚焦之争

"更高度的精准性和细节"降低艺术的"真理"这一观念，代表了摄影聚焦之争的首要问题。这场争论一直持续至20世纪，但在19世纪60年代衍化得尤其激烈。关于摄影的艺术或如画风格的可能性的论战里，最重要的问题并不是聚焦本身，而是聚焦所能产生的后果。茱莉亚·玛格丽特·卡梅伦（Julia Margaret Cameron，1815—1879年）的摄影作品所得到的批评【图12-29】，便是主要源自关于聚焦的艺术意义

图12-28：查尔斯·尼格尔《亨利·勒·塞奎在巴黎圣母院》（*Henri Le Secq at Notre Dame Cathedral*），约1851年。使用卡罗法摄影负片，明胶银盐显影法，32.5厘米×23厘米

图12-29：茱莉亚·玛格丽特·卡梅伦《缪斯的耳语》（The Whisper of the Muse），1865年。蛋白银盐显影法，26厘米 × 21.4厘米

图12-30：莱门蒂娜·哈瓦登女子爵《摄影习作》（Photographic Study），19世纪60年代早期。玻璃负片明胶银盐显影法，20.1厘米 × 14.4厘米

之争，以及艺术摄影与大众市场之间愈演愈深的分歧。卡梅伦、刘易斯·卡罗（Lewis Carroll，1832—1898年）、克莱门蒂娜·哈瓦登女子爵（Clementina Viscountess Hawarden，1822—1865年）【图12-30】都是19世纪60、70年代最重要的业余摄影师。

卡梅伦出生于加尔各答，在欧洲接受教育，后来移居英国，1860年在怀特岛（Isle of Wight）永久定居。1864年，她的丈夫和儿子们在锡兰（Ceylon，现名斯里兰卡）经营家族咖啡种植园，她开始将摄影作为兴趣爱好。日后，卡梅伦在写给约翰·赫歇尔爵士的信里解释道："我向往通过结合真实和理想，又不牺牲一丁点真理，通过对诗意和美的衷心奉献，让摄影变得高尚，为它寻觅高雅艺术所赋有的个性和用法。"卡梅伦摒弃技术发展和商业化名片肖像的图画价值，衍化了一种独特的风格，融合富有感染力和象征性的光线与柔和聚焦——实际上是失焦。卡梅伦借鉴佩鲁吉诺（Perugino）和伦勃朗等早期绘画大师，以

及乔治·弗雷德里克·瓦茨（G. F. Watts）、大卫·威尔基·温菲尔德（David Wilkie Wynfield）等当代艺术家（后者在1863年制作一系列化装肖像照）的作品风格，制作出500幅摄影。她从不修饰润色，以便确保作品"源自生活"的真实性。卡梅伦为《圣经》和当代诗歌提供插图，包括两卷本的《丁尼生的"国王的叙事诗"及其他诗歌插图》（Illustrations to Tennyson's "Idylls of the King" and Other Poems，1874—1875年），并拍摄了无数女性和孩童的理想化形象、当代男性贵族的英雄式肖像。后一类作品最能代表她拍摄肖像的独特手法：塑造史诗人物的"类型"（甚至可以说原型）先于单纯地捕捉"相似的"外貌。

在许多同代人看来，尤其是专业摄影师，卡梅伦的摄影风格纯粹是由于技术不当。正如她在写给赫歇尔的信中所说："我的信仰是在传统的地貌式摄影之外。那种摄影形似绘制地图，只是一具罗列五官和形体的骨架，缺乏力量和个性特征的丰满圆润。只有我

的聚焦法才能表现血肉和四肢的塑造，尽管我被他们指责为'失焦'。什么叫作聚焦——又有谁有权声称哪一种聚焦才是正当的聚焦？"卡梅伦虽没有直接引用伊斯特莱克夫人发表于《评论季刊》的文章，但她的摄影实践与伊斯特莱克夫人对威廉·牛顿爵士的赞词相得益彰。卡梅伦继续写道："持异议的人认为，略有些失焦的照片便是模糊的艺术形式，'不过，少一点化学，会叫人觉得多了几分艺术的美感'。"然而，这里拿来冒险的不只是艺术效果。卡梅伦在挑战聚焦的定义之时，也是在抵抗一种日益规范化和标准化的摄影观念。这些具体明确的摄影争论（关于聚焦、相纸、透视景深、光线、视觉清晰度），象征了通贯19世纪的更广泛的视觉之争。林赛·史密斯（Lindsay Smith）指出："卡梅伦所威胁的不止是审美原则。她代表一种可能性，势欲破除视觉领域的恋物癖。而这一破除显然牵涉到维多利亚时代神圣不可侵犯的男性家长制度。"

## 爱默生与科学观

卡梅伦的技术确有支持者，她的作品有些销路。然而，她的风格尤其触怒亨利·佩奇·鲁宾逊。他忿然抨击道："制造污迹不是摄影的使命！"然而，鲁宾逊本人的技法及其煽动性的类型对象，随后也备受谴责，其中最深刻的批评来自彼得·亨利·爱默生（Peter Henry Emerson，1856—1936年）。爱默生希望看到"阳光的图画……而不是弄虚作假、耍花招的'摄影艺术家'的伎俩"。爱默生学医出身，1886年永久地放弃医学，转投摄影，制作限量版的摄影相册，专门描绘东安格利亚（East Anglia）沼泽地及其居民。爱默生欣赏卡梅伦的作品，但他属于新一代摄影师，迥异于19世纪60年代和70年代的"贵族业余爱好者"。

爱默生在摄影史上的重要意义来自他试图综合摄影讨论的两极分化，尤其是调和艺术和科学之间的对立。爱默生最终承认不可能实现这样的综合，但他极具影响力的理论著作《给艺术学生的自然主义摄影》（*Naturalistic Photography for Students of the Art*，1889年）力图将摄影立基于科学原理，而非借用艺术理论的词汇。先前的艺术摄影师规避科学发展和实证主义的措辞，将眼光投向过去的绘画艺术，爱默生则将摄影视为技术现代性的一部分，并主张"所有好的艺术都有科学基础"。爱默生的科学自然主义理论和摄影实践的核心概念是"差异聚焦"（differential

focus），他认为这种聚焦能够对应于人类视觉的选择性焦点模式，"因此，聚焦的原则应是集中于画面的主要对象，其余一切绝对不能清晰。此外，主要对象也绝不能具有透镜所能实现的完美的清晰"。

如果摄影形象必须客观地忠实于自然，那么它就必须依据光学的经验科学和人类生理学知识，而不是仰赖于艺术家的气质和变幻无常的主观"趣味"。爱默生直接援引埃米尔·左拉（Emile Zola）的现实主义理论，坚定地主张"但凡读过艺术史的人……就会怜悯地看待缺乏思想的普罗大众被毫无理性依据的意见所左右。形而上学的时代早已终结，我们希望，随之消亡还有那类毒害头脑的不合逻辑的文学"。摄影现实主义如今被视为依据科学法则的自然主义，不再代表着文化衰落的迹象，而是后形而上学时代进步的理性。然而，尽管爱默生充满信心地宣称"艺术终于找到科学的基础，从而能够展开理性的讨论"，但他本人的摄影实践深陷于他所渴望超越的对立面（譬如艺术诠释与科学描述之间的对立），正如他仍旧以田园诗意的眼光看待前工业化时代的乡村文化。

爱默生与风景画家托马斯·F. 古道尔（Thomas F. Goodall）合作出版第一部相册《诺福克湖区的生活和风景》（*Life and Landscape on the Norfolk Broads*，1886年），将富有表现力、视觉效果夸张的摄影作品与不带感情色彩的文字信息相结合。爱默生的照片与古道尔的文字之间的差异，最鲜明地体现了不同再现模式之间的紧张关系。譬如，在《抬着沼泽地干草》（*Poling the Marsh Hay*）【图12-31】，激荡的大气动态与急遽退远的纵深对角线构图，跟乏味的文本诠释颇有出入，并且文字描述完全没有提到前景里那个农妇的主体形象，反而将农民用两条撑竿抬干草的劳动描述为"别致如画的运输模式"。没有从文本上认可劳动女性所构成的强大的视觉效果，实则是揭露了作者对农村劳动的回应方式。在摄影照片里，爱默生［熟悉米勒、朱利斯·巴斯蒂昂-勒帕吉（Jules Bastien-Lepage）的作品］总是将乡村农民体现为一种类型，而不是独特的个人，称他们为"诺福克农民的典型样本……他们的命运虽艰辛，却并非不愉快"。在后来的相册里，爱默生更是拒绝捕捉个性的可能性，将人物放置在更深远的图画空间。最后，爱默生的摄影彻底地排除了人物，他的人种学调查转变为田园诗意的、主观的风景沉思。

图12-31：彼得·亨利·爱默生《抬着沼泽地干草》，1886年。铂金显影法，23.2厘米×29厘米

爱默生的摄影作品脱离自然景观的社会维度，与他另一愈发坚定的信念密不可分，即艺术和科学的不兼容性排除了两者之间调和的可能性。这是因为科学涉及累积式描述，艺术则涉及选择。在《诺福克湖区的生活和风景》里，图文之间的分歧便已呈现这种不兼容性，爱默生对此早已有所察知，并解释说文字和照片原本就是传递两种迥异的信息。爱默生怀疑，艺术摄影可能找不到科学的基础。1890年，化学家费迪南德·荷尔特（Ferdinand Hurter）和维罗·查尔斯·德里菲尔德（Vero Charles Driffield）发布曝光时间与显影之间的关系的实验，更加巩固了他的怀疑态度。爱默生认为，这些实验表明摄影师不能完全控制照片的色调，从而证明摄影的非科学本质。由于意识到这些技术局限，再加上受到一位"伟大画家"[极可能是惠斯勒（J. A. M. Whistler，1834—1903年）]的影响，爱默生有所感触，出版了一本手册，题名为《自然主义摄影之死》（Death of Naturalistic Photography，1890年），书籍装帧采用吻合主题的黑色边角。他在

书中宣称："摄影的局限性如此之大，尽管其结果可能或者有时确实赋予某种审美的愉悦，但这一媒介必须始终被列入最低等的艺术……不使用差异分析，不缓和某些部分，不作任何强调——除非采用回避的方法，但这不是纯粹摄影。然而，不纯粹的摄影无非是这些局限性的承认。"

爱默生的摄影批评的最重要贡献是他所作的审美与艺术之间的区分。一幅摄影照片虽可以赋予审美品质（正如一个自然对象、一片风景），但其"机器制作"和"非人为的"制作过程将它排除在艺术之外。简而言之，"不是摄影师制作照片，而是机器为他执行所有工作"。爱默生在出版这本手册之后，依然继续摄影实践。但他摒弃自然主义摄影，因为他深刻地怀疑科学方法论实则不可能提供全面统一的框架，包括为艺术提供基础。爱默生认为他本人不能解决主观的感性（真正的艺术所包含的个人元素）与客观（科学）的视觉之间的对立关系。在一篇题为"论科学与艺术"（Science and Art）的演讲里，他声称："置身摄影世界的我们，宜当力图成

为科学家或图画摄影师，宜当力图提升知识——即科学——或者制作提供审美愉悦的作品。"

## 柯达与业余摄影

爱默生将摄影评估为一种不可简化的机械程序，这一观点并不新颖，但他试图为摄影构造科学基础的幻想破灭这一事实本身，形象地体现了60年间摄影所经历的变迁：自从达盖尔法宣告摄影为技术、艺术和自然三者交融的典范以来，塔尔博特（与早期的爱默生一样）充满信心地希望摄影能够促进科学和艺术相互助益的"联盟"。然而，爱默生虽怀疑科学和艺术联盟的可能性，但他和其他艺术摄影师一样，都受益于新兴的技术。这些技术包括1879年引入的明胶溴化银干版，取代了笨重的火棉胶湿版法，还有同年出现的凹版显影法、铂金显影法，这些工艺的感光性能更强，形象更持久，显影品质显著地提高。最后，尽管爱默生的各种尝试，以及在他以前的鲁宾逊和雷兰德等人的试验，并没影响摄影的整体活动，摄影在英国继续主导大型营利性商业，譬如伦敦立体照片公司。

19世纪晚期不单见证了摄影世界的商业主宰，其他发展和技术进步也开始改变这一媒介的潜能，在其行业内部构建新的等级体系。明胶感光乳剂（极大地降低曝光时间）、胶卷和相对价廉的"便携式"或"口袋式"照相机（操作简单，无须使用三脚架）的出现，意味着普通消费者也能接触摄影。1888年，纽约州罗彻斯特（Rochester）城的干版制造商乔治·伊士曼（George Eastman）开始出售No.1柯达照相机。这类小型便携式照相机装有一卷纸质胶片，包含100张底片。1889年，伊士曼推出No.2柯达照相机，能够制作更大的照片；1990年又推出深受大众欢迎的布朗尼照相机（Brownie camera），原是为了打入儿童市场，定价为1美元【图12-32】。伊士曼的广告词（"你只须按一下快门，余下的由我们来做"）和简单顺口的品牌（"Kodak"），将摄影打造为人人负担得起又便捷的消费品。顾客用完胶卷之后，只需将照相机寄回公司，公司再将照相机（重新安装新胶卷）和冲洗好的照片寄回顾客手里。

尽管业余的"快照"摄影危及许多专业肖像摄影师的生计（他们则在19世纪早期取代雕刻师和肖像画师），同时也滋养一种较平常、日益标准化的家庭生活、娱乐消遣、观光旅行的形象象征。于是便出现须

图12-32 伊士曼柯达公司的布朗尼相机广告，1900年

谨慎对待摄影的民主化功能，尤其是摄影之于大众和流行形式的影响力等观点。此外，"业余"这一术语涉及范围广泛的摄影者，其中包括未受训练的随手拍和严肃的业余爱好者。而后者不但投资大量时间和金钱追求这一兴趣爱好，而且他们的摄影实践具有明确的审美原则和艺术抱负。比方说，19世纪80年代早期便出现首个业余摄影社会；1884年，英国最早出现专门面向业余爱好者的摄影刊物《业余摄影师》（Amateur Photographer）。然而，柯达照相机在业余爱好者中间引发一些焦虑，他们感到大众摄影可能会造成一些有害的效果。首部柯达照相机面世1年后，《美国业余摄影师》（American Amateur Photographer）创办并出版第 期杂志。杂志的社论指出："而今大众普遍相信摄影中的所有困难都消除了。任何人都能拍出照片。摄影被降低到单纯消遣的地步……摄影迅速成为一日娱乐活动的一个片断，而不再是热忱地、不知疲倦地探索美的对象。"

## 画意摄影主义与摄影——分离派

随着娱乐性摄影的推广，"业余"这一术语越发具有贬抑色彩，从而便越发深化了严肃的摄影师与随意

图12-33：克莱伦斯·哈德森·怀特《套环游戏》(The Ring Toss)，1899年。铂金显影法，20.5厘米 × 15.5厘米

图12-34：罗贝尔·德马西《芭蕾舞女》，1900年。树胶重铬酸盐显影法，13.5厘米 × 14.8厘米

的爱好者之间的等级差别。随着画意摄影主义的兴起，业余摄影世界内部的这一差别尤其显著。爱默生和鲁宾逊虽都曾提及"如画"的摄影，但画意摄影主义所涉及的不只是术语问题。画意摄影主义要求建立摄影协会和出版物的国际网络，自19世纪80年代中期以来，这些协会和出版物积极地探索摄影的艺术和表现的潜能，企图为摄影在艺术世界机构里谋取一席之地，尤其是在博物馆和美术馆。乌尔里奇·凯勒论及这些出版物和协会之时指出："他们的基本目标是将随意和业余的活动转变为'高雅的艺术'，配备一套借自绘画和雕塑等既定媒介的社会仪式、展览、出版和审美原理。"并且，"他们最大的功夫不是用于制作照片，而是用于构造一套复杂的后勤系统，包括俱乐部、展览、批评杂志，旨在借助这些手段认证摄影师自许为天才的主张。"

画意摄影主义者仿效慕尼黑、维也纳、柏林等欧洲城市所出现的艺术分离派运动，成立摄影分离派（Photo-Secession）。最早出现的是维也纳摄影俱乐部（Vienna Camera Club，成立于1891年），其次是巴黎摄影俱乐部（Photo-Club de Paris，成立于1894年，因法国摄影协会内部分裂而成立）。1892年，英国的大不列颠皇家摄影协会内部分裂，反对派自行成立摄影连环会。其他群体和运动在欧洲和世界各地相继涌现，包括加拿大、日本、澳大利亚。不过，分离派精神在美国得到最热烈的拥护，尤其是1902年阿尔弗雷德·斯蒂格里茨所创立的摄影分离派。

弗雷德·霍兰·戴（F. Holland Day，他本人是摄影连环会的成员）和阿尔文·兰登·科伯恩（Alvin Langdon Coburn）策划一场大型展览，名为"美国摄影新流派"（"The New School of American Photography"），先后于1900年和1901年在伦敦皇家摄影学会和巴黎摄影俱乐部巡回展览。科伯恩等一些参展摄影师是纽约摄影俱乐部会员，在斯蒂格里茨的领导之下，他们脱离俱乐部，创立摄影分离派，并将俱乐部的刊物命名为《摄影笔记》（Camera Notes）。1902年，摄影分离派在国家艺术中心举办首场展览，随后驻进纽约的小艺廊（The Little Galleries，由于画廊位于第五大道291号，后来又被称为"291画廊"）。摄影分离派的最早成员包括爱德华·施泰兴（Edward Steichen）、格特鲁德·凯塞比亚（Gertrude Käsebier）、弗兰克·尤金（Frank Eugene）、克莱伦斯·哈德森·怀特（Clarence H. White）【图12-33】。摄影分离派的展览和出版刊物也收录欧洲摄影师的作品,譬如巴黎摄影俱乐部创始人之一罗贝尔·德马西（Robert Demachy）【图12-34】、弗里德里克·H. 伊万斯（Frederick H. Evans）、路易斯娜·艾尔德·哈夫迈耶（Baron Adolf de Meyer）、海因里希·库恩（Heinrich Kühn）,从而使这个群体赋有跨越大西洋的身份特征。然而,画意摄影主义内部也有分歧（斯蒂格里茨可能就是因为察觉到竞争的敌意,反对弗雷德·霍兰·戴在摄影连环会的年度沙龙举办"美国摄影新流派"展览,二人从此疏远,再未曾和好）,摄影分离派走向衰落之时,画意摄影主义的内部分裂便愈演愈烈。

画意摄影主义摒弃业余与商业摄影的做法,尽力与这一媒介的机械属性保持距离,采用体力劳动繁重、类似手工艺的显影法,包括铂金、明胶银盐、树胶重铬、油画颜料、釉溴、凹版显影法等。这些工艺既让摄影师容易控制最后冲印的照片,也让形象具有水彩的透明感,或者炭笔画或粉笔画的质感,尤其在使用手工制作而非工厂制造的粗纹相纸之时（德马西甚至直接用红色粉笔勾勒负片）。凹版显影法最完美发挥这些图画特征——每张照片都是手工冲印和粘贴。这些照片通常发表在由施泰兴设计、斯蒂格里茨编辑的摄影分离派的奢华的季刊《摄影作品》（Camera Work,1903—1917年）。正如其他19世纪中叶的艺术摄影,在这些作品里,色块与大面积的色调效果被认为比清晰度和细节更重要,柔焦镜头强化模糊的美感。此外,这种镜头可以镀膜,进一步弱化细节,并在显影过程使用过滤纸和镀感光乳剂的相纸,更加营造朦胧感。画意摄影主义的视觉效果——有些评论者毁谤其为"糊涂摄影师"、"胶水涂抹派"的"糊涂照"——不只是风格特征,也是试图将画意摄影主义区别于业余和专业摄影纯粹机械化的生硬清晰的形象,并借这一区别将前者置入"艺术"的领域。画意摄影主义者所选择的主题也强化这个抱负,通常选取田园风光和富裕的家居生活【图12-35】。尽管印象主义画家的作品已经让观众熟悉这些题材,但这些题材仍没有明确的"绘画式"或"如画"的处理。此外,画意摄影主义者习惯将本人体现为沉思的艺术家,而不是机械操作者,这一姿态颇有助于巩固他们追求抱负的形象。施泰兴的《持画笔和颜料盘的自拍像》（Self-Portrait with Brush and Palette,1903

图12-35:**格特鲁德·凯塞比亚**《你在妇女中是幸福的》（Blessed Art Thou Among Women）,1899年。凹版印相工艺,23.7厘米×14.1厘米

图12-36:**爱德华·施泰兴**《持画笔和颜料盘的自拍像》,1903年。凹版印相工艺,21.6厘米×16.5厘米

年，发表于《摄影作品》首刊）【图12-36】。在显影过程经过繁复的加工，模仿提香的《拿手套的男子》（ *Man with a Glove* ），将他自己描绘为画家弗雷德·霍兰·戴的"耶稣十字架受难"系列（ *Crucifixion* ）【图12-37】也许试图表现他自视为殉难艺术的想法：他本人数月断食，装扮为基督。

## 斯蒂格里茨在纽约

斯蒂格里茨的摄影，尤其是以纽约为题材的作品，代表了画意摄影主义和摄影分离派的审美姿态和如画风格。在拍摄这座城市之时，他和同事所采用的手法——包括使用中景和远景视角，选择黄昏、雨天、雾天，偏爱阴影、轮廓、微弱或间接的光线——不只是风格或技术的选择，而且也是拒斥（通过抽象手法）这座城市内在的社会关系。在斯蒂格里茨的摄影里，纽约城富有田园诗意，不再属于某个特定的社会地域，而是过滤了所有可能恼人的技术现代性的迹象，转变为一个普通的内部空间，依赖于个人感官经验的私有化而存在。社会学家格奥尔格·齐美尔（Georg Simmel）在描述当时的现代性之时分析这种

感知模式，评判这种感知模式如何通过精准地计量细节、距离和光线来颠覆直接参与城市环境的经验，并称之为培养一种极端主观主义。瓦尔特·本雅明在探讨内在存在（Erlebnis）日益超越具体的、历史性的特定经验（Erfahrung）之时，称这种感知模式在一定程度上是为了抵御现代城市所经历的冲击。本雅明认为这种感知模式延续漫游者（flâneur）的视觉："在漫游者眼里，图画蒙着一层纱……正因为如此，恐怖具有迷人的魅力。唯当撕去面纱……他才会毫无遮挡地看见这座大城市。"

斯蒂格里茨的《终点站》【图12-38】清晰地呈现了这些审美策略。这幅照片传达他从德国初返美国之时所体会的疏离感，斯蒂格里茨解释道："我眼中看着这些景象，似乎触及内心最深处的感觉，就决定拍摄我自己内心的东西……是我自己的孤寂，让我以这种方式观看驮马饮水的场景。"多年后，斯蒂格里茨以自传体讲述《统舱》（*The Steerage*，1907年）【图12-39】的拍摄由来，主张通过提升主观和象征性的情感来欣赏周遭世界的唯我主义审美。这段文字与照片一同发表在《摄影作品》，斯蒂格里茨再次谈及他的隔绝感（这一次是在穿越大西洋的航海途中）："我看到一幅以各种形状构成的图画，呼应我自己对人生的感觉。我犹豫不决，暗想是否该尝试捕捉这个让我痴迷的貌似新颖的景象：人群、普通人、航船、海洋、天空的感觉，为我自己远离那些被称作富人的群氓而萌生的解脱感。我想到伦勃朗，思忖他是否有过我这样的感觉……我能否捕捉到眼前看到的、感觉到的？……我知道，如果我能够做到，就等于抵达摄影的又一个里程碑，类似我在1892年制作的《终点站》……那幅作品开启了摄影和观看的新时代。在某种意义上，这幅作品将会超越前者。因为这幅图画基于相关联的形状和最深刻的人类情感，是我自己在演化过程迈出前进的一步，一种自发性的发现。"

斯蒂格里茨不谦虚地将他本人的改变等同于美国摄影的发展过程。这是禀赋创造性天才的浪漫主义人物的宣言，呼应他在早期所作的宣言（1903年）："进步只有通过革命者的狂热才能实现，他们的极端信念拯救民众免于彻底的惰性……摄影也遵循这条法则。"斯蒂格里茨的美学体现了浪漫主义的新视角，因为他的评述通常从探讨物质和社会现实转换到他的个人情感表达。斯蒂格里茨首先将外在世界经验为他私人

的感性的载体，他的叙述规避摄影所能提供的信息知识，强调摄影的寓言和象征的潜能。正如艾伦·塞库拉所指出，斯蒂格里茨"给我们留下一个琐屑而荒唐的断言——形状等于感觉"。

## 斯特兰德与现代性

摄影分离派虽提出异见，但画意摄影主义者依然被视为企图通过模仿传统美术获得艺术的正当地位。正如雷兰德和罗宾逊试图以风俗画和历史画为摄影的原型，画意摄影主义与19世纪中叶的艺术摄影一样，试图在较当代的风格中寻找启示。然而，这一战略最终通向死胡同。1910年，摄影分离派在纽约城奥尔布赖特美术馆（Albright Art Gallery）举办最后一场大型展览。两年后，斯蒂格里茨宣布摄影分离派完成了其使命。他说道："就摄影属于图画领域而论，我看不出它还能往哪里发展。"这场展览以后，很多成员离开摄影分离派。克莱伦斯·哈德森·怀特（1914

图12-39：阿尔弗雷德·斯蒂格里茨《统舱》，1907年。凹版印相工艺，33.2厘米×26.3厘米

图12-40：保罗·斯特兰德《纽约地铁》(From the El)，1915年。凹版印相工艺，33.6厘米×25.9厘米

性【图12-40】。斯特兰德敬仰斯蒂格里茨，大体上认同导师对于表现性摄影的信念。然而，他的作品体现了迥异的摄影观念。他肯定科学和机器（包括照相机本身）、技术化城市现代性、摄影的记录与日常传统。这就意味着他摒弃画意摄影主义的精英姿态及其怀旧的视觉语言。

如果说施泰兴、怀特、凯塞比亚的朦胧抒情体奠定《摄影作品》的早期基调，那么斯特兰德成为这本杂志在终结时代的核心存在。最后两期《摄影作品》和1915年斯特兰德在291画廊举办的个展，终结了19世纪晚期摄影的一些风格特征。斯特兰德摒弃过时的画意摄影主义，这一拒斥也体现于他的写作。斯特兰德概述他所理解的"纯粹"或"直接"的摄影不再借用其他媒介的技法，主张"无条件的客观性……是摄影的本质"，并认为"每一种媒介的全部潜能依赖于其使用的纯粹性，所有想要混合的企图最终只能得到诸如彩色蚀刻画、摄影绘画等僵死的东西。在摄影里，以及明胶显影、油彩显影等手法里，手工操作只是体现了想要绘画的无能的欲望……摄影最完全的实践无须任何诡计或操纵，只须使用直接的摄影技术"。在欧洲两次世界大战之间，前卫艺术"新视野"（New Vision）的实验也是试图引入一个大胆的信念，致力于显著的"摄影视野"。在20世纪的摄影界，这一信念将成为关注的焦点。然而，尽管斯特兰德想要探索抽象的形象，尤其他在1915—1916年间的作品，但他选择将抽象和前卫艺术的经验融进可观察的现实——这个取向成为美国摄影最关注的问题。

斯特兰德反复询问科学与再现有何关系。提出这个问题之时，斯特兰德实则更似爱默生而不是斯蒂格里茨的继承人。事实上，他只是重提近一百年前塔尔博特思考过的问题。然而，对于摄影实现艺术和科学之间的综合这一前景，爱默生不再抱有幻想，斯特兰德却依然乐观，颇含糊地将摄影作品定义为"一种通过机器输送的智性与精神的未经触动的产物"。他的综合反倒似一种重新表述，而不是解决那个存在已久的问题：摄影究竟是客观的（机械化）还是主观的（再现性）媒介。自摄影面世以来，这个问题便纠缠不去。

年创办摄影学校）、卡尔·斯特勒斯（Karl Struss）和爱德华·迪克森（Edward Dickson）在1916年成立一个全国性组织，名为美国画意摄影师协会（Pictorial Photographers of America）。然而，摄影分离派和《摄影作品》季刊直至1917年才正式解散。有意思的是，画意摄影主义陷入不可逆转的衰亡之时，《摄影作品》最后两期开始倡导一种全新的摄影美学。大约在1915年，年轻摄影师保罗·斯特兰德（Paul Strand）到291画廊向斯蒂格里茨展示他的作品。数年以来，斯特兰德是这家画廊的常客，他的早期作品模仿摄影分离派的柔焦风格。斯蒂格里茨开始将斯特兰德视为接班人，能够继承和复兴艺术摄影的事业，便开始将他纳入羽翼，加以指导。此外，斯特兰德在斯蒂格里茨的291画廊展览上接触到欧洲现代主义（尤其是塞尚、综合立体主义），逐渐地自行构造一种摄影语言，融合抽象的元素，接纳而非拒斥照相机独有的光学属

## 结论

19世纪摄影对于这一根本性问题的各种回应，势必导致对于摄影最初一百年的重新评估。19世纪的摄

影既不是20世纪摄影现代主义的"原始的"序曲，也不是极端前卫艺术在绘画等其他领域创新的一种现实主义背景。19世纪摄影以及当代的评估，要求多样化的实践与论战姿态。譬如，合成摄影的工序，可能早已远离摄影作为机器制造的冷漠产品这样的理解，饶是如此，这些迥异的观念依然共存。任何将摄影等同于"现实主义"的观点都需要认可摄影实践的多样性，以及20世纪演变为规范化的范畴（包括"记录的现实主义""直接"或"单纯"摄影以及"决定性时刻"），不能套用于19世纪的摄影。

米尔斯·奥弗尔（Miles Orvell）认为19世纪的摄影是"一种模式的连续体，一头是坦率的人为技巧，另一头是模仿的现实主义。这个连续体在摄影界有一个共通的预设，那就是所有形象都是一种复制，摄影师主动积极地构造形象，创作我们所谓的'人为的现实主义'"。鲁宾逊、卡梅伦和画意摄影主义者的主张虽不能得到普遍的认同——即摄影所要求的不只是直接的模仿，摄影能够结合"真实与人为"或"真实与理想"，但他们只是以较强烈的方式表达了摄影被视为一种混合、灵活的媒介的流行观念。摄影索求艺术地位的宣言背后，一直潜伏着宣称摄影师是主动地构造而不是机械地"制作"一幅独特的照片等主张。当标准化的工厂模式成为规范之时，早期摄影师索性放弃摄影。这一行为便揭示了技术与意义的内在关系。然而，本章的叙述并不是优先考虑自动化技术的发展，而是希望人们关注19世纪摄影讨论所使用的术语，看清这套术语通常指涉某项工艺技术的属性，而不是摄影的普遍化概念。这套术语通常指示具体的图画价值（工厂所制造的光滑照片赋有聚焦的清晰度和景深对比柔和的相纸，精准度对比整体效果）。正如乔尔·斯尼德所指出，图画价值通常降低"'透明感'和'艺术性'的矛盾价值"。然而，这些视觉特征的意义超越摄影。譬如，达盖尔法所制作的照片特征（精确度和细节），既让阿拉戈欣赏，又让波德莱尔憎恶。诗人认为摄影的"清晰和残酷"——至少就达盖尔法和火棉胶湿版法所制作的照片而论——既是现代性日益痴迷测量、标准化、机械化生产的典型范例，也是民粹主义文化价值的标识。

摄影与19世纪更普遍的工业变革不可分离。这不只是因为摄影与技术工艺具有密切的关联，也是因为摄影正是这些技术工艺的象征。正如艾伦·塞库拉所指出，对于摄影的矛盾态度实则"展现了资产阶级文化心脏中一个持续存在的危机。这个危机根植于科学与技术以貌似自主的生产力而出现的现象之中。资产阶级文化须应对机器的威胁和承诺，便采取既抗拒又接纳的姿态"。尽管19世纪摄影与工业资本主义的上升权势及其相伴随的社会动力学具有内在关联，但摄影的多元性及其理论探讨可以防止这一媒介被简化为资产阶级霸权的一种不证自明的表现形式，正如摄影不可能被明确地等同于实证主义、工具主义现实主义，或者官僚主义合理化。相反地，摄影揭示资产阶级社会等级体系结构内部的紧张关系，提出该如何观看和理解世界的认识论、意识形态等问题。最后，摄影激发人们考查劳动的意义，尤其是机械化时代的专业化艺术劳动。

摄影作为19世纪——尤其是50年代和60年代——视觉文化巨大扩张的操作者和产物，显著地扩展形象制作的技术。然而，摄影自始便不只是制作图画的又一种方式，不能被轻易地纳入艺术领域。相反地，摄影不但引发关于图画的真理、艺术作品的具体价值和身份、艺术家的地位等问题的持续争论，而且从根本上改革艺术生产的范畴和实践。

## 问题讨论

1. 比较达盖尔法、卡罗法、火棉胶湿版法的物理特征和审美品质。

2. 19世纪的美术与摄影之间有何关系？讨论一位宣称其摄影照片为美术作品的摄影师。

3. 何为画意摄影主义？试举一例说明。

## 第13章

# 历史画的衰落：德国、意大利、法国、俄国
# 约1855—1890年

## 导言

在法国削弱历史画统治地位的社会和政治力量，在德国、意大利和俄国也发挥着同样的作用。随着城市人口增加，工人和中低阶级的力量不断壮大，皇室和宫廷的权威、艺术学院的名望、古典主义的显著特色相应地衰落。正如在法国，德国艺术也创造了一种历史风俗画，时常以轰动性、取悦大众的方式融合历史和轶事，譬如慕尼黑的卡尔·冯·皮洛蒂（Karl von Piloty，1826—1886年）及其作品《塞尼面对华伦斯坦的尸首》（Seni before Wallenstein's Corpse）。皮洛蒂的许多学生，包括加布里埃尔·冯·马克斯（Gabriel von Max）、威廉·莱布尔（Wilhelm Leibl），逐渐地彻底摒弃历史题材，专注于当代资产阶级的生活，有时也掺杂一些寓言元素，譬如马克斯的《活体解剖者》（The Vivisector）。在俄国，现实主义在1870年之后才迟迟出现，其典型代表是名为"漂泊者"（The Wanderers）的艺术家群体（由于他们在这个广袤的国家巡回展览），以工人、农民、非理想化的乡村生活为创作主题。

普鲁士的阿道夫·冯·门采尔（Adolph von Menzel）是这个世代最进步的艺术家。在其漫长的创作生涯里，门采尔在艺术中洗尽历史主义的痕迹，专门描绘涉及社会和经济现代化的题材。他的绘画作品《轧铁厂》（Iron Rolling Mill），长近253厘米，创作于德意志国家统一的一年以后，正如一个世纪前法国现实主义者古斯塔夫·库尔贝的作品，在某种意义上是一幅"真实的寓言"。这幅作品既描绘普鲁士上西里西亚（Upper Silesia）某座轧铁厂的真实的生产过程，也体现德国日益增强的工业力量，说明这个国家正在开启工业革命。

意大利的马基亚伊奥利画派也在作品中贯穿国家统一和政治自信的主题。这个年轻艺术家的群体也拒斥先辈的古典主义与历史主义，将注意力投到工人、女性、中产阶级的英雄主义。他们也描绘当地的风景和城市景观，采用色彩和色调对比的"斑痕效果"（也即mezza-macchia，意为"一半有色块，一半无色块"，指形象部分被描绘、部分被省略）与近乎抽象的处理手法。拉斐罗·塞内西（Raffaello Sernesi，1838—1866年）在19世纪60年代所创作的现代性作品，完全不逊于法国任何一位画家（被视为现代主义的诞生地）。

以回顾的眼光看去，法国第二帝国统治的两个世代（1851—1870年）似乎是叛乱的前卫艺术与试验性的现代主义之间的空白期。诚然，库尔贝仍在活跃，尤其是作为风景画家。此外，1863年标志着艺术激进主义的复兴。是年，一群年轻艺术家讴歌自身的边缘性，举办落选者沙龙，爱德华·马奈在这场展览上展示了耸人视听的《草地上的午餐》（Luncheon on the Grass）。这幅作品将对女性的剥削摆放在最注目的位置：两个穿戴整齐的男子，从容地坐在一个几乎全身赤裸的女人旁边（她可能是妓女），另一个女人穿着轻薄的直筒连衣裙，在中景的小溪里涉水。然而，落选者沙龙展览的大多数艺术作品依然企图奉承权力和偏见，以裸体、东方主义、祖国风光（巴比松）、皇帝和贵族的肖像为主题，严谨地遵循古典主义的规范［譬如希波吕特·让·弗兰德林、让-雅克斯·黑内尔（J.-J. Henner，1829—1905年）、亚历山大·卡巴内尔（Alexandre Cabanel，1823—1889年）等人的作品］，此外还有古斯塔夫·莫罗的荒谬的浪漫主义作品。简而言之，法国当时最推崇个人主义。在普法战争期间以及随后的革命时代（1870—1871年），法国文化界已经诸事就绪，随时准备跃进现代性。

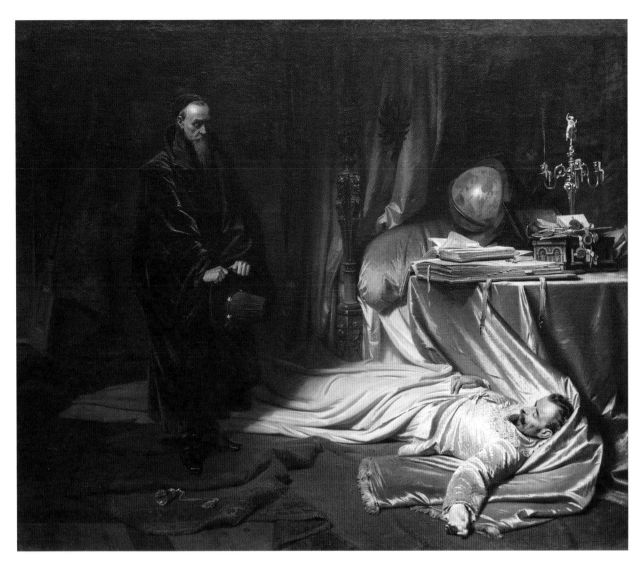

图13-1：卡尔·冯·皮洛蒂《塞尼面对华伦斯坦的尸首》，1855年。布面油画，312厘米×365厘米

## 从历史解放艺术

世界博览会（1855年）之后的20年间，历史画的地位在欧洲陡然降低。事实上，当印象主义画家于1874年在巴黎举办首届展览之时，以古典或宗教为题材的叙事繁复的绘画创作和展览已经在法国和欧洲其他各国走向没落，取而代之的是描绘当代历史、日常生活、风景、静物的作品。历史画的没落和消亡虽迟迟而至（终于来临之际，所有相关人士都感到解脱），却依然在艺术界造成重大的影响。而今，绘画第一次不再依附文化等级体系的时代错置情结、学院派体系规则、旧制度的法典化趣味。绘画第一次摆脱了表达资产阶级启蒙的精神梦想的责任——自从大卫和法国大革命以来暗含的价值观——无须再为无限地推动智性、社会和道德的进步作出贡献。自此以后，画家可以自由地关注现代社会的短暂流行的时尚。换句话说，跟其他琐屑的制造商一样，艺术家成为独立的商品制作者，既彻底地得到解放，同时又跟任何商品制造商一样须服从市场需求。一方面，艺术家追求（也在某种程度实现）自主性的个人，摆脱了资产阶级社会将所有文化生产打造为迎合利润的狭隘需求；另一方面，由于他们本身的男权主义和英雄式个人主义的创业姿态，艺术家也是那个社会的真实写照。在法国和其他国家，现实主义的艺术——带着所有的复杂性和矛盾——从历史画的灰烬和现代资本的种子里诞生。

## 自然主义在德国的兴起

1867年，彼得·柯内留斯逝世以后，德国的历史画或许可以说随他死亡，尽管一些病态的症候依然持续近一个世代。在19世纪中叶，自普鲁士国王腓特烈·威廉三世（1797年）和巴伐利亚国王路德维希二世（1825年）掌握政权以来便主宰德国绘画的古典主义复兴运动，已屈服于自然主义和类似法国中庸艺术的历史主义。在慕尼黑和柏林，随着温克尔曼、门斯和卡斯滕斯的世代及其随后一代的拿撒勒派淡出人们的记忆和视野，私人和教区的价值观和情绪逐渐取代公共和

图13-2：爱德华·加特纳《柏林菩堤树下大街的歌剧院风景》，1845年。布面油画，312厘米×365厘米

启蒙精神。英雄的新古典主义者不再出现，诸如丹麦人卡斯滕斯当时在罗马，如此抗议政府宣召他前往柏林的通告："我属于人类，不属于柏林学院。"德国不再有似拿撒勒派的柯内留斯及其学生威廉·冯·考尔巴赫（Wilhelm von Kaulbach，1804—1874年）这般坚定的浪漫主义者，这两位画家为慕尼黑的宗教和政府建筑绘制的宏伟壁画，充斥着宗教和历史的寓言和象征。

柏林、慕尼黑、德累斯顿以及欧洲德语地区的学院里，代表毕德麦雅时期文化（Biedermeier culture）的艺术家取代浪漫主义者的位置（1853年，有两位诗人创造"Biedermeier culture"这一术语，用以讽刺前代资产阶级的傲慢得意）。这些画家和设计师大多活跃于1848年以前，倡导一种含蓄又感伤的风格，规避强烈的情感宣泄、不和睦的家庭生活或者任何极端倾向。由于这一原因，他们通常放弃历史画，转向较低等的画种。譬如，维也纳艺术家约瑟夫·丹豪瑟（Josef Danhauser，1805—1845年）是毕德麦雅家具制造和销售豪商家族的继承人，他在作品里结合历史、日常和肖像画种。他的《眼科医生》（Eye Doctor，1837年）强调资产阶级生活的琐碎戏剧性，让人联想到18世纪的画家威廉·荷加斯和让·巴蒂斯特·格勒兹（J. B. Greuze）。在这幅作品里，一家人庆祝父亲的眼科

手术成功。执刀者弗里德利希·耶格·冯·雅克萨尔（Friedrich Jäger von Jaxtthal）医生站在画面中央，揭开绷带后，患者第一次看见他的新生儿。

毕德麦雅艺术遵奉政治制度，拥护富裕的城市贸易商、制造商和乡村地主的权利，维持统一的民族国家和哈布斯堡帝国的利益。爱德华·加特纳（Eduard Gaertner，1801—1877年）的《柏林菩堤树下大街歌剧院风景》（View of the Opera and Unter den Linden, Berlin）【图13-2】细节精致，色彩鲜亮，假借全景图的伪装概括普鲁士历史和艺术的过去，甚至预示未来。这幅作品所描绘的新古典主义风格的柏林歌剧院（1741—1743年），是由格奥尔格·文策斯劳斯·冯·克诺伯斯多夫（Georg Wenzeslaus von Knobelsdorff）设计，原本打算是为腓特烈广场提供锚位。普鲁士国王腓特烈大帝亲自规划巨大的腓特烈广场作为城市中心，但工程一直未曾完成。画面左侧是柏林雕塑家克里斯蒂安·丹尼尔·劳赫（Christian Daniel Rauch，1777—1857年）在1826年铸造的布吕歇尔将军（J. B. Greuze）青铜纪念雕像。在画面中央，腓特烈广场位于两排为这条大道冠名的菩提树左侧，前方是卡尔·斐迪南·朗罕（Carl Ferdinand Langhans，1781—1869年），也即皇储威廉的毕德麦雅式王宫。

另有一些艺术家出身艺术学院，精通法国的沙龙艺术，依然企图维持历史画的传统。著名的慕尼黑艺术家卡尔·冯·皮洛蒂深爱德拉罗什矫饰的历史风俗画，致力于描绘既理想化又有轶事趣味的德国历史题材，譬如《塞尼面对华伦斯坦的尸首》【图13-1】。皮洛蒂的许多学生，包括加布里埃尔·冯·马克斯、弗朗茨·冯·德弗雷格尔（Franz von Defregger，1835—1921年）、威廉·莱布尔，都继承导师的感伤倾向，但逐渐地抛弃历史题材。莱布尔仰慕库尔贝，创作诸如《小镇政客》（Town Politicians）【图13-3】等真率单纯的作品。他公开声称拒绝历史画已经是普遍的现象。《小镇政客》描绘五个聚坐的男子一同读报纸，报上似乎刊登选民或候选人的名单。莱布尔以一丝不苟、甚至科学的眼光观察和表现了人物的面容和其他外貌特征。

莱布尔及其慕尼黑同事的汉斯·托马（Hans Thoma，1839—1924年）开始活跃的时候，自然主义风景和风俗画的批评和理论已相当成熟。慕尼黑批评家安东·施普林格（Anton Springer）认为，古典主义与好古的趣味无非是逃避现状的虚弱的策略。1858年，施普林格在评论慕尼黑举办的"全德意志历史绘画展"时写道："如果我们的历史画家有风景画家的一半勇气，如果他们有勇气不带偏见，忘记陈旧的审美概念去观看，当代社会的艺术价值很快就会有迥异的面貌。"

柏林画家阿道夫·冯·门采尔显然谨记这位批评家的话。在创作《腓特烈大帝在无忧宫的长笛演奏会》（The Flute Recital of Frederick the Great at Sanssouci）【图13-4】与《轧铁厂》【图13-5】这两幅作品的期间，门采尔逐渐摆脱轶事性的"风格装饰"（施普林格认为这种风格装饰艺术阻挠德国人民的历史性的自我实现）。前一幅作品描绘腓特烈大帝的私人生活，并表达艺术家本人的信念：政治改革要求一位明智又有创造力的坚定君主。在这幅作品里，门采尔采用名副其实的洛可可风格传达18世纪启蒙精神的氛围。在《轧铁厂》，门采尔则摒弃历史主义的矫揉造作，运用生动鲜活的笔触，歌颂德国辉煌的工业资本主义，并将其神话化。在这幅宏伟的画布上，门采尔将上西利西亚的柯尼希斯胡特轧铁厂描绘为理性化的火神锻造坊。门采尔的自然主义或许抑制了题材的轶事趣味，但画面的古典主义特征丝毫未曾减弱。他在空间安排工人的方式，颇似丁托列

图13-4: 阿道夫·冯·门采尔《腓特烈大帝在无忧宫的长笛演奏会》，1852年。
布面油画，142厘米×205厘米

图13-5: 阿道夫·冯·门采尔《轧铁厂》，1872—1875年。
布面油画，153厘米×253厘米

图13-6：加布里埃尔·冯·马克斯《活体解剖者》，1883年。布面油画，101厘米×167厘米

托（Tintoretto）在《最后的晚餐》（*Last Supper*）里处理门徒的构图手法，工人的英雄姿势则借鉴了安东尼奥·波拉约洛（Antonio Pollaiuolo）的《十个裸男的战争》（*Battle of Nudes*）、委拉斯贵支《酒神的胜利》（*Triumph of Bacchus*）等作品。正如文艺复兴和巴洛克绘画里的人物，门采尔的无产阶级被放置在更强大的力量之下。他们代表德国的创造者时代（Gründerzeit），奠定工业和帝国的实力，从而被表现为无休止地、不知疲倦地劳动。

数年后，慕尼黑的加布里埃尔·冯·马克斯也运用古典主义和寓言，创作本质上为现代的主题。当时，国际上就活体解剖（使用活动物做试验）的伦理问题展开日益激烈的争论，冯·马克斯的画作《活体解剖者》【图13-6】便是参与这一话题的讨论。创作《活体解剖者》之时，他刚辞去教职，致力于反对动物活体解剖的全国性运动。这幅作品本身是真实和理想的混合产物：画面左侧坐着一个老人，颇似伦勃朗在《耶利米哀悼耶路撒冷的毁灭》（*Jeremiah Lamenting the Destruction of Jerusalem*，1630年）所刻画的耶利米；老人身旁陪伴一个身穿轻薄衣衫的少女，红色斗篷从她肩头坠落。少女是正义的拟人形象（手中提着一杆天平），但又足够地真实，右手抱着刚从老人的解剖刀下救出的小狗。她左手提着天平，秤盘一端装着一颗戴桂冠的大脑（恐怖艺术的母题），象征着

通过科学所获得的名望，另一端装着耶稣燃烧的神圣心脏，象征爱和仁慈。后者的重量远远超过前者（在现实里，心脏重约3磅，大脑则是心脏重量的3倍）。真实与寓言的结合手法，拓展到少女的理想化面容与老人的外貌之间的对比。老人貌似查尔斯·达尔文（Charles Darwin）——拥护活体解剖的著名人物，并因此受到公众的谴责。

因此，尽管门采尔的《轧铁厂》、莱布尔的《小镇政客》和冯·马克斯的《活体解剖者》在主题方面具有现代性，其思想依然揭示了19世纪后半叶德国艺术现代化的局限性。德国的历史画或许跟随柯内留斯一同死亡，然而，取而代之的自然主义仍在汲取学院派的习俗和古典主义源泉。因此，正如我们将要探讨的其他国家，德国的自然主义实则是叛逆的现代化现实主义与顽固的学院派古典主义之间的妥协艺术。

## 意大利的马基亚伊奥利画派

意大利的历史画境况仅比德国略胜一筹。1861年，佛罗伦萨全国展览（Esposizione Nazionale）的艺术展厅里，历史画大概最后一次听到欢呼声。佛罗伦萨三代历史画家皮埃特罗·本韦努提（Pietro Benvenuti，1769—1844年）、其学生朱塞佩·贝许欧利（Giuseppe Bezzuoli，1784—1855年）、其学生的学生斯特凡诺·尤西（Stefano Ussi，1822—1901

图13-7：斯特凡诺·尤西
《雅典公爵被逐出佛罗伦萨》(*Expulsion of the Duke of Athens from Florence*)，1860年。布面油画，320厘米×452厘米

# 艺术与动物

在19世纪晚期，伦敦和纽约都经历遍地马粪、马尿的环境危机。然而，相比马的苦难，人类所遭受的这些苦恼便不足为道。城市驮马的平均寿命为3年，它们一生承受无尽的折磨。安娜·塞维尔（Anna Sewell）的畅销小说《黑骏马》(*Black Beauty*，1877年）以自传体讲述跟小说同名的一匹黑马的故事。黑马生在牧歌般的乡间，在伦敦劳累得濒临死亡，最后被打发回到乡间退休。事实上，城市的驮马鲜有小说里的好结局。农场的家畜遭遇更恶劣的命运。最为可悲是，牲畜的命运在今日并不胜于旧时代。很多现代工场式畜产场，包括所谓的"手艺式"小型农畜产场，完全无异于藏骸所，动物在其中的生存形同活生生的鬼魂。

及至19世纪，动物绘画一直被视为低贱的工作。譬如，安德烈·费利宾（André Félibien）的《会谈》(*Conferences*，1668年）将艺术的等级体系法典化，主张唯有历史画值得伟大艺术家的关注。其他画种（包括动物绘画）则仅供一时消遣。然而，18世纪晚期科学的兴起，再加上感性的崇拜（推崇社会精英的温和的感受），动物绘画等画种便逐渐摆脱原本卑微的地位。在资本主义工业化经济里，动物作为生产和利润的工具日益增添价值，相应地得到更仔细的观察和尊重。动物作为有感情、有智力的存在，有时被视为家庭成员——至少对于少数宠物品种来说。（这一矛盾存留至今：有些动物被我们爱护珍视，另一些同样具有感知的动物则被我们屠宰。）

此外，约翰·奥斯瓦尔德（John Oswald）的《自然的呼唤》(*The Cry of Nature*，1790年）、约瑟夫·瑞特森（Joseph Ritson）的《论戒禁肉食》(*An Essay on Abstinence from Animal Food*，1802年）、珀西·比希·雪莱（P. B. Shelley）的《麦布女王》(*Queen Mab*，1821年）等著作都倡导将自由、平等、友爱等观念扩展到动物。1789年，杰里米·边沁在《道德与立法原则概论》(*Introduction to the Principles of Morals and Legislation*，1789年）一书中提出，在思考该如何对待动物之时，最重要的问题不是"它们能否理性地思考"，也不是"它们能否说话"，而是"它们能否感觉痛苦"。威廉·布莱克在其素描和绘画里给予动物（包括昆虫）异乎寻常的敬意，甚至赋予它们自主性。西奥多·热里科的作品，尤其年）的作品摆在庆祝国家主义和创业精神的工业产品中间。尤西的《雅典公爵被逐出佛罗伦萨》【图13-7】和年轻画家奥多阿尔多·博朗尼（Odoardo Borrani，1833—1905年）的《1859年4月26日》（26th of April, 1859）【图13-8】在展览上引起轰动，被视为代表着意大利艺术的过去和未来。尤西的作品描绘1343年法国篡位者瓦尔特·德·布利恩（Walter de Brienne）被逐出领主宫的情景，画面戏剧化的聚焦借自贝许欧利的作品，绚丽明亮的用色颇似意大利"纯粹派"的路易吉·穆西尼（Luigi Mussini）和恩里科·波拉斯特里尼（Enrico Pollastrini），这两位画家又是受到德国拿撒勒派的影响。相形之下，博朗尼的作品虽同样地描绘爱国主义行动，却严厉地指责历史画既定的学院派传统。有一位批评家在观看博朗尼和其他画家的历史画与风景画之后抱怨道："从来没有见过如此空洞、散漫的作品。"次年，这群画家被戏称为"马基亚伊奥利画派"。正是在这些艺术家坚持不

图13-8：奥多阿尔多·博朗尼《1859年4月26日》，1861年。布面油画，75厘米×58厘米

是诸如《抹灰工的马》（Plasterer's Horse，1822年）等石刻版画，让我们不但看到动物的苦难，也看到它们对压迫的反抗。

及至古斯塔夫·库尔贝创作《弗拉热的农民赶集回家》的时期，动物题材已在以农村阶级结构和压迫或者国家生产力和丰饶为主题的欧洲大型绘画作品里占据重要位置。库尔贝在《弗拉热的农民赶集回家》所描绘的牲畜与《采石工人》（1850年，第274页）的农村劳工同样地遭受饥荒和虐待。相形之下，罗莎·博纳尔的《尼维尔犁耕：葡萄接枝》（1849年，第276页）和《马市》（The Horse Fair，1853年，第337页）则展现乡间的丰饶。乔治·修拉的《大碗岛的星期天下午》（A Sunday on La Grande Jatte，1884—1886年，第412页）描绘前景里一只被宠溺的哈巴狗，正要攻击左侧草地上吸嗅的平民黑狗，另有一只猴子在旁观望。保罗·高更的《我们从何处来？我们是谁？我们向何处去？》（Where Do We Come From? What Are We? Where Are We Going?，1897年，第480页）描绘多文化、多世代、跨性别、跨物种相间的乌托邦，挑战主宰着伦敦、巴黎、纽约等帝国主义大城市的性别、种族、物种等歧视。在高更的作品里，爱与接纳的力量超越人类和动物的苦难——大城市

的贫民窟、街头、医院、老残家畜屠宰场随处可见的苦难。在19世纪与继后的世纪里，许多艺术家认为动物的艺术表现既是传达经济和社会压迫的形式，也是描绘跨越阶级、性别和物种的理想解放的手段。

蓝页插图：西奥多·热里科《抹灰工的马》，1822年。石刻版画，29厘米×34.5厘米

懈的锤打之下，意大利的历史画才最终崩溃、消亡。1861年，彼得罗·塞尔瓦蒂科形容道："历史画如同一具僵尸，在平凡的现实主义的锤头之下轰然倒地。"

塞尔瓦蒂科和同时代的许多人认为，统一意大利的艺术只能寄希望于"另一类型的绘画。它既属于历史，又注重社会的日常生活，但不去描绘特殊的事件，除非是为揭示我们时代的感受、情感和特别的倾向"。马基亚伊奥利画派积极地响应这个自然主义和现代主义的号召。顽固的学院派塞尔瓦蒂科质疑马基亚伊奥利画派的"斑痕效果"，认为他们只能创作明暗对比强烈的彩色速写，难以被视为完成的作品。马基亚

伊奥利画派的年轻画家（大多生于1830年前后）积极地参与意大利独立与统一运动，经常光顾米开朗基罗咖啡馆（CaffeineMichelangiolo，这家咖啡馆是佛罗伦萨波希米亚主义和政治激进派的温床）。自1855年开始，泰莱马科·西诺里尼（Telemaco Signorini）、维托·达科纳（Vito D'Ancona）、乔瓦尼·法托里（Giovanni Fattori）、拉斐罗·塞内西、西尔维斯特·里格（Silvestro Lega）等画家在开朗基罗咖啡馆讨论统一运动的策略，构思一种被西诺里尼称为"暴力明暗对照法"的艺术。至19世纪50年代末，他们创作了大量优秀的绘画作品，描绘资产阶级和工人阶级日常生

图13-9：拉斐罗·塞内西《阳光下的屋顶》(*Roofs in Sunlight*)，1860—1861年。纸板油画，12.3厘米×19厘米

图13-10：朱塞佩·阿巴蒂《佛罗伦萨圣十字圣殿》(*The Cloister of Santa Croce*)，1861—1862年。纸板油画，19.3厘米×25.2厘米

活中随意的事件和仪式，采用同样随意的色调和色彩对比、松散的构图和模仿手法。

拉斐罗·塞内西的《阳光下的屋顶》【图13-9】、朱塞佩·阿巴蒂（Giuseppe Abbati，1836—1868年）的《佛罗伦萨圣十字圣殿》【图13-10】是马基亚伊奥利画派的典型杰作。这两幅作品画幅很小，笔触挥洒，但形象比例宏大，画面完整。塞内西的《阳光下的屋顶》，描绘佛罗伦萨某个角落的紧凑密集的墙壁和屋顶，左侧有一朵海豚状的白云或烟雾停驻在背景中央的烟囱或工厂熔炉上方。阿巴蒂的《佛罗伦萨圣十字圣殿》，描绘中景里一排乳白色和灰色的大理石块，映衬着一面隔绝的矮墙，墙头坐着一个男孩。画面的下方和上方三分之一部位都是大面积的冷调褐色块和暖调赭色块，表示空白的前景和被遮挡的背景。这两幅作品皆传达平面与深度的辩证关系。在这两幅作品里，明暗对比手法占据主导地位，——实则将色调对比简化为"斑痕效果"，并使用类似的手法强调绘画媒介本身的平面特性。然而，浓重的阴影，再加上略微倾斜的视角［这是马基亚伊奥利画派的典型手法，也见于克里斯蒂亚诺·班蒂（Cristiano Banti）的立场坚定的作品《拾树枝者》（The Brush Giatherers，约1861年］，依然营造了惊人的空间深度和物理的广度。

阿尔伯特·布瓦姆（Albert Boime）具有说服力地主张马基亚伊奥利画派的作品明确地揭露了模仿艺术这一伟大虚构的基础。在本章所探讨的作品与其他许多作品里，明亮与黑暗、线条与色彩、表面与尝试、印象与构图、发现与理解，都是无防备地暴露无遗，全然无视佛罗伦萨学院所要求的作品完稿。马基亚伊奥利画派疏离学院派前辈和同人，实则是为了追求复兴曾经以个人的天才和国民的广泛认同为标志的意大利艺术。这些拥护意大利独立和统一运动的艺术家通过真诚地揭露绘画艺术所隐含的技法和先入之见，在一种国民文化里歌颂自身独特的个性。他们通过政治活动，通过描绘工人、资产阶级、士兵、田野、农场、修道院和城市街道，参与打造这种国民文化。马基亚伊奥利画派的存在时间十分短暂，及至19世纪60年代末，由于艺术家们过度模仿15世纪的艺术修辞，从而损害了自身的辩证性。纵然如此，他们还是成功地终结了意大利的历史画传统。正如塞尔瓦蒂科所说，他们开启"另一类型的绘画"，这种类型的绘画"既属于历史，又注重社会的日常生活"。

## 法国沙龙艺术的个人主义

自19世纪30年代的浪漫主义世代以来，法国的历史画便陷入困境。然而，真正加速其死亡的可能是第二帝国初年库尔贝和路易·拿破仑的双重攻击。这位现实主义画家在历史画悲剧里所扮演的角色，是通过将历史画的比例、精湛的技法和伟大的抱负转用于创作面向工人和农民的新颖的、具有政治争议的通俗艺术，从而颠覆这个高尚画种的贵族阶级地位。独裁者拿破仑所扮演的角色，则通过严禁进步和启蒙精神的资产阶级公共艺术的自由表达，甚至将边缘的前卫派文化视为违法行为。1857年，库尔贝展览他的题名讽刺又耸人听闻的作品《塞纳河畔的少女》【图11-22】。同年，福楼拜和波德莱尔分别被告上法庭，因为他们的著作《包法利夫人》与《恶之花》传达的"不道德"和"反宗教"的观念。

工人阶级和资产阶级大体上驯服地接受路易·拿破仑及其部长们的文化审查政策。工人阶级是因为已被革命耗尽力量，资产阶级则是因为贿赂、工业化和投机生意得到金钱而缄默。其最生动的讽刺形象是杜米埃的雕塑《拉塔波尔》（Ratapoil，约1851年）所刻画的得意扬扬、表里不一的人物。正如马克思激愤地写道，法国第二帝国时代的资产阶级欣然拿出革命的艺术和政治遗产，去交换"不受限制的强硬的政府保护……它毫不含糊地声明说，它渴望摆脱自己的政治统治地位，以便摆脱和这种统治地位相连的麻烦和危险。"（事实上，拿破仑政变后的20年里是法国经济急剧扩展和现代化的时期。在这一时期，整体的工业生产成倍地增长，依靠农业、林业、渔业为生的人口比例降至50%以下，从事工业、运输业、手工业、银行业的人口比例增至近40%。）

因此，随着政治和文化权威集中于一位虚荣而眼光狭隘的独裁者身上，法国的艺术家和作家便深受阻挠，不能够积极地参与国家的公共文化和道德生活。在拿破仑执政期间，杜米埃藏起雕塑作品《拉塔波尔》，但他依然经常以这尊雕像为基础创作抨击性的石刻版画。此外，美术学院的历史画家军团降低眼界，从庄严的风格沦落为类似大吉尼奥尔（Grand Guignol）的粗俗木偶戏，譬如奥古斯特-巴泰勒米·格莱兹（Auguste-Barthélemy Glaize，1807—1893年）的《苦难：拉皮条的女人》（Misery the Procuress）。这幅作品描绘女性堕落放荡的过程，在1861年沙龙获得好评。曾经雄心勃勃的历史画奄奄待毙。1860年，路易·拿破仑实施政治自由化，但也无法逆转历史画的命运。我们很快就要看到，当时有一系列让人困惑、荒芜萧瑟的画种试图取代历史画的位置。

年轻批评家朱尔斯·卡斯塔纳里（Jules Castagnary）想为这个前所未有的政治大萧条和文化贫瘠的局面渲染一层正面的光泽，便将当前历史画的凄惨命运描述为某些过时的社会机制衰亡的自然结果。他在1857年的《沙龙》一文里写道：

> 宗教绘画和历史或英雄绘画随着所参照的社会机制（神学和君主制）的衰弱而逐渐失去力量。这两大画种被淘汰，在今日几乎彻底地消失，导致风俗画、风景画、肖像画占据绝对的统治地位。这正是个人主义的后果：正如在当代社会，艺术中的个人也越来越成为自己。

卡斯塔纳里最后那句自信的宣言，可以说总结了后一代的法国艺术家的抱负和自我认识。及至第三共和国初年，他一直持续发表这类言辞锋利的《沙龙》文章，继续演绎这句宣言。个人主义——无论以风俗画、风景画或肖像画的形式——取代历史画这一崇高的公共艺术。在官方沙龙和非官方的前卫艺术展览上，个人主义都受到猛烈的追捧，随即便成为现代主义的辩证基础。

个人主义是一个新词，在19世纪20年代开始进入日常语言，最初被雅各宾派、浪漫主义者和自由派用于毁谤他人。然而，卡斯塔纳在1857年使用之时，这一词语总体上已经摆脱负面含意。事实上，在许多方面，个人主义开始演变为第二帝国和第三共和国的最重要的意识形态范式。在庞大的"兼收并蓄"的专制体制里，个人主义代表试图容纳或超越所有政治异议或叛逆的文化趋势。正如艺术史学帕特里夏·梅娜迪（Patricia Mainardi）所指出，路易·拿破仑及其形形色色的辩护者——从宗教史学家欧内斯特·勒南（Ernest Renan）到无政府主义者蒲鲁东——都开始歌颂政治、哲学、艺术的新兴的个人主义。及至19世纪60年代和70年代，个人主义一词——或者是将社会的整体利益从属于个人的商业和情感利益这一观念——可以说已经掌握霸权。这个观念成为企业资本主义、政治自由主义，甚至革命派无政府主义等新兴

意识形态的基础。此外，个人主义为卡斯塔纳里、埃德蒙·杜兰蒂（Edmond Duranty）、埃米尔·左拉等人的自然主义艺术新理论和批评实践提供基础，为从业的艺术家提供一套共同的词汇和画室用语。1853年，历史学家伊波利特·卡斯蒂利亚（Hippolyte Castille）写道："个人主义是本世纪的理念。"然而，个人主义在艺术方面的相关特征最早出现于沙龙。

## 沙龙与落选者沙龙

历史画的死亡并没有削弱沙龙或其他政府资助的美术展览的人气。当代的绘画和雕塑展览在第二帝国和第三共和国早期反而空前绝后地吸引大众文化。1855年，世界博览会的美术展厅展出了来自700位画家的近2000件作品，6个月间吸引近100万访客。1857年，美术沙龙在工业宫举办双年展，展览来自500位画家的近3500件作品，2个月间的参观人数超过10万。1868年，沙龙展览4200件作品。1870年的评审团较为保守，仅接纳2000件作品参展。然而，1880年的沙龙展览作品多达7000多件，参观人数近50万。在免费开放的星期天则有5万余人挤过沙龙的旋转栅门。

然而，政府赞助者并不总是能够泰然看待沙龙和其他展览的宏大规模。在1863年，当局认为提交沙龙的作品数量过多，质量低劣。于是，当局施加压力，说服学院的评审团严加挑选。这个"改革"的实践胜过预期的效果：在3000位艺术家所提交的近5000件作品当中，近70%被淘汰，导致淘汰者决定在沙龙旁边举行一场特殊的落选者沙龙。这场得到官方许可的反沙龙，展出了数十位艺术家的近600件作品，其中包括西奥多·方丹-拉图尔（Théodore Fantin-Latour，1836—1904年）、爱德华·马奈、惠斯勒、保罗·塞尚、卡米耶·毕沙罗（Camille Pissarro），获得了预料之外的成功，在星期天吸引三四千惊讶的观众，在社会上引起强烈的轰动。

落选者沙龙上最受争议和指责的无疑是惠斯勒和爱德华·马奈的作品。惠斯勒的《白色交响乐，第1号：白衣少女》（*Symphony in White, No. 1: The White Girl*）【图13-11】醒目地挂在展厅入口处。评论家路易·艾蒂安（Louis Étienne）等人谴责马奈的《草地上的午餐》【图13-12】为"无耻"和"粗糙"。社会主义者批评家泰奥菲尔·戈蒂耶则为这两位画家喝彩，称赏他们的"野蛮"，将他们比拟为美洲原住

图13-12：爱德华·马奈
《草地上的午餐》，1863
年。布面油画，208厘
米×264.5厘米

民画家乔治·卡特林。戈蒂耶的颂辞预示了未来的印象主义画家，尤其保罗·高更的作品。戈蒂耶说道："这些艺术家似乎将艺术带回其源头，绝不顾忌在其先前的文明人所做的事。"在戈蒂耶看来，落选者沙龙标志着现实主义的民粹主义回归。

拿破仑三世批准举办落选者沙龙之时，自然未曾预料到这类公众的讨论及其所隐含的政治争议，譬如艾蒂安和戈蒂耶讲论穷人和王子的相对价值。事实上，落选者沙龙只被允许举办这一次（尽管1864年勉强再次举办）。在19世纪60年代后期，被淘汰的艺术家（譬如年轻的塞尚）反复地请求，用甜言蜜语甚或骚扰性的请愿，要求举办落选者沙龙，但皇帝及其部长不愿意重复文化民主的实验。

落选者沙龙的争议表明第二帝国的艺术政策经常只是尝试性、临时的拼凑、谋划不当、急切地纠正。

自1855年开始，及至路易·拿破仑的倒台，甄选评委、评判参展作品的数量和类型、展览的频率、持续时间，甚至门票的价格，都频繁地变动。这些变化似乎未曾真正地影响参展作品的种类和品质。简而言之，法国沙龙表面的多样性掩盖本质的同一性。随着历史画成为陈旧过时的东西，风俗画、风景画和肖像画统领沙龙。正如卡斯塔纳里所指出，随着美术学院的衰落，艺术家大致可以分为三大类，"古典主义者、浪漫主义者和自然主义者"。

## 沙龙的古典主义者

古典主义者主要承袭大卫和安格尔的传统，其中包括让-希波吕特·弗兰德林（H. J. Flandrin，1809—1864年）、让-雅克斯·黑内尔、让-里奥·杰洛姆、亚历山大·卡巴内尔、威廉-阿道夫·布格罗（William-

Adolphe Bouguereau，1825—1905年）。卡巴内尔和布格罗其实是弗朗索瓦·爱德华·皮科特（F. E. Picot）的学生，但卡斯塔纳里想当然地将他们归类为性情相似的艺术家。可以预料的，这些艺术家在绘画上强调精确的素描、轮廓、精致的成品，严谨地遵循解剖学、透视、学院派造型和面容表情的规矩。他们的作品通常表现古典、神话、寓言、东方主义和当代历史的主题。譬如，杰洛姆的《1861年6月27日拿破仑三世和王后尤金妮娅接见暹罗大使》（*Reception of the Siamese Ambassadors by Napoleon III and the Empress Eugénie, June 27, 1861*）【图13-13】，综合了寓言、东方主义和当代历史的三大主题。

在《拿破仑三世和王后尤金妮娅接见暹罗大使》的构图方面，杰洛姆主要借鉴大卫的《拿破仑加冕礼》，试图将伯父的皇帝荣耀渲染在侄儿身上。拿破仑三世遥远地坐在皇后右侧，两排暹罗大使依次排列，以夸张的匍匐姿势参拜法国的主子。画面细致地描绘了服饰、地毯、水晶吊灯、普列马提乔式壁画环境，并同样精确刻画了堆积在前景右侧的暹罗大使呈送的礼物，如同寓言似地表现法国帝国主义的成果。（事实上，这幅作品只是表达法国殖民主义的一厢情愿的渴望。）杰洛姆在《拿破仑三世和王后尤金妮娅接见暹罗大使》里所描绘的泰国人，正如他在1866年创作的《奴隶市场》（参见第256页）等作品里所描绘

的阿拉伯人和非洲黑人，透露鲜明的种族歧视。也许这是源自波拿巴主义意识形态倡导者阿蒂尔·德·戈比诺（Arthur de Gobineau）的影响，其著作《论人类种族的不平等》（*Essay on the Inequality of the Human Races*，1853—1885年）是欧洲种族理论的名副其实的入门书。戈比诺在书中将人类划分为三大种族："黄色种族"冷漠、重利、敬重等级［杰洛姆在《拿破仑三世和王后尤金妮娅接见暹罗大使》便是如此表现黄种人的特征］。"黑色种族"（含米特人），包括阿拉伯人、凶暴、善变，拥有"激烈的欲望……或许可称为可怕的欲望"。含米特人禀赋激烈的"感官力量"，从而使得他们不在乎人类的生活，而自甘奴役和卖淫，譬如杰洛姆在《奴隶市场》所描绘的场景。

诚然，并非所有古典主义者的作品都似杰洛姆这般赤裸地顺从帝国主义的意识形态。然而，绝大多数古典主义艺术家迎合统治阶级、性别和种族的等级制度，采用夸张（又过时）的面部表情和身体姿势，竭力通过描绘轶事来传达宗教、历史、科学、政治和道德寓意。总而言之，正如先前七月王朝的历史风俗画，第二帝国时代古典主义者的沙龙绘画倾向于突降法艺术修辞，将庄严的形式与庸俗的轶事内容相结合。在杰洛姆的《拿破仑三世和王后尤金妮娅接见暹罗大使》和《奴隶市场》中，正是这种供应过度的宫廷奢华和东方主义的氛围，最终让我们怀疑其作品的严肃

图13-13：让-里奥·杰洛姆《1861年6月27日拿破仑三世和王后尤金妮娅接见暹罗大使》，1861—1864年。布面油画，128厘米×260厘米

性和权威。此外，生硬地融合宏大的风格与庸俗的题材也会导致不稳定的意识形态。卡巴内尔、布格罗，以及下文将要探讨的浪漫主义者的绘画，都体现了这一特征。

## 沙龙的浪漫主义者

浪漫主义者是卡斯塔纳里在1863年的沙龙评论中所描述的第二类艺术家。浪漫主义者在精神上承袭热里科、格罗和德拉克洛瓦，但其人数和影响力急剧地降低。及至1863年底，夏塞里奥、谢弗、德尚、韦尔内和德拉克洛瓦相继逝世，有数位艺术家力图填补他们留下的空白，诸如里欧·博纳（Léon Bonnat，1833—1922年）、西奥多·方丹-拉图尔、古斯塔夫·莫罗、版画师鲁道芬·布雷斯丁（Rodolphe Bresdin，1822—1885年）。布雷斯丁虽没有参加1863年的沙龙，但他在两年后以惊人的方式现身展览。

布雷斯丁的石刻版画《好心的撒马利亚人》（*Good Samaritan*）【图13-14】类似体现多样化自然的图画版百科全书。在画中，有两个男子身处一片肥

图13-14：鲁道芬·布雷斯丁《好心的撒马利亚人》，1861年。石刻版画，56.4厘米×44.3厘米

沃繁茂得令人难以捉摸的森林，这两人是撒马利亚人与他给予援助的基督教徒。两人的上方站着一头骆驼，前景右侧有一群猴子，一只猫正从左侧底部的灌木丛钻出来……这幅版画所体现的正是法国进化论自然主义者让-巴蒂斯特·拉马克（Jean-Baptiste Lamarcke）所形容的"生命的能量"（pouvoir de la vie）进化为一种更有序、更成熟的伟大的生命力。1861年，这幅版画和一份大型底稿参加沙龙展览，诗人和戏剧作家西奥多·德·庞维勒（Théodore de Banville）在《奇想评论》（*Revue Fantaisiste*）发表文章评论道：《好心的撒马利亚人》是一个意欲拥抱所有一切的天才的耐心又激烈的创造……动物与植物在一曲永恒的颂歌里结合——动物停于何处，植物止于何处？"布雷斯丁与他的朋友、诗人、批评家夏尔·波德莱尔一样，似乎将整个自然界视为感应相通的巨大体系，形状和形式本身以及色彩、声响、滋味全都相似。

布雷斯丁的版画虽极尽浪漫主义者的奢靡，但也是讲述一个反殖民主义的具体故事。这幅作品原名为《阿卜杜-阿尔卡迪援助基督徒》（*Abd-El-Kadr Aiding a Christian*），表现著名的阿尔及利亚领袖阿卜杜-阿尔卡迪（Abd-al-Qadi，1808—1883年）在保卫祖国的战争里抵抗法国军队的事迹。由于这个故事跟《圣经》所讲述的好心的撒马利亚人颇为相似，布雷斯丁难以抗拒类比的冲动，便改换作品的题名。因此，对布雷斯丁来说，《圣经》的历史、进化的繁殖力、仁慈自然的慷慨全都印证阿尔卡迪的善举。尽管布雷斯丁受到维克多·雨果、波德莱尔、尚夫勒里、庞维勒的欣赏，但他生时作品销量不佳。不过，他一生最重要、最著名的成就在于教导了伟大的象征主义艺术家奥迪隆·雷东。

古斯塔夫·莫罗在1864年沙龙上展览他的《俄狄浦斯与斯芬克斯》【图13-15】。这幅作品体现雨果、歌德、德拉克洛瓦、安格尔等早期浪漫主义者的情色、暴力和怪诞倾向。然而，在这些共同的基本主题之外，莫罗的作品迥异于前辈作家和艺术家。他舍弃夸张的广度和全景视角，偏取一种令人产生心理和空间幽闭恐惧的效果。莫罗的作品以安格尔的《俄狄浦斯和斯芬克斯》（1808年）为原型，但安格尔的作品歌颂身体和理智的双重镇定这一古典时代的希腊理想，莫罗的绘画则仅涉及性恐怖和难以捉摸的情感。莫罗在笔

图13-15：**古斯塔夫·莫罗**《俄狄浦斯与斯芬克斯》（*Oedipus and the Sphinx*），1864年。布面油画，204.7厘米 × 104.1厘米

图13-16：**让-奥古斯特-多米尼克·安格尔**《俄狄浦斯与斯芬克斯》（*Oedipus and the Sphinx*），1808年。布面油画，188.9厘米 × 143.8厘米

记里写道："斯芬克斯是陆地的喀迈拉，如同任何陆地怪物一般邪恶，一般赋有魅惑，美艳的女性头颅，长翅的身躯……承诺着理想，却长着怪兽的身躯，那是将猎物撕成碎片的肉食者的身躯。"在展览《俄狄浦斯与斯芬克斯》以后，莫罗在沙龙展览过数件成功的作品，最受欢迎的是《莎乐美》（*Salome*）和《赫拉克勒斯与勒拿九头蛇》（*Hercules and the Hydra of Lerna*）（皆创作于1876年）。这两幅作品的画面都充斥着厌恶女性的执念和杀戮的欲望，以及对东方主义细节的痴迷。奥迪隆·雷东、埃德加·德加（Edgar Degas，1834—1917年）等人对莫罗的称赞或谴责体现了第二帝国时代浪漫主义者的通常的命运。雷东写

道："在配件效果方面，多令人欣赏的技艺！"德加则嘲笑道："他想要我们相信上帝当真戴着这些表链。"浪漫主义者屈服于"配件效果"、表面装饰的诱惑，从而陷入肤浅的自然主义桎梏。

## 沙龙的自然主义者

许多批评家认为，相比古典主义和浪漫主义，自然主义才是真正地代表沙龙未来艺术。共和主义者卡斯塔纳里认为，开创法国自然主义的是巴比松画派的风景画家，包括奥古斯丁·迪普（Jules Dupré，1811—1889年）、米勒、西奥多·卢梭（Théodore Rousseau，1812—1867年）、康斯坦·特罗荣（Constant Troyon，1810—1865年）、纳西斯·迪亚兹（Narcisse Diaz，1808—1876年）。此外，他认为自然主义代表了社会和文化的平等与个人主义的新原

**图13-17：朱尔·布雷东**
《阿托瓦麦田的祈祷节》，
1857年。布面油画，
129.5厘米×320厘米

则，声称自然主义"源自我们的政治，通过将人与人之间的平等、生存条件的平等视为必需之物，从人类的心灵驱逐虚假的等级制度和虚假的区别"。卡斯塔纳里之所以能够将自然主义者的艺术与民主政治相关联，是因为他所抱持的坚定信念。这一信念认为自然世界是大规模城市化和波拿巴主义专制时期实现个人的充实和独立的唯一地方，尤其是库尔贝所描绘的弗朗什孔泰大区那种不受约束的自然风光，或者巴比松画派所描绘的枫丹白露森林。这个信念在第二帝国最初十年最为盛行。卢梭在其大型作品《夕阳下的冬季树林》（*Winter Forest at Sunset*）中，以戏剧化的光线效果描绘乡村的典型类型，诸如农民、渔民、采樵人，从容安详地置身于古老的树木之间。于是，自然成为所有艺术创作必须依据的基本原则。

事实上，卡斯塔纳里等批评家口中的自然主义者不再仅限于叛逆的库尔贝和巴比松画派，而是开始用这一标签指称更多艺术家，譬如波拿巴主义动物画家罗莎·博纳尔、天主教农民艺术家路易·卡巴特（Louis Cabat，1812—1893年）。因此，尽管自然主义的界定性特征是"平等原则"，但这一标签逐渐成为官方折中主义的代名词，掩饰了第二帝国时代沙龙内部深刻的等级制度。在19世纪50年代，顾主与评委最喜爱的自然主义艺术家不是诸如库尔贝、卢梭、米勒等激进派，而是亚历山大·安提格纳（Alexandre Antigna，1817—1878年）、朱尔·布雷东等理想主义者，因为他们拥护统治贵族的优越地位，强调农民简单的道德价值和无产阶级必要的从属地位。布雷东的《阿托瓦麦

田的祈祷节》在1857年沙龙展览，并获得奖项。这幅作品简直将农民描绘为在权威面前跪拜的顺民。《阿托瓦麦田的祈祷节》（*Blessing the Wheat in the Artois*）【图13-17】在构图方面颇似库尔贝的《奥尔南的葬礼》【图11-16】，并预示了杰洛姆的《拿破仑三世和王后尤金妮娅接见暹罗大使》【图13-13】。布雷东在画面前景描绘一群衣衫褴褛的农民跪在道旁祈祷，仰望代表教会、商业和政府的队伍。这个时代鲜有作品如此清晰地体现第二帝国的三权分立的基础或者自然主义沙龙画家所遵循的阶级和人种的模式化观念。

在自然主义艺术家中间，对社会的繁复和矛盾关系最讳莫如深的可能是动物画家罗莎·博纳尔。博纳尔无疑是19世纪最著名的女性艺术家（在1865年获得法国荣誉军团勋章），为避免不愉快的社会接触，她在自家庄园造起一座野生动物园。然而，尽管她厌世避俗，世间的名望和财富却早早地找上门来。她的父亲雷蒙（Raimond）是圣西门主义者，鼓励她成为独立的女性和艺术家。她既临摹早期动物画家的作品，也直接对着动物写生。1849年，她的《尼维尔犁耕：葡萄接枝》【图11-18】在沙龙获得引人注目的成功。在《尼维尔犁耕》和《马市》【图13-18】中，人类被降低为负轭的耕牛或威武的佩尔什挽马的微弱配衬。约翰·拉斯金看到博纳尔将人类转化纯粹的技工，在1855年提出异议：

这位女士的声望逐年递增，但她宜当谨思一个关于艺术的严肃事实……如果一个动

物画家在描绘人类面容之时退缩，就不可能真正地成为伟大的艺术家。博纳尔小姐显然在退缩……

然而，博纳尔此时已然超脱于批评之外：当局颁发特许状，准许她着男装。她惬意地隐居庄园，私下出售作品，独立于批评界或沙龙的谴责或认可。

总而言之，法国第二帝国的沙龙艺术具有无数的形式和规模，过去和现代的批评者们竭力为它们寻找最适宜的标签。历史画、历史风俗画、东方主义者、折中主义者、学院派、古典主义者、浪漫主义者、自然主义者、现实主义者，都曾被用来描述这个艺术的整体或部分。也许唯一安全的结论是沙龙艺术包括混杂多变的作品，但这些作品具有一个基本的方面和目标，那就是将想象的视野降低为曾经看过的东西。

沙龙绘画实则比社会任何层面更沉迷于定型和旧俗。沙龙艺术一贯喜欢摆出轻率、玩笑的姿态，邀请观众相信他们合谋拿别人开涮（我们将在下文看到，这个"别人"通常是女人）。因此，沙龙艺术在执行意识形态的任务之时，并不是通过帮助观众接纳对象，而是采用相反的方式——通过鼓励观众在作品面前摆出羞怯的姿态。如此之下，沙龙的观众被鼓励着去满足个人的审美愉悦，去练习鉴赏力，也即成为专家，从而更能认同沙龙所宣扬的思想。沙龙绝对禁止任何叛逆、集体或阶级意识，即卡斯塔纳里所说的任何认同过时

的"社会有机体"的倾向。因为在这个"人变得越来越像自己"的社会里，这类倾向可能会妨碍社会的进程。第二帝国的沙龙推崇个人的消耗，而不是阶级的团结；个人退缩到自然，而不是集体抵制社会的异化。

在19世纪中叶，个人主义和商品化意识在自然主义粗糙的意识形态的掩饰和辩护之下，取代了德国、意大利和法国的历史画。在意大利独立和统一运动时期，马基亚伊奥利画派曾一时闯入这片荒凉的地平线，使用真率单纯的风格，毫不隐藏其绘画手法和架空的本质，描绘非精英阶级、职业和地域。在法国，社会的批评意识深植于长达75年的叛乱和革命经验之中，库尔贝、马奈和印象主义画家向沙龙的新范式提出迫切的挑战。在这些艺术家中间，个人主义得到辩证的重新定义，包括何为个人的自主性和大众的集体性。因此，在第二帝国终结之际，现代主义在巴黎诞生。

## 俄国学院派绘画所面临的挑战

在俄国，伊丽莎白女皇在1757年创立，叶卡捷琳娜二世（Catherine the Great）继续支持的圣彼得堡帝国艺术学院占据统治地位，及至亚历山大二世的执政时期和19世纪60年代的"改革时代"。俄国在克里米亚战争（1854—1856年）被英、法两国打败，随后沙皇专制统治受到重创，教育、法律、政治官僚和行政制度的现代化导致农奴制度在1861年被废除。1859年，帝国艺术学院进行改革，允许学生自主选择专业

图13-18：罗莎·博纳尔《马市》，1852—1855年。布面油画，239.3厘米×506.7厘米

# 生态学

生态学的最基本原则可以追溯到古希腊哲学家伊壁鸠鲁（Epicurus，公元前341—前270年）及其罗马追随者。譬如，罗马人卢克莱修（Lucretius）在《物性论》（De rerum natura，约公元前50年）里主张人类生活具有独一无二的物质基础，自然界的一切都是短暂的存在。几乎两千年以后，19世纪，尤其是1860—1880年，成为生态思想和新理论衍化的重要时代。1864年，美国人乔治·珀金斯·马什（George P Marsh）撰写《人与自然：人类活动所改变的自然地理》（Man and Nature: Or, Physical Geography as Modified by Human Action）。正如题名所示，马什想要展示人类与自然历史的密切关联，"并指出所有大规模的行动都将与有机体或无机体世界的自发安排产生冲突，如若人类轻率地行动，势必会导致危险的后果，因此我们必须慎重"。欧洲和北美的一些风景画家也察觉到这个观念。西奥多·卢梭创作《枫丹白露森林，吉拉德山的树林边》（The Edge of the Woods at Monts-Girard, Fontainebleau Forest），部分也是想要激发法国公众关注被采伐过度的森林。卢梭向路易·拿破仑皇帝提交请愿书，请求圈划枫丹白露的一部分树林作为永久保护区。他最后如愿以偿。弗雷德里克·埃德温·丘奇的《暮色在荒野》（第167页）既怀旧地哀悼美国失落的荒野，也见证了依然存在的自然美。

1868年，德国生物学家恩斯特·海克尔（Ernst Haeckel）在其著作《自然创造史》（Natürliche Schöpfungsgeschichte）里首次使用"ecology"（生态学）。海克尔是达尔文进化论在欧洲的主要倡导者，他的著作以简明易懂的文字概述了《物种起源》的很多论述，包括"自然的经济学"。在谈及主宰生物发展的法则之时，海克尔写道：

> 有机体的生态学，关于有机体与周遭世界的关系的知识，以及有机体与无机体的存在条件的总和的知识，就是所谓"自然的经济学"。

及至19世纪80年代末，进化论观念已经深刻地渗透到欧洲人和美国人的思想。1868年，卡尔·马克思致信弗里德里希·恩格斯（Friedrich Engels），描述他阅读卡尔·弗拉阿斯（Karl Fraas）的《气候与时间里的植物世界》（Climate and the Plant-World in Time）之时的激动心情。在这部著作里，马克思看到了能够印证他本人的观点的科学证据，即不加控制的资本主义发展势必导致可怕的环境后果。马克思在《资本论》第三卷详细阐述这一观点，援引土壤化学家尤斯图斯·冯·李比希（Justus von Liebig）的著作。数年后，约翰·拉斯金在《19世纪的雷雨云》（Storm-Cloud of the Nineteenth Century）一文探讨大气的变化，也得到类似结论。他认为19世纪的天空越来越暗，大气的变化是曼彻斯特和伦敦的"含硫的烟囱呕吐"的结果。然而，拉斯金也认为他的文章所探讨的雷雨云既有生态基础，也有道德的起源。

相比拉斯金的范例，马克思所提出的生态断裂更具有科学性，因为他的范例来自李比希的科学著作。马克思认为欧洲的农田收成之所以在降低，是因为粮食作物从农村运往城市，土壤得不到任何营养作为回报。因此，工业化、城市扩张、农业资本化、农村人口减少都会导致"不可挽回的"新陈代谢的"断裂"，也就是我们今日所说的生态危机。只有推翻资本主义，依据满足人类真正的需要去建立的生态系统，才有望恢复生态平衡。19世纪下半叶广泛使用骨粉和鸟粪为肥料，继而化学肥料取代天然营养，拖延着资本主义偿付代价的时刻。然而，危机确实来了。在我们这个世纪，化学肥料渗进水道，严重地污染净水，导致海藻繁衍、海洋低氧、鱼类和海洋哺乳动物大量死亡。

就艺术创作运用生态学的经验教训而论，印象主义画家卡米耶·毕沙罗比19世纪晚期的任何艺术家走得更远。毕沙罗熟悉法国地理学家以利沙·雷克吕（Elisée Reclus）、俄国无政府主义地理学家彼得·克鲁泡特金（Peter Kropotkin）的生态学著作，创作了《收获苹果》（Apple Harvest）等数幅庄严的人物画，表明他深刻地理解人类和自然之间脆弱的平衡关系。在这些作品里，毕沙罗使用弧形地平线表达地球的广袤及其各部分的关联性。他的作品让人联想起雷克吕的生态原理总结："人类是有自我意识的自然"，以及劳动的人类与自然世界和谐共处的乌托邦梦想。

西奥多·卢梭《枫丹白露森林，吉拉德山的树林边》，1852—1854年。木板油画，80厘米×121.9厘米

卡米耶·毕沙罗《收获苹果》，1888年。布面油画，60.9厘米×73.9厘米

图13-19：阿列克谢·科
尔佐金《离别之日》，
1872年。布面油画，58
厘米×77厘米

领域，期望鼓励他们更独立于学院的导师。然而，沙
皇依然掌握权力，富裕的贵族对行政部门施加影响
力，再加上维持疆域辽阔的乡村封建制度所需要的实
力和资本主义有限的生产资料和生产关系，因此，俄
国的自由化过程一直备受制约。

因此，帝国艺术学院仅在表面上经历一番改革。
1863年，14名帝国艺术学院毕业生反抗学院死板的
评审体系，退出这一政治资助的机构。他们拒斥为金
质奖章参赛者强行规定题材的做法。是年所指定参
赛主题是"奥丁在瓦尔哈拉宫饮宴，斯堪的纳维亚神
话"。这些年轻的艺术家必定感到格外愤慨，因为这
个神话公然拒绝承认俄国当代的骚乱的现实，只能让
人联想到过时的新古典主义油画。此外，年轻的艺术
家抨击学院，用费奥多尔·布鲁尼（Fedor Bruni）的
话说，是因为学院失于"认同时代的要求"。分离派
艺术家希望学院的机器，诸如卡尔·布留洛夫（Karl
Briullov，1799—1852年）那幅矫揉造作的著名作品
《庞贝城的末日》（*Last Day of Pompeii*，1830—1833
年），不再代表俄国艺术家最远大的抱负。

这14位艺术家以激进艺术家和知识分子伊
凡·克拉姆斯柯伊（Ivan Kramskoi，1837—1887
年）为领袖，很快创建了艺术家合作社（Artel'

Khudoznikov）。正如同年在巴黎举办落选者沙龙的
法国艺术家，这些年轻的俄国人通过描绘俄国现代生
活去追求艺术家个人的发展，推进艺术、政治和经济
的改革。阿列克谢·科尔佐金（Aleksei Korzukhin，
1835—1894年）创作感伤主义的风俗画，诸如《离别
之日》【图13-19】，描绘一个男孩即将被送往寄宿学
校，庄严地记录现代资产阶级家庭生活的英雄主义，
风格颇似英国维多利亚时代画家奥古斯塔斯·埃格
（Augustus Egg）。克拉姆斯柯伊在此时期的作品包括
《自画像》【图13-20】、《一个农民的肖像》（*Portrait
of a Peasant*，1867年），这些作品透露他的波希米亚
主义、现实主义的感受力和极端的自信。克拉姆斯柯
伊的《自画像》采用椭圆形构图、强烈的明暗对照、
暖色调和厚涂法，显然借鉴了伦勃朗的自画像，表明
艺术家本人与伦勃朗一样天生拥有充满表现力和变化
的面容，为其时代的精神特质提供了一种图画写照。

艺术合作社成为1870年所创立的另一艺术群体
的核心。这一群体被称为"漂泊者"或"巡回者"
（Peredvizhniki，巡回展览画派），及至20世纪20年
代一直主宰着俄国的审美和艺术实践领域。"漂泊者"
认为整个俄国都应当看到艺术，而不单是两座文化首
府（圣彼得堡和莫斯科），艺术应当体现农民、工人、

小乡绅、商人阶级的生活。他们在全国各地举办自行评审的展览，吸引广泛的注意力。参展的数十位艺术家中间包括克拉姆斯柯伊、瓦西里·波罗夫（Vasily Perov，1834—1882年）、尼古拉·葛（Nikolai Ge，1831—1894年），"漂泊者"甚至到巴黎和维也纳的世界博览会举办展览。

伊里亚·列宾（Ilya Repin，1844—1930年）是"漂泊者"群体里最著名的艺术家。20世纪中叶批评家克莱门特·格林伯格（Clement Greenberg）认为列宾的大型油画艺术依然属于学院派艺术，"未触及真正重要的问题，因为那些问题涉及争议。在列宾这样的艺术里，创造性活动被降低为体现形式的细节的精湛技艺"。诚然，列宾确是帝国艺术学院的产物，在学院接受艺术训练，在学院参加展览，直至在1877年加入"漂泊者"。他的全景图《伏尔加河上的纤夫》（Barge-Haulers on the Volga）【图13-21】虽依据其人在19世纪70年代沿伏尔加河旅行的真实观察，但作品的题材、感染力、极端的对角构图赋有鲜明的人工雕琢，颇似丁托列托的《耶稣爬向骷髅地》（Ascent to Calvary）。列宾的学院派雕琢法和强调劳工的手法，也让人联想到同时代的普鲁士艺术家阿道夫·冯·门采尔的《轧铁厂》【图13-5】。不过，门采尔将无产阶级塑造为德国的工业和经济创造者时代开端的永恒象征，列宾却将"流氓无产阶级"视为俄国过去的压迫，正如马克思在《路易·波拿巴的雾月

图13-20：伊凡·尼古拉耶维奇·克拉姆斯柯伊《自画像》（Self-Portrait），1867年。布面油画，52.7厘米×44厘米

十八日》（The Eighteenth Brumaire，1852年）所说，"沉重得似噩梦一般压迫活人的头脑"。列宾和"漂泊者"艺术家们认为，只有通过揭露过去的农奴制和当下的苦难，才能打造现代俄国。1873年，批评家弗拉基米尔·斯塔索夫（Vladimir Stasov）致信《圣彼得堡公报》，作出如下宣告：

> 列宾先生是与果戈理（Gogol）一样的现实主义者，并且他与果戈理一样深刻地代表

图13-21：伊里亚·列宾《伏尔加河上的纤夫》，1870—1873年。布面油画，131厘米×281厘米

图13-22：亚历山大·基瑟列夫《磨坊》，1890年。布面油画，74.6厘米×124.5厘米

我们的国民。他以史无前例的胆量，摒弃前辈的艺术理想观念，义无反顾地扎入群众生活、人民利益和普通百姓受压迫的真实的心脏。

及至19世纪80年代，"漂泊者"与帝国艺术学院达成和解，群体的领袖（包括列宾）成为帝国艺术学院的领导。不止如此，"漂泊者"的展览成为多样化艺术作品的展览渠道，甚至包括自然主义者的作品和户外绘画，譬如伊萨克·列维坦（Isaak Levitan，1860—1900年）、亚历山大·基瑟列夫（Alexander Kiselev，1838—1911年）。基瑟列夫的作品《磨坊》（*The Mill*）【图13-22】是一幅野心勃勃的大型作品，创作之时无疑打算提交给帝国艺术学院或"漂泊者"

的展览。作品所描绘的是一个无名的地点，显示新造的木头水坝旁边一座茅顶老磨坊。然而，如同法国巴比松画派的作品，《磨坊》的画面给人一种乡村的普通平淡和远离社会压力的感觉。对于这片静默、没有人迹的风景世界来说，它与首都的遥远距离不单是空间上的意义，也是文化上的意义。正如伊万·冈察洛夫（Ivan Goncharov）、鲍里斯·帕斯捷尔纳克（Boris Pasternak）等自然主义作家，基瑟列夫试图将俄国乡间的慰藉直接带入他本人生活、工作和展览的首都圣彼得堡。然而，在沙皇专制统治之下，俄国社会和政治的矛盾（在19世纪60年代成熟的艺术家们在其作品里承认这些矛盾）很快便摧毁了艺术家或艺术学院投射岁月静好的图画的才能。

## 问题讨论

1. 在德国，哪一种混合画种取代历史画？哪些艺术家是其主要实践者？讨论门采尔的《轧铁厂》。

2. "个人主义"这一词语对你有何意味？这对本章所探讨的批评家和艺术家意味着什么？讨论两位你认为最适合用这个词语形容的艺术家的作品。

3. 法语"succès de scandale"（丑闻成名），这一措辞有时被用于形容落选者沙龙。你认为这个描述是否恰当？讨论这场展览上的两件重要作品。

4. 在本章，本书首次谈及意大利的艺术，并以马基亚伊奥利画派为中心脉络。你认为何以如此？这个画派在怎样的社会境况下出现，作出了什么成就？

# 工业时代的建筑与设计
## 约1850—1900年

## 第14章

## 导言

    19世纪末，在18世纪晚期只是梦想的建筑和设计实践的改革已经成为现实。如前所述，在19世纪早期，有些建筑师渴望"摆脱桎梏"（小乔治·丹斯语），即摆脱古典主义的束缚（参见第7章）。勒杜和哈维兰德等人摒弃建筑的装饰性，倡导实用性和功能，索恩爵士、纳什、普金和约瑟夫·帕克斯顿，都偏爱钢铁的灵活性和透明感，用以取代砌石和琢石。然而，建筑和现代工程的结合（在19世纪中叶，帕克斯顿便宣告这一成就，事实上在继后年代里才实现）才是真正地标志着建筑和设计从传统转变为现代。

    诚然，亨利·拉布鲁斯特（Henri Labrouste，1801—1875年）一直依据古典主义的典范去设计巴黎的两大图书馆，即吉纳维夫图书馆（Bibliothèque Ste.-Geneviève，1839—1850年）和巴黎国家图书馆（Bibliothèque Nationale，1859—1869年）。然而，从本质上说，这两座图书馆是理性主义的建筑，构想为铸铁和玻璃所打造的珠宝箱。在采光方面，一座采用拱形窗，另一座采用圆窗，既助益又象征建筑的知识功能。在19世纪晚期，新艺术运动建筑师的作品里出现铁和玻璃的建材，以及更简洁的功能主义，譬如布鲁塞尔的维克多·奥塔（Victor Horta，1861—1947年）、巴黎的赫克托·吉马尔（Hector Guimard，1867—1942年）、巴塞罗那的安东尼·高第（Antoni Gaudí，1852—1926年）。然而，这并不意味着这些建筑师的建筑彻底地消除象征和意义。事实恰好相反，建筑在摒弃古典主义和学院派的理想之后，便能够容纳新的主题，譬如阶级的团结（奥塔）、民族自决（高第）、自然与人类周遭环境的和谐（吉马尔）。

    被我们笼统地称作传统与新现代性之间的100年，也见证了装饰艺术、私宅建筑和城市规划的深刻变化。早些时期，家具和其他居家物品纯属手工制作，较晚时期则大多数为机器制造。这类家庭用品曾经是一个头脑和一双手的产物，后来转变为无数头脑和无数双手的共同制造品。工业现代性通过高度发达的"劳动分工"，初次使大规模的生产和消费成为可能。1853年，约翰·拉斯金在《威尼斯的石头》（威廉·莫里斯钟爱的书籍）写道："真正地说起来，被分工的不是劳动，而是人类。人类被区分为零部件——断裂为人生的残片和碎屑。"如此之下，现代建筑和设计为自身创造了反对派。

    威廉·莫里斯便是其中最主要的反对派。他的影响遍及诸如菲利普·韦伯（Philip Webb，1831—1915年）、C. F. A. 沃伊齐（C. F. A. Voysey，1857—1941年）、理查德·诺曼·肖（Richard Norman Shaw，1831—1912年）、埃比尼泽·霍华德等英国的建筑师和城市规划师，以及路易斯·沙利文（Louis Sullivan，1856—1924年）、弗兰克·劳埃德·赖特（Frank Lloyd Wright，1867—1959年）等美国建筑师。莫里斯是诗人、设计师、创业者和社会主义者，并且他的各项事业交互影响。比方说，作为设计师和创业者，他追求将制造业回归基本的手工艺，仅向顾客销售最精英的布料、墙纸等用品；作为诗人和社会主义者，他强调美和实用的双重必要性。他写道："不要在家中放置你不知用途或不觉得美的东西。"沙利文及其学生赖特认同莫里斯的许多观点，但最终决定接受机器生产。沙利文、赖特以及霍华德、让-巴蒂斯特-安德烈·戈丁、索伦·S. 贝尔曼（Solon S. Berman，1853—1914年）等城市规划者都认为工业可以将人类从最繁重的劳动里解放出来，从而有机会追求个人的充实感，有时间与他人进行密切的交往。然而，设计、建筑和制造业的历史告诉我们，结果并不似他们所想象的。

## 手工艺与机器生产

在两个世纪以前，非自然的对象世界首先是人类的世界，靠人类的双手、眼睛和身体支配物质的协调合作而制作出来。个人的身份由技能定义：人们所从事的行业、所制作的物品，成为他们的名字。纵使规模极其宏伟的建筑和装饰艺术也首先被视为手工作品。

在18世纪晚期，苏格兰人罗伯特·亚当（Robert Adam，1728—1792年）、英国人威廉·钱伯斯（William Chambers，1723—1796年）、法国人雅克-日尔曼·苏夫洛（Jacques-Germain Soufflot，1713—1780年）视砌石和琢石为建筑的基本元素。这些物质材料与处理石头的手工技能，是古代和文艺复兴时代古典主义文明里建筑艺术的基础，也是法国人雅克-弗朗索瓦·布隆代尔、意大利人乔瓦尼·巴蒂斯塔·皮拉内西出版的插图版著作和画册的主题。及至19世纪60年代和70年代，新一代的雄心勃勃的建筑师，由于他们所接受的训练既属于科学家和工程师，也属于艺术家和人文主义者，开始在世俗建筑里使用铸铁、锻铁和玻璃，力图打造建筑和装饰的新传统，他们的隐喻源自地质学、生物学和进化论，而不再是古代神话、基督教或文艺复兴时期的人文主义。19世纪中叶，法国、英国、美国、德国、奥匈帝国的建筑行业经历重新整顿，以便让建筑师在争取重要的公共项目之时更成功地跟工程师竞争。熔炉、生铁、玻璃熔炉、切割轮刀等机械取代古代雅典以来便使用的铁锤、木槌、凿子、锯子等工具，从而将手工艺人转变成机器的附属零件。从前，最伟大的建筑天才设计宫殿和大教堂；而今，新一代的工程师或建筑师（两者有时合作）在建造火车站或百货公司，譬如伦敦工程师威廉·钱宁·巴洛和建筑师乔治·吉尔伯特·斯科特合作设计建造伦敦圣潘克拉斯站，建筑师路易-查尔斯·布瓦洛（L.-C. Boileau）和工程师古斯塔夫·埃菲尔（Gustave Eiffel，1832—1923年）合作设计建造巴黎乐蓬马歇百货公司【图14-1】。圣潘克拉斯火车站要求铸铁横跨火车库的广阔空间，以夸张的悬臂支撑毗邻的米德兰大酒店楼梯。米德兰大酒店造有一条金属通道，采用平板玻璃和铁质的光井，营造明亮、诱惑的开放式购物空间，令廉价的新鲜玩意儿看似幻影一般美好。因此，铁和玻璃的新建筑最初是为了输送产品、工人和销售员，为商品——工业化资本主义秩序的基础——提供稳定的价值。

刻意追求现代性的风格取代了以古典时代和中世纪建筑为基础的传统风格。工业材料和新的功能需求推动现代建筑的诞生。诚然，在19世纪下半叶（以及其后），传统建筑的五大风格仍得到广泛使用，但主要只是作为传统的"遗风"（survivals）。爱德华·伯内特·泰勒（E. B Tylor）在《原始文化》（*Primitive Culture*，1871年）一书中界定"survivals"一词，定义为"一种习俗和艺术或者意见，在世界早期开始……其意义已经消亡，可能会继续存在，但纯粹是因为它曾经存在"。法国建筑师亨利·拉布鲁斯特认为古典主义，尤其是文艺复兴时期的三层楼宫殿、毛石砌、束带层和垂直连续的柱式等结构，在原则上仍是组织城市大型砌石墙壁的权威模式。然而，拉布鲁斯特所设计的巴黎圣吉纳维夫图书馆【图14-2】实际上是高度理性主义的建筑，彰显了他追求透明的理想，将建筑的内部功能一览无余地表露在外部，细至在外墙镌刻馆藏图书作者的姓名。阅览室既符合逻辑性，又合乎功能性：细薄的铸铁圆柱、桁架、双筒穹窿营造明亮广阔的空间，象征着理性的光芒和知识的民主精神。在建筑史上，圣吉纳维夫图书馆是大型公共建筑内部以铁为构架的最早范例，为19世纪后来的图书馆设计奠定了模式。

拉布鲁斯特为巴黎国家图书馆【图14-3】设计阅览室，建造在17世纪马扎然宫（Palais Mazarin）的庭院里。这间阅览室采用修长的铸铁圆柱支撑铁与陶瓷结合的穹顶，灵巧地实现了他的早期奇想。阅览室内部犹如一顶帐篷或祭坛的织锦华盖，光线和空气在空间

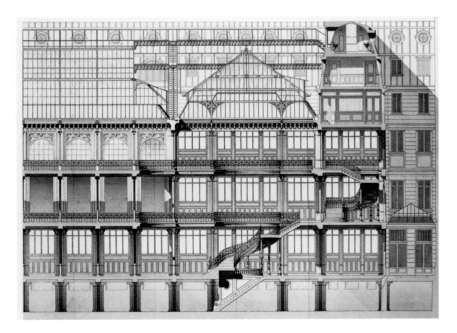

图14-1：路易-查尔斯·布瓦洛、古斯塔夫·埃菲尔 巴黎乐蓬马歇百货公司剖面图，出自《建筑与公共设施百科全书》（*Encyclopédie d'architecture et des travaux publics*），1876年

涌动，建筑本身既摆脱了古典主义的桎梏，也摆脱了物质。设计的透明感，再融合广泛使用的铸铁、弦月窗的彩绘风景和花叶饰、环绕穹顶的凯尔特式装饰雕带【图7-26】，令这间阅览室既富有怀旧情怀，又充满前卫艺术气息。如此之下，拉布鲁斯特坚定地驳斥了吉耶在18世纪所构想的原始茅屋为建筑起源的观念（1755年，第172页）【图7-5】，预见了新艺术运动的自由和幻想。与拉布鲁斯特同代的许多建筑师认为，建筑的规则和优先考虑事项也当有所改变：现今建筑的组装速度、建造效率、透明感和实用性，远胜于从前讲究人格化（建筑形似人类的身体）、比例（建筑结构的数学特征）、合宜（建筑符合修辞和用途）的古典主义和学院派模式。

在18世纪晚期，英国家具设计师托马斯·齐彭代尔（Thomas Chippendale，1718—1779年）和乔治·赫伯怀特（George Hepplewhite, 1786年逝世），法国细木工让-亨利·里兹内尔（Jean-Henri Riesener，1734—1806年）监督精致的坐椅、斗柜、桌、食橱、陈列柜等家具的设计和制作全过程。他们深谙富有顾客的喜好，自信他们自己的才能和产品能够得到高度的重视。19世纪60和70年代，设计和制作精致家具的工作通常涉及数家作坊和工厂，甚至跨越大陆，在某个作坊组装其他地方无名人氏所制作的零部件，譬如位于缅因州波特兰的意大利风格的莫尔斯—利比庄园（Morse-Libby Mansion，1860年）的家具【图14-4】，桌子和会客室陈列柜的镶嵌细工是在巴黎预制，再运到纽约的德国移民赫特兄弟（Herter Brothers）所经营高档的工坊粘接为成品。大型工厂制作价格较低廉的标准化家具，尽可能将手工制作降低到最低限度，譬如维也纳的托耐特兄弟（Thonet Brothers）的公司在摩拉维亚（Moraria）、匈牙利和波兰都设有分店。在19世纪70年代中期，托耐特兄弟的公司雇佣4500名工人，使用最新的技术和流程分工，每日生产2000件弯曲木家具，譬如咖啡馆椅【图14-5】出现在巴黎、柏林和维也纳的无数咖啡馆、餐厅、夜总会。这些工厂里的工人只是束缚于机器的双手，被远程的头脑控制着。动力车床、带锯、钢丝锯、凿榫机、铸造模具、边角打磨工具、工业用粘合剂（这些机器本身部分也是其他机器的制造物）取代了过去的手锯、钻子、水平仪、刨子、锉刀（这些工具本身也是精良工艺的产物）。用历史学家戴维·派伊（David Pye）的话说，"确凿的工序"取代了从前"冒险的手艺"。工业统治

图14-2：亨利·拉布鲁斯特 巴黎圣吉纳维夫图书馆的阅览室，1839—1850年

图14-3：亨利·拉布鲁斯特 阅览室内部，巴黎国家图书馆。1859—1868年

图14-4：古斯塔夫·赫特 会客室陈列柜，约1860年

图14-5：托耐特兄弟 "咖啡馆椅"，第14号，1859年

要求完美和无限的可复制性，从而彻底地压制了容许创造性失误、甚至偶尔失败的手工艺传统。

生产手段的转变和新的需求势必导致装饰形式和风格的变化。18世纪的许多设计传统——都是跟洛可可和新古典主义等艺术史标签相关联的风格——在19世纪继续流存，但它们的特点由于新制造技术变得夸张或混乱。1854年，约翰·拉斯金在写给《泰晤士报》的著名书信里援引装饰艺术的自由，为霍尔曼·亨特的绘画作品《良知苏醒》【图11-8】作辩护，认为这幅作品"描绘时代的道德邪恶"。拉斯金写道，当下流行一种"可怕的光彩和致命的新鲜"，暗示着虚荣、无用和恶行，感染了似亨特所描绘的室内所有的家具、书籍和绣帷织毯。在《良知苏醒》的画面右边底部，一束光线照亮钢琴脚锃亮的卷涡托架，象征性地标志着主宰社会的工业体系。这种工业体系公然放弃含蓄和创造性的劳动，以及基督教所滋养的谦卑。《良知苏醒》右侧背景的挂毯织有鸟雀和玉米——在伦敦新成立的装饰艺术博物馆展览上备受嘲讽，被戏称为"装饰艺术的虚假原则的范例"，民间统称这个展馆为"恐怖馆"（Chamber of Horrors）。拉斯金等人认为机械化使得任何装饰的奢华成为可能，譬如维多利亚和阿尔伯特博物馆（Victoria and Albert Museum，装饰艺术博物馆是其前身）所收藏的煤气台灯【图14-6】。以教育和提高大众的品位被视为防止恶俗的唯一措施。（由于英国制造商的抗议，一年后，"恐怖馆"这项教育设施被迫关闭。）

## 机械化的反对派

正如人类历史上的任何一种变迁，19世纪的劳动和生产体系的改变既深刻又彻底，但也自然伴随着焦虑和抗拒，甚至公然的反叛。在19世纪中叶，机械化生产最显著的敌对运动已经过去［在英国，非法捣毁机器的行为被称为卢德主义（Luddism）］。工业的倡导者，诸如出版家和教育家查尔斯·奈特（Charles Knight，1791—1873年）却很自信，当1851年伦敦举办万国工业博览会大获成功之际，宣称"机器和技术工人的完全结合是现代社会生产力的凯旋"。大约在同一时期，法国的圣西门主义商人、工程师、建筑师和塞纳省省长、路易·拿破仑皇帝重建巴黎工程的负责人乔治·奥斯曼（Georges Haussmann，1809—1891年）认为工人和资本家已经联合为同一工业阶级，从而能够创造出普遍的和平与繁荣。

图14-6：伯明翰的R. W. 温菲尔德公司 煤气台灯，1848年。
镀金黄铜、玻璃，高31.5厘米

然而，欧洲和美国的政治文化领域就机械生产与手工艺之间的适当关系所展开的对抗局面，实则仍未结束，而是一直持续至19世纪末，甚至在20世纪继续衍化。在机械化与手工艺的对抗里，一方是资本主义工业，政治上在英国代表是辉格党，在美国代表是共和党，在普鲁士代表是自由党，以及欧美各种倡导自由放任主义经济和快速现代化的国民、市民和企业群体；另一方是劳工和小创业家，其代表是艺术家和手艺人的合作社，诸如拉斐尔前派（拉斯金支持的群体），莫里斯·马修·福克纳公司［Morris, Marshall, Faulkner & Company，1861年创立，后更名为莫里斯公司（Morris and Co）］，以及新出现的工会，譬如1851年在英国成立的工程师联合会（Amalgamated Society of Engineers），1868年在柏林成立的社会主义者行业工会（Gewerkschaften），1869年在美国成立的劳工高贵骑士团（the Noble Order of Knights of Labor）。这些团体争取和维护创造的独立性，保护手工艺技能，以及"拥护劳动的尊严"。与此同时，产业

工人要求缩短劳动时间、合理的工薪、根除童工。有些右翼或左翼的哲学家对工人的事业抱持同情态度，譬如托马斯·卡莱尔和卡尔·马克思支持被机械化生产所取代的工人抗议；法国的库尔贝、英国的乔治·艾略特（George Eliot）等艺术家和作家也拥护工人的事业，如前所述（第273—275页），库尔贝的《采石工人》【图11-15】正是体现被机械化生产所取代的农民或手艺人沦落为无产阶级的形象。乔治·艾略特的《织工马南》（Silas Marner: Weaver of Raveloe，1861年）讲述工业时代黎明一个使用踏式纺织机的独立织工被金钱利润祸害的悲剧故事。

另一位持异见者是德国建筑师和理论家戈特弗里德·森佩尔（Gottfried Semper，1803—1879年），他参与设计水晶宫方案，协助亨利·科尔在伦敦成立装饰艺术博物馆，希望能够将艺术教育现代化，从而提升大众的品位。1852年，森佩尔在一篇德语文章里谈起他担心机械化生产对传统手工艺的影响。森佩尔的措辞让人联想到他在1849年共和派起义时所抱持的激进主义，然而起义失败，他只好逃离德累斯顿避祸。在这篇德语文章里，他写道："在投机的指令之下生产与作为自由的个人制作自己的作品之间存在一种差异。在前一种生产中，人具有双重地依赖：既是雇主也是当下流行时尚的奴隶……我们所有的工业以及相伴随的所有艺术……都算计着如何迎合市场。"森佩尔呼吁人们重新将注意力投向传统或本地的手工艺（德国及其殖民地），以便振兴艺术文化和民族的制造业。他认为建筑源自诸如"新西兰人"（毛利人）的"原始"织布艺术——森佩尔未完成的巨著《风格》（Der Stil，1860—1863年）详尽地阐述了这个理论，积极地推动欧洲德语地区成立装饰艺术博物馆，譬如柏林工艺美术博物馆（Kunstgewerbe Museum in Berlin，1867年成立），鼓励创办艺术与工艺学院。赫曼·慕特修斯（Hermann Muthesius，1861—1927年）在19世纪末创立的工艺美术学校（Kunstgewerbeschule）光明正大地仿效英国模式，譬如科尔在伦敦南肯辛顿博物馆成立的设计学校。所有这些努力为德意志制造联盟（Deutsche Werkbund）铺垫了道路。1907年，彼得·贝伦斯（Peter Behrens，1868—1940年）创立德意志制造联盟。在20世纪早期，这家机构成为德国宣传、推广手工艺和工业现代设计的最重要机构。

然而，森佩尔在苏黎世、德累斯顿、维也纳所设计的建筑，却采用他本人曾经抨击和谴责为迎合时尚潮流、权威和虚饰的极其普通与浮华的风格，如他所设计的新文艺复兴风格的维也纳自然史博物馆（Naturhistorisches Museum，1872年）。这座博物馆造在纪念弗朗茨·约瑟夫（Franz Josef）的帝国广场，但帝国广场从未彻底竣工，因为其追求宏伟的纪念性质与环城大道的城市动脉功能所要求的速度和流动相抵牾。维也纳自然史博物馆的设计和《风格》一书清晰地表明森佩尔的最基本的认识都是颇为犀利、具有影响力的见解，即建筑须创造"大都会形象"的价值，以便抵销损害了19世纪下半叶工业生产与分配的异化现象，并同时强调研究未受训练的石匠、织工、金属工、陶工、木匠等手工艺的必要性。森佩尔的认识继续在迥异的背景之下流存。英国的设计师、诗人和社会主义者威廉·莫里斯以及莫里斯在英国、美国、比利时、西班牙等国家的追随者将森佩尔的理论发扬光大。

## 威廉·莫里斯

威廉·莫里斯积极地拥护传统手工艺、给人以满足感的劳动等理念。莫里斯在牛津大学接受教育，深受托马斯·卡莱尔和约翰·拉斯金的影响，与画家但

丁·加百利·罗塞蒂、福特·马多克斯·布朗、爱德华·伯恩-琼斯（Edward Burne-Jones，1833—1898年）、建筑师菲利普·韦伯（Philip Webb，1831—1915年）等人共同设计作品，关切人类生存环境总体的理解和改变。他意识到如此宏大的任务需要诸多不同层面的研究和合作。因此，他将自己打造为既是历史学家和文物学家，也是诗人和设计师；既是创业家和劳工活动家，也是新闻记者和革命者。1859年，韦伯为莫里斯在肯特郡的贝克斯利希斯（Bexleyheath）设计红屋（因砌砖墙壁得名）【图14-7】，较早地传达了莫里斯渴望理解和影响社会及其物质文化的基础的愿想。住宅里的房间沿着L形走廊自中心朝四方辐射，这一布局及其肃穆的正面，颇似中世纪和现代公共建筑、慈善住房的设计方案，诸如山庄、学校、教堂，以及威廉·巴特菲尔德（William Butterfield，1814—1900年）所设计的约克郡鲍尔德斯比圣雅各教堂的牧师住宅（Baldersby St. James，1854—1858年）。正如巴特菲尔德所设计的稳重、色调柔和的石砌教堂和简朴的砖砌住宅，韦伯的红屋被赋予清晰的结构整体性，鲜明地彰显与当地建筑形式的关联，以及建筑师和房主对于传统建筑行业和手工艺的敬重。住宅内部以及韦伯、罗塞蒂、莫里斯、伊丽莎白·西达尔

图14-7：菲利普·韦伯 肯特郡贝克斯利希斯的红屋，1859年

（Elizabeth Siddal，1829—1862年）、伯恩-琼斯所设计的嵌入式和独立式家具、玻璃、地砖，与住宅本身一样直率、简朴，强调粉刷的墙壁、原木和木工手艺。事实上，正是因为维多利亚时代的市场上购买不到这类简单、基本的家具，莫里斯便萌生创办设计公司的念头。

莫里斯公司自从1861年开业以来，直至1896年莫里斯逝世，开发了数十种墙纸和织布的平面纹案，家具、陶瓷、彩色玻璃、金属制品的设计种类则更多。威廉·德·摩根（William de Morgan，1839—1917年）是莫里斯公司最大的陶瓷供应艺术家，韦伯、罗塞蒂、乔治·杰克（George Jack，1855—1932年）是最重要的家具设计师。此外，莫里斯设计了多种新式印刷字体，诸如"特洛伊字体"【图14-8】，专门用于他设在伦敦哈默史密斯的凯尔姆斯科特私人印刷厂（Kelmscott Press in Hammersmith）。这家印刷厂出版了文艺复兴时期的人文主义者托马斯·莫尔爵士（Sir Thomas More）的著作《乌托邦》（Vtopia，1894年版）等书籍。莫里斯甚至尝试制作染料、纸张和印墨。1880年后，莫里斯开始拥护社会主义，主张所有男女应当参与"适宜的劳动"，也即能够给生产者和消费者都带来愉悦的、创造性的、独立的劳动。他认为，在这样的体制之下，社会必然会出现民主和平等主义。所有这些艺术创作和理念带来一种全新的审美哲学。这种哲学强调自然形式，真诚地对待物质材料，恢复传统手工艺及其身份，清晰地审视制作对象的劳动过程。

在19世纪90年代，英国等国家的创业家的"艺术与工艺运动"协会（Arts and Crafts）相继吸收莫里斯的理念，其中包括英国的亚瑟·海盖特·麦克默多（A. H. Mackmurdo，1851—1942年）在1882年创立的世纪行会（Century Guild）、查尔斯·罗伯特·阿什比（C. R. Ashbee，1863—1942年）领导的手工艺行会（Guild of Handicraft，1888年成立），美国的古斯塔夫·斯蒂克利（1858—1942年）于1898年在纽约州雪城（Syracuse）创办的古斯塔夫·斯蒂克利公司，后更名为联合工艺——细木工、金属工和皮革匠行会。斯蒂克利的企业要求高度发达的劳动分工和成熟的市场战略，揭示了19世纪末工业制造与所谓的传统工艺之间交互渗透的界限。然而，斯蒂克利最出色的家具设计，如1900年制作的"山屋木桌"【图14-9】，多有

借鉴莫里斯早期所尝试的着色橡木家具，比如莫里斯大约在1856年设计的木桌，罗塞蒂曾将它形容为"结实，与岩石一般沉重"。

克里斯托弗·德莱赛是莫里斯的同代人，也是对手。他在19世纪50年代为威廉·库克父子公司（William Cooke and Sons）等制造商设计墙纸和织布，都是使用单调、相对静态的重复纹案【图14-10】。莫里斯的设计则完全不同，避免摄影式的自然主义，其纹案将观者放置在不确定或不稳定的位置。譬如他所设计的"柳枝"墙纸（Willow Bough）【图14-11】、凯莱（Cray）印花棉布（1884年），让人们感觉如同置身藤架之下或者露天空间。再如莫里斯在凯尔姆斯科特住宅内的"琉璃繁缕"墙纸（Pimpernel）【图14-12】，似乎在层次与

# 查尔斯·达尔文与形式的进化

查尔斯·达尔文在《物种起源》(1859年)诠释物种不断地在时间中出现和消失的现象。他认为某个物种经历随机的变异或突变,可能是因为变化使它们能够更好或更差地参加生存的竞争。善于适应环境或繁殖的个体更能存活,并将有利的特征遗传给后代,较弱的个体则会消亡。简单地说,某个物种的个体成员之间的细微的差异,经过数千世代的自然选择力量加以夸张,最后导致越来越大的差异,最终创造了一种迥异的新的物种。

达尔文的理论产生深刻的科学和文化影响:1)物种没有本质的存在,而只是杂交繁殖的族群,仅在统计数据的可能性方面共享一些特征;2)心灵只是大脑和身体的一种功能,也须服从同样的进化原则;3)人类并不比其他生物更有权利占据生命和自然资源;4)过去和现代是生存竞争和偶然性的产物,未来则是一个没有解答的疑问。达尔文写道,从一个简单的开始,"无穷无尽地出现最美丽最神奇的形式,并且依然在演化"。

有些视觉艺术家直接回应新兴的进化学说。1883年,奥迪隆·雷东出版一系列题名为"起源"(Les Origines)的石刻版画,体现生命的原始起源和持续发生的生存竞争。雷东的版画几乎可以肯定是受了达尔文的启发。德国艺术家马克斯·克林格尔(Max Klinger)自称阅读过达尔文的著作,他的大量作品将性欲和情色描绘为人类社会组织的主要基础[参见《诱拐》(Abduction),1881年,第432页]。

然而,建筑和设计领域更鲜明地彰显了达尔文及其进化论思想的影响。在这些领域,进化论以前的"类型形式"或原型的理念与形式必须适应功能的新思想相互抵牾。简而言之,1860年前成熟的这一代人,包括克里斯托弗·德莱赛(Christopher Dresser,1834—1904年),认为建筑和装饰艺术如同上帝创造的植物和动物,必须遵循变化和生长这一牢不可破的法则,服从礼法的传统习俗。然而,进化论以后的世代,包括威廉·莫里斯、亨利·凡·德·费尔德、C. F. A. 沃伊齐、路易斯·康弗·蒂梵尼(Louis Comfort Tiffany,1848—1933年)、路易斯·沙利文,一般都相信建筑和装饰艺术的进化是一种历史过程(正如自然界的进化),在适应、奋斗和偶然之中赋形,因此建筑和装饰的设计必须体现进化原则。正因为如此,这些艺术家和建筑师的作品具有前所未有的自然主义和生动感,他们所设计的布料、墙纸、书桌、台灯或者建筑,可以说是生机盎然。此外,这种进化主义推动大胆的尝试,为20世纪的现代主义铺垫了道路。如此之下,艺术修养颇为浅陋的达尔文,却对19世纪晚期和20世纪的建筑与装饰设计产生巨大的影响。

**奥迪隆·雷东《起源》**插图2:花朵可能尝试过最早的视力(*There Was Perhaps a First Vision Attempted in the Flower*),1883年。石刻版画,22.5厘米 × 17.7厘米

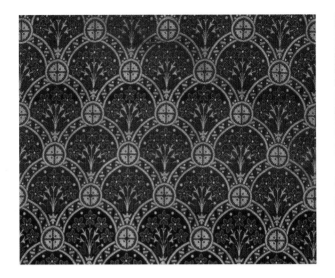

图14-10：克里斯托弗·德莱赛 羊绒丝线混纺布料，19世纪70年代

图14-11：威廉·莫里斯 "柳枝" 墙纸，1887年

图14-12：威廉·莫里斯 "琉璃繁缕" 墙纸，1876年

体积、图画与雕塑，或者自然主义与抽象之间摇摆不定。图案的动感，以及纹案与观者之间的紧张关系，远远超越克里斯托弗·德莱赛或者莫里斯的导师欧文·琼斯的作品所隐含的设计与旁观者之间的互动关系。对于德莱赛和琼斯来说，植物的形式源自不变的几何类型，也即歌德所说的原型植物（Urpflanze），其功能是拥护政府和社会的等级秩序。植物形式的抽象与理想化的装饰感体现一种静态的、达尔文以前的自然，表达所有物种源自智性设计师的不变的创造这一传统观念。植物形式作为朴素低调的装饰，即将装饰品视为低于绘画和其他高雅艺术的观念，也暗示接受财富和阶级的等级制度。正如莫里斯所说，如果人类只是因为属于这一物种而能够在装饰品上感到愉悦，那么品味就不可能有高低之分。女王、大臣和实业家并不比职员、农民和散工更有权利和能力享受美。当然，莫里斯的观点面临着不能只凭理论去克服的历史反证：无论他本人多么渴望自己的设计能够进入工人阶级的日常生活，但其产品的材料和劳工费用如此之高，只有富人买得起其公司的工艺和设计服务。他理解并惋惜这一状况，声称只有革命才能开创一个新的时代，让精良的工艺和"劳动的乐趣"不再只是少数人的特权，而是大多数人的权利。在那个时代到来以前，莫里斯公司的产品及其旗下的工坊为实用美丽的工艺品和快乐地劳动的乌托邦提供了一个范例。

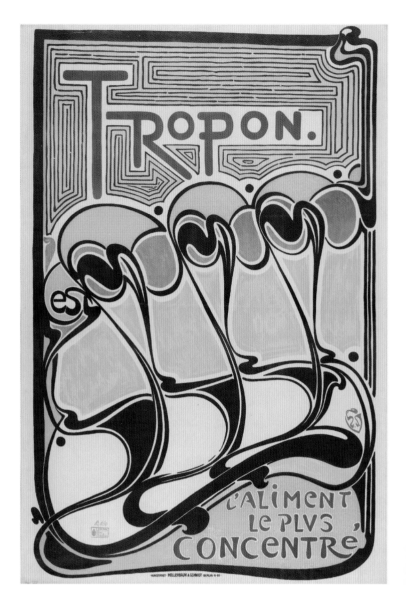

图14-13上左：亨利·凡·德·费尔德（Henry van de Velde）特路彭蛋白营养粉招贴画，1897年。石刻版画，111.8厘米×77.2厘米

图14-14上右：亚瑟·海盖特·麦克默多《雷恩的城市教堂》（*Wren's City Churches*）书籍封面，1883年

图14-15左：威廉·莫里斯"兔兄弟"（Brother Rabbit）印花棉布，1882年

莫里斯的设计通常流露对运动和透视的偏爱。他的追随者，譬如美国的路易斯·沙利文、比利时的亨利·凡·德·费尔德（1863—1957年）【图14-13】，英国的C. F. A. 沃伊齐和A. H. 麦克默多（他为《雷恩的城市教堂》所设计的书籍封面【图14-14】被视为新艺术运动的最早表现）也是如此。在莫里斯的设计里，植物和动物既是主题，也是形式。譬如他的"兔兄弟"印花棉布【图14-15】。植物、花卉、果实、鸟雀、动物的重复图案可能召唤起不可阻挡的生长和繁衍的噩梦，也可能激发愉悦和肥沃理想的幻想。这一装饰的矛盾源自莫里斯直觉的洞察力（如前文所见，他的直觉随着创作不断地敏锐起来），认识到劳动与机械化、自然与工业发展之间的现实的历史对抗。

## 艺术与手工艺，建筑与城市规划

威廉·莫里斯想要改变建筑，将建筑定义为"人类生活的整个外部环境"。批评者将他的追求形容为乌托邦式的努力。不过，这里的乌托邦并不是指唐吉诃德式不切实际的梦想，而是取用这一词语的原本含意。莫里斯所倾慕的托马斯·莫尔最早使用"乌托邦"一词指代一个坚定的地方。莫里斯如此总结这个原意："个人简直无法在他所属的共同体之外想象他自己的存

在。"为了创造这样一个协同合作的共同体，在莫里斯的带领之下，数位建筑师提出一些城市规划方案，并建造了一些房屋，宽泛地表达建筑与自然相融的理想，即消除城市与乡村之间的差异，期望借此破除大规模和非人性化的工业生产所要求的城市人口聚集。

菲利普·韦伯便是其中一位建筑师。与莫里斯一样，韦伯也公开自称是社会主义者，坦承他自身所处境况的固有的、从而也是不可避免的矛盾：作为资本时代的建筑师和设计师，他被迫投合"富人的猪猡般的奢靡"；作为一个社会主义者，他追求实现工业无产阶级的革命理想。我们无从得知他能否协调这些行动，但他日后设计的乡间住宅，譬如一位伦敦律师在萨塞克斯郡东格林斯特德附近的斯坦登庄园【图14-16】，便舍弃了古典主义的内在等级秩序（平衡、得体、比例），采用哥特式复兴的非对称性，庄园的布局和正面极其随意，仅强调清晰的功能和简朴的装饰。（莫里斯公司供应斯坦登庄园的绝大多数家具摆设）。韦伯从1877年开始领导（与莫里斯合作）世界上首个建筑保护组织——古建筑保护协会（Society for the protection of Ancient Buildings），从而积累了相关的知识，使他更理解与重视当地的手工艺传统和材料。斯坦登庄园便清晰地体现了韦伯的传统倾

图14-16：菲利普·韦伯 斯坦登庄园（Standen）的花园正面，萨塞克斯郡（Sussex）东格林斯特德（East Grinstead）附近，1892—1894年

图14-17：沃伊齐 莫尔克雷格庄园（Moorcrag），坎布里亚郡（Cumbria）的吉尔哈德（Gillhead）附近，1898—1899年

图14-18：理查德·诺曼·肖 伦敦贝德福德公园（Bedford Park），彩色石刻版画，1882年

向，砖砌的贴面墙壁和屋顶是17世纪或"安妮女王"的风格特征，巧妙地融合花园正面的檐板山墙，体现了相当高超的建筑工艺。韦伯亲自监督建造工程，确保——至少在建造斯坦登庄园之时——实现艺术家以劳动界定自身身份的理想。

沃伊齐也热忱地接纳手工艺、本地的工艺传统和材料。他所设计的坐椅和陈列柜极其简练，采用原木厚板，以鸠尾榫接头，饰以镂空心形等民间流行的纹案，远离工业产品的虚饰和炫耀。然而，他所设计的乡间住宅和山屋，譬如坎布里亚郡吉尔哈德附近的莫尔克雷格庄园【图14-17】，尽管刻意追求简朴，却依然跟莫里斯的社会主义者梦想相距遥远。莫尔克雷格庄园嵌入温德米尔湖（Lake Windermere）旁低缓的山坡，外部采用简单的粉刷白墙，双重十字交错山墙，滑坡屋顶几乎触及地面，正门低矮宽阔，周围环绕着藤本月季。这座庄园表达了一位富有的纺织制造商的怀旧梦想。在随后几十年里，缓和主义建筑风格将继续标志着乡村和城郊的别墅。

理查德·诺曼·肖不似韦伯或沃伊齐一般关心本地工艺传统的保存问题。肖的历史重要性来自他在1877年开始设计的首座"花园城市",即伦敦西郊的贝德福德公园【图14-18】。这座花园城市是房地产投机商约翰逊·卡尔(Jonathan Carr)的委托项目,后来成为英美与其他国家城市开发的模式。肖的建筑模式大都采用装饰极简的红砖房,两旁植树的道路,重要的商业和仪式性建筑凸出的山墙、直棂窗和木骨架。10年后,威廉·欧文(William Owen)将肖的模式应用于利物浦阳光港工厂镇(Port Sunlight)。1913年,格罗夫纳·阿特伯里(Grosvenor Atterbury,1869—1956年)、约翰·查尔斯·奥尔姆斯特德(John Charles Olmsted,1852—1920年)和小弗雷德里克·劳·奥尔姆斯特德(Frederick Law Olmsted,1870—1957年)兄弟将肖的模式应用于纽约城皇后区的森林小丘(Forest Hills)。

这些花园城市的方案都是乌托邦式城市设计,有意识地反对诸如维也纳的环城大道、奥斯曼化的巴黎

(参见第15章)等自由主义或迎合市场需要的规划,或者试图对抗强调企业家长制或傅立叶主义者的集产和集体主义,譬如泰特斯·索尔特于1850年在英国约克郡贝德福德附近所建造的索尔泰尔【图14-19】,其设计师是当地建筑师洛克伍德和威廉·莫森。欧洲最大、最现代的纺织厂的工人(包括童工)在索尔泰尔这座理想化的工业镇得到住房、学校、图书馆、净水等城市便利设施(不设酒馆,以免孳生酗酒或浪费的恶习)。让-巴蒂斯特-安德烈·戈丁设计法国吉斯(Guise)的工人之家(Familistère,1859年动工)【图14-20】,为1000余名钢铁工人提供集体住宅,包括有三幢大型红砖公寓楼(每间公寓配备独立厨房,浴室共用),一个玻璃屋顶的庭园围绕着室内阳台。工人家庭的工薪和食物待遇较好(包括分享利润),在工厂商店折价购买生活必需品,工厂配备诊所照料病患和老年人。工人采用许多手段禁酒,推行节俭风气,包括交错安排发薪日,避免人们同时得到大笔现金,

图14-19:H. F. 洛克伍德与威廉·莫森(H. F. Lockwood)约克郡的索尔泰尔(Saltaire),约1860年

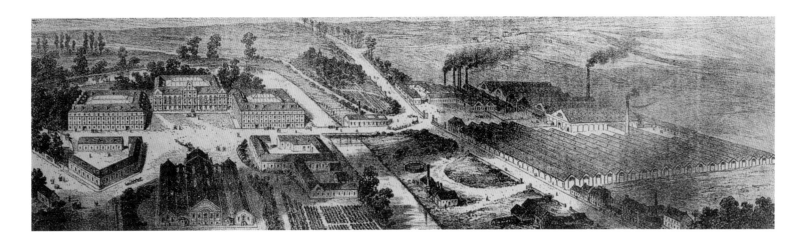

图14-20：让-巴蒂斯
特-安德烈·戈丁 吉斯
的工人之家及相关的工
厂，1859年动工，出
自《社会解决方案》
（Solutions sociales），
1871年

从而有机会聚众喝酒。[ 巧克力制造商乔治·吉百利（George Cadbury）在伯明翰附近建造风景优美的伯恩维尔工业镇（1879年），他在信托契约里宣称，酒精销售所得的全部利润将用以支付其他娱乐活动和设施 ]。

索伦·S．贝尔曼和景观建筑师内森·巴雷特（Nathan Barrett，1919年逝世）合作设计芝加哥南郊的普尔曼镇（Pullman，1880年建造），为工人提供住宿、教育、娱乐和购物设施。购物设施位于玻璃顶的拱廊大楼（Arcade Building，1882年）【图14-21】。然而，广大的资本家关系或企业循环不可能隔绝铁道工业的扩展。1894年的罢工（经济衰退、大规模临时解雇、收回工人住房之后）导致芝加哥和美国各地企

业和劳工的家长制模式全面崩溃。及至1907年，普尔曼所有非产业性的财产全部售于私人业主。

## 花园城市

在索尔泰尔这样的工业镇，工厂的劳工（少数中产阶级、中低阶级的管理人员和极度专业化的技工）得到极其有限的独立性和活动自由。他们生活在两层或三层楼的公寓，类似19世纪早期的排屋和经济公寓。相形之下，花园城市的设计既面向资产阶级经营者和小资产阶级职员或办公室文员，也面向无产阶级。花园城市的模式是私人拥有住房和家庭自主权。在所有花园城市的理论家当中，《明日：一条通向真正改革的和平道路》（Tomorrow: A Peaceful Path to Real Reform，1898年）的作者埃比尼泽·霍华德极具影响力。然而，最早实现霍华德的梦想（也是花园城市协会的集体梦想）的莱奇沃思（Letchworth）迟至1903年才动工【图14-22】。霍华德的莱奇沃思位于伦敦西北郊，其设计师是巴里·帕克（Barry Parker，1867—1947年）和雷蒙德·昂温（Raymond Unwin，1863—1941年），在理念上集合与总结前一代艺术与工艺运动的设计师和理论家所关切的各种问题。

霍华德的理论受到卢梭、普金、拉斯金和莫里斯的影响，以及他本人在1874年参观芝加哥优美的花园城市河畔（Riverside）之时的感触。河畔花园城市是由卡尔弗特·沃克斯（Calvert Vaux，1824—1895）和雷德里克·劳·奥尔姆斯特德（Frederick Law Olmsted，1822—1903年）在1868—1869年设计建造。霍华德所积累的广博的知识和经验，令他能够深刻地理解建筑、自然、劳动之间的关系。他拥抱美国各地小农场和工厂集体社区的模式，认为人们在其中心满意足地参加体力和脑力劳动，如同莫里斯的空想

图14-21：索伦·S．贝尔曼 伊利诺伊州普尔曼的拱廊大楼，1882年

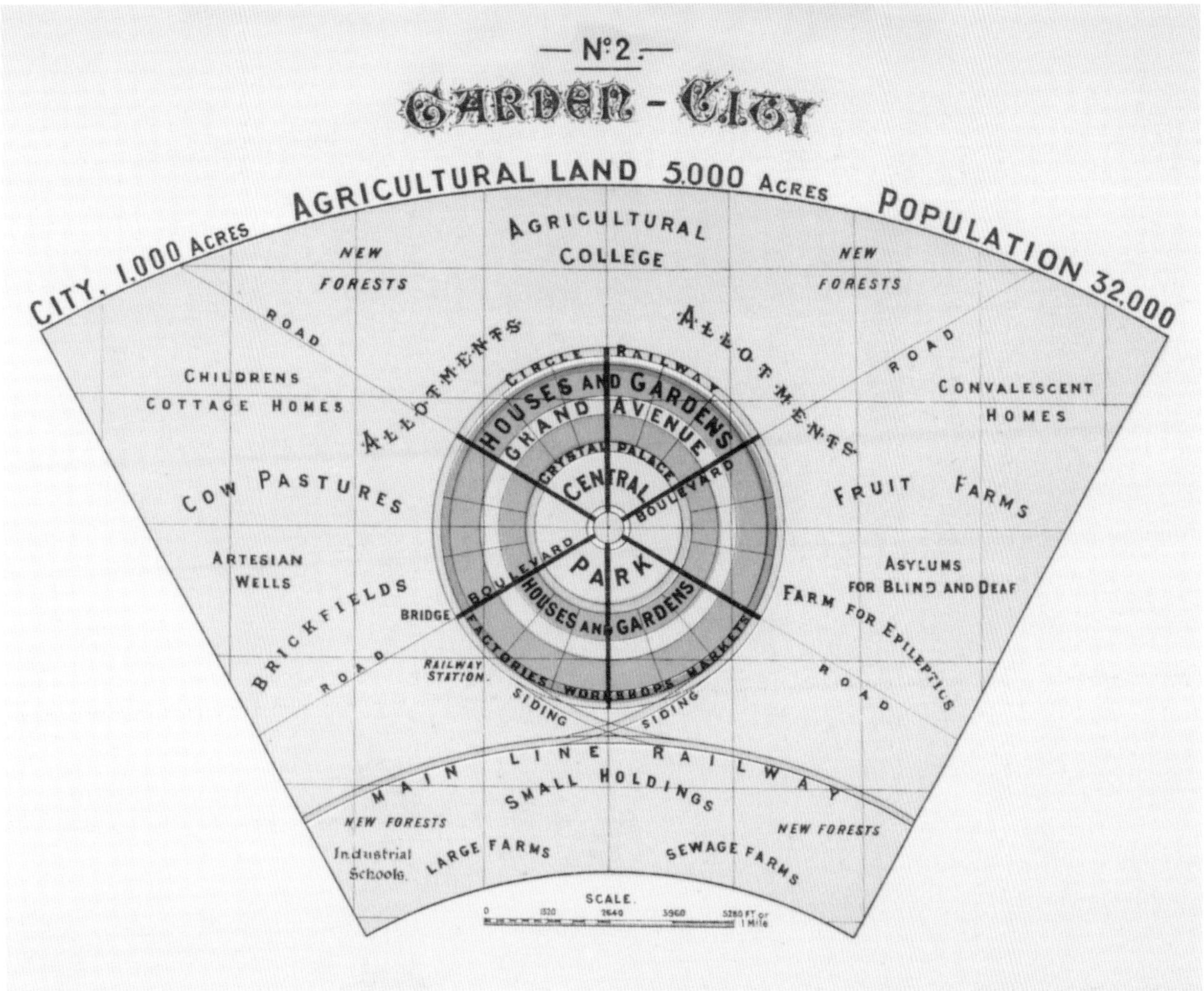

图14-22：埃比尼泽·霍华德 花园城市示意图，出自《明日：一条通向真正改革的和平道路》，1898年

小说《乌有乡消息》（*News from Nowhere*，1891年）里的人物。霍华德受到亨利·乔治的单税制理论、阿尔弗雷德·拉塞尔·华莱士（Alfred Russel Wallace）的土地国有化协会、彼得·克鲁泡特金的无政府主义（主张消除城乡区别）、莫里斯的社会主义理想的影响，坚定地认为这个建筑实践、生态学和乌托邦的理念可以通过经济合作、相互援助而实现，无须政府干预或者暴力的革命。霍华德的花园城市设计样板为圆形，广阔的大道与社区中央的公园和公共建筑（采用多样化的建筑风格）将社区划分为专门的区域，近旁是一座水晶宫，其中设置购物和冬季娱乐活动。距离城中心较远的区域则建造运动设施、工厂和环形铁道线，最后还有一片农业区，设有农场、森林和草地。霍华德认为这一结构配置"在农业区善加利用城市垃圾"，从而确保土壤长期肥沃，又无须额外的肥料。花园城市的人口限制在3万人左右。人口过多之时，便可建造新城市，所有城市以同一条铁道线连接。然而，霍华德虽提出具体的交通系统，但他所构想无疑是一座向心性城市，迥异于西班牙城市规划师阿图

罗·索里亚·伊·马塔（Arturo Soria y Mata，1844—1920年）的理念。马塔在19世纪80年代设计线形城市（Ciudad Lineal），构想一片低矮密集的住房区，以一条铁道线和林阴大道为轴线。在19世纪90年代，马德里城市化公司在马德里郊外建造线形城市的部分方案，可惜因为西班牙的资本投资薄弱而未能完全实现马塔的设计。20世纪20年代的苏联城市规划师、20世纪40年代的瑞士建筑师勒·柯布西耶（Le Corbusier，1887—1965年）都重新启用过马塔的线形城市理念。

霍华德未能在莱奇沃思实现播撒乌托邦种子的伟大梦想。由于资金匮乏，霍华德不能购买工程所需的全部土地，从而导致无法分派红利、实现经济独立。此外，正如随后兴建的纽约皇后区森林小丘等其他花园城市，莱奇沃思也未能吸引制造商，其人口大多是中产阶级通勤者及其家庭，他们被花园城市优美的建筑和景观吸引而来，但欠缺任何特殊的社区精神。因此，欧洲和美国的花园城市虽是城市和地区规划与有控制地开发的优良模式，却完全不能解决失业、贫穷、过度拥挤、疾病、肮脏的环境等巨大的城市问题，以

及很多国家和人口在工业化和资本主义的权力急剧扩展的时代所面临的共同问题。

## 与机器和解

19世纪末，许多建筑师、规划师、手工艺人、批评家厌倦了工业制造商与手工艺之间长达半世纪的争战，便提出反对新生产力的斗争既过时，也徒劳。他们目睹艺术与工艺运动无力挽回局势，全然不能将社会总体的生产和消费重新转向精良（昂贵）的手工制品。此外，他们看到英国、德国、美国等大城市和工厂体系的扩展不可避免地摧毁劳动的乐趣和创造性，他们提出疑问，正如美国人弗兰克·劳埃德·赖特在1901年所说，新的"机器的艺术和工艺"能用创造性和灵感融合理性化和标准化。用建筑师和设计师查尔斯·罗伯特·阿什比的话说，工业生产能否"社会主义化，而不只是让人们相互剥削"？

英国的德莱赛、沃伊齐、阿什比，比利时的维克多·奥塔、亨利·凡·德·费尔德，美国的弗兰克·劳埃德·赖特都是为制造机器的艺术和工艺作出历史性贡献的关键人物。前三位人物，再加上威廉·莫里斯，可能是19世纪下半叶英国最重要的设计师。如前文所述，莫里斯通常鄙弃机械制造，倡导"劳动的乐趣"的权利和必要性。德莱赛、沃伊齐、阿什比则开始接纳机器生产，因为它为资本主义工业化本身所造成的社会和文化危机（劳动的退化和失业）提供解决方案。工业设计师德莱赛认为，但凡是做工考究的消费品，无论出自哪一种制造方式，便是见证形式和功能完美结合的理想。较年轻的建筑师和设计师沃伊齐在莫里斯的传统里熏陶成长，但他逐渐开始相信审慎地使用机器并不违背艺术与工艺运动的理念，反而有助于其实现。机器可以成为设计师的合作者，使他得以摆脱乏味、低级的劳动，让心灵和精神得到更多自由。此外，德莱赛和沃伊齐都相信辛勤的劳动，无论多么乏味或异化，都是最基本的方法。德莱赛写道："凭借这个方法，我们提升自己，超越我们的同胞；劳动是我们实现富裕的途径。"

阿什比致力于追求高度的艺术标准和劳动乐趣，于1880年在东伦敦创办合作社性质的独立手工艺行会和学校，仿照拉斯金的圣乔治行会（Guild of St. George，基于基督教徒、手工艺人、乡村公社主义的实验，自1871年成立以来经历过无数转型）。在世纪之交，阿什比大概受到赖特的影响（1896年相识）

将行会迁移到科茨沃尔（Cotswolds）的奇平卡姆登（Chipping Campden），开始接纳工业化和标准化的生产，并认为机器制造有助于人们摆脱单调沉闷的常规劳动，从而有时间接受教育、提高自身，实现个性与政治进步。

## 新艺术运动

维克多·奥塔和亨利·凡·德·费尔德是欧洲新艺术运动的关键人物。新艺术运动这一国际风格的德语名称为"Jugendstil"（青年风格），另一英语名称为"Liberty Style"（利伯提风格）。意大利人钟爱伦敦利伯提百货公司（Liberty & Co.）的设计和商品，因此"Liberty Style"在意大利尤其流行。青年风格大约在1890—1905年间流行开来，断然脱离古典主义和学院派的漫长传统。新艺术运动的许多倡导者，包括法国的赫克托·吉马尔、西班牙的安东尼·高第、美国的路易斯·康弗·蒂梵尼，都为建筑和设计的实践注入前所未有的世界性，从日本风格、中国风格、伊斯兰风格、波利尼西亚风格，以及洛可可风格汲取灵感，强调装饰的情感和表现潜能，全然无视日益官僚化的文化与社会需求。

新艺术运动偏爱弯曲缠绕、波浪起伏等有机形式的金属框架和卷须，以及起伏、鼓胀和不对称的块面，譬如吉马尔在巴黎设计的随处可见的地铁站【图14-23】，里尔的科利奥特大厦（Maison Coilliot，1897年），高第在巴塞罗那设计的巴特罗之家【图14-24】，蒂梵尼设计的"蜘蛛网"书房台灯（约1906年）【图14-25】，都以前所未有的醒目感强调建筑和设计的工业化、现代化的结构和功能。这些设计的影响部分源自法国建筑师尤金-伊曼努尔·维奥莱-勒-杜克（Eugène-Emmanuel Viollet-le-Duc，1814—1879年）的理论及其学生的作品。维奥莱-勒-杜克的著作《建筑谈话录》（Entretiens sur l'architecture，1863—1872年）极具影响力，很早便开始倡导铸铁在纪念性建筑中的意外效果。早在1869年，他的学生安纳托·德·包杜（Anatole de Baudot，1834—1915年）融合铸铁与较传统的砖石砂浆，用以建造朗布依埃（Rambouillet）的教堂，从而改变了哥特式复兴风格。大约30年后，在新艺术运动的炽热氛围里，包杜与工程师保罗·科塔钦（Paul Cottancin）在巴黎圣让蒙马特尔教堂【图14-26】采用钢筋混凝土和穆德哈尔风格（Mudéjar），期望借助现代工程实现他本人的梦想，为新兴的民主公众建造聚集的空间。

奥塔和亨利·凡·德·费尔德拥有相似的民主和公社主义目标。两人都熟悉和欣赏莫里斯的艺术与思想，在维奥莱·勒·杜克的著作之外，他们也阅读莫里斯的著作，参观他在1892年"二十人组"（Les XX）展览所陈列的凯尔姆斯科特印刷厂出版的书籍。"二十人组"这一前卫艺术艺术家团体包括画家詹姆斯·恩索尔（James Ensor）、费尔南德·赫诺普夫（Fernand Khnopff，1858—1921年）、扬·托洛普（Jan Toorop，1858—1928年）。这些艺术家都是社会主义者，拥护比利时工人党的理想（Parti Ouvrier Belge，成立于1885年）。

1897年，奥塔为工人党设计布鲁塞尔总部民众之家【图14-27】。这幢建筑（现已摧毁）采用砖、砌石、铁、玻璃为材料，构造为扭曲形结构，完美地依附不规则的城市地基。民众之家由内至外都充满理性和生机。会客厅的铁和玻璃既是装饰，也担当结构功能，巧妙地融合植物的有机形式与理性规划；正面的钢条和玻璃所构成蜂巢状的外观，颇似美国建筑师路易斯·沙利文设计的当代写字楼，譬如布法罗的保险大厦（Guaranty Building，1895年）。

图14-23：**赫克托·吉马尔** 地铁王妃门站，约1900年

图14-24：**安东尼·高第** 巴特罗之家（Casa Batlló），正门细节，1904—1906年

图14-25：**路易斯·康弗·蒂梵尼** "蜘蛛网"（"Cobweb" library lamp）彩色镶嵌玻璃台灯，约1906年。青铜，玻璃，73.8厘米×51.5厘米

图14-26：安纳托·德·包杜 巴黎圣让蒙马特尔教堂，1900年。水彩画，95厘米×65厘米

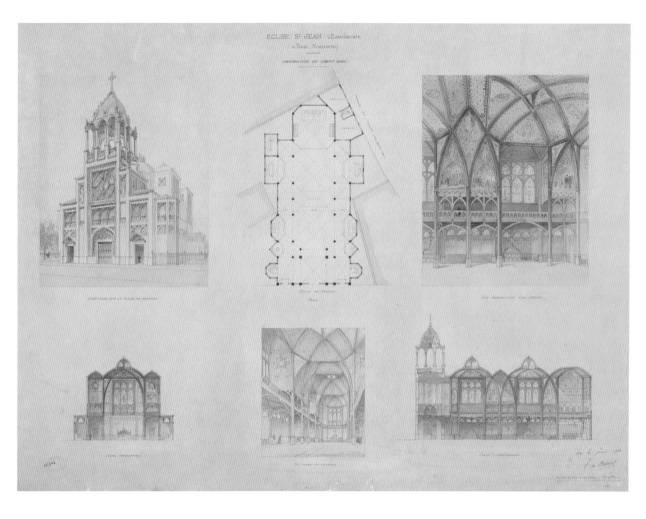

图14-27：维克多·奥塔 布鲁塞尔的民众之家（Maison du Peuple），1897—1900年

图14-28：亨利·凡·德·费尔德 为朱利斯·迈耶-格拉斐（Julius Meier-Graefe）设计的书桌，1899年

与奥塔一样，凡·德·费尔德既是建筑师，也是设计师，更是敏锐的理论家。与莫里斯一样，凡·德·费尔德也相信仅凭创造新的设计依然不够实现其理念，尽管他所设计的家具，譬如为艺术史家朱利斯·迈耶-格拉斐设计的活力主义书桌【图14-28】完全不乏新颖度。凡·德·费尔德认为设计师有责任打造一套规范装饰艺术作品的生产和供应的宏观调控体系。此外，现代设计本身必须体现一种综合原则：装饰与结构的功能，心理与外貌的效果，都必须相互关联。为了实现这个目标，凡·德·费尔德企图控制住宅内部与外部装饰的所有方面，在有些情况之下，甚至规定住户的服饰，以便实现审美的统一，或者在感知主体和建筑或设计客体之间实现"共感"（Einfühlung）。他为迈耶-格拉斐设计的书桌，似是肌肉和肌腱的构造，书桌在批评和思想的力量之下伸展、紧绷、收缩。凡·德·费尔德认为，机器是实现即将到来的审美和政治秩序的不可或缺的工具，工程师是"当代的建筑师"。

## 赖特与美国机器美学的兴起

弗兰克·劳埃德·赖特是美国19世纪最后年代和20世纪上半叶的建筑师，因此，他的事业生涯多半超越本书所覆盖的范围。然而，他的早期作品和思想重新展开50年以前的争论，宣告了新时代的建筑理念。赖特虽深受拉斯金、莫里斯、克鲁泡特金的反工业化思想的影响，但他在1901年宣称，即将到来的"机器时代"能够将工人从被麻木的工艺制作之中解放出来。［维也纳建筑师和理论家阿道夫·路斯（Adolf Loos，1870—1933年）在5年前提出类似的观点，甚至认为"装饰是一宗罪恶"。］赖特认为机器制造的建筑和装饰艺术将会坦率地体现结构，同时又能避免"装模作样的天真"——艺术与工艺运动所推崇的有名无实的简朴。他所设计的伊利诺伊州高地公园（Highland Park）的沃德·W. 威利茨住宅（Ward W. Willits House）【图14-29】便是典型的范例。这幢建筑彻底地摒弃古典主义的特征，致力于展现石头、木材、钢铁、黏土、灰泥、水泥等材料的本质与美丽。赖特所设计的家具，包括为威斯康辛州（Wisconsin）斯普林格林（Spring Green）的山坡家庭学校（Hillside Home School，1902年）所设计的侧椅（约1904年）。这把侧椅也用于纽约州布法罗的拉金大厦（Larkin Office，1904年，现已拆除），使用机器打磨的弦切橡木，鲜明地体现了他的设计理论。赖特写道："机器以其神奇的切割、塑形、打磨和重复的性能，让我们可以毫不浪费地使用木材。因此，今日的穷人和富人都能享受干净、结实的形式所具有的美丽的表面肌理。谢拉顿（Sheraton）和齐彭代尔的木材镶板家具只能以蹩脚的夸张暗示表面肌理，中世纪时代的家具则彻底地忽略。"赖特相信手艺人的灵感和机器的冷酷逻辑很快能够结合起来，并彼此改善。他所设计的拉金大厦采用红砖砌墙，共五层楼高，内庭

图14-29：弗兰克·劳埃德·赖特 伊利诺伊州高地公园的沃德·W. 威利茨住宅，1900—1902年

院采用屋顶照明，附设侧面回廊，大门上方镌刻一句格言："诚实的劳动无须主人，简单的正义无须奴隶。"

同样的理想主义和理性主义信念激励着世纪交替后两个年代间所出现的许多工艺与工业组织，譬如维也纳工坊（Wiener Werkstätten）、德意志家具厂（Deutsche Werkstätten），以及前文提及的德意志制造联盟。德意志制造联盟的建筑师特奥多·费舍尔（Theodor Fischer，1862—1938年）在1907年写道："工具与机器之间没有固定的界线。令作品低劣的不是机器本身，而是我们没有能力正当地使用机器。"慕特修斯认为当下时代需要一种"机器风格"（Maschinenstil），须舍弃华而不实的装饰，响应消费者和资本主义的需要，即迎合"时代的经济本质"。于是，为19世纪晚期设计提供框架的理论争论至此终结——至少在理论上。在机器制造与手工艺的争战

里，机器取得决定性的胜利。此后，技术工人与工业资本之间的斗争将采用新的形式。

## 世界博览会的建筑与资本主义商业

在19世纪下半叶，建筑与设计的不朽作品都是源自资本家与工薪劳工之间继续衍化的冲突、新旧生产力之间持续的分歧。争竞性起源的迹象随处可见，譬如源自埃及、希腊、罗马，以及哥特和文艺复兴时代的古老传统继续流存，新兴的现代风格则无视任何历史参照系。有些建筑师和设计师顽固地维护传统的建筑方式，也有些建筑师和设计师热情地拥抱钢铁、玻璃、钢筋水泥的新工程模式，并继续推动建筑和装饰如何体现自然形式与人类身体的争论。这类分歧通常呈现于同一座建筑，诸如拉布鲁斯特在巴黎设计的图书馆，托马斯·迪恩（Thomas Deane，

图14-30：亨利·霍布森·理查森 伊利诺伊州芝加哥的马歇尔·菲尔德批发商店，1885—1887年

1828—1899年）和本杰明·伍德沃德（Benjamin Woodward，1816—1861年）设计的牛津博物馆（Oxford Museum，853—1860年），其设计既是哥特式，也是理性主义，同时又展现了自然主义和高度程式化的装饰风格。或者诸如亨利·霍布森·理查森（H. H. Richardson，1838—1886年）设计的芝加哥马歇尔·菲尔德批发商店（Marshall Field Wholesale Store，1885—1887年，现已拆卸）【图14-30】。在马歇尔·菲尔德批发商店的设计里，历史主义的风格特征，包括文艺复兴时期的蚀砌墙壁宫殿和罗马式的拱门，被纳入清晰得惊人的形式和功能之下。尽管花岗石和赤褐色砂石（石块巨大，99.06米长×57.91米宽×38.1米高）砌成的巨墙，但空间看似连续单一的整体。重复的窗户和拱廊位于同一层，自底部至楼顶采用统一的纹理，使用低浅的飞檐营造体积感，体现出开放宽阔的内部空间，尤其适宜向往来不绝的推销员、批发商和零售商展示服装和干货等商品。

然而，世界博览会和高层商业办公楼这两种全新的工业时代建筑类型，也许最清晰地体现了传统与现代、手工艺与工业之间的矛盾，以及超越这些矛盾的梦想。第一种建筑类型的典范是1851年伦敦的水晶宫博览会、1889年巴黎国际博览会，或称埃菲尔铁塔博览会；第二种建筑类型的典范就是路易斯·沙利文在芝加哥的作品。

## 水晶宫

水晶宫博览会（参见第186—189页）得力于王室的经济赞助，以及19世纪40年代宪章运动被镇压之后资产阶级享受自信和繁荣的社会状况。这场博览会致力于鼓吹大不列颠的工业和殖民进程，宣告英国至高无上的文化和贸易成就。在展示工业技术、制造品和原材料之外，博览会也是"劳动的盛典"。正如一位观察者所说，水晶宫本身是"摆在海德公园的世界赤道"。温室建造商约瑟夫·帕克斯顿仅在6个月内便设计建造了展馆。亨利·罗素·希区柯克（H. R. Hitchcock）等后人指出，水晶宫的建筑意义在于理性和组件的特征；在于利用大规模生产；在于令快速装配成为可能的高度发达的劳动分工。希区柯克写道，水晶宫的"审美品质归功于迄今为止未被认可的因素——批量生产的组件的重复性，十字交叉的桁架构成蕾丝般图案的功能性，空间的透明度，彻底地排除

墙体，营造一种可伸张的、具有生命的力量，迥异于先前石砌建筑的结实和重力感"。

展馆内陈列着来自地球上几乎所有国度和民族的物品，尤其突显英国殖民地的产物，包括印度、加拿大、澳大利亚、新西兰。也有展厅专门展览艺术、建筑和设计的历史和衍化进程，设有埃及、伊斯兰、中世纪、文艺复兴风格的展位。两年后，水晶宫被拆卸，转移到锡德纳姆（Sydenham）重新装配，并加以扩大，这些历史展览随之增添内容。在锡德纳姆展馆这里，欧文·琼斯和马修·迪格比·怀亚特（Matthew Digby Wyatt，1820—1877年）设置美术展厅，包括典型的埃及、希腊、罗马、阿尔罕布拉宫（Alhambra），旨在全面地促进通用设计的理念——这在琼斯的极具影响力的著作《装饰的基本原理》（*The Grammar of Ornament*）【图14-31】中充分地表现出来。这部厚重的巨著包括大量彩色石刻版画插图，从"野蛮文化"、"文艺复兴"到"印度文化"，逐一描述19世纪的装饰风格。琼斯认为艺术与装饰是所有民族和文化共通的领域，优秀设计的原理总是具有普遍性。琼斯在开篇探讨毛利人刺满纹身的头颅与雕刻图案的独木舟桨之间交错关系，宣称后者是"最高文明的对手作品……任何地方的装饰都是最适宜于其形式。身穿条纹裤和格子衫的现代制造商，只是延续了野蛮人刻在刀柄的条纹和圆圈图案。新西兰人的直觉让他们更明智，他们想要舟桨不但本身牢固，而且要有看上去就很牢固的外观。他们选择这样的装饰，给舟桨的表面额外增添一种它原本就拥有的力量"。

琼斯虽似崇尚民主的国际主义者，但他的装饰观念本质上属于静态的类型学，视装饰为纯粹的形式，全然脱离民族、历史和意义，并将非欧洲的设计贬抑为时间的真空地带，或称为人类学的"民族志的现在"（ethnographic present）。因此，《装饰的基本原理》与海德公园或锡德纳姆的水晶宫展览都具有深刻的内在矛盾：既具有国际性又属于帝国主义，既进步又停滞。当时很多观众和评论者认为，这些博览会是在谴责乡土观念。在博览会的舞台上，各国与各民族和平地比试工业、艺术、科学、贸易的成就。然而，博览会实则是为国家主义和新兴的帝国主义颂唱赞歌，揭示国内的繁荣与随后数世代英国的政策和大众意识形态所暗含的海外殖民霸权之间最根本的关联。

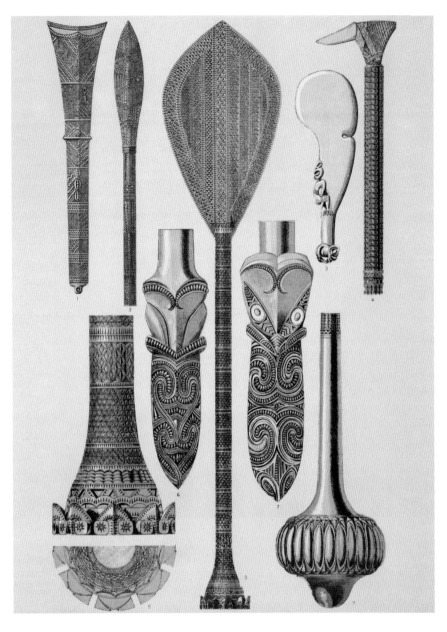

图14-31：欧文·琼斯
"野蛮部落"（*Savage Tribes No. 3*）第3幅插图，出自《装饰的基本原理》，1856年

## 埃菲尔铁塔

　　1889年巴黎国际博览会也推崇类似的意识形态和政治意图。1798年，欧洲首次工业制造展览会"法兰西工业产品展览会"（Exposition publique des produits de l'industrie française）就在巴黎举行。这场展览会是督政府为10年前所成立的共和政府庆祝周年，歌颂劳动和工业艺术，鼓吹法国在经济竞争中压倒英国（实则并没有取得多少胜利）。直到1850年之后，路易·拿破仑实施经济开放政策，法国才开始依照水晶宫的模式举办国际性的博览会。1855年、1867年和1889年，法国举办的国际博览会企图与英国在艺术、手工艺、消费品、重工业的舞台上比试。1889年博览会的场面最为盛大，旨在纪念100年前攻占巴士底狱的历史事件。与水晶宫博览会一样，这场博览会通常

冠名为其象征性的建筑——埃菲尔铁塔【图14-32】。

　　桥梁和高架桥建筑商古斯塔夫·埃菲尔策划，工程师埃米尔·努吉耶（Emile Nouguier，1840—1898年）和莫里斯·克什兰（Maurice Koechlin，1856—1946年）在建筑师斯蒂芬·索维斯特（Stephen Sauvestre，1874—1919年）的合作之下提出设计埃菲尔铁塔的方案。据当时一张设计图表显示，这座"300米指示塔"的基本方案在1884年便已经完成（并取得专利），建造时间花费两年之久。铁塔需要巨大的砌石地基，底座设有四座拱门，每一层塔楼搭建扩大的平台和电梯，塔尖安置钟形穹顶和叶形装饰纹案。铁塔本身则是仓卒造就，可能为赶上博览会的最后期限，或是先发制人，企图在设计方案公开之前避免尖刻的批评。公众联名上书博览会理事阿道夫·阿尔方（Adolphe Alphand），抗议埃菲尔铁塔，最著名的署名者有设计巴黎歌剧院的建筑师查尔斯·加尼叶（Charles Garnier）、画家欧内斯特·梅索尼埃、小说家和批评家埃米尔·左拉。这封抗议书发表在《时报》（*Le Temps*），文中呼吁："我们……以被轻视的法国趣味之名，用尽我们的力量抗议在我们的首都中心竖立丑陋无用的埃菲尔铁塔。……这个埃菲尔铁塔无疑是巴黎的耻辱，即便是一心钻营贸易的美国人也不愿认为己有。"

　　然而，埃菲尔铁塔一竣工便得到知识界和普通公众的喜爱，可以说是同时象征了资产阶级第三共和国政府大肆吹嘘的理性、国际主义、迷信和沙文主义。埃菲尔铁塔的纪念建筑形式源自高架桥的指示塔，据埃菲尔所说，其独特的弧度、支柱、扶壁、实心和空隙，都是经过精确计算风力、水力和重力得出的结果。巴黎城里几乎每一个角落，都可以望见埃菲尔铁塔，从而使它不可避免成为观看史上现代与过去的巴黎所企及的巅峰。

　　此外，埃菲尔铁塔汇总了法国的国家主义与帝国主义的传统和雄心。尖顶、扶壁以及绝大多数装饰（有些在1937年拆卸）借鉴罗马和哥特风格：底部的四大拱门让人联想起拿破仑的凯旋门和卢浮宫西侧的卡鲁索凯旋门（Triomphe du Carrouse）。拿破仑的凯旋门建造于1806—1836年，其设计师是查尔格林（J.F. Chalgrin），卡鲁索凯旋门建造于1806—1808年，其设计师是查尔斯·佩西耶和方丹。埃菲尔铁塔的塔尖颇似哥特式大教堂的尖顶，从而关联到法国政府的

精神起源。因此，埃菲尔铁塔以其材料、尺度、现代性以及建筑参考的范围，暗示了法国在扩张盛期的雄心、帝国的影响力，以及挑战大不列颠经济霸权的国家意志。

## 路易斯·沙利文：形式依附功能

路易斯·沙利文通常被认为在1890年前后发明了现代钢筋结构的办公楼。这种建筑类型与英法两国的博览会展厅一般新颖。事实上，密苏里州圣路易斯的

图14-32：古斯塔夫·埃菲尔 巴黎埃菲尔铁塔，1889年，1937年修改以前（尤其是最低层的露台）。路易-埃米尔·杜拉德勒（Louis-Émile Durandelle）摄影，1889年。蛋白银盐法

图14-33：路易斯·沙利文 密苏里州圣路易斯的温赖特大楼，1890—1891年

温赖特大楼（Wainwright Building）【图14-33】体现了既新奇又易模仿的样式。大楼底层中央开设一道大门，两侧各置平板玻璃加横楣的商店橱窗。底层上方是一个夹层，垂直的橱窗面积仅为底层的一半，以便设置更多零售和贸易的铺位。夹层上方为束带层，建造完全相同的七个楼层，沙利文称之为"蜂巢里的小室"，适合作为办公空间。这些办公室以纤巧高挑的

支柱为垂直轴线，以装饰性赤陶的正方形拱肩为水平轴线。最上方为柱上楣构，外加开设圆窗的阁楼层（掩饰其机械功能）和突兀的飞檐作为整幢建筑的尾声。由于这幢建筑赋有一目了然的设计——形式清晰的功能，被视为现代贸易和建筑现代主义的理性范式。

1896年，沙利文在《高层办公建筑的艺术思考》（*The Tall Office Building Artistically Considered*）一

文中写道："形式总是依附功能。"他的意思是形式在体现建筑的构成部分和装饰细节之时，必须首先考虑建筑的用途。沙利文的其他商业和办公建筑都遵奉这一信条，譬如芝加哥的卡森·皮瑞和斯科特百货公司（Carson, Pirie, Scott and Company department store）【图14-34】。沙利文的同事和竞争对手在芝加哥建造的数座建筑也是遵奉他的理念，譬如建筑师丹尼尔·伯纳姆（Daniel Burnham，1846—1912年）、约翰·韦尔伯恩·鲁特（John Wellborn Root，1850—1912年）设计建造的信托大厦（Reliance Building，1894—1895年），威廉·霍拉伯德（William Holabird，1854—1923年）、马丁·洛希（Martin Roche，1853—1927年）设计建造的马凯特大厦（Marquette Building，1893—1894年）。马凯特大厦虽缺乏沙利文建筑的有机形式的装饰，但大厦外观绝妙地体现内部的功能。信托大厦的表面以玻璃和白色陶土构成编织的幕布，几乎彻底地丧失物质性，将支撑结构的内部钢铁框架完全裸露在外。

然而，建筑史家戴维·凡·赞腾（David van Zanten）指出，沙利文与这些可敬的同代人不同，他接纳生机蓬勃的装饰，尤其呈现于卡森·皮瑞和斯科特百货公司的街面楼层，这些装饰远不只是功能的纯粹表现。沙利文的装饰，譬如缠绕扭曲的饰面和丝带、卷须、星芒等阿拉伯式纹案，是追忆欧洲建筑和设计史早期时代的风格。他的风格概括了工业时代的基本论战——克里斯托弗·德莱赛的理想有机形态与威廉·莫里斯的偶然植物形态之争。德莱赛认为自然提供了一整套预先存在的形式，供现代艺术和工业任意取用，加以复制或修改；莫里斯则认为植物和动物的形状是历史和进化过程的产物，正如人类及其社会，不可能被组织编排为单一连贯的系统。这场争论

图14-34：路易斯·沙利文 伊利诺伊州芝加哥的卡森·皮瑞和斯科特百货公司，正面和大门，1898—1904年

及至20世纪20年代至30年代才终结，卡森·皮瑞和斯科特百货公司等建筑的狂热和易变的装饰可以说是具体阐明了各方的观点。20世纪上半叶，一种新兴的国际主义风格摧毁有机主义的语言、手工艺术、劳动乐趣的梦想。沙利文在美国中西部所设计的建筑和装饰体系可以说是浪漫主义梦想在机器控制之下的最后一次喘息。

# 第15章　马奈和印象主义画家，约1850—1882年

## 导言

1789年、1830年、1848年的法国和欧洲的革命深刻地影响时代的艺术文化，普法战争和1870—1871年的巴黎公社却几乎丝毫未曾影响其时代最重要的艺术家和运动，即爱德华·马奈、克劳德·莫奈，印象主义。1871—1872年以后，艺术家们一如既往地似战败前一样继续创作，直至衰老或死亡。可以说，这是历史上最为稳定的前卫艺术时期。

1848年之后的数个年代或可称为"进化论的时代"。在法国，路易·拿破仑皇帝恩威并施，有效地压制了革命，第二共和国政府时期（1848—1851年）赢得的政治和新闻自由被削弱；巴黎的经济机会也随着大规模公共工程项目的展开而增多。这个项目就是通常所谓的奥斯曼工程（Haussmannization），以城市督察乔治·奥斯曼男爵命名。巴黎城市改造项目转而吸引庞大的私人投资（以及贿赂和暴利），就业率便相应地上升，工薪上涨，社会相对和平。达尔文在《物种起源》描述自然历史缓慢又稳定的变化，而今看来，人类的历史似乎也符合稳步进步的机能。这个历史背景下出现一位典范式艺术家：爱德华·马奈。

马奈的艺术或许可以描述为一种缓慢又稳定的状况。他是街头漫步的"漫游者"，坐在咖啡馆观察现代生活的变化无穷的游行，然后试图在绘画作品里将其捕捉。他的绘画又要求观者进行持久又慎重的观察。他的作品《杜伊勒里花园音乐会》（Music in the Tuileries）【图15-3】类似一部描绘数十名主角和配角的城市小说。他的《奥林匹亚》【图15-6】参加1865年沙龙，激发公众的愤慨，所描绘的对象是很多巴黎男子亲眼见过、但可能从来没有真正探讨过的题材——一个妓女倚在床上（现实里可能没有黑人侍女）。（在巴黎的妓院门口，客人寄存帽子和外套，通常也顺便寄存道德和伦理观念。）画中的年轻女子面露无耻和倦怠神情瞅着观者。我们被告知，愤怒和生存便是这样的。[几乎20年后，马奈在《佛利贝尔杰的吧台》（A Bar at the Folies-Bergere）【图15-21】再次运用这个神情]。在《奥林匹亚》里，马奈采用分离的色块，这个用色手法营造类似"原始"或民间艺术的笨拙和平面感，透露了库尔贝等画家的影响。这个手法暗示一种叛逆，与画中主角的无动于衷的神色大相径庭。《奥林匹亚》在首次展览之时之所以会引发公愤，可能就是因为这一内在冲突。在某种程度上，公愤延续至今。追随马奈的印象主义画家们通常（至少试图）避免争议。

1874年在摄影师纳达尔工作室举办展览的艺术家都是属于反前卫艺术的人物。他们用"合伙人协会"（Société Anonyme）这一毫无意义的名号自称，不设置任何艺术纲领，也不宣称政治倾向或原则。然而，合伙人协会的一个次群体确实具有共同的趣味，其中包括莫奈、德加、毕沙罗、塞尚、西斯莱、莫里索（Morisot，1841—1895年）、卡萨特（马奈没有参加1874年的展览）。譬如，这些画家都偏爱户外绘画（德加属于例外），偏爱描绘消遣活动，诸如野餐、划船、洗浴、城中漫步、购物以及流行的娱乐项目，诸如马戏团、咖啡馆音乐会、芭蕾舞。在绘画风格方面，他们大多追随马奈，规避色调塑形和柔和的色彩，偏爱鲜艳的色彩，不掺杂黑色或深灰色。批评家（然后艺术家本人）称这种风格为印象主义。这个风格——其成员并不固定，因此，在严格意义上不能视为一种艺术运动——完美地符合1871年残酷镇压巴黎公社成员及其同情者以后轻佻的城市和郊野生活。印象主义对欧美艺术的直接影响至少持续了一个世代。

## 爱德华·马奈与奥斯曼工程

爱德华·马奈在1832年出生于巴黎，1883年在巴黎逝世，他的一生凑巧通贯法国这座首都的现代化过程。及至1850年，巴黎在很多方面仍是一座中世纪城市：街道狭窄盘曲，住宅多为木结构，供水和下水系统匮乏。随着城市人口增长——1836年增至100万，1856年150万——城市广场、公园和墓地都改造为住宅，严重地限制了阳光与空气、人流与货品的流通。贸易和工业不断进步，巴黎闭塞的住宅模式和陈旧的基础设施严重地阻挠了结核病和霍乱的预防。

所有这些都在1852年开始改变。拿破仑政变成功之后数日内，便宣布一项浩大的公共工程，旨在重新规划和重建巴黎城。在巴黎督察乔治·奥斯曼男爵的指挥之下，这项工程（在整个第二帝国时代持续展开）修造新供水和下水道系统，开辟新大道，修直和拓宽旧街，安装路灯，设置公园和交通枢纽，建造投机性的新住宅和商业建筑等。

除了改善健康和交通设施，路易·拿破仑皇帝及其督察的意图是确保人民同意或服从非民主政府：公共建设工程在大规模失业时期为数千人提供就业机会（在1848年大革命时期，一大半巴黎工人失业），城市改造分散城里和圣安托万市郊等地区的激进社区。因此，巴黎重建工程既是经济的努力，也是政治策略。此外，当时很多人认为修直拓宽的马路是为了便于炮弹穿梭——人们的看法或许并不完全准确，但巴黎城的官员在数十年间目睹三场革命，脑中难免会浮现这类联想。事实上，1871年春末，巴黎公社失败后，无数成员被处决之时，笔直宽阔的马路确实派上高效率的用途。马奈的素描《路障》（*Barricade*，约1871年）【图15-1】便是表现这一场景。

奥斯曼工程（人们对巴黎改造工程的俗称）产生极大的社会和文化影响，以及经济和政策的效果。在一个世代之内，巴黎转变为我们今日所见的城市，成为时尚、高雅、傲慢、冷漠的大都会。建筑的同一性取代城市的混合性，阶级隔离取代社会融合，无动于衷的公众态度取代活泼易变的氛围。富人和穷人的生活区域曾经相对地接近，而今日益拉开距离，富人住进塞纳河右岸林阴大道两旁时髦的公寓楼，穷人则挤在诸如梅尼蒙当（Ménilmontant）、贝尔维尔（Belleville）、维莱特区（Villette）等远离市中心的廉价住房和公寓。市中心曾经充满混乱和喧嚣，马车、行人、乞丐、街头艺人、出售旧衣和补陶器的叫卖贩子、狗理发匠等络绎不绝。正如卡尔·贝德克尔（Karl Baedeker）所说："相比其他很多大城市，这里没有那么嘈杂……是相对静谧的地方。"在前一世代，仅凭衣着举止便能辨识一个人的社会阶级、职业和身份，而今大型百货公司出售大规模生产的服饰，再加上资产阶级与无产阶级之间的中低阶级不断增大，使得身份辨识日益困难。这座城市也成为陌生人、孤儿、难民的栖居地。

然而，人们通常很容易夸大第二帝国时期巴黎的富裕和象征性的生活被侵蚀的程度。毕竟，对于现代性的恐惧和非难一直是现代文化本身不可或缺的部分，雷蒙·威廉斯（Raymond Williams，1921—1988年）曾指出，这类情绪至少可以追溯到14世纪

图15-1：爱德华·马奈《路障》，约1871年。水彩与水粉，46.5厘米×33.4厘米

的《农夫皮尔斯》(*Piers Plowman*)。从1830年维克多·雨果的《巴黎圣母院》(*Nôtre-Dame de Paris*)前言,到10年后巴尔扎克的《小市民》(*Les Petits Bourgeois*),都可以看到人们指责城市的世俗亵渎神圣的巴黎城。纵是如此,大约在19世纪中叶,巴黎出现一些古怪的精神症候,似乎揭示了这座首都城市所经历的变迁的独特性。"漫游"和现代主义者的绘画便是这一症候的两个相关范例。

### 漫游者

诗人波德莱尔和画家马奈组成的小型群体,在日益缺乏社会标志的环境下开始摆出漫游者的亚文化姿态。漫游者令现代男性的个人主义象征"越来越成为自己"。他们总是无所事事,到处闲逛。他们视巴黎为一场供自己消遣的盛况,认为橱窗里的商品是供他们膜拜的偶像。瓦尔特·本雅明写道:

马路成为漫游者的居所……在住宅区前的街头与自家四壁内一般舒适自在。他觉得

图15-2:查尔斯·墨顿
《停尸房》,1854年。
蚀刻和针刻凹版画,
22.2厘米×19.8厘米

商店闪亮的瓷漆招牌是相当不错的墙饰,不亚于任何资本家客厅里的油画作品。街头的墙壁是他摆放笔记本的书桌,报摊是他的书房,咖啡馆的楼厅是他工作之余俯视家眷的阳台。那一种人生,以其多样性和无穷无尽的变化……在灰暗的卵石街与灰暗的专制政府背景之下繁荣。

漫游者缓步走过巴黎的马路,审视眼前的一切,如同侦探寻找解决悬案的线索。蚀刻师查尔斯·墨顿(Charles Meryon)便是这样一位侦探。他创作于1854年的蚀刻版画《停尸房》(*Mortuary*)【图15-2】是一组描绘巴黎变迁状态的22幅蚀刻版画系列中的一幅。墨顿在前景刻画了一桩犯罪或悲剧的后果:一具尸体显然从河中拖出来,正被抬往城里的停尸房。

在绝大多数情况之下,漫游者的目光更精微、更敏锐,每个细节都是证据:衣袖或裤腿的破绽,衣领敞开的深浅,都是揭示城市陌生人身份的必要前提。在巴黎,譬如马奈的《杜伊勒里花园音乐会》【图15-3】所描绘的杜伊勒里花园,或者《阳台》(*A Balcony*)【图15-4】所描绘的阳台一角,从这些地方可以看到,市民所展现的社会和心理差异的迹象极其细微。因此,这类侦察工作尤其微妙、有益。

艺术史家和策展人弗朗索瓦丝·加辛(Françoise Cachin)认为《杜伊勒里花园音乐会》可能是"在题材和技术上真正属于现代绘画的最早范例"。马奈将许多时髦的熟人和朋友点缀在画中高雅集会的各个阶层人群里。波德莱尔站在画面偏左最粗的一棵树干下,画家的兄弟尤今·马奈侧身站立在画面中间偏右的位置,他正朝左面鞠躬致意;他的右边坐着作曲家雅克·奥芬巴赫(Jacques Offenbach),留着小胡子。简而言之,《杜伊勒里花园音乐会》构成一部以巴黎精英为主角的影射小说,但将焦点投注于漫游者。在这幅作品里,漫游者成为他人观览的对象;他们的衣着和特征——隐藏于白色、黑色、黄褐色的模糊色彩和交错杂乱的树木中间——成为他人窥探其阶级和性情的迹象。

马奈的《阳台》[以及卡萨特的《包厢》(*In the Loge*),【图16-13】]也采用类似的手法,逆转观看与被观看的位置。在《阳台》中,两个女子穿戴白衣和绿色饰物,一个男子身穿黑衣佩戴蓝色领巾,一名仆人位于左上方的阴影里,一条不知品种的狗蹲在左下

图15-3：爱德华·马奈
《杜伊勒里花园音乐
会》，1862年。布面油
画，76厘米×118厘米

图15-4：爱德华·马奈
《阳台》，1868—1869
年。布面油画，169厘
米×125厘米

方，整个场景取景阳台上一道绿色铁栏杆和绿窗板之间。坐着的女子是画家贝尔特·莫里索。画中人物的目光模仿1869年沙龙的观众因迷惑而游离不定的眼睛，或朝左看，或朝右看，或注视中间。卡斯塔纳里写道："《阳台》中两位女性的矛盾态度，让我感到困惑……一幅绘画的每个人物，应当如同一部喜剧的角色，各有各的位置，扮演其角色，致力于体现作品的主题。"然而，马奈不肯让他的女性人物或者他自己承受这类拘限。他追求更高蹈的个人主义原则，甚至不惜以观众的误解为代价，只要能够跟志趣相投的艺术家和作家一同生活和工作，在波希米亚主义与上流社会之间的边缘地带找到创造空间，他便感到有所慰藉。

马奈和画家、平面艺术家康斯坦丁·居伊（Constantin Guys，1802—1892年）等在美术学院体制之外创作的艺术家，都是天生的漫游者。他们没有固定的职业，甚至居无定所。他们在住所和工作室之间往返，流浪汉似地在城里寻觅模特和题材。波德莱尔观看居伊的《香榭丽舍大街》（*Champs-Elysées*）【图15-5】这幅空洞无意义的素描之后，评论道："人群是他的领地，正如空气是鸟的领地，水是鱼的领地。他的激情和专业就是跟人群结合。"与波德莱尔一样，男性艺术家-漫游者在政治上是自相矛盾的人物。他们鬼鬼祟祟地混迹人群，他们面无表情的风格

图15-5：康斯坦丁·居伊《香榭丽舍大街》，1850年。钢笔墨水素描，24.1厘米×41.6厘米

和幽默，都让以操纵着民众的政治认同而存活的专制政府视他们为眼中钉。在大多情况之下，漫游者不是爱国者，也不是欢呼者，完全缺乏市民的天真。然而，他们热切地倡导现代性，从而具有一些用处：他们真诚地相信乐蓬马歇百货公司人体模特所披的，或者卡布辛大道上资产阶级良民的肩头所穿的大规模制造的衣服，确实包含独特身份的线索；他们在接受和鼓吹支撑着第二帝国的堂皇的外观及其"灰暗的专制背景"的商品拜物教。巴黎既似幻影，又是独裁专制。它貌似一台魔法灵验的永动机——正如德拉克洛瓦在1855年博览会上所见——完全拥有自己的意志，独立于工人的劳动或阶级与性别的斗争之外。"漫游"就像与商品拜物教合伙，一同暗中谋划，并发誓保守秘密。绘画作品里的艺术家马奈便是如此。

## 马奈的《奥林匹亚》

然而，马奈有时似乎抵制阶级和性别意识形态的既定结构，从而真正地实现他和同代人声称追求的个人主义或自主性。他的《奥林匹亚》（1863年创作，1865年展览）【图15-6】作为艺术史上极具恶名的绘画作品，一经公开展览，便顿时压倒了《草地上的午餐》【图13-12】。《奥林匹亚》描绘了一个全身赤裸的白人女子，斜倚在床榻上，目光注视观者。一个着衣的黑人女子手捧一束鲜花注视奥林匹亚。主角所倚

靠的床榻几乎与观众的视线平行，左下角的床单和右边底部的晨褛倾泻直侵观者的视觉空间。因此，这幅绘画的构图颇为机械地左右与上下平衡，愈发衬托不合礼仪或不平衡的题材。

与作品的题材、构图一样，《奥林匹亚》的色块、笔触也十分扎眼。学院所认可的沙龙绘画通常追求光洁的表面，无形的笔触，形体塑造光滑，《奥林匹亚》却仍处于粗糙的初稿状态：色块鲜明，色调过渡生硬，对比强烈，比如裸体的肩膀、胸脯、腹部、臀部。此外，床单、晨褛、裸体的身躯和包裹花束的纸都显得极为僵硬，如同弗拉芒画派早期画家作品里的帷幕。马奈拒绝塑造形体和微妙的阴暗对照法，反而机械化地安排构图元素，采用生硬的骨感，从而使得整体形象十分平面化。因此，或许可以说，与库尔贝一样，马奈在纯朴的绘画和民间艺术里寻找慰藉和灵感，在其中找到应对沙龙观众的前卫艺术盔甲，这副盔甲迥异于学院和官方的虚伪诉求。

然而，时代背景不利于民间艺术和马奈的《奥林匹亚》。《奥林匹亚》和《被嘲笑的基督》（*Christ Mocked*）一同参加1865年沙龙，都遭到批评者的痛斥。一贯知情达理的朱尔斯·克拉雷第（Jules Claretie）写道："我们今年又看到他，这一次带来两幅糟糕的油画。它们究竟是掷向公众的挑战、嘲讽，还是滑稽的模仿，谁知道呢？是的，一定是嘲讽。这

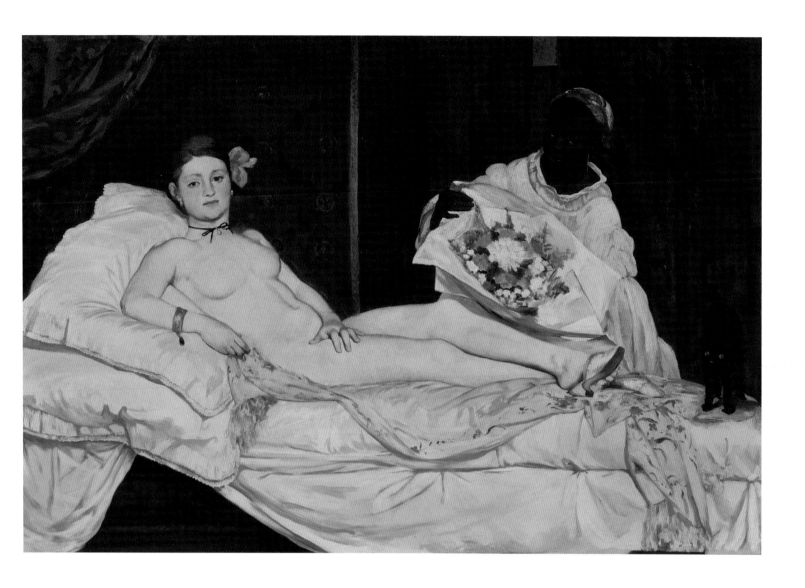

图15-6：爱德华·马奈
《奥林匹亚》，1863年。
布面油画，130.5厘
米×190厘米

个黄肚皮的奥达利斯克（女奴），不知是从哪个污秽角落里捡来的鄙俗的模特，怎能代表奥林匹亚？……想必是一个高级妓女。"T. J. 克拉克在探讨这幅作品之时（必读的研究著作）援引另一位批评者，谈及奥林匹亚是"手指污秽、脚板起皱的……高级妓女；身体呈现停尸房死尸的青灰色；身体轮廓以黑炭条勾勒，布满血丝的绿眼睛似在公众挑衅，又被旁边丑陋骇人的黑人女子保护着。"

在《奥林匹亚》里，马奈颠覆裸体画种，拒斥性别和种族的既定观念。这些做法着实激怒了批评者和资产阶级公众。我们在前文已经看到，在19世纪的法国，以女性裸体、"堕落"或诱惑的女性为主题的作品十分常见。库尔贝（马奈在1850—1856年间跟随他学习绘画）将一名高级妓女作为《堕落的罗马人》【图10-16】的中心。及至1865年，沙龙的墙壁假若没有布格罗、卡巴内尔、保罗·博德里（Paul Baudry）等画家所描绘的维纳斯、酒神追随者、宁

芙、萨福、莎乐美、狄安娜、奥达利斯克等女性的放荡形象充斥其间，可能会显得空空荡荡。此外，在19世纪60年代结束以前，雕塑家让-巴蒂斯特·卡尔波（Jean-Baptiste Carpeaux，1827—1875年）和画家克劳德·莫奈创造他们认为更自然主义的女性形象，尝试过裸体、着衣、配备全套服饰的女性。卡尔波的《舞蹈》（Dance，1867—1869年）【图15-7】、莫奈的《花园里的女人》（Women in the Garden，1866—1867年）【图15-13】，都将女性体现为以逆时针环绕中心轴线的行动。在莫奈的画中，时髦的女性环绕一棵生动的细树，卡尔波的女性则围绕象征"舞蹈天才"的少年男孩嬉闹。1869年，卡尔波的群雕在新建的巴黎歌剧院正墙揭幕之时引发公愤，被指斥为"下流""现实主义"、现代性。事实上，这组雕塑深受拉斐尔、米开朗基罗、贝尼尼（Bernini）的影响，完全吻合歌剧院整体的装饰效果（象征着拿破仑三世的统治及其自诩的帝国威势和古典主义精神）。莫奈早期

图15-7：让-巴蒂斯特·卡尔波《舞蹈》，1867—1869年。石材，高420厘米

如，德拉克洛瓦（其色彩运用和具有表现力的素描深刻地影响马奈）在《阿尔及尔的女人》里描绘一个黑人女仆【图10-17】。及至第二帝国时代早期，安格尔、杰洛姆、夏塞里奥、尤金·弗罗芒坦（Eugène Fromentin）等东方主义画家的作品几乎无不描绘黑人女性。1870年，年轻的印象主义画家弗雷德里克·巴齐耶（Frédéric Bazille，1841—1870年）的《梳妆》（La Toilette）【图15-8】，画面左下角有一个黑人女子替画面中央丰腴的裸体白种女人穿鞋子。这个黑人女子可能就是洛尔（Laure，姓氏不明），马奈的《奥林匹亚》里的黑人女仆和《洛尔》（Laure，也称为《黑女仆》，约1862年）都是以她为模特。然而，马奈迥异这些艺术家，他既不给予男性观众提供安全的艺术史精神支柱，也不给予《奥林匹亚》所提供的家长式慰藉。

奥林匹亚的身体缺乏柔软和丰腴，反而表示一种独立的性能力。有一位批评者认为她的手体现了这种性特征，"她的手以一种无耻的收缩弯曲着。"奥林匹亚不是体面的高级妓女，让男性支付昂贵的费用去印证其欲望的神话，而是拥有自身劳动力和性别的无产阶级。正因为如此，评论者争议说她低于人类。某个评论者说，她是"某种雌性猩猩……床上的人猿"。另一个说她是"一只猴子"。这些评论者反复提及奥林匹亚的黑色种族和类人猿的特征，表明他们将裸体与西印度女仆融为一体。在马奈的批评者看来，低层妓女与非洲-加勒比女性的身体由于共同的堕落和退化而相互关联。也就是说，因为她们都在理智、身体和道德上腐化、病态、卑劣，从而成为同类。她们各自被视为比另一方更不堪，两者都象征着白种人所忧惧的退化。《论退化》（Treatise on Degeneracy，1857年）的作者本尼迪克特·奥古斯丁·莫雷尔医生（Bénédict Augustin Morel）认为这种退化正在感染整个法国社会。马奈的作品在某种程度上体现了那种退化，正是因为这个原因（也是因为画面整体的怪异感），《奥林匹亚》激发一连串复杂、惊人和愚蠢的批评，构成轰动的丑闻。

从总体上说，马奈的《奥林匹亚》大概比前卫艺术更现代。这幅作品中的两位女性的阶级归属仍然是批评者争议纷纭的问题；这幅作品虽采用民间艺术的平面化特征，但这一手法仅局限于画种（裸体画）的允许范围之内，也就是说，在马奈的作品里，平面化的形象虽颇为丑陋，却仍属于描绘阶级和性别等级的

的印象主义作品《花园里的女人》也被沙龙的评委淘汰，据说是因为这幅画作可能腐化年轻艺术家，尽管其构图严格地遵循古典主义传统和学院派等级体系。因此，无论在绘画或雕塑作品里，无论在学院派或现代性的风格里，女性的形象一直主宰着第二帝国的视觉文化，马奈的《奥林匹亚》则引发最激烈的争议。

然而，"黑人女性"在艺术作品中虽不太常见，但作为一种母题，她们与"堕落的"女性一样具有漫长的传统和备受推崇的地位：在18世纪中叶，黑人女性开始作为非洲的拟人形象或者非法和兽性性爱的象征出现于绘画、雕塑和装饰艺术中。19世纪早期盛行种族歧视的多源发生理论（认为人类有不同的生物起源），黑人女性被用于代表淫荡和迟滞的进化。譬

图15-8：弗雷德里克·巴齐耶《梳妆》，1870年。布面油画，130厘米×128厘米

传统手法；最后，《奥林匹亚》虽引发尖刻、愤怒敌意的批评，但作品的挑衅性并没有打着任何特定的社会阶级、政治原则或反对派意识形态的旗号。马奈未能在1865年开辟全新的艺术公共领域，更未能创造一种新的历史画取代曾经高尚而今已僵死的画种。1865年，波德莱尔写信告诉他："在这个老朽的艺术里，你不过是起头的第一个罢了。"确实，《奥林匹亚》是绘画艺术的一个终点和起点：终结了面向开明资产阶级公众的英雄传统，开启一种拒斥或否定资产阶级统治的现代艺术。此外，这幅作品（暂时地）终结了库尔贝为民众创造现实主义艺术的梦想，开启了另一种为自由的、个人创造自主艺术的理想主义的梦想。

## 印象主义与商品

与漫游者马奈一样，印象主义画家们毅然决然地追寻个人的自由、自主、感官愉悦——这些都是启蒙精神和革命乌托邦的遗产。与马奈不同的是，他们通常缺乏反讽和精明，在城里，尤其是在郊外，才看到自己想要寻觅的梦想地域的现代性空间。正如迈耶·夏皮罗所说：

> 早期印象主义具有一个道德层面。它发现变化不定的户外现象世界，其形状取决于随意或移动的观者的暂时性位置。这里面暗含着一种对于社会与家庭的象征性形式的批

评，或者至少反对这类形式的一个规范。一个惊人的事实便是早期印象主义留下无数具有随意、自发的社交主题作品，诸如描绘早餐、野餐、散步、划船、节假日和度假旅行。这些城市的田园牧歌不仅表现19世纪60年代和70年代资产阶级娱乐消遣的客观形式，而且题材的选择和全新的审美手法也反映他们将艺术创作仅视为个人乐趣的领域……属于一个超脱了官方信仰的开明的资产阶级。

印象主义画家确实缺乏两个世代前法国和欧洲艺术家登上世界历史舞台的野心、浪漫主义的狂热和前卫派的热忱信念。他们大多出生于1840年前后；因此，在1848年大革命期间，他们尚不能举起革命的火把；1870—1871年普鲁士军队肢解法国之时，他们（大多数）又老成得站在安全的距离震骇地观望，接着又观望法国政府镇压巴黎公社，屠杀自己的同胞；他们还见证了法国省份的农业工业化过程和奥斯曼改造巴黎工程，从而理解农业专制的旧法国与界线分明的城市街区不再存在。对于所有这些事件和变革，他们大多数人带着官方认可的态度，不仅怀恋地追忆过去，还欣然观望新鲜的当下。因此，从总体上说，印象主义画家被动地见证或者自愿地倡导其时代新兴的、现代的"资产阶级娱乐形式"。然而，由于他们的观察敏锐，激情饱满，他们仍然酝酿成一种艺术表现的危机，以致于最终切断艺术与公众之间既成的关系。诸如弗雷德里克·巴齐耶《乡村风光》（*View of the Village*）【图15-9】等貌似直率的早期印象主义作品，也开始显现危机的迹象。

1869年5月1日，画家贝尔特·莫里索致信姊妹爱德玛·庞蒂伦（Edma Pontillon），信中提及巴齐耶在该年沙龙展览的《乡村风光》：

> 伟大的巴齐耶所创造的东西，我觉得都很好。在这幅画里，一个年轻的女孩，身穿一件轻薄的连衣裙，坐在树荫下，在她身后可以看见一个村庄。阳光很灿烂。就像我们很多人一样，他一直在野外寻找安排人物的方式：这一次，他似乎成功了。

在野外安排人物似乎并不是特别高远的追求。拉斐尔在1507年创作的《美丽的女园丁》（*La Belle Jardiniere*）便已经做到这一点。莫里索和巴齐耶必定熟悉拉斐尔的这幅作品，因为它收藏在卢浮宫。三个半世纪后的卡米耶·柯罗也熟悉《美丽的女园丁》。1869年，柯罗向沙龙提交《阅读的女人》（*Woman Reading*），与巴齐耶的《乡村风光》一同展览。然而，拉斐尔的画面表现一个无时间性的精神和理想美的王国，巴齐耶描绘的是某个特定季节的某个特定日子的特定时刻和特定地点。柯罗的作品以人物形象主宰整个画面，风景只是作为诗意的背景，巴齐耶的人物虽是中心人物，但也被边缘化，只是作为不起眼的配饰；她的形象仅占据画面下半部分，与右边的幼松分享前景空间，并且这棵松树似将她置于阴影之中。

因此，巴齐耶的《乡村风光》企及19世纪艺术前所未见的抽象层次。在某种意义上说，人物和风景相互取消：前者的权威削弱后者的意义，后者的特定性转而否定前者压倒性的优势。人物身后的风景与她本人一般模糊不清；中景的河流、沙堤、树木和原野甚至比远景的村庄更加笼统。

莫奈在同年创作的《塞纳河岸：贝恩科特》（*On the Banks of the Seine, Bennecourt*，1868年）也许最接近巴齐耶的人物与风景既相互印证又相互否定的手法，尽管莫奈的作品须以未完成为代价实现抽象性。（莫奈最终在画作署名，表示他自己满意这幅作品。然而，及至彼时，塞尚已经证明未完成也是一种成品的形式。）

埃德加·德加是印象主义画家中的例外，偏爱室内而不是野外的场景。德加也倡导抽象，但他通过探索商品的形式实现绘画的抽象。就其本质而论，商品既有用途，也有交换价值。然而，正如马克思在《资本论》开篇所指出，在资本统治之下，商品的交换价值主宰其用途。在交换价值的高温之下，特定商品的特征，譬如颜色、重量、美观、历史、功能，都尽然熔解，化成抽象的东西。在化解的过程之中，制作、销售或购买商品的人随之成为抽象的人。这就是德加在《女帽店》（*Millinery Shop*，1879—1886年）【图15-10】所探索的主题。《女帽店》几乎可以作为德加的艺术宣言，画面描绘一个身份不明的女人，双手高高地擎起一顶粉色和橙色相间的帽子（她可能是制帽的女工、顾客或销售员），木质柜台的帽架上陈列5顶女帽，整个内部空间表现既具体，又模糊。德加写道："女性每天相互比较千百件可见的物品，远甚于男性。"

图15-9：弗雷德里克·巴齐耶《乡村风光》，1868年。
布面油画，51厘米 × 35厘米

跟艺术家本人一样，女性是商品形式的鉴赏家，为它付出得不到回报的专注的深情。

## 印象主义的界定

印象主义这一术语在1874年后开始使用，用以界定一个同名的艺术家群体。埃米尔·利特雷（Emile Littré）在其编纂的《法语词典》（Dictionnaire，1866年）如此定义："外部对象对于感官产生或深或浅的显著效果。"1870年，西奥多·杜雷（Théodore Duret）用"印象主义"一词形容马奈："从他自己投向事物的视觉里带回真正属于他自己的印象……在他的眼睛里，每个事物总结为色彩的变化，每种微妙或显著的颜色变成确定的色调和调色板里的一种颜料。"杜雷的这句话概括了前文已探讨的马奈艺术的两个方面：一方面是彻底的个人性，一方面是区别显著的"色调"与邻近色调的并置，而不是调和。1874年，30位艺术家以"合伙人协会"为名，在摄影师纳达尔的巴黎工作室

图15-10：埃德加·德加《女帽店》，1879—1886年。
布面油画，100厘米 × 110.7厘米

举办首次展览，卡斯塔纳里为这场展览所作的著名描述也揭示了印象主义的双重本质："他们描绘的不是风景，而是风景所生成的感官印象。在这层意义上，他们是印象主义者……（印象主义者）离开现实，进入完全的理想主义。"艺术史家理查德·希夫（Richard Shiff）认为，卡斯塔纳里所说的"理想主义"是指艺术家的个人主义，是指他们根据外在世界给感官所造成的特殊印象而采用马赛克似的色块和形式的绘画技法。

因此，在1874年，印象主义这一术语是指以马奈为非正式领袖（但他从未参加印象主义画家的展览）的艺术家群体所使用的界定模糊的绘画技法和个人主义态度。鉴于印象主义的形式和技法的创新有效地体现个人的乐趣和自由的理想，这两种定义的结合确实相当贴切。印象主义的创新可以归结为三点：

一是摒弃了明暗对照法。学院派绘画的戏剧感和三维效果仰赖于明暗对照法。在创作的初步阶段，学院出身的艺术家在描绘形体之前采用深色（通常使用红棕色）铺底稿，以便营造画面的空间深度；然后局部薄涂颜料塑造阴影，立体的对象则厚涂鲜艳的色彩和高光，从而绘制出深浅、远近、阴影与体积的强烈对照。相形之下，莫奈的《阿让特伊的帆影》【图15-

图15-11：克劳德·莫奈《阿让特伊的帆影》（*Regatta at Argenteuil*），1872年。
布面油画，48厘米×75厘米

图15-12：卡米耶·毕沙罗《霜冻》（*Hoarfrost*），1873年。
布面油画，65厘米×93厘米

11】、卡米耶·毕沙罗（Camille Pissarro，1830—1903年）的《霜冻》【图15-12】采用浅色打底，而不是传统的红棕色。此外，他们几乎不用深色调，整个画面使用颇为均匀的颜料厚度。这些迥异于学院派的变化以及下文要提及的改变，都是为了降低画面的色调对比，从而营造平面化效果。莫奈的《阿让特伊的帆影》和毕沙罗的《霜冻》虽都描绘了前景、中景和远景，但这两幅作品都舍弃了明暗对照法，以致于三个空间层次同时呈现在同一前景平面中。

二是描绘户外的光色互动。在19世纪以前，艺术家鲜少到户外创作。及至19世纪中叶，柯罗、巴比松画派、诺曼底的"前印象主义"画家尤金·布丹（Eugène Boudin）和约翰-巴托尔德·容金德（J.-B. Jongkind）则将小型户外写生（études）视为寻常的练习。但这些艺术家极少在户外完成作品，也不会向沙龙提交写生作品。在印象主义画家中间，尤其是莫奈、毕沙罗、奥古斯特·雷诺阿（Pierre-Auguste Renoir，1841—1919年）、莫里索、阿尔弗雷德·西斯莱（Alfred Sisley，1839—1899年），则在户外创作了许多宏伟的作品，并且发现了一种捕捉自然界的光线与空气互动的技法。正如前文所述，莫奈的《花园里的女人》【图15-13】在题材和构图方面还是保守主义，但他在这幅作品里采用前所未见的手法描绘彩色的阴影和光线。这幅作品的整个创作过程几乎都在户外，以彩色的阴影和冷暖色调并置塑造人物面容和双手。左边女人的衣裙因树冠过滤的光线染上绿色，坐在前景的女人的衣裙则染上紫色，即浅黄色阳光的补色。女人的脸和手以及她们的花束都使用厚重宽阔的笔触涂抹类似的颜色，尤其是互补色，譬如红-绿、蓝-橙、黄-紫。互补色的视觉效果鲜明地体现于莫奈的《阿让特伊的帆影》（红-绿）和毕沙罗的《霜冻》（黄-紫）。1888年，莫奈如此形容这一视觉效果："色彩的鲜艳不是颜料本身固有的属性，而是源自对比的力量……原色及其补色在相互对照之时更加鲜明。"

三是画布表面笔触均匀。沙龙的绝大多数展览作品具有光滑、整洁、不带个人色彩的表面。在1874—1886年，印象主义展览的绝大多数作品表面都是粗糙、不平整的，并且极具个性。事实上，在摒弃明暗对照法和推崇户外写生之外，印象主义画家在当年更出名的特性是使用相互分离的色块（taches）。诚然，鲁本斯和伦勃朗等经典大师都曾使用大笔触和厚涂法，但他们极少不顾题材将整个画面涂满厚重的颜料。然而，在印象主义者的作品里，譬如毕沙罗的《冬季村庄角落》（Corner of a Village in Winter，1877年）和雷诺阿的《红磨坊的舞会》（Bal du Moulin de la Galette，1876年）【图15-14】，整个画面凝结着厚重的色块，笔触的大小和方向迥异，造成生动、混乱和直接的画面效果。当时评论者的茫然不解和愤怒多半正是由于这些复杂、生动的色块。里昂·德·洛拉（Léon de Lora）在1887年写道："凑近观看（毕沙罗的风景画），简直不可理喻，丑陋不堪。"伯特尔［Bertall，原名查尔斯·阿尔伯特·达诺克斯（Clarles Albert d'Arnoux）］在1876年写道："沦落为丑陋的崇高……《红磨坊的舞会》以支离破碎的素描功底、构图和色彩，绝不逊于雷诺阿的其他作品。"

面对沙龙艺术占据支配地位的形式和技法范式，印象主义的回应便是重新定义绘画。如果说古典主义和学院派的传统是要求绘画在二维画布创作三维的世界，也即绘画被构想为首先是模仿性质的艺术，那么印象主义艺术首先是视觉的艺术。1876年，诗人斯特芳·马拉美（Stéphane Mallarmé）撰写《印象主义画家与爱德华·马奈》（The Impressionists and Edouard Manet），在书中提出印象主义让艺术回归"最简单的完美"：

> 马奈及其追随者的视野和目标是创作重新饱含其理想、回归与自然关联的艺术。……画家在日常的自然世界面前还能有其他什么目的？模仿自然？纵然竭尽全力，画家也永远不可能媲美占据生活和空间的无可估量的优势的原物……艺术家通过印象主义的力量所保存的不是已经存在的物质，或者超越已经存在的对象的任何单纯的形象表现，而是一笔一笔地创造自然的喜悦。我将创造体积和可触摸的坚硬让给更适宜的倡导者——雕塑。我自己欣然满足于反思绘画这一面清澈、持久的镜子，反思那些永远存在却时刻在消亡的东西，那些只在理念的意志中存在的东西，在我的王国里却成为自然唯一真实可靠的价值——属性。

马拉美笔下的印象主义画家认为雕塑更适合复制自然的可触属性，绘画则难以胜任这一任务；绘画只

图15-13：克劳德·莫奈《花园里的女人》，1866—1867年。
布面油画，255厘米 × 205厘米

能专注于"这一面清澈、持久的镜子",也即构成艺术家视野平面的光学屏幕。印象主义画家的责任和喜悦就在于一笔一笔地复制自然的"属性"。

依据马拉美的观点,印象主义的世界不能被操纵、被理解,甚或被触摸,而只能用眼睛观看。在这个世界里,使用价值被摒弃,而以普遍平等为前提的交换价值则被奉为圭臬。对于印象主义画家来说,自然与创造的环境呈现为商品形式或者物神(马克思的定义),与使它们形成的生物过程或人类劳动脱离。或者可以说,印象主义的光学和风格——通过图画表面的大面积色调之间的交涉和妥协所定义——重复了商品拜物教将幻觉当作真实的根本错误。马克思在《资本论》中描述商品形式的"奥秘"在于将生产商品的人类劳动的社会和阶级关系(错误地)理解为物与物之间的自主性关系:

由于这种替换(生产者之间的社会关系被替换为物与物之间的社会关系),劳动的产品变成商品,变成可感觉而又超感觉的或社会性的物。正如一物在视神经中留下的光的印象,不是表现为视神经本身的主观兴奋,而是表现为眼睛外面的物的客观形式。

印象主义的艺术正是要为"眼睛之外的事物的客观形式"赋予幻影般的真实性。1833年,朱尔斯·拉佛格(Jules Laforgue)将印象主义者的色彩魔法和活力形容为达尔文式的"竞争":

在光线涌动的风景里……学院派画家只能看到白色的空虚,印象主义画家却看到光不只是把一切笼罩于死板的白色之下,而

图15-14: 奥古斯特·雷诺阿《红磨坊的舞会》,1876年。布面油画,131厘米×175厘米

是缤纷的棱镜解析出数千种灿烂的色彩在争竞。前者只看到物体的外部轮廓，后者看到真实鲜活的线条，这些线条以数千个不规则的笔触构造，而不是简单的几何形状，远远地观看，这些线条构成生命……

印象主义者如其所是地观看与描绘自然，即一切都是色彩的颤动。……在莫奈和毕沙罗的作品中，每个物体以数千个舞动的小小笔触，如同有色彩的麦秆伸向四面八方——所有的色彩在印象里进行激烈的竞争。

当然，印象主义艺术的恋物的性质，以及其"构成生命"的"真实鲜活的线条"已经在随后的商业和体制历史中得到揭示。早在19世纪80年代中叶，在金融家查尔斯·爱德华兹（Charles Edwards）支持之下，法国画家保罗·丢朗-吕厄（Paul Durand-Ruel）成功地为印象主义作品打造出一片国际市场，在柏林、波士顿、纽约、鹿特丹、伦敦、巴黎展览与销售画作。事实上，法国艺术中介从小商贩摇身变成国际化企业资本家的过程，与印象主义的兴起和成功同时发生。此外，印象主义艺术所代表的交换价值并不拘限于狭隘的艺术交易。自20世纪初开始，印象主义的形式和形象为欧洲、北美、日本的重要文化和娱乐工业的宣传工具注入生机，涉及城郊开发项目、度假、养老院、旅行和旅游业、汽车业、私家花园、休闲服、健康、

运动产品等等。或许可以略为夸张地说，现代资产阶级的世界以印象主义的"属性"为模型。

然而，印象主义所提供的意识形态礼物并不是单行道。现代旅游业和娱乐业的胜利转而影响人们对印象主义的普遍诠释，从而掩盖了这一艺术运动的反文化、甚至颠覆性的属性。印象主义的首届展览（1874年）和第三届展览（1877年）之间的两年间，自称"合伙人协会"的群体经常被报端戏称为"the Intransigents"（意为不妥协者、固执己见者）。在当时政治语境里，这一词语指代极端的无政府主义者或共产主义者。批评家马留斯·肖莫林（Marius Chaumelin）在1876年写道："他们起初被称为'户外画家'，然后被冠上'印象主义者'这一慷慨的称号。贝尔特·莫里索小姐等热烈拥护这些原理的年轻女画家无疑喜欢这个称号。然而，另有一个称号实则更能贴切地形容他们，那就是'不妥协者'……他们憎恶古典主义传统，有野心改革素描和绘画的法则。他们鼓吹美术学院与政府相分离，他们要求人们认可'色块派'——马奈先生是这个门派的创立者，他们全都受惠于他。"《世界箴言报》（Le Moniteur Universel）的批评者用不带嘲讽的口吻冷漠地说道："艺术的不妥协者与政治的不妥协者手牵着手，这样的合作再自然不过。"

当这些批评者指责印象主义者为政治不妥协者之时，马拉美则因为同样的理由对他们大加称颂。在前面所引用的文章里，他坚定地认为印象主义者是在表现工人阶级而不是资产阶级的视野，是在歌颂新兴的集体主义意识形态：

本世纪上半叶的浪漫主义传统仅在残留下来的少数主子中间苟延一息，过去富有想象力的艺术家和梦想家化身为朝气蓬勃的现代工人，这一转变体现于印象主义。法国的政治生活迄今为止所忽略的群体开始参与政治已是一个社会事实，将为19世纪的终结增添荣耀。这样的类似情况呈现于艺术领域，为进化预备道路，在其初现之时，公众以罕见的洞察力称之为"Intransigent"。在政治的语言里，这个词语意为激进和民主。

因此，马拉美认为印象主义标志着法国社会和文化进化的新阶段，认为印象主义艺术具有"真理、简朴、

图15-15：贝尔特·莫里索《晾衣》（*Hanging the Laundry out to Dry*），1875年。布面油画，33厘米×40.6厘米

天真的魅力"，既印证又致敬新兴的工人阶级，"他们要求以自己的眼睛观看"。

因此，我们看到印象主义在当时有两种矛盾的诠释：一种诠释将这种艺术运动置于早期资本主义商业文化的盛况之外，诸如歌舞杂耍表演、观众性运动、世界博览会、礼拜天到乡间度假等文化活动；另一种诠释将印象主义置于前卫艺术的激进领域之内，譬如马拉美认为印象主义通过拒斥古典主义的模仿和浪漫主义的想象，代表了日益自信的无产阶级的视野和声音。事实上，这两种诠释都正确，因为现代资本总是从前卫艺术吸收养料。法国的大众（商品）文化从奥斯曼巴黎改造工程这一不稳固的基础发源，直到发展到神气活现的成熟状态，通过观察前卫艺术和其他亚文化设计自我实现和个人表达策略的方式，已经学会了为己所用的欲望。印象主义的消遣和视野——以其安闲、无所事事、短暂性、不可触摸性、鲜亮、色彩效果、整体视觉效果——成为不可忽视的感官解放和个人愉悦的策略。诚然，印象主义从来没有被忽略，世界的某个部分最终让位于印象主义的艺术形象。

印象主义艺术家则抵制任何标签。及至19世纪80年代中期，在1874年最早聚集的艺术家们已经摒弃合伙人协会、印象主义、不妥协者，甚至独立者等称号，仅将群体和个人的展览简单地称为"Exhibition"（展览）。这个群体为流派名称所作的斗争实则标志着艺术家们拥护回避、移位、消隐、抽象等现代主义策略。无论在艺术中，还是在意识形态里，印象主义者都企图在边缘或阴影里寻找庇护：他们栖居于城市和乡村的中间地带，诸如蒙马特尔和热讷维耶（Gennevlliers，巴黎的固体废物在这里用作肥料），譬如贝尔特·莫里索的《晾衣》【图15-15】所描绘的场景；他们站在阳台窥探或者倚伏栏间空地，譬如古斯塔夫·卡耶博特（Gustave Caillebotte，1848—1894年）的《阳台上的男子，奥斯曼大街》（A Balcony, Boulevard Haussmann）【图15-16】，毕沙罗的《蓬图瓦兹附近艾尔米塔奇的牛脊山》（The Côte des Boeufs at L'Hermitage, near Pontoise）【图15-17】；他们躲在芭蕾舞台后台或者挤进证券交易所的人群，譬如德加的《舞蹈学校》（Dance School）【图15-18】、《证券交易所的肖像》（Portraits at the Stock Exchange）【图15-19】。

《舞蹈学校》和《证券交易所的肖像》分别出现于1877第三届和1879年第四届印象派展览。德加在

这两幅作品里揭露他殊异的自然主义和嗜好。舞者是多样化类型的范例：身躯弯曲、伸展，目光空洞地注视，抓挠、啃咬拇指，倚杠抬腿、踮脚尖。德加在1870年至逝世前所创作的数打小型蜡像最鲜明地体现了舞者所呈现的异化特征。他在生前仅展览过《十四岁的小舞者》（Little Dancer Aged Fourteen，【图15-20】，这件蜡制雕像被批评者称为如同"猴子""动物园博物馆的怪物"。在《证券交易所的肖像》里，德加选择审视证券交易所这一现代机构，其奇异和堕落的状况完全不亚于芭蕾舞的世界。卡尔·贝德克尔（1882年）写道："正午前数分钟，证券交易所呈现繁忙景象……追逐金钱的人群挤进大厅……如同舌头的巴别塔，反复传来这些词语，'我要……谁要……？我买；我卖！……'"在这幅画中，犹太人银行家和艺术收藏家欧内斯特·梅（Ernest May）站在证券交易所门口，伸手接过面前一个男子（仅显示与身体分离的一只手和脑袋轮廓）递来的钞票，背后另一男子同谋似地轻拍他肩头（诺克林将这个动作形容为"分享秘密的碰触"）。左侧厅里另有两个人物，他们的大鼻头和粗短的眉毛表示——依据当时的面相学和

图15-16：**古斯塔夫·卡耶博特**《阳台上的男子，奥斯曼大街》，约1880年。布面油画，67.9厘米×61厘米

图15-17：卡米耶·毕沙罗《蓬图瓦兹附近艾尔米塔奇的牛脊山》，1879年。布面油画，126厘米×162厘米

图15-18：埃德加·德加《舞蹈学校》，1873年。布面油画，48.3厘米×62.5厘米

图15-19：埃德加·德加《证券交易所的肖像》，约1879年。
布面油画，100厘米×82厘米

心理学理论——他们是堕落的犹太人。[德加在1881年创作一幅类似肖像的色粉画，题名为《罪犯面相》（*Criminal Physiognomies*）]德加在《证券交易所的肖像》里纵容自己利用犹太人面相学这个最有害的、最重要的现代神话——"青年黑格尔派"哲学家布鲁诺·鲍威尔（Bruno Bauer）在1843年最先提出这一神话，马克思加以阐发，后世的反犹分子奉之绝对真理，包括法国人爱德华·德拉蒙德（Edouard Drumont）和德加，他们认为"犹太人即便在最小的政府里都没有一点权利，却决定着欧洲的命运"。事实上，德加真正能够接受的一个标签是"反犹分子"。然而，对他来说，以及对其他人来说，这个标签也只是一种伪装，用以掩盖在共同憎恨的基础之上所建立的虚假友谊背后的阶级和性别的敌意。

## "画中的镜子"

　　幸运的是，印象主义者的躲闪规避和伪装鲜少感染德加那种缺乏幽默的偏执狂。他们通常采用化装舞会的神秘面具，港口码头的荒唐可笑的划船服装，譬如马奈在《歌剧院的化装舞会》（*Masked Ball at the Opéra*）和《阿让特伊》（*Argenteuil*，1874年）中所描绘的服饰；或者布日瓦勒的塞纳河沿岸小资产阶级去游泳的青蛙塘边的泳装，譬如莫奈和雷诺阿在1869年的作品里所描绘的；或者佛利贝尔杰（Folies-Bergère）等咖啡馆音乐会的装饰炫丽亮片的晚礼服，譬如马奈最后一幅大型作品，并在1882年沙龙展览的《佛利贝尔杰的吧台》（*A Bar at the Folies-Bergère*）【图15-21】。咖啡馆音乐会是德加、马奈和年轻的乔治·修拉最爱的消遣场所，其设计专门迎合喜欢伪装的顾客。1862年，导游书作者加利亚尼（Galignani）告诉游客："在这里（黄金国咖啡馆）的团团烟雾之中，衬衫和礼服大衣十分扎眼，人群里时或点缀着一

图15-20：埃德加·德加《十四岁的小舞者》，1878—1881年。蜂蜡、黏土、金属、头发、绳索、布料，高98.9厘米

图15-21：爱德华·马奈
《佛利贝尔杰的吧台》，
约1882年。布面油画，
96厘米×130厘米

顶细棉帽、羊绒长袍，聆听几出喜剧或者心爱的歌剧一些片段，任由表演者零售给观众。"

马奈的《佛利贝尔杰的吧台》以桀骜不驯的大镜子和同样难以驾驭的女招待揭示他对阶级和性别的复杂理解。这一特征也体现在贝尔特·莫里索的作品。正如莫里索的《心灵》（*Psyché*）【图15-22】，《佛利贝尔杰的吧台》也是描绘镜前的一个女人，但镜中没有准确地映照她的背影。女招待直面观者，腰身笔直，神色泰然，她的镜像却俯身向前，与右侧戴高礼帽的顾客好像进行颇为不雅的对话。此外，女招待身处的位置和镜中花花公子的形象，都暗示镜子为弯曲的形状。然而，酒瓶和大理石吧台却表明镜子应该是平坦的或者与绘画平面平行。蓄意的模糊（收藏于阿姆斯特丹的习作则描绘了大致准确的影像）与刻意忽略五官，在女招待与其周围光彩夺目的现代环境之间构造

一种殊异的紧张——T. J. 克拉克称之为一种"超然"的感觉。然而，那些阅读加利亚尼的旅游攻略的咖啡馆顾客拥有安全的阶级归属感，女招待与他们不同，她身上的装束和神情都与她本人格格不入，（男性）观众想必会用怀疑的眼光看待他自己所玩耍的阶级和性游戏的可靠性。

在莫里索的《心灵》里，"画中的镜子"（马拉美的措辞）的经验的有效性也受到质疑。这个女人穿着宽松的晨褛，身材臃肿，站在心灵的镜子前，露出诱惑的丰腴肩膀，低垂眼皮，噘起嘴唇，演练风情的姿态，但镜中没有映现这些卖弄风情的传统招式（除了脖颈上仿效马奈的奥林匹亚束着一根丝带）。因此，莫里索的梳妆图并未歌颂男性观看的特权与女性被观看的义务，而是揭示了女性所创作的现代绘画的虚假与反讽。莫里索似在宣告，创作一幅绘画无异于艺术

地装饰自己的身体。在《佛利贝尔杰的吧台》和《心灵》这两件作品里，性的观看与领会——诱惑与欲望——的既定电路串线，迸发出一些洞见的火星。咖啡馆音乐会和闺房如同现代巴黎，在其中，阶级与性别——电气照明、高空秋千、化妆品、蕾丝等耀眼的时髦玩意将它们既掩盖又揭示——转变为商品，就像一瓶啤酒或一捆雪纺纱那样销售与购买。

拉鲁斯（Larousse）词典告诉我们，"Impressionisme"是阳性名词，但由于它与时尚的关系亲密，又由于它所衍生的商品的性质，这个词语也属于阴性名词。事实上，在最伟大的印象主义者中间，只有贝尔特·莫里索和玛丽·卡萨特（较小程度上）逃脱了这一运动所遭遇的摧毁性批评。这两位女性艺术家都被称赞具有迷人的魅力、感受力、优雅和细腻，批评者们在谴责印象主义绘画为"未完成的底稿"之时，通常赦免她们的作品。冲动、感性和轻快一贯被视为女人的天性，因此女性印象主义者的作品自然应当具备这些特征。因此，在前文所探讨的边缘性和规避之外，这里须提及印象主义最后一个违背传统的特征：印象主义不似当代沙龙绘画那样重复艺术创作的普遍流行的性别定型观念。在印象主义的主要倡导者中间，有些是采用被认为只适合女性的风格创作的男性，有些是具有当时认为只该属于男性的雄心与抱负的女性。此外，卡萨特走得更远：她描绘女性的解放，并且她的行动促使美国绘画从本地走上国际舞台。

图15-22：贝尔特·莫里索《心灵》，1876年。布面油画，64厘米×54厘米

## 问题讨论

1. 描述1852年前的巴黎地理情况如何，"奥斯曼工程"带来哪些变化？

2. Flâneur指什么？这一现象与巴黎的现代绘画有何关联？

3. 马奈的《奥林匹亚》所引发的争议主题是什么？

4. 描述印象主义艺术运动的三大形式创新。

## 第16章

# 卡萨特和艾金斯的性别问题
# 1860—1900年

琳达·诺克林

## 导言

关于19世纪晚期美国绘画的紧张、对抗和成就，最好的切入点莫不过玛丽·卡萨特和托马斯·艾金斯这两位最重要的艺术家。深入分析他们的作品，也可揭示依据国籍或性别区分高雅艺术风格的困难所在。当然，及至新近时期，国籍问题——美国艺术有什么美国特征？——可能比性别问题更令人忧虑。然而，近年间，修正主义艺术史家南希·莫尔·马修（Nancy Mowll Mathews）、格里塞尔达·波洛克（Griselda Pollock）对艺术作出错综复杂的解读，在他们的诠释里，卡萨特是女性艺术家这一事实成为重要元素。如果要分析美国特征（American-ness）与同时期法国前卫艺术所代表的世界主义，或者男性与女性的创作等棘手的比较问题，那么探讨卡萨特和艾金斯这两位同代艺术家的生平和作品可能是最佳的渠道。二人的艺术抱负和名望如此相似，而他们所选择的风格和绘画语言却如此迥异。

就人生经历而言，玛丽·卡萨特和托马斯·艾金斯有很多共同点。二人都是生于19世纪中叶，在1844年出生于宾夕法尼亚州；二人都不必卖画为生；二人都进入宾夕法尼亚州美术学院，然后前往欧洲；艾金斯在1866—1870年师从法国画家杰洛姆，卡萨特则前往西班牙，与艾金斯一样，她后来也去了意大利，但她更喜爱法国，1866年在巴黎定居。这两位画家都致力人物绘画，主要是肖像画。然而，二人之间也有一些显著的差异——他们的自画像清晰地揭示，这些差异也体现于他们的

作品本身［参见卡萨特作于1878年的《自画像》（Self-Portrait）【图16-2】、艾金斯作于1902年的《自画像》（Self-Portrait）【图16-1】］。相比艾金斯，卡萨特出身较富裕和社会地位较高的家庭；在巴黎之时，她未曾师从相对保守的杰洛姆，而是追随绘画界的激进派马奈和德加；卡萨特未曾归返保守的费城度过人生，与艾金斯一样，她作为独来独往的艺术家继续留在巴黎，积极地参加当时最进步的绘画运动——印象主义。事实上，她是印象主义展览最忠实的参展者，参加了1879年、1880年、1881年、1886年的展览。

在区别这两位艺术家之时，我们必须提及一个同样重要的事实：艾金斯是男性，卡萨特是女性。在解读两人的艺术作品的最显著特征之时，性别差异可以说占据最重要的位置。然而，性别差异不可诠释为直接地体现他们的艺术作品的形式结构，或者由于性别而必然地选择某种象征元素；性别也不可理解为属于男性气概或女性气质的本质的、固定的、永恒的、天生的属性。性别必须被视为一种社会构造，受到历史条件和绘画的具体实践的影响（譬如，身为男性的艾金斯可以写生男性裸体模特，身为女性的卡萨特在绝大多数情况则得不到这样机会）。性别只能通过特定境况之下的绘画语言的具体特征加以表达。换言之，对于这两位艺术家的解读必须既敏锐又微妙，既有说服力又繁复。最后，艺术家的性别不可被视为始终都是决定性因素。

图16-1：托马斯·艾金斯《自画像》，1902年。
布面油画，76.2厘米 × 63.5厘米

## 性别与差异

　　艾金斯和卡萨特都惹人注目地拒斥（姑且不论他们是否完全有意识地拒斥）当时视为理所当然的观念，即女性肖像画，尤其是委托的肖像画，必须增姿添彩地奉承对象，才能获得成功。这两位艺术家似乎坚定地拒绝将女性模特理想化或美化。卡萨特为她的朋友、当时重要的艺术收藏家和女性选举权倡导者露易丝·艾尔达·哈维迈耶（Louisine Elder Havemeyer）绘制的《露易丝·艾尔达·哈维迈耶的肖像》（*Portrait of Louisine Elder Havemeyer*）【图16-3】，便是严厉地体现模特缺乏魅力的严肃面容。哈维迈耶女士已入中年，皮肤暗沉，气势强大，她的面容方正肃穆，眼睛深陷和嘴唇不规则而敏感，似乎特意与柔美的衣饰形成对照。画家拒绝传达被视为属于上流女性的美丽和高贵，而是渲染通常专用于男性模特的强势个性。艾金斯的《伊迪丝·玛荷夫人肖像》（*Portrait of Mrs. Edith Mahon*）【图16-4】也采用类似的手法，只是稍逊强势的气概，模特的脸部未经美化，形似一只内向的斗牛犬，缺乏传统女性卖弄风情的自我意识。

　　然而，这两位艺术家的差异似乎远甚于相似性。很多时候，两人之间的差异源自男性和女性艺术家被鼓励或被容许描绘的对象。在涉及象征形象的简单对

图16-2：玛丽·卡萨特《自画像》，1878年。
纸上水粉，60厘米 × 41厘米

图16-3：玛丽·卡萨特《露易丝·艾尔达·哈维迈耶的肖像》，约1896年。色粉，73.6厘米 × 61厘米

图16-4：托马斯·艾金斯《伊迪丝·玛荷夫人肖像》，1904年。布面油画，50.8厘米×40.6厘米

图16-5：托马斯·艾金斯《游泳池塘》，1885年。布面油画，68.5厘米×91.4厘米

比之时，性别的差异最容易识辨：艾金斯的《游泳池塘》（Swimming Hole）【图16-5】描绘年轻男子和男孩在户外赤身游泳，卡萨特的《下午茶》（The Tea）【图16-6】则描绘淑女们坐在优雅的客厅喝茶。然而，纵使问题的本质只是关于"男性"与"女性"的题材，争论的焦点却可以相当地复杂。比如说，艾金斯的赤裸男人与卡萨特的喝下午茶的女士这一对比，能否简化为单纯的性别问题，简化男性艺术家与女性艺术家被容许或社会可接受的题材问题？这个对比岂不是牵涉到阶级问题，甚至是艺术家与作为总体的社会秩序的关系问题？

艾金斯的《游泳池塘》投射一种仅通过身体的自由而逃脱社会约束的陶醉感。年轻的男性裸体，包括前景的艾金斯本人，都采用保守的尺度，或描绘背影，或以《垂死的高卢人》（Dying Gaul）的姿势巧妙地曲腿遮掩，因此，纵然在户外背景里也依然呈现诚实

图16-6：玛丽·卡萨特《下午茶》，约1880年。布面油画，64.7厘米×92.7厘米

和纯洁的道德品格。换言之，在艾金斯的作品里，民主的自由表现为美国风景里的美国男性的年轻身体：美国人既是天然的人，又与自然保持着特权关系。卡萨特的《下午茶》通过女性精致优雅的姿势、氛围和配饰传达一种通俗的大都会感。卡萨特舍弃永恒的裸体，或者更准确地说，被剥夺描绘裸体模特的机会，转而运用时尚，在没有历史性的女性家庭领域之内界定一个具体的历史时刻，一个特殊的社交氛围。时尚和物品也能具体地描述社会环境：这幅作品描绘艺术家的姊妹莉迪娅（Lydia）和一位访客，在卡萨特布置考究的巴黎客厅里饮茶，茶桌上有一套银茶具，醒目地摆在前景，这是在1813年专门为艺术家的外祖母玛丽·斯蒂文森（Mary Stevenson）定制的传家宝。所有这些意味深长的细节所揭示的不是自由，而是诗人威廉·巴特勒·叶芝（William Butler Yeats）所说的"天真的仪式"。或许可以说，在这两位美国艺术家的作品里，性别的差异始终跟其他差异相交叠。

在描绘极其相似、甚至几乎雷同的题材之时，艾金斯和卡萨特之间的差异的复杂本质便更加显

著，譬如艾金斯作于1871年的《马克斯·施密特划单人双桨赛艇》（*Max Schmitt in a Single Scull*）【图16-7】、卡萨特作于1893—1894年的《划船赏玩》（*Boating Party*）【图16-8】。这两幅作品都是描绘水上划船。艾金斯在这幅早期作品里试图构造一个民主英雄——不只是现代生活而更是美国现代生活的英雄——并且他将用大半艺术生涯探索这一主题。施密特（Schmitt）是艾金斯的朋友和卓越的划艇手（划艇在美国和法国正日益流行）。艾金斯曾以划艇运动为主题创作了19幅作品，这一幅是专门歌颂冠军，同时也是这位业余运动健将的肖像，也许还可以说隐喻般地庆祝艾金斯从法国归返故土，回到斯库基尔河畔（Schuylkill River）和费尔蒙公园（Fairmont Park）。在更宽泛的意义上，艾金斯也在歌颂划艇（尤其是单人双桨划艇——是一种对道德和身体的美德要求极高的运动，可以为美国公民提供迫切需要的喘息——略微远离城市的人群和喧嚣。社会史家杰克逊·里尔斯（Jackson Lears）指出，19世纪晚期的医学和社会探讨关于美国男性颓废心灵的拯救措施里，运动占据显

图16-7：托马斯·艾金斯《马克斯·施密特划单人双桨赛艇》，1871年。布面油画，81.9厘米×117.5厘米

图16-8：玛丽·卡萨特《划船赏玩》，1893—1894年。布面油画，90.1厘米×117.1厘米

著的地位："对于感觉柔弱无力、忧虑低层阶级暴动的资产阶级来说，力量崇拜代表阶级复兴的道路……户外锻炼似乎是'病态的自我意识'与过度脑力劳动的最佳疗法。"

卡萨特的《划船赏玩》则不是歌颂运动的英雄美德，更缺乏预防疾病的特征。相反地，她的划船手是雇佣劳工，从腰带和贝雷帽可以看出他属于工人阶级。桨手虽然醒目地安排在前景，但这个人物形象无疑不是肖像画，因为我们只能看到他的后侧面像。事实上，桨手被塑造为游乐赏玩场景的一部分，"真正的"表现对象是船首装扮入时的母亲和婴孩。然而，这两幅作品在创作意图和象征形象方面的差异，并不能完全地解释画面整体的惊人的不同。这个不同也许部分源自性别的塑造。

艾金斯是较传统的画家。他的画面似一扇透明的窗，我们通过这扇窗看到一个生动地重构的三维空间，一个消失点将我们的视线引向地平线。近景、中景和远景都构造于这个幻觉的世界之内。《马克斯·施密特划单人双桨赛艇》的笔触审慎，不留痕迹地表现玻璃般光洁的水面、毛茸茸的秋树、蓬松的云、轻薄透明的空气，施密特的肌肉的结实的形象被孤立在画面中央的虚构孤寂中。观者被摆在与对象保持得体距离的位置，需要经过一段时间才能进入画中的世界。

相形之下，卡萨特的《划船赏玩》借鉴马奈绘于1874年的《划船》（Boating），她的画面排除空间，摒弃艾金斯用于暗示时间的元素。此外，卡萨特也舍弃阴影、造型、线条和空气透视所构造的空间深度、具有时间意味的叙事，偏取表面和直接性，注重构造的形式手法。船和人物都涌向画布表面：这个布局源自马奈和日本版画，而不是传统透视下的自然。为了摧毁空间，卡萨特几乎完全取消地平线，并将形状、形式、色彩区域作为焦点，大胆地加以反复使用。与艾金斯不同的是，卡萨特坚定地反对深度（无论是"深度"一词的原意还是隐喻），因此，她的创作理念以一种艾金斯显然不可能的方式参与当时法国的前卫艺术。

## 肖像画

在分析作为肖像画家的艾金斯和卡萨特之前，有必要先简单地介绍肖像画，并且具体地探讨19世纪的肖像画。西方传统的肖像画在文艺复兴时期臻至成熟，强调个人主义，显然想要让观者更加了解艺术家

图16-9：约翰·辛格·萨金特《洛克农的阿格纽爵士夫人》，1892—1893年。布面油画，125.7厘米×100.3厘米

本人——创作的时代、地点、委托作品的顾主或是自由选择的题材——而不是画像所体现的模特。

及至19世纪晚期，肖像画也有能力构造模特的社会阶级，譬如约翰·辛格·萨金特（John Singer Sargent，1865—1925年）的《洛克农的阿格纽爵士夫人》（Lady Agnew of Lochnaw）【图16-9】、梵·高的《摇篮曲》（La Berceuse）【图19-1】。这两幅肖像画既实现了艺术家各自的风格身份，也成为辨识"贵族"与"工人阶级"女性的原型。

出生于美国的世界主义者约翰·辛格·萨金特是否接受了只画可爱女人的委托？他为笔下的女性对象所描绘的光艳魅力是否只是当时上流社会虚构形象的必备元素——也即艾金斯和卡萨特的肖像画所摒弃的东西？萨金特绘制的美国贵族肖像画，譬如《菲尔普斯·斯托克斯夫妇》（Mr. and Mrs. I. N. Phelps Stokes，1897年），以精湛的技艺创造一种全新的象征

图16-10：约翰·辛格·萨金特《爱娜和贝蒂，阿谢尔韦特海默夫妇的女儿》，1901年。布面油画，185.4厘米×130.8厘米

图16-11：托马斯·艾金斯《凡·布伦小姐》（*Miss Van Buren*），1891年。布面油画，114.3厘米×81.2厘米

形象，他笔下的女性人物身材修长，四肢优雅，美丽中带有随意的优越感。这些描绘圆滑的肖像画告诉我们，上流社会没有丑陋的成员。然而，必须承认的是，如果对象是诸如犹太人等边缘性人物，譬如《爱娜和贝蒂，阿谢尔韦特海默夫妇的女儿》（*Ena and Betty, Daughters of Mr. and Mrs. Asher Wertheimer*）【图16-10】，那么艺术家似乎须竭力运用亨利·詹姆斯所谓的"视觉的纯粹的得体"。在《爱娜和贝蒂，阿谢尔韦特海默夫妇的女儿》里，耀眼的笔触和高雅得让人难以抗拒的环境和服饰掩饰了粗腰身和短脖颈。当然，这两个姊妹只是有钱罢了，而不是天生的贵族。

萨金特在委拉斯贵支、凡·戴克（Van Dyck）、弗兰斯·哈尔斯（Frans Hals）等17世纪和18世纪欧洲贵族和上层资产阶级的肖像画汲取原料，再搭配上他的老师、时髦的法国肖像画家卡罗勒斯-杜兰

（Carolus-Duran）的新近先例，并极审慎地掺入少量马奈和莫奈的成分，调制出丰盛的绘画浓汤。显然，他为富裕的客户所描绘的肖像画既提供最新的审美价值，也确保形象逼真。萨金特的《洛克农的阿格纽爵士夫人》【图16-9】最具代表性：模特的身体特征几乎全部被苍白、轻薄透明，或者说柔软光洁的丝绸所遮掩。坐椅的印花锦缎、人物背后具有异国风情的灰蓝色中国挂饰，为这份苍白的简约增添生动的色彩，从而让整个场景具有一层高雅的审美趣味。

模特的阶级地位仅通过身体的优雅、服饰、室内装饰便完全地体现出来。这个有着良好教养的女人绝不会透露任何东西。她的姿势庄重又放松，身体与坐椅的不对称愈发强调漫不经心的姿态。然而，这种不对称性丝毫没有削弱她在画面空间所占据的随意的主宰地位。所有这些特征都在彰显财富和教养，构造上

流女性的经典肖像：简单地说，这是淑女的肖像。

相形之下，梵·高的《摇篮曲》通过强调模特作为无产阶级母亲的健壮结实的身体，她的坐姿与梵·高的绘画手法一样生硬、笨拙；色彩关系的粗糙对比和颜料本身的物质性，为对象创造可信的工人阶级特质。事实上，《摇篮曲》属于梵·高探索相对新鲜的题材的一组作品，即他认为下层阶级与"上等人"一样有权享受肖像画的纪念性敬意。梵·高追随当时英国平面艺术家所创立的先例，宣称他的意图是创作"人民的肖像"。

在19世纪最初年代，富有灵感和创意的法国肖像画家安格尔便已经创造一种绘画结构，将性别的差异转化为一种易辨识的变量。在夫妇肖像画里，譬如作于1807年的《里维耶夫先生》（*M. Rivière*）和《里维耶夫夫人》（*Mme. Rivière*），安格尔使用相对微妙而有效的姿势、人物与空间的关系、素描风格和装饰纹理的繁琐程度表现性别的差异。

在其肖像画《凡·布伦小姐》【图16-11】和《本雅明·霍华德·兰德教授肖像》（*Portrait of Professor Benjamin Howard Rand*）【图16-12】，艾金斯也运用微妙而强大的差异标签体现男性和女性模特。凡·布伦小姐陷入沉思，着重呈现内心世界，兰德教授则展现实践智慧的外在世界。凡·布伦小姐在遐想或冥思，注意力不集中，目光散漫，手支着脑袋，姿势略有些失衡；而兰德教授则在专注地思考。兰德教授是医生，曾是艾金斯高中时代的化学和物理老师。他的智力和世俗成就界定了他的身份和个性特征。这幅肖像画充满活跃的能量，似乎灌注了专注的智性。显微镜和试管等细节见证兰德博士的专业资格。也就是说，这是一幅仪式性肖像（portrait à l'apparat）。兰德教授所戴的眼镜，微锁的前额，一只手食指坚定地摁压着正在阅读的书页，另一只手牢牢地抓紧桌上的猫（是宠物，还是科学观察的对象？我们无从断定）见证着他的勤勉和专注。

借用艺术史家伊丽莎白·约翰斯（Elizabeth Johns）研究艾金斯的著作题名来说，如果说艾金斯的男性模特确是某种意义上的"现代生活的英雄"，是民主和人类福利的积极的贡献者（专业人士、艺术家、宗教界重要人物），那么他的女性对象，譬如《珊瑚项链》（*The Coral Necklace*）、《过时的衣裙》[（*The Old Fashion Dress*），也称《海伦·派克的肖像》（*Portrait of Helen Parker*，约1908年]、《伊迪丝·玛

图16-12：托马斯·艾金斯《本雅明·霍华德·兰德教授肖像》，1874年。布面油画，152.4厘米×121.9厘米

荷夫人肖像》【图16-4】，则是英雄的平衡力，一种相对、互补的力量。这些女性内向、散漫、情绪波动微妙，被动地接受或抵抗人生及其种种蹂躏。艾金斯的女性模特似乎具有共同的内在焦虑，长期的忍耐、牺牲，以及带着自我退缩的诉求。她们多半有意识地感觉到时间对她们的摧毁——过去摧毁成熟者，未来摧毁女性模特——从而遍体创伤，束缚于伤感而不安的桎梏之中。

## 卡萨特与凝视

艾金斯的《凡·布伦小姐》【图16-11】运用的姿势、目光和空间环境塑造高雅的女性气质，迥异于卡萨特在《包厢》（*In the Loge*，1878年）为歌剧院包厢里一个年轻女人所创造的形象【图16-13】。卡萨特作品中的女性积极主动地观看。当时的女性极少被视为具有新近心理分析理论所谓的"凝视的权力"，卡萨特却反常地让她的歌剧院观众完全地、强大地拥

有这份权力。这位女性观众举起观剧望远镜——男性旁观权力的典型工具，由于看得紧张激动，她不由自主地举起手中的扇子（相对于艾金斯的《凡·布伦小姐》，扇子放松地搁在水平位置，拘限于威严的坐椅扶手之内）。能量、控制和主动观看的生机，甚至于抓着观剧望远镜的戴手套的手腕隐约呈现的血管，以及明亮背景衬托的深色人物轮廓，所有这些都让我们看到，这幅肖像画在某种意义上是卡萨特作为现代女性艺术家的自我形象。

然而，这并不是说艾金斯从不描绘人们所谓的"现代生活的女英雄"。他创作了数幅女性歌唱家的肖像画，其中最著名的是《音乐会歌手》（*Concert Singer*），又名《韦达·库克》（*Weda Cook*）【图16-14】。然而，库克女士虽被表现为在舞台表演，但她的表演甚至不如卡萨特的《包厢》里的女性观众那般投入与积极地行动。正如约翰所指出，歌手的姿势容易被操纵，显然是犹豫不决而不是从容地控制场面的姿态。她似乎任由表演的魔力支配自己的独立性。换言之，艾金斯将女性歌手诠释为传输音乐的工具，而不是独立的创造者。事实上，画面左下方露出一只男性的手，以提喻法象征不可见的乐队指挥，进一步印证歌手作为工具的观念。这只手也可诠释为男性控制和主宰的符号。实际上，这只手属于韦达·库克的老师施密茨博士（Dr. Schmitz）。作为几乎不可见的男性存在，施密茨才是这幅作品所塑造的艺术创造力的主动的生成力量。

图16-13：玛丽·卡萨特《包厢》，1878年。布面油画，81.3厘米×66厘米

图16-14：托马斯·艾金斯《音乐会歌手》(《韦达·库克》)，
1890—1892年。布面油画，191.4厘米×138.1厘米

图16-15：奥古斯特·雷诺阿《包厢》，1874年。
布面油画，80厘米×64厘米

即便在（男性）印象主义者绘画的背景之下，卡萨特的作品也是属于反常现象。雷诺阿的《包厢》(The Loge)【图16-15】描绘歌剧院里一个迷人的年轻女子，她显然也被处理为男性观众（画内与画外）凝视的对象。她的男性同伴掌握擎举观剧望远镜的特权。雷诺阿的另一幅作品《第一夜》(First Evening，1876年)类似卡萨特的作品，描绘歌剧院里一个年轻女子的身影轮廓。然而，雷诺阿将少女的害羞降格为被男性观众保护的位置，而不是紧张地探身观看的冲动。卡萨特确实也在其作品里表现了男性观众观看年轻女子这一常见元素，用以强调她塑造女性对象的创新手法，但她笔下的男性丝毫不能影响女性的独立或自主性。

## 艾金斯与美国英雄

艾金斯以现代生活的英雄为主题的大型肖像画《塞缪尔·格罗斯医生肖像》(Portrait of Dr Samuel D. Gross)，又名《格罗斯的临床课》(The Gross Clinic)【图16-16】，将画中的唯一女性安排为不能观看的对象——也不能被我们观看。作为接受手术的男孩的母亲，她既是情感的容器，也是对这个事件的非理性的反应：她的形象失去自制力，情绪激动得歇斯底里，与冷静克制的男性医学专业人士和观众形成对比，他们冷漠地注视眼前的工作，象征着逻辑思维、对于目的和手段的长期专注。

这幅作品可能是艾金斯最出色的肖像画，无疑展现了他描绘美国专业成就的英雄品格的伟大雄心。他显然借鉴了伦勃朗著名的专业群体肖像画《杜尔普博士的解剖学课》(Anatomy Lesson of Dr. Tulp，1632年)。当然，艾金斯的《塞缪尔·格罗斯医生肖像》描绘符合19世纪美国英雄标准的慈善与实践的行动——挽救生命的手术，而不是展示人体结构的尸体解剖。除了这一事实，艾金斯改变了伦勃朗作品的构图，从水平角度转为垂直角度，从而将焦点从旁观人群和尸体转到塞缪尔·格罗斯医生身上。格罗斯医

图16-16：托马斯·艾金斯《塞缪尔·格罗斯医生医生肖像》或《格罗斯的临床课》，1875年。布面油画，243.8厘米×198.1厘米

生笼罩于光线之下，成为孤立的英雄形象——他在费城杰弗逊医学院巨大的圆形阶梯教室里，从孩子的大腿中取出一块死骨。这一场景极其戏剧化，甚至似情节剧一般夸张。艾金斯运用光线、空间、色彩、笔触的高超技艺，使焦点集中于行动的意义及其道德蕴意，从而愈发烘托画面的气氛。主宰画面的人物自然

是高尚的医生，他转离手术台，面向一群未来的医生（正在成长的现代生活的英雄）解释手术细节。艾金斯通过色彩而非叙事直接传达了这一挑战性英勇事迹的可怕、甚至病态的方面。画面到处是表示鲜血的红色，既象征道德也象征危急的生命。约翰斯指出，这幅作品的底色是红色，门洞和阶梯教室深处是红色，

手术桌左边是血迹污红的纱布、锯末箱和左边弗兰克林·韦斯特（Franklin West）使用的钢笔是红色，作为最后的高潮——格罗斯的手和柳叶刀沾满血迹。艺术史家迈克尔·弗雷德（Michael Fried）指出，正如其他肖像画和艺术家的自画像（这幅作品或许有所借鉴），艾金斯使用最厚重、最鲜艳的颜料描绘了主人公工作的双手。

## 女性与孩子

卡萨特没有机会描绘公共表演和专业成就的世界，即男性规定的现代生活的"英雄主义"。她的世界只有女人和孩童。这个世界是文雅的上层阶级的家庭成员和亲友熟人所构成的世界，只有亲密私下的人情关系，没有公共表演和英雄主义。这个世界虽受制于习俗和约束，但卡萨特构想或表现这一世界的艺术手法却丝毫不受拘限。无论是描绘姊妹的肖像还是母亲埋头阅读的场景，或者某个友人主持上流社交活动的仪式，卡萨特的形式语言都是既洗练，又具有冲击力。

《读费加罗报》（*Reading Le Figaro*）【图16-17】描绘了卡萨特的母亲呈现思考者聚精会神的姿态，在《茶桌前的女士》（*Lady at her Tea Table*），又名《罗伯特·里德尔夫人》（*Mrs. Robert Riddle*，1883—1885年）中的庄严的罗伯特·里德尔夫人。这两位女性都赋有相当的在场感和威势，时间或者室内空间的沉郁的阴影没有压倒她们，或者令她们感到压抑。相反地，她们被塑造为坚定地支配场景，从容地处于自己的社会和图画的背景中。卡萨特的姊妹莉迪亚坐在花园里安然入神地刺绣或钩织，譬如《莉迪亚在刺绣》（*Lydia Working at a Tapesty Frame*，约1881年），《莉迪亚在玛利花园里钩织蕾丝》（*Lydia Crocheting in the Garden at Marly*）【图16-18】。

然而，自19世纪80年代以来，卡萨特开始创作现代母亲这个可被视为相当于女性现代英雄主义的题材。在一系列油画、色粉画和版画里，她构思和创造男性英雄的对应者——女性抚育者及其后代。《爱米和她的孩儿》（*Emmie and Her Child*，1889年）和《第一次抚摸》（*First Caress*）【图16-19】是以母亲为主题的早期作品，揭示了卡萨特捕捉亲密、嬉戏场景瞬间的印象主义者的才能。她具备惊人的观察天赋，能够为观察对象构想新鲜的绘画元素。卡萨特在20世纪初的晚期作品，譬如《母亲与孩子》（*Mother*

图16-17：玛丽·卡萨特《读费加罗报》，1878年。
布面油画，104厘米×83.7厘米

图16-18：玛丽·卡萨特《莉迪亚在玛利花园里钩织蕾丝》，约1880年。
布面油画，65.6厘米×92.6厘米

图16-19：玛丽·卡萨特《第一次抚摸》，约1890年。
纸上色粉画，76.2厘米×61厘米

图16-20：玛丽·卡萨特《母亲与孩子》，约1905年。
布面油画，92.1厘米×73.7厘米

and Child）【图16-20】则较为正式，绘制十分精心，可能包含着一些象征主义的意味，并且隐约地指涉她早期所欣赏的意大利文艺复兴时期的艺术。卡萨特深情地描绘儿童的裸体，这份专注或许透露了一种欲望——一种迥异的欲望。或许可以说，卡萨特渴望婴儿的皮肤，碰触和嗅吸婴儿胖嘟嘟的光滑的裸体，但她以形式的理性和情感的羞怯谨慎地克制渴望。在极少数作品里，这份渴望被甜蜜化，转化为了伤感。探讨萨特和艾金斯的作品之时提起性的话题，必定会出现"移情""压抑""升华"等心理分析术语。然而，我们须警惕地诠释欲望及其对象的时代错误理论，因为在19世纪，裸体孩童经常被视为纯洁又诱人的对象，最好的范例便是英国道奇森牧师（Charles Lutwidge Dodgson，笔名为路易斯·卡罗），他酷爱拍摄小女孩几近赤裸的照片。卡萨特表现的肉感的裸体婴孩可能让人不禁想要诠释为弗洛伊德的"移情"——女性的欲望缺乏社会可接受的成熟对象（在当时艺术表现的规范之内），她便把欲望转移到不成

熟的对象。然而，事实可能根本不是如此。在不同的历史时期和境况之下，欲望具有很多不同的形式，如果我们按自己的观念决定何为"正常""转情"或"压抑"，那只能是自冒风险。在艾金斯以裸体男子、男孩、青少年为题材的作品中，他和同代人可能只会想到健康的男性一同在野外嬉戏，在今日则极可能被诠释为同性社交聚会，甚或表现同性恋欲望。艾金斯有一些描绘青春期或前青春期少女的作品，譬如《家庭场景》（Home Scene，1971年），被视为巴尔蒂斯（Balthus）的原型，画面似乎透露一种令人担忧的女性性意识。《家庭场景》无疑是依照库尔贝在1865年创作的蒲鲁东女儿的肖像；又如艾金斯的《凯瑟琳》（Kathrin）【图16-21】，画中的年轻女子陷在阴影之中，伸手逗弄趴在她叉开腿间的动物，她手中展开的折扇呈现暗示的形象，再次重申强烈的性意识。

以母亲为孩子洗浴为主题的作品里，卡萨特采用大胆的形式传达克制的情感，这份才力简直可以说无人能及，如两幅题为《孩子洗澡》的作品，1891年

**图16-21：托马斯·艾金斯**《凯瑟琳》，1872年。
布面油画，165.1厘米 × 133.4厘米

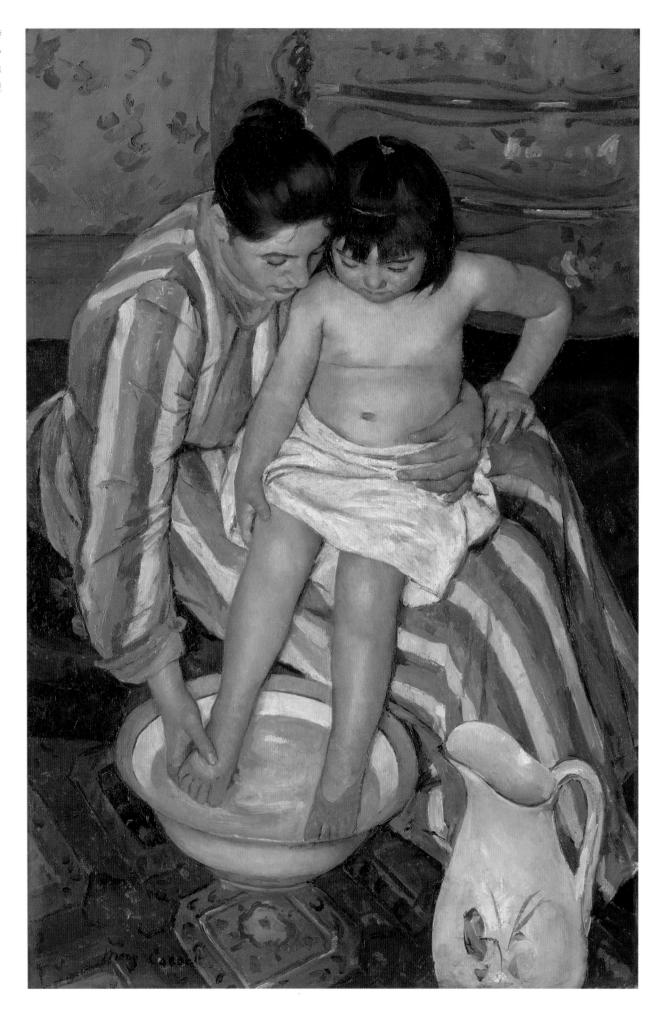

图16-22：玛丽·卡萨特
《孩子洗澡》（The Child's Bath），1893年。布面油画，99厘米×66厘米

图16-23：喜多川歌麿《母亲浴儿》，日本江户时代，1801年。版画，37.5厘米×25厘米

图16-24：玛丽·卡萨特《母亲的亲吻》（第5阶段），1890—1891年。纸上针刻和腐蚀凹版，43.5厘米×30厘米

创作为版画，1893年创作为油画【图16-22】。我们只须试想库尔贝、德加、塞尚等一代又一代男性艺术家以成年女性洗浴者为主题的作品，然而再看看卡萨特如何将这一主题转化为自己特有的领域。洗浴这一主题原本赋有的滥情伤感，假若不是被卡萨特统统涤净，也被掩盖在日本浮世绘的影响之下，如喜多川歌麿（Kitagawa Utamaro）创作的版画《母亲浴儿》（A Mother Bathing Her Son）【图16-23】。卡萨特尊重图画表面的形式要求，谨慎地运用纹案、肌理、色彩，吸引我们的视线上移，掠过画布表面，而不是看进画中；或者就版画而言，她使用技术操作困难的针刻腐蚀凹版法实现所要求的效果。

也许可以说，卡萨特在19世纪90年代初（她的艺术生涯巅峰）所制作的一系列蚀刻、针刻和腐蚀凹

版的彩色版画才是她一生的杰作，譬如《母亲的爱抚》（Maternal Caress，约1891年）、《母亲的亲吻》（Mother's Kiss）【图16-24】。这些版画浓缩了上层阶级女性（优雅、闲暇的女性）日常生活的平淡事件。这些事件包括与婴孩玩耍、为孩子洗浴或穿衣、写信、拜访亲友、乘公共汽车。就乘公共汽车而言，尽管女性对象必须进入大城市的广阔世界，但她们总是被体现为处于被保护的封闭的世界，甚至可以说被封在胶囊里。日本版画特有的程式化和省略化的现实表现手法，能够大胆地传达女性被封闭、被保护的世界——卡萨特的印象主义者朋友和同行德加、毕沙罗当时也在研究日本版画。这些艺术家通常分享思想、技术信息和批评，譬如1891年的《梳妆》（The Coiffure）【图16-25】和《试衣》（The Fitting）。卡萨特将浮

图16-25：玛丽·卡萨特《梳妆》（*The Coiffure*）习作，1890—1891年。纸上针刻腐蚀凹版，36.5厘米 × 26.7厘米

图16-26：玛丽·卡萨特《信笺》（*The Letter*），1890—1891年。纸上针刻彩色腐蚀凹版，34.5厘米 × 21.1厘米

图16-27：玛丽·卡萨特《下午茶会》（*Afternoon Tea Party*）（第4阶段），1890—1891年。纸上针刻彩色腐蚀凹版，42.5厘米 × 31.1厘米

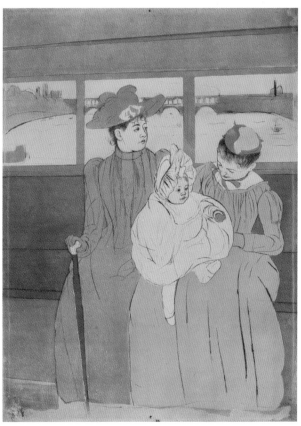

图16-28：玛丽·卡萨特《公共汽车》（*The Omnibus*）（第4阶段），1890—1891年。软基底蚀刻、针刻、彩色腐蚀凹版，45.7厘米 × 31.4厘米

世绘的艺术手法转换为属于自己的现代西方术语。在这套术语里，女性的经验成为完整的语言体系，拥有属于自己的比喻和创意。在这里，卡萨特彻底地消除时间性的叙事暗示，通过阴影、造型、深度空间、图画中的时间流逝来体现时间。在一系列的题材里，她偏取表面、即时和反叙事的场景。然而，正是因为这些场景的琐屑和反英雄主义的特征，令它们极其适宜于现代主义的术语，譬如，1890—1891年的《信笺》【图16-26】、1891年的《台灯》（*The Lamp*）。在这些作品里，卡萨特的一大造诣便是通过大胆的简化和精湛的图案结构，将私人空间转化为形式的优雅。譬如同是出自1890—1891年的《下午茶会》【图16-27】和《公共汽车》【图16-28】。《下午茶会》描绘两位打扮入时的女士的社交场景，为丰富的色彩和微妙的构图提供基础，访客的黑色外套映衬女主人的白色连衣裙（这个白色是画纸的本色）。在《公共汽车》里，女性去往外面世界的旅行被表现为得到如此严密的保护，以致于公共交通工具本身（敞开的车窗为构图提供绝妙的临时舞台）被描绘为优雅的母亲、婴孩

和保姆的移动客厅。巴黎城——无数印象主义者的关注焦点——仅成为这个居家场景的背景幕布。

## 卡萨特、艾金斯与现代寓言

与艾金斯一样，卡萨特也创作寓言作品；与艾金斯的寓言作品一样，她的寓言也指涉自己的手艺或使命——艺术创作。艾金斯的《威廉·拉什雕刻斯库基尔河的寓言形象》（*William Rush Carving His Allegorical Figure of the Schuylkill River*）【图16-29】属于过去的寓言，纪念1809年费城委托制作的一尊城市雕塑。这幅作品通过阴影浓重的空间背景和一道闪光，将艺术家放置于模糊笼罩的黑暗之中，因此，艾金斯本人转化为艺术家的抽象隐喻。他的灵感源泉则安排在相对明亮的位置，愈发强调历史和艺术创作的深刻含意。画面色彩柔和，形象则溶解为暗示性的轮廓。卡萨特的壁画《现代女性》（*Modern Woman*）则完全相反，其形象属于现在和未来的寓言。这幅壁画（后遗失或被毁）准备用来装饰1893年芝加哥举办的哥伦布纪念博览会的女性展馆北侧室。卡萨特之所以能够参加这

图16-29：托马斯·艾金斯《威廉·拉什雕刻斯库基尔河的寓言形象》，1876—1877年。布面油画，51.1厘米 × 66.3厘米

图16-30：玛丽·卡萨特
《采摘果实的年轻女子》，
1892年。布面油画，132
厘米×91.5厘米

图16-30：玛丽·卡萨特《采摘果实的年轻女子》，1892年。布面油画，132厘米×91.5厘米

一宏伟项目，完全归功于贝莎·波特·帕尔默（Bertha Potter Palmer）的引介。帕尔默女士是著名的选举权倡导者、芝加哥上流社会成员，担任女性展馆的女士管理委员会的主席。1892年，她与卡萨特在巴黎结识，极为欣赏她的作品，便委托她为名人纪念堂创作一幅壁画。为了绘制这幅大型作品（画面尺寸近3.66

米×14.73米），卡萨特在巴奇维利耶（Bachivilliers）的避暑山居造起一间玻璃顶画室，并仿效莫奈创作《花园里的女人》【图15-13】的做法，在画室挖掘了一条地沟，以便随意抬高或放低画布。于是，她既拥有户外绘画的优势，同时又能确保纪念性作品的宏伟篇幅。

卡萨特在中心画板上描绘《采摘果实的年轻女

子》（*Young Women Picking Fruit*）【图16-30 】，象征女性在伊甸园采摘知识和科学的果实，左边描绘《年轻女子追逐名声》（*Young Women Pursuing Fame*），相当幽默地用寓言形象表现年轻女子追着形似风筝、实际上是长翅膀的小人奔跑，她们脚下跟着一群鹅。右边是《艺术、音乐和舞蹈》（*Arts, Music, Dancing*），表现年轻女子正在从事这些艺术活动。尽管原作已经遗失，但存留的草稿可以让我们领略最后作品的鲜艳色彩。设若审视卡萨特在同时期创作的类似作品，譬如《伸手触摸苹果的婴孩》（*Baby Reaching for an Apple*，1893年），便可清晰地看出她将《现代女性》大胆地构思为大型装饰艺术。大约出自同时期的文字记载清晰地表明卡萨特这组壁画的意图：在她的花园里，女性采摘知识的果实不是被诅咒的行动，反而得到强烈的鼓励。女性展馆的倡导者如此表述其宗旨："我们（女性）食过知识树，我们憎恶安逸的伊甸园。我们要继承我们的遗产，要成为劳动者，而不是地球的累赘。"然而，卡萨特拒绝将她的寓言描绘为严厉的道德说教，或者采用陈旧的形式。相反地，她的风格属于当时的前卫艺术、后印象主义或象征主义。卡萨特对作品的现代性和创新性具有完全的意识，并强调她对作品形式的严肃追求。在创作期间，卡萨特致信帕尔默女士描述作品的进展，所使用的措辞强调了她对女性担负强大的新角色的坚定信念：

> 我试图以今日的时尚描绘现代女性，我试图尽可能准确地、用尽可能多的细节表现这些时尚。在画面中心和最大的构图部分，我安排"年轻女子采摘知识和科学的果实"……数日前，有一位美国友人带着不悦的口气质问我："那么，这个女人处于她与男性的关系以外？"我告诉他，是的。我敢肯定其他建筑的墙头已经画满了生机勃勃的男人；而我们拥有童年的甜蜜和女性的迷人，倘若我未能设法传达女性的一些迷人之处，简单地说，倘若我根本未曾体现女性气质，那么我是失败了……两侧的嵌板仍有足够空间描绘两组人物构图，我接下来要着手绘制的一幅是"年轻女孩追逐名声"。我认为这个主题极为现代……另一幅嵌板将表现"艺术和音乐"（绝不包括圣塞西利亚）。

随着年岁递增，卡萨特的政治见解越发激进。她是德雷福斯事件的支持者，并积极地参加女性主义运动。在写给帕尔默女士的信中，卡萨特宣称道："给我法国。在这里，女性若从事严肃的工作，不必为得到认同而奋斗。"她以赞同的口吻谈及女性要做一个人而不是一件东西的决心。她热情地参加1915年在纽约举办的女性争取选举权运动慈善展览，致信她的活动家友人哈维迈耶女士，说道："你知道我对当前这个问题的看法，倘若有这样一场展览，但愿是为了女性的选举权。"

艾金斯从未如此公然参与政治，事实上，他的晚期作品颇为保守。我们难以想象他会公开地支持女性主义，尽管他似乎曾鼓励一些女学生，并要求向更多学生开放裸体模特课堂。总而言之，艾金斯和卡萨特对艺术和绘画所体现的人类存在和社会秩序的观念如此迥异，但他们将美国艺术从本土和局限的追求推崇为世界级的事业。

## 问题讨论

1. 性别影响艺术作品的创作、外观和观众的回应，但其影响或许因人而异。这种情况如何产生的？结合玛丽·卡萨特和托马斯·艾金斯的例子来思考。

2. 很多艺术家描绘剧院、镜前或被旁观者注视的女性。卡萨特作品的形象如何有别于绝大多数此类作品？

3. 托马斯·艾金斯最关注的是男性自由与美国英雄主义——这句陈述为真为假？通过讨论他的两件作品说明你的回答。

4. 就前卫艺术这一术语在本书所使用的含意而言，玛丽·卡萨特是否为前卫艺术家？

## 第17章

# 大众文化与乌托邦：修拉和新印象主义
# 约1880—1900年

## 导言

乔治·修拉之所以被列入19世纪最神秘艺术家的行列，主要是因为一个原因：无人知道他的公园、舞厅、马戏团和码头的绘画作品所表达的是和谐还是冲突。两种观点各有支持者，但我们可以找到一种逻辑的方式解决这个争端：修拉如此熟悉退化的劳动和消遣，用绘画和素描记录人与人之间、人与环境之间的异化现象的同时，通过商业化娱乐活动将这种异化表现为乌托邦乐趣的岛屿，从而认可这类娱乐消遣所提供的真实的乐趣。那么，修拉所描绘的消遣主题也许同时也是表达耻辱和鼓励、疾病和疗愈？

修拉在巴黎美术学院学习绘画，但很快厌倦了严格的体制，便转向自发性创作，使用独特的素描风格，强调色调，大致上不使用线条。"孔泰色粉笔"的素描效果既朦胧又有吸引力，尤其适宜于修拉开放式的暗示性绘画。1884年，修拉的《阿涅尔的浴者》（*Bathers at Asnières*）【图17-3】是他最早的油画作品，表现一群工人阶级男子和男孩在塞纳河边玩耍、在水中洗浴（从低头垂肩的姿势可以断定他们是工人阶级，并且中景红发男孩留着无产阶级的发型）。总体上说，就其明亮的色调、鲜艳的颜色以及分离的清晰笔触而言，《阿涅尔的浴者》是一幅印象主义作品。

两年后，修拉完成大型油画的《大碗岛的星期天下午》【图17-4】，艺术家保罗·西涅克（Paul Signac，1863—1935年）称之为修拉的"宣言式绘画"。在很多方面，这幅作品是《阿涅尔的浴者》的小资产阶级对应

者，宣告一种新艺术风格的诞生。这一风格通常被称为"色光主义""新印象主义"，或者"分色主义"，偶或被称为"点彩派"。细碎的笔触（几乎是圆点）在画布上并置，颜色几乎都是互补色，以便相互增益、营造更鲜亮的总体效果。凑前近观之时，这个手法似乎管用。然而，倘若从远处观看，各种颜色相互交融，致使整个画面的亮度减弱，显得十分暗淡——也即预期效果的反面。纵是如此，这幅作品一直被视为修拉的杰作。星期天游乐者的行列，或漫步，或散坐，或划船，或吹号角，或调情打趣，或厌倦无聊，足见这种所谓的强制休闲的本质：劳动者一星期只有这一天（或两天）能够到户外随心所欲地支配自己的身心。然而，这些身体的形状和姿态暗示人们的休闲时间可能似工作时间一般刻板。难道休闲与劳动一样被工业化？

修拉的创造和洞见极具感染力，尤其在某种程度上认同他的辩证的想象和无政府主义信念的艺术家中间。毕沙罗和西涅克热烈地接纳新印象主义，因为这种风格为他们提供艺术创作的更新的基础，一种复兴的前卫精神。然而，正如在通常的情况之下，摹品比不过原作，修拉的数幅大型绘画，包括最后的作品（可能未完成）《马戏团》（*The Circus*）【图17-14】，象征着一条从未彻底开辟出来的独特道路。残留下来的只是一种复杂、甚至可能自相矛盾的艺术，为我们提供一点关于资本主义文化本质的洞见：这种文化造成异化和绝望，为这类症状制造（并从中获利）有效解药的卓越能力。

## 乔治·修拉的自相矛盾

1929年，英国批评家罗杰·弗莱（Roger Fry）写道，乔治·修拉的艺术在"摄影直接性"与"绘画艺术所能企及的抽象顶点"这两个极端拉撑。在我看来，这一根本矛盾准确地描述了修拉及其新印象主义追随者的努力和成就。这些艺术家比印象主义者晚生一个世代，试图将印象主义回归集体和民主的根基，同时又坚持个人和艺术表现的自主性。鉴于时代的社会和文化限制，这个目标大体上不切实际，最后只能产生一种自相矛盾的艺术：新印象主义既以科学经验又以通常相当深奥的理想主义为纲领；既汲取通俗文化，又接受古典主义和学院派传统的精英艺术的影响；既要表达政治异见，又要保持形式的纯洁；同时还要传达现代生活的异化和乌托邦梦寐以求的闲暇生活、无尽的愉悦。总之，用马蒂斯的话说，新印象主义要求高强度的智力活动，是"疲倦的商人的扶手椅"。因此，通过这些矛盾，修拉及其追随者的作品为20世纪现代主义奠定了基础——在20世纪现代主义中，这些矛盾名叫毕加索、马蒂斯、皮特·蒙德里安（Piet Mondrian，1872—1944年）、米罗、亚伯斯（Albers）、里维拉。

图17-1：乔治·修拉
《阿曼-让》，1882—1883年。孔泰色粉笔，62.2厘米×46.4厘米

## 修拉的素描及其分散的意义

乔治·修拉可以说是新印象主义的创始人和领袖（及其唯一的天才）。除了在诺曼底或布列塔尼海岸度过数个夏天，他在巴黎度过短暂的人生，全部时间或在画室创作，或在马真塔大道（boulevard Magenta）136号公寓楼里与家人一起生活（位于新北站与老圣拉扎尔监狱中间）。修拉的外祖父原是马车夫，改行作珠宝商，他的父亲安托万·修拉（Antoine Seurat）是政府小职员和房产投机商，富裕之后提前退休，在勒兰西郊区别墅度过闲暇时间。父亲的经济成功让乔治毫无经济顾虑地投入艺术事业。然而，乔治的成长经验显然不仅受到幸运的经济条件的影响：他所居住的巴黎城区的现代性、勒兰西郊外新奇的文化特征，以及他父亲的金钱所赋有的权力，都冲击着他的头脑。所有这些影响力都在他的成熟作品里得到体现。

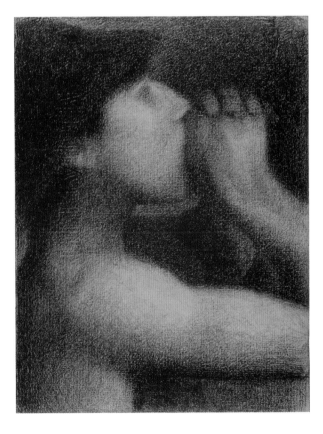

图17-2：乔治·修拉
《回声》，1883—1884年。孔泰色粉笔，31.1厘米×23.4厘米

修拉最初接受工业与装饰艺术训练，在1878年申请就读巴黎美术学院，并被录取。他在亨利·莱曼（Henri Lehmann，1814—1882年）的画室学习一年有余，但由于厌倦、成绩糟糕和政治排斥（同学称他

为公社社员）而退出。之后，修拉服了一年义务兵役，然后回到巴黎，租赁友人埃德蒙-弗朗索瓦·阿曼-让（Edmond-François Aman-Jean，1860—1935年）的画室，旋即开始创造一种绝无仅有的素描风格。在《阿曼-让》【图17-1】、《回声》（Echo）【图17-2】等许

**图17-3：乔治·修拉**
《阿涅尔的浴者》，1884年。布面油画，200.9厘米×299.7厘米

多素描里，修拉几乎彻底摒弃线条——曾经是素描不可或缺的元素。此时，修拉已经放弃了追求艺术作品曾经赋有的意义。

《阿曼-让》是一幅大型独立肖像素描，在米歇尔纸上使用孔泰色粉笔描绘。男性对象表现为半身像侧面轮廓，目光投到右下角。他的右手伸展，手持一支小画笔，似乎恰在跟画框右侧边缘重合的位置绘画。《回声》仅为《阿曼-让》的一半尺寸，实际上是修拉的第一幅大型油画《阿涅尔的浴者》【图17-3】的习作。素描里的男孩呈现为侧面特写，后背和伸展的手臂构成"L"形，呼应纸张左侧和底部所构成的形状；男孩的帽子呈等腰三角形，鼻子和右前臂从左上方至右下方呈对角倾斜平行；他的双手拢在嘴前，扩大呼喊的音量。

在这两幅素描里，修拉使用油腻的黑色粉笔打底，营造不受线条的生硬轮廓干扰的微妙的明暗过渡。（在强调阿曼-让的面部轮廓之时，修拉破例使用

线条。）修拉主要通过空白创造鲜明的对比，如《回声》里男孩的肩膀，或者使用明暗对照法，如《阿曼-让》的白衬衫领口与黑外套翻领的对比。然而，在这些素描里谈论对比、造型、体积等概念实则是误导的诠释，因为这些素描中的色块和阴影部位都同时体现消失感和可触性。形体的存在与缺席融合为一种强烈动人的修辞风格。因此，在某种意义上，《阿曼-让》和《回声》根本不是艺术再现。这两幅作品完全不可能揭示所描绘对象的性格信息和身体特征，拒绝在人物与背景之间作出任何清晰的区别。如果说艺术是艺术家的个性或心灵的呈现，那么《阿曼-让》和《回声》在这方面不能提供任何价值。修拉在素描里舍弃线条，从而比本书至此所讨论的任何一位艺术家更接近纯粹的抽象。这些素描对于理解修拉与古典主义传统之间的断裂具有至关重要的作用，因此，在讨论他那些开辟时代性的绘画之前，我们必须再深入介绍素描艺术。

自文艺复兴时期以来，素描艺术便基于线条的把握与控制：轮廓、运动、方向、体积、光线、表现力，都被视为依赖于线条。16世纪末的费德里科·祖卡里（Federico Zuccaro）认为线条素描具有神圣的地位，肉体通过线条物质地呈现于艺术作品（disegno esterno）中，线条也是艺术家的想象力和天才的物质痕迹（disegno interno）。因此，以线条绘制的素描艺术既有再现价值，又有道德价值，成为17世纪以伟大人物、历史大事、神话和宗教为题材的历史画的基础（及至20世纪初，素描训练一直几乎仅限于男性。因此，"Disegno"一词也是表达男性统治的词汇）。在19世纪早期，线条素描的古典主义和理想主义传统的主要拥护者是安格尔，他告诉学生（包括修拉的老师莱曼）："素描不光是复制轮廓，素描不光是线条。素描是表现，是内在形式，是表面造型……正因为如此，现代最具表现力的画家碰巧也是最伟大的制图师——瞧瞧拉斐尔！"

除了安格尔及其学生，夏尔·布朗（Charles Blanc）也拥护新古典主义艺术理论的信条，推崇线条在素描中的地位。布朗是极具影响力的批评家、美学家和教育家，在著作《绘画艺术语法》（*Grammaire des arts du dessin*，1867年）里，他写道："线条——笔直、弯曲、水平、倾斜——都直接地关涉我们的情感；线条本身极具表现力和感染力。"即便是德拉克洛瓦和马奈——虽都试图将线条拉下其崇高的位置——也认为线条是在素描中创造运动和灵活性的必要工具。然而，在修拉的手中，线条素描的传统貌似已被终结，取而代之的是艺术史家贝恩德·格罗韦（Bernd Growe）所谓的"明暗连续"的抽象。物体的质感融化在黑粉笔底稿所释放的光线之中，色调的起伏则为光线烘托一种具体的存在感。在《阿曼-让》和《回声》里，修拉的真正的主题可能是艺术家用来绘制的不可见的画纸和男孩无声的呼喊。因此，在修拉的素描里，"意义"被扩散到米歇尔画纸的粗糙和模糊的边缘，进入充满活力和争竞的观者空间。如此之下，修拉的素描类似他的绘画：努力地在艺术作品中与艺术家所看见、所描绘的各阶级和文化之间激发交流的火花。就这份努力而论，这些作品具有非同寻常的、激进的批判意义。因此，修拉的素描和绘画通过拒斥意义——艺术作品被圈定的框架之内的意义，表明艺术家试图让艺术作品恢复社会和政治意义。于

是，决定艺术作品的意义这一任务，便落到——几乎前所未有地——广泛而多样化的、对于艺术形式感觉敏锐的观众身上。修拉的素描在拒斥新古典主义艺术理论的重要方面的同时，也回归大卫恰好在100年前所倡导的革命价值和新古典主义历史画。

修拉观察并理解画布内与画室外的城市所容纳的对立冲突的空间和多样化的文化。在年轻时代，他常到自家公寓旁新造的工人阶级休闲场所肖蒙山丘公园（Buttes-Chaumont）。从这里往东便是他父亲在勒兰西的隐居别墅。勒兰西郊区刚规划为住宅用地，打造成中产阶级的"别墅"。因此，当修拉跟随一些友人在克利希（Clichy）、阿涅尔、大碗岛（Island of the Grande Jatle）探索之时，他实则早已熟悉奥斯曼改造后的巴黎城和郊外休闲空间的复杂的社会阶级迹象。《阿涅尔的浴者》以宏伟的尺寸描绘塞纳河左岸虽破败却著名的消遣场所。一群工人阶级男子和男孩在这里放松、洗浴。这幅作品使用有规则、系统化的印象主义的独特色彩和手法，在提交给沙龙之时却被评委淘汰。奥迪隆·雷东和保罗·西涅克等一群艺术家组成的独立艺术家协会（Société des Artistes Indépendants），在1884年举办不经预先评审挑选的展览，修拉的《阿涅尔的浴者》在这场展览两次展出，获得一些自然主义者作家、批评家、艺术家（包括西涅克）的称赏。西涅克后来成为"新印象主义"艺术运动的核心人物。然而，批评家莫里斯·赫姆勒（Maurice Hermel）指出，这个新运动的"宣言"实则是在两年后出现于第八届也是最后一届印象主义展览。这一宣言便是修拉的《大碗岛的星期天下午》。

## "宣言式绘画"：《大碗岛的星期天下午》

修拉的《大碗岛的星期天下午》（以下简称《大碗岛》）【图17-4】以实物尺寸描绘郊外公园某个星期天的田园风光。这座公园位于阿涅尔河对对岸的小岛上。在这个阳光灿烂的安息日午后，各阶级的男女老少穿戴最好的服饰，去岛上野餐、散步、划船、钓鱼、相互观望。这座小岛及其居民构成现代的基西拉岛（Cythera），但有一个区别：这里的快乐似乎被败坏了。批评家亨利·费弗尔（Henri Fèvre）在1886年5月如此写道：

一点一点地，我们开始理解画家的意图；
迷惑与昏聩消散，我们开始熟悉、领会、看

图17-4：**乔治·修拉**《大碗岛的星期天下午》，1884—1886年。
布面油画，207.6厘米 × 307.9厘米

图17-5：**皮埃尔·皮维·德·夏凡纳**《圣林》（*The Sacred Grove*），1884—1889年。
布面油画，92.6厘米 × 231厘米

清、欣赏被阳光漂白的大片黄色草地，树梢的一团团金色尘埃，由于光的眩惑，视网膜难以分辨细节；然后，我们理解巴黎人漫步休闲的造作、生硬、扭曲；他们连消遣也不自然……这是物质主义者皮埃尔·皮维·德·夏凡纳，对自然的粗略概括，野蛮地用色。

另一位批评家阿尔弗雷德·波利特（Alfred Paulet）写道："这位画家为人物描绘士兵一般机械化的姿势，遵守严格的方形阵型移动。女仆、职员、士兵，全都以相似的迟缓、单调、同一的步调行走。"因此，修拉的《大碗岛》既是体现娱乐和休闲的率真的印象主义绘画，也是批判现代阶级社会的伪装和异化的现实主义作品。因此，或许可以说，他的导师既是《青蛙塘》（The Frog Pond）的作者莫奈，也是《草地上的午餐》【图13-12】的作者马奈。

然而，纵然只是粗略观看修拉的作品，也可看出他的风格迥异于莫奈和马奈。与这两位画家不同的是，修拉跟一些学院派画家一样，严谨而系统性地使用自己的方法。1888年，修拉对友人、诗人和批评家古斯塔夫·卡恩（Gustave Kahn）说道："菲迪亚斯（帕特农神庙）的雅典壁雕是一个游行队伍，我想把现代人描绘成那些壁雕上的人物，以最基本的形式，通过色彩和线条的方向令他们和谐地安排在构图里，线条和色彩相互一致地安排。"在这一点上，修拉类似学院派壁画家皮埃尔·皮维·德·夏凡纳。修拉开始创作《大碗岛》的那一年，夏凡纳在沙龙展览《圣林》【图17-5】。与夏凡纳一样，修拉的风景，尤其是风景里的人物，严格地遵循依据维特鲁威的理论所建立的人体比例和古典主义模式：头部为身高的八分之一，面部为准确的正面像、四分之三侧面像、正侧面、四分之三背影，全背影。在运用色彩之时，修拉同样严格地遵守原则，尽管这方面所依据的是米歇尔-尤今·谢弗勒尔、查尔斯·亨利（Charles Henry）、奥格登·鲁德（Ogden Rood）的当代色彩理论。修拉在稀薄的底色之上，用宽阔、长方形的笔触描画色相近似的固有色，以纯粹或半调和的颜料谨慎地摆放为弯曲、水平、垂直或交叉的笔触。在这层色彩之上，再添加一层大小完全相同的色块或色点，几乎全部使用纯粹的互补色和邻近色，营造类似马赛克般的效果，令画面赋有生动的气息。

## 修拉的方法："色光主义"

为了追求甚至超越印象主义绘画的亮度，修拉摒弃皮维·德·夏凡纳的肃穆的色调，运用他自己发明的"色光主义"（Chromo-luminarism）。1886年，费内翁从修拉那里得知这一方法，在同年公诸于世：

> 这些颜色在画布上相互分离，却在视网膜再度融合。因此，我们所拥有的不是物质色彩（色素）的混合，而是不同颜色的光束的融合。纵使颜色相同之时，混合的色素和混合的光束并非必然地产生同样的结果，我们需要被提醒这一道理吗？众所周知的，正如鲁德先生的许多方程式所展示，就亮度而论，光的混合总是胜过物质色素的混合。

次年，费内翁再次向公众阐述修拉及其同事的技法，包括西涅克、吕西安·毕沙罗（Lucien Pissarro，1863—1944年，卡米耶·毕沙罗之子）、马克西米利安·吕斯（Maximilien Luce，1858—1941年）、查尔斯·安格兰 Charles Angrand，1854—1926年）、阿尔伯特·杜波依斯-皮勒（Albert Dubois-Pillet，1845—1890年）。这些艺术家的作品出现在独立艺术家协会第三届年展。费内翁称他们为"新印象主义者"，因为他们拒斥印象主义的"易逝的表象"。费内翁分析诸如保罗·西涅克的《克利希的煤气塔》（Gasometer at Clichy，1886年）和《餐室》（Dining Room）【图17-6】，认为这些艺术家想要"用明确性综合风景，以便永久地捕捉（风景所造成的）感知……略微退后（观看他们的作品之时），就会看到所有这些多彩的色斑融化为鲜亮、起伏的体积。简直可以说，笔触消失了。眼睛只看见绘画的实质"。就连成熟的卡米耶·毕沙罗也被色光主义迷醉，在1885—1890年间实践近5年之久。他的《鲁昂拉克罗瓦岛》（L'Ile Lacroix, Rouen）又名《雾景》（The Effect of Fog）【图17-7】，在明亮部分使用微妙的白色、粉色和绿色，阴影部位则使用橙、蓝互补色，画面的笔触谨慎地相互隔离，表明毕沙罗努力试图掌握色光的"法则"。正如他本人所说，这些法则是为了创作"一种仅依据感知的强健的艺术"。

然而，费内翁、修拉及其追随者实则误解了美国物理学家奥格登·鲁德的色彩理论，误以为他主张每

图17-6：保罗·西涅克
《餐室》，1886—1887
年。布面油画，89.5厘
米×116.5厘米

图17-7：卡米耶·毕沙罗
《鲁昂拉克罗瓦岛》，
1888年。布面油画，
46.7厘米×55.9厘米

一种物质混合色在亮度上都次于光线的混合色彩。这一误解导致《大碗岛》的色彩暗淡。埃米尔·埃纳奎安（Emile Hennequin）早在1886年便正确地察觉其表面"灰尘弥漫或毫无光泽"，以及"几乎完全缺乏亮度"，尤其是左侧前景半躺男子的长裤，或者持钓鱼竿的女子的衣裙，尽管这两处也是互补色的斑点或色块交织融合。纵然如此，修拉继续追求他的科学审美事业，并很快确信自己有所发现，用卡恩的话说——"经过艺术的试验……发现了绘画色彩的法则"。

1890年，修拉在一封短笺里描述他的方法。他写道：

艺术是和谐。

和谐是对立的类比，类比是色调、色彩和线条的相似，考虑到主色，在光的影响之下，结合欢快、平静或忧伤的情绪。

鉴于视网膜的光亮印象持续时间的现象……

综合是逻辑的结果。

表现的手段是色调与色彩的光学混合（固有色和鲜亮的色彩：阳光、油灯、煤气灯，等等），即光及其副作用（阴影）依据对比、渐变、辐射的法则的光学混合。

画框……对立于绘画的色调、色彩和线条的和谐。

修拉认为他的方法以"对比"和"综合"为基础。因此，他的信条"艺术是和谐"便等于宣告美源自相反的色彩、色值、线条的对立与统一的连续过程。（在这里，线条必须主要理解为笔触的方向）。此外，修拉将这一动态关系扩展到画布外，延伸至画框，继而从画框延伸至观众的世界。据诗人和批评家埃

**图17-8：乔治·修拉**
《洛克罗奇：上游》（*Le Crotoy, Upstream*），1889年。布面油画，70.5厘米×86.7厘米

# 乌托邦主义

奥斯卡·王尔德（Oscar Wild）在《社会主义制度下的人的灵魂》（*Soul of Man Under Socialism*，1891年）中写道：

> 一张没有乌托邦的世界地图是不值得一瞥的，因为它省略了人类永远向往的境域。人们站在脚下的陆地上，眺望远方，寻到更好的地方，重新启航。进步是乌托邦的实现。

王尔德撰写这段文字的时候，距离托马斯·莫尔在同名著作（1516年）创造"utopia"一词已经过去3个世纪。莫尔所虚构的"utopia"（这个词语以两个希腊词语合成，取"无处"和"好地方"的双关意味）是新世界的一座岛屿，由民众推选的君主统治。所有财产属于共有，所有人——男女一视同仁——参与农事、手工艺、阅读、学习，享受崇拜自由。然而，这里也对旅行、婚前性行为、祭司职位等进行限制。乌托邦社区甚至有奴隶，当然都是外国人和服役的罪犯。从总体上说，这部著作所描绘的乌托邦比欧洲当时任何一个社会更开明、民主和自由。

人们一直在争论莫尔撰写《乌托邦》的真正意图，但毫无疑问的是这部著作具有深刻的影响力，尤其对19

保罗·西涅克《和谐时代》（*In the Time of Harmony*），1893—1895年。布面油画，310厘米×410厘米

世纪的作家和艺术家产生深刻的影响。及至19世纪50年代，法国简直是乌托邦名副其实的首都，夏尔·傅立叶、克劳德·昂列·圣西门、普罗斯佩·安凡丹、艾蒂安·卡贝（Etienne Cabet）、皮埃尔·勒鲁、女性主义者弗洛拉·特里斯坦，都撰有乌托邦手册。卡贝根据工人应当成立合作社取代资本主义生产的理念，创立伊卡里亚运动（Icarian movement）。卡贝在手工艺人中间尤其受欢迎，在伊利诺伊州和得克萨斯州成立聚居地。傅立叶提出小型理想社区"法伦斯泰尔"（phalanstères），人们在其中随己喜好、"团结一致"地生活和工作。傅立叶的思想影响了多米尼克·帕佩蒂、托马斯·库图尔、西奥多·卢梭，以及一个世纪后的理想工业城市规划者，诸如法国的吉斯，英国的索尔泰尔、伯恩维尔，美国的普尔曼（参见第355—56页）。傅立叶也影响美国的布鲁克农场公社（Brook Farm，1841年）和果园公社（Fruitland）的超验主义创始人。

弗洛拉·特里斯坦主张女性是"无产阶级中间的无产阶级"，女性解放意味着所有人类的自由。特里斯坦的思想深刻地影响她的外孙保罗·高更。高更所描绘的裸体和原住民妇女有时被称为性别歧视，但他的作品在当时具有迥异的影响。事实上，高更对种族和性别的关注属于"多元交错"（intersectional）——这个术语出自特里

斯坦的思想，认为个人和政治的解放要求人们团结一致，跨越身份的人为障碍。

然而，正如王尔德的文章所暗示，乌托邦主义这一词语在19世纪备受批判。保守派拒斥任何预设没收财产和阶级平等划一的思想。马克思、恩格斯、威廉·莫里斯（大约在1883年以后）等激进派谴责乌托邦主义纯粹是天上的馅饼，缺乏对政治经济学的审慎分析。恩格斯反对无政府主义和乌托邦主义，认为社会不可能同时全部解决，只能一次解放一个阶级，并以无产阶级为先锋。

然而，乌托邦主义在19世纪晚期产生一些无可质疑的艺术杰作，诸如乔治·修拉的《大碗岛》，詹姆斯·恩索尔的《1889年基督降临布鲁塞尔》，保罗·西涅克的《和谐时代》。20世纪早期是欧洲大多国家、美国和俄国的工人团体自行建立组织、进行具体的政治行动的时期，他们成立劳动党或委员会（俄国称为"soviets"），要求工作场所和政治的改革，在有些情况之下甚至实现这些改革，包括19世纪晚期欧洲一些国家和美国逐渐赢取女性选举权。近一个半世纪以后，在我们今日，很多国家削减工人保护政策，致使不平等的状况重新上升，乌托邦思想便又回归，人们重新开始拥护王尔德志向高远的政治地理学。

米尔·维尔哈伦（Emile Verhaeren）所说，修拉将他的彩绘画框——譬如他的风景画《洛克罗奇：上游》【图17-8】的画框便是极其壮观的范例——比拟为瓦格纳在拜罗伊特（Bayreuth）歌剧院的舞台技艺，灯光照亮的舞台与昏暗的剧院"继续存在、伸展，迎接观众的眼睛"。

修拉使用科学和辩证的手法创作绘画，在画中消除艺术作品与世界的隔阂。他试图为绘画恢复在古典主义和学院派历史画消亡之际所丧失的文化意义。修拉对《大碗岛》的评论，现存只有西涅克记录下来的一句话。这句话无疑应当诠释为修拉敬重大卫的典范："如若换一份心情，我也会很情愿地绘制荷拉斯家族与库利亚提家族之间的纷争。"修拉坚持不懈地认准和谐的法则，力图恢复绘画事业在库尔贝等人的现实主义里被摧毁的社会和集体意义。《大碗岛》确实让

人联想到库尔贝的《奥尔南的葬礼》【图11-16】，尽管两者的色彩和色调有所差异，但这两幅作品都使用大型、甚至宏伟的篇幅描绘了生硬、阶级界定模糊的仪式。

《大碗岛》既是理想主义，也是现实主义；既是古典主义，也是现代主义。用迈耶·夏皮罗的话说，这幅作品及其画家都具有"诚挚的民主精神"，肯定多样化的观众——正如画中的周末闲游的人群——成为绘画的正当的、具有批判能力的观者的权利和机会。正如很多后来的现代主义者，修拉力图突破艺术家与工人、美术与工业艺术之间的区别。修拉的朋友和诗人奥克塔夫·莫斯（Octave Maus）询问他的《模特》（*The Models*）【图17-9】一画的销售价格。修拉如同散工一般按日薪计算价格："一天7法郎，总共花了一年时间。"安格兰询问他作品的意义之时，修拉答

图 17-9：乔治·修拉
《模特》，1886—1888
年。布面油画，200.6
厘米 × 250.8 厘米

道："（作家和批评家）在我的工作里看到诗歌。没有那回事！我在应用我的方法，仅此而已。"确实，修拉及其新印象主义者，以及当时其他少数一些艺术家，认为物质的消遣与艺术作品的智性认知之间存在近乎绝对的区别。新印象主义者将相互分离的色点依照预想的体系摆放在画布上，他们的绘画实际上是夸张或模仿正在法国扩展的工业化与异化劳动。在这种劳动里，工人看不到个人的劳作与最后成品之间的关系。

那么，在观看《大碗岛》之时，当时与后代的批评者所感觉的孤立和疏远，又是源自什么？源自这里：《大碗岛》探索与运用一种理性化的审美公式表现休闲、从容和娱乐。日常生活和劳动里缺少了革命，两部分就不能构成整体，于是，就只剩下拙劣的模仿。

## 娱乐的悖论：《骚动舞》

修拉描绘大众娱乐活动的作品，诸如在独立艺术家沙龙展览的《余兴节目》（Sideshows，1887—1888 年）、《骚动舞》（Le Chahuts）【图 17-10】【图17-11】、《马戏团》（Circus）【图 17-14】，表明他在深入地探索和谐艺术的矛盾本质。在《骚动舞》里，修拉描绘两男两女表演被称为骚动舞的粗俗方阵舞，地点设置在他所熟悉的蒙马特尔某舞厅的舞台上。画面捕捉了表演高潮或者演员谢幕的时刻，舞者退出方阵，排成一列，为人群表演最后一个高踢腿。前景的女舞者伸展长腿，将乐队成员笼罩其下，如同一个色情的大括号。低音提琴手位于最前景，背对我们；左下角的笛手仅露出双手和乐器；乐队指挥只有侧面轮

图17-10: **乔治·修拉**《骚动舞》最后习作，1889年。
布面油画，55.6厘米×46.7厘米

图17-11: **乔治·修拉**《骚动舞》，1889—1890年。
布面油画，170厘米×141厘米

廓，他的头、手臂、指挥棒和胡须全都上仰；一对空悬的琴弓表示旁边两名小提琴手。乐队旁边的乐队池里坐着一个观众，右下方有一位绅士，卡恩形容他"长着猪鼻嘴"，但他衣着时髦，戴礼帽，持手杖，外套的翻领佩戴花束；舞台对面另有三位观众。画中其余景象只是一片模糊：画面上方和左侧是悬空的煤气灯，距离左边框架四分之一处的垂直支柱，后墙的位置，观众和乐队的确切位置安排，以及彩绘画框内小花饰形状，都没有清晰明确的形象。同样神秘的是这幅绘画的气氛。在《骚动舞》里，修拉有些自相矛盾，所描绘的既似无拘无束的快乐的幻想，也似粗俗的噩梦。

卡恩察觉这一对立，并赋予其政治意味。他写道："如果你不惜代价寻找一个'象征符号'，你可以在舞者优美的对立之中找到：优雅又谦逊的精灵对比仰慕者的丑陋；你也可以在画布和题材的神圣结构之中找到，犹如一种现代的耻辱。"西涅克对这幅作品也提出类似的看法。1891年，修拉逝世数月后，西涅克道出他的见解，认为通过描绘工人阶级的形象，"或者更确切地说，似画家修拉那样描绘舞厅、骚动舞和

马戏团的堕落的娱乐，鲜活地感知我们这个过渡时代的堕落——在工人与资本所展开这一场社会审判里，（新印象主义者）拿出他们自己的证据"。数年后，西涅克也尝试表现这场审判的结果，创作题名为《和谐时代》（1893—1895年）的革命后田园牧歌，这幅作品显然是直接模仿《大碗岛》。

依据卡恩的诠释，修拉在《骚动舞》所体现的幻想与噩梦的对立，可以简单地理解为在蒙马特尔上演骚动舞的夜总会里，舞者体验自由表达的乌托邦快乐，观众则忍受恶劣的食物和酒水、污秽的环境、淫秽的表演的反乌托邦。诚然，这一观点也可以轻易地颠倒过来。依据西涅克的诠释，我们可以说，在这种被称为骚动舞的巴黎舞蹈里，舞者不是"精灵"，而是被贬低为单纯的自动机械，舞者的四肢、臀部、胸脯、胯部、笑容显然跟身体和头脑相隔绝，在恋物欲和物化的反乌托邦里异化。与此同时，观者被款待，享受音乐、灯光、狂热的舞蹈和性刺激的乌托邦娱乐。

所有这些矛盾可能同样的合理，也可能同样的不合理：一方面，我们深知舞蹈动作的设计专为粗俗的性展示，舞者怎么可能真正地体验自由表达的乐趣？另一方面，舞者的踢腿如此活泼，笑容如此热情，她们怎么可能感到异化和贬抑？至于观众，一方面，他们显然如此陶醉，打扮得如此华美，怎么可能是在遭受退化和剥削的反乌托邦？另一方面，观众被排除在舞蹈之外，显然排除在人类陪伴之外——孤身一人看骚动舞，我们怎能认为他们体验到乌托邦的感官刺激和情色愉悦？

这里必须再次考虑分析《大碗岛》之时浮现的问题：《骚动舞》是否是讽刺作品？如果是，那么修拉为何大费周折地动用色调、线条、色彩等技法，鉴于他相信这些技法只会刺激观众的愉悦。修拉认为大面积的高光，暖色、向上的角度和线条，有助于激发快乐的感觉。在前文所引用的书信里，修拉写道："色调的喜悦以明快为主，颜色以暖色为主，线条以水平线以上为主。"《骚动舞》所使用的正是这些喜悦的技法。在《骚动舞》里，修拉似乎想要创作一幅民主与快乐的图画。

图17-12：亨利·德·图卢兹-劳特累克《日本咖啡馆》(Le Divan Japonais)，1892—1893年。彩色石版招贴画，80.8厘米×60.8厘米

无论我们对修拉的审美理论和实践知道多少，真正地观看《骚动舞》之时，依然难免要给它冠上讽刺作品这个称号。设若拿这幅作品比较亨利·德·图卢兹-劳特累克为同一家夜总会绘制的石版招贴画《日本咖啡馆》（Le Divan Japonais）【图17-12】，我们可能会更坚信《骚动舞》是一幅讽刺作品。图卢兹-劳特累克不加评判地描绘巴黎世界的时尚和名流，当红的舞者伊薇特·吉尔伯特（Yvette Guilbert）现身舞台（招贴画上方边缘大胆地切掉她的头颅），下面坐着舞者珍妮·阿弗莉（Jane Avril）（戴着她那顶著名的怪帽子）和她的伙伴爱德华·杜雅尔丁（Edouard Dujardin）。在这幅招贴画里，前卫艺术杂志《瓦格纳评论》（Revue Wagnérienne）的创始人杜雅尔丁以花花公子的形象出现。然而，修拉的作品丝毫不涉及名流和圈内的玩笑。因此，在某种层面上，卡恩和西涅克想必都正确地揭示了《骚动舞》的社会和政治批评蕴意。与《大碗岛》一样，修拉在《骚动舞》里记录现代娱乐和大众文化的吊诡：既异化又愉悦。

## 大众文化

正如我们已经开始理解的，在修拉的时代，大众文化确实新鲜又充满矛盾。然而，如果走进图卢兹-劳特累克的日本咖啡馆、德加的费尔南德马戏团、马奈的佛利贝尔杰酒吧，或者19世纪晚期法国和欧洲艺术家所描绘的数百家剧院和娱乐场所，事实却并非似表面所呈现的模样。譬如，剧院的观众问题。1888年，贝德克尔在导游书里写道："雇佣的鼓掌者坐在乐池中心，位于吊灯正下方，构成大多剧院虽典型却令人头痛的特征……他们很容易识辨，手拍得扎眼又卖力。甚至还是专门从事戏剧成功的生意人，有一批投机商按照指定要求为剧院提供鼓掌者。"

贝德克尔继续描述道："巴黎的很多夜总会，音乐和歌曲从不高雅，观念十分混杂……咖啡音乐会门外的'免费入场'字样是吸引顾客的花招，因为观众必须消费饮料，通常是劣酒。"心思单纯的观众选择去观赏巴黎数不尽的舞会和舞厅，结果也不尽如人意。

在《骚动舞》里，修拉所描绘的似乎是专业舞蹈演员，而不是学生和工人冒充舞蹈演员跳康康舞。观众似乎也真实（他们没有鼓掌），也没有显然的诱导。然而，如果说修拉在《骚动舞》里遗漏观众、地点、表演的伪装迹象，他这样做的原因，只是因为

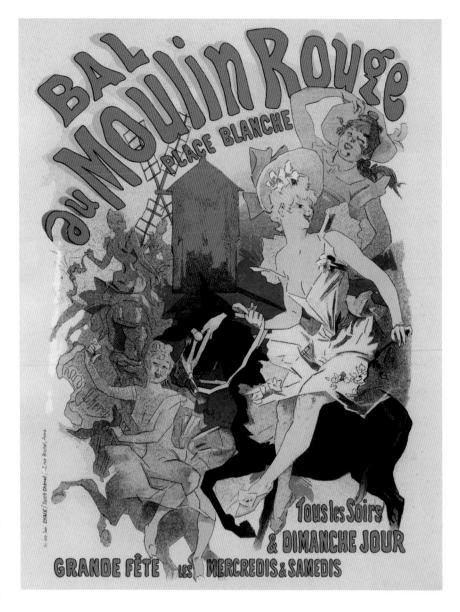

他深知这些娱乐活动即便缺乏明显的诡计，也足够地狡诈和有效。艺术史家罗伯特·赫伯特（Robert Herbert）指出，修拉欣赏、甚至偶尔模仿朱尔斯·谢雷（Jules Chéret）的夜总会招贴画，譬如《红磨坊舞会》【图17-13】，体现他对大众文化力量的熟悉和敬意。1891年，维尔哈伦谈及修拉痴迷谢雷的艺术作品："他极仰慕招贴画艺术家谢雷的天才，其招贴画的喜气和快活深深地吸引着他。他研究这些招贴画，想要分析其表达手法，揭示其中的审美奥秘。"谢雷显然深谙大众文化的秘密诱惑，并找到了将之体现于招贴画的秘诀。修拉或许可以跟他学习，从而也会发现这个新兴文化产业的催眠力量。

修拉极有教养，行事慎重（德加称他为"公证人"），《骚动舞》和他的最后一件作品《马戏团》【图17-14】所描绘的虚假世界和伪装的娱乐想必让他产

图17-13：朱尔斯·谢雷
《红磨坊舞会》（Le Bal du Moulin Rouge），1897年。石版招贴画，59.7厘米×41.9厘米

图17-14：乔治·修拉《马戏团》，1890—1891年。
布面油画，185.4厘米×152.4厘米

生深刻的矛盾心理。一方面，他无疑感慨这个世界的粗俗，观众被贬低到被动状态；另一方面，他可能认为这个世界为劳动人民提供庇护所——甚或一种敬意；请观察《马戏团》里一排排微笑的观众。正如现代工厂，这些余兴节目、舞厅和马戏团也将人类异化，然而，这是一种集体的异化。即便在这个世界里，或许依然可以抢捞一些友爱情谊、对自由和自主的集体欲望。也许艺术家可以帮助提供一套全新的（和谐的）词汇，通过这套词汇，也许每个人都能感受和运用这份自由？

在阿涅尔、大碗岛以及日益扩展的文化产业所提供新兴的休闲场所，修拉看到他所见证的既是梦想的乌托邦，也是其反面。社会批评家和哲学家赫伯特·马尔库塞（Herbert Marcuse）在1937年言简意赅地描述这一辩证关系，而他的措辞或许受了修拉的艺术作品的影响：

> 人类承受最极端的具体，从而征服了具体化。美丽身体的艺术性、从容自在的灵活和放松，今日只能在马戏团、轻歌舞剧、滑稽歌舞剧里看到，预示着人类从理想解放出来之后所能获取的喜悦。人类一旦成为真正（独立）的主体，成功地掌握物质……换言之，感官彻底地被灵魂释放，新文化的第一道微光便会闪现。

想必正是在娱乐场所表演者的堕落之中，在身体的对象化之中，在以理想为代价、仅关注情色的活动之中，修拉看到他所幻想的和谐世界与愉悦的迹象。确实，现代大众文化——巴黎的公园、夜总会、马戏团便是早期的范例——正是源自异化与自由之间的辩证关系：现代大众文化所提供的愉悦既是商品消费这一极其局限的行为的结果，也是"从容自在的灵活"和"掌握物质"所预期的喜悦。修拉的成就在于通过本身便是辩证的艺术探索这一辩证关系。他的素描和绘画作品既有坚定的科学性，又能迎合大众的趣味，他的艺术交替赋有抽象与直接、形式主义与自然主义的特征。与下文将探讨的图卢兹-劳特累克和文森特·梵·高的作品一样，修拉的艺术也是19世纪为综合艺术所做的最后努力。

## 问题讨论

1. 用你自己的措辞解释"线条"在素描和绘画里的意义。修拉如何使用或不使用线条？

2. 描述《大碗岛的星期天下午》的构图和陪衬者（人和动物）。这幅作品描绘喜悦的图景，还是相反？请说明你的观点。

3. 修拉为什么在作品的构图和用色方面转向科学？他的艺术试验，譬如《骚动舞》和《马戏团》是否成功？何以成功或不成功？

## 第18章

# 现代艺术的吸引力：图卢兹-劳特累克
# 约1880—1900年

## 导言

亨利·德·图卢兹-劳特累克与其同代人修拉一样，将流行艺术和现代主义当作最重要的问题。一个世纪前的库尔贝以及随后而来的梵·高也是如此。

我们已经看到库尔贝曾在短暂数年为普通百姓创作历史画，以工人、农民和小资产阶级为主题。库尔贝将沙龙绘画的宏伟尺寸、雄心、题材，与民间艺术的形式和技法相结合。《奥尔南的葬礼》【图11-16】以教堂圣礼为主题，但乏味的画面和简单的色调颇似埃皮纳勒的民间木刻版画。然而，在1851年政变以后的压迫与政治反动期间，库尔贝不可能继续使用这些激进的创新手法。此后20多年里，库尔贝力图寻找或创造另一种具有同样冲击力的艺术手段。

图卢兹-劳特累克的艺术是流行艺术的另类选择，面向早已习惯享受大众文化所提供的夜总会、舞厅、马戏团、妓院的城市观众。在这一方面，劳特累克与修拉相似，但二人之间也有区别：作为新印象主义画家，修拉寻求理解，然后提炼巴黎新娱乐场所提供的愉悦，以便为一种普遍的和谐语言建立基础，这种语言可用于建造一个无政府主义社会，一种乌托邦。图卢兹-劳特累克则探索与重新创造大众文化的视觉愉悦，以便为自己及其观众带来同样的观看乐趣。这是19世纪晚期现代主义在视觉艺术中的一大体现，此外还包括象征主义和新艺术运动。

图卢兹-劳特累克的人生适逢19世纪巴黎城市发展的最伟大阶段，也是法国经历工业革命的时期，以及自19世纪70年代开始的一系列经济危机。此后，人民群众日益团结（通过工人组织和工会），政治和工业领袖开始领悟，他们必须以有利于资本的方式与有胆量的人民沟通。图卢兹-劳特累克和一些艺术家，包括著名的招贴画艺术家朱尔斯·谢雷、泰奥菲尔·亚历山大·斯坦伦（Théophile Steinlen,）、阿尔方斯·慕夏（Alphonse Mucha）等人，正是试图帮助资本实现这一目标，并创造了一些卓越的作品。图卢兹-劳特累克在《蜜粉》（*Poudre de Riz*）【图18-1】里描绘一个工人阶级女性忍受的痛苦和剥削；他创作一系列几乎前所未有的同性欲望和女人同床的作品，传达女性之间的性亲密。1886年，库尔贝以更加耸人听闻的方式描绘女同性恋者【图11-23】。

图卢兹-劳特累克最惊人之处也许在于将他的艺术和恋物欲相关联。"物神"这一词语频繁出现在人类学、心理分析学、马克思主义经济学。尽管这个词语在各个领域略有不同的含意，但总体上指一种刻意的误识：以一个图腾为神祇，以次要的性特征（或者五花八门的对象）为主要的性特征，以一件商品为强大或赋有催眠作用的存在。图卢兹-劳特累克意识到物神的权威，便拿到他自己的艺术里炫耀，尤其是招贴画和版画。阿里斯蒂德·布吕昂（Aristide Bruant）的帽子和斗篷、珍妮·阿弗莉（Jane Avril）的细腿、伊薇特·吉尔伯特（Yvette Guilbert）的长手套，都是物神的表现形式。通过这一手法，图卢兹-劳特累克设法既歌颂无拘束的欲望，又让欲望供资本的剥削。我们将在下一章看到，图卢兹-劳特累克的朋友文森特·梵·高则在探索另一种民粹主义。

## 新奇与欲望

"与人群结合是他的激情和职业。"夏尔·波德莱尔在1859年所说的这句著名的话，原本是描述插画家康斯坦丁·居伊，但实则更适合30年后的亨利·德·图卢兹-劳特累克。这其中有两个理由：首先，因为19世纪较晚时期更容易聚集人群（"foule"也指群氓、大众、百姓）；其次，因为相比居伊的素描，图卢兹-劳特累克所采用的印刷技术与媒介（招贴画）专门针对人群。当然，即便是图卢兹-劳特累克的绘画作品，也具有大众特征，很多都是描绘大型喧闹的场合，在工人阶级和下层中产阶级出没的夜总会、餐馆、马戏团等娱乐场所展览。

图卢兹-劳特累克的艺术作品具有大众魅力，不光是因为其新奇的技术、媒介和展览渠道，也是因为他的作品具有殊异的、情色的迫切感。他的绘画作品，尤其是招贴画，使用城市生活的新鲜事物——譬如鞋子、手套、妆容、发式、帽子、当红艺人的笑脸——歌颂性欲望。并且，这不是随便哪一种欲望，而是当时的性学者归类为恋物的欲望。这是新兴的特色店的顾客与性工作者之间的欲望，男性与女性同性恋亚文化所推崇的欲望。图卢兹-劳特累克的艺术魅力及其现代性便源自这里。100多年以来，资本主义商业利用性销售商品，借此干预色情和想象生活的领域。工业和广告通过制作刺激欲望的形象，然后建议只须购买指定商品便可满足这些欲望，从而控制性和消费，将两者理性化。巴黎在19世纪末的视觉文化正是这一做法的早期重要范例。然而，图卢兹-劳特累克的绘画和招贴画可以说是利用商品销售性，而不是颠倒过来。他的作品强调性愉悦，视其为工人阶级逃离劳动的庇护所，作为一种解放形式的拜物教（或恋物欲）。因此，他的大都会欲望的模特是无执照的妓女（insoumises）。她们不受约束、难以控制，在巴黎街头行走，为图卢兹-劳特累克摆出着衣、半着衣或裸体的姿势。

## 人群

欧洲城市的拓展与人群的出现可以说是19世纪划时代的发展。在1800—1900年，柏林人口从20万增至300万，伦敦从100万增至600万，巴黎从50万增至近300万。这些城市以如此空前的速度扩大，是因为乡村的现代化和资本化进程在有些情况下几乎终结了小规模农村土地所有权，并且几乎彻底取消公用土地。工业和工厂都设在城市，因此人们只能迁往城市寻找生计。

图18-1：亨利·德·图卢兹-劳特累克《蜜粉》，1887年。纸板油画，56厘米×46厘米

工厂的劳动条件极其恶劣，工厂周围的街区通常同样糟糕。大城市的基建工程鲜能与人口增长同步。于是，所有大型欧洲城市都有一片拥挤不堪的贫民窟，导致瘟疫疾病频发。在法国，1882年银行大规模破产，萧条的经济状况更加恶化，失业率极剧上升。因此，法国首都的民众勉强度日，以乞讨和偷窃为生。工人阶级女性尤其遭受恶劣的剥削形式，被资产阶级男性视为等同于娼妓。事实上，纵然她们有固定的工作，做卖花女、店员、艺术家的模特、洗衣妇或者酒吧招待——后两者见于莫里索的《晾衣》【图15-15】、马奈的《佛利贝尔杰的吧台》【图15-21】——这些女性还是经常为了生存被迫出卖肉体。巴黎大约有3万至12万全职妓女，兼职或临时妓女的数量必定更多。因此，19世纪的巴黎是女性在现代人类史上最受压迫的地方，我们在观看图卢兹-劳特累克的艺术之时，有必要谨记这一事实。诚然，这并不是强调图卢兹-劳特累克习惯选择妓女作为他的模特或陪伴，鉴于"妓女"和"工人阶级女性"这两个范畴在意识形态和悲惨的事实里几乎难以区分。图卢兹-劳特累克意味深长地描绘这个令人不安的模糊性，但绝不带任何道德说教或故作伤感。

当然，哪里有压迫，哪里就有反抗。妓院、工厂、街头、贫民窟被迫聚集如此大量的人群——人们受制于法律、工业纪律和时间的掌控——意味着他们熟悉彼此，熟悉彼此的工作，以及共同的贫困和文化。如果说英国乡村是最早纠集资本的地点，那么大城市是最早组织劳工的地点，女性主义最早就是出现在城市。1864年，卡尔·马克思等人在伦敦组成国际工人协会。在19世纪最后25年间，这个组织急剧壮大，在欧洲所有重要首都成立总部。1870年，女性权利协会（The Association for the Rights of Women）在法国成立，同年发行《女性权利报》（Le Droit de Femmes）。1878年、1889年、1892年、1896年，女性权利国际大会在巴黎召开。女权主义者在大会上要求妻子和妓女从男性的统治之下解放。要求改变妻子的从属地位，势必要求改变民法；要求改变妓女悲惨的生存状况，势必要求额外的措施——强迫无信用的父亲赡养子女，取缔压迫性的风化纠察队，关闭频繁拘押无执照妓女的恶名昭彰的圣拉扎尔监狱。

人们今日一般都会同意城市工人阶级组织和女性组织对于法国与其他国家的艺术和文化发展具有巨大的影响。首先，诸如法国的沙龙和美术学院等旧制度的艺术官僚体系日益被视为化石，其标准和纲领完全不关涉自由的女性和下层阶级的焦虑和经验。其次，工人阶级日益自信和成熟，意味着他们要求城市的娱乐活动能够提供他们在乡村曾经拥有的丰富、充满活力的艺术和文化，或者他们至少会期待相当的替代品。新兴的娱乐和文化产业的目标和成就便是提供通俗文化和艺术的替代。

## 图卢兹-劳特累克与城市艺术

在19世纪末，工人和民众组织的数量急剧增长，意味着艺术在政府和教会赞助减少之时面向一个全新的观众群体。尽管女性、工人和小资产阶级通常没有经济能力购买艺术作品，但他们可以被诱惑得支付小额门票观看展览或全景画。男性比女性有更多机会成为大众文化的消费者。他们在夜里可以随意到想去的地方，被诱惑得支付入场费，购买咖啡馆和夜总会的兑水的劣酒。著名的咖啡馆和夜总会经常展览绘画和其他艺术作品，譬如布容大餐厅（Grand Bouillon）、克利希大街43号的木屋餐厅（restaurant du Chalet）、黑猫夜总会（cabarets Chat Noir）、芦笛夜总会（Mirliton）、红磨坊夜总会。在这些场所，社会阶级本身与艺术作品、醉酒、下流粗俗的歌曲一样属于表演的一部分。尝试在这些平庸

的背景之下思索图卢兹-劳特累克、梵·高、路易·安格丹（Louis Anquetion，1861—1932年）、埃米尔·贝尔纳（Emile Bernaad，1868—1941年）、基约曼（Guillaumin）的作品，便是开始改变我们对现代流行艺术的理解。在1887年11月和12月，这些艺术家在布容大餐厅举办展览。梵·高在这家餐厅展览《唐吉老爹》（Portrait de Père Tanguy）【图19-10】，图卢兹-劳特累克展览数幅以妓女为主题的作品。同年，梵·高还在克利希大道铃鼓咖啡馆（café Le Tambourin）和安德烈·安托万前卫艺术的自由剧院门厅（Théâtre Libre of André Antoine）展览作品。

此外，工人、店员、职员、仆役和妓女也可以在《摩登生活》（La Vie Moderne）、《高卢雄鸡》（Le Gaulois）、《法国邮报》（Le Courrier français）、《芦笛》（Le Mirliton，同名夜总会出版的刊物）、《交锋》（L'Escaramouche）等画报的廉价版面看到这些艺术家的作品。户外马戏团和游乐园有彩绘场景，并且艺术作品也摆上街头：谢雷、斯坦伦、格拉赛（Grasset）、慕夏、波纳尔、图卢兹-劳特累克等人的招贴画装饰着巴黎大都会的墙壁和售货亭。1897年，罗杰·马克思（Roger Marx）以过度严肃冷静的语气说道，这些招贴画"不比壁画艺术少一分蕴意，缺一分名望。"

公共艺术的新空间在画家和雕塑家中间激发巨大的兴趣。这不单是因为新的空间为他们创造工作机会。诸如图卢兹-劳特累克等艺术家，原本就不屑于法国沙龙沿袭使用的评审制度，自然格外欣喜地欢迎迥异的展览条件。在这些新渠道，这些艺术家可以直接与大量观众交流，借此获得一直追求的大众名望。此外，自视为无政府主义者或左翼社会主义者的艺术家——图卢兹-劳特累克与他们偶有交往——便可以相信他们既在追求个人的艺术倾向，也跟无产阶级大众保持密切关联。马拉美称无产阶级观众为"明天的新人"，势必成为下世纪的统治力量。

## 现代的形式，通俗的内容

图卢兹-劳特累克充分利用这些新鲜的展览条件，构想新奇的手法融合现代艺术和流行文化。与他仰慕的德加一样，图卢兹-劳特累克以极其实验性的态度看待形式。他运用非正统的透视，俗艳的舞台灯光，鲜明的轮廓，惊人的色彩选择，用松节油稀释的油画颜料和自由的笔触描绘，为绘画营造速写般的、

随兴的效果。站在任何一位沙龙评委的立场观看，图卢兹-劳特累克的作品立刻会被判断为未完成、"丑陋"——这一修饰语习惯性地用来形容现代绘画和以工人阶级为题材的作品。而这正是图卢兹-劳特累克的艺术目的。他将大都会的人群带进自己的影响范围：在他很多最好的作品里，人群既是主体，也是客体，并在工人阶级经常出入的场所表现他们，譬如《蜜粉》【图18-1】、《费尔南德马戏团：女骑手》(Au Cirque Fernando: Equestrienne)【图18-2】、《红磨坊的舞会》【图15-14】。此外，图卢兹-劳特累克的作品也在描绘的场所展览，譬如《蜜粉》在阿里斯蒂德·布吕昂的芦笛夜总会展览，《费尔南德马戏团》在红磨坊展览。梵·高认为《蜜粉》表现了蒙马特尔的原型人物，在1888年8月，他致信提奥·梵·高(Theo van Gogh)，说希望看到这幅作品和他的《佩辛斯·埃斯卡利耶》【图0-3】并排展览。从某种意义上说，《红磨坊的舞会》的展览方式更接近作品的题材：刊登在廉价、畅销的《法国邮报》。

图卢兹-劳特累克以夜总会和马戏团为主题的大型画作，譬如《费尔南德马戏团：女骑手》，是他结合大众题材和大胆的现代手法的最具雄心和努力的代表作。这幅作品预示了修拉在两年后创作的《马戏团》【图17-14】，但《费尔南德马戏团：女骑手》无疑比修拉的作品更随意、粗俗。这也是图卢兹-劳特累克初次大规模地尝试当时颓废文学所流行的恋物主题。《费尔南德马戏团：女骑手》使用浅薄的粉白色大手笔地绘制，间杂红色条纹和绿色、灰色、紫罗兰色的色块。图卢兹-劳特累克格外乐衷于描绘硕大的马臀，继而含蓄地将马匹和马戏表演的领班、骑光背马的女骑手，甚至左边的小丑相比较。红发女骑手化着浓妆，面颊涂得通红，眼睛和嘴唇色彩艳丽，让人联想到卡图勒·门德斯(Catulle Mendes)的《巴黎怪物》(Monstres parisiens，1882年)所收录的《他妻子的情人》(L'Amant de sa femme)里那名放荡的骑手。门德斯的故事讲述一个男子在数年前因通奸将妻子逐出家门，而今又难以抗拒地想要回到她身边，但她已经沦落为马戏团的光背马骑手。在门德斯的笔下，光背马女骑手的堕落体现于她松驰的皮肤、青紫色的脸彩和浓郁的体味——而正是这些勾起戴绿帽的丈夫的欲望和痴迷。

图18-2：亨利·德·图卢兹-劳特累克《费尔南德马戏团：女骑手》，1887—1888年。布面油画，98.4厘米×161.3厘米

图18-3：亨利·德·图卢兹-劳特累克《朋友俩》，1895年。纸板油画，纸板左侧增补一截，45.5厘米×67.5厘米

修拉的光背马女骑手是轻盈的精灵——请注意她的裙摆、手臂、头发上扬的方向，图卢兹-劳特累克的骑手则生硬笨拙，身体僵硬单调，如同她厚重的妆容。这幅作品的情色冲击力与对大众的吸引力正是源自这种粗鄙，这种露骨的堕落，正如门德斯笔下沦落为马戏团骑手的妻子。事实上，图卢兹-劳特累克为这件作品绘制有一幅超过实物大小的版本。这件作品现已佚失，今日被称为"遗失的女骑士"（missing Ecuyère），依据图卢兹-劳特累克写给母亲的书信，其尺寸表明这幅作品打算在费尔南德马戏团展览。较小的版本在红磨坊夜总会吧台上方展览，旁边陈列着《新式盛装舞步》（Dressage des nouvelles，1889—1890年）和阿道夫·威利特（Adolphe Willette）的《女舞者》（Danseuse，约1890年）。在这个场合，工人阶级观众一眼便能领会画中粗俗的幽默，资产阶级男子则可陶醉于这种堕落的乐趣。

纵然不是面向大都会的公众之时，图卢兹-劳特累克的作品依然体现流行的主题和情色视角。譬如，

并无证据表明《朋友俩》（Two Friends）【图18-3】在妓院展览。相反地，这幅作品似乎是给一位男性朋友作私下欣赏，但画面以相当直接的手法体现当时卖淫业的一个特殊方面——女同性恋。图卢兹-劳特累克虽有数幅以女性亲密为主题的作品，颇接近同类主题的诗歌和绘画，诸如波德莱尔在《恶之花》里所谴责的"莱斯博斯"（Lesbos），库尔贝的《沉睡者》【图11-23】。此外，图卢兹-劳特累克也从当代文学和性研究著作汲取材料。门德斯痴迷女同性恋主题，但图卢兹-劳特累克的绘画作品并未沾染他的恶魔崇拜与厌恶女性的态度。实际上，理查德·克拉夫特-埃宾（Richard von Krafft-Ebing）的研究专著《性心理疾病》（Psychopathia-Sexualis，1886年）可能对图卢兹-劳特累克产生重要的影响。据图卢兹-劳特累克的友人塔德·纳塔松（Thadée Natanson）所说，他阅读并经常引用这部著作。克拉夫特-埃宾在这部著名的作品里将同性恋爱（女性先天的性取向颠倒）描述为妓女间常有的慰藉：

淫荡粗鄙的妓女，厌恶变态、无能的男子，被迫为他们进行最不堪的性行为，便从同性的同情拥抱中寻求补偿。这类情况极为频繁。

图卢兹-劳特累克的《朋友俩》和《在床上》（In Bed）【图18-5】等许多作品，显然表现同性性爱和亲密所提供的慰藉。事实上，男性观众也许看腻了诸如查尔斯-埃米尔-奥古斯特·卡罗勒斯-杜兰（Charles-Emile-Auguste Carolus-Duran）的《亲吻》（The Kiss）【图18-4】等学院派绘画的男女配对，便被鼓励用变性身体感受作为画中女人的体验。假若如此，那么图卢兹-劳特累克的《朋友俩》便是挑战（至少在绘画的虚构里）观看和被观看这一熟悉循环——男性作为脱离躯体的视觉，女性作为被动的具体的视觉对象。因此，图卢兹-劳特累克的女同性恋绘画作品，可能运用类似卡萨特的《包厢》【图16-13】的活力和脱离形体的自信挑衅观众。正如图卢兹-劳特累克为昂布瓦斯路（rue d'Amboise）的妓院所绘制的大型装饰嵌

图18-4上：查尔斯-埃米尔-奥古斯特·卡罗勒斯-杜兰《亲吻》，1868年。布面油画，92厘米×91厘米

图18-5：亨利·德·图卢兹-劳特累克《在床上》，约1892年。纸板油画，54厘米×70.5厘米

板和椭圆形肖像画，这些作品的观众既是性工作者本人，也是她们的顾客。

## 招贴画艺术

图卢兹-劳特累克在创作女同性恋和妓院绘画的同时，将注意力投向招贴画艺术。招贴画的形式极为放肆——色彩平面化，轮廓生硬清晰，夸张的透视，大胆地重复形状和词语。并且，招贴画令人叹叹地全然无视当时广告界最常见的情色母题。图卢兹-劳特累克所创作的招贴画，没有一幅能够企及谢雷的《红磨坊舞会》【图17-13】。谢雷的《红磨坊舞会》仅用低胸衣和裸露的大腿揭示整个故事，图卢兹-劳特累克则将都市风格、态度和表现形式调配为一剂繁复、恋物癖的灵药。

图卢兹-劳特累克的招贴画《珍妮·阿弗莉》（*Jane Avrils*）【图18-6】是纪念这位著名舞者在巴黎

花园咖啡馆音乐会登台演出。这幅石版招贴画用了五种颜色套印，展现了图卢兹-劳特累克全方位的技法与风格，包括使用墨水泼溅，颜料渗出轮廓，充满表现力的框架线条从前景蜿蜒绕到舞者后背，将画面与虚构的深度凝聚为整体。如此之下，珍妮·阿弗莉的双腿似乎在一起一落，一开一合，观者的视线也随之在作品表面或深度交替转移，有节奏地前移或退后。珍妮·阿弗莉似一架情色自动机器，她的操纵者既是抱着巨大乐器的戴眼镜的乐手，也是（想象地）任何站在贴有这幅招贴画的售货亭前的观者。然而，正如图卢兹-劳特累克的女同性恋作品，阿弗莉并不是被动的视觉对象。她的高傲神情透露她乐衷于控制观众，将他们置于自己的魅力之下。珍妮·阿弗莉确实理解恋物欲，深谙释放魅力的伎俩。在19世纪80年代早期，她是让-马丁·沙可（Jean-Martin Charcot）在萨尔佩特里埃精神病院的病人。当时，沙可医生在《神经病学档案》（*Archives de la neurologie*，1882年）发表论述恋物欲的里程碑式论文《论生殖器感官的颠倒》（*Inversions du sens genital*）。

图卢兹-劳特累克的另一幅招贴画《大使：阿里斯蒂德·布吕昂》（*Ambassadeurs, Aristide Bruant*）【图18-7】上演略有差异的情色游戏，但同样是著名的艺人支配着工人阶级和资产阶级的观众。布吕昂以淫荡的姿势、粗鄙的双关语、辱骂观众而著称，自19世纪80年代至世纪之交一直是当红明星，他在蒙马特尔夜总会的招牌宣称："芦笛，专门招待享受被侮辱的观众。"1892年，布吕昂从芦笛换到香榭丽舍更时髦的大使咖啡馆。在这里，他依然深爱大众的喜爱。据埃德蒙·德·龚古尔所说，不会脸红的社交界女性殷切地聆听他的"脓疮腐烂的俚语"。阿里斯蒂德·布吕昂委托友人图卢兹-劳特累克在招贴画里以独特的、一眼便能识辨的装束表现自己：帽沿宽阔的帽子、双重披肩的斗篷和红色长围巾。布吕昂的形象充满画面，介于四面边缘和观众以及右上角姿势撩人的水手之间。阴影中的水手似是恶作剧地指涉 "corvette"。法国海军用这一词语指代轻捷的小战舰，也指 "courbé"，即同性恋者。［在这层意义上，图卢兹-劳特累克预示了1947年让·热内（Jean Genet）同名小说里的水手奎雷尔（Querelle），赖纳·维尔纳·法斯宾德（R. M. Fassbinder）在1982年将其改编为同名电影］事实上，阿里斯蒂德·布吕昂让这个航海俚语重新流行起来，此外还有一些非航海的同义词［绝大多数见于布吕昂自1901年开始编纂的《法语俚语词典》（Dictionnaire Français Argot）］。因此，观看图卢兹-劳特累克的招贴画和布吕昂的表演的观众，既要忍受口头侮辱，也要感受同性恋的诱惑！与布吕昂一样，图卢兹-劳特累克细心观察法国和英国的同性恋亚文化。1895年，他在英国为奥斯卡·王尔德绘制一幅肖像画，这位唯美主义者当时正处于灾难性的诉讼。此外，他显然也到蒙马特尔妓院周边观摩同性恋男子，因为他们通常在这些相对安全的区域寻找心仪的对象（petit jésus）。

在布吕昂要求之下，这幅招贴画张贴在大使咖啡馆音乐会的舞台两侧，以及巴黎城数以百计的墙头和售货亭。"谁来助我们摆脱阿里斯蒂德·布吕昂这幅图画？"《巴黎生活》（La Vie Parisienne）的一位专栏作者如此写道，"一步也走不出他的视线。布吕昂不是艺术家么？那么他为何要将自己贴在墙头，挂在煤气灯和广告牌旁边？他就不反对跟这些东西作邻居？"然而，这就是专门迎合大都会人群的艺术：廉价、公共、民主。这个艺术操持劳动男女的行话，斥责资产阶级，同时给予他们情色的刺激；这个艺术的权威源自妓院和轻歌舞剧舞台，源自精神病专家的研究室。

## 大都会的物神

我们或许可以总结说，图卢兹-劳特累克的招贴画和绘画作品既善于操纵观众，又极具煽动性。尤根·韦伯（Eugen Weber）指出，19世纪的城市化和工业化"将农民转变为法国人"，世纪之交的广告和大众文化则将法国人转变为消费者。工人阶级和小资产阶级人群被怂恿着相信，只须去一趟新开张的百货公司购买那些商品，便能够满足自己最狂热的欲望。人群继续被诱导着相信，在马戏团和夜总会被动地观看，便相当于分享和参与一种共同的文化。最后，人群被说服着相信，他们能在消费和观看的行为里得到性满足。图卢兹-劳特累克及其友人，譬如珍妮·阿弗莉、阿里斯蒂德·布吕昂，尤其擅长最后一种说服。1893年，古斯塔夫·杰弗罗伊（Gustave Geffroy）在《正义》（La Justice）杂志发文写道："布吕昂、拉·古留（La Goulue），以及新近的日本咖啡馆，以不可抗拒的权威征服城市街头。"正是这个显然的情色权威，为图卢兹-劳特累克的艺术赋予了令人不安的力量和大众名望奠定基础。

图卢兹-劳特累克是恋物者，而恋物癖是无理性或疯狂的形式：沙龙墙头展览的架上绘画，被转移到夜总会墙头，富裕的资产阶级男性的欲望被置换为放荡的光背马骑手，将直男虚构地等同为同性恋妓女，珍妮·阿弗莉的厉色瞥视，异性恋男性观众心甘情愿地挤进同性恋圈子。在这里的每一种情况下，恋物欲的对象显然比所取代的实物具有较低的社会或经济价值，却依然成功地达成交换。在莫泊桑的经典故事《头发》（La Chevelure，1884年）里，对于主人公来说，一根头发制作的绳索，比任何情妇更有诱惑力。在巴黎街头、剧院包厢或卧房里，这根绳索无疑是冰冷的陪伴；然而，对于恋物者来说，这束金发刺激起"超人的狂喜"。克拉夫特-埃宾认为，头发、手、手套、脚、鞋子等迷恋的对象，激发如此强大的"视

图18-8：马克斯·克林格尔《诱拐》(*Abduction*)，出自"手套"，1881年。蚀刻、腐蚀凹版，11.75厘米×26.99厘米

觉和情感印象"，可以诱发"视觉记忆"和"性兴奋，甚至性高潮"。图卢兹-劳特累克的《日本咖啡馆》【图17-12】所强调的伊薇特·吉尔伯特的手套，以及他在1894年出版的一套石刻版画集，都是恋物狂的形象，呼应了马克斯·克林格尔（Max Klinger）在1881年所创作一系列题名为"手套"（*The Glove*）【图18-8】的蚀刻版画故事。故事的主角是一只被迷恋的手套，经历一个远比人类追求者更精彩丰富的生命。

图卢兹-劳特累克的巴黎是一座现代城市，移民、工人、乞丐和妓女的城市，是冰冷的现金统治的城市，在这个大都会里，物神具有特殊的权威。物神在平凡的世界里歌颂个人主义，在千篇一律的生活里支撑起想象，在推崇服从的政治文化里维持个人的自主性，在基于交换价值的经济体系里声张内在价值。物神也是图卢兹-劳特累克的主张——他独特的艺术策略。事实上，他与修拉、梵·高似乎一度想要用现代主义者的观念一起重新塑造流行文化，他的招贴画站在沿习至今的广告界传统的开端。然而，1887年以后，这三位艺术家分道而行。我们将在下文看到，梵·高难以忍受大都会的生活及其新兴的大众文化的速度、籍籍无名、极端性。

## 问题讨论

1. 图卢兹-劳特累克的作品源自新兴的大众社会。这个社会有哪些政治和社会特征？谢雷、斯坦伦、格拉赛、慕夏、波纳尔、图卢兹-劳特累克拥护很多艺术创新，试举一例。

2. 图卢兹-劳特累克的艺术在其时代"流行"，这个表述有什么意味？这是否是他独特的题材、风格或媒介所产生的结果？或者三者共同的结果？

3. 本章使用"物神"一词描述图卢兹-劳特累克的艺术策略，以及其作品的魅力来源。简单地定义这一词语。你认为这位艺术家的哪些作品具有"物神特征"？

## 第19章

# 抽象与民粹主义：梵·高
# 1880—1890年

## 导言

文森特·梵·高并不是绝大多数人所以为的艺术家。他极为理智，博览群书，内在害羞，胸怀抱负，实际上是疯狂天才的反面。他给弟弟提奥写了600余封信，信中的文字为他的艺术提供了充满思想的注解，并评论十多位艺术家和作家的作品。这些书信也展现了梵·高对当时的政治和阶级结构的深刻理解。梵·高显然期望他的作品不只是艺术界的激进干预，并且能够真实地影响当时的政治。人们虽仍在讨论梵·高的心理健康问题，但最确定的迹象只能表明他患有癫痫。这是1889年他在圣雷米医院（Hospital of St. Rémy）康复期间便得到的诊断结果。

梵·高的早期艺术近似海牙现实主义画派，譬如雅各布·马里斯（Jacob Maris，1837—1899年）、艾萨克·伊斯雷尔斯（Isaac Israels，1865—1934年）。与这两位艺术家一样，梵·高运用沉重的颜色和阴暗的色调，以农民和工人阶级的生活为主题。但他具有一些迥异的特征，尤其是特意的纯朴。梵·高拒斥欧洲美术学院所传授的强调轮廓和微妙的明暗过渡（他在安特卫普美术学院待过一段短暂的时间），而是"完全按照我看到它们的样子"描绘对象。这意味着他的绘画形象不但符合外在表象，而且符合对象的性别、环境以及他自己的感觉。因此，梵·高任意地扭曲、夸张他的对象，譬如《食土豆者》（The Potato Eaters）【图19-6】便是典型的范例，这幅作品描绘布拉邦省一个穷苦家庭坐在桌前食土豆、喝咖啡的画面。海牙现实主义画派的艺术家绝不会如此夸张瘦骨嶙峋的面庞和骨节凸出的手指，也不会将人物放置在如此浑浊的氛围之下。

梵·高逝世时年仅37岁，因此，讨论他的"成熟作品"就会有些误导，尤其是像他这样实验性的艺术家。

梵·高在巴黎生活两年（1886—1888年）之后，便全心全意地拥抱印象主义和新印象主义的风格，成为艺术史上极具盛名的色彩主义者。他也向日本浮世绘版画师学习构图，收藏甚至展览浮世绘。（创作于1887年的《唐吉老爹的肖像》，便是致敬日本艺术与一位珍惜的朋友和支持者。）1888年2月，梵·高移居阿尔勒之时，已经成为同代人中间最独特的存在。在诸如《夜间咖啡馆》（The Night Café）【图19-13】、《摇篮曲》（La Berceuse）【图19-1】等作品里，他充分地利用了自己对互补色心理学影响的深刻理解，以及对于厚涂法、甚至颜料结块所营造的动态效果。最重要的是，这些作品，以及诸如《尤金·博赫》（Eugène Boch）【图19-17】等其他作品，实际上类似用人类学理论探索外貌特征、阶级结构、职业和时代的心理状态。

1889—1889年，梵·高试图在阿尔勒创立艺术家社区（迷你乌托邦），却因与保罗·高更发生冲突而失败。再者，他的癫痫或神经崩溃频繁发作，日益严重，致使他中断艺术发展，身心备受折磨。纵然如此，即便在圣雷米医院住院期间，以及在1890年迁到瓦兹河畔奥维尔（Auvers-sur-Oise）之时，梵·高继续以发狂的速度创作。这个时期的作品，包括《星夜》（Starry Night）【图19-18】、《麦田里的乌鸦》（Crows in the Wheatfield）【图20-1】，都是梦幻的颂歌，赞颂紧密团结的社区和乡村生活所鼓舞的希望和健康。当然，梵·高一生从未享受过这两件东西。

## 修拉与梵·高

文森特·梵·高和乔治·修拉生于同一时代，二人虽有数度交往，但似乎通常背道而行。据说，荷兰的梵·高崇尚自然和乡间，法国的修拉则以城市和大都会为原型；梵·高的性情和艺术躁动而激昂，修拉的性情和艺术则是沉着而冷静；梵·高的作品浪漫地表达自己的情感，修拉的作品则是古典地节制。这类比较可以扩展到其他诸多二元对立——巴洛克/古典主义、现代/古代、鲁本斯式/普桑式——所有这些对立为19世纪及继后的艺术史思想提供了一套让人安心的框架。然而，如果将梵·高为奥古斯蒂·罗林（Augustine Roulin）绘制的肖像画《摇篮曲》【图19-1】，修拉为情妇玛德莲·克诺布洛赫（Madeleine Knoblock）绘制的肖像画《正在扑粉的年轻女子》（Young Woman Powdering Herself）【图19-2】作比较，便可揭晓二分法通常并不可靠。

《摇篮曲》和《正在扑粉的年轻女子》这两幅作品都是四分之三坐像，两位女性的身体和目光都投向左侧，粗重的身躯安排在右下方。她们各有一件特殊的配饰——前者是一根连接不可见摇篮的绳索，后者是化妆工具——这也是两幅作品题名的来源。这两幅作品皆以花卉为主要装饰元素，将观者的视线扩散到整个画面，也强调整体的平面感。在修拉的作品里，背景的墙纸和左上角竹框镜内的影像都是花卉；在梵·高的作品里，花卉仅出现于背景的墙纸，但图案极为丰富。此外，这两幅作品都遵照新印象主义的分色原则。修拉的肖像使用蓝色、红色、绿色、橙色、黄色、紫色等繁复的颜色，以蓝色/橙色互补色为主色调。梵·高则在整个画面运用分色法：地毯、罗林太太的宽松衣裙和毛衣使用红色/绿色互补色；她的眼睛、衣领、衣袖、墙纸使用蓝色/橙色互补色；在墙纸上，粉色、白色、红色、绿色、黄色的花卉漂浮在绿色和黄色佩斯利花纹之上，佩斯利花纹之下则是一片深绿色，映衬着黑色椭圆环绕橙色圆点的纹案。[墙纸图案可能源自阿尔伯特·杜波依斯-皮勒在1886年绘制的《M. D.小姐的肖像》（Portrait of Mile. M. D）。]

在梵·高病愈康复期间，罗林太太悉心地照料他，因此这幅肖像画显然想要通过色光主义的手法，或者修拉所谓的"和谐的对比"，体现和谐与安宁。1889

图19-1：文森特·梵·高《摇篮曲》，1889年。
布面油画，92.7厘米 × 73.7厘米

图19-2：乔治·修拉《正在扑粉的年轻女子》，1889—1890年。
布面油画，79.5厘米 × 95.5厘米

年1月，在写给巴黎的友人和荷兰画家阿诺德·科宁（Arnold Koning）的信中，梵·高如此描述《摇篮曲》：

> 我的心里，或者确切说，我的画架上，正摆着一个妇女的肖像。我称它为"La Berceuse"，或者用我们荷兰语说……"我们的摇篮曲或者一个妇女摇摇篮"。这个妇人身穿绿裙（上衣是橄榄绿，裙子是淡绿和孔雀绿）。橙色的头发束为发辫。面容鲜黄色，为了造型特意掺杂一些自然间断的色调。她的双手牵着摇篮绳，同样的颜色。画面底部背景是朱红色（单纯地表示铺瓷砖的地板或石板）。墙壁贴着墙纸，当然，墙纸的颜色也打算符合画面的其他色彩。墙纸是蓝绿色，绘有粉色大丽花，点缀一些橙色和群青……至于我是否确实用色彩唱出一支摇篮曲，就留给批评家去评论了。（信笺5712）

数周后，梵·高致信弟弟提奥，谈及他打算用"修拉式的简单"［他日后用同样的措辞描述《卧室》（*The Bedroom*）【图19-14】］，将《摇篮曲》描绘为名副其实的民间艺术。梵·高写道，诸如此类的作品能够安抚粗鄙的渔夫的心灵和灵魂：

> 适才我与高更讲起，在我们的亲密交谈之后，我心里浮现一个念头，想要用水手（他们是孩童也是殉难者）在冰岛渔船里观看一幅画的情感一般绘画，在那个船舱里，他们记起幼时被摇晃的感觉，想起他们的摇篮曲。也许有人会说这些画有些像廉价店的彩色版画。……我自己想象将这些画摆在向日葵之间，向日葵就会如同火炬或大枝形烛台，我想使用同样的尺寸，可以画7幅或9幅作品放在展览上（信笺574）。

在继后的一封信中，梵·高对提奥说道，"我可能也试图在《摇篮曲》捕捉色彩的全部音乐。"（信笺576）。梵·高公开宣称想要模仿音乐效果，追求瓦格纳的境界。就这一方面而言，必须再次拿他和修拉作比较。修拉绘制壁画尺寸的作品，配以精心彩绘的画框，制作彩色的"总体艺术作品"（Gesamtkunstwerke）。

简单地说，比较《摇篮曲》与《正在扑粉的年轻女子》，便可揭示梵·高和修拉对于何为成功的现代绘画抱持一致的看法。二人都认可传统肖像画种的有效性（他们是持这一观点最后的现代画家），但都通过色光主义的"科学"拓展肖像画的界限和影响范围。二人都试图激发观众产生和谐的感觉，并且不只是一种安宁感，而是一种理想的、音乐的共鸣。这一共鸣既能促进当前社会的和睦，也可预示未来或许实现的乌托邦的和谐。此外，这两位艺术家都希望通过"高级"地改编"低级"文化形式，将艺术民主化，诸如廉价的彩色版画、流行的画片。然而，这里须先指出这两位艺术家之间的一大差异，下文将具体阐述。修拉的《正在扑粉的年轻女子》是马奈、德加、莫里索、卡萨特等人的作品中经常看到的时尚的现代女性，梵·高的《摇篮曲》则是无产阶级的严肃、踏实的妻子，接近杜米埃、库尔贝、米勒的现实主义艺术作品里的英雄的劳动男女。修拉欣赏并试图在艺术中捕捉夜总会、马戏团、城郊公园等巴黎新兴的大众文化所承诺的快乐；梵·高则始终扎根于本地或土产的，未被现代文化产业污染的，多少保持着传统的通俗文化。1885年，梵·高在安特卫普致信提奥："我昨日去了斯卡拉咖啡音乐会，有点像佛利贝尔杰。我觉得里面很沉闷，十分乏味。"（信笺438）继而，他又写道："我还想到一个招牌的主意，并希望把它做出来。我是说，譬如，鱼的静物画作为鱼贩的招牌，花卉和蔬菜的招牌，餐馆的招牌……有一点是肯定的：我想要我的东西被人看见。"

## 关于梵·高的两个神话

这里必须先立刻消除关于梵·高的两个神话。首先，他没有精神失常。他的精神状态不断恶化，数次住进精神病院，病因几乎可以肯定是由于器官性障碍，大概是运动神经障碍或症状性癫痫，或者因酒精、药物或恶劣饮食而恶化的内耳或代谢失调。

1889年，阿尔勒附近圣雷米医院的医生致信提奥："您来信询问他病情的可能导因。我必须告诉您，目前我且不作任何诊断，但恐怕十分严重，我有充足的理由认为他的症状是由于癫痫，假若诊断结果属实，日后的状况便不甚乐观。"文森特·梵·高显然同意医生的评估，大约在同时致信弟弟："我想贝伦医生说得不错，严格地说，我没有发疯，因为在间歇期间，我的头脑绝对正常……可是，发作的时候，我的脑袋可怕极了，我对一切失去知觉。"（信笺610）症状发作的期间及其后，梵·高显然不能作画，但他的艺术在病情初现之前便已经成熟（或者走向成熟）。因此，尽管他必定绝望地面对这个神秘的、严重妨碍创作的疾病，但我们大概可以确定他的病痛与艺术并没有关联，或者关联甚微。

其次——也是第一个神话的必然结果——梵·高不是将艺术当作一种治疗形式，用以安抚他饱受折磨的灵魂。正如前文所示，他成为画家的理由，他在艺术中所追求的目标，与19世纪其他伟大画家并没有两样。事实上，他与19世纪任何一位艺术家同样或者更努力地创作，拥有同样的或者更多的知识资源。梵·高贪婪地阅读荷兰语、法语、英语和德语著作，也能通顺地阅读拉丁语和希腊语著作。他及时了解本地、国内和国际的新闻和大事，对当代艺术和文学了如指掌。梵·高绝不是只靠直觉创作的隐遁艺术家，他异常地博学、健谈，他的艺术致力于表现世界的对话、表情、果断的决定和行动。梵·高写给提奥的600余封书信不只是主要充作私人日记，而是向挚爱的兄弟和经济支助者汇报工作进度，也是有意识地为他自己的志向高远、复杂广泛的艺术作品作出注解。

## 梵·高的第一个目标宣言

1882年，梵·高刚走上艺术道路（在10年间辗转做过艺术中介、学校教师、福音布道者等工作之后），在写给提奥的信中谈及创立艺术家社区的愿望，同时意识到时机可能尚不成熟：

> 我想用1893年（法国大革命的恐怖统治时期）的权威宣称：这些和那些都必须去做。首先，这些必须死亡，然后，接着最后一批，这是责任，所以无可辩驳，因此无须再多说。
> ……
> 或者，鉴于那么多人在沉睡，不想被唤醒，安静地守着自己一个人能做的事岂不是更好？这么一来，只有自己担负责任和义务，沉睡的人就可以继续安睡、得到休息？（信笺248）

6个月后，梵·高再次谈起艺术社区的必要性：

"我比很多人幸运，但我不可能做到自己或许有勇气、有精力去做的一切……为什么没有更多画家像部队的士兵那样聚集起来一起工作？"两年后，梵·高下定决心要做文化的反叛者。他再次致信弟弟：

> 我希望你能够想象我们都亲身经历过的1848年……（1848年革命时期）我们或许是仇敌，你是路障前的政府士兵，我是路障后的革命者或反叛者……你我都不干涉政治，但我们生活在世界中，生活在社会里，便不由自主地成为人民阵队的一员……作为个人，我们是全人类的一部分。这个人类被区分为党派。究竟有多少是属于我们自己的自由意志，有多少是境况的宿命，让一个人属于这个或那个党派？是啊，那是1848年，现在是1884年。"磨坊没了，风却依然吹来。"尝试想清楚你自己真正属于哪一方，正如我也试图想清楚我自己属于哪一方。（信笺379）

探索社会的"阵队"或阶级，描绘农民和无产阶级的生活和文化，创造一种既表现个人及其社区，又表现乌托邦的美丽梦想的艺术——这些都是梵·高在成熟时期的艺术题材，但他早在1882—1884年就开始酝酿。

## 在海牙和纽南的早期艺术：《食土豆者》

1882年3月，梵·高接到伯父柯内留斯·马里纳斯·梵·高（Cornelius Marinus van Gogh）的委托，绘制两套海牙城素描。这一年，梵·高刚寓居这座城市，自此开启专业艺术家的生涯。委托人无疑期待这些作品借鉴荷兰17世纪城市风景画的伟大传统［尤其是扬·维米尔（Jan Vermeer）、彼得·德·霍赫（Pieter de Hooch）］，以及乔治·布莱特纳（George Breitner，1857—1923年）、雅各布·马里斯（Jacob Maris，1837—1899年）、艾萨克·伊斯雷尔斯（Isaac Israels，1865—1934年）、安东·莫夫（Anton Mauve，1838—1888年）等当代艺术家所实践的海牙现实主义画派。然而，在第二套素描里，譬如《木匠的作坊与晾晒的衣服》（*Carpenter's Workshop and Laundry*）【图19-3】，梵·高摒弃海牙现实主义画派所营造的土地、宗教与工人阶级的勤劳之间安抚人心的平衡，譬如马里斯

图19-3：文森特·梵·高《木匠的作坊与晾晒的衣服》，1882年。纸上铅笔、黑色粉笔、钢笔和画笔蘸黑墨水，棕色淡水彩，不透明水彩，28.6厘米×46.8厘米

图19-4：雅各布·马里斯《漂洗衣裳的院子》，1870年。布面油画，41厘米×57厘米

的《漂洗衣裳的院子》（*Bleaching Yard*）【图19-4】。马里斯的作品以全景视角收纳风景、教堂、洗衣妇，以便囊括荷兰资产阶级的虔诚。梵·高的《木匠的作坊与晾晒的衣服》则不带感情地截取日薪工人和小规模工场的景况。梵·高的顾主显然对这套素描极其失望，因为他所支付的酬金远低于承诺的价格。

《木匠的作坊与晾晒的衣服》使用类似阿尔布雷特·丢勒所发明的透视窗口手法，但特意违反透视和比例。右上方和左上方对角线急剧地退入到地平线，前景的平行线则慵懒地起伏，显然属于迥异的绘画手法，似乎在强调人类劳动的空间必须有别于自然空间及其法则。梵·高在信中对提奥说道："我把这些东西尽可能地画得天真，完全依照我眼前看到的样子……你会看到，这幅素描已有数个层次，你可以环视、看透、看进每个角落。画面仍缺乏生机……但慢慢会有的。"（信笺205）刻意的夸张和扭曲的光线、大气、透视和人体。透视将在梵·高日后的油画里成为极为重要的特征，在这幅以铅笔、钢笔和画笔绘制的素描里便已具有显著的特征了。

梵·高收藏卢克·菲尔德斯（Luke Fildes）、休伯特·冯·赫科默（Hubert van Herkomer）、弗兰克·霍尔（Frank Holl）等英国插画师的通俗木刻版画。在这些作品的影响之下，他开始探索工人阶级的生活和劳动，以当地一家救济院的男女为主题创作了50余幅单人素描，以及数打构图复杂的作品，描绘了矿工、挖土工、农工和织工。在1880年的一封信里，梵·高描述从居住地博里纳日（Borinage，比利时的煤矿区）前往织工村庄的旅程，谈及他对劳工的感知：

> 矿工和织工依然迥异于其他劳工和手艺人的种族，我对他们怀有深切的同情。我希望有一天能够描绘他们，让这些无人知晓或者极少被知晓的工人站到人们眼前。矿工是来自深渊之底的男人；织工的头发似梦幻一般，有些精神恍惚，几乎是梦游者……我日渐感觉这些穷苦、默默无闻的劳工十分感人……（信笺136）

梵·高的同情文辞透露了基督教家长制的态度。在他事业早期的艺术和思想里，这种态度占据支配地位。1881年，梵·高的《负重者》（*Bearers of the Burden*）【图19-5】，模仿勃鲁盖尔的寓言绘画《盲人给瞎子引路》（*The Blind Leading the Blind*，1568年），描绘衣衫破烂的妇女身躯佝偻，背负着煤袋，盲目又绝望地行进。画面上方是一截狭窄的天空，压迫着这些被鄙视的迷失的灵魂，煤烟熏黑的木屐在前景踩出一道曲

图 1 9 - 5：文森特·梵·高《负重者》，1881年。纸上铅笔、钢笔和画笔蘸棕色和黑色墨水，白色和灰色不透明水彩，47.5厘米×63厘米

折的弧形。两年后，梵·高在纽南（Neunen）继续描绘无产阶级，以被束缚在手动织机前的织工为主题创作了数十幅素描和小型画作。1885年，他创作了表现农民生活的大型作品《食土豆者》【图19-6】。

《食土豆者》拘限于沉重的大地色调——灰色、棕色、黑色，代表着梵·高在1886年移居巴黎前最有成就的作品。这幅作品的创作仅用了3周时间，描绘布拉邦省一个穷苦家庭围坐桌前吃土豆和喝咖啡的情景。在这个简陋的房间里，一盏油灯照亮男人和女人的手指关节、颧骨、鼻子，以及各种表示家庭财富的东西：左上方有一只带钟摆的挂钟和一幅带画框的耶稣钉十字架的图画，右上方有一副工具架、一只插汤匙的木屐。梵·高多次拜访他的绘画对象德·格鲁特（De Groots）一家，以数种媒介绘制了数十幅或大或小的习作（包括石刻版画），并以近乎人类学的视角撰写这幅作品的文字说明。下面这段引文表明梵·高的批评的自我意识，迥异于先前的基督教寓言说教：

我想要突显这些人在油灯下吃土豆，挖掘大地的双手伸到餐盘，述说手的劳动，他们多么真挚地挣得自己的食物。我想要描绘一种与我们文明人颇为不同的生活方式……画农民是一件严肃的事，如果我不竭力画出能够在严肃看待艺术和人生的人们心里激发严肃思想的绘画，我一定会自责的。米勒、德·格鲁，还有其他很多艺术家为我提供品格的先例，让我不去顾忌粗糙、粗鄙、污脏、恶臭等等的批评，因此，如果再多犹豫，我一定会觉得羞耻。不，我们必须将农民描绘为他们中间的一员，与他们一样有感觉，有思想。（信笺404）

《食土豆者》与梵·高所熟悉的其他农民画无疑具有深刻的区别。朱尔·布雷东在《阿托瓦麦田的祈祷节》【图13-17】等作品中强调农民的永恒的虔诚，

图19-6：文森特·梵·高《食土豆者》，1885年。布面油画，82厘米×114厘米

图19-7：约瑟夫·伊斯雷尔斯《节俭的食物》，1876年。布面油画，88.9厘米×138.7厘米

图19-8：威廉-阿道夫·布格罗《坚果采集者》，1882年。布面油画，88厘米×134厘米

梵·高则将基督教缩减为墙上画框里一幅粗陋的耶稣受难图；约瑟夫·伊斯雷尔斯（1824—1911年）在《节俭的食物》（Frugal Meal）【图19-7】中描绘身体健康、衣着整洁的核心家庭，梵·高则表现笨拙、污脏的男女所构成的没有父亲的数代同居大家庭；威廉-阿道夫·布格罗在《坚果采集者》（Nut Gatherers）

【图19-8】描绘少女的闲暇和媚态，梵·高则表现廉价的食物作为农民艰苦劳动的微薄回报。

梵·高的作品虽相对地有别于资产阶级农民绘画，但他不能彻底地摆脱艺术习俗。首先，《食土豆者》清晰地表明他的构思受到诸如伦勃朗、米勒、布雷东等艺术史资源的影响。更重要的是，正如艺术史家格里塞尔达·波洛克所指出，这幅作品面向的对话者并不是农民，而是城市的资产阶级——用梵·高自己的话说，"我们文明人"。梵·高试图在《食土豆者》里以一种源自农民煤泥生活的艺术语言跟前卫艺术的资产阶级进行对话。不出意外地，他的努力只得到冷遇或轻蔑。于是，梵·高再次重新塑造自己。这一次他迁居安特卫普，然后到巴黎，追求一个新兴的乌托邦梦想。

## 在安特卫普和巴黎的学院训练和前卫艺术教育

梵·高仅在安特卫普停留了3个月。其间，他参加美术学院的艺术课，研习鲁本斯的作品，开始收集日本木刻版画。与法国美术学院的很多学生一样，梵·高在学院里深受挫折。导师对梵·高说道："先打好轮廓，你的轮廓不对；你要是不先修改轮廓就开始塑形，我便不给你修改……色彩和造型没有什么技术，很快就能学会。轮廓才是最重要最困难的技术。"梵·高在信中对提奥感叹道："你真该亲眼看到那套体系画出来的东西多单调，多死板，多枯燥……像大卫，或者更糟糕，像扬·威廉·皮尔曼（Jan Willem Pieneman，1779—1853年）全盛时期的作品。"（信笺452）数年前，另一位思想独立、性情浪漫的艺术家奥迪隆·雷东（参见第465页）在巴黎杰洛姆的画室遭遇类似的经历："我被这位老师折磨死了……他的指导如此激烈，以致于听见他走向我的画架的脚步声时，便开始恐惧。可惜他白费了工夫。他建议我给一个涌动生机的形体填添一个封闭的轮廓……他权威性地示范如何画一块石头、一个圆柱、一张桌子、一把椅子、一件无生命的配饰、一块岩石，以及所有无机的自然物。学生只看到表现形式，只看到形式的胜利。"对于梵·高和雷东来说，学院派古典主义既是僵死的教学理论，也是已经丧失权威的精英与社会、阶级等级制度的象征。对他们来说，古典主义已被德拉克洛瓦、米勒、柯罗的纯真地、自然地表现艺术所替代。在那封描述安特卫普美术学院训练的信函发出数日后，梵·高再次致信提奥，但这次谈论的是艺术、政治和经济萧条：

我觉得因为到处发生的各种罢工而感到悲观并不是夸张的情绪。他们无疑会为继后的世代作出有益的事，因为到那时候他们会被视为是成功……劳工反对资产阶级，正如一百年前普通民众反对上等人一样具有正当理由。现在最好的选择就是保持沉默，因为命运不站在资产阶级这一边，我们有生之年将会看到更多这类情况；现在远不是终点。因此，虽然已是春天，数千人口依然凄凉地流落……柯罗一向是最沉静的人，却也如此深刻地感受春天，他的一生岂不似劳工一般简单？他对他人的苦难难道不是极其敏感？

（信笺453）

这封信既表明梵·高拥护工人阶级的运动，也揭示他作为资产阶级的恐惧和负罪感——他的政治进步态度与家长式保守主义态度。他为阶级冲突所提出的解决方案类似昂列·圣西门在1825年前所倡导的乌托邦思想。在《新基督教》（Nouveau Christianisme）里，圣西门写道："每个人都应该兄弟一般对待彼此。"继而，圣西门认为他的新宗教能够培养"最贫穷阶级的道德和心理健康……以最可能的快捷给社会所有阶级和所有国家带来富裕"。更宽泛地说，梵·高必须被视为19世纪众多艺术家、作家和哲学家中间的一员，这些人多少抱持着浪漫主义的反资本主义态度。这个态度的特征——尤其彰显于梵·高最喜爱的浪漫主义作家，诸如卡莱尔、狄更斯、儒勒·米什莱——也许正是从前资本主义文化价值角度对19世纪经济和社会秩序进行批判。浪漫主义反资本主义者所期冀的未来，始终是想象的过去的映像。梵·高从1886年2月至1888年2月在巴黎所度过的两年，加速了他的艺术和思想的批判轨迹。

在巴黎期间，梵·高接触到决定性的印象主义风格。他开始对处理阳光和色彩的手法有了信心（学习修拉、雷诺阿、莫奈的作品），并丌始使用新掌握的技法描绘现代生活、城市和郊外的娱乐活动、资产阶级和小资产阶级的社交生活。此外，他潜心研究日本江户时代的木刻版画，1887年3月在铃鼓咖啡馆展览自己的收藏。梵·高的收藏表明，自1867年巴黎世界博览会展览日本艺术和工艺之后的20年间，日本风潮已经十分普及。梵·高不同于阿尔弗雷德·史蒂文［Alfred Stevens，1823—1906年，代表作品《和服》（The

图19-9: 阿尔弗雷德·史蒂文《和服》，1872年。
布面油画，150厘米×105厘米

图19-10: 文森特·梵·高《唐吉老爹的肖像》，1887年。
布面油画，92厘米×75厘米

*Japanese Dress*）]，认为日本文化不只是象征时髦和异国情调，也是乌托邦的梦境形象。他在巴黎时期创作的最出色作品《唐吉老爹的肖像》【图19-10】使用日本版画为背景。唐吉是艺术品中介、颜料商、狂热的社会主义者，对这位被冷落的艺术家格外好心，不但允许他赊账，而且厚待、关爱他。据二人的朋友画家埃米尔·贝尔纳所说，唐吉和梵·高都经历贫穷，都认定乌托邦的"幸福……社会和谐的时代"即将来临。

梵·高将唐吉描绘为坐像，双眼低垂，双手略有些僵硬地交握，类似日本僧侣的坐姿。他身后至少有一幅随意复制的日本版画，描绘艺伎和风景［歌川芳虎（Yoshitara）、歌川丰国（Toyokuni）、歌川广重（Hiroshige）的作品］，富士山版画位于唐吉帽子的上方，如同一顶王冠。《唐吉老爹的肖像》以色光主义的色彩和流行的"日本趣味"［japonaiserie，出自

埃德蒙·德·龚古尔的小说《亲爱的》（*Chérie*）]，可以说总结了梵·高吸收巴黎前卫艺术时尚的成果。弗雷德·奥顿（Fred Orton）和格里塞尔达·波洛克认为，在很多方面，这幅作品也宣告梵·高的艺术生活——乌托邦梦想——在阿尔勒和法国南部向他召唤。

梵·高感到盛行的艺术体制和狭隘的巴黎社交界约束他的艺术和生活，便开始打算移居阿尔勒。法国南部有普罗旺斯灿烂温暖的阳光，有志趣相投、慷慨的艺术家朋友的慰藉，在那里，他可以开始追求肖像画和风景画的双重抱负。总之，阿尔勒是"画家的天堂"，梵·高在某个喜悦的时刻写道："那绝对是日本。"（信笺543）在《唐吉老爹的肖像》里，梵·高通过"日本趣味"表达他的乌托邦愿望，想要在法国创立日本式东方主义理想世界，一个阳光灿烂、祥和、安乐的地方。在这个社区里，艺术家似佛家的僧侣一般赋有智慧。

## 阿尔勒的梵·高

于是，梵·高在1888年2月移居阿尔勒，急切地想要恢复健康和想象力，实现创立名为"南方画室"（Studio of the South）的艺术家公社的梦想。这个艺术聚居地将是半僧院、半傅立叶主义的"法伦斯泰尔"（夏尔·傅立叶在其著作中所描绘的社会主义公社），将以温煦干爽的微风和普罗旺斯永恒的民间文化为养料，当然还有提奥寄来的适度的经济支助。提奥当时已是巴黎古比尔画廊（Goupil & Co.）重要的印象主义经理人。梵·高受到诸如巴比松画派、印象主义者、拉斐尔前派等前卫艺术亚文化的影响，以及他在西方建立原始的东方天堂的幻想，开始积极地邀请艺术家朋友，尤其埃米尔·贝尔纳，他和高更当时在布列塔尼的阿旺桥幻想建立乌托邦社区。梵·高写信怂恿双方交换艺术作品，相互借鉴观摩［贝尔纳便寄去《与高更肖像合影的自画像》（*Self-Portrait with Portrait of Gauguin*）【图19-11】］，并说服贝尔纳来阿尔勒：

> 日本艺术家经常交换作品。长久以来，我一直觉得这个做法十分感人，无疑说明他们彼此喜爱，相互支持，并且他们中间存在着一份和谐。他们生活在友爱的社区，相处颇为自然，而不是相互算计。我们若能在这个方面越像他们，就越有益……（信笺B18）

大约在同时，他致信提奥："这些简单的日本人给我们的启示岂不就是真正的宗教？他们就好像自己是一朵鲜花那样生活在自然。在我看来，研究日本艺术而不变得更欣喜、更快乐是绝不可能的事，虽然我们在习俗的世界接受教育和工作，但我们必须回归自然。"（信笺542）

1888年9月，梵·高在《阿尔勒的黄房子》（*Yellow House at Arles*）【图19-12】找到了舒适自在的定居地。艺术史家圃府寺司（Tsukasa Kodera）称这间规划有致的房屋为梵·高的"原始主义乌托邦"。梵·高当时以前所未有的速度和才力创作，或许是为迎接高更的到来。高更是接受邀请来到阿尔勒跟梵·高一同生活和创作的唯一一位艺术家。梵·高的《夜间咖啡馆》【图19-13】和《卧室》【图19-14】也属于1888年夏末和秋季创作的30多幅作品中的两幅。这些作品由于无视传统的透视、造型和解剖学而显得粗陋，同时也由于运用

图19-11：埃米尔·贝尔纳《与高更肖像合影的自画像》，1888年。布面油画，46厘米×54.9厘米

色彩体现空间层次和情感基调而极其微妙（参见第17章）。梵·高在信中向提奥如此描述《卧室》：

> 这一回可不单纯是我的卧室。只是在这幅画里，色彩必须担负所有任务，通过色彩的简化为事物增添壮观的风格，在这里是暗示休息或通常意义上的睡眠。总之，看着这幅画应该是大脑的休息，或者想象力的休息。墙壁是淡紫罗兰色，地板是红砖，床和椅子的木头是新鲜黄油的黄色，床单和枕头是带绿的浅柠黄，被褥是猩红色，窗户是绿色，盥洗台是橙色，面盆是蓝色。门是丁香色。只有这些——这个窗板紧闭的房间里没有别的物什。家具的粗大线条也必须表现不可侵犯的休息。还有墙头挂着一幅肖像画、一面镜子、一块毛巾、几件衣服。画框将是白色——鉴于画面没有白色……阴影和投影忽略不画。采用类似日本版画的单调自由的色调。（信笺554）

确实，《卧室》的画面虽用色鲜亮，却依然营造了镇定、宁静的气息。奶油黄的床以夸张的透视缩短保持平坦，类似弗拉芒原始画派令人晕眩的扭曲手法

图19-12：文森特·梵·高《阿尔勒的黄房子》（街景），1888年。布面油画，72厘米×91.5厘米

图19-13：文森特·梵·高《夜间咖啡馆》，1888年。布面油画，72.4厘米×92厘米

［譬如，罗伯特·康平（Robert Campin）的梅洛雷祭坛画（Mérode Altarpiece，1425—1428年）］。同样地，暖调的红砖地板通过冷调的蓝色线条营造出后退效果，实现空间的均衡，画面余下的部分则运用平衡的互补色。一侧的大件物体（右侧的门和床）以另一侧数件小物体（窗户、盥洗台、镜子、灯心草垫椅）加以平衡，预示了荷兰艺术家皮特·蒙德里安的抽象构图。蒙德里安赞同梵·高的观点，认为色彩的情感效果部分取决于一种颜色与其他颜色之间的距离，部分取决于颜色的分量。然而，《卧室》虽极尽微妙，却具有简陋的手工作品的属性，家具和陈设在画面的布局和粗重的厚涂法，都散发出针线活或手织布的气息。梵·高曾写道，这幅绘画构思为"修拉式的简单……协调一致"。

我们在前文已看到，梵·高在《摇篮曲》肖像画里所追求的也是手艺人一般的简朴。梵·高自从1888年12月与高更一同创作以来开始绘制《卧室》，及至次年1月才完成。那时候，梵·高经历了那次致使他自残住院的著名而可怕的癫痫，参见《割耳后的自画像》（Self-Portrait with Bandaged Ear，1889年）【图19-15】。（高

更与梵·高在阿尔勒同住的时间始于1888年10月23日，终于12月26日，至于具体状况，外界所知甚少。然而，据梵·高在这两个月里写给提奥的书信可以看到，两位艺术家相处得极其糟糕。猜忌、嫉妒和误解损害了两人的友谊。）在这段时期，除了风景画，肖像画和自画像占据梵·高的艺术重心。梵·高在信中告诉贝尔纳，肖像画和自画像这两个画种属于"未来"，他的一半意图是为后世记录一个人、一个阶级、一个文化、一个时代的外貌特征。正如《食土豆者》【图19-6】记录德·格鲁特一家人的群像，《邮递员约瑟夫·罗林》（Postman Joseph Roulin）【图19-16】、《尤金·博赫》【图19-17】这两幅单人肖像画以近乎人类学的细致描绘了人物阶级和职业的特征。邮递员罗林身穿制服，显得自豪又拘谨，颇似奥古斯特·桑德（August Sander）在1925年所拍摄的警察。然而，梵·高的手法迥异于摄影师全新的客观性（Neue Sachlichkeit）。梵·高既运用客观性，也运用抽象，做出"伟大的简单的东西：通过肖像画……创造人类的绘画"。（信笺B13）梵·高在信中向提奥描述博赫的肖像：

图19-14：文森特·梵·高《卧室》，1888年。布面油画，73.6厘米×92.3厘米

图 19-15：文森特·梵·高《割耳后的自画像》，1889年。布面油画，60厘米×49厘米

我在巴黎学来的东西渐渐离开我了，我开始找回结识印象主义之前在乡村曾经有过的念头……因为我不再照样复制眼前看到的东西，而是更加随心所欲地使用色彩，希望更加有力地表达自己……

我很想画一个艺术家朋友的肖像，一个做着伟大梦想的人，他创作的时候，就像夜莺唱歌，因为艺术就是他的本性……于是，我先照着他的本来模样，尽我所能地忠实地画下来。但这只是开始。

这幅画还没有完成。为了完成这幅画，我现在要变成任意的色彩主义者。我夸张头发的金黄，甚至使用橙色、铬黄、淡柠黄。

头部背景不用普通房间的普通墙壁，我要画上无限，尽我所能调制最浓郁、最强烈的蓝色，画出一片简单的背景，明亮的头颅映衬浓郁的蓝色背景，在这个简单的结合里，我得到一种神秘的效果，犹如蔚蓝的天空挂着一颗星辰。（信笺520）

图19-16：**文森特·梵·高**《邮递员约瑟夫·罗林》，1888年。
布面油画，81.2厘米×65.3厘米

图19-17：**文森特·梵·高**《尤金·博赫》，1888年。
布面油画，60厘米×45厘米

梵·高曾经在信中坚持素描和绘画必须依照模特，而今却发现模仿不足以传达他的目的。他在人生最后一年所创作的肖像画和风景画里，互补色的冲撞、前景与背景的叠压，尽然释放绘画的不和谐和抽象。

## 《星夜》与批判现代主义

《星夜》【图19-18】描绘梵·高在圣雷米精神病院二楼锁闭的病房窗口望见的东方天空。医院位于莫索尔的圣保罗修道院，在阿尔勒东北24千米处。从1889年5月至1890年5月，梵·高在这里关闭了一年，其间创作了无数作品描绘精神病院及其周边的村庄的风景。在很多方面，《星夜》概括了梵·高的兴趣和关注点。这幅作品使用了螺旋状锁链针法般的笔触，颜料厚涂，具有梵·高最欣赏的"粗糙物品"手工制作的痕迹——普通的陶罐、灯心草垫椅子、劳工的旧鞋。这些象征符号源自他所熟悉的浪漫主义反资本主义的词典：哀悼的柏树、教堂的尖塔、映现炉火的村舍、山冈、星辰、行星。事实上，《星夜》近似乌托邦

未来的幻想曲，但所依据的是艺术家为简单的过去所想象的社会融合。同时，这幅作品也是拒斥现实主义和自然主义绘画传统的现代主义。梵·高如此谈及这一对立："《星夜》不是回归浪漫主义或宗教的思想。不，不是。然而，通过德拉克洛瓦的道路，就再清楚不过了，通过色彩，通过更随意的描绘而不是虚假的精确，我们可以表现出比巴黎城郊和夜总会更加纯粹的农村的自然。"（信笺595）

《星夜》这幅作品以及梵·高写给提奥的简短注释，都揭示了他既是浪漫主义的反资本主义者，也是批判的现代主义者。梵·高认为艺术形象的"精确"是"虚假的"，因为经验的面纱掩盖了阶级、政治、意识形态冲突的历史偶然性。梵·高一生深刻地体会和理解这些冲突。然而，正如我们在戈雅、特纳、库尔贝等19世纪艺术家的人生和作品里反复所见，采取一种批判的姿态势必带来极大的危险。如果没有艺术表现的古老规则，连贯性和可理解性如何得以维持？1889年，梵·高在给提奥的信中写道："我一度认为抽

图 19-18：文森特·梵·高《星夜》，1889年。布面油画，73.7厘米×92.1厘米

象是一条充满魔法的道路。可是，那是被施了巫咒的地界。衰迈将死的人，我很快就觉得走到了尽头。"与无数前卫派艺术家同事一样，梵·高认为古老的古典主义已经死亡，新的现代风格却无法诞生。至少在两个世代里，既是激进地民主、又是彻底地现代的艺术这一目标只能是梦想。然而，梵·高不愿继续参与这场持久的求索：由于至今依然难解的原因，但也可能是因为他的疾病，1890年7月27日，移居瓦兹河畔奥维尔村不久之后，梵·高在村外举枪自尽。两日后，他在自家床上逝世。

几乎与修拉一样，梵·高也创造了一种矛盾的艺术。作为传统主义者和革命派，梵·高所获得的声望超越19世纪任何一位艺术家，却又被视为难以捉摸，孤僻隐遁。作为现实主义者和象征主义者，梵·高成功地突破大众和精英艺术的界限，又被推崇为普通人与艺术天才之间不可逾越的鸿沟的典范。因此，如果总结梵·高的人生和艺术，就需要总结现代主义的各种矛盾，尤其是抽象作为"充满魔力的道路"和"被施了巫咒的地界"之间的矛盾。

## 问题讨论

1. 关于文森特·梵·高有哪两个神话？哪些证据消除了这两个神话？

2. 梵·高为什么移居阿尔勒？他希望在那里实现什么目标？是否实现？

3. 讨论梵·高与社会阶级。他有哪些作品表现工人阶级的生活？作品是否具有同情色彩？

4. 讨论《星夜》与乌托邦主义。

## 第20章

# 象征主义与隐遁的辩证法
# 约1885—1910年

## 导言

象征主义是一种合成的运动，包括欧洲数十座大城市盛行的多重潮流和风格。[也许可以说，美国也有象征主义运动，以亚瑟·B. 戴维斯（Arthur B. Davies）为领袖，但运动时间晚于欧洲，因此不属于本书的讨论范围。]法国、比利时、德国、挪威、瑞士、俄罗斯、奥地利是象征主义的主要舞台，但每个国家都有其追随者。如果将保罗·高更算作半个塔希提人，那么南太平洋也有象征主义。（诚然，塔希提在当时以及当下是法国的属地。）象征主义也许是第一场真正称得上国际性的现代艺术运动。

那么，何为象征主义？象征主义是一种强调非理性、非自然的艺术、文学和音乐创作的取向。它是一种表现形式，通常退回到"为艺术而艺术"的象牙塔，以回应欧洲19世纪末所面临的影响艺术和日常生活的经济、社会和政治的急剧变化。最后，它是一种打破规则的艺术：在音乐中，提倡以不和协音取代和协音；在诗歌中，以自由诗取代韵脚和格律；在视觉艺术中，以抽象取代再现。在视觉艺术领域，象征主义经常体现为梦幻般的绘画（预示着超现实主义），运用不协调的色彩（比野兽派早了10年），描绘异国情调之地或情色主题。在比利时的詹姆斯·恩索尔和法国的奥迪隆·雷东于里，象征主义甚至同时体现喜剧和噩梦的效果。

如果说象征主义有一位领袖，那么此人非法国的保罗·高更莫属，尽管他在艺术生涯初期是传统的印象主义。然而，1888年新印象主义艺术家正当风头之时，他拒斥这个流派，转而探索"综合主义"的风格，即综合地提炼记忆、印象和经验，而不只是眼前所见的现象。高更的《布道后的启示》（Vision after the Sermon）【图20-3】、《黄色基督》（Yellow Christ）【图20-4】等作品结合历史、风俗画、寓言和直接观察，运用极其大胆的绘画手法，画面充满大片相对缺乏变化的亮色（尤其是黄色和橙色），主要人物勾勒浓重的轮廓线，从而使人物如同浮雕一般突兀。《橄榄园的耶稣》（Christ in the Garden of Olives）【图20-7】的主要人物显然是高更的自画像，经受痛苦和隔绝的主角就是艺术家本人，或许也是他的红发朋友梵·高。

挪威的爱德华·蒙克以存在主义为主题创作名为"人生浮雕"（The Frieze of Life）的系列绘画。这个题名可以说揭示了象征主义的本质，视人生本身为一件艺术作品（浮雕），如同古代石棺或现代建筑的装饰作品。蒙克对女性（尤其是自由女性）的憎恶实际上典型地代表了厌女症普遍盛行的时期。厌女症主题出现于蒙克的数幅作品，譬如《灰烬》（Ashes，1894年）、《分离》（Separation）【图20-19】。瑞士画家费迪南德·霍德勒也在作品《夜》（The Night）【图20-26】透露类似的女性恐惧，这幅作品曾在巴黎展览。

高更的性别政治观念备受讨论和争议。一方面，与很多象征主义者一样，他所表现的女性裸体或耍弄诡计，或流露脆弱，尤其是他的塔希提作品，譬如《死者的魂灵在守望》（Spirit of the Dead Watching，1853—1918年）【图20-38】。然而，另一些作品，譬如《杧果女人》（Woman of the Mango）【图20-37】、宣言式的《我们从何处来？我们是谁？我们向何处去？》，则描绘权威性的强大女性。在这些作品里，女性掌控人类历史的叙事。在这些情况之下，象征主义可以说强有力地参与而不是远离当时关于种族、女性、权力和殖民主义的讨论。

## 现代主义与象征主义

通贯19世纪，现代艺术家不断地通过巩固他们与当代的关联声张他们与古典主义过去的连续性。我们在本书的绪论中便看到波德莱尔宣称"我们所寻找的真正的画家，将是能够在今日的生活中捕捉史诗品质的人，能够让系着领巾、蹬着漆皮靴的我们感到自身的伟大和诗意"。我们今日作出结论，认为欧洲和北美经历整个19世纪的演变以后，现代主义不再只是拒斥欧洲的古老形式，而是激进的努力（多少也是穷途末路的孤注一掷），意欲维持古典主义传统所有堂皇的权威。印象主义雷诺阿声称："我们真正追求的，只不过是激励广大画家一同追随经典大师，如若他们不希望看到绘画艺术彻底消亡。"与其他任何艺术家一样，梵·高的作品揭示了这一现代文化战略既保守又革命的双重态度。

梵·高最感兴趣的画种——肖像画和风景画——都是传统的形式，其渊源可以追溯到法兰德斯和荷兰黄金时代的勃鲁盖尔、伦勃朗、凡·雷斯达尔（Van Ruisdael）。事实上，梵·高虽热衷于色光主义和"随意"使用色彩，他的最后作品，譬如《麦田里的乌鸦》【图20-1】，与其说是效仿修拉的风景画，倒不说是致敬勃鲁盖尔的寓言画。1890年7月，梵·高在写给提奥的信中谈及这些作品："这些作品描画乌云笼罩的天空之下广阔的麦田，我无须费尽周折地表现悲伤和极度的孤寂。"（信笺649）

然而，撇开梵·高的传统主义，他的作品也流露出时代的革命印迹和基调。他的风景画对象和绘画手法都隐约地批判古典主义的规则，以及文艺复兴晚期、巴洛克绘画及其学院派继承者的等级制度。此外，他所创作的工人和农民的肖像画致力于揭示即将来临的20世纪的新面貌。这些肖像画运用不和谐色彩或色彩主义，让人联想到瓦格纳创作的音乐。自19世纪80年代早期以来，瓦格纳主义在巴黎吸引无数追随者，尤其是诗人朱尔斯·拉佛格、斯特芳·马拉美、新闻记者爱德华·杜雅尔丁和特奥多尔·德·维泽瓦（Théodore de Wyzewa，二人在1885年创办《瓦格纳评论》）等圈子的艺术家和作家。在这些圈子里，包括画家古斯塔夫·莫罗、奥迪隆·雷东、亨利·西奥多·方丹-拉图尔，瓦格纳的音乐代表着他们孜孜以求的感知、情感、理智的审美和哲学统一。维泽瓦称这个统一为"宇宙的总体生命"（la vie totale de l'univers）。梵·高也痴迷瓦格纳主义，显然相信它能够为早已凝滞的艺术传统注入生机。1888年夏，梵·高在信中对提奥说道："我徒劳地试图学习音乐，我先前便已感到我们的色彩与瓦格纳的音乐有着关联。"事实上，在《摇篮曲》里，我们便看到梵·高运用颜色的变音符号和音阶进程，几乎趋及抽象的程度。然而，这一抽象手法并不是意欲摧毁而是拯救肖像画艺术。换言之，梵·高想让肖像画再次成为揭示人类品格、记录社会地位、表现情感的工具。因此，

图20-1：文森特·梵·高《麦田里的乌鸦》，1890年。布面油画，50.5厘米×100.3厘米

正如整个现代主义事业本身，梵·高力图调和表达与再现的这桩艺术事业既艰难，又时时触发的危机：如何能够让作品既触及现代生活，又关涉经典大师，而不至于陷入彻底的抽象或历史主义——梵·高认为，抽象和历史主义象征着艺术的无意义和死亡。

梵·高的一些同代人，包括法国高更、奥古斯特·罗丹（Auguste Rodin，1840—1917年）、雷东、比利时的詹姆斯·恩索尔、俄罗斯的米哈伊尔·弗鲁贝尔（Mikhail Vrubel）、挪威的爱德华·蒙克、瑞士的费迪南德·霍德勒，对抽象并没有如此深切的焦虑。这些艺术家认为，在这个急匆匆冲向衰退和毁灭的社会里，现代主义的微妙的批判特权只是一种无用的创意。在他们看来，绘画和雕塑倒不如跟随想象力任性率意地变成抽象或"象征主义"，鉴于现实本身已经无可挽救地堕落，艺术不再有重要的公共领域。此外，他们论辩道，先前的浪漫主义世代难道不是已经表明，单凭形式——线条、色彩或图案——便足以传达宗教意义和个人表达？1888年8月，高更在给友人和画家埃米尔·舒芬尼克尔（Emile Schuffenecker，1851—1934年）的信中写道："艺术是一种抽象，从自然取用你梦想的东西，反复思考以此创作的结果。我们人类能够比附上帝的唯一方式便是似我们神圣的主人一般行事，去创造。"高更强调梦和宗教作为艺术的基础，这一观念得到此世代很多艺术家的推崇。

在资本主义经济萧条及其所滋生的遍及整个欧洲的悲观情绪和醒悟的一个世代里，象征主义作为结构性危机的艺术症候而诞生。象征主义是一种指向内心的艺术，具有反历史、极其个人化、甚或自白式的特征。象征主义并非源自日常生活，而是源自皮埃尔·皮维·德·夏凡纳的理想之乡、瑞士画家阿诺德·勃克林（Arnold Böcklin，1827—1901年）的丧葬梦境。因此，象征主义终结了以古典主义模仿概念为基础的再现绘画的400年传统，也终结了美国艺术史家伊丽莎白·吉尔摩·霍尔特（Elizabeth Gilmore Holt）所谓的"为公众而艺术的胜利"的50年辉煌。然而，象征主义不只是退出再现艺术和公共意义，通过摒弃欧洲模仿传统，象征主义开启一种部分以非西方的"原始主义"为解放感官和个人表达为基础的新艺术。象征主义的艺术既包含隐遁、颓废、晦涩的意味，也成为文化批评、政治振兴、国际视角的引擎。象征主义加剧了19世纪古典主义的再现与批判现代性

之间的冲突，将这对矛盾推至危机时刻，眼见就要陷入立体主义的崎岖地界、非再现的深渊、超现实主义的革命梦境。象征主义不是前卫艺术亚文化，与拉斐尔前派、印象主义合伙人协会，或者新印象主义独立艺术家协会一样，象征主义是有组织的协会，设置会员名单、会员费、严禁的展览渠道、吸纳和驱逐会员的宗派规矩。然而，象征主义也是一种国际性的文化和审美趋向，在世界各地滋生本土的前卫艺术。在19世纪最后20年间，象征主义成为不可抗拒的文化潮流席卷整个欧洲和北美。

## 象征主义的修辞

象征主义最易识辨的特征是其修辞。1888年9月18日，诗人让·莫雷亚斯（Jean Moréas）在巴黎《费加罗文学》（*Le Figaro Littéraire*）发表一篇被很多人视为象征主义宣言的文章。莫雷亚斯在文中称颂纯粹主观性的价值和"理念"的再现："象征主义诗歌力图将'思想'包裹在敏感的形式之内，但这个形式又不是目的本身，而是从属于思想，同时又表现思想……艺术从客观性只能得到一个简单的、极其扼要的出发点。"一周后，诗人和批评家古斯塔夫·卡恩发文回应莫雷亚斯，也主张诗人和艺术家有权藐视历史和时代性，沉迷于幻想的世界：

> 至于题材，我们厌烦了司空见惯的眼前事物，厌烦了强制的时代性。我们希望能够将符号的发展置于任何历史时期，甚至直接置于梦境（鉴于梦与人生难分难解）……我们的艺术的基本目标是将主观的东西客观化（思想的外在化），而不是将客观的东西主观化（透过性情的眼睛观看的自然）。

卡恩最后一句精炼的口号，也即艺术家该"将主观的东西客观化……而不是将客观的东西主观化"，正是左拉、莫奈等自然主义作家和画家的风格，很快就得到各路画家和诗人的拥护，被传颂为象征主义美学的重要格言。因此，在1891年，年轻的批评家阿尔伯特·奥里耶（Albert Aurier）就已提炼出5个术语，正式界定象征主义绘画。在其文章《绘画中的象征主义：保罗·高更》（*Symbolism in Painting: Paul Gauguin*）中，奥里耶为象征主义作出如下定义：

图20-2上：保罗·高更
《绿色基督》（*Green Christ*），1889年。布面油画，92厘米×73厘米

理想主义者（*Ideist*）：因其独特的理想而将思想表达出来。象征主义者（*Symbolist*）：因其通过形式表达这种思想。综合主义者（*Synthetist*）：因其依据一种通常可理解的方法安排这些形式和符号。主观（*Subjective*）：因为客观对象永远不会被视为一个对象，而是视为主体所感知的思想的符号。装饰性（*Decorative*）：因为正如埃及人——极有可能也包括希腊人和原始人——所理解的，装饰绘画的原初含义无非是融合主观的、综合的、象征的、理想主义的艺术表现。

在实践中，象征主义艺术的创作方法先经由法国艺术家阐述，继后得到欧洲其他国家和美国的艺术家、批评家和公众的提炼，最后浓缩为这个简单的定义：象征主义是为通过线条、色调、色彩的拘限地、非自然主义地再现梦境、想象或其他主观状态的再现艺术赋予最大价值的艺术理论。

在今日，象征主义或许已经成为普遍接受的修辞，但其历史和意识形态的重要意义仍未得到广泛认同。诸如前卫艺术群体纳比派成员（"Nabis"，这个

图20-3：保罗·高更
《布道后的启示》[《雅各与天使摔跤》（*Jacob Wrestling with the Angel*）]，1889年。布面油画，72.2厘米×91厘米

希伯来词原意为先知）莫里斯·丹尼（Maurice Denis，1870—1943年）、保罗·塞律西埃（Paul Sérusier，1865—1927年）、爱德华·维亚尔（Edouard Vuillard，1868—1940年）、皮埃尔·波纳尔（Pierre Bonnard，1867—1947年）等艺术家，他们认为象征主义是一种形式的"新传统主义"，强调寂静主义、虔诚、禁欲主义、稳定的等级秩序等基督教价值观。1890年，丹尼描述象征主义拒斥自然主义，接受形式抽象，为一种新的、真挚的信仰铺垫道路："艺术作品的所有情感都是无意识地发自艺术家的灵魂状态，或者几乎如此。安杰利科修士说，'想要描绘基督故事，便要与基督一同生活。'这是自明的真理……高更的绘画作品《绿色基督》【图20-2】和浅浮雕《去爱，你就会快乐》（Be in Love and You Will Be Happy），这些作品的道德秩序反面的印象不可能源自艺术母题，或者所再现的自然的母题，而是源自表现本身、形式和用色。"

对于诸如新印象主义拥护者费内翁等批评家来说，象征主义是一种艺术自由和感官解放的艺术，助长日益壮大的革命无政府主义。1889年，费内翁描述保罗·高更的作品，谈起无政府主义者所梦想的自由和自主的国度或社区相互协作，和谐共处。费内翁所指涉的作品可能是高更的《布道后的启示》，又名《雅各与天使摔跤》【图20-3】。这幅作品描绘了梦境般的幻想，鲜亮的色彩相互分离：

> 对高更来说，现实只是一个托辞，让他
> 得以创造不同于现实的东西……

费内翁将高更的象征主义绘画描述为政治寓言，这个观点无异于丹尼的看法，他称之为"无意识地"描绘一种传统的"道德秩序"。因此，如果想要适当地界定象征主义，就必须考虑这些相反的诠释所隐含的复杂的意识形态差异。在当时以及今日，高更的艺术一直是象征主义纷争的主战场。因此，在讨论象征主义运动之时，我们以高更为开端和终点，其间简单地审视反自然主义的象征主义与自然主义风景画之间近乎不可能的碰撞所产生的结果。

## 高更与布列塔尼的象征主义

尽管没有单独一件艺术作品可以简明地示范奥里耶为象征主义所罗列的条件，但当时的批评家一致认

同高更的《黄色基督》【图20-4】可以作为一个典范。1889年9月，高更在布列塔尼的阿旺桥创作了这幅作品，描绘钉在十字架上的基督（或基督雕塑），十字架插在各各他山的灰岩上方，十字架下围着三个布列塔尼妇女。刺目的黄色描绘庄稼地和基督肉身，基督的身躯则使用普鲁士蓝勾勒浓重的轮廓线，如同中世纪教堂彩绘玻璃的铅条，为画面营造了一种抽象、从而也是装饰的纹案。高更在阿旺桥附近质朴的特马罗礼拜堂（Trémalo）看到18世纪彩色木刻基督版画，深受启示，特意使用民粹主义或综合主义（Synthétisme）的粗糙手法描绘这幅作品。事实上，如若仔细观看《黄色基督》，我们可以在画面上方三分之一处看到新闻纸的印记。这可能是由于高更使用报纸吸干颜料水分或者作为衬里卷裹作品而意外留下的痕迹。无论何种缘由，这一手法预示了近一个世代后毕加索和乔治·勃拉克（Georges Braque）受低级文化启发所创作的纸质拼贴画。相较人物画，高更的风

图20-4：保罗·高更《黄色基督》，1889年。布面油画，92厘米×73厘米

景画构图处理较为繁复，但同时清晰地彰显理想主义的意图——反自然主义和装饰性效果。树木形似平面的红云，曲折地排列在中景和左侧背景，石墙和中景蜿蜒的小道缺乏投影塑形，右上方水平线的界线未曾运用大气透视。简而言之，高更所表现的事件既不属于历史，显然也不属于当下；这个场景既不是日常琐事，也缺乏明确的幻想痕迹；高更的绘画技法既非模仿，也非明确地抽象。《黄色基督》通过模棱两可的特征，暗示客观知识或视觉以外的另一种现实。因此，这幅作品可以说既是主观的，也是象征主义的。1891年，批评家奥克塔夫·米尔博（Octave Mirbeau）称颂这幅作品召唤联想的力量，说它"以丰富、震慑的方式融合野蛮的壮观、天主教的礼拜仪式、印度教的幻想、哥特式的意象、隐晦而微妙的象征主义"。

然而，无论《黄色基督》的灵感源泉或融合方式多么玄奥，这幅作品以及在布列塔尼创作的其他绘画，譬如《布道后的启示》和《绿色基督》，其中最显著的特征可能是那些未曾描绘或述说的东西。正是这些东西令高更这些作品成为象征主义作品。高更对布列塔尼信仰所作的装饰性的、虔信的、民粹主义的再现，完全忽视这些地区和人们当时所经历的现代化剧变。在19世纪70年代和80年代，布列塔尼经历经济的迅速繁荣和文化再开发。1873年"大崩溃"后的一个世代（几乎波及全世界），批发价格普遍下降，经济增长速度极为迟缓，而布列塔尼与法国其他落后地区一样，突然之间繁荣起来。农业生产合理化（小规模土地所有者被没收土地，无地产者成为雇佣劳工），渔业和其他生产得到拓展，旅游业急剧发展。颇为反讽的是，旅游业之于本章的讨论尤为重要，因为正是旅游市场推销布列塔尼的"原始纯朴"，才吸引了高更和许多艺术家来到这个地区。比方说，高更、贝尔纳、帕斯卡·达仰-布弗莱（Pascal Dagnan-Bouveret）的作品所体现的布列塔尼别致和独特的服饰，并不是古代凯尔特文化的遗迹，而是社会等级、阶级流动性、文化抱负的复杂而现代的表达形式。这些服饰让当地人骄傲地表达原住民身份，同时又能吸引游客。不过，高更在1886年、1890年、1894年所创作的绘画通常避免涉及旅游业或传统与大都会文化在当地（以及法国大多乡村）的冲撞，仅在写给提奥·梵·高的信中提及"野蛮"和"原始"的布列塔尼。

因此，高更的规避策略为象征主义提供一个初步

注解。下文将要讨论的画家，诸如高更、恩索尔、雷东、蒙克、弗鲁贝尔、霍德勒被视为象征主义者，因为他们的作品都具有特定的形式特征（平面化、装饰性、简化、抽象）、特定的象征特征（关注梦境、幻想、信仰）、特定的意识形态特征（规避冲突，蔑视历史，逃离现代性）。象征主义的绘画迥异于本书先前谈及的现代主义，正如丹尼所说，象征主义是一种"新传统主义"的形式，企图在经历剧变的社会里维护保守和等级制度的"道德秩序"。因此，象征主义是"神话里的东西"，正如现代欧洲的神话，企图"祛除话语的政治性"。20世纪中叶的批评家罗兰·巴特（Roland Barthes）写道："今日的神话翻出现实的衬底，掏出历史，再填进自然……（神话的功能是）掏空现实：现实简直不停地流溢出来，犹如大出血，或者可能是蒸发，简言之，这是可感知的缺席。"

人类学家列维-斯特劳斯（Lévi-Strauss）认为，在"原始"社会（没有书写文字的社会），神话的功能是"提供一种能够克服矛盾的逻辑模式"（如果是现实的冲突，便不可能克服）。神话之所以对原始社会的文化具有价值，并不是因为它掩饰或封锁矛盾，而是因为它管理或组织各种矛盾。如此之下，神话强调原始社会的社群主义原则，正如列维-斯特劳斯所说，"利己是所有恶的源泉"。下文会指出，象征主义的绝大多数杰作都在传达这个"原始主义"观念，为观众提供一种对欧洲文化的全新的、具有说服力的批判。

如若仔细地审视高更在布列塔尼所创作的绘画、雕塑和陶器，便可看出他并非完全摒弃现代性和政治。他最好的作品都微妙而强烈地透露出艺术隔绝、阶级分化和退化劳动的现代迹象。1889年，高更在巴黎世界博览会旁边的艺术咖啡馆［通常以老板姓氏称为沃尔皮尼咖啡馆（Café Volpini）］组织一场印象主义和综合主义艺术展览，同年6月回到阿旺桥，随后迁居勒普尔迪村（Le Pouldu）。继后6个月间，高更在《海藻采集者》（Seaweed Gatherers）【图20-5】中描绘了无产阶级劳动的现代题材；在《黄色基督》和其他风景画里描绘了被分割和圈划的麦田；在《你好，高更先生》（Bonjour Monsieur Gauguin）【图20-6】中将自己描绘为流亡者。《你好，高更先生》的创作灵感源自库尔贝的《偶遇》【图11-19】，现实主义者库尔贝在画中将自己塑造为"流浪的犹太人"，背负着诅咒，注定在耶稣再临之前永远在世间不停

图 20-5：保罗·高更
《海藻采集者》，1889
年。布面油画，87 厘
米 × 123 厘米

图 20-6：保罗·高更
《你好，高更先生》，
1889年。布面油画，93
厘米 × 74厘米

地行走。在《橄榄园的耶稣》【图 20-7 】和惊心动魄的陶器《人头状水罐：自塑像》（*Jug in the Form of a Head, Self-Portrait*）【图 20-8】这两件作品里，高更又将自己塑造为救世主和殉难者。高更在写给文森特·梵·高的信中说道："这幅画注定要被误解。"后来，他致信一位记者，说道："《橄榄园的耶稣》表现的是摧毁一种理想，一种既神圣又凡俗的痛苦。"这幅作品所摧毁的是他与贝尔纳、舒芬尼克尔、路易·安格丹、雅各布·迈耶·德·哈恩（Jacob Meyer de Haan，1852—1895年）、保罗·塞律西埃等朋友和追随者一同在"野蛮和原始的"布列塔尼创造和谐艺术社区的理想，也是与梵·高在阿尔勒相互支持、无私忘我的理想。无论在布列塔尼，还是在南太平洋，高更以创造神话——包括现代神话和前文所提及的原始神话——回应痛苦和孤立。规避与热忱地表达社会矛盾之间的辩证是构成高更的象征主义的两大元素。诸如恩索尔等许多象征主义画家毫无保留地否定现代性，在理想的过去和乌托邦未来的幻想中寻找慰藉。

## 恩索尔与民粹主义

　　詹姆斯·恩索尔于1860年出生在比利时西北部海边度假胜地奥斯坦德（Ostend），1949年，于89岁之时在此地逝世。终其一生，恩索尔远离城市和前卫艺术

图20-7：保罗·高更
《橄榄园的耶稣》，
1889年。布面油画，73
厘米×92厘米

图20-8：保罗·高更
《人头状水罐：自塑像》，
1889年。上釉粗陶器，
高19.3厘米

的文化，将他狂欢式的想象力投注于模仿扬·凡·艾克、耶罗尼米斯·博斯（Hieronymus Bosch）、勃鲁盖尔、伦勃朗、鲁本斯等荷兰和法兰德斯艺术家。因此，正如法国、瑞士、挪威的象征主义同代艺术家，恩索尔在现代化和同时代的事件里自我放逐。1900年，恩索尔如此宣告："天真无知的绘画长存！农民艺术长存……自勃鲁盖尔、博斯、鲁本斯、约尔丹斯（Jordaens）以后的法兰德斯艺术死了，确确实实地死了……自由、自由、自由艺术长存！"如果说恩索尔不屑于现代艺术的精湛技艺和态度，那么他对学院派艺术也抱持同等的轻蔑。他写道："所有这些艺术规矩，所有这些正统，如同它们的青铜大炮兄弟一样呕吐着死亡的气息。"

然而，恩索尔虽作出夸张又刻薄的抨击，但他在奥斯坦德所接受的私人艺术训练却相当地传统，并在

1877年进入布鲁塞尔美术学院。恩索尔虽在日后诋毁这座学院是"半瞎子的学校"，但他在学院里接受了近三年训练，甚至以一幅古典胸像临摹素描获奖。在1880—1885年间，恩索尔继续独立研习，临摹和诠释伦勃朗、雅克·卡洛特（Jacques Callot）、华托、戈雅、特纳、杜米埃等大师的素描作品。恩索尔的卓越又怪诞的蚀刻版画《埃尔比勒战役后，波斯名医伊斯东、普法玛图斯、克拉科齐、特拉斯穆夫皇帝诊察大琉士的粪便》(*Iston, Pouffamatus, Cracozie, and Transmouff, Famous Persian Physicians Examing the stools of King Darius after the Battle of Arbela*)【图20-9】，体现了繁复的同化效果，表明他主要汲取北欧和反古典主义的绘画传统。这幅作品的主题大致依据普鲁塔克所撰写的波斯皇帝大琉士（Darius）的生平，当然，恩索尔是以讽刺手法描绘这个通常作为美术学院指定主题的古典主义故事，但他的风格透露了艺术家认真地试图理解和运用巴洛克（尤其是伦勃朗的风格）的影线法和明暗对照法。

即便在形式层面，恩索尔也难以克制破除因袭的倾向。伦勃朗许蚀刻画的每一条轮廓线具有独立的表现力，每个影线部分具有清晰有序的表达。恩索尔则刻意混淆影线与轮廓线，从而使得构图具有殊异的混乱和滑稽的特征，完全地契合其粪便的内容。恩索尔在离开美术学院之后10年间所创作的主要作品，清晰地体现了他对北欧文艺复兴和巴洛克传统的模仿与嘲讽，包括类似博斯风格的《圣安东尼的苦难》(*Tribulations of Saint Antony*，1887年)。在这幅作品里，身穿红色修士袍的圣安东尼经受女人和士兵、青蛙和乘热气球的人、天使和恶魔的诱惑或折磨。恩索尔以鲜血和粪便般的肌理和色调描绘画中的所有这些元素。

自1881年以来的20余年间，恩索尔定期参加布鲁塞尔举办的前卫艺术展览，提交蚀刻画、素描或油画作品。策办展览的群体包括蝶蛹画社（La Chrysalide）、拉索尔画社（L'Essor）、二十人组合（Les Vingt）、自由美学社（La Libre Esthétique）。他偶然也参加较保守的展览，甚至参加1881年巴黎沙龙。规矩繁琐的美术沙龙，显然让恩索尔极不自在，但他也不乐衷于参加前卫艺术的展览。布鲁塞尔的二十人组合便是一个贴切的范例。布鲁塞尔有一些艺术家、作家和批评家在1883年创立二十人组合，成员包括恩索尔、自称为象征主义者的费尔南德·赫诺

图20-9：詹姆斯·恩索尔《埃尔比勒战役后，波斯名医伊斯东、普法玛图斯、克拉科齐、特拉斯穆夫皇帝诊察大琉士的粪便》，1886年。蚀刻版画，23.7厘米×17.8厘米

普夫、新印象主义提奥·凡·雷塞尔伯格（Théo Van Rysselberghe，1862—1926年）、批评家和律师奥克塔夫·莫斯、埃德蒙·皮卡德（Edmond Picard）。二十人组合属于展览协会，正如法国的独立艺术家协会，力图创作和展览进步艺术作品，排除沙龙评审强制的束缚。起初，这个群体接受数种艺术潮流和趋向，声称致力于创作党派性明确和无关政治的纯粹艺术作品。相应地，他们在1884年模糊地提出群体的目标是"艺术家自由地放纵性情，精通技法，研究和直接诠释当代现实"。及至1886年，二十人组合便分裂派系，一派绝不含糊地倡导艺术的社会主义方向（皮卡德），另一派拥护毫无束缚地选择内容和形式［诗人乔治·罗登巴克（Georges Rodenbach）和赫诺普夫等高蹈派］。此后，高蹈派显然主宰二十人组合的展览。

恩索尔起初认同二十人组合的两分艺术态度。在1886年以后，他逐渐为高蹈派展览的唯美艺术和世

界主义感到不安。他看到二十人组合的成员名单包括非比利时艺术家，譬如修拉、雷东、惠斯勒、奥古斯特·罗丹等人，尤其感到难以接受。他认为比利时正面临着语言和民族的难以克服的分歧，前卫艺术正是联合和复兴"贫瘠的比利时"（波德莱尔语）的一种手段。1886年11月，他致信二十人组合的秘书奥克塔夫·莫斯，说道："如果看到二十组合失去童贞、国民性甚或个性，落进侵入者的掌控，我必会感到万分痛心。"当二十人组合开始接纳全欧或国际主义视角之时，恩索尔便拒斥这一群体。于是，他自视断绝了跟所有艺术体系和机构的关联，甚至在被官方艺术所驱逐的艺术家中间声称自我放逐。

尽管恩索尔得以在1886年的二十人组合展览上举办小型回顾展，展出了他的最佳作品，然而，两年之后，当他试图展览预言性的作品《1889年基督降临布鲁塞尔》（*Entry of Christ into Brussels in 1889*）【图20-10】，却被大多数成员拒绝。《1889年基督降临布鲁塞尔》是恩索尔的杰作，尺寸巨大，画面繁杂，尖酸刻薄地描绘他眼中所见的颓废时代。在军乐、戴面具的游行者、历史和文学人物、城市资产阶级、工人和各党派的政治要人的拥护之下，基督貌似凯旋地进入布鲁塞尔。一条红色横幅书写"社会主义万岁"，

挂在迷你型的基督上方。救世主骑着毛驴，位于画面上方中央；在基督的左侧，狂欢的密集人群高举着一幅标语，宣称"教条的喇叭总是吹得响亮"；在基督的右侧，绿色检阅台为小丑和显贵要人提供观看盛典的理想高度。前景和中景的人物粗糙地堆叠，如同站在移动式阶梯上，颇似库尔贝的《奥尔南的葬礼》【图11-16】，以及库尔贝的作品所依据的埃皮纳勒民间木刻版画。然而，《1889年基督降临布鲁塞尔》比库尔贝的作品更夸张、更怪诞，每一张人脸都像一副面具或漫画，每一个表情都是挤眉弄眼的鬼脸。正如整个画面的效果，这些人脸都是使用红色、白色和绿色的不协调颜色粗糙地绘就。《1889年基督降临布鲁塞尔》虽是彻头彻尾地面向当代公众的历史画，恩索尔生时却从未能够展览这幅作品。在晚年，恩索尔不得已只能假装高洁，说这幅作品始终"未受展览的玷污"。

恩索尔在《1889年基督降临布鲁塞尔》拒斥学院派和唯美主义，诉诸根植于法兰德斯习俗和传统的怪诞和奇想的绘画风格，甚至今日所谓的勃鲁盖尔风格（Bruegelian）——恩索尔所喜爱的奥斯坦德庆典依然保留一些基本的习俗。事实上，恩索尔（有时与来自布鲁塞尔的年轻友人欧内斯特·卢梭结伴）经常参加奥斯坦德的嘉年华、假面盛典和游行庆典（每年在

图20-10：詹姆斯·恩索尔《1889年基督降临布鲁塞尔》，1888年。布面油画，252.7厘米×430.5厘米

大斋节、6月、8月举办）。自19世纪80年代中期以来，他开始在艺术中描绘这些庆典场景。恩索尔在这段时期所创作的素描、版画和绘画充满了当时的庆典人物和母题，以及效仿勃鲁盖尔所描绘的谚语、七宗罪或者嘉年华和大斋节之战。譬如，恩索尔的《骷髅争夺吊死者的身躯》（*Skeletons Fighting for the Body of a Hanged Man*，1891年），便类似勃鲁盖尔的《嘉年华和大斋节之战》（*Battle Between Carnival and Lent*，1559年）。

正如这个时期其他孤立的艺术家，诸如霍德勒、蒙克、雷东等，恩索尔目睹自己最珍爱的艺术传统和浪漫理想的崩溃。在急剧推进工业化的时代，他推崇手工艺；在日益以现金关系为中心的社会里，他歌颂家庭和社区的纽带；在与欧洲各国一样越来越依赖时尚和商品的比利时，他梦想一个纯粹的、国民的社会。恩索尔运用反现代论战攻击女性（不那么令人称赏，但无异于上述艺术家），譬如以沙文主义的口吻评论红唇妓女，并创作了《戴面具的老女人》（*Old Woman with Masks*）【图20-11】。这幅肖像画原本是描绘一位家族朋友，却成为供艺术家作幼稚的涂抹和宣泄厌女症的嘲讽舞台。画中这位年迈的女性身边环绕着神色呆滞、眼睛斜睨的面具，她本人的脸也被描绘为一副面具。这幅肖像表示她的面具背后潜伏着死亡的空洞。

从总体上说，恩索尔似乎无所不憎。因此，当我们看到他热衷于当时的激进政治之时，也就不会觉得意外。1879年，恩索尔来到布鲁塞尔（他的友人欧内斯特·卢梭的家乡）。这座城市是进步政治和文化的中心，比利时颠覆传统观念的艺术家费里森·罗普斯（Félicien Rops，1833—1898年）、激进作家和批评家尤金·得莫尔德（Eugène Demolder）、法国著名的地理学家和无政府主义者以利沙·雷克吕都经常在这里出现。布鲁塞尔作为激进政治中心实则由来已久，尤其年轻的印刷工爱德华·安塞尔（Edouard Anseele）在1874年创办了一系列名为先进社（voohuit）的工人合作社，随后建立民众之家。及至1879年，布鲁塞尔成立分别代表社会主义的社会民主、马克思主义和无政府主义派系的进步党派，这些党派在1885年联合为比利时工人党（Belgian Workers' Party）。对于比利时工人运动、前卫艺术和恩索尔来说，1886年是关键的一年：无政府主义庆祝巴黎公社15周年之

时，碰巧煤矿工人罢工导致3月25日大规模罢工。这场罢工在警方暴力和当局围困城市的高压手段之下终止。1886年，皮卡德在《现代艺术》（*L'Art moderne*）周刊发表书评，评论无政府主义彼得·克鲁泡特金和朱尔斯·瓦莱的著作，声称"是时候把笔蘸上红墨水了！"皮卡德认为艺术和文学的当前任务是"准备或帮助实现历史的命运"，而布鲁塞尔前卫艺术派别内部的政治分歧过于巨大，不可能依靠宽泛的审美宣言或模糊地陈述共同的目标便能够消弥。

恩索尔的艺术反映了他在1885—1895年这一动荡年代参加比利时社会主义运动的经历。他创作刻薄的讽刺作品讥嘲比利时国王利奥波德，譬如《19世纪的比利时》（*Belgium in the Nineteenth Century*，1889年）和《1889年基督降临布鲁塞尔》的横幅标语"社会主义万岁"和"安塞尔和耶稣万岁"（恩索尔后来涂抹了这条标语），恩索尔也描绘罢工和罢工受害者，譬如《武装警察》（*Gendarmes*）【图20-12】。这幅作品表现了他的左派倾向。然而，至于这些艺术作品确切的政治意义，我们至今难以确定。即便是《1889年基督降临布鲁塞尔》，由于画中的各条标语，似乎可诠释为讽刺作品，而不是歌颂社会主义政治。斯蒂芬·C.麦高夫（Stephen C. McGough）在论述这幅作品之时提出了极合理的诠释，认为恩索尔在抨击所有约束个人自由的"大吹大擂的教条"、操纵民众的教义、政治和宗教机构。恩索尔确实经常表示鄙视资产阶级社

图20-11：詹姆斯·恩索尔《戴面具的老女人》，1889年。布面油画，54厘米×47厘米

图20-12：詹姆斯·恩索尔《武装警察》，1892年。布面油画，35.5厘米×55厘米

图20-13：詹姆斯·恩索尔《我的1960年肖像》，1888年。蚀刻版画，6.9厘米×12厘米

会，同时又丝毫不肯放弃自己的艺术自由。这个双重态度表明他虽倾向于社会主义，但仅止于接受反专制和无政府主义的社会主义。他的艺术所赋有的惊人特征——独立、暴力、粗鄙——正契合19世纪末无政府主义的急躁、狂热、反理智主义和男权主义。

马克思主义者认为工业无产阶级夺取政府机构是创造平等主义的无阶级社会的初步阶级，雷克吕等无政府主义者则通常主张凡是容许政府存在的革命（即便是临时政府），也是专制的、资产阶级的革命。无政府主义者鄙视革命精英（但同时通过强调个人主义和唯意志主义，使之为必需者），试图将群众拉进革命队伍。为了实现这个目标，很多无政府主义者认为他们必须肃清贪婪和腐败，在身体和灵魂上与

人民团结在一起。意大利无政府主义者卡洛·卡菲耶罗（Carlo Cafiero，1846—1892年）就是一个著名的例子，他觉得自己享受的阳光超过了应得的分量，最后因为这样的念头发疯，可以说这是极端强调民粹主义和纯粹性所造成的夸张的精神压力。恩索尔的艺术也透露出类似的疯狂，他的怪诞手法和漫画形式、他的喜剧和粪便学、他的厌女症和绝不妥协的态度，表明他既努力地结合过去的民众阶级和当前的比利时，也揭示他的唯意志主义的欲望，意欲只手擎起铁锤敲碎资产阶级财产和前卫艺术精英主义两座大厦。与此同时，恩索尔又为失败而焦灼，遗憾自己既未能举起铁锤敲打，又难以超越时间的矛盾。在恐怖的蚀刻画《我的1960年肖像》（*My Portrait in 1960*）【图20-13】中，恩索尔将自己描绘为无能、微不足道、确凿如实的腐朽本身。

## 象征主义风景画：蒙克、雷东、莫奈、霍德勒

如若审视象征主义运动在风景画历史中的地位，也许便可以理解象征主义艺术家为何脱离现代社会（或者卡恩所谓的"强制的同时代存在"）。自从在文艺复兴晚期诞生以来，风景画便不只是单纯地再现大地的物理外貌，而是人与人之间在自然界的社会关系。在17世纪，克洛德·洛兰和尼古拉·普桑等画家将意大利乡村描绘为安宁富饶的牧歌王国，让人联想起罗马诗人维吉尔和奥维德所描述的黄金时代。在荷兰，风景画也运用类似的理想化和启发性手法，以更加逼真的画面，符合眼前的真实景致，从而使得这些绘画成为意识形态的背景，用以拥护一种依赖合理性、生产率和扩张主义的经济秩序。如前文所述，在19世纪初的浪漫主义时期，风景艺术时常被用于抗议社会生活中的人为侵扰，譬如工业资本主义、城市生活、货币经济。然而，在所有这些事例里，当然也包括现实主义和印象主义等艺术运动，自然与社会（或者乡村与城市）之间具有高度辩证的关系。也就是说，自然的神话般的安宁仰仗于社会的稳定，自然的尺度揭示社会所隐匿的规模。自然以这种方式继续为社会发挥进步功能，作为人类的成就及其可估量的失败的应对措施。

然而，在19世纪末，象征主义的艺术和文学割断自然与社会之间的辩证关系。在这个经济急剧扩张又遽然收缩，城市和工业急剧发展，欧洲消除最后一批前现代社区的时期，有些作家和艺术家开始视自然为

不可侵犯的庇护所，而不只是评判的标准。在19世纪最初25年间，卡斯帕·大卫·弗里德里希将自然描绘为精神满足与社会和解的场所，19世纪最后30年间的阿诺德·勃克林则不同，他将自然表现为逃避现实或者永恒休憩的地方。譬如，他的《浮生若梦》（Vita Somnium Breve）【图20-14】、《死人之岛》（Island of the Dead）【图20-15】便似塞壬的歌声，称颂极乐的孤独和舒适自在的死亡。1937年，法兰克福学派批评家列奥·洛文塔尔（Leo Lowenthal）在一篇文章里探讨世纪末流行的挪威小说家克努特·汉姆生（Knut Hamsun）的著作，如此谈及两个世代对自然描述的重大转变：

> 自然日益被想象为社会压力的终极停顿。在这一背景下，人类可以屈服于自然，在自然界感到安宁——至少在幻想里。他的灵魂——尽管在意识形态里不可侵犯，却在现实里屡遭凌辱——可以在这种屈服里找到慰藉。他试图自主地参与社会，却备受挫折，但他可以加入自然的世界。他可以成为一个"物"，如同树木或溪流，在屈服之中所找到的乐趣，远胜于徒劳地反抗人造的力量。这是欧洲在19世纪最后数年代里人类对周遭

图20-14上：阿诺德·勃克林《浮生若梦》，1888年。木板蛋彩画，180厘米×114.5厘米

图20-15：阿诺德·勃克林《死人之岛》，1880年。木板油画，73.6厘米×121.9厘米

图20-16：爱德华·蒙克《生病的孩子》，1885—1886年。布面油画，119.4厘米×119厘米

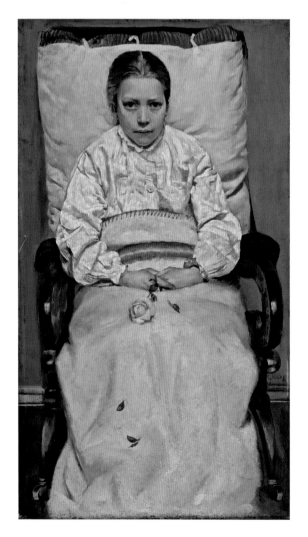

图20-17：克里斯蒂安·克罗格《生病的女孩》，1880—1881年。布面油画，102厘米×58厘米

环境的感知形象所作的最重大的改变。克努特·汉姆生的小说以极端的形式描绘社会与自然的这一矛盾。

正如洛文塔尔的论述所示，19世纪末是文学表现社会与自然之间矛盾的转换时代。然而，视觉艺术的范例实则更生动地阐释这个关键时刻，因为古典主义修辞所定义的风景画——譬如维吉尔的牧歌和田园风光——继续掌控着绘画领域。简而言之，象征主义风景画家既熟悉与理解传统风景艺术的典范，同时又力图将之摧毁。如此之下，他们相应地丧失了批判性地参与现代性的可能，只能转而创作神话般的梦幻风景。

挪威画家爱德华·蒙克的事业生涯始于无政府主义社区克里斯蒂安尼亚（Christiania）自由城。这个圈子的成员包括汉斯·耶格（Hans Jaeger）、自然主义画家克里斯蒂安·克罗格（Christian Krohg，1852—1925年）。蒙克的作品《生病的孩子》（Sick Child）【图20-16】，愤怒又生动地描绘疾病的损耗。蒙克的创作灵感一半源自姐姐患结核病去世的记忆，一半源自克罗格的作品《生病的女孩》（Sick Girl）【图20-17】。蒙克的《生病的孩子》以内容、巨大的尺寸、遍布刮擦和疮痍的痕迹清晰地体现结核病时疫，控诉当时社会和文化的弊习。这幅作品首次展览之时，遭到批评者的痛斥。不久以后，蒙克引退到巴黎，在里欧·博纳的保守的艺术学院学习素描。1891年，他归返挪威之时已经成为坚定的象征主义者。

蒙克的《夏夜的梦》（Summer Night's Dream），又名《声音》（The Voice）【图20-18】，属于他的"人生浮雕"系列中的6幅作品之一。在《夏夜的梦》里，蒙克描绘了一个年轻女人独自站在奥斯高特兰（Asgardstrand）度假胜地海岸边的树林里：她的姿势与树木一般僵硬，与右边的月光一样鬼魅。蒙克如此地描述这6幅作品："这些'浮雕'作为一组装饰画摆在一起，便可构成人生的一幅图画。每幅画中都有弯曲的海岸，海岸之外是大海，树木之下是生命，带着所有复杂的悲哀和喜悦继续生存。"继后，蒙克创作一组更大的"人生浮雕"，共有20幅画作，其中包括《分离》（Separation）【图20-19】。这组作品于1902年在柏林展览。蒙克与他的同胞汉姆生一样（也常被比拟为汉姆生），认为只有自然才是感伤和痛苦的世界。汉姆生在小说《潘》（Pan，1894年）中写

图20-18：爱德华·蒙克
《夏夜的梦》(《声音》)，
1893年。布面油画，
87.6厘米×108厘米

图20-19：爱德华·蒙克
《分离》，1896年。布面
油画，127厘米×96厘米

图20-20：奥迪隆·雷东《花丛里的奥菲莉亚》（*Ophelia Among the Flowers*），1905—1908年。色粉画，64厘米×91厘米

图20-21：约翰·埃弗里特·米莱斯《奥菲莉娅》（*Ophelia*），1851—1852年。布面油画，76.2厘米×111.8厘米

道："天空开阔明净。我望进清澈的大海，仿佛感觉自己与世界最深的深底面对面地躺着，我的心贴着它的心紧张地跳动，在那里感到家园。"在《嫉妒》（*Jealousy*，1894年）和《声音》【图20-18】这两幅作品里，蒙克描绘自己既恐惧又渴望屈服于看见的至高无上的、无所不知的自然力量的神秘的、雌性的掌控。当自然、命运和永恒的雌性力量袭来之时，历史被遗忘，人类社会变得软弱无能。

法国画家和平面艺术家奥迪隆·雷东也通过将人类描绘为被自然力量制服的软弱和被动的对象，来表现世纪末的自然与社会之间的矛盾。在《花丛里的奥菲莉亚》【图20-20】中，他所创造的形象是莎士比亚的非理性的奥菲莉亚在冥思，陷入自然魔力的诱惑。如果比较拉斐尔前派的米莱斯的《奥菲莉娅》【图20-21】那幅屡屡被复制和展览的作品（雷东在1895年访问伦敦期间可能看过），或许可以彰显雷东所塑造的独特形象。米莱斯的作品描绘奥菲莉亚仰面伸躺的全身，雷东则选择仅描绘她的头肩。正如莎士比亚写道，"属于自然，赋予自然"，雷东的奥菲莉亚简直不可见，注意力主要集中于她周围簇拥的繁花云团。事实上，女主角的存在感并不比周围的花卉强大。正如蒙克的《声音》里那个鬼魅般的女人，奥菲莉亚被等同于自然的非理性的、不可抗拒的力量。在《罗杰和安吉丽卡》（*Roger and Angelica*）【图20-22】，雷东也运用他所谓的"色彩的相互尊崇"手法，创造一片鲜明的画面：在橙色互补色、紫色和灰蓝邻近色的陪衬之下，审慎地使用白色或黑色作为点缀和高光，使得水和天空的群青色格外的耀眼。如此所营造的画面，如同千变万化的幻影，让人看得目眩神迷。

雷东的《花丛里的奥菲莉亚》和《罗杰和安吉丽卡》出自孤绝、不被公众理解的艺术生涯晚期。在这个时期，雷东舍弃了早期"黑色"时代惯用的不自然的、攻击性的怪诞，譬如噩梦般的炭笔画《眼睛》（*The Eye*，1882年），石版画《微笑的蜘蛛》（*Smiling Spider*，1882年）。在晚期的色彩作品里，雷东注重自然万物的泛神论视角，他在1903年写道："我说不出我的灵感来自何处。我爱自然的所有形式；我爱它最细的草叶，最卑微的花、树、土地和岩石——我爱所有这些东西自有的特征，胜过爱它们所构成的整体。"1904年，他如此教导小说家安德烈·纪德（André Gide）："把自己封闭于自然。"正如洛文塔尔写道，他在表达"成为一个物"的欲望，"如同树木或溪流，在屈服之中所找到的乐趣，远胜于徒劳地反抗人造的力量。"

才艺精湛、禀性奇特的俄国画家米哈伊尔·亚历山德罗维奇·弗鲁贝尔（Mikhail Aleksandrovich Vrubel，1856—1910年）也在自然面前流露类似的折服。弗鲁贝尔摒弃早期的"漂泊者"艺术群体——包括伊凡·克拉姆斯柯伊、伊里亚·叶菲莫维奇·列

宾——惯有的民粹主义和感伤情调，转而接纳欧洲象征主义的审美。弗鲁贝尔写及自己被技法的"疯狂"掳获，他的画面密密实实地挤压着大笔触厚涂法所塑造的层次，预示了20世纪早期俄国前卫艺术的非具象艺术。事实上，弗鲁贝尔熟悉许多对后一世代产生重大影响的艺术家、音乐家和作家。他阅读托尔斯泰和尼采，为里姆斯基-柯萨科夫（Rimsky-Korsakov）设计舞台背景，从俄语杂志《艺术世界》（*Mir Iskusstva*）的插图中了解勃克林、德加、莫奈、莫罗、惠斯勒等画家的作品。弗鲁贝尔的《潘》（*Pan*）【图20-23】不可思议地预示了雷东的《独眼巨人》（*Cyclops*）【图20-24】，其创作灵感源自阿纳托尔·法朗士（Anatole France）的《圣徒萨堤尔》（*Le Saint Satyre*）。弗鲁贝尔在这幅作品里描绘一个善良的萨堤尔，长着分趾蹄，手握潘神的笛子，似乎刚爬出土地。雷东的独眼巨人和弗鲁贝尔的潘神都是源自土地的生灵，不久便须回归他们天生的居所。

图20-22: 奥迪隆·雷东《罗杰和安吉丽卡》，约1910年。纸和布面色粉画，92.7厘米×73厘米

　　然而，诸如弗里德里希、特纳等浪漫主义艺术家认为，自主的个人与自然的冲突象征着人类的成长或社会发展的无限潜能，雷东、弗鲁贝尔等象征主义风景画家则认为自然完全是"他者"，是独立于人类社会或意志的实体，而不是为私人的乐趣而设计的空间。莫奈的晚期绘画也蕴含类似的生机论，尤其是他在吉维尼时期的作品，譬如《睡莲》（*Waterlilies*）【图20-25】。在这幅作品里，艺术家和观者皆沉浸于水、色彩、光线构成的幻想世界。莫奈的花园只能源

自自然力量的季节变化。在这里，洛文塔尔的评论也很有启发意义：

　　自然的时刻表取代历史的时刻表……谁人感知和接受这些符合韵律的图式，视之为最基本的东西，便是顿时掌握全部知识，无须丝毫理性的努力。与此同时，相对于所有个人和历史事实的表面的混乱和偶然，自然现象的无尽的复制和自然的循环秩序，证明

人类的软弱无能。这是人类自信在自然面前的极端的反面。

这些艺术作品所体现的自然观念，源自艺术家逃避社会矛盾、历史和当前时代的欲望，也即逃避"普遍化的文明"这股令人沮丧的力量。洛文塔尔在这段文字里所描述的自然与社会的对抗，尤其彰显于当时的历史时刻。当时正值殖民化与商业化广泛地拓展，以致于自然和社会这两个概念不能在意识形态上维持从前的辩证关系。因此，风景画绝不容许一丝现代的、日常的、无忧无虑的迹象，以免惊破浪漫主义的丰饶的梦幻，从而承认异化和无能的恐怖噩梦。在象征主义的作品中间，霍德勒的风景画最扣人心弦地揭示了自然与社会的对立。

独立的农民阶级失踪，自给自足的行政区削弱，丰富生动的"民间"文化消亡，以及与这些事件相随而起的旅游产业，都促使费迪南德·霍德勒在其象征主义风景画里揭示人类与自然的分离。事实上，霍德勒的一生碰巧遇上现代化和工业化的最重要时期，尤其是瑞士的商业化时期。1867年，霍德勒跟随费迪南德·索默（Ferdinand Sommer）做学徒。索默在伯尔尼高地（Bernese Oberland）的图恩村（Thun）绘制游客纪念画，因此，霍德勒得以见证和参与瑞士旅游产业的爆发性发展。然而，霍德勒在19世纪80年代及其后的成熟的风景艺术，几乎消除了观光客的痕迹。他提出"平行主义"（Parallelism）象征主义理论，试图为这一删除的修辞提供风格的辩解。

在19世纪90年代，霍德勒在巴黎展览《夜》【图20-26】、《被选中者》（*Chosen One*，1889—1890年）等恶梦一般惊悚的人物画，获得相当大的成功和名声。之后，他将天赋投入风景画。1897年，霍德勒在弗莱堡美术之友协会（Friends of Fine Arts in Freiburg）发表题为"艺术家的使命"（*Mission of the Artist*）的演讲，探讨风景艺术的基本原理。他的演讲复述象征主义盛行的数条宗旨，但也增添了一条新内容：

> 平行主义，无论是图画的主要特征，还是用于衬托多样性，总能营造统一感。倘我走在长着高大冷杉的森林，我能看到前后左右都是树干形成的数不清的圆柱……无论那些树干映衬着阴暗的背景鲜明地呈现，还是

图20-24：奥迪隆·雷东《独眼巨人》，约1914年。
布面油画，65.8厘米×52.7厘米

图20-25：克劳德·莫奈《睡莲》，1905年。
布面油画，89.8厘米×101厘米

图20-26：费迪南德·霍
德勒《夜》，1889—
1890年。布面油画，
116厘米×299厘米

图20-27：费迪南德·霍
德勒《山毛榉林》(*The
Beech Forest*)，1885
年。布面油画，101厘
米×131厘米

在深蓝的天空之下勾勒出轮廓，生成统一印
象的最主要特征只在于树干的相似性。

《山毛榉林》【图20-27】可能是霍德勒第一幅表
述平行主义理论的风景画，其创作时间比理论阐释早

了10余年。然而，自1900年以来，霍德勒创作莱芒湖
（Lake Silvaplana）、席尔瓦普拉纳湖（Lake Leman）、
图恩湖（Lake Thun）、日内瓦湖（Lake Geneva）、阿尔
卑斯山峰等一系列作品之后，平行主义理论才开始主
宰他的艺术。《从谢布尔镇眺望日内瓦湖》【图20-28】

图20-29：费迪南德·霍德勒《云中的僧侣峰》（*The Mönch with Clouds*），1911年。布面油画，64.5厘米 × 91.5厘米

云朵与绘画的表面和长方形边框相互平行，愈发衬托庞大和稳固的山峰。

霍德勒的晚期风景作品可以说是论证他的平行主义理论，描绘在时空中凝固的世界。迥异于他的同代人梵·高，霍德勒缺乏用笔的绝技和表现主义的色彩对比。然而，最惊人的是，梵·高的阿尔勒和奥维尔的乡村乌托邦作品视人物和建筑为必不或缺的元素，而霍德勒拒绝在风景画中纳入人物或建筑。霍德勒的风景画也有别于塞尚，后者的《圣维克多山》（*Mont Sainte-Victoire*，第494页）【图21-15】可能最接近霍德勒的《云中的僧侣峰》。塞尚和霍德勒都在艺术中追求完整和稳固，但塞尚的作品包含不可避免的视觉省略或空白，霍德勒则细心地删除所有零碎、凌乱、失控的东西。塞尚以强健的笔触、冷暖色并置、多重轮廓线的手法捕捉时光的流动，霍德勒的形象则大多表现静态，通常使用同色系的邻近色塑造形象，依据他的平行主义理论不断地重复形状或轮廓。

霍德勒在《艺术家的使命》里主张：

> ……如果外面正在举行公共庆典，你会看到人人都朝同一方向行走。在另一些场合，人们围着某个高谈阔论的人。在宗教仪式时间走进一间教堂，那种统一感会叫你吃惊。我们聚集在一个愉快的场合之时，都不喜欢听到有人提出不同的看法来打搅我们的兴致。从所有这些例子很容易看到事件的平行主义即是装饰的相似性……

霍德勒的平行主义理论及其衍化的风景艺术既表达绘画的规则，也传递社会或政治的指令。通过一套装饰图案的平行性再现自然和社会，便是以艺术作品的统一性和整体性取代现实生活中所欠缺的完整性和社会统一性。此外，这也是赋予艺术家英雄的力量，让他们可以任意地再创造和谐与秩序——据说和谐与秩序是前一时代的特征，那是充满庆典、人民民主和宗教信仰的时代。正如莫里斯·丹尼的田园牧歌作品《4月》【图20-31】、蒙克的惊心的《声音》、莫奈的抒情的《白杨》（*Poplars*，1891年），霍德勒的《云中的僧侣峰》也体现迥异于前代印象主义者或现实主义者的装饰的平衡和等级体系。然而，在霍德勒的艺术里，恐怖同样地无所不在，他所谈及的"普遍的和

图20-30：爱德华·蒙克《麦当娜》，1895—1902年，彩色石刻版画，60.6厘米×44.5厘米

描绘了前景的一弯陆地，环绕着蓝色、紫罗兰、粉色的平行湖水；地平线上的云朵形似路过的火车喷吐的烟气，画面顶部的云则是一系列相似、环环相扣的雕饰。

1908年，霍德勒回到年轻时代便熟悉和深爱的伯尔尼高地徐尼格观景台（Schynige Platte），在这里创作了数幅山景作品，包括风格极其简化的《雾上的艾格尔峰，僧侣峰与少女峰》（*Eiger, Mönch and Jungfrau Above the Fog*）。画中的大片山脉使用灰色和蓝色稀薄颜料，三座山峰则使用蓝色、绿色、红色精确地勾勒轮廓。最后，在《云中的僧侣峰》【图20-29】，霍德勒彻底地摒弃早期旅游纪念绘画的艳丽风格。画面中的山脉如同铁蓝色金字塔，塔上附着一些苍白的瘤状物。蛇形的云彩颇似蒙克的石版画《麦当娜》（*Madonna*）【图20-30】四周环绕的精虫；这些

图20-31：莫里斯·丹尼《4月》（April），1892年。布面油画，38厘米×61.3厘米

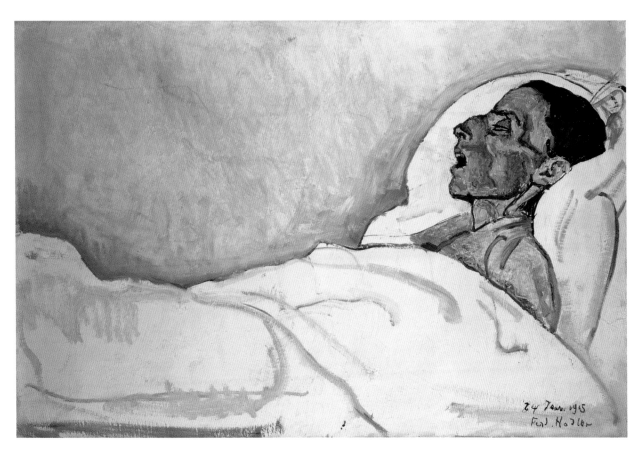

谐"，显然只是恐怖的镜像。在《夜》里，艺术家的脸上流露出恐怖，一个黑布覆盖的人影隐伏在他的下身，令他恐惧地畏缩；在《奄奄一息的瓦伦丁》【图20-32】，他的爱人垂死之际面露恐怖。我认为在霍德勒的高地风景作品里，僵硬的山岩那些参差不齐的轮廓也呈现恐怖。象征主义者的艺术揭示困扰着一代人的无能和恐惧。高更也体会到这种隔绝和恐惧，为了躲避它们，他索性逃离欧洲。

## 维也纳分离派

19世纪末奥地利艺术界领袖古斯塔夫·克里姆特（Gustav Klimt，1862—1918年）更进一步地揭示象征主义世代的焦虑。在拥有140万人口的奥匈帝国首都维也纳，以克里姆特为首的年轻艺术家群体分离派在1897年挑战历史悠久的艺术家合作社（Künstlergenossenschaft），谴责艺术家合作社实际上只是制造商或生意人的协会，借用批评家赫曼·巴尔（Hermann Bahr）的措辞，这并不是一个致力于揭示"最内在的存在"的艺术家团体。

克里姆特为1898年首届分离派展览所设计的海报【图20-33】以神话元素体现艺术解放的主旨：忒修斯为了解救雅典少年屠杀弥诺陶洛斯。海报右侧显示雅典娜的侧影，赞许地注视这场艺术和政治的战斗，她的护胸甲所装饰的古风式戈耳工（Gorgon）头像直视观众。同年，克里姆特再次以帕拉斯·雅典娜为主题创作了一幅《帕拉斯·雅典娜》（Pallas Athena）【图20-34】，画面中的雅典娜也是佩戴古风式头盔和戈耳工护胸甲，但这里增添了胭脂、口红、飘逸的红发，让人联想起英国拉斐尔前派的米莱斯和罗塞蒂的作品，譬如罗塞蒂的

《贝娅塔·贝娅特丽丝》【图11-17】。雅典娜身后描绘赫拉克勒斯与特里同（Triton）之战，可能是象征新旧艺术力量的争竞；雅典娜的右手托起微型的裸体胜利女神尼刻（Nike）；胜利女神举着一面镜子，映照旧制度的道德和性能力的衰弱，宣告自身的生机。

据《神圣的春天》（Ver Sacrum）杂志编辑所说，维也纳分离派代表神圣的艺术，而不是"艺术商品"或"现代艺术"；不是"僵化的拜占庭风格"或"来自海外的艺术"，也不是狭隘的乡土艺术或"所有人的艺术"；更不只是富人的艺术。然而，在政治或艺术上，维也纳分离派完全不似其所仰慕的英国拉斐尔前派或欧洲的象征主义一般激进。约瑟夫·玛丽亚·奥尔布里奇（Joseph Maria Olbrich，1867—1908年）和古斯塔夫·克里姆特合作设计的维也纳分离派展览馆（House of the Secession）【图20-35】，采用古典建筑的比例和神庙风格，正门上方镌刻铭文"Der Zeit Ihre Kunst, Der Kunst Ihre Freiheit"（赋时代以艺术，赋艺术以自由）。这句铭文仅要求艺术的现代化和艺术家的自由，而不是呼吁文化和政治的总体民主化。檐口装饰着月桂枝浮雕（象征阿波罗），屋顶

图20-33：**古斯塔夫·克里姆特** 首届分离派展览海报，1898年。
石刻版画，63.5厘米×46.9厘米

图20-34：**古斯塔夫·克里姆特**《帕拉斯·雅典娜》，1898年。
布面油画，75厘米×75厘米

矗立四座方塔，环绕中央一座穿孔镀金的球体，球体的装饰也是基于月桂枝纹案。正如克里姆特的分离派展览海报，这幢建筑的现代性和古典主义的双重特征表明维也纳唯美主义者在政治和文化问题方面的犹疑和焦虑。他们所反对的不是古典主义传统本身，而是官方学院派所维护的令人窒息的历史主义；他们所拒斥的也不是资产阶级现代化，而是维也纳贵族不肯松弛的掌控。事实上，分离派之所以特意选择"Secession"作为名号，正是因为这个词语包含自由解放的言外之意。维也纳分离派属于阿波罗式而非狄奥尼索斯式的古典主义（尚且撇开克里姆特艺术的情色趣味），要求内部的改革，而不是外部的革命。与此同时，保罗·高更在南太平洋更彻底地——更狄奥尼索斯式——抛弃了欧洲古典主义的传统。

## 高更与塔希提的象征主义

1890年，高更为了找回被消磨的理想、健康和钱

包，决定离开布列塔尼和巴黎，移居法国在波利尼西亚群岛的殖民地塔希提。同年9月，他在给雷东的信中写道：

> ……我想去塔希提，在那里度过余生。我相信你今日如此喜爱的艺术，仅是我在那边将要创作的萌芽，我要把自己修炼到原始、野蛮的状态。

在塔希提，高更彻底地放纵自己时原始主义的渴望："回去，回到更遥远的过去……回到我童年的记忆，找到那匹破旧的木马。"正如这些文字所显示，对于高更来说，塔希提象征着个人与艺术的回归。到原住民中间生活，意味着回归他的童年，用众所周知的卢梭主义隐喻来说，意味着回归人类原初的天真。高更抵达法属波利尼西亚首府帕皮提（Papeete）三周以后，给妻子梅特（Mette）写信描述塔希提的夜晚：

图20-35：约瑟夫·奥尔布里奇 维也纳分离派展览馆，1898年

这里的夜晚美妙极了。今夜，数千人与我一样做着同样的事：听天由命地单纯地生存，任由儿女自己去成长。所有这些人在四处漫游，无论要去哪个村庄，从哪条路走，随便走进一间房屋吃住，等等，甚至不道谢，因为他们自己随时准备以同样的方式回报。而这些人却被称为野蛮人！……听说波马雷五世（King Pomare）去世的消息，我由衷地感到难过。塔希提这片土地正在法国化，古老的秩序逐渐消失。

我们的传教士在本地引入不少新教徒的伪善，正在摧毁这个国度的一部分人口，尚且不提他们带来的天花已经侵害了整个种族……

正如高更的书信所示，塔希提既是梦想变成现实，也是深切的失望。他看到当地人的无私精神让位于欧洲人的贪婪，传统的性自由屈从货币经济，他的回应便是带着怀旧、甜蜜与苦涩交加的心情创作。在这个时期，高更的塔希提作品常以童年和原住民的天真为主题，譬如《法国的鲜花》（*Te tiare farani*，1891年）、《餐食或香蕉》【图20-36】。在后一幅作品里，三个孩子安排在一张过大的餐桌后面，桌上铺着白纸或帆布，摆着各种静物——香蕉、柠檬、一把小刀、一只吃了一半的番石榴、一只水瓢、一个陶碗、一个盛满水的木碗。餐桌与孩子之间古怪的分裂（孩子们似乎刚及青春期），以及简单的三分法构图，也许表明高更试图用孩子的视角表现一顿餐食，或者重构朴素和原生的视觉。

高更在1891年来到塔希提，1903年在岛上逝世。其间，他所创作的作品大多以年轻的原住民女性为主题。女性这一主题似乎跟孩童主题一样，也是源自他的个人和文化的冲动。正如孩童代表一种已经丧失、被热忱地寻求天生的纯真，在高更的头脑里——正如在殖民主义的集体想象里——原住民女性象征着自然的繁殖力和馈赠，象征着复归男性的政治权威和性别特权。对于整个法国来说，攫获殖民地的财物（塔希提在1881年才纳入法国属地）是补偿国内所丧失的军

**图20-36：保罗·高更**
《餐食或香蕉》（*The Meal, or The Bananas*），1891年。布面油画，73厘米×92厘米

事力量和人口的一种手段：1871年，法国在普鲁士手里遭受可耻的失败，自拿破仑时代以来出生率降至历史最低点。对于高更来说，反复地获得和描绘殖民地的 *vahines*（女人或妻子），譬如《杜果女人》【图20-37】所描绘的蒂哈阿曼娜（Teha'amana），便是弥补他在法国现代世界的软弱无能。高更曾是成功的证券经纪人，1882年法国普遍联合银行（Union Générale bank）轰然崩溃，导致他生活窘迫，逐日应对妻子梅特·加德（Mette Gadd）提出经济资助的合法要求，以及反复无常的顾主和批评家。而今，在他的"欢娱之屋"（House of Pleasure，高更为他在马克萨斯群岛居住的最后一间房屋起的名字），在这片"多情地和谐"的土地上（塔希提确实一度被命名为新基西拉岛），高更重新掌握权力。

在《死者的魂灵在守望》【图20-38】中，高更描绘了年轻的塔希提女子蒂呼拉（Tehura）。她趴在床上沉睡，脸转向观者。淡黄泛白的床单透露蓝色和紫罗兰色，底下的蓝色床单印有黄色水果和花卉。背景是紫罗兰色、粉色、橙色、蓝色，装饰着白色和绿色的

图20-37：保罗·高更《杜果女人》，1892年。布面油画，72.7厘米 × 44.5厘米

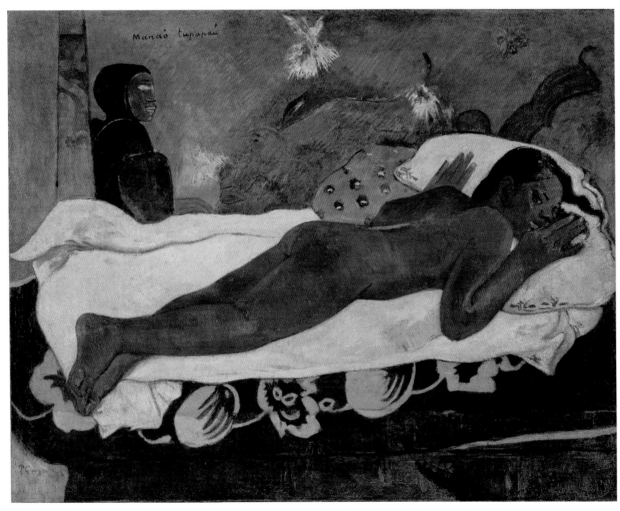

图20-38：保罗·高更《死者的魂灵在守望》，1892年。布面油画，73厘米×92厘米

火花或光芒。左上方立着一个侧影，身穿黑长袍，罩着风帽。高更在他的塔希提日记和小说《诺阿·诺阿》（*Noa Noa*，1897年出版）中描述了这幅作品的由来：

> 有一天，我有事要去帕皮提。……凌晨1点才回到家……我打开门……看到她……
>
> 蒂呼拉纹丝不动地躺着，全身赤裸，趴在床上。她抬眼瞪着我，眼睛充满恐惧，她似乎认不出我是谁。一时间，我也感觉一股怪异的犹疑。蒂呼拉的恐惧会传染：我感觉她瞪视的眼睛会释放出磷光。我从未见过她如此迷人。最重要的是，我从未见过她的美竟然如此动人。在隐约的阴影里，无疑有无数危险的鬼魅和可疑的形状在骚动，我不敢做出哪怕是最细微的动作，怕吓得她失去理智……

这幅作品与高更的描述真正称得上是原始主义和厌女症的百科全书。年轻的原住民女性被形容为"被幽灵吓得失去理智"，表明她任由情感和神灵的主宰，缺乏冷静和理性的思想。这段描述符合西方人对原住民的种族歧视，视他们智力低劣。1887年，亨利·勒夏特列（Henri Le Chartier）在其研究法属波利尼西亚殖民地的著作中写道："塔希提人是名副其

图20-39：奥迪隆·雷东《死亡：我的讽刺超过所有人》（*Death: My Irony Exceeds All Others*），出自《致古斯塔夫·福楼拜》（*To Gustave Flaubert*），1889年，石刻版画，26厘米×20厘米

实的孩童……情绪易变……但他们的主要性格特征是迷信：冷僻的森林，漆黑的夜，尤其是幽灵——tupapaus——使他们恐惧。"此外，高更将年轻女人的恐惧与他自己重燃的性欲相关联，证实了他的厌女症的谬误信念，他在《诺阿·诺阿》中写道，女人"渴望被暴力地占有"。与此同时，高更在描述《死者的魂灵在守望》之时谈及"隐约的阴影""危险的鬼魅""可疑的形状""恶魔""魂灵"，表明他自己的俄狄浦斯情结发作，深恐自己在年轻情妇的身体面前失去统御能力，甚或身体的完整性。正如雷东、蒙克等其他象征主义艺术家，高更视女性为得到祝福的处女，也视她们为致命的女人（femmes fatales），她们无厌的性欲意味着男性的去势和死亡。高更的《死者的魂灵在守望》、雷东的《致古斯塔夫·福楼拜》所收录的石版画《死亡：我的讽刺超过所有人》【图20-39】、蒙克的《吻》（*The Kiss*，1895年），都体现了欲望与死亡的危险结合威胁着男性的权威。

奥古斯特·罗丹也表现男性统御的主题，譬如未完成的雕塑巨作《地狱之门》【图20-40】、为波德莱尔的《恶之花》诗集所创作的22幅素描插图（1887—1888年）。《地狱之门》表现女性从但丁式的大门坠落，身体作出既似死亡挣扎又似性高潮的扭曲。《恶之花》的素描插图表现或死亡或垂死的女人，引诱或推拒男性的拥抱，肢体交缠为女同性恋的情爱，被恶魔或骷髅擒获。罗丹的《爱神逃跑》（*Fugit Amor*）【图20-41】是一组独立式青铜雕塑，构图源自《地狱之门》右侧嵌板的两组人物群像，描绘但丁所讲述的地狱第二层的通奸男女。1898年，有一位批评者写道，正如《恶之花》的插图《我在地狱深处呼喊》（*De Profundis Clamavi*），这组青铜雕塑表现女性的"危险的奥秘，她在飞翔，神态倦怠，轻蔑，嘴角扬起，露出妖魅得逞的微笑"。

罗丹以性暴力和致命女人等陈旧的主题创作了许多作品，这一点正如前文所论及的同时代的绘画和版画，但迥异于他的情人卡米耶·克洛岱尔（Camille Claudel，1864—1943年）所创作的平淡无害的雕塑《华尔兹》【图20-42】。然而，罗丹的一些作品倾向色情极端主义，譬如粗糙雕制、凸显生殖器官的《众神信使伊里斯》【图20-43】，或者数幅以手淫为主题的素描。这些作品似乎是对性别作出的迥异诠释，正如艺术史家安妮·瓦格纳（Anne Wagner）所说，"容许女

图20-41：奥古斯特·罗丹《爱神逃跑》，约1885年。青铜，38×48厘米×20厘米

性拥有自己的身体"。我认为，高更的塔希提女性作品及其所谓的"原始"文化的建构，同样地体现了男性主宰与剥夺权力的对立态度。高更的原始主义及其看待女性的态度，远比《死者的魂灵在守望》所体现的更加复杂。高更在画中描绘魂灵，用塔希提语作为画题，这些举措实际上是在歌颂原住民文化，而法国

殖民政府则企图以"同化"之名将其压制，官方政策声称殖民岛屿及其居民须接受法国的律法、经济义务和文化控制。在贯彻这项政策方面，天主教和新教传教士发挥了重要作用，他们致力于根除当地信仰，指导原住民信奉基督教，学习法语。因此，高更的《死者的魂灵在守望》描绘当地人的"迷信"，使用塔希提语作画题等行动必须放在当地居民抵制同化的背景之下，这正是高更日后所说的殖民统治的"恐怖时期"。高更的作品中不见了前文所引用的勒夏特列或游记作家马提维（Mativet）的伪善的自鸣得意或无知的屈尊俯就。在1888年出版的新基西拉岛旅行的指南里，马提维声称魂灵只是原住民混淆睡眠、梦、噩梦、现实的结果。相形之下，高更似乎意识到在塔希提的文化和宗教里，神灵（Mo'a）扮演着重要的角色。正如人类学家道格拉斯·奥利弗（Douglas Oliver）指出，波利尼西亚文化最基本的"观念式对立"（conceptual antithesis）有一半是魂灵等神灵，另一半则是诺阿（Noa），意为世俗或人间。作为一个塔希提人，便是几乎时刻与神灵交接，而神灵可能赋形为鲨鱼、猪、马、狗、猫、鸟雀。高更的塔希提日记小说题名为《诺阿·诺阿》，便体现了他坦率地意识到，身为欧洲人，他势必难以接近波利尼西亚的神灵世界。

图20-42：卡米耶·克洛岱尔《华尔兹》（Waltz），1889—1905年。青铜，46.4×33厘米×19.7厘米

图20-43：奥古斯特·罗丹《众神信使伊里斯》（Iris, Messenger of the Gods），约1895年。青铜，96.5厘米×82.5厘米×39.4厘米

图20-44：保罗·高更《神之日》（Day of the God），1894年。布面油画，68.3厘米×91.5厘米

因此，正如原始主义这一普遍现象，高更的原始主义不能简化为单纯的男性主义和欧洲中心主义。19世纪原始主义（或者异国趣味）的最显著特征是赤裸裸地宣称非欧洲民族只适宜被征服、改变信仰或者灭绝，但偶尔也会滋育一点批判性反思，揭示西方与非西方文化之间的差异，以及西方的缺陷和失败。在前文所引用的写给雷东的信中，高更显然在指涉原始主义这一辩证关系：

> 高更在这里已经完了，无人会再看到他。可是，你知道的，我是利己主义者。我随身带着照片和素描，一大群能给我欢乐的友伴。在欧洲，我们不能逃避死亡及其蟒蛇尾巴，然而，在塔希提，死亡必须被视为花丛中伸出的根茎……我想起瓦格纳的一句话，精辟地道出我的想法："我相信伟大艺术的

实践者会被赞颂，置身于天国的光芒、香氛和悦耳的和弦中，他们将复归永恒，返回神圣的和谐源泉的怀抱。"

在写给雷东的信中，高更一方面粗俗地将原始、非欧洲、自然之物与女性相关联，这一观点符合当时的欧洲中心主义。自从英国航海家塞缪尔·瓦利斯（Samuel Wallis）船长"发现"塔希提以来的125年间，欧洲官方支持殖民者对当地女性和男性施加身体暴力。另一方面，高更以乌托邦姿态拥抱非西方文化的自然的"和谐"，显然直言不讳地、批判地认可欧洲殖民主义剥削的工具主义和等级制度。高更摒弃欧洲的"活死人"，接纳波利尼西亚文化，实际上表达了一种国际主义。在殖民主义的帝国时代，这种国际主义既罕见，又有潜在的颠覆性。事实上，高更始终支持原住民的权利，1903年2月（逝世前两个月），他

图20-45：保罗·高更《沉默，或情绪低落》，1891年。
布面油画，91.2厘米×68.7厘米

冒着性命危险在马克萨斯群岛抗议，上书法国殖民总督支持波利尼西亚的权利："在法国的旗帜之下，在独裁的宪兵手里，原住民无异于税金饲料，自由、平等、友爱这句虚伪的口号增添了独特的反讽意味。"

在《神之日》【图20-44】，高更不按等级或偏好地并置数种宗教和绘画传统。在画面上方三分之一部位，高更使用自然主义风格描绘蓝天白云下的男女老少。他们身后是翻腾的波浪和黄色的沙滩，还有远处的村屋、骑马的人、划船的人。中景耸立着一尊巨神像；画面中央位置描绘三个人物，中间的妇女面对观者，摆出优雅的对立式平衡姿势：上半身背后衬托一个扁圆形的绿色光环，腿间搁着一条红腰布，小腿浸在幻影般的水中。画面下方三分之一都是水，水面似彩色拼板图案，与其映照的上方世界只有最微弱的相似性。在这里，色彩的感官魅力得以尽然释放。因此，《神之日》的画面底部表现波利尼西亚的抽象，成为画面上方两个区域的欧洲幻觉风格的对立面。除塞尚之外，19世纪没有一位画家在色彩解放的道路上似高更走得这般遥远，让色彩摆脱幻觉主义的奴役劳动，从而为瓦西里·康定斯基（Wassily Kandinsky，1866—1944年）和蒙德里安的非具象绘画作下铺垫，也开始培育20世纪欣赏非西方、尤其是原住民民族审美成就的趣味。

高更的《神之日》与其他塔希提作品，譬如《遐思》（Faaturuma，1891年）、《沉默，或情绪低落》（Te faaturuma）【图20-45】、《海边》（Fatata te

图20-46：保罗·高更《我们从何处来？我们是谁？我们向何处去？》，1897—1898年。
布面油画，139厘米×374.5厘米

*miti*，1892年），以及巨幅绘画《我们从何处来？我们是谁？我们向何处去？》【图20-46】，表达了他对欧洲文化传统的深刻怀疑，并提出一种综合的国际文化。在这些作品里，西方幻觉主义与非欧洲的抽象和图案并置，基督教的神圣者与印度教、佛教或塔希提神灵一同存在，欧洲的堕落与救赎的故事被转化为关于健康的情色趣味和自然丰饶的寓言。此外，在上述这些作品里，原住民女性被描绘为知性和沉思的人，拥有强大和独立的性能力（即便在欧洲女性肖像画中也属罕见，尚且不论波利尼西亚人）。

高更所探索的极端的人种志事业（诚然也是偏颇的、自相矛盾的，甚或是失败的），预示了超现实主义作家安德烈·布勒东（André Breton）的姿态。布勒东在高更逝世50年后写道："超现实主义者之所以跟有色人种结盟，首先是因为要跟他们一起反对所有形式的帝国主义和白人劫匪……其次是因为超现实主义

与原始思想极为相似。"对于许多超现实主义者及其拥护者列维-斯特劳斯来说，"原始"艺术表达了人类与自然之间的平衡。原住民文化早已企及这一平衡，资本主义社会却将之摧毁。布勒东认为超现实主义运动的目标便是"精心制作适合我们时代的集体神话"，并借助这个神话还原自然和社会之间的原始平衡，纵是在科技成就和全球化处于更高阶段的社会里。

最后，高更的思想和艺术 —— 比弗洛伊德（Freud）、列维-斯特劳斯和超现实主义者早了一个世代 —— 缺乏"Aufhebung"（扬弃）等进步概念，或者超越到更高的历史水平。与其他象征主义者一样，高更逃离现代社会，在偏僻、未遭破坏的地方寻找庇护所；与他的同行们一样，高更也恐惧 —— 但接受（有时甚至陶醉于）—— 自己的无能和边缘化的地位。然而，与他们不同的是，高更在艺术中提出一种原始的可能性，用以取代欧洲的社会和文化秩序。

---

**问题讨论**

1. 象征主义是一种艺术的运动、态度、冲动和方向。那么象征主义通常表现什么？

2. 谁是法国最主要的象征主义理论家？谁是最重要的象征主义艺术家？

3. 爱德华·蒙克、费迪南德·霍德勒、詹姆斯·恩索尔在何种意义上被视为象征主义艺术家？

4. 讨论高更的"原始主义"，及其如何表达种族、性别、殖民主义。

## 第21章

# 塞尚的失败与成就
# 约1865—1906年

## 导言

塞尚的早期作品体现了他对库尔贝的痴迷，但他的作品缺乏现实主义的内容；塞尚在19世纪60年代晚期和70年代早期的作品模仿马奈的一些主题，譬如《现代奥林匹亚》（*A Modern Olympia*）【图21-2】甚至模仿马奈的画题，但他规避以城市漫游者的批评眼光看待现代生活。纵观塞尚的艺术作品，难以找到直接涉及当时的社会、政治或文化的矛盾或机构的一幅作品。

纵然如此，19世纪没有任何一位画家能比塞尚更配上"批评的艺术"这一标签。塞尚的批评在于最基本的感知和思想的层面，或者最宽泛意义上的"seeing"，譬如，"I see what you mean"（我明白你的意思）、"seeing is believing"（眼见为信）。塞尚的作品《强奸》（*The Rape*）【图21-5】确实或者只是貌似描绘哈迪斯（Hades）虏拐珀耳塞福涅（Persephone）？冥王哈迪斯不是应该被描绘为皮肤苍白（鉴于阳光照不到阴间），珀耳塞福涅不是应该被描绘为洋溢着色彩和生命？塞尚在《路易-奥古斯特·塞尚的肖像，画家的父亲，阅读"事件报"》（*Portrait of Louis-Auguste Cézanne, Father of the Artist, Reading*）【图21-3】描绘其父阅读报纸，将父亲的身体如此地扭转，以致双腿与躯干相互分离。此外，我们不禁思索背景墙头的静物画：这是一幅图画中的图画，还是实物本身？《强奸》和《路易-奥古斯特·塞尚的肖像》这两幅作品都体现出生硬与视觉的含糊性，从而揭示了塞尚更大的绘画目标：整体融合的建构等同于甚至超越经验世界本身。对塞尚来说，绘画是一种批判我们所看到的东西以及如何观看的手段，并为我们提供另一种视角。

塞尚几乎在转眼间从古怪的现实主义者转变为印象主义者。这一变化大约正好发生于普法战争和巴黎公社期间（1870—1871年）。塞尚躲避了这两次战争，等他再次从隐居所现身之时，已经变成技法微妙繁复的色彩主义者。塞尚的作品里没有莫奈、西斯莱、雷诺阿惯有的放纵的用色手法，塞尚的密友和导师毕沙罗的作品更是如此。事实上，塞尚的《瓦兹河畔奥维尔：上吊者的房屋》（*House of the Hanged Man, Auvers-sur-Oise*）【图21-8】、《埃斯塔克》（*L'Estaque*）【图21-10】使用色调相近的绿色、棕色、蓝色，颜料涂抹厚重，甚至凝结成块，如同一幅拼图——如果缺少任何一块拼板，就会损害整个画面。如此营造的效果十分坚固，甚至巨大，但依然为观者提供在空间和时间里行进的动觉。塞尚晚期较松散的作品也是如此，如《圣维克多山》（*Mont Sainte-Victoire*）【图21-15】的多重轮廓线既在空间构造地质形式，又允许想象力在时间中探索这些形式。

观看塞尚的风景、静物、肖像作品之时（他不太描绘其他题材），我们不禁想要使用诸如"整体""动觉""地壳构造""调节"等词语形容他的作品。塞尚的艺术似乎需要技术，甚至科学的分析。然而，正如之前的康斯坦布和特纳的作品，塞尚的艺术实际上是理性也是感性的问题。他的作品是理性与感性的和解，从而赋有乌托邦的维度。正是这一维度使得塞尚的艺术成为"批评的艺术"。他的作品不容许观者想当然地观看；他的作品强有力地提供一种质问的模式和想象的尝试，让观者去构想一个和睦而非纷争的世界。

## 危急时刻的象征主义

保罗·高更在如同法兰西帝国一般浩大的画布上创作艺术，他担当观光客和殖民者的现代角色，从巴黎旅行到阿旺桥、坎佩尔、阿尔勒、马提尼克岛、帕皮提、马克萨斯群岛，在大都会丧失资产阶级和男性特权之后，便到偏僻地区寻找慰藉。在这方面，高更无异于先前众多前卫艺术画家，也在逃避现代化进程以及历史本身。换言之，他们逃避经济萧条时期的现代化资本的力量——令艺术家沦为变幻莫测的市场的受害者。正如前章所述，在大多数旅程里，高更随身携带各种等级制度的包袱，维持似他这种阶级出身的欧洲男性的特权。在塔希提，他最初跟所有殖民地官僚一样摆出神气活现、庇护原住民的高傲姿态。然而，他最终意识到（正如他的超现实主义继承者）逃离和追忆的力学也推动一种纯粹的激进主义和乌托邦主义。高更在极端地撤离大都会文化、古典主义绘画传统和模仿之时，同时也在勘测感官满足和人类自由在未来文化领域的疆域。他的男权主义和原始主义描绘欧洲从未想象过的性别灵活性和国际主义艺术表现的领地。他撤离现代社会和党派政治，同时也是在探索自主的艺术毫不妥协地拒绝时代所赋予的奉承，试图揭示艺术所包含的激进政治的潜能。

因此，高更的艺术既是极端主义，也是辩证地回应折磨着象征主义世代的孤立和绝望。然而，19世纪末至少还有另一个显著的艺术回应，同样激烈地鄙视卡恩所说的"眼前事物……强制的同时代性"。并且，这个艺术回应迥异于本书所探讨的其他修辞风格。那就是保罗·塞尚的艺术。高更的艺术回应站在国际主义视角，保罗·塞尚则几乎拘限于乡土观念。纵是如此，与高更一样，塞尚也创造了一套艺术体系宣扬现代主义者的艺术观念，（用后世的哲学家赫伯特·马尔库塞的话说）他的艺术是"在灌水银骰子的赌局里拒绝接受游戏规则"。这场赌局的游戏规则是尊崇西方的进步、权威、现代化和工具理性，所拒绝的是反面歌颂传统文化、情色屈服和乌托邦主义。这些批评的价值都可在塞尚的艺术里找到痕迹。对于年轻的塞尚来说，绘画是一颗炸弹，预定在巴黎美术学院、皇家学院和沙龙的地基之下爆炸。塞尚无疑是印象主义养育的野孩子，在19世纪60年代和70年代燃烧起批评的怒焰。在这段时期，他的艺术开始成熟，创作的油画和素描作品赋有迥异的风格，完全属于辩证的繁复性和批评逻辑。塞尚的艺术既是感官的自由解放，又有形式的严谨，从而可以说，他为20世纪的大半艺术成就奠定了基础。

## 塞尚：文化革命

正如本章的导言所述，对于一部批评地审视19世纪艺术的教科书来说，保罗·塞尚的艺术和事业生涯——及其探索观看与艺术表现的认识和感知机制——可以说是相当有益的终结。事实上，相比先前的任何艺术，塞尚的作品更清晰地揭示观看的两种含意所具有的不可分性。德拉克洛瓦、库尔贝、马奈和毕沙罗的艺术洞见让塞尚受益匪浅，然而，只有他一人冒着破坏艺术的模仿的危险，探索一种既忠实于个人的感知又忠于物质的现实的表现形式。塞尚深知为了追求辩证的观看，就必须搁置先前所有的艺术范式，发明一套全新的形式词汇。这项任务相当地艰巨，甚或令人气馁。正如存在主义哲学家莫里斯·梅洛-庞蒂（Maurice Merleau-Ponty）所说，"塞尚的怀疑"是一种原初的不确定，初次开口说话之时的迟疑。塞尚在临终前对画家埃米尔·贝尔纳说道："在我发现的这条路上，我是原始人。"他所讲述的新语言如此地生动，如此地雄辩，以致于鲜有后人记得，更不用说那些旧的语言。

因此，全面审视塞尚的艺术，便可看出其中最显著的特征在于他的探索、发明、发现和批评的分析。在他漫长的艺术生涯里，塞尚事实上从浪漫主义叛逆者变成文化革命者；他从一个类似德拉克洛瓦、自视为腐化堕落的世界的英雄反面（他自己的话）变成"服从自然"的艺术家；他从一个类似安格尔和前代象征主义艺术家变成独创性的艺术家，创造出一种用以表现和理解新文化秩序的手段。他的艺术革命行动迥异先前世代曾经有过的任何形式；迥异于他所欣赏的库尔贝。塞尚的激进艺术并不是反叛主题的产物，尽管许多艺术家和批评家称他为"巴黎公社成员""顽固派""无政府主义者"，但他一贯规避包含政治意味的题材；他也迥异于几乎享有同等名望的马奈，塞尚的革命性作品并非源自前所未有的审美效果；尽管当时大多批评家视塞尚的作品为拙劣的、傲慢的，但他实则理解、敬重、广泛地引用最伟大的经典杰作。

用法兰克福学派哲学家西奥多·阿多诺的话说，塞尚的作品所具有的陌生的激进态度，实则属于这些作品的"内在结构，它们是作为非概念化对象的知识"。根据这一说法，塞尚的最佳作品并不是表现世界，而是自成一个世界。莫里斯·丹尼在1907年写道："站在塞尚的画前，我们就只能想着这幅画。捕捉我们注意力的既不是所表现的对象，也不是艺术家的个性……一旦我们说出：这是一幅画，一幅经典的画，这个词语便立刻赋有确切的意义——客观与主观的调和与平衡。"

塞尚的成熟作品或许可以相当合理地被视为20世纪所说的"自主"创造。所谓自主创造的作品，就是避免表现社会或政治的改良措施，致力于倡导人类的"自由空间"——印象主义仅在最繁荣时期略微表现的东西。阿多诺写道，自主的艺术作品"仅借助作品本身的形式为中介……作为构造与制作的卓越对象，这类艺术作品……指向一种它们所规避的实践：创造正义的生命。"这类艺术作品由于智性的严谨和感知的迷人，成为一种反面存在，默然对峙堕落的政治领域和"在庸俗的文化里窒息"的西方社会。因此，塞尚的艺术成为这种现代主义范式的重要范例，尽管属于革命艺术作品，却不包含政治意味。鉴于这一原因，描述塞尚创作于1885年以后的作品之时，艺术史惯用的术语，譬如风格源流、影响、文学象征符号、传记参考、批评界的反应等，便须竭尽意义的极限。形式分析和辩证法所提供的词汇，只能用以理解塞尚在成熟时期的作品。俄国画家瓦西里·康定斯基在《论艺术的精神》（Concerning the Spiritual in Art，1912年）一文中写道："一个人、一棵树、一颗苹果，都不是被塞尚所表现，而是被他用来构造一种叫作'绘画'的画家之物。"

## 塞尚的发展：寻找总体

塞尚的艺术生涯始于接纳故乡所流行的文化复兴风格。他在1839年出生于普罗旺斯地区艾克斯（Aix-en-Provence），阅读弗雷德里克·米斯特拉尔（Frédéric Mistral，1830—1914年）的普罗旺斯方言诗歌，参加当地在19世纪中期流行的基督圣体节等

图21-1：保罗·塞尚《田园风光》（Pastoral Scene），约1870年。布面油画，65厘米×81厘米

图21-2：保罗·塞尚
《现代奥林匹亚》，
1873—1874年。布面
油画，46厘米×55厘米

宗教和世俗的庆典。此外，年轻的塞尚欣赏当地的巴洛克和19世纪早期的艺术家，诸如新古典主义历史画家和风景画家弗朗索瓦·马瑞斯·格朗奈（François-Marius Granet，1775—1849年），并绘制模仿作品，诸如《忧伤或抹大拉的玛利亚》（*Sorrow, or Mary Magdalene*，约1867年）、《田园风光》【图21-1】，试图维持或复兴艾克斯地区的宗教和风景艺术的地方传统。事实上，或许可以说，塞尚终其一生始终是普罗旺斯的艺术家，即便在生命最后20年，在了解和汲取法国首都炽热的国际艺术之后，塞尚依然回到艾克斯，如同受到磁石的吸引，渴望故乡的风景、纪念性建筑、传奇故事和古老的传统。在逝世前两年，塞尚用更多时间描绘圣维克多山（Mont Sainte-Victoire）。这座山峰是罗马人战胜条顿（Teutons）侵略军的战场，也是艾克斯在传说中的发祥地。塞尚也以洗浴的主题创作，或许部分是致敬罗马人的"塞克斯图斯之水"（Aquae Sextiae）——艾克斯的城名源自这句拉丁语。因此，塞尚在艺术生涯始终都渴望成为他所热爱的故乡的天然产物。诗人马克斯·布尚（Max Buchon）如此形容库尔贝："他制作绘画，如同苹果树长出苹果一样简单。"塞尚想必也希望得到这样的评语。

在年轻时代，塞尚与友人埃米尔·左拉在普罗旺斯乡间漫游，为眼前所见的山丘、溪流、云彩与幻想的牧笛、牧羊人、少女的爱恋创作法语和拉丁语的诗歌。然而，在漫游之时，塞尚的心灵也伴随着较沉重的浪漫想象，从而诞生了未来的独创艺术家。1858年以后，塞尚写信给身在巴黎的左拉之时，经常使用波德莱尔式的反讽和愤怒，描述他头脑里关于虐待狂和厌恶女性的幻想。在一封出自1859年的信中，塞尚给这位未来的自然主义作家附寄一首寓言诗，题名为《一个可怕的故事》（*A Terrible Story*）。诗中写道："……我怀里的女人，原本如此粉嫩红润，遽然消失，化作一具惨白的尸身，身躯嶙峋，骨头咯咯作响，眼眶空洞。"正是这个塞尚创作了《自画像》（*Self-Portrait*，约1861—1862年）、残暴的《强奸》【图21-5】，以及狂躁的《田园风光》和《圣安东尼的诱惑》（*Temptation of Saint Antony*，约1870年）。这些作品以及其他描绘谋杀、淫戏和验尸的作品都是激烈、残暴和表现主义的艺术，涌动着俄狄浦斯情结噩梦之中的能量和猛烈。

在《圣安东尼的诱惑》里，年轻的保罗（过早地秃顶）伪装为屡经诱惑和折磨的圣安东尼；在《田园风光》里，他局促地坐在前景，与马奈在《草地上的

图 21-3：保罗·塞尚

《路易-奥古斯特·塞尚的
肖像，画家的父亲，阅
读"事件报"》，1866
年。布面油画，200厘
米×120厘米

午餐》【图13-12】所描绘的塞尚一模一样；在《现代奥林匹亚》【图21-2】，塞尚如同一位总督，僵硬地坐在侍妾面前。即便在描绘他父亲的肖像画之时，塞尚也使用极其情绪化的色调，譬如《路易-奥古斯特·塞尚的肖像，画家的父亲，阅读"事件报"》【图21-3】，报纸的底部横切人物的腹股沟，令他的身躯与交叠的双腿呈现不自然的断裂。在灰色和橙色的安乐椅靠背的狰狞阴影前面，垂直的右臂也以同样的方式被报纸割离身躯。在这些作品里，塞尚表明他愿意公然藐视道德规范和艺术传统。塞尚早期作品的暴力、情色、自白式的特征和刻意的笨拙，致使一些批评者视之为天真幼稚。

早期的塞尚反复向沙龙提交参展作品，尽管明知绝不会被接纳。1866年，他甚至致信显赫的尼沃凯尔克伯爵，即拿破仑三世任命的美术督察，要求举办第二届落选者沙龙，并要求他为过往的伤害道歉。塞尚的措辞重复库尔贝在1853年提交给尼沃凯尔克伯爵的陈情书："我不能接受未经授权的同行的评判，因为我本人并未委派这些同行评估我的作品。"正如塞尚拒斥父亲对他的事业规划（路易-奥古斯特希望儿子跟自己一样成为银行家或律师），他也拒斥政府的文化权威，成为不切实际的不妥协者。年轻的塞尚鄙视拿破仑三世的个人和统治，推崇雅克·万特拉（Jacques Vingtras）的个性和政治（出自儒勒·瓦莱斯的无政府主义同名小说）。因此，年轻的塞尚是时代的反叛者，但尚不是革命者。让-保罗·萨特（Jean-Paul Sartre）如此描绘这两者之间的差异："革命者想要改变世界，他超越世界，朝向未来，朝向他自己所创造的价值秩序。反叛者小心地收存自己所承受的伤害，以便让自己继续反叛。他总是流露问心有愧的神色：他不想摧毁或超越既定的秩序，他只想奋起反抗它。"

在《强奸》【图21-5】这幅作品里，塞尚以同等的注意力描绘前景的裸体人物、左边中景的侍女、背景中截去峰顶的圣维克多山。河岸、水面、枝叶、山丘、天空俱使用环绕起伏的笔触和厚重的颜料，几乎具有同等的视觉重量，营造了整体的二维结构和平衡，从而抵消画面的情感深度和叙事的表现力。换言之，尽管这幅作品体现厌女症的梦境，其风格却表现超脱、抽象和客观性。纵使沉溺于他自己对现代女性的强迫性的恐惧和憎恶，年轻的塞尚也竭力超越这些情绪，以便将幻想和形象重新安排为统一的画面。

艺术史家和画家劳伦斯·格英（Lawrence Gowing）总结说，塞尚的《强奸》《画家的肖像，阿基里斯·昂珀雷尔》（Portrait of the Painter, Achille Emperaire）【图21-6】等作品不亚于"形式（forme）的创造，法国现代主义意义上的形式——也即构成图

图 21-4：保罗·塞尚
《多米尼克叔叔的肖像》（Portrait of Uncle Dominique），1866年。布面油画，39.5厘米 × 30.5厘米

图 21-5：保罗·塞尚
《强奸》，约1867年。布面油画，88厘米 × 107厘米

画结构的颜料状态。这是发现媒介和材质固有的内在结构"。格英所说的"forme"体现于《画家的肖像，阿基里斯·昂珀雷尔》以统一的垂直笔触所构造的地质板块似的盔甲：扶手椅两侧所构成的平行背景、模特的细腿、晨袍的褶皱、自红衣领至拖鞋的黑色线条、画布上方弱化的波多尼字体铭文。这些平行的线条营造建筑般的坚固感，同时渲染一种画面感——一种感知，即绘画是一个自己自足的二维结构，以垂直和水平的画框为架构，覆盖上画布，再使用黏稠的颜料涂绘而成。

在一封出自1867年的信中，塞尚的友人安托万-弗图恩·马里昂（Antoine-Fortuné Marion）证实了塞尚探索总体的意图："保罗其实远比（库尔贝和马奈）强大。他相信通过更精湛的技法和感知，便可在画面容纳细节，同时又能保留广度。如果他能实现他的目标，他的作品就会更加完整。"一封出自15年后（1882年）的书信表明塞尚的艺术抱负未曾更改。高更致信塞尚的友人毕沙罗，嘲讽地问道："塞尚先生是否发现了那个能让所有人接受一件艺术作品的公式？倘他

找到了那副处方，能够将他的全部感知汇集为单独一个手法，那么，我请求你，叫他吃点那些顺势疗法的神秘药物，在睡梦里与你谈谈这条公式，然后请你立刻到巴黎来与我们分享。"在人生的尽头，塞尚几乎相信自己已经找到这条公式。在1904年，他对贝尔纳说道："我欠你一句绘画的真话，我会如实地告诉你。"

## 塞尚的艺术成熟时期

塞尚追求艺术总体的雄心虽自始便十分引人注目，然而，毫无疑问的是，在他40年的艺术生涯里，这份雄心不断地演变和成长。他在19世纪60年代和70年代早期的作品具有前所未见的形式统一和构造式结构，巴洛克的阴暗对照法和色调对比依然占据画画的重心，色彩尚未完全融入绘画的肌理。在前文所讨论的作品里，色彩主要用于表达情绪或激烈的感觉，仅在局部用以塑造体积、面积、深度和画面的统一性。《多米尼克叔叔的肖像》和《画家的肖像，阿基里斯·昂珀雷尔》的"内在结构"，多半是厚重的颜料、构图和色调对比的产物，而不是缘自色彩的选择或调节（modulate）。正如艺术史家约翰·埃德菲尔德（John Elderfield）所说，这就好似苍白的情节剧足以表达年轻艺术家的狂暴的梦想和俄狄浦斯情结的渴望。然而，随着塞尚逐渐成熟——自1869年开始和奥尔唐斯·菲凯（Hortense Fiquet）的秘密同居可能是他的催熟剂，他的艺术想象变得更丰富、综合。塞尚逐渐在艺术中排除致命的女人这一青春期的陈旧主题，日益专注于探索色调的活力。在探索主观经验与客观现实的总体化之时，印象主义，尤其是毕沙罗的艺术和指导，成为塞尚最重要的工具。

1872年初，巴黎公社被摧毁的黑夜以后的阴暗黎明，塞尚与毕沙罗一同生活在法兰西岛大区的蓬图瓦兹，跟随他学习印象主义的决定性课程。塞尚与这位无政府主义友人和导师一样热爱风景，笃信乡村生活具有疗愈的力量。两人一起寻找表达自然界丰饶的方法。对于毕沙罗来说，这个方法意味着描绘农民在田间劳作，在人物与土地之间创造肌理和色彩的融合。对于塞尚来说，这个方法意味着构造足够完整和微妙的画面宇宙，使它近似主题本身，以及他在对象面前所萌发的强大又复杂的感受。1870年，他告诉一位批评者："我依照我的观看和感觉绘画，而我的感受都极其强烈。"

图21-6：保罗·塞尚《画家的肖像，阿基里斯·昂珀雷尔》，1868—1870年。布面油画，200厘米×122厘米

塞尚采用印象主义的有限的色调和色彩范围作为捕捉光线和空气效果的手法，也用以约束他自己时或狂暴和混乱的想象。如前所述，印象主义正是一种社会和心理距离的艺术，属于一种亚文化的艺术表达，鄙弃异化的劳作，歌颂资产阶级和小资产阶级的闲暇所隐含的自由。塞尚接受印象主义在原则上拒斥工具性，但他不能认同印象主义者的情感和智性的浅薄。及至19世纪70年代，塞尚已经超越他的印象主义导师毕沙罗，开始描绘酷似真实的对象和人物，也记录他自己随着时间而演变的感知。

如若对毕沙罗的《蓬图瓦兹附近的村庄》（*Village near Pontoise*）【图21-7】与塞尚的《瓦兹河畔奥维尔：上吊者的房屋》【图21-8】进行比较，便可看出塞尚的画面异常密集，色块厚重凝结。相比毕沙罗的作品（请注意中景冷调的蓝色与红色屋顶交替），塞尚的色彩一律较暖，色调颇为一致。与毕沙罗这位友人和导师不同，塞尚使用粗线条勾勒物体的轮廓和界线（比较两幅作品的树干画法），将树木和建筑稳固地扎入土地。简单地说，相比毕沙罗的风景画，塞尚的作品体现出更显著的平面感和总体性，以及更坚固的体积感。

相比毕沙罗的《蓬图瓦兹附近艾尔米塔奇的牛脊山》（*The Côte des Boeufs at L'Hermitage, near Pontoise*）【图21-9】，塞尚的《埃斯塔克》【图21-10】显得平稳又安宁。这两幅作品都运用多重方向的分离笔触涂抹棕色、绿色和蓝色，但塞尚的笔触较粗阔，为所描绘的对象构造逼真的形状、密实的表面肌理。此外，塞尚选择在风景里强调和探索——而不是遮掩——那些在心理和视觉上显得复杂或模糊的东西，因此，他专注地刻画斜屋顶和屋檐的交汇处、房屋的凸面边缘、树叶与树枝的连接、远山与大海相交的线条、烟囱（或船桅）打破地平线的断点等。

通过比较这些风景画，便可以看出塞尚虽可能承认毕沙罗的充满活力和短暂性的印象主义适合描绘转瞬即逝的大气效果，但这种风格过于易变，不可触摸，难以令人信服地表现乡村及其居民的景象。然而，尽管塞尚认为印象主义的缺憾在于无实体性和情感的疏远，但他坚定地相信传统的学院派技法同样也有缺陷（他对此有彻底的了解），譬如线条底稿、单点透视、古典主义解剖学、色调塑形、明暗对照法，强迫所有艺术家接受统一的规范。这些塑造体积的形式手法纯粹只是约束，完全不能适应艺术家观看世界之时不断更换的视角。再者，这类规范只是失败与陈旧的秩序的遗迹。因此，自19世纪70年代晚期开始，塞尚创造了一种新的艺术风格，运用印象主义的马赛克似的块面式表面，同时舍弃其含糊和逃避的倾向。换言之，塞尚将印象主义艺术的活力和动觉特征与他自己在早期作品里的建筑构造和表现力相结合。塞尚想要在艺术作品里体现宏大的不朽和情感的坚定，他告诉贝尔纳，他希望"将印象主义做成扎实的东西，如同博物馆里的艺术"。

图21-7：卡米耶·毕沙罗《蓬图瓦兹附近的村庄》，1873年。布面油画，61厘米×81厘米

图21-8：保罗·塞尚《瓦兹河畔奥维尔：上吊者的房屋》，约1873年。布面油画，54.9厘米×66厘米

图21-9上：卡米耶·毕沙罗《蓬图瓦兹附近艾尔米塔奇的牛脊山》，1877年。
布面油画，115厘米 × 87.5厘米

图21-10：保罗·塞尚《埃斯塔克》，约1876年。
布面油画，41.9厘米 × 59厘米

## 塞尚与19世纪艺术的尾声

塞尚在参加1877年第三届印象主义展览之后，便基本上脱离印象主义群体，自立门户。尽管他与印象主义的一些成员（尤其是雷诺阿）时有联络，但他不再需要向他们学习。此外，他也不再尝试与他们一同展览。随后8年间，他7次徒然向沙龙提交参展作品；1882年，他得到唯一一次成功的机会，被宽厚的评委安托万·吉耶梅（Antoine Guillemet）接纳为"门生"。报端出现数则评论，无异于塞尚近十年前首次参加印象主义展览之时得到的批评反应：沙龙批评家们不理解他的作品，却摆出倨傲的姿态加以斥责。《维龙词典》（*Dictionnaire Véron*）的评论者形容《L. A.的肖像》（*Portrait of L. A.*，现不知下落）是"一个初学者花了不少颜料钱画出来的东西"。塞尚日渐抑郁，离群索居，迅速退出公众视野，成为传奇人物。1885年，高更公开声称自己欣赏塞尚的作品，却称他为"那个被误解的人，他的本性就是神秘……整日坐在山顶读维吉尔，怔望天空"。

面临巴黎的前卫艺术和学院派的双重排斥，塞尚的私生活也遭受一连串的打击，更进一步地影响了他的艺术。1885年，塞尚狂热地迷恋他父母在艾克斯雇佣的女仆，这场未得逞的恋情令他愤怒而困惑。同年，左拉在其小说《杰作》（*L'Oeuvre*）中冷酷地描述塞尚，从而结束了塞尚所拥有的唯一真正的友谊。1886年4月，他勉强与奥尔唐斯·菲凯成婚（此时二人早已分居）。6个月后，他为父亲举办葬礼。父亲的逝世虽让塞尚有了经济保障，但他的精神萎靡不振。遭际这些人事之后，塞尚深感人际交往的徒劳无益，认定自己也临近死亡，便以空前的专注力不停地创作。他在风景画、静物画、人物画三方面齐头并进，他的风格很快臻及他所追求的复杂性和坚定，被后一代人视为现代和抽象艺术的基础。

## 塞尚的方法

在1886—1906年塞尚逝世前的20年间，艺术界历经梵·高、修拉、高更和其他象征主义者的艺术生涯。这20年见证了印象主义的最后一场展览（1886年）、巴黎埃菲尔铁塔世界博览会（1889年）、德雷福斯事件（1894—1902年）、左拉逝世（1902年）、毕沙罗逝世（1903年）、野兽派的秋季沙龙展览（1905年）。这些事件都未曾在塞尚的艺术中留下显著的影

图21-11：保罗·塞尚《普罗旺斯的房屋》(《埃斯塔克附近的山谷》)，约1883年。布面油画，65厘米 × 81.3厘米

响。凭借超常的专注或偏执，塞尚创造了一种形式异常严谨的自主的艺术。正如艺术史家约翰·埃德菲尔德所指出，这种艺术难以概括，因为塞尚总是就具体对象的作出不同的回应。纵是如此，通过审视一些作品，我们大概可以推断和总结出塞尚绘画的三大基本原则。

首先，规避幻觉主义：《普罗旺斯的房屋》(*Houses in Provence*)，又名《埃斯塔克附近的山谷》(*Riaux Valley near L'Estaque*)【图21-11】，刻意忽略清晰的线条和准确的透视，从而营造一种反常的幽默。塞尚将两幢最大的房屋毗邻排列，却拒绝澄清两者之间确切的空间关系。他故意强调了屋檐的底面，又遮掩了岩石平坦的表面，以便隐藏艺术家的视角。这个视觉的捉迷藏游戏有助于传达感知在时空里的复杂和模糊，从而维持画面——作为感知的记录——的整体性。

其次，使用构造手法：在《从比贝米斯采石场看圣维克多山》(*Mont Sainte-Victoire Seen From Bibémus*)【图21-12】中，笔触的形状、大小、边界、方向俱独立于所表现对象的结构和纹理。这种绘画自由也许可以被视为前文所谈及的拒绝模仿的另一范例，但实际上是另一种形式的幻觉主义。中景的岩石使用构造法笔触，犹如彩色宝石的琢面、屋顶的木瓦或者重叠的招贴画。岩石本身紧贴着图画的表面层次，却又被赋予岩石的真确感。在这里，绘画的二维权威与自然的深度和广度再次得到和解。

最后，专注事物的边缘：在《苹果静物》(*Still Life with Apples*)【图21-13】中。这幅作品最重要的部位在于对象相碰触的地方——柠檬、桌布、酸橙、桃子、玻璃杯；水罐、桌面、桌布、阴影、桃子、苹果、桃子、桌布。在这些交接的部位，色彩并置，上演一出表面与深度（也即感觉与理解）的戏剧。绘画为了体现总体性，便须牺牲易逝的感觉和意料之外的互动，而不只是独立的对象。也必须调整物体边界的色彩，才能消除存在与缺席之间的等级秩序。

《苹果静物》通过一种色彩与另一色彩的碰撞构成具体对象。塞尚告诉贝尔纳："不该说塑造，应该说

图 21-12：保罗·塞尚
《从比贝米斯采石场看
圣维克多山》，1898—
1900年。布面油画，65
厘米×80厘米

图 21-13：保罗·塞尚
《苹果静物》，1895—
1898年。布面油画，
68.6厘米×92.7厘米

调节。"塞尚的意思无疑是指为了塑造物体的深度与表面的外观，他必须舍弃凭借明暗造型的传统手法，通过调节颜色的冷暖实现他的目的。譬如，最靠近画面的柠檬的最高点（point culminant，绘画空间中最接近观者的一点）并不是通过高光实现，而是用一系列较冷（渐退）的绿色和黄色映衬着较暖（渐近）的芥末色表现出的。事实上，这个宏大画面中的所有对象——水果、玻璃杯、水罐、托盘、窗帘、桌、桌布——都是通过色彩调节构成，而不是通过色调塑造或物体本色描绘出的。

梅洛-庞蒂认为塞尚的艺术十分吊诡，"他追求现实而不肯放弃诉诸感官的表面，除了自然的直接印象，便没有其他任何向导，不依循外形，不用轮廓包围色彩，没有透视或绘画空间的安排。这是塞尚的自杀：意在现实，却不肯动用获得现实的方式"。正如高更所说，塞尚的艺术是自相矛盾，"塞尚是否发现了能将他的激烈的感知全部浓缩为单独一个手法的处方？"塞尚的艺术是抽象的，他本人如此告诉莫里斯·丹尼："我想要复制自然，但我不能。只有当我发现——比方说——太阳不能被复制的时候，我才觉得满意，但它必须通过别的东西表现出来……通过色彩。"

塞尚的艺术是吊诡，是自相矛盾，是抽象，但他的晚期作品也可以被称为乌托邦。塞尚的晚期作品迥异于恩索尔的艺术，并不构筑令大众陶醉的传说中的过去；也迥异于修拉的艺术，并不是想象感官和谐的未来；然而，塞尚的晚期作品依然传递着和谐、合作、总体的梦想。塞尚在生命最后5年以浴者为主题创作了3幅巨作，其中一幅是《大浴者》（*Large Bathers*）【图21-14】。这幅画中的土地、植物和人体的边界俱被省略，却又保持各自的自主性。10个浴者以蓝色线条勾勒扭曲的轮廓（大多未曾明确地刻画出性别），左右各有三棵蓝黑色的大树竭力向上伸展，下方的黄棕色泥土担当构造画面底部、高大的金字塔或者山峰（或许就是圣维克多山）的任务。这三种元素本身（浴者、树、泥土）同时具有目的和严谨的形式，这是在蒙克、雷东、弗鲁贝尔、霍德勒等同时代象征主义作品中从未出现过的。象征主义艺术家对于人类在自然面前的屈服表现出一种生机主义的渴望，塞尚则通过笔触、色调、色彩、体积、面积的微妙的平衡，表达他渴望人类的独立，以及人类与自然的相互协作。

与《大浴者》一样，《圣维克多山》【图21-15】不但是塞尚描绘一个珍爱的题材——让人想起他在普

图21-14：保罗·塞尚
《大浴者》，1894—1906年。布面油画，132.4厘米×219.1厘米

**图21-15：保罗·塞尚**《圣维克多山》，1904—1906年。
布面油画，83.8厘米×65厘米

棕色，营造上下起伏、左右颠动的推挤感；暖调的棕色、黄色与偏冷的蓝色、绿色唆使表面与深度反复地交错。山峰的尖顶以蓝色勾勒轮廓——一次，两次、三次，既是为了记录画家的眼睛、手、胳膊、身体的动觉，也是为了强调峰顶的清晰度。由此可见，《大浴者》和《圣维克多山》这两幅作品都通过自我与环境的戏剧所留下的确凿的痕迹，体现了对和解的乌托邦式渴望，尽管前一幅作品注重人类，后一幅作品则注重自然之物。和谐的意象——康斯坦布尔、库尔贝、梵·高等人也曾经梦想过，但无人似塞尚一般触及最原始的层面——成为19世纪最显著的批评遗产。

阿多诺写道："作为构造与制作卓越的对象，（自主的艺术作品）指向它们所规避的实践：创造正义的生命。"阿多诺认为，在单独一件艺术作品里结合感觉与统觉、感知与认知、理智与情感，就等于表示一种被现代化重创和分裂、唯独依赖于理性、不休地计算利益和亏损的现实世界所欠缺的总体性。塞尚力图在艺术中企及总体性，从而使得艺术作品本身便暗含他对社会的批评。然而，形式的暗讽——既属于塞尚独自一人，也属于前代艺术家共同努力的成就——可以视为一种成功，也可以视为一种失败。在塞尚的人生末年，尤其在他逝世后几十年里，形式所暗含的社会批评逐渐演变为类似批评的冬眠。事实上，当熟悉立体主义和抽象艺术的公众重新发现塞尚的时候，艺术和社会批评已经占据了截然不同的领域。至于这场注定的分离，便不是这里能够继续讲述的故事。本书的意图仅在于表明19世纪的状况迥异于今日，在那个时候，最好的艺术就是一种批评。

罗旺斯山水间漫游的年轻时代，而且是色彩调节的交响乐，以平衡而多样化的构造手法谱写。塞尚运用分离的长方形笔触涂画数十种不同色调的蓝色、灰色、

---

### 问题讨论

1. 塞尚的艺术在1870年间经历重大转变。这个转变是什么？导致这一变化的原因是什么？

2. 塞尚数次参加印象主义画展。那么，他是否是印象主义者？他的成熟作品是否类似莫奈、毕沙罗、雷诺阿？他的作品有什么不同之处？

3. 塞尚的风景画被视为这个画种历史上最创新的作品。为什么？将他的作品与本书前文所讨论的艺术家的风景画，譬如弗里德里希、康斯坦布尔、特纳、库尔贝进行比较。

# 年表

| | 历史和文化事件 | 视觉艺术 |
|---|---|---|
| 1780年 | 美国独立战争（始于1776年）继续，伦敦发生戈登动乱。 | 让-奥古斯特·多米尼克·安格尔诞生。 |
| 1781年 | 康沃利斯侯爵的军队在弗吉尼亚约克郡投降，结束英国反对美国革命派的军事对抗，伊曼努尔·康德《纯粹理性批判》，让-雅克·卢梭《忏悔录》，戈特霍尔德·埃夫莱姆·莱辛逝世。 | 雅克-路易·大卫《贝利萨留乞求施舍》，约翰·辛格尔顿·科普利《皮尔森少校之死》（1784年完成）。 |
| 1782年 | 约翰·霍华德呼吁改革伦敦新门监狱，肖代洛·德拉克洛《危险关系》。 | |
| 1783年 | 《巴黎条约》签定，英国认可并转让美国13个前殖民地的广阔土地，康德《未来形而上学导论》，莫扎特《伊多梅尼》，司汤达诞生。 | |
| 1784年 | 博马舍《费加罗的婚礼》，德尼·狄德罗逝世。 | 大卫《荷拉斯兄弟之誓》，弗朗西斯科·戈雅《堂·刘易斯亲王一家》，乔舒亚·雷诺兹爵士《扮成悲剧女神的西顿夫人像》。 |
| 1785年 | 康德《道德形而上学基础》，亚历山德罗·曼佐尼诞生。 | 本杰明·韦斯特《菲莉帕王后为加来的平民求情》。 |
| 1786年 | 普鲁士王国腓特烈二世逝世，康德《自然科学的形而上学基础》，莫扎特《费加罗的婚礼》。 | 让-热尔曼·德鲁埃《马略囚禁于明图尔诺》。 |
| 1787年 | 美国成立联邦政府，理查德·艾伦在费城创建自由非洲人协会，歌德《艾格蒙》，约翰·亚当斯《捍卫美利坚合众国宪法》，莫扎特《唐·乔万尼》。 | 大卫《苏格拉底取过毒芹酒的时刻》，约翰·海因里希·威廉·蒂施拜因《罗马平原上的歌德》，维吉-勒布朗《玛丽·安托瓦内特及其儿女》。 |
| 1788年 | 路易十六召开三级会议，雅克·内克尔复任财政大臣，纽约成为美国联邦政府的首都，康德《实践理性批判》，亚瑟·叔本华、拜伦诞生。 | 大卫《帕里斯和海伦的爱情》，约翰·索恩爵士被任命为伦敦英格兰银行的建筑师和勘测师。 |
| 1789年 | 法国大革命爆发，攻占巴士底狱，废除封建主义，法国《人权宣言》，国王和宫廷从凡尔赛迁至巴黎，乔治·华盛顿当选美国第一任总统，威廉·布莱克《天真之歌》。 | 大卫《刀斧手送回布鲁图斯众子的尸体》。 |
| 1790年 | 路易十六接受法国宪法，费城成为美国联邦政府首都，法国授予犹太人公民权利，埃德蒙·伯克《对法国大革命的反思》，康德《判断力的批评》，阿尔方斯·德·拉马丁诞生。 | 苏夫洛将巴黎圣吉纳维夫教堂改造为先贤祠。 |
| 1791年 | 路易十六在瓦雷纳被捕，战神广场大屠杀，詹姆斯·鲍斯威尔《约翰逊传》，约翰·赫尔德《人类历史哲学论纲》（1784年开始撰写），托马斯·潘恩《人的权利》上卷，莫扎特《魔笛》，莫扎特逝世。 | 大卫《网球场宣誓》，西奥多·热里科诞生 |
| 1792年 | 吉伦特派在法国执政，巴黎公社成立，王室成员被囚禁，法兰西第一共和国宣告成立，审判路易十六，法国向奥地利、普鲁士、萨丁尼亚王国宣战，托马斯·潘恩《人的权利》下卷，玛丽·沃斯通克拉夫特《女权辩护》，鲁热·德·利尔《马赛曲》，珀西·比希·雪莱诞生。 | 詹姆斯·怀亚特动工建造威尔特郡放山修道院。 |
| 1793年 | 处决路易十六和玛丽·安托瓦内特，恐怖统治，夏洛特·科黛刺杀马拉，罗伯斯庇尔和圣茹斯特加入以丹东为首的公共安全委员会，明令禁止崇拜上帝，神圣罗马帝国向法国宣战，威廉·戈德温《政治正义论》，康德《单纯理性限度内的宗教》。 | 巴黎卢浮宫开幕，大卫《马拉之死》，戈雅《充满疯子的庭院》（1794年完成）。 |
| 1794年 | 巴黎举行最高主宰节，处决圣茹斯特和丹东，立法大会废除法国殖民地奴隶制，热月政变（7月27日）推翻罗伯斯庇尔，威廉·布莱克《经验之歌》，费希特《知识的科学》，托马斯·潘恩《理性时代》。 | 戈雅《自鞭者的游行》，约翰·特朗布尔《独立宣言》。 |
| 1795年 | 巴黎面包暴动和白色恐怖，法国成立督政府，法国军队占领比利时。 | |
| 1796年 | 拿破仑掌控意大利，巴贝夫在法国建立的社会主义者"平等阵线"瓦解，乔治·华盛顿《告别演说》，西班牙向英国宣战，歌德《威廉·麦斯特的学徒岁月》，弗里德里希·施勒格尔《试论共和主义的概念》。 | 戈雅《阿尔巴女公爵》，布莱克《牛顿》，让-安托万·乌东《乔治·华盛顿》，爱德华·萨维奇《华盛顿一家》，韦斯特《骑白马的死神》。 |
| 1797年 | 拿破仑被任命为统帅进攻英国，法国军队占领并宣告罗马为共和国，拿破仑指挥金字塔大战，那不勒斯国王斐迪南一世收复罗马，法国军队重新占领罗马，塞缪尔·泰勒·柯勒律治《忽必烈汗》（1816年出版），弗朗索瓦-勒内·德·夏多布里昂《古今革命之于法国大革命的影响：一种历史、政治与道德的研究》，弗里德里希·荷尔德林《许佩里翁》，康德《道德形而上学》，海顿弦乐四重奏《皇帝》，弗朗茨·舒伯特诞生。 | 安-路易·吉罗代《让-巴蒂斯特·贝利的肖像》，约瑟夫·马洛德·威廉·透纳《米尔班克》《月光》，弗里德里希·吉利为柏林波茨坦广场设计腓特烈大帝纪念像。 |

| | 历史和文化事件 | 视觉艺术 |
|---|---|---|
| 1798年 | 歌德《赫曼和多罗西亚》，华兹华斯和柯勒律治《抒情歌谣集》，施勒格尔兄弟在柏林出版德国文学和美学杂志《雅典娜神殿》（及至1800年）作为浪漫主义运动的宣言。 | |
| 1799年 | 拿破仑在皮埃蒙特成立帕特诺珀共和国，雾月18日（11月19日）拿破仑当选首席执政官，奥地利向法国宣战，弗里德里希·冯·施莱格尔《卢琴德》，海顿《创世纪》，贾科莫·莱奥帕尔迪、亚历山大·普希金、奥诺雷·德·巴尔扎克诞生，乔治·华盛顿逝世。 | 大卫《萨宾妇女的调停》，戈雅"狂想曲"系列。 |
| 1800年 | 法国军队进攻开罗、维也纳，拿破仑军队征服意大利，华盛顿特区成为美国联邦首府，荷尔德林创作三部颂诗，席勒《玛丽·斯图尔特》，施莱格尔《关于小说创作的书信》，托马斯·巴宾顿·麦考利诞生。 | 安东尼奥·卡诺瓦《丘比特与普塞克》，大卫《雷加米埃夫人肖像》 |
| 1801年 | 爱尔兰与大不列颠联合，俄国沙皇保罗一世被暗杀，亚历山大一世继位，英国军队进驻开罗，法国军队撤离埃及，埃及被土耳其收复，法国殖民地恢复奴隶制，黑格尔和谢林创办《哲学批判杂志》，谢林《关于自然哲学的一些思考》，海顿《四季》。 | 戈雅《查尔斯四世及家人》，格罗《拿撒勒战役》。 |
| 1802年 | 拿破仑成为意大利共和国总统，华兹华斯开始创作《序曲》，维克多·雨果诞生。 | 热拉尔《雷加米埃夫人的肖像》，特里奥松《奥西恩迎接拿破仑的将士进入瓦尔哈拉》，托马斯·吉尔丁逝世。 |
| 1803年 | 法国与英国再度宣战，路易斯安那购地案将美国的领土扩大一倍，普罗斯佩·梅里美诞生，肖代洛·德拉克洛、约翰·戈特弗里德·赫尔德（狂飚突进运动的理论家）逝世。 | 詹姆斯·巴里《自画像》，大卫《拿破仑穿越圣伯纳德关隘》，亨利·雷伯恩《麦克纳布》，透纳《加来码头》，约翰·索恩设计英格兰银行的蒂沃利街角 |
| 1804年 | 拿破仑号称皇帝，教皇庇护七世为他加冕，制订并颁布《拿破仑法典》，席勒创作《威廉·退尔》，贝多芬创作《英雄交响曲》，乔治·桑诞生，康德逝世。 | 格罗《拿破仑视察雅法鼠疫病院》，克劳德·尼古拉·勒杜设计理想城市"肖城"。 |
| 1805年 | 英国、俄国、瑞典、奥地利签定盟约，共同对抗法国，特拉法加海战，拿破仑为意大利皇帝，奥地利与法国议和，威廉·哈兹里特《论人的行为准则》，贝多芬创作歌剧《费德里奥》，汉斯·克里斯汀·安徒生、朱塞佩·马志尼、亚历西斯·德·托克维尔诞生，席勒逝世。 | 威廉·布莱克《红色巨龙与太阳笼罩的女人》，卡诺瓦《大公爵夫人玛丽亚·克丽斯蒂娜墓》，菲利普·奥托·朗格《芬格尔》《胡尔森贝克家的孩子》，透纳《弥诺陶洛斯海难》，塞缪尔·帕尔默诞生。 |
| 1806年 | 英国占领好望角，普鲁士向法国宣战，拿破仑进入柏林，神圣罗马帝国终结，约翰·斯图尔特·密尔诞生。 | 卡诺瓦《拿破仑装扮为战神》，让-弗朗索瓦·查尔格林设计巴黎凯旋门，安格尔《皇帝宝座上的拿破仑》，巴特尔·托瓦尔森《赫柏》。 |
| 1807年 | 普鲁士和俄国联军跟法国军队在埃劳展开战斗，英国所有殖民地取缔奴隶贸易，华兹华斯《不朽颂》，黑格尔《心灵现象学》，贝多芬《莱奥诺拉序曲》，亨利·沃兹沃斯·朗费罗诞生。 | 大卫《拿破仑加冕礼》，戈雅《裸体的玛哈》《着衣的玛哈》，透纳《太阳在雾中升起》。 |
| 1808年 | 美国国会禁止从非洲进口奴隶，法国军队占领罗马，入侵西班牙，约瑟夫·波拿巴在战败后逃亡，拿破仑再度占领马德里。歌德《浮士德》上卷，夏尔·傅立叶《人类的社会命运》，海因里希·冯·克莱斯特《潘瑟西里亚》，贝多芬《田园交响曲》，热拉尔·德·内瓦尔诞生。 | 卡诺瓦《波利娜·博尔盖塞扮成胜利女神维纳斯》，卡斯帕·大卫·弗里德里希《山中的十字架》，安格尔《瓦平松的浴女》，朗格《清晨》。 |
| 1809年 | 奥地利与法国交战，法国军队占领维也纳，拿破仑吞并教皇国，奥古斯特·威廉·施莱格尔《戏剧艺术与文学讲稿》三卷，（1809—1811年），贝多芬《皇帝协奏曲》，尼古拉·果戈理、亚伯拉罕·林肯、费利克斯·门德尔松、皮埃尔-约瑟夫·普鲁东、乔治·奥斯曼、阿尔弗雷德·丁尼生男爵诞生。 | 弗里德里希《海边的僧侣》《橡树林里的修道院》。 |
| 1810年 | 法国禁止堕胎，歌德《色彩理论》，沃尔特·司各特《湖边夫人》，斯塔尔夫人《论德国》，克莱斯特《论木偶戏》，弗里德里克·肖邦、罗伯特·舒曼诞生。 | 戈雅开始创作《战争的灾难》，约翰·弗里德利希·奥韦尔贝克成立拿撒勒派，卡尔·弗里德里希·申克尔为普鲁士王后露易丝设计寝陵和纪念教堂。 |
| 1811年 | 英国国王乔治三世精神失常，威尔士亲王摄政，威廉·亨利·哈里森在印第安纳州蒂珀卡努县打败特库姆塞率领的美洲原住民，简·奥斯汀《理智与情感》，克莱斯特《洪堡王子》，泰奥菲尔·戈蒂耶、弗朗茨·李斯特、威廉·梅克比斯·萨克雷诞生，克莱斯特自尽。 | 安格尔《朱庇特与西提斯》，托瓦尔森《亚历山大大帝进入巴比伦的游行队伍》。 |
| 1812年 | 拿破仑侵略俄国，进入莫斯科，最终带领残军撤退，英国首相斯宾塞·珀西瓦尔在下议院被暗杀，美国向英国宣战，拜伦《恰尔德·哈罗尔德朝圣记》，格林兄弟《格林童话》，黑格尔开始撰写《大逻辑》（1816年完成），亚历山大·赫尔岑、查尔斯·狄更斯诞生。 | 卡诺瓦《意大利维纳斯》，戈雅《威灵顿公爵肖像》，透纳《暴风雪：汉尼拔与军队越过阿尔卑斯山》，奥古斯都·威尔比·诺斯摩尔·普金诞生。 |
| 1813年 | 普鲁士和奥地利向法国宣战，莱比锡战役（诸国之战），拿破仑失败，奥兰治的威廉三世在荷兰复位，法国军队被驱逐出境，墨西哥宣告独立，简·奥斯汀《傲慢与偏见》，雪莱《麦布女王》，圣西门《论欧洲社会的改造》，格奥尔格·毕希纳、索伦·克尔凯郭尔、朱塞佩·威尔第、理查德·瓦格纳诞生。 | 透纳《雾晨》，大卫·考克斯《论风景画与水彩效果》。 |

| | 历史和文化事件 | 视觉艺术 |
|---|---|---|
| 1814年 | 盟军（英国、俄国、奥地利）进入巴黎，拿破仑退位，被放逐厄尔巴岛，路易十八在巴黎即位，1812年英美战争终结，简·奥斯汀《曼斯菲尔德庄园》，司各特《威弗利》，华兹华斯《漫游》，米哈伊尔·莱蒙托夫、米哈伊尔·巴枯宁、尤金·维奥莱-勒-杜克诞生，费希特逝世。 | 大卫《列奥尼达驻守温泉关》，热里科《铁匠铺的招牌》，戈雅《1808年5月2日马德里》、《1808年5月3日马德里》（《处决》），安格尔《奥达利斯克》，让-弗朗索瓦·米勒诞生。 |
| 1815年 | 德意志联邦在拿破仑倒台后成立，拿破仑离开厄尔巴岛，前往法国，路易十八逃亡，"百日王朝"，滑铁卢战役，维也纳会议标示着拿破仑彻底失败，拿破仑被流放圣赫勒拿岛，路易恢复波旁王朝，伊丽莎白·卡迪·斯坦顿、安东尼·特洛勒普诞生。 | 戈雅《菲律宾军政府》。 |
| 1816年 | 阿根廷独立，卢德主义在英国重新上演，法国海军巡洋舰美杜莎沉没，圣西门编撰《工业》杂志，及至1818年，简·奥斯汀《爱玛》，柯勒律治《忽必烈汗》（1797年开始创作），本雅明·康斯坦特《阿道夫》，罗西尼创作歌剧《塞维利亚的理发师》 | 英国购买埃尔金大理石雕塑，收入大英博物馆，卡诺瓦《美惠三女神雕塑》，戈雅《奥苏纳公爵》，纳什开始建造布莱顿的英皇阁。 |
| 1817年 | 乔治亚州和佛罗里达州开始攻打塞米诺尔美洲原住民，拜伦《曼弗雷德》，济慈《恩底弥翁》，黑格尔《哲学科学百科全书纲要》（1827年修订与增补），亨利·戴维·梭罗诞生。 | 约翰·康斯特布尔《弗拉特浮德磨坊》，帕斯卡尔（巴斯卦雷·贝利）开始在罗马建造梵蒂冈博物馆。 |
| 1818年 | 美国与加拿大签定国境线，智利宣告独立，脱离西班牙，简·奥斯汀《诺桑觉寺》和《劝导》（逝世后出版），拜伦《唐璜》，托马斯·拉夫·皮科克《噩梦隐修院》，玛丽·雪莱《弗兰肯斯坦》，斯塔尔夫人《关于法国大革命主要事件的一些思考》，卡尔·马克思、伊万·屠格涅夫诞生。 | 热里科《公牛市场》，马德里普拉多博物馆成立。 |
| 1819年 | 英国军队在曼彻斯特镇压示威者，导致彼得卢屠杀，美国向西班牙购买佛罗里达州，济慈《海柏利昂》（1856年出版），圣西门编撰《政治》杂志，叔本华《作为意志与表象的世界》，维多利亚女王、阿尔伯特亲王、戈特弗里德·凯勒、赫尔曼·梅尔维尔、沃尔特·惠特曼诞生。 | 热里科《梅杜萨之筏》，约翰·马丁《巴比伦沦陷》，透纳《恰尔德·哈罗尔德朝圣记》，纳什设计摄政街象限柱廊，约翰·罗斯金诞生。 |
| 1820年 | 西班牙革命导致君主立宪制复辟，密苏里妥协案维护南方奴隶制的名义地位，拉马丁《沉思集》，济慈《夜莺颂》，普希金《鲁斯兰与柳德米拉》，司各特《艾凡赫》《修道院》《修道院长》，雪莱《解放的普罗米修斯》《倩契》《西风颂》，华盛顿·欧文《见闻札记》，弗里德里希·恩格斯、赫伯特·斯宾塞诞生。 | 乔治·克鲁克香克《伦敦生活》，托瓦尔森《基督与十二使徒雕塑》。 |
| 1821年 | 希腊试图脱离奥斯曼帝国，开始独立战争，拿破仑逝世，英国国王乔治四世加冕典礼，西蒙·玻利瓦尔担任委内瑞拉独立国家总统，歌德《威廉·麦斯特的学徒岁月》（1829年完稿），雪莱《阿多尼斯》，黑格尔《法哲学》，托马斯·德·昆西《一个英国瘾君子的自白》，夏尔·波德莱尔、费奥多尔·陀思妥耶夫斯基、古斯塔夫·福楼拜、尼古拉·涅克拉索夫诞生，济慈逝世。 | 康斯特布尔《干草车》，福特·马多克斯·布朗诞生。 |
| 1822年 | 奥斯曼帝国在希阿岛屠杀希腊人，让·弗朗索瓦·商博良破解罗塞塔石碑，威廉·哈兹里特《席间闲谈》，让-巴蒂斯特·拉马克《无脊椎动物自然史》，遗传学创始人格雷戈尔·孟德尔诞生。 | 卡诺瓦《恩迪弥翁》，卡斯帕·大卫·弗里德里希《窗前的女人》，欧仁·德拉克洛瓦《但丁和维吉尔同舟共渡冥河》，卡诺瓦逝世。 |
| 1823年 | 美国宣告门罗主义，贝多芬《庄严弥撒》。 | 戈雅《一条狗》《萨图恩吞噬儿女》。 |
| 1824年 | 西蒙·玻利瓦尔成为秘鲁皇帝，贝多芬完成《第九交响曲》，亚历山大·小仲马诞生，拜伦在希腊迈索隆吉翁逝世，路易十八逝世，其弟查理十世继承法国王位。 | 伦敦国家美术馆成立，大卫《维纳斯和三女神解除了玛尔斯的武装》，德拉克洛瓦《希阿岛屠杀》，安格尔《路易十三宣誓》，奥韦尔贝克《基督进入耶路撒冷》，皮埃尔·皮维·德·夏凡纳诞生，热里科逝世。 |
| 1825年 | 奥斯曼帝国军队围困迈索隆吉翁，俄国沙皇亚历山大一世逝世，尼古拉一世继位，《塞缪尔·佩皮斯日记》出版，哈兹里特《时代的精神》，圣西门逝世。 | 康斯特布尔《跃马》，塞缪尔·莫尔斯《拉法耶肖像》，帕尔默《在逃往埃及的路上歇息》，大卫逝世。 |
| 1826年 | 詹姆斯·费尼莫尔·库柏《最后的莫希干人》，哈兹里特《直言者》，海因里希·海涅《歌集》。 | 约翰·詹姆斯·奥杜邦《美洲鸟类图鉴》，托马斯·科尔绘画《丹尼尔·布恩坐在大奥萨奇湖的小屋前》，卡米耶·柯洛《从法尔内塞花园看古罗马剧场》，约翰·马丁《大洪水》，古斯塔夫·莫罗诞生。 |
| 1827年 | 希腊军队在雅典卫城投降，曼佐尼《婚约》（1821年开始写作），《自由人月刊》在纽约城发行，贝多芬、乌戈·福斯科洛逝世。 | 康斯特布尔《玉米地》，德拉克洛瓦《萨达纳帕尔之死》，安格尔《荷马的神化》，阿里·谢弗《苏里奥特的女人》，威廉·霍尔曼·亨特、阿诺德·勃克林诞生。 |
| 1828年 | 惠灵顿公爵成为英国首相，第八次俄国土耳其战争，韦伯斯特《美式英语词典》，舒伯特《未完成交响曲》，亨里克·易卜生、伊波利特·丹纳、列夫·托尔斯泰、儒勒·凡尔纳诞生，舒伯特逝世。 | 德拉克洛瓦《浮士德》，丹蒂·加布里埃尔·罗塞蒂诞生，戈雅逝世。 |

| | 历史和文化事件 | 视觉艺术 |
|---|---|---|
| 1829年 | 希腊独立，傅立叶《工业与集体的新世界》，罗西尼的歌剧《威廉·退尔》，施莱格尔逝世。 | 透纳《尤利西斯嘲弄波吕斐摩斯》，约翰·马丁《尼尼微沦陷》皮埃尔-弗朗索瓦-莱昂纳多·方丹设计巴黎卡鲁索广场凯旋门，约翰·埃弗里特·米莱斯诞生。 |
| 1830年 | 法国七月革命，"公民国王"路易-菲利普成为有限君主立宪制国王，美国总统安德鲁·杰克逊签署《印第安人迁移法》，司汤达《红与黑》，丁尼生《抒情诗集》，奥古斯特·孔德《论实证哲学》第一卷，艾米莉·狄金森、弗雷德里克·米斯特拉尔、克里斯蒂娜·罗塞蒂诞生，玻利瓦尔、英国国王乔治四世逝世。 | 拿撒勒派兄弟会解散，柯罗《沙特尔大教堂》，德拉克洛瓦《1830年7月28日：自由女神引导人民》，塞缪尔·帕尔默《傍晚从教堂回来》《月光下的玉米地和昏星》，卡米耶·毕沙罗诞生，托马斯·劳伦斯爵士逝世。 |
| 1831年 | 奈特·特纳领导弗吉尼亚奴隶暴动，里昂丝绸工人起义，海涅在巴黎流亡直至1856年，巴尔扎克《驴皮记》，雨果《巴黎圣母院》，埃德加·爱伦·坡出版《诗集》，普希金诗歌《鲍里斯·戈都诺夫》，温琴佐·贝里尼《梦游女》和《诺尔玛》，卡尔·冯·克劳塞维茨、黑格尔逝世。 | 歌川广重出版第一套风景版本《名所江户百景》，康斯特布尔《从草地观看的索尔斯堡主教堂》，约翰·马丁《巴比伦沦陷》。 |
| 1832年 | 英国通过首个改革法案，享有选举权的人口数量翻倍，赖斯在肯塔基州路易斯维尔扮演吉姆·克劳，歌德《浮士德》下卷（遗作），乔治·桑《安蒂亚娜》《瓦朗蒂娜》，丁尼生《夏洛特夫人》，克劳塞维茨《战争论》（遗作），黑格尔《历史哲学》（遗作），柏辽兹《幻想交响曲》，歌德、杰里米·边沁、司各特逝世。 | 康斯特布尔《从白厅观望滑铁卢大桥》，歌川广重出版《东海道五十三次站》，安格尔《路易-弗朗索瓦·博尔汀先生》，透纳《斯塔法岛：芬格尔的岩洞》，爱德华·马奈、古斯塔夫·埃菲尔诞生。 |
| 1833年 | 西班牙国王斐迪南七世逝世，两岁长女伊莎贝拉二世继位，英国殖民地宣告废除奴隶制，巴尔扎克撰写《欧也妮·葛朗台》，普希金完成《叶甫盖尼·奥涅金》《青铜骑士》初稿，约翰内斯·勃拉姆斯诞生。 | 爱德华·伯恩-琼斯诞生。 |
| 1834年 | 来自托尔帕德尔的英国工会成员被判煽动叛乱罪行，流放澳大利亚，巴尔扎克《高老头》，阿尔弗雷德·德·缪塞《罗朗札齐奥》，普希金《黑桃皇后》，施莱尔马赫逝世，格奥尔格·毕希纳出版政治宣传手册《黑森快报》。 | 奥诺雷·杜米埃《1834年4月15日的特朗斯诺宁街》，拉克洛瓦《阿尔及尔的女人》，保罗·德拉罗什《处决简·格雷夫人》，埃德加·德加、威廉·莫里斯、詹姆斯·阿博特·麦克尼尔·惠斯勒诞生。 |
| 1835年 | 白人在佛罗里达州重新与塞米诺尔美洲原住民开战，格奥尔格·毕希纳《丹东之死》，泰奥菲尔·戈蒂耶《莫班小姐》，阿历克西·德·托克维尔《论美国的民主》上卷（1840年完成下卷），多尼采蒂《拉美莫尔的露琪亚》，马克·吐温诞生、温琴佐·贝利尼逝世。 | 康斯特布尔《山谷农场》，柯罗《沙漠里的夏甲》，查尔斯·巴里爵士和普金开始建造威斯敏斯特宫，纳什逝世。 |
| 1836年 | 戴维·克罗克特在阿拉莫阵亡，德克萨斯共和国宣告成立，狄更斯《匹克威克外传》，拉尔夫·沃尔多·爱默生《论自然》，果戈理《钦差大臣》，托马斯·卡莱尔《裁缝哲学》，毕希纳开始创作戏剧《沃伊采克》。 | 柯罗《狄安娜被阿克特翁惊吓》，吕德《马赛曲》（《1792年志愿军出征》），普金《论对比》，温斯洛·霍默诞生。 |
| 1837年 | 英美经济萧条，维多利亚为英国女王，白人在圣奥古斯丁俘房塞米诺尔族首领奥西欧拉，巴尔扎克《幻灭》（1837年第二卷，1839年第三卷），托马斯·卡莱尔《法国革命》，阿尔加侬·斯温伯恩诞生，毕希纳、傅立叶、莱奥帕尔迪、普希金逝世。 | 大卫·德昂雕制巴黎先贤祠山墙，康斯特布尔、约翰·索恩逝世。 |
| 1838年 | 《人民宪章》在伦敦颁布，要求赋予全民选举权，美国的"血泪之路"——14,000名切罗基原住民被迫从美国南部家乡迁往西部，途中4000人丧命，狄更斯《雾都孤儿》《尼古拉斯·尼克贝》，罗西尼的歌剧《本韦努托·切利尼》，亨利·布鲁克斯·亚当斯诞生。 | 伦敦国家美术馆开幕，克里森·科布克《索尔特丹湖风景》，安东尼奥·李·戴维斯设计纽约州塔里敦的圆丘。 |
| 1839年 | 约翰·劳埃德研究中美洲玛雅文化，摄影技术发明，司汤达《帕尔马修道院》，路易·布朗《劳动组织》，麦考莱开始撰写《英国史》。 | 米歇尔·尤今·谢弗勒尔《色彩和谐与对比的原理及其艺术应用》，保罗·塞尚、阿尔弗雷德·西斯莱诞生。 |
| 1840年 | 维多利亚女王与阿尔伯特亲王成婚，莱蒙托夫《当代英雄》，普鲁东《财产是什么？》，托马斯·哈代、埃米尔·左拉诞生。 | 柯罗《井边的布列塔尼女人》，德拉克洛瓦《十字军进入君士坦丁堡》，安格尔《奥达利斯克与奴隶》，克劳德·莫奈、奥迪隆·雷东、奥古斯特·罗丹诞生，卡斯帕·大卫·弗里德里希逝世。 |
| 1841年 | 英国在鸦片战争期间宣告香港主权，奴隶夺取克里奥尔贩奴船得到人身自由，马萨诸塞州的乌托邦社区布鲁克农场公社，拉尔夫·沃尔多·爱默生《散文集：第一辑》，果戈理《外套》，埃德加·爱伦·坡《莫格街凶杀案》，路德维希·费尔巴哈《基督教的本质》，莱蒙托夫逝世。 | 贝尔特·莫里索、皮埃尔-奥古斯特·雷诺阿诞生，卡尔·弗里德里希·申克尔逝世，普金开始建造奇德尔的圣吉尔斯大教堂。 |
| 1842年 | 美国最高法院支持1793年颁布的《逃亡奴隶法案》，巴尔扎克开始撰写"人间喜剧"系列，果戈理《死魂灵》第一卷，麦考莱《古罗马叙事诗》，门德尔松《仲夏夜之梦》，威尔第《纳布科》，威廉·詹姆斯、斯特芳·马拉美诞生，司汤达、路易吉·凯鲁比尼逝世。 | 大卫·德昂《维克多·雨果》。 |

| | 历史和文化事件 | 视觉艺术 |
|---|---|---|
| 1843年 | 华兹华斯当选英国桂冠诗人，狄更斯《圣诞颂歌》，梅里美《卡门》，丁尼生《亚瑟之死》，卡莱尔《过去与现在》，克尔凯郭尔《非此即彼》《恐惧与战栗》，威廉·普雷斯科特《墨西哥征服史》，弗洛拉·特里斯坦《工人联盟》，亨利·詹姆斯诞生，荷尔德林逝世。 | 罗斯金《现代画家》第一卷，西奥多·卢梭《白桦树下》、透纳《阴影与黑暗，洪水的傍晚》。 |
| 1844年 | 马克思与恩格斯在巴黎相遇，摩尔斯演示"电报"，伊丽莎白·芭蕾特·布朗宁《诗集》，大仲马《三个火枪手》，杰拉尔德·曼利·霍普金斯、弗里德里希·尼采、保尔·魏尔伦诞生。 | 透纳《雨，蒸汽和速度》，玛丽·卡萨特、托马斯·艾金斯、亨利·卢梭（昵称"海关官员"）诞生 |
| 1845年 | 爱尔兰土豆歉收，全国饥荒，大仲马《基督山伯爵》，埃德加·爱伦·坡《渡鸦及其他诗歌》，恩格斯《英国工人阶级状况》，玛格丽特·富勒《19世纪女性》。 | 波特兰花瓶被摧毁，随后得到修复，安格尔《豪森维尔伯爵夫人肖像》。 |
| 1846年 | 美国向墨西哥宣战（及至1848年），自由贸易支持者废除英国《玉米法案》，普鲁东与马克思断交，巴尔扎克《贝姨》，陀思妥耶夫斯基《穷人》，爱德华·李尔的诗画集《荒诞书》，梅尔维尔《提比》，柏辽兹《浮士德的天谴》，孔德·德·洛特雷阿蒙诞生，施莱格尔逝世。 | 米勒《被释放的俄狄浦斯》。 |
| 1847年 | 美国军队占领墨西哥城，亚历山大·赫尔岑离开俄国，流亡西欧，夏洛蒂·勃朗特《简·爱》，艾米莉·勃朗特《呼啸山庄》，萨克雷《名利场》，阿尔弗雷·德·维尼的《全集》全部出版（始于1839年），拉马丁《吉伦特派的历史》，马克思《共产党宣言》，威尔第创作《麦克白》，瓦格纳创作《唐豪瑟》，托马斯·爱迪生、乔治·索雷尔诞生，门德尔松逝世。 | 乔治·迦勒宾·宾汉姆《撑筏人打纸牌》、托马斯·库图尔《堕落的罗马人》、弗朗索瓦·吕德《拿破仑苏醒获得永生》。 |
| 1848年 | 法国爆发革命，遍及整个欧洲，路易·拿破仑三世当选为总统，成立法兰西第二共和国，拉马丁被任命为法国临时政府外交事务部长，英国宪章运动重新上演，伊丽莎白·卡迪·斯坦顿参与组织美国首届女权会议"塞内卡瀑布大会"，并在大会发表《感性宣言》演讲，乌托邦社区奥尼达在纽约成立，小仲马《茶花女》，伊丽莎白·盖斯凯尔《玛丽·巴顿》，夏多布里昂《墓中回忆录》，麦考莱撰述《英国史》（第一、二卷），约翰·斯图亚特·穆勒《政治经济学原理》，普鲁东为法国报纸编辑和撰稿，包括《人民》《人民之声》（及至1850年），若利斯·卡尔·于斯曼诞生，夏多布里昂逝世。 | 米勒《扬谷者》，米莱斯、罗塞蒂、霍尔曼·亨特成立拉斐尔前派，保罗·高更诞生。 |
| 1849年 | 朱塞佩·马志尼在朱塞佩·加里波底支持之下宣告罗马成立共和国，法国军队进入罗马，教皇庇护九世复位，国民大会统一德国的意图落空，马克思迁居伦敦，克尔凯郭尔《致死的疾病》，普鲁东《一个革命者的自白》，奥古斯特·斯特林堡诞生，玛格丽特·富勒、肖邦、爱伦·坡逝世。 | 罗斯金《建筑的七盏明灯》，罗莎·博纳尔《尼维尔农田犁耕：施肥》，古斯塔夫·库尔贝《弗拉热的农民从市集回家》《在奥尔南晚餐后》《奥尔南的葬礼》，让-路易斯·欧内斯特·梅索尼埃《内战记忆》（《路障》）。 |
| 1850年 | 法国国王路易-菲利普一世逝世，迈克尔·法拉第发表电磁学理论，爱默生《论自然：演讲辞与讲稿》，纳撒尼尔·霍桑《红字》，丁尼生当选英国桂冠诗人、出版《悼念集》，屠格涅夫《乡间一月》，恩格斯《德国农民战争》，赫尔岑《来自彼岸》，居伊·德·莫泊桑诞生，巴尔扎克、华兹华斯逝世。 | 库尔贝《采石工人》，戈雅《愚行》（遗作），米莱斯《基督在父母家中》，米勒《播种者》。 |
| 1851年 | 路易·波拿巴发动政变，结束法兰西第二共和国，爱荷华州和明尼苏达州的苏族人向美国联邦政府投降，霍桑《七个山墙的房子》，梅尔维尔《白鲸》，热拉·德·奈瓦尔《东方之旅》，奥古斯特·孔德《实证政治体系》（1854年完稿），普鲁东《19世纪革命的总观念》，威尔第《弄臣》，瓦格纳《歌剧与戏剧》。 | 柯罗《宁芙的舞蹈》，米莱斯《奥菲莉娅》，透纳逝世，伦敦水晶宫博览会。 |
| 1852年 | 拿破仑三世宣告法兰西第二帝国成立，阿里斯蒂德·布西科在巴黎成立百货公司（乐蓬马歇），狄更斯《荒凉山庄》，哈丽叶特·比切·斯托《汤姆叔叔的小屋》，屠格涅夫《猎人笔记》，果戈理逝世。 | 福特·马多克斯·布朗《基督为彼得洗脚》，霍尔曼·亨特《世界之光》《装饰艺术错误原理的范例》展览在伦敦开幕，普金逝世。 |
| 1853年 | 美国墨西哥确定边境线，马修·阿诺德《学者吉普赛》，夏洛蒂·勃朗特《维莱特》，约翰·斯图亚特·穆勒《政治经济学原理》，威尔第《游唱诗人》《茶花女》，瓦格纳完成《尼伯龙根的指环》文本。 | 博纳尔《马市》、霍尔曼·亨特《良知苏醒》、罗斯金《威尼斯的石头》第二卷，文森特·梵·高诞生，方丹逝世。 |
| 1854年 | 克里米亚战争，美国海军准将马休·佩里开启日本与西方贸易，查尔斯·金斯莱《朝西去!》，丁尼生《轻骑兵的冲锋》，梭罗《瓦尔登湖》，维奥莱·勒·杜克《法国建筑辞典》第一卷，奥斯卡·王尔德、亚瑟·兰波诞生，弗里德里希·威廉·约瑟夫·冯·谢林逝世。 | 库尔贝《偶遇》（《你好，库尔贝先生》），米勒《收割者》，罗斯金致信《泰晤士报》辩护亨特的《良知苏醒》，约翰·马丁逝世。 |
| 1855年 | 巴黎国际博览会，汉斯·克里斯汀·安徒生《我的童话人生》，罗伯特·勃朗宁诗集《男人与女人》，朗费罗《海华沙之歌》，奈瓦尔《奥雷莉娅》，丁尼生《莫德》，特罗洛普《养老院》，瓦尔特·惠特曼《草叶集》（第1版），阿达尔伯特·冯·凯勒《格林·海因里希》，克尔凯郭尔、奈瓦尔逝世。 | 库尔贝《画家的工作室》在巴黎国际博览会的现实主义展馆展览。 |
| 1856年 | 俄国向奥地利投降，结束克里米亚战争，巴黎和约，涅克拉索夫《诗人与公民》，亚历西斯·德·托克维尔《旧制度与大革命》，西格蒙德·弗洛伊德诞生，海涅、舒曼逝世。 | 安格尔《源泉》，欧文·琼斯《装饰法则》，约翰·辛格·萨金特诞生。 |

| | 历史和文化事件 | 视觉艺术 |
|---|---|---|
| 1857年 | 法院判决德雷德·斯科特案，维护美国奴隶制的名义地位，波德莱尔《恶之花》，狄更斯《小杜丽》，乔治·艾略特《牧师生活百态》，福楼拜《包法利夫人》，特罗洛普《巴彻斯特大教堂》，伊波利特·阿道尔夫·丹纳《19世纪法国哲学家》，威尔第《西蒙·波卡涅拉》，缪塞、孔德逝世。 | 伦敦国家肖像馆开幕，伦敦装饰艺术博物馆开幕（后改名为维多利亚和阿尔伯特博物馆），尚夫勒里的现实主义运动宣言《现实主义》，库尔贝《塞纳河畔的少女》，米勒《拾穗者》，雅克-伊尼阿斯·伊托尔夫设计巴黎北站，路易斯·沙利文诞生。 |
| 1858年 | 拿破仑三世遭遇刺杀，马克思《杂记》，普鲁东《革命与教会的正义》，丹纳《批评与历史文论》，奥芬巴赫《地狱中的奥菲斯》，贾科莫·普契尼诞生。 | 威廉·弗里斯《德比赛马会》，阿道夫·冯·门采尔《晚上好，绅士们》。 |
| 1859年 | 法国与奥地利结束战争，法国获得中南半岛，约翰·布朗率领军队袭击弗吉尼亚的哈珀斯费里镇煽动奴隶暴动，布朗最后被绞死，波德莱尔《1859年沙龙》，狄更斯《双城记》，乔治·艾略特《亚当·贝德》，爱德华·菲茨杰拉德翻译奥玛·海亚姆的《鲁拜集》，冈察洛夫的《奥卜洛莫夫》，丁尼生《国王叙事诗》，查尔斯·达尔文《物种起源》，马克思《政治经济学批判》，约翰·斯图亚特·穆勒《论自由》，夏尔·古诺创作歌剧《浮士德》，威尔第《假面舞会》，瓦格纳创作歌剧《特里斯坦与伊索尔德》，亨利·柏格森诞生，伊桑巴德·金德姆·布鲁内尔、德·昆西、麦考莱、德·托克维尔逝世。 | 马奈被沙龙淘汰，柯罗《麦克白》，米勒《晚祷》，惠斯勒《钢琴前》，亨利·拉布鲁斯特设计巴黎国家图书馆，菲利普·韦伯设计肯特郡贝克斯利希斯的红屋，乔治·修拉诞生。 |
| 1860年 | 加里波第宣告维克托·伊曼纽尔为意大利国王，亚伯拉罕·林肯当选美国总统，屠格涅夫《初恋》《前夜》，朱塞佩·马志尼《论人的责任》，安东·契诃夫、朱尔斯·拉福格、胡戈·沃尔夫、克劳德·德彪西、古斯塔夫·马勒诞生，叔本华逝世。 | 雅各·布克哈特《意大利文艺复兴时期的文化》，德加《斯巴达年轻人在健身》，霍尔曼·亨特《在神庙里找到救世主》，马奈《西班牙吉他手》，詹姆斯·恩索尔、沃尔特·西克特诞生，詹姆斯·巴里逝世。 |
| 1861年 | 俄国废除农奴制，意大利宣告为王国，美国南北战争（及至1865年），陀思妥耶夫斯基《死屋手记》（1862年完稿），赫尔岑《往事与随想》，哈丽雅特·马蒂诺《健康、农牧业与手工艺》，圣伯夫《帝国时代的夏多布里昂及其圈子》。 | 马奈在沙龙获得成功，结识波德莱尔和埃德蒙·杜兰蒂，毕沙罗结识塞尚，柯罗《俄耳甫斯带领尤丽黛走出地狱》，威廉·莫里斯创办莫里斯、马修、福克纳公司（后更名为莫里斯公司）。 |
| 1862年 | 美国南北战争的夏洛战役在24,000人阵亡之后非决定性地结束，林肯颁布《解放宣言》，赋予奴隶自由，《宅地法》急剧拓展美国西部定居地，福楼拜的《萨朗波》，雨果《悲惨世界》，克里斯蒂娜·罗塞蒂《小妖精集市》，屠格涅夫《父与子》，斯宾塞《第一原理》，莫里斯·梅特林克伯爵诞生，梭罗逝世。 | 弗雷德里克·丘奇《科多帕希火山》，杜米埃《三等车厢》，安格尔《土耳其浴》，马奈《瓦伦西亚的罗拉》《杜伊勒里花园音乐会》，古斯塔夫·克里姆特诞生。 |
| 1863年 | 美洲原住民纳瓦霍人、阿帕奇人被迫迁移到新墨西哥州的印第安保留地，法国占领墨西哥城，波德莱尔《现代生活的画家》，金斯莱《水孩子》，林肯《葛底斯堡演说》，穆勒《功利主义》，普鲁东《联邦政府的原则》，维欧勒·勒·杜克《关于建筑的采访》，乔治·比才创作歌剧《采珠人》，邓南遮诞生，萨克雷、阿尔弗雷德·德·维尼逝世。 | 落选者沙龙展览塞尚、基约曼、马奈、毕沙罗、惠斯勒等画家的作品，古斯塔夫·多雷为《堂吉诃德》绘制插画，马奈《草地上的午餐》《奥林匹亚》，德拉克洛瓦逝世。 |
| 1864年 | 国际工人协会（第一国际）在伦敦成立，意大利宣布放弃罗马主权，罢工权利在法国合法化，马克西米利安为墨西哥皇帝，陀思妥耶夫斯基《地下室手记》，谢弗勒尔《论色彩》。 | 马奈被沙龙淘汰，毕沙罗、莫里索入选，马奈《死去的斗牛士》，惠斯勒《白色交响曲，第2号：白衣少女》，亨利·德·图卢兹-劳特累克诞生。 |
| 1865年 | 美国南北战争结束（联盟州政府投降），林肯被刺杀，孟德尔发表遗传学理论，马修·阿诺德《评论集》，路易斯·卡罗尔《爱丽丝漫游奇境》，约翰·亨利·纽曼《杰隆修斯之梦》，弗朗西斯·帕克曼《新世界的法国拓荒者》，丹纳《新文论集》，普鲁东、帕尔姆斯顿子爵逝世。 | 马奈在沙龙展览《奥林匹亚》，马多克斯·布朗《劳动》（1852年开始创作），德加《捧菊花的女人》，乔治·英尼斯《和平与丰饶》，莫罗《俄耳甫斯》，库尔贝与莫奈相识。 |
| 1866年 | 奥法战争结束，石勒苏益格-荷尔斯泰因省并入普鲁士，美国赋予前奴隶名义公民权利，陀思妥耶夫斯基《罪与罚》，斯温伯恩《诗与歌谣》。 | 左拉出版沙龙评论，马奈结识左拉、塞尚，温斯洛·霍默《来自前线的俘虏》，莫奈《卡米耶》（《绿衣女子》）。 |
| 1867年 | 法国放弃墨西哥，墨西哥皇帝马克西米利安被处决，美国向俄国购买阿拉斯加，诺贝尔在瑞典、美国、英国注册炸药专利，易卜生《培尔·金特》，马克思《资本论》第一卷，威尔第《唐·卡洛》，居里夫人诞生，波德莱尔逝世。 | 库尔贝和马奈组织画家在巴黎博览会举办展览，塞尚《虏奸留西帕斯的女儿》，马奈《枪决墨西哥皇帝马克西米利安》，米莱斯《罗利的少年时代》，莫奈《花园里的女人》，罗塞蒂《贝娅塔·贝娅特丽丝》，皮尔·波纳尔、弗兰克·劳埃德·赖特诞生，安格尔逝世。 |

| | 历史和文化事件 | 视觉艺术 |
|---|---|---|
| 1868年 | 西班牙爆发革命，伊莎贝拉二世逃亡法国，格莱斯顿接替迪斯雷利，当选英国首相，勃拉姆斯的《德意志安魂曲》，柴可夫斯基《第一交响曲》，瓦格纳《纽伦堡的名歌手》，斯特凡·格奥尔格、马克西姆·高尔基诞生。 | 让-巴蒂斯特·卡尔波《舞蹈》，德加《乐队》，马奈《埃米尔·左拉肖像》，雷诺阿《布洛涅林苑里的滑冰者》，威廉·钱宁·巴洛和乔治·吉尔伯特·斯科特爵士开始设计建造伦敦圣潘克拉斯站和米德兰大酒店，爱德华·维亚尔诞生。 |
| 1869年 | 海因里希·施里曼开始考古挖掘寻找特洛伊，苏伊士运河开通，美国横贯大陆铁路竣工，苏珊·布朗奈尔·安东尼创建美国女性选举权协会，亨利·詹姆斯前往英国，路易莎·梅·奥尔科特《小妇人》（1868—1869年），陀思妥耶夫斯基的《白痴》，福楼拜《情感教育》，洛特雷阿蒙《马尔多罗之歌》，托尔斯泰《战争与和平》，特罗洛普《菲尼斯·芬恩》，马克·吐温《傻子出国记》，魏尔伦《雅宴》，儒勒·米什莱《法国历史》《法国革命历史》，约翰·斯图亚特·穆勒《妇女的屈从地位》，瓦格纳《莱茵的黄金》，安德烈·纪德诞生。 | 盖尔波瓦咖啡馆成为印象主义画家的聚会地点。马奈《阳台》，莫奈《青蛙塘》，德加《巴黎歌剧院的乐队》，亨利·马蒂斯诞生。 |
| 1870年 | 普法战争爆发，法国失败，拿破仑三世投降，巴黎宣告第三共和国成立，普鲁士军队围困巴黎，意大利军队进驻罗马，宣告罗马为意大利首都，美国宪法第十五修正案正式通过，赋予前奴隶选举权，儒勒·凡尔纳《海底两万里》，瓦格纳《女武神》，狄更斯、梅里美、大仲马、赫尔岑、洛特雷阿蒙逝世。 | 普法战争爆发，马奈加入国民警卫队，塞尚《谋杀》，方丹-拉图尔《巴迪依画室》，梅索尼埃《巴黎围困》，弗雷德里克·巴齐耶在战场阵亡。 |
| 1871年 | 巴黎公社在3月成立，在5月被政府军队血腥镇压，阿道夫·梯也尔当选法国总统，巴黎实行军事管制，普鲁士国王威廉一世宣告为统一德意志皇帝，乔治·艾略特《米德尔马契》，达尔文《人类的由来》，威尔第《阿依达》，爱德华·伯内特·泰勒《原始文化》，马塞尔·普鲁斯特、约翰·米林顿·辛格诞生。 | 库尔贝参与摧毁拿破仑在旺多姆广场建造的铜柱，罗塞蒂《但丁的梦》。 |
| 1872年 | 西班牙内战，女权主义者维多利亚·伍德胡尔竞选美国总统，路易斯·卡罗尔《爱丽丝镜中奇遇》，陀思妥耶夫斯基《群魔》，斯特林堡《奥洛夫先生》，尼采《悲剧的诞生》（1878年、1886年修订），亚历山大·斯克里亚宾诞生，戈蒂耶、马志尼逝世。 | 马奈向丢朗-吕厄出售29幅作品，阿诺德·勃克林《半人马之战》，德加《赛马会上的马车》，米勒《四季》，莫奈《印象·日出》《阿让特伊盆地》，惠斯勒《画家的母亲》。 |
| 1873年 | 欧洲与北美陷入经济恐慌，拿破仑三世在英国奇斯尔赫斯特逝世，西班牙宣告为共和国，德国军队撤离法国，特罗洛普《尤斯达丝的钻石》，凡尔纳《八十天环游世界》，约翰·斯图亚特·穆勒《自传》（遗作），斯宾塞《社会学研究》，阿尔弗雷德·雅里诞生，穆勒逝世。 | 沃尔特·佩特《文艺复兴历史研究》，塞尚《现代奥林匹亚》，莫奈《阿让特伊的秋景》，莫里索《摇篮》，伊里亚·列宾《伏尔加河上的纤夫》，德加在美国新奥尔良参观访问，马奈结识马拉美。 |
| 1874年 | 施里曼在希腊挖掘荷马时代古城，迪斯雷利再度担任英国首相，哈代《远离尘嚣》，魏尔伦《无词歌》，勃拉姆斯《匈牙利舞曲》，穆索尔斯基《鲍里斯·戈都诺夫》，威尔第《安魂曲》，瓦格纳完成《尼伯龙根的指环》。 | 首届印象派展览在巴黎举办，毕沙罗组织并参加印象派所有展览（1874—1886年），马奈拒绝参加，马奈《莫奈在阿让特伊的船上写生》，莫奈《阿让特伊的塞纳河》，雷诺阿《包厢》。 |
| 1875年 | 特罗洛普《我们现在的生活方式》，马克·吐温《汤姆·索亚历险记》，乔治·比才《卡门》，托马斯·曼、莱纳·玛利亚·里尔克诞生，汉斯·克里斯汀·安徒生、比才、曼佐尼逝世。 | 埃德蒙和朱尔·德·龚古尔兄弟出版《18世纪的艺术》，卡耶博特《刮地板的工人》，艾金斯《格罗斯医师的临床课》，门采尔完成《轧铁厂》，莫奈《阿让特伊的红船》《阿让特伊附近的杨树》，柯罗、米勒、拉布鲁斯特逝世。 |
| 1876年 | 苏族勇士在小大角战役歼灭卡斯特将军及其率领的美国骑兵全军，电话在美国发明，第一社会主义国际解散，瓦格纳设计的音乐节剧院在拜罗伊特开幕，乔治·艾略特《丹尼尔·德龙达》，佩雷斯·加尔多斯《唐娜·贝尔菲塔》，亨利·詹姆斯《罗德里克·哈德森》，马拉美《牧神的午后》，尼采《不合时宜的沉思》（1873年开始写作），瓦格纳《齐格弗里德》，巴枯宁、乔治·桑逝世。 | 第二届印象派展览，莫罗《莎乐美》，雷诺阿《红磨坊的舞会》，路易-查尔斯·布瓦洛和埃菲尔扩建巴黎乐蓬马歇百货公司。 |
| 1877年 | 土耳其与俄国交战，维多利亚女王宣告为印度女皇，蒙大拿州俘虏内兹佩尔塞族首领约瑟夫和众多勇士，爱迪生发明摄影，福楼拜《三个故事》，亨利·詹姆斯《美国》，托尔斯泰《安娜·卡列尼娜》，屠格涅夫《处女地》，左拉《小酒店》，涅克拉索夫逝世，古建筑保护协会在英国成立。 | 第三届印象派展览，卡耶博特《巴黎街道：雨天》，艾金斯威廉·拉什雕刻《斯库基尔河的寓言形象》、温斯洛·霍默《摘棉花者》，莫奈《巴黎圣拉扎尔站》《阿让特伊：河畔的野花》，罗丹《青铜时代》，威廉·莱布尔《小镇政客》，库尔贝逝世。 |
| 1878年 | 土耳其与俄国签署停战协议，巴黎博览会，哈代《还乡》，亨利·詹姆斯《欧洲人》，斯温伯恩《诗与歌谣》。 | 威廉·莫里斯出版《装饰艺术》，卡萨特《蓝月亮》，德加《彩排》，莫奈《插满旗帜的蒙尼耶街》，惠斯勒以诽谤罪控告拉斯金，乔治·克鲁克香诞生。 |

| | 历史和文化事件 | 视觉艺术 |
|---|---|---|
| 1879年 | 英国与祖鲁爆发战争，签署和平协议，爱迪生在美国发明电灯泡，法国社会主义党成立，古斯塔夫·夏庞蒂埃《现代人生》，易卜生《玩偶之家》，亨利·詹姆斯《黛西·米勒》，弗雷格《概念文字》，柴可夫斯基《叶甫盖尼·奥涅金》，维欧勒·勒·杜克逝世。 | 第四届印象派展览，布格罗《维纳斯诞生》，雷诺阿《夏邦杰夫人及其子女》，罗丹《施洗者约翰》，杜米埃、库图尔逝世。 |
| 1880年 | 德兰士瓦宣告独立，陀思妥耶夫斯基《卡拉马佐夫兄弟》，莫泊桑的《羊脂球》收录在左拉编辑的自然主义者文集《梅登的夜晚》，左拉《娜拉》，亨利·布鲁克斯·亚当斯《民主》，尼采《人性，太人性》（1878年开始撰写），丹纳《艺术哲学》，纪尧姆·阿波利奈尔、亚历山大·勃洛克、罗伯特·穆齐尔诞生。 | 第五届印象派展览，玛丽·卡萨特《下午茶会》、塞尚《梅登城堡》，毕沙罗《外林荫大道》，雷诺阿《克利希站》，罗丹《思想者》、接受《地狱之门》雕塑委托（1917年完成）。 |
| 1881年 | 布尔战争，俄国沙皇亚历山大二世、美国总统加菲尔德被刺杀，田纳西州通过吉姆·克劳法推进种族隔离，福楼拜《布瓦与贝居榭》（遗作），易卜生《群鬼》，亨利·詹姆斯《一位女士的肖像》，莫泊桑《戴丽叶春楼》，尼采《黄昏》，陀思妥耶夫斯基逝世。 | 第六届印象派展览，德加《十四岁的小舞者》，莫奈《阳光与雪》，雷诺阿《船上的午宴》，毕加索·毕加索诞生，塞缪尔·帕尔默逝世。 |
| 1882年 | 苏珊·布朗奈尔·安东尼撰写《妇女选举权历史》第一卷（1922年完稿，伊丽莎白·卡迪·斯坦顿、玛蒂尔达·乔斯琳·盖奇合著），尼采《快乐科学》，柴可夫斯基《1812序曲》，瓦格纳《帕西法尔》，达尔文、迪斯雷利、爱默生、加里波底、朗费罗、特里劳尼、特罗洛普逝世。 | 第七届印象派展览，塞尚《自画像》、莫奈《佛利贝尔杰的吧台》，修拉《劳作的农妇》，英国艺术与工艺展览协会成立，罗塞蒂逝世。 |
| 1883年 | 普列汉诺夫等人在俄国成立马克思党，罗伯特·路易斯·史蒂文森《金银岛》，于斯曼《现代艺术》，尼采《查拉图斯特拉如是说》（1892年完稿），纽约大都会歌剧院开幕，里奥·德利伯歌剧《拉克美》，弗朗茨·卡夫卡诞生，马克思、屠格涅夫、瓦格纳逝世。 | 莫奈定居吉维尼，丢朗-吕厄为莫奈、毕沙罗、雷诺阿、西斯莱等艺术家策划个展，塞尚《多岩石的风景》，雷诺阿《伞》，马奈、古斯塔夫·多雷逝世。 |
| 1884年 | 于斯曼《逆流》，易卜生《野鸭》，马克·吐温《哈克贝利·费恩历险记》，恩格斯《家庭、私有制和国家的起源》，弗雷格《算术基础》。 | 二十人组合举办首届展览，巴黎美术学校举办马奈纪念展，雷东、修拉、西涅克开始参加"自由风格"运动，罗丹得到《加莱义民》雕塑委托，修拉《阿涅尔的浴者》，惠斯勒在沙龙展览《画家母亲的肖像》。 |
| 1885年 | 比利时国王利奥波德二世宣告为刚果自由邦君王，巴斯德研制狂犬病疫苗，弗洛伊德在巴黎萨尔佩特里尔医院跟随沙可研究神经疾病，开始对歇斯底里和催眠感兴趣，佩特《享乐主义者马利乌斯》，左拉《萌芽》，克鲁泡特金《一个革命者的回忆录》，马克思《资本论》第二卷（遗作），约翰·斯图亚特·穆勒《论自然》《宗教的功用》《有神论》（俱为遗作），维克多·雨果逝世。 | 梵·高《食土豆者》，雷东《向戈雅致敬》。 |
| 1886年 | 阿帕奇族首领杰罗尼莫被俘，结束美国与原住民的最后一场大规模战争，奥尔良与波拿巴家族被逐出法国，芝加哥干草市场事件，屠杀罢工者和警察，易卜生《罗斯莫庄》，亨利·詹姆斯《波士顿人》，兰波《彩图集》，罗伯特·路易斯·史蒂文森《杰基尔博士和海德先生的奇怪案例》，左拉《杰作》，恩格斯《费尔巴哈和德国古典哲学的终结》，马克思《资本论》以英语出版，让·莫雷亚斯在《费加罗》报发表象征主义宣言，尼采《善恶的彼岸》，李斯特逝世。 | 第八届印象派展览（最后一届），费利克斯·费内翁出版《1886年的印象派画家》，罗丹《亲吻》，修拉完成《大碗岛的星期天下午》，塞尚与左拉断交，与奥尔唐斯·菲凯结婚。 |
| 1887年 | 布朗热将军的巴黎政变失败，佩雷斯·加尔多斯《福尔图纳达和哈辛达》，尼采《论道德的谱系》，威尔第《奥赛罗》，朱尔·拉福格逝世。 | 高更离开法国去马提尼克，毕沙罗和修拉在布鲁塞尔参加二十人组合的展览，塞尚《五名浴女》，亨利·霍布森·理查森建造芝加哥马歇尔·菲尔德批发商店。 |
| 1888年 | 威廉二世为德国皇帝，伊士曼发明纸质摄影胶卷、柯达盒式相机，易卜生《海上夫人》，鲁德亚德·吉卜林《山中故事集》，斯特林堡《茱莉小姐》，王尔德《快乐王子与其他故事》，爱德华·贝拉米《回顾：公元2000—1887年》，柏格森《时间与自由意志》，乔治·摩尔《一个青年的自由》，尼采《看啊，人！》（1908年出版）、《尼采反对瓦格纳》《偶像的黄昏》和《权力的意志》注释本，罗斯金《过去：约翰·罗斯金自传》，马勒《第1号交响曲》，尼古拉·里姆斯基-柯萨科夫《舍赫拉查达》。 | 高更和贝尔纳创造综合主义，阿什比成立手工艺行会和学校，安东尼·高第设计巴塞罗那的巴特罗之家，贝尔纳《收割荞麦者》《阿旺桥》，恩索尔《1889年基督降临布鲁塞尔》，高更《布道后的启示》，梵·高《夜间咖啡馆》《播种者》《黄色椅子》，保罗·塞律西埃《护身符》，修拉《马戏团杂耍》。 |
| 1889年 | 3000万人参观巴黎博览会，阿纳托尔·法朗士《苔依丝》，托尔斯泰《克勒采奏鸣曲》，马克·吐温《康州美国佬大闹亚瑟王朝》，阿瑟·约翰·埃文斯爵士开始挖掘克诺索斯，布朗宁、谢弗勒尔逝世。 | 埃菲尔铁塔开幕，纳比派成立，象征主义杂志《白色评论》开始出版，艾金斯《阿格纽医生的临床课》，高更《黄色基督》，梵·高《丝柏树与星空的风景》，莫奈"燕麦地"系列。 |
| 1890年 | 美国国会通过谢尔曼反托拉斯法案，伤膝河大屠杀，南达科他州第7骑兵团屠杀300名苏族人，第一部电影在纽约上映，契诃夫开始创作《三姐妹》，克努特·汉姆生《饥饿》，易卜生《海达·加布勒》，王尔德《道林·格雷的画像》，左拉《人性里的野兽》，詹姆斯·乔治·弗雷泽《金枝》，威廉·詹姆斯《心理学原理》，亚历山大·鲍罗丁《伊戈尔王子》（遗作），福莱《安魂曲》，柴可夫斯基《黑桃皇后》，戈特弗里德·凯勒逝世。 | 乔万尼·莫雷利的鉴赏文论再度刊行，结集为《意大利绘画史》，惠斯勒撰写著作《树敌雅术》，威廉·莫里斯《乌有乡消息》，塞尚《打牌者》，莫奈"干草堆"系列，修拉《骚动舞》，梵·高逝世。 |

| | 历史和文化事件 | 视觉艺术 |
|---|---|---|
| 1891年 | 教皇通谕《新事》强调皇帝对于工人的责任，阿瑟·柯南·道尔出版第一部《福尔摩斯探案集》，哈代《德伯家的苔丝》，梅尔维尔《水手比利·巴德》（遗作），弗兰克·魏德金德《春之觉醒：一个童年悲剧》，亨利·布鲁克·亚当斯《杰斐逊和麦迪逊执政时期的美国历史》，梅尔维尔、兰波逝世。 | 高更前往塔希提，独立艺术家沙龙举办梵·高展，威廉·莫里斯创办凯尔姆斯科特印刷厂，玛丽·卡萨特《孩子洗澡》，高更《万福玛丽亚》，莫奈"杨树"系列，阿尔弗雷德·赖德《齐格弗里德和莱茵河少女》，修拉《马戏团》，路易斯·沙利文设计建造圣路易斯的温顿特大楼，修拉逝世、奥斯曼逝世。 |
| 1892年 | 法国殖民者在非洲遭遇抵制，德雷福斯事件，宾夕法尼亚州霍姆斯泰德市钢铁厂工人罢工，易卜生《建筑大师》，梅特林克《佩利亚斯与梅丽桑德》，王尔德《温夫人的扇子》，莱翁卡瓦洛《丑角》，柴可夫斯基《胡桃夹子》，丁尼生、惠特曼逝世。 | 莫奈"鲁昂大教堂"系列，图卢兹-劳特累克《红磨坊》，高更《死者的魂灵在守望》，安东尼奥·李·戴维斯逝世。 |
| 1893年 | 法俄联盟，布拉德雷《现象与实在》，英格柏·汉普汀克《汉赛尔与格丽泰尔》，柴可夫斯基第6号交响曲《悲怆》，普契尼《曼侬·莱斯戈》，威尔第《法斯塔夫》，莫泊桑、丹纳逝世。 | 爱德华·蒙克《声音》，爱德华·维亚尔《两名女裁缝在制衣坊》，福特·马多克斯·布朗逝世。 |
| 1894年 | 阿尔弗雷德·德雷福斯被判叛国罪，推进法国反闪族情绪，尼古拉二世为俄国沙皇，芝加哥普尔曼罢工，安东尼·霍普《赞达的囚徒》，吉卜林《丛林奇谭》，萧伯纳《武器与人》，德彪西《牧神的午后》，克里斯蒂娜·罗塞蒂、罗伯特·路易斯·史蒂文森逝世。 | 奥伯利·比亚兹莱为王尔德的《莎乐美》绘制插画，德加《梳妆的女人》，费迪南德·霍德勒《被选中者》，罗丹《巴尔扎克》，莫里斯为托马斯·莫尔爵士的著作《乌托邦》创造特洛伊字体。 |
| 1895年 | 南非地区被命名为罗德西亚，纪念英国帝国主义者，西奥多·冯塔纳《艾菲·布里斯特》，维尔哈伦《触手般扩展的城市》，赫伯特·乔治·威尔斯《时间机器》，威廉·巴特勒·叶芝《诗集》，弗洛伊德与布洛伊尔合著《歇斯底里症研究》，马克思《资本论》第三卷（遗作），尼采《反基督》，伊丽莎白·卡迪·斯坦顿《妇女的圣经》，柴可夫斯基《天鹅湖》上演，恩格斯逝世。 | 莫罗《朱庇特和塞墨勒》，毕沙罗《法国剧院广场》，罗丹《加来义民》。 |
| 1896年 | 美国最高法院维护吉姆·克劳法，弗洛伊德引入"精神分析学"一词，契诃夫《伊凡诺夫》《海鸥》，易卜生《约翰·盖勃吕尔·博克曼》，阿尔弗雷德·雅里《愚比王》，柏格森《物质与记忆》，普契尼《波希米亚人》，魏尔伦逝世。 | 莫奈"塞纳河的早晨"系列，米莱斯、威廉·莫里斯逝世。 |
| 1897年 | 弗洛伊德作自我精神分析，提出幼儿期性欲和俄狄浦斯情结，约瑟夫·康拉德《水仙号上的黑人》，亨利·詹姆斯《波英顿的珍藏品》《梅西的世界》，爱德蒙·罗斯丹《大鼻子情圣》，伯特·乔治·威尔斯《隐形人》，勃拉姆斯、布克哈特逝世。 | 托尔斯泰《何为艺术？》，高更《我们从何处来？我们是谁？我们向何处去？》，马克斯·克林格尔《基督在奥林匹斯》，马蒂斯《晚餐桌》，毕沙罗《意大利大道》，罗丹《维克多·雨果》，亨利·卢梭《沉睡的吉普赛》，维克多·奥塔设计布鲁塞尔的民众之家。 |
| 1898年 | 美国向西班牙宣战，左拉在《曙光》杂志发表《我控诉》，要求重审德雷福斯案，亨利·詹姆斯《螺丝在拧紧》，王尔德《瑞丁监狱之歌》，俾斯麦、格莱斯顿、马拉美逝世。 | 首届维也纳分离派展览，塞尚《苹果静物》，罗丹《奥诺雷·德·巴尔扎克》，伯恩-琼斯、莫罗逝世。 |
| 1899年 | 德雷福斯无罪释放，右翼组织"法兰西行动"在巴黎成立，契诃夫《万尼亚舅舅》，凯特·肖邦《觉醒》，托尔斯泰《复活》，王尔德《不可儿戏》，埃尔加《杰隆修斯之梦》，普契尼《托斯卡》。 | 莫奈"日本桥"系列，开始创作"睡莲"系列，西斯莱逝世。 |
| 1900年 | 弗洛伊德《梦的诠释》，包括最后一章全面讲述无意识的心理过程和"愉悦原则"的主导性，意大利国王翁贝托三世被暗杀。 | 塞尚《洋葱静物》，蒙克《生命之舞》，雷诺阿《阳光下的裸女》，图卢兹-劳特累克《女帽工》。 |

# 术语表

abstraction（抽象）：拒斥自然主义或模仿的艺术，从而规避传统的主题，也称为非具象艺术。

academic art（学院派艺术）：遵循公元17—20世纪欧美盛行的绘画和雕塑的官方（或非官方）学院所规定的原理而创造的艺术。

academy（学院）：源自文艺复兴时期的各种艺术家群体，作为中世纪行会制度的另类选择。学院赋有众多功能，譬如使画家和雕塑家被推崇为受过高等教育的专业人士，掌握有精深的艺术理论和技术才能（在此之前，画家和雕塑家仅被视为工匠）。学院依据古典的标准为有抱负的艺术家提供完整的教育，宣扬和维护皇家或政府机构的文化价值和意识形态。

Aesthetic Movement（唯美主义运动）：英国的艺术运动，深受英国作家所倡导的"为艺术而艺术"的理论影响。法国的戈蒂耶和波德莱尔最先提出这一理论，在英国得到罗塞蒂、帕特、王尔德等批评家的推崇。1877年，伦敦的格罗夫纳画廊（Grosvenor Gallery）开幕，可以说是唯美主义的巅峰。惠斯勒和伯恩-琼斯是这一运动最积极的画家。由于伯恩-琼斯的缘故，唯美主义也被视为承袭拉斐尔前派。唯美主义者偏好暗示和诉诸情感的内容，摒弃特定事件、轶事细节和道德说教，从而也被视为欧洲大陆象征主义的英国旁支。由于这个运动拒斥艺术的道德价值，人们通常将它混同于颓废运动（Decadent Movement）。装饰艺术的改革是这个运动的一大长远影响。

albumen print（蛋白银盐法）：一种摄影显影技术。使用涂有蛋白和盐的相纸，显影之前在亚硝酸银溶液里感光。1850年，尼塞福尔·涅普斯在法国引入蛋白银盐法，在19世纪下半叶得到广泛使用。

allegory（寓言）：艺术作品旨在体现某种抽象品质或理念，通过描绘一个物、一个人或者以非自然的方式组合物和人。在19世纪，寓言艺术受到前卫艺术派别的抨击。

Ancients, the（古人派）：年轻的水彩画家和蚀刻家组成的艺术群体，大约创立于1824年。这些艺术家欣赏威廉·布莱克的作品，热衷于艺术的拟古主义。古人派是英国首个正式的艺术兄弟会。

aquatint（腐蚀法）：一种蚀刻法。使用涂有多孔树脂的铜板，创造颗粒状效果，空白部分使用清漆遮饰，蚀刻后的铜板浸泡于酸性溶液；溶液腐蚀未涂清漆部分所裸露的小孔；剥去树脂之后，可以再次重复整个过程，以便强调某些局部，使用清漆遮盖一些部位，及至整个铜板腐蚀为所需要的复杂程度。然后在铜板上涂抹油墨，油墨渗入凹陷处，印刷之时，油墨便会转移到纸面。腐蚀法通常与蚀刻线条结合使用。

arabesque（阿拉伯式花饰）：繁琐的线条装饰图案。依据植物的形态，以曲线、卷须、飘逸的线条构成。

Art for Art's Sake（为艺术而艺术）：英国唯美主义运动借自戈蒂耶和波德莱尔的口号，宣称艺术活动不需要道德或社会的合理性。

architecture parlante, or speaking architecture（言说的建筑）：一种建筑风格，设计和装饰直接地体现建筑的功能。

armature（雕塑支架）：支撑雕塑的框架或骨架。

Art Nouveau（新艺术运动）：一种极不对称的装饰风格，在19世纪最后20年和20世纪初年的欧洲国家流行。新艺术运动的风格使用各种起伏的形状，尤其偏好卷须或植物茎叶的曲线，但也使用似火焰、波浪、程式化女性形象的飘逸长发元素。新艺术运动拒斥19世纪的现实主义，既是象征主义的一个旁系，也是工艺美术运动的分支。这个运动的名称源自1895年巴黎开设的一家店铺，即齐格弗里德·宾（Siegfried Bing）的新艺术之家，店内销售"原创"物品。在法国，新艺术运动也被称为"现代风格"。类似的风格有德国和奥地利的"青年风格"、意大利和英国的"自由风格"、西班牙的"现代主义"。

Arts and Crafts Movement（艺术与工艺运动）：推崇精美的设计和劳动改革的运动。其名称源自1882年在英国成立的艺术与工艺展览协会，其思想源自普金、拉斯金、莫里斯的浪漫主义和反资本主义的理念。拉斯金在《威尼斯的石头》第二卷（1853年）的《哥特式的本质》（On the Nature of Gothic）一章抨击劳动分工和机器生产，对于艺术与工艺运动尤其赋有影响力。艺术与工艺运动自始至终坚持一些原则，包括强调本地的形式和传统。这些思想从英国传播到美国，影响了欧洲大部分国家和日本的装饰艺术。

avant-garde（前卫派）：原是军事术语（意为"先遣侦察兵"）。1825年，乌托邦社会主义者昂列·圣西门用这个词语描述艺术家在现代社会的远见职能。及至19世纪末，"前卫派"这一名称开始指涉激进的艺术家和作家的小团体，因为他们断然拒斥所有传统，脱离所有的同行，眼睛只看向未来。在20世纪，这一术语的含意颇具争议性。

Barbizon School（巴比松画派）：大约1835—1870年，一群法国风景画家在枫丹白露森林边的巴比松村庄一同生活和绘画。他们被称为巴比松画派，最重要的画家包括西奥多·卢梭、柯罗、米勒、夏尔-弗朗索瓦·多比尼。其风格为自然主义，属于浪漫主义与印象主义之间的过渡。

Baroque（巴洛克）：19世纪艺术史家创造的术语，用来描述大约自1580年开始至19世纪早期西欧艺术中最流行的风格。这个术语表示艺术史家认为这段时期的艺术变化无常，过于追求繁丽。事实上，巴洛克时期的艺术家具有无数不同的风格，从激烈的热情到冷静的古典，无所不有。在宗教艺术方面，巴洛克艺术迎合反宗教改革运动的信仰冲动，借助剧烈的动态和夸张的效果，试图在情感和精神层面感动观者。最

典型的巴洛克艺术作品，譬如吉安·洛伦佐·贝尼尼的作品融合了建筑、雕塑和绘画，相比单种艺术，如此创造的综合艺术赋有更强大的震撼力量。巴洛克艺术为19世纪的整体艺术理念奠定基础。

barrel vault（筒形穹顶）：半圆形剖面的穹顶，由平行的墙壁或拱支撑。

Bearded Ones（蓄须派）：也被称为原始派（Primitives）、沉思派（Meditators）。在1800年前后，雅克-路易·大卫的画室有一群年轻的艺术家，他们崇尚内在品德，而非公开地表露道德，追求用油画艺术复现希腊陶器的装饰效果，或者斐拉克曼的素描所赋有的原始的简约。

Beaux-Arts, Beaux-Arts tradition（美术与美术传统）：与巴黎美术学校（1671年创建）或法国政府的艺术部门有关。在19世纪和20世纪早期的建筑里，这个术语指代一种学院派风格，强调对称，正确地使用古典的建筑风格，尤其是巴黎美术学校毕业生和其他遵循同样原理的艺术家的作品。

Biedermeier（毕德麦雅时期文化）：1820—1850年德国、中欧、斯堪的纳维亚的绘画和装饰艺术，延续新古典主义的风格，但更强调家庭生活和中产阶级的朴素的舒适。这一名称源自戈特利布·毕德麦雅这一人物。毕德麦雅是德国讽刺报纸《飞报》（Fliegende Blätter）所创造的虚构人物，用来刻画中产阶级的庸俗。事实上，毕德麦雅时期的家具较为简朴、协调匀称，开启了20世纪功能主义传统的先河。

blind arch（盲拱）：一种实心的拱，作为墙面的浮雕装饰。

buttress（扶壁）：建筑外墙壁的支撑。

Byzantine（拜占庭艺术）：公元5世纪至1453年君士坦丁堡（原名为拜占庭）沦陷后的东罗马帝国风格。艺术风格超脱世俗，赋有宗教性。

cabinet picture（壁橱画）：绘制精美的小型图画，做工如同贵重物品，适宜装饰小房间，供私人细心鉴赏。

calotypes（卡罗法）：福克斯·塔尔博特的摄影专利，最早在纸上显影的负片—正片摄影照片：将负片重叠于经盐水处理的纸张，得到正片。通过使用不同质地的纸张和显影过程，可修剪、增减、改动照片的形象。

camera obscura（暗箱）：盒子一侧设有小孔（或镜头）将形象投射到磨砂玻璃、纸片或其他材质表面，然后可以通过显影技术保存这个投影。加纳莱托等摄影师使用暗箱研究大型风景的视角，一种照相机使用同样的原理将形象投射到感光表面。

cantilever（悬臂）：一根支杆的一端被固定于高处某个结构，另一端负载重量。

carte-de-visite（名片肖像）：原为一种小型肖像照片，可粘贴于拜贴。19世纪60年代大规模生产，人们狂热地收集，镶嵌于相册里。肖像名片也是源自这个收藏时尚的摄影形式，照片尺寸为9.5厘米×5.7厘米，主拍摄人物和风景。

cartoon（卡通）：原为大型绘画或织毯的原尺寸设计样稿。自19世纪以来，这个词语指代讽刺或幽默漫画。

caryatid（女像柱）：女性雕像作为支撑建筑的圆柱。

castellated（城堞）：设有雉堞的墙（设有垛口的胸墙最初用来掩护防御者，作为城堡的瞭望台）。

chiaroscuro（明暗对照法）：一种绘画手法，使用明暗对比或微妙的过渡塑造形体。通常被认为属于列奥纳多·达芬奇的原创，但蛋彩画媒介透明、干燥时间短暂，难以实现这一效果，因此明暗对照法被认为跟油画有关。在17世纪，意大利的卡拉瓦乔、荷兰的伦勃朗、法国的乔治·德·拉图尔将这一手法发挥得淋漓尽致。

Chromo-luminarism（色光主义）：参见Divisionism（分色主义）。

Classical（古典式）：狭义上指古希腊和罗马的艺术和建筑，尤其是公元前5—4世纪的希腊作品、古罗马人忠实的摹品。广义上指遵循古希腊和罗马的理念所创造的艺术和建筑。

coffered（嵌板）：使用凹嵌条板的装饰。

collodion process, wet-plate process（火棉胶湿版法）：弗里德里克·司各特·阿切尔发明的摄影技术，在1851年发布。玻璃板涂一层火棉胶（火棉溶化于酒精和乙醚溶液所得的胶浆），再浸入碘化银和碘化亚铁溶液，然后在玻璃板依然湿润之时曝光、显影。这一过程相当快捷，影像的色调极其微妙。由于不受专利约束，这个技术使得摄影在19世纪广泛传播，后被干版显影法取代。

Callotype（卡罗法）：早期摄影使用明胶板的制版法，大约1860年前后在英国发明。

colorist（色彩主义者）：在作品中侧重表现色彩的艺术家。

Corinthian（科林斯式）：参见建筑风格。

Cubism（立体主义）：1909年前后在巴黎展开的艺术运动，以毕加索、乔治·布拉克为领袖，以塞尚的艺术和理论为源泉，试图在二维平面全面彻底地再现艺术家眼中所见的三维现实。

daguerreotypes（达盖尔法）：最早的实用性摄影技术，1839年向大众公开。达盖尔法将形象直接在抛光的涂银铜版上显影，以碘和溴蒸汽感光。发明者路易·雅克·曼德·达盖尔采用伊西多·涅普斯先前的试验成果。

Decadent movement（颓废运动）：19世纪晚期欧洲艺术和文学运动，与象征主义相关联，但也抱持艺术和社会不可逆转的衰微的思想。这一运动受到若利斯·卡尔·于斯曼的小说《反自然》（*Against Nature*，1884年）、《在低层》（*Down There*，1891年）的影响。颓废运动的艺术家和作家（譬如英国的奥布里·比亚兹莱、法国的图卢兹-劳特累克、比利时的费里森·罗普斯）擅长使用性爱和撒旦崇拜的形象，旨在挑战传统的道德观念。

Diorama（透视画）：大规模的风景画，收藏于特定的建筑，通常这个建筑也冠有同样的名字。透视画借助半透明的部位和特殊光线创造动画效果，赋予观者身临其境的感觉。路易·雅克·曼德·达盖尔、查尔斯·布顿在1822年发明。

Directory, the（督政府）：在1795—1799年，5名督政官组成委员会掌握法国最高权利，最后被拿破仑·波拿巴推翻。督政府时期指法国大革命的最后4年。在法国督政府时期，艺术风格多样化，但通常涉及和解或停战的主题。雅克-路易·大卫的《萨宾妇女的调停》（1799年）属于典型的这类绘画作品，在这个时期末完成并公开展览。

Divisionism（分色主义）：新印象主义的追随者，譬如修拉、西涅克，偏爱这个术语，不喜欢被称为点彩派。分色主义者在绘画作品里系统地使用视觉融合，以细碎的笔触密集地排列纯粹的原色，让色彩自行融合，呈现高明度的间色，也称为光色主义。

Doric（多利安式）：参见建筑风格。

dry-plate process, gelatin dry-plate process（干版法、明胶干版法）：在玻璃版上使用明胶感光乳剂的摄影技术。相比先前的火棉胶湿版法，这个技术较为简捷，很快成为主流。1873年，明胶干版在市场上销售。

elevation（立面、立面图）：建筑外部的任何一个表面；建筑正面的制图，直接向中心点消失。

Empire style（帝国风格）：新古典主义后期的一种风格，流行于拿破仑一世治下的法国，尤其是用于皇帝为宫殿定制的家具和装饰。帝国风格最典型的特征为使用古老的形式，有时包括古埃及的元素。帝国风格在欧洲风行，甚至传至北美。

engaged columns（嵌墙柱）：固定于墙壁的圆柱，貌似镶嵌于墙体之中。

engraving（雕版）：一种制作版画的技术。使用刻刀或金属凿刀在金属版上刻出设计图案，刻划的凹槽承载油墨，滚筒压过金属版和纸张之时，油墨便转移到纸面。

entablature（柱上楣构）：古典时期建筑的结构元素，包括框架结构、中楣，圆柱上方的檐壁。

Épinal prints（埃皮纳勒版画）：法国东北地区埃皮纳勒的民间通俗版画，通常为木刻，图案轮廓清晰，色彩鲜艳。

estheticism（唯美主义）：关于艺术与身体的理论，现代版的理论源自18世纪的美学，尤其是哲学家伊曼努尔·康德的著作，其《判断力批判》（*Critique of Judgment*）提出人们可以通过他的方法就品位问题得到一致的意见。唯美主义属于极端主义理论，主张艺术只能依据其本身的标准去评判。1840年，法国的波德莱尔和戈蒂耶提出"为艺术而艺术"的唯美主义理念。19世纪晚期，英国唯美主义运动推崇并传布这一理论，但也衍生了抽象这一现代概念。

etching（蚀刻）：版画制作的一种技法。先在金属板表面涂一层蜡，再使用专门的针尖刻划图案，裸露出蜡层下面的金属；然后将金属板浸在酸性溶液，裸露的金属线条便被腐蚀。剥去蜡层之后，金属板面涂满油墨，以雕版的方式印刷作品。

Expressionism（表现主义）：（1）德国艺术批评家和前卫派的评论报刊《暴风》（*Der Sturm*，1910—1932年）的出版人赫尔瓦特·华尔登（Herwarth Walden）最早推广的术语，用以描述所有不同于印象主义的现代艺术。（2）在稍后时期，这一术语开始指代源自于对于现实世界的主观反应而非直接源自客观观察的艺术形式。（3）在今日，这个术语指艺术家的情感先于现实主义和比例传统，从而导致形状和色彩扭曲变形的任何一种艺术风格。

facade（表面）：建筑外部任何一个垂直面，通常指正面或正门。

fenestration（开窗法）：建筑正面窗户的安排方式。

flâneur（漫游者）：男性艺术家在城市里漫无目的地散步或游荡。瓦尔特·本雅明的著作引用夏尔·波德莱尔的诗歌，将漫游者当作重要的象征形象。

folk art（民间艺术）：单纯的艺术，包括美术和应用工艺，被视为根植于民众的集体意识。民间艺术这一概念属于19世纪的一大特色。在今日，这类艺术散发怀旧气息，怀念工业化时代以前的社会。

foreshortening（透视法缩短）：对象与绘图表面呈倾斜角度之时，使用透视描绘对象的绘画技术（譬如，对象渐远，画中的形象相应地缩小，色彩相应地暗淡）。使用透视法，观察者的眼睛会自动依据对象的正确比例重构形象。

genre（画种）：一种艺术形式或类型。譬如17—19世纪的学院派理论家所谓的"画种等级"。

genre painting（风俗画）：欧洲艺术学院所界定的一种艺术类型。风俗画体现日常生活场景，被视为低于历史画和肖像画。17世纪在荷兰发源，及至19世纪，几乎遍及世界各地。

genre historique（历史风俗画）：安格尔、德拉罗什等沙龙画家在1830—1848年间开创的艺术风格，融合风俗画和历史画的手法，同时结合古典主义和浪漫主义的元素。参见中庸。

Georgian architecture（乔治风格）：建筑和装饰的一种综合风格，盛行于英国国王乔治一世、二世、三世、四世统治时期（1714—1830年），综合文艺复兴、巴洛克、新古典主义的元素，尤其以新古典主义为主。

**Gesamtkunstwerk（整体艺术）**：彻底地融合绘画、文字、戏剧、诗歌、音乐等艺术形式，并不以任何一种形式为主导。瓦格纳及其创作的音乐戏剧最早体现这一理念。

**Gothic Perpendicular（垂直哥特式）**：英国哥特式建筑的第三个历史阶段，尤其强调垂直线条。

**Gothic Revival（哥特式复兴建筑）**：现代（18—20世纪早期）重新启用12世纪晚期至15世纪欧洲盛行的建筑风格。人们最初以游戏、甚至嘲讽的态度采用哥特式，譬如霍勒斯·沃波尔（Horace Walpole）在伦敦郊外建造的草莓山庄（Strawbeery Hill）。沃波尔称这幢建筑为"玩具房"。自19世纪早期以来，人们开始严肃地对待哥特式，以考古学的眼光研究，最终不但将这种风格应用于教堂，而且应用于各种公共和私人建筑，尤其是学院和大学建筑。

**Greek Revival（希腊复兴风格）**：18世纪中叶，文物爱好者和建筑家前往希腊旅行，将一些希腊建筑风格带回英国和美国，创造了帕拉第奥风格。然而，新兴的建筑形式挑战这一风格的确凿地位。新兴的建筑形式力图更加严谨地遵循希腊的原型。1762年，斯图尔特（Stuart）、列维特（Revett）出版《雅典古代建筑》（Antiquities of Athens），宣告希腊复兴风格的兴起。这一风格在英国延续至1840年前后，在美国和其他国家则更持久。

**guild（行会）**：欧洲中世纪的艺术家、工匠或手艺人的组织。行会内部具有一套严格的等级制度，会员历经学徒、出师，最后成为师傅。会员在最后阶段才有资格独立从事一门手艺或职业，但依然受到行会规矩的限制。19世纪末，艺术与工艺运动企图恢复行会传统（但采用较宽松的规矩）。譬如，1888年，查尔斯·罗伯特·阿什比在英国成立手工艺行会。

**Hague School（海牙画派）**：1850—1900年荷兰的现实主义画家群体，复兴17世纪荷兰风景和建筑画家的很多传统。海牙画派的艺术家包括安东·莫夫、约翰尼斯·博斯波姆、约瑟夫·伊斯雷尔斯。

**Haussmannization（奥斯曼工程）**：1853—1870年，巴黎展开巨大的城市改造工程。工程的名称源自项目总管乔治·奥斯曼男爵的姓氏。整个工程包括拆除拥护的中世纪街区，建造公园、广场、宽阔的林荫道、下水道和引水渠。

**historicism（历史主义）**：在19世纪，建筑和装饰艺术复兴过往时代的风格，并且只是肤浅地翻制风格，而不是重现其实质、艺术、文化或信念。

**history painting（历史画）**：以古代神话、贵族的历史、犹太或基督教中的重要人物从事的伟大行动为题材的画种。17—19世纪的学院派理论家认为历史画是艺术的最高形式或"类别"，与宗教画具有同等地位。

**Hudson River School（哈德逊河画派）**：美国风景画家群体，主要在哈德逊河谷创作，帮助开创了美国的田园主义传统。哈德逊河画派的重要艺术家包括托马斯·科尔、阿舍·B.杜兰德，他们深受克洛德·洛兰、约瑟夫·马洛德·威廉·透纳等欧洲风景画家的影响，通常在作品里融入寓言或历史的题材，可参见科尔的《帝国的进程》（1833—1836年）。哈德逊河画派的第二代画家包括乔治·英尼斯、弗雷德里克·埃德温·丘吉尔、阿尔伯特·比尔施塔特，他们拓展风景题材，强调自然风光与昭昭天命论、美国优越论等观念相关联。这些观念宣扬美国注定要征服美国西部的原住民，美国白人由于道德的善和上帝的护佑，天生就赋有特权，承担扩张主义者的使命。被压制的原住民则创作的账簿艺术见证了这项使命的暴力；参见光色主义。

**iconography（图像学）**：研究与鉴定艺术的主题和作品背后所隐藏的故事，尤其是出自经典文本的故事。

**Illusionism（幻觉主义）**：运用各种绘画手法，主要是透视法、缩短法，让观者相信看见的画面为真实的景象。

**Impressionism（印象主义）**：19世纪60年代在法国兴起的艺术运动。印象主义者大多在户外绘画，捕捉色彩与光线变化的短暂印象以及现代生活的瞬息万变。1874年，印象主义者在摄影师费利克斯·纳达尔的工作室举办首次展览，参展者包括莫奈、雷诺阿、西斯莱、毕沙罗、塞尚、德加、基约曼、布丹、莫里索。

**industrial design（工业设计）**：自19世纪中叶以来，设计师将艺术审美和实践标准理性地应用到机械制造的设计，期望两者能够成功地结合。

**Ionic（爱奥尼克式）**：参见建筑风格。

**japonaiserie（日本趣味）**：欧洲人模仿日本的艺术和工艺。19世纪下半叶是欧洲人热衷日本文化的狂热时期，在欧洲最爱欢迎的日本产品包括浮世绘风格的木刻版画、陶瓷、纸扇、漆器、金属器皿。

**Jugendstil（青年风格）**：德国与奥地利的新艺术运动形式。相比法国和比利时的艺术运动，青年风格兴起的时间较晚，风格较为含蓄克制。这一名称源自1896年在慕尼黑创办《青年》（Jugend）杂志。青年风格的设计者包括德国的赫尔曼·奥布里斯特、理查德·里默施密德，奥地利的约瑟夫·玛丽亚·奥尔布里奇。

**juste milieu（中庸）**：路易·菲利普一世（1830—1848年）在位时期法国主流的政治和审美姿态，以居中的姿态调和当时各种矛盾的思想倾向或意识形态。参见历史风俗画。

**ledger art（账簿艺术）**：美洲平原地区原住民的绘画形式。由于通常画在会计账簿的横格纸上而得名。

**linearity（线性）**：通过线条而不是色彩或色调创造绘画的主要效果。

**lithograph（石版画）**：使用纹理细密的多孔石灰石或者涂油脂的锌板绘制图案，再用水湿润版面，涂抹油墨，油墨只会黏附于绘制的线条。然后将潮湿的纸覆盖在石版或锌版上面，用专门的滚筒磨擦，便可拓印版画。

**Lukasbund（路加联盟）**：维也纳美术学院的一个艺术家群体，也被称为圣路加兄弟会，其领袖是弗朗茨·普费尔、弗里德利希·奥韦尔贝克。路加联盟复兴中世纪的怀旧情怀，反对新古典主义。

**luminism（光色主义）**：20世纪晚期的艺术史家用这一术语描述1850—1880年美国的一些风景画，这类作品主要出自费兹·亨利·莱茵、约翰·弗雷德里克·肯塞特、马丁·约翰逊·赫德，其画面静谧、光线饱和。

**lunette（弦月窗）**：墙壁或天花板的半月形或弦月形镂空花纹，通常用于镶嵌框架。

**Macchiaioli（马基亚伊奥利画派）**：大约在1855—1865年在佛罗伦萨活跃的意大利画家群体，反叛流行的学院派风格，致力于发挥笔触的效果和颜料的质感。马基亚伊奥利画派深受柯罗和库尔贝的影响，在某种意义上预示了法国印象主义的技法，最显著的艺术家包括拉斐罗·塞内西、泰莱马科·西诺里尼。

**Mannerism（矫饰主义）**：20世纪创造的词语，用以描述1515—1610年间的欧洲艺术。矫饰主义画家和雕塑家追求隐晦、优雅、不安、扭曲、前所未见的不协调色彩，或者极端的对立式平衡——以极不自然的角度描绘紧张或拉伸的身躯。矫饰主义有时被诠释为集体神经质的症状，但实则更可能代表了追求新奇、精致、上乘技巧的品位。在建筑方面，矫饰主义打破古典时代的规矩，反对结构逻辑；在装饰艺术方面，矫饰主义偏爱纯熟的技巧和出乎意料的惊奇效果。在意大利之外，矫饰主义几乎总是宫廷风格，总是面向少数贵族，而不是普通民众。任何时期赋有如上特征的艺术都属于矫饰主义。

**mezzotint（镂刻凹板）**：雕版的一种技法，艺术家先处理作品的阴暗部位，逐渐过渡到高光，在金属版的整个底面用摇点刀刮擦细密的纹理。背景部位吸附油墨，便拓印为黑色。

**Mir Iskusstva（艺术世界）**：1898年在圣彼得堡成立的艺术家协会，活跃至1906年。这个协会出版一份华丽的同名杂志，谢尔盖·达基列夫（Sprge Diaghilev）为主编，杂志的合作者包括莱昂·巴克斯特（Leon Baskt）、亚历山大·伯努瓦（Alexandre Benois）、尼古拉·洛里奇（Nikolai Roerich）。艺术世界后来为巡回演出公司俄罗斯芭蕾舞团做舞台设计。

**modernism（现代主义）**：通称欧美以及世界各地在经济、政治、社会的现代化过程中所出现的艺术。现代主义的典型特征包括强调艺术作品的构成元素（或称为"媒介的纯粹性"），推崇功能主义，拒斥在建筑和设计中使用装饰。这一词语最早出现于19世纪晚期，但在1950年代美国批评家克莱门特·格林伯格手里成为经典术语，在随后年代便成为艺术批评和争论的一大主题。

**mullion（直棂）**：石质或木质的垂直元素，将一道窗户分隔为二扇或多扇（开口）。

**Nabis（纳比派）**：1888年成立的法国艺术家群体，深受高更在布列塔尼阿旺桥时期绘画作品的影响，成员包括波纳尔、维亚尔、莫里斯·丹尼、塞律西埃、马约尔（Maillol）。纳比派热情地接纳高更的象征主义，但增添一些源自天主教、神智学等各种神秘主义的元素。

naturalism（自然主义）：主要指19世纪下半叶欧洲盛行的艺术趋势，画家开始对自然风景、工人和农民的日常生活、可见世界的非理想化迹象萌发浓厚的兴趣。文学方面也有类似的思想倾向，譬如左拉和龚古尔的小说。诸如德加、门采尔、列宾等风格迥异的艺术家都采用一些自然主义元素。还可以指任何一种依赖自然而不是知性的艺术，经常与现实主义相混淆。

Nazarenes（拿撒勒派）：19世纪早期生活在罗马的一群德国艺术家，包括约翰·弗里德利希·奥韦尔贝克、彼得·柯内留斯、弗朗茨·普费尔。他们在1810年之后聚集，数名艺术家改变信仰，皈依天主教。他们的理念是通过摹仿丢勒、佩鲁吉诺、年轻时期的拉斐尔，振兴德国的绘画与精神生活。

Neoclassicism（新古典主义）：艺术、建筑、装饰的风格，依据古希腊和罗马的典范。出现于18世纪50年代，反对当时被视为贵族化过于精致的洛可可艺术。其特征是崇尚线条与对称，以平面取代可塑性，崇尚古典时期的建筑风格。

Neoimpressionism（新印象主义）：印象派的分支与革新，以缜密的学术方式，研究分析印象派画家的技法。修拉是这个画派的领袖，西涅克和卡米耶·毕沙罗（一段时间）为主要追随者。这个画派的特征为运用分色主义与实验心理学的研究成果。

Odalisque（奥达利斯克）：中东或北非家庭内室的女奴隶，19—20世纪的艺术家（譬如安格尔、德拉克洛瓦、马蒂斯）将她们当作绘画对象，视其为丰满的女性裸体或半裸体的传统类型，通常增添新奇的东方摆设作为画面元素。

Oeuvre（毕生之作）：一位艺术家一生所创作的全部作品。

orders of architecture（建筑风格）：罗马建筑史家维特鲁威（公元前1世纪）创造的分类体系，将古典时期的建筑归纳为数种风格。其体系以三种圆柱的标准形式为基础，包括圆柱的基座、底座、柱头和柱上楣构。

Doric order（多利安式）：最古老、最简朴的柱式，貌似最坚固。柱身有凹槽，柱头不设装饰，柱头为平坦的垫层。希腊时期的多利安圆柱不设基座，罗马时期则几乎都有。

Ionic order（爱奥尼克式）：柱身较为纤巧，柱头设对称的涡卷装饰。

Corinthian（科林斯式）：柱头象征在篮筐里生长的莨苕（地中海植物）。

Tuscan order（托斯卡纳柱式）：罗马人发明的柱式，简化版的多利安式，柱身无凹槽。

Composite order（混合柱式）：融合爱奥尼克式和科林斯式。

colossal order（巨柱式）：可指代任何一种柱式，只要圆柱（或者壁柱）高于一层楼。

Orientalism（东方主义）：欧洲白人看待中东和北非的民族及其文化的种族优越论；体现种族优越感的艺术或文学；爱德华·瓦迪厄·萨义德（Edward Said）的赋有影响力的著作《东方主义》（1978年）。

panorama（全景画）：大规模的圆形绘画。画面环绕观众，让人产生如临其境的印象。全景画是18世纪晚期至19世纪流行的大众娱乐项目。

pediment（三角形楣饰）：源自古典时期的山墙或者柱廊、门、窗户上方形似山墙的装饰。原为三角形，有时也呈弧形或弓形。

pendentive（穹隅）：将穹顶或圆顶与下面的正方形空间相联接的三角形弧面。

peristyle（绕柱式）：建筑内的露天庭院四周设置列柱；连续环绕一幢建筑的一排圆柱。

perspective（透视）：在平面表现三维物体、空间和体积的方法。

Photo Secession（摄影分离派）：阿尔弗雷德·斯蒂格里茨在1905—1917所领导的美国摄影运动，力图将摄影打造为独立自主的艺术表现手段，其观点发表于《摄影作品》杂志。

picturesque（如画审美）：源自18世纪，依据多样化或不规则的悦目图画安排建筑、绘画或雕塑的元素和构图结构也是园林设计的审美原理。尤维达尔·普莱斯（Uvedale Price）在《论相对于崇高与优美的如画审美》（*An Essay on the Picturesque, as Compared with the Sublime and the Beautiful*，1794年）最早确定这一术语的用法。

pilaster（壁柱）：平坦的长方体柱子，从墙体突出，通常只有纯粹的装饰功能。

pier（支柱）：独立式大型支柱，为长方体、正方体或混合结构，用于支撑拱门、桥梁等等。

pointillism（点彩派）：参见分色主义。

Pont-Aven School（阿旺桥派）：以高更为首的法国画家群体，在布列塔尼阿旺桥附近创作。1886年，高更初次到阿旺桥隐居。1888年，高更再次到这里之时，已经吸引了一些同行和门生，并遇见埃米尔·贝尔纳。高更拒斥自然主义，选择象征、原始和理想的形象。

portico（柱廊）：一系列圆柱有规律地间隔排列，支撑起屋顶，通常作为建筑的门廊或环绕露天的庭院。

Postimpressionism（后印象主义）：继承印象主义的西欧现代主义艺术家的作品，主要代表画家有塞尚、高更、梵·高、图卢兹-劳特累克。英国批评家和艺术家罗杰·弗莱在1910年首次使用这一名称，用以描述19世纪晚期在伦敦格拉夫顿美术馆所展览的一些作品。

prefabrication（预制）：在建筑工地外制造建筑的元件，便于后期的高效装配。

Pre-Raphaelities（前拉斐尔主义）：1848年，一群英国艺术家组成拉斐尔前派，以拉斐尔迁居罗马前的意大利艺术家的精神修养从事艺术创作，成员包括威廉·霍尔曼·亨特、米莱斯、罗塞蒂、福特·马多克斯·布朗。不久之后，这个群体便解散。伯恩-琼斯在拉斐尔前派正式解散之后加入此运动。前拉斐尔派结合浪漫的反资本主义理念（站在前资本主义的文化价值立场批判资本主义）与较务实的艺术目标，诸如希望艺术回归和接近自然（批评家约翰·拉斯金所倡导的目标），摒弃皇家学院的规矩，视之为任意、虚而不实。这些目标力图将绘画转变既是道德和政治的艺术，也是审美的艺术。这个群体通过家具彩绘、织毯、彩色玻璃、布料、墙纸的图案也影响了装饰艺术。前拉斐尔主义的数位艺术家为莫里斯、马修、福克纳公司工作，从而在艺术与工艺运动方面发挥了重要的作用。

Primitivism（原始主义）：但凡创作者认为本人的作品具有原始时期的特征，譬如形象平面化、表面粗糙、使用非自然主义的色彩，便可自称为原始主义。在今日，原始主义通常被视为表现白种人的种族优越感，类似东方主义。

proof impression（校样）：版画的试印样张，艺术家用于检查构图是否需要修饰或者直接定稿。润色样张（touched proof）则是直接手动修饰过的样张。

pylon（塔门）：高耸的尖塔，尤其是古埃及神庙大门两侧的高塔；任何高耸的结构，用于支撑或标志界限，或者纯粹作为装饰。

Queen Anne style（安妮女王风格）：狭义上是指安妮女王在位时期（1902—1914年）英国境内的建筑和装饰风格，其典型特征为简朴，普遍地使用红砖，但这个风格经常也指1688年威廉三世即位时的作品。其次也指19世纪晚期英国和北美的建筑风格，代表作可见理查德·诺曼·肖及其追随者的作品，其特征借鉴英国安妮女王风格和17世纪的荷兰建筑，并强调不规则和不对称，同一建筑采用多元化的材质和肌理。

Realism（现实主义）：19世纪法国的一个艺术阶段，拒斥浪漫主义的理想化倾向。19世纪中叶的法国艺术界的领袖们，诸如库尔贝，强调重现本人切身体会的东西，既涉及社会经历，也描绘感官体验。他们描绘对象的细节，准确、冷静地再现形象。摄影技术的进步也鼓励绘画的这一倾向。

Regency（摄政风格）：乔治四世摄政（1811—1820年）和执政（1820—1830年）时期英国所流行的家具和装饰的风格，属于新古典主义的一个变种，以古希腊而非古罗马为原型，并汲取埃及、中国和洛可可的元素。

Renaissance（文艺复兴）：在14世纪的意大利，欧洲艺术和文学受到古典时期的启发开始复苏。在理性上，这一时期深受人文主义思想的启示。在视觉艺术上，这一时期逐渐掌握解剖学、直线透视、空气透视。世俗题材渐增的同时，从古典神话、历史和宗教取用素材，在建筑和设计里运用古代的原型。意大利的文艺复兴持续至1580年间（从而也包括早期的矫饰主义）。文艺复兴的全盛时期大约为1480—1527年（罗马沦陷的时间），其中杰出的人物有达芬奇、拉斐尔、米开朗基罗、布拉曼特（Bramante）。文艺复兴的影响遍及整个欧洲。

**Restoration style（复辟风格）**：自1815年波旁王朝复辟至1830年查尔斯十世下台这段时期法国所流行的装饰风格。复辟风格沿用前代的帝国风格，承袭新古典主义的形式，但偏爱浅色木材和明亮轻快的色调。

**ribbed vault（肋拱穹顶）**：天花板拱顶的构造方法，以数个筒形穹顶交错而成，相交的部位叠加线脚，形似肋骨。

**Rococo（洛可可）**：巴洛克的一个变种，风格较活泼轻快，法国路易十四在位时期出现，其典型特征为不对称、擅长使用繁丽的S形曲线、C形涡卷，以及源自岩石、贝壳、植物等自然形态的图案。相比建筑或绘画，装饰艺术的洛可可风格较易辨识。这一术语在19世纪30年代才开始进入大众语言，并长期具有贬义的意味。

**Romanesque（罗马式）**：这个术语大约出自1825年，用以描述欧洲大陆自8世纪末至12世纪的前哥特式的艺术和建筑。罗马式的第一阶段跨越8—10世纪，现今通常称为加洛林式、奥托式。在建筑方面，罗马式风格的典型特征是采用圆拱和极其沉重的结构。在绘画和雕塑方面，采用线条形状，通过夸张地扭曲人物形象传达宗教情感。在英国，罗马式被称为诺曼式（Norman）。

**Romanticism（浪漫主义）**：正如在文学和音乐方面，视觉艺术的浪漫主义产生正反两种影响：反面影响表现为混乱地反抗新古典主义的形式化、含蓄、理性原则；正面较重要的影响则是传达感觉，捍卫个人的自我表达这一至高无上的权力。在18世纪中叶，正当英国园林设计崇尚的如画审美和哥特式复兴的蓓蕾初绽之时，浪漫主义开始兴起。在18世纪晚期，德国文学的狂飙突进运动倡导以夸张、骚动的文字表现激烈的情感，浪漫主义因而得到更大的认同。在浪漫主义的成熟阶段，其影响力遍及英国、德国、法国。尽管这些国家的艺术作品不尽相同，但各国都涌现出伟大的浪漫主义艺术家，譬如英国的特纳、德国的弗雷德里克、法国的德拉克洛瓦和西奥多。从狭义上说，在19世纪中叶，浪漫主义与现实主义相融合之时，浪漫主义的潮流便被视为终结。然而，从广义上说，浪漫主义至今依然存在，因为它坚持维护想象力的权利——正是这个观念让现代艺术最终摆脱政府和市民社会露骨的控制。

**Rustication（蚀砌）**：石砌墙壁由于表面粗糙、接缝显著而呈现的效果。

**Salon（沙龙）**：法国官方在1664—1673年举办的绘画展览。1699年，中断已久的展览重新启动，在1737年完全复兴，开始举办双年度展，通常有皇家赞助，展览因设在卢浮宫的方厅（Salon Carré）得名。自法国大革命（1789—1799年）以来，沙龙改为年度展览。沙龙展览一直由官方主持，及至1881

年，政府退让主办权。该年，所有曾经参展的艺术家选举90位艺术家组成委员会。这个委员会内部再成立法国艺术家协会负责举办沙龙年展。1889年，巴黎国际博览会的次年，法国艺术家协会的内部分裂，其中一派成立全国美术协会。全国美术协会自1890年开始举办年展。

**Salon des Indépendants（独立艺术家沙龙）**：1884年开始在巴黎举办的年度展览，展览该年官方沙龙淘汰的作品。拿破仑三世授命举办这一展览，包括莫奈、布丹、方丹-拉图尔、毕沙罗、惠斯勒等画家的作品。

**Scumble（渐淡法）**：一种油画技法，在干透的颜料之上添加一层稀薄的不透明颜料，营造复杂的色调效果。

**Secession, Sezession（分离派）**：在19世纪最后年代，德国和奥地利的一些艺术家群体以这一名称自许，反对政府赞助的展览体系。1892年，弗朗茨·冯·施图克在慕尼黑成立分离派；1897年，古斯塔夫·克里姆特在维也纳成立分离派；1899年，马克斯·利伯曼在柏林成立分离派，此外还有德国南部的达姆施塔特。

**Second Empire style（第二帝国风格）**：一种综合式装饰和建筑风格，纵跨哥特式复兴时期至路易十五时期的法国。这个风格在拿破仑三世为总统时期（1848—1852年）与登基称帝时期（1852—1870年）极其流行。

**Société Anonyme（合伙人协会）**：莫奈、德加、毕沙罗、塞尚、莫里索、卡萨特等艺术家组成的群体。1874年，这些画家在摄影师纳达尔的工作室举办展览。有些批评家称他们为"不妥协者"，另有些称他们为"印象主义"。1876年，这个群体开始采用印象主义这一名称。

**spandrel（拱肩）**：拱廊两道拱的交汇处所构成的三角空间；拱的外弧、拱上方的水平线脚与圆柱或支柱的垂直延伸部位在墙上形成的三角空间。

**Surrealism（超现实主义）**：法国诗人纪尧姆·阿波利奈尔在1917年所创造的词语，今日多用于指称安德烈·布勒东在1924年倡导的运动。这场运动接纳法国的达达主义（Dada），维护创作的方法和过程（蔑视逻辑，憎恶策略），尽管达达主义只是通过艺术创作的方法和过程否定传统的艺术。超现实主义深受弗洛伊德的影响，宣称要通过"梦的重要性"和暂停意识的控制（自动性）释放无意识的宝藏。

**stringcourses（腰线）**：建筑外墙以砖或石块砌就的水平装饰带。

**Symbolism（象征主义）**：这是大约在1885—1910年欧洲文学和视觉艺术中具有影响力的运动。象征主义摒弃客观性，强调主观性，拒绝直接描绘现实，转向综合现实的各个方面，力求通过隐晦又强大的象征符号暗示深刻的思想。象征主义将宗教神秘主义与诡戾、色情相结合，偏爱将"原始"的元素融进对于颓废的精致崇拜。参加这个运动的艺术家有法国的高更、雷东、丹尼，比利时的赫诺普夫，瑞士的霍德勒，奥地利的克里姆特，意大利的乔瓦尼·塞冈蒂尼。

**Synthetism（综合主义）**：高更及其阿旺桥的追随者在1886—1890年使用的术语。埃米尔·贝尔纳是阿旺桥艺术家中间非常善辩的理论家，宣称"为了揭示更多，我们必须简化"。高更及其追随者认为画家必须综合本人的印象，"依靠记忆绘画"，而不是直接转录题材。在1889年巴黎国际博览会期间，阿旺桥艺术家在巴黎佛尔比尼咖啡馆举办展览，冠名为"综合派"。1891年，他们成立综合主义群体，成员包括高更、贝尔纳、查尔斯·拉瓦尔、路易·安格丹。

**tempera（蛋彩）**：一种乳胶，可作为颜料的溶剂；通常使用全蛋或蛋黄制成，但也可以使用牛奶、浆糊或树胶，甚或蒲公英的浆汁、无花果树的树浆。

**tholos（圆形神庙）**：古希腊和罗马的圆形建筑，通常盖有屋顶。

**trabeated（横梁式）**：完全依靠垂直结构元素支撑水平结构元素的建筑方法，不使用拱形。古埃及和希腊古典时期的建筑都是横梁式。

**Ukiyoe（浮世绘）**：17—19世纪日本的流行艺术，表现江户（现名东京）吉原（妓院）的生活情景。艺伎和歌舞伎是浮世绘钟爱的题材，但浮世绘画家也擅长描绘风景、历史、传奇、民间传说。其主要表现方式是木刻彩色版画，杰出的艺术家有喜多川歌麿、葛饰北斋、歌川广重。

**vignette（小花饰）**：手稿大写字母周围的花叶装饰；手稿或印刷书籍填充空白的花叶装饰；任何图案或插图，消隐于周围的空间，不设任何明确的边界。

**Vingt, Les（Les XX，二十人组合）**：20位比利时画家和雕塑家组成的群体，从1883年创立开始，及至1893年解散，其间举办一系列年度展览。展览也接纳异国画家和雕塑家的作品，尤其是当时正获得国际名声的艺术家，如梵·高、高更、图卢兹-劳特累克、莫奈、修拉、塞尚。二十人组合在传播新印象主义和后印象主义的国际名望方面发挥了巨大的影响力。

**Wanderers（漂泊者）**：也称巡回展览画派，1870年，俄罗斯自然主义画家成立的群体，他们反叛帝国艺术学院，创作描绘社会现实主义的绘画，在全国各地巡回展览（因而得名），力图将作品通俗化，扩大赞助的资源。最著名的成员有伊凡·克拉姆斯柯伊、伊里亚·列宾。

**wet-plate process（湿版法）**：参见火棉胶湿版法。

**Woodburytype（凹版印相工艺）**：一种摄影冲印工艺，1864—1865年引入，首次使冲印大量摄影照片成为可能。因此，自19世纪下半叶开始，摄影照片经常用于书籍插图。

**Ziggurat（庙塔）**：阶梯式金字塔或塔形建筑。

# 参考书目

以下列出的作品是每章作者的参考资料。

Albert Boime, *Art in the Age of Civil Struggle, 1848–1871*. 2008.

—, *Art in an Age of Counterrevolution, 1815–1848*. 2004.

—, *Art in the Age of Bonapartism: 1800–1815*. 1990.

—, *Art in the Age of Revolution, 1750–1800*. 1987.

—, *The Art of Exclusion: Representing Blacks in the Nineteenth Century*. 1990.

Patricia Condon, *In Pursuit of Perfection: The Art of J.-A.-D. Ingres*. 1984.

*The Journal of Eugène Delacroix*, ed. Hubert Wellington, trans. Lucy Norton. 1951/1980.

Félix Fénéon, *Au-delà de l'impressionnisme*, ed. Françoise Cachin. 1966.

*French Painting 1774–1830: The Age of Revolution*. 1985.

Charles Harrison, Paul Wood, and Jason Geiger, *Art in Theory, 1815–1900: An Anthology of Changing Ideas*. 1998.

Francis Haskell, *Past and Present in Art and Taste*. 1987.

Dorothy Johnson, *Metamorphoses of Jacques-Louis David*. 1993.

Patricia Mainardi, *Art and Politics of the Second Empire: The Universal Expositions of 1855 and 1867*. 1987.

Linda Nochlin, *The Politics of Vision: Essays on Nineteenth-Century Art and Society*. 1991.

Ellwood C. Parry, *The Image of the Indian and the Black Man in American Art, 1590–1900*. 1974.

John Rewald, *The History of Impressionism*, 4th edn. 1973.

—, *Post-Impressionism: From Van Gogh to Cezanne*. 1979.

E. P. Thompson, *The Making of the English Working Class*. 1963.

—, *Witness Against the Beast: William Blake and the Moral Law*. 1995.

Gabriel P. Weisberg (ed.), *The European Realist Tradition*. 1982.

Raymond Williams, *Culture and Society, 1780–1950*. 1958/1980.

## 绪论

T. H. Aston and C. H. E. Philpin (eds.), *The Brenner Debate: Agrarian Class Structure and Economic Development in Pre-Industrial Europe*. 1987.

Charles Baudelaire, *Oeuvres complètes*, ed. Claude Pichois. 1975.

Michel Beaud, *A History of Capitalism*, trans. Tom Dickman and Annie Lefebvre. 1983.

Léonce Bénédite, *Great Painters of the XIXth Century and Their Paintings*. 1910.

Walter Benjamin, *Illuminations*, ed. Hannah Arendt. 1970/1978.

Albert Boime, *A Social History of Modern Art*, vol. I. 1988.

Richard R. Brettell, *Modern Art: 1859–1929*. 1999.

Norman Bryson, *Tradition and Desire: From David to Delacroix*. 1984.

T. J. Clark, *Farewell to an Idea: Episodes in the History of Modernism*. 1999.

Lorenz Eitner, *An Outline of 19th Century European Painting*. 1987.

David V. Erdman (ed.), *Complete Poetry and Prose of William Blake*. 1981.

Eric Foner (ed.), *The New American History*. 1997.

Eric J. Hobsbawm, *The Age of Capital: 1848–1875*. 1979.

—, *The Age of Empire: 1875–1914*. 1989.

—, *The Age of Revolution: Europe 1789–1848*. 1962.

Max Horkheimer, "Traditional and Critical Theory," in *Critical Sociology*, ed. Paul Connerton. 1978.

*The Marx-Engels Reader*, ed. Robert C. Tucker. 1978.

Richard Muther, *The History of Modern Painting*, 4 vols. 1907.

Fritz Novotny, *Painting and Sculpture in Europe, 1780–1880*. 1960, 2nd edn. 1970.

Robert Rosenblum and H. W. Janson, *19th-Century Art*. New York, 1984; English edn., *Art of the Nineteenth Century*, London, 1984.

Jean-Jacques Rousseau, *A Discourse on Inequality*, trans. with notes by Maurice Cranston. 1984.

John Ruskin, *The Complete Works of John Ruskin*, ed. E. T. Cook and Alexander Wedderburn. 1903.

Raymond Williams, *Keywords*. 1976.

—, *Marxism and Literature*. 1977.

## 第1章

I want gratefully to acknowledge research by others, published and unpublished, which has informed Chapters 1 and 2: Darcy Grigsby on Gros's *Plague House at Jaffa* and Delacroix's *Liberty*; David O'Brien on Gros's *Battle of Nazareth*; Susan Siegfried likewise on the *Nazareth* painting and on Ingres's *Napoleon on the Imperial Throne*; Ewa Lajer-Burchardt on David's *Sabines*; Stephanie Brown on Girodet and Bruno Chenique on Géricault; Francis Haskell on Sommariva; Nina Athanassoglou-Kallmyer on the imagery of the Greek War of Independence; and finally, Philippe Bordes and Régis Michel on topics too numerous to mention. *Thomas Crow*.

Philip Conisbee, *Eighteenth-Century French Painting*. 1982.

Thomas Crow, *Emulation: Making Artists for Revolutionary France*. 1995.

—, *Painters and Public Life in Eighteenth-Century Paris*. 1985.

David Dowd, *Jacques-Louis David: Pageant Master of the Republic*. 1948.

Robert Herbert, *David: Brutus*. 1972.

Régis Michel et al., *Aux armes et aux arts! Les arts de la Révolution 1789–1799*. 1989.

Robert Rosenblum, *Transformations in Late Eighteenth-Century Art*. 1967.

Mary D. Sheriff, *The Exceptional Woman: Elisabeth Vigée-Lebrun and the Cultural Politics of Art*. 1995.

Elisabeth Vigée-Lebrun, *Memoirs*, trans. L. Strachey. 1903/1989.

参见：

Joseph Baillo et al., *Vigee Le Brun*. 2016.

Michael Fried, *Another Light: Jacques-Louis David to Thomas Demand*. 2015.

Gita May, *Elizabeth Vigee Le Brun: The Odyssey of an Artist in an Age of Revolution*. 2005.

## 第2章

*Les années romantiques: La peinture française de 1815 à 1850*. Musée des beaux-arts de Nantes/Grand Palais, Paris/Palazzo Gotico, Piacenza. 1995.

Nina Athanassoglou-Kallmyer, *French Images from the Greek War of Independence 1821–1830*. 1987.

Eugène Delacroix, *Selected Letters 1813–1863*, ed. and trans. J. Stewart. 1970.

Philippe Grunchec, *Master Drawings by Géricault*. 1985.

Serge Guilbaut, Maureen Ryan, and Scott Watson (eds.), *Théodore Géricault, the Alien Body: Tradition in Chaos*. 1997.

Barthélémy Jobert, *Delacroix*. 1998.

Régis Michel et al., *Géricault*. 1992.

Todd B. Porterfield, *The Allure of Empire: Art in the Service of French Imperialism, 1798–1836*. 1998.

Frank Anderson Trapp, *The Attainment of Delacroix*. 1971.

Georges Vigne, *Ingres*. 1995.

参见：

Sébastien Allard et al., *Delacroix*. Metropolitan Museum of Art. 2018.

Nina Athanassoglou–Kallmyer, *Theodore Gericault*. 2010.

Thomas Crow, *Restoration: The Fall of Napoleon in the Course of European Art 1812–1820*. 2018.

*Eugene Delacroix*. Metropolitan Museum of Art. 2018.

Eik Kahng, *Delacroix and the Matter of Finish*. 2013.

Simon Lee, *Delacroix*. 2015.

Patrick J. Noon, *Delacroix and the Rise of Modern Art*. National Gallery Company in association with the Minneapolis Institute of Art. *2015*.

David O'Brien, *Exiled in Modernity: Delacroix, Civilization, and Barbarism*. 2018.

Abigail Solomon–Godeau, *Male Trouble. A Crisis in Representation*. 1999.

## 第3章

Nigel Glendinning, *Goya and His Critics*. 1977.

J. Guidol, *Goya*, 4 vols. 1971.

F. D. Klingender, *Goya in the Democratic Tradition*. 1968.

Fred Licht (ed.), *Goya in Perspective*. 1973.

—, *Goya: The Origins of the Modern Temper in Art*.

*The Life and Complete Works of Francisco Goya*, with a preface by Enrique Lafuente Ferrari. 1981.

André Malraux, *Saturn: An Essay on Goya*. 1957.

Priscilla E. Muller, *Goya's "Black" Paintings: Truth and Reason in Light and Liberty*. 1984.

Alfonso E. Pérez Sánchez and Eleanor A. Sayre et al., *Goya and the Spirit of Enlightenment*. 1989.

Eleanor A. Sayre *et al.*, *The Changing Image: Prints by Francisco Goya*. 1974.

Gwyn A. Williams, *Goya and the Impossible Revolution*. 1976.

参见：

Xavier Bray *et al.*, *Goya: The Portraits*. 2015.

Dawson W. Carr, *Velázquez*. 2006.

Robert G. La France, "A Source for Goya's 'Disparate Volante'," *Print Quarterly* 20: 3 (2003): 249–54.

Carlos Rojas, *The Valley of the Fallen*. 2018.

Stephanie Loeb Stepanek, Frederick Ilchman, and Janis A. Tomlinson. *Goya: Order & Disorder*. 2014.

Victor Stoichita and Anna Maria Coderch, *Goya: The Last Carnival*. 1979.

Jesusa Vega and Nigel Glendinning, "Goya's Etchings after Velázquez," *Print Quarterly* 12: 2 (1995): 145–63.

Juliet Wilson-Bareau, Leah Lehmbeck (ed.), *Goya in the Norton Simon Museum*. 2016.

**第4章**

John Barrell, *The Political Theory of Painting from Reynolds to Hazlitt*. 1986.

David Bindman, *Blake as an Artist*. 1977.

—, *William Blake: His Art and Times*. 1982.

—, *William Blake: The Complete Illuminated Books*. 2001.

Jacob Bronowski, *William Blake and the Age of Revolution*. 1965.

Steve Clark and David Worrall (eds.), *Historicizing Blake*. 1994.

Stewart Crehan, *Blake in Context*. 1984.

Morris Eaves, *William Blake's Theory of Art*. 1982.

—, *The Counter-Arts Conspiracy: Art and Industry in the Age of Blake*. 1992.

David V. Erdman, *Blake: Prophet against Empire*, 3rd edn. 1977.

—, *The Illuminated Blake*. 1975.

Richard T. Godfrey, *James Gillray: The Art of Caricature*. 2001.

David Irwin, *English Neoclassical Art*. 1966.

Geoffrey Keynes (ed.), *Blake: Complete Writings*. 1972.

Saree Makdasi, *William Blake and the Impossible History of the 1790s*. 2003.

Eudo C. Mason, *The Mind of Henry Fuseli*. 1951.

Jon Mee, *Dangerous Enthusiasm: William Blake and the Culture of Radicalism in the 1790s*. 1992.

W. J. T. Mitchell, *Blake's Composite Art*. 1978.

Martin Myrone, *Bodybuilding: Reforming Masculinities in British Art, 1750–1810*. 2005.

— (ed.), *Gothic Nightmares: Fuseli, Blake and the Romantic Imagination*. 2006.

Morton D. Paley, *The Apocalyptic Sublime*. 1986.

Ronald Paulson, *Representations of Revolution*. 1983.

William L. Pressly, *The Life and Art of James Barry*. 1981.

Gert Schiff, *Johann Heinrich Füssli: Oeuvrekatalog*, 2 vols. 1973.

David H. Solkin (ed.), *Art on the Line: The Royal Academy Exhibition and Somerset House, 1780–1836*. 2001.

E. P. Thompson, *Witness against the Beast: William Blake and the Moral Law*. 1993.

Ruthven Todd, *Tracks in the Snow: Studies in English Art and Science*. 1946.

Joyce H. Townsend (ed.), *William Blake: The Painter at Work*. 2000.

参见：

Christopher Bundock and Elizabeth Effinger, *William Blake's Gothic Imagination: Bodies of Horror*. 2018.

Leo Damrosch, *Eternity's Sunrise: The Imaginative World of William Blake*. 2015.

Robert Essick (ed.), *Songs of Innocence and Experience*. 2008.

Stephen F. Eisenman *et al.*, *William Blake and the Age of Aquarius*, 2017.

Saree Makdisi, *Reading William Blake*. 2015.

Helene Pharabod-Ibata, *The Challenge of the Sublime*. 2018.

Michael Phillips, *William Blake: Apprentice and Master*. Ashmolean Museum. 2015.

Andrei Pop, *Antiquity, Theatre, and the Painting of Henry Fuseli*. 2015.

David Solkin, *Art in Britain, 1660–1815*. 2015.

**第5章**

Malcolm Andrews, *The Search for the Picturesque: Landscape Aesthetics and Tourism in Britain*. 1989.

John Barrell, *The Dark Side of the Landscape: The Rural Poor in English Painting, 1730–1840*. 1980.

Ann Bermingham, *Landscape and Ideology: The English Rustic Tradition, 1740–1860*. 1986.

David Bindman, "Samuel Palmer's 'An Address to the Electors of West Kent, 1832' Rediscovered," *Blake Quarterly*, 19 (Fall 1985): 56–68.

Albert Boime, "Turner's *Slave Ship*: The Victims of Empire," *Turner Studies*, 10 (Summer 1990): 34–43.

David Blayney Brown, Sam Smiles, and Amy Concannon (eds.), *J. M. W. Turner: Painting Set Free*. 2014.

—, *Romanticism*. 2001.

M. Butlin and E. Joll, *The Paintings of J. M. W. Turner*, 2 vols. 1977, rev. 1984.

Stephen Copley and Peter Garside (eds.), *The Politics of the Picturesque*. 1994.

Stephen Daniels, *Humphry Repton: Landscape Gardening and the Geography of Georgian England*. 1999.

Renzo Dubbini, *Geography of the Gaze, Urban and Rural Vision in Early Modern Europe*. 2002.

William Feaver, *The Art of John Martin*. 1975.

John Gage, *J. M. W. Turner, "A Wonderful Range of Mind."* 1987.

Nicholas Green, *The Spectacle of Nature*. 1990.

Louis Hawes, *Presence of Nature: British Landscape, 1780–1830*. 1982.

James Heffernan, *The Re-Creation of Landscape*. 1985.

Elizabeth K. Helsinger, *Rural Scenes and National Representation: Britain 1815–1850*. 1997.

Andrew Hemingway, *Landscape and Urban Culture in Early Nineteenth-Century Britain*. 1992.

Humphrey Jennings, *Pandaemonium: The Coming of the Machine as Seen by Contemporary Observers, 1660–1886*. 1985.

Charlotte Klonk, *Science and the Perception of Nature: British Landscape Art in the Late Eighteenth and Early Nineteenth Centuries*. 1996.

Kay Dian Kriz, *The Idea of the English Landscape Painter*. 1997.

Jack Lindsay, *J. M. W. Turner, A Critical Biography*. 1966.

Brian Lukacher, "Turner's Ghost in the Machine," *Word and Image*, 6 (April–June 1990): 119–37.

John McCoubrey, "Time's Railway: Turner and the Great Western," *Turner Studies*, 6 (Summer 1986): 33–9.

K. Nicholson, *Turner's Classical Landscape: Myth and Meaning*. 1990.

Ronald Paulson, *Literary Landscape: Turner and Constable*. 1982.

William S. Rodner, *J. M. W. Turner, Romantic Painter of the Industrial Revolution*. 1997.

Michael Rosenthal, *Constable: The Painter and His Landscape*. 1983.

—, *Turner and Constable: Sketching from Nature*. 2013.

Eric Shanes, *Turner's Human Landscape*. 1990.

Sam Smiles, *J. M. W. Turner*. 2000.

Greg Smith, *The Emergence of the Professional Watercolourist*. 2002.

Lindsay Stainton, *British Landscape Watercolours, 1600–1860*. 1985.

William Vaughan *et al.*, *Samuel Palmer: Vision and Landscape*. 2006.

Barry Venning, *Turner*. 2003.

Ian Warrell *et al.*, *Ruskin, Turner and the Pre-Raphaelites*. 2000.

Raymond Williams, *The Country and the City*. 1973.

Andrew Wilton, *Turner in His Time*. 1987.

参见：

David Brown (ed.), *Late Turner: Painting Set Free*. 2014.

John Crowley, *Imperial Landscapes*. 2011.

Celina Fox, *The Arts of Industry in the Age of Enlightenment*. 2010.

Andrew Hemingway, *Landscape between Ideology and the Aesthetic*. 2017.

Anne Lyles and Sarah Cove, *John Constable, The Great Landscapes*. 2006.

Michael Rosenthal, Anne Lyles, and Steven Parissien. *Turner and Constable: Sketching from Nature*. 2013.

William Vaughan, *Samuel Palmer: Shadows on the Wall*. 2015.

**第6章**

Keith Andrews, *The Nazarenes*. 1964.

Rebecca Bedell, *The Anatomy of Nature: Geology and American Landscape Painting 1825–75*. 2001.

Albert Boime, *Art in the Age of Bonapartism 1800–1815*. 1991.

Helmut Börsch-Supan and Karl Wilhelm Jähnig, *Caspar David Friedrich*. 1973.

Sarah Burns, *Pastoral Inventions*. 1989.

—, *Painting the Dark Side: Art and the Gothic Imagination in Nineteenth Century America*. 2004.

Jon Conron, *American Picturesque*. 2000.

Rachel Ziady DeLue, *George Inness and the Science of Landscape*. 2004.

Herbert von Einem, *Deutsche Malerei des Klassizismus und der Romantik 1760 bis 1840*. 1978.

Sabine Fastert, *Die Entdeckung des Mittelalters: Geschichtsrezeption in der nazarenischen malerei des frühen 19. Jahrhunderts*. 2001.

Mitchell Benjamin Frank, *German Romantic Painting Redefined: Nazarene Tradition and the Narratives of Romanticism*. 2001.

Keith Hartley (ed.), *The Romantic Spirit in German Art 1790–1990*. 1994.

Werner Hofmann, *Caspar David Friedrich*. 2001.

— (ed.), *Runge in seiner Zeit*. 1977.

Franklin Kelly, *Frederic Edwin Church and the National Landscape*. 1988.

— et al., *American Paintings of the Nineteenth Century, The Collections of the National Gallery of Art*. 1996.

Joseph Leo Koerner, *Caspar David Friedrich and the Subject of Landscape*. 1990.

David Lubin, *Picturing a Nation: Art and Social Change in Nineteenth-Century America*. 1994.

Kynaston McShine (ed.), *The Natural Paradise: Painting in America 1800–1950*. 1976.

Kenneth W. Maddox, "Asher B. Durand's *Progress:* The Advance of Civilization and the Vanishing American," in *The Railroad in American Art*, ed. S. Danly and L. Marx. 1988.

Victor Meisel, "Philipp Otto Runge, Caspar David Friedrich, and Romantic Nationalism," *Yale University Art Gallery Bulletin*, 33 (Oct. 1972): 37–51.

Angela Miller, *The Empire of the Eye, Landscape Representation and American Cultural Politics, 1825–1875*. 1993.

Timothy Mitchell, *Art and Science in German Landscape Painting 1770–1840*. 1993.

L. Morowitz and W. Vaughan (eds.), *Artistic Brotherhoods in the Nineteenth Century*. 2000.

*I Nazareni a Roma*. Galleria nazionale d'arte moderna, Rome. 1981.

Barbara Novak, *Nature and Culture: American Landscape and Painting 1825–1875*. 1980.

Ellwood C. Parry, *The Art of Thomas Cole*. 1988.

Robert Rosenblum, *Modern Painting and the Northern Romantic Tradition*. 1975.

Jörg Traeger, *Philipp Otto Runge und sein Werk*. 1975.

William Vaughan, *German Romantic Painting*. 1980.

Alan Wallach *et al.*, *Thomas Cole: Landscape into History*. 1994.

John Wilmerding (ed.), *American Light: The Luminist Movement 1850–1875*. 1980.

参见：

Nina Amstutz, "Caspar David Friedrich and the Anatomy of Nature." *Art History* 37: 3 (2014): 454–81.

Tim Barringer *et al.*, *Picturesque and Sublime: Thomas Cole's Trans-Atlantic Inheritance*. 2018.

Maggie M. Cao, *The End of Landscape in Nineteenth-Century America*. 2018.

Michael Fried, *Another Light*. 2014.

Cordula Grewe, "Re-Enchantment as Artistic Practice: Strategies of Emulation in German Romantic Art and Theory." *New German Critique*, 94 (2005): 36–71.

—, *The Nazarenes: Romantic Avant-Garde and the Art of the Concept*. 2015.

Wendy Ikemoto, *Antebellum American Pendant Paintings*. 2018.

Joseph Leo Koerner, *Caspar David Friedrich and the Subject of Landscape*. 2009.

E. M. Kornhauser and Tim Barringer, *Thomas Cole's Journey: Atlantic Crossings*. 2018.

E. K. Moore and P. A. Simpson (eds.), *The Enlightened Eye: Goethe and Visual Culture*. 2007.

Brad Praeger, *Aesthetic Vision and German Romanticism*. 2007.

Jennifer Raab, *Frederic Church: The Art and Science of Detail*. 2015.

**第7章**

Dana Arnold, *Re-presenting the Metropolis: Architecture, Urban Experience and Social Life in London, 1800–1840*. 2000.

Paul Atterbury and Clive Wainwright (eds.), *Pugin: A Gothic Passion*. 1994.

Jeffrey Auerbach, *The Great Exhibition of 1851: A Nation on Display*. 1999.

Barry Bergdoll, *Karl Friedrich Schinkel: An Architecture for Prussia*. 1994.

—, *European Architecture 1750–1890*. 2000.

Allan Braham, *The Architecture of the French Enlightenment*. 1980.

Chris Brooks, *The Gothic Revival*. 1999.

J. Mordaunt Crook, *The Dilemma of Style: Architectural Ideas from the Picturesque to the Post-Modern*. 1987.

Robin Evans, *The Projective Cast*. 1995.

Kenneth Frampton, *Studies in Tectonic Culture: The Poetics of Construction in Nineteenth and Twentieth Century Architecture*. 1995.

Pierre Francastel, *Art and Technology in the Nineteenth and Twentieth Centuries*. 1953/2000.

J. F. Geist, *Arcades: The History of a Building Type*. 1983.

Georg Germann, *Gothic Revival in Europe and Britain: Sources, Influences, and Ideas*. 1973.

Sigfried Giedion, *Space, Time, and Architecture*. 1941/1967.

Alberto Gómez-Pérez, *Architecture and the Crisis of Modern Science*. 1983.

Norman Johnston, *Forms of Constraint: A History of Prison Architecture*. 2000.

Harry Francis Mallgrave, *Modern Architectural Theory: A Historical Survey, 1673–1968*. 2005.

W. Barksdale Maynard, *Architecture in the United States, 1800–1850*. 2002.

Robin Middleton and David Watkin, *Neoclassical and Nineteenth Century Architecture*. 1981.

Donald J. Olsen, *The City as a Work of Art: London, Paris, Vienna*. 1986.

Steven Parissien, *Station to Station*. 1997.

Nikolaus Pevsner, *A History of Building Types*. 1976.

William H. Pierson, Jr., *American Buildings and Their Architects, Technology and the Picturesque, the Corporate and Early Gothic Styles*. 1980.

Margaret Richardson and Mary Ann Stevens (eds.), *John Soane, Architect: Master of Space and Light*. 1999.

Colin Rowe, *The Mathematics of the Ideal Villa and other essays*. 1976.

Henry Russell-Hitchcock, *Architecture: Nineteenth and Twentieth Centuries*. 1958/1977.

—, *Early Victorian Architecture in Britain*. 1954.

Joseph Rykwert, *The First Moderns: Architects of the Eighteenth Century*. 1980.

Michael Snodin (ed.), *Karl Friedrich Schinkel: Universal Man*. 1991.

Damie Stillman, *English Neo-classical Architecture*. 1988.

John Summerson, *Architecture in Britain, 1530–1830*. 1953/1977.

Anthony Vidler, *The Writing of the Walls: Architectural Theory in the Late Enlightenment*. 1987.

—, *Claude-Nicolas Ledoux*. 1990.

David Watkin, *Sir John Soane: Enlightenment Thought and the Royal Academy Lectures*. 1996.

参见：

J. B. Bullen, "The Romanesque Revival in Britain, 1800–1840: William Gunn, William Whewell, and Edmund Sharpe." *Architectural History*, 47 (2004): 139–58.

James Buzard (ed.), *Victorian Prism: Reflections of the Crystal Palace*. 2007.

Kurt Forster, *Schinkel: A Meander through his Life and Work*. 2018.

Helene Mary Furján, *Glorious Visions: John Soane's Spectacular Theatre*. 2011.

Michael D. Hall, *George Frederick Bodley and the Later Gothic Revival in Britain and America*. 2015.

Ayla Lepine, "The Persistence of Medievalism: Kenneth Clark and the Gothic Revival." *Architectural History*, 57 (2014): 323–56.

Neil Levine, *Modern Architecture: Representation and Reality*. 2009.

Carol M. Richardson, "Edward Pugin and English Catholic Identity: The New Church of the Venerable English College in Rome." *Journal of the Society of Architectural Historians*, 66: 3 (2007): 340–65.

William Whyte, *Unlocking the Church: The Lost Secrets of Victorian Sacred Space*, 2017.

Richard Wittman, *Architecture, Print Culture, and the Public Sphere in 18th-Century France*. 2007.

**第8章**

Janet Catherine Berlo (ed.), *Plains Indian Drawings 1865–1935, Pages from a Visual History*. 1996.

Anna Blume, "In a Place of Writing," in *Plains Indian Drawings*, ed. J. C. Berlo. 1996.

George Catlin, *Letters and Notes on the Manners, Customs, and Conditions of North American Indians*, 2 vols. 1844/1973.

Brian W. Dippie, *Catlin and His Contemporaries: The Politics of Patronage*. 1990.

Tom Hill and Richard W. Hill, Sr. (eds.), *Creation's Journey: Native American Identity and Belief*, with contributions by Diane Fraher, Ramiro Matos, John C. Ewers, Dorie Reents-Budet, Mari Lynn Salvador, Duane King, Mary Jane Lenz, Eulalie H. Bonar, Nancy Rosoff, and Cécile R. Ganteaume. 1994.

Donal F. Lindsey, *Indians at Hampton Institute, 1877–1923*. 1995.

Evan M. Maurer, ed., *Visions of the People, A Pictorial History of Plains Indian Life*. 1992.

Tiya Miles, *Ties That Bind: The Story of an Afro-Cherokee Family in Slavery and Freedom*, 2005.

David W. Penney, "The Horse as Symbol: Equine Representations in Plains Pictographic Art," in *Visions of the People*, ed. E. M. Maurer, 1992.

Karen Daniels Peterson, *Plains Indian Art from Fort Marion*. 1971.

Renato Rosaldo, *Culture and Truth: The Remaking of Social Analysis*. 1989.

Henry R. Schoolcraft, *Historical and Statistical Information Respecting the History, Condition, and Prospects of the Indian Tribes of the United States*, 6 vols. Philadelphia, 1856.

Joyce M. Szabo, *Howling Wolf and the History of Ledger Art*. 1994.

参见：

Candace S. Greene, 2013. "Being Indian at Fort Marion: Revisiting Three Drawings." *American Indian Quarterly*, 37: 4: 289–316.

Andrea Bear Nicholas, "The Role of Colonial Artists in the Dispossession and Displacement of the Maliseet, 1790s–1850s," *Journal of Canadian Studies*, 49: 2 (2015): 25–86.

Stephanie Pratt and Joan Carpenter Troccoli, *George Catlin: American Indian Portraits.* National Portrait Gallery, Washington. 2013.

David M. Wrobel, "Global West, American Frontier," *Pacific Historical Review*, 78: 1 (2009): 1–26.

## 第9章

Albert Boime, *The Art of Exclusion: Representing Blacks in the Nineteenth Century*. 1990.

—, "Henry Ossawa Tanner's Subversion of Genre," *Art Bulletin*, 75: 3 (September 1993): 415–42.

Kirsten P. Buick, "The Ideal Works of Edmonia Lewis: Invoking and Inverting Autobiography," *American Art,* 9: 2 (Summer 1995): 4–19.

Teresa A. Carbone and Patricia Hills, *Eastman Johnson Painting America*. 1999.

Nicolai Cikovsky, Jr., "Winslow Homer's *Prisoners from the Front*," *Metropolitan Museum Journal*, 12 (1977): 155–72.

— and Franklin Kelly, *Winslow Homer*, with contributions by Judith Walsh and Charles Brock. 1995.

Joy S. Kasson, *Marble Queens and Captives: Women in Nineteenth-Century American Sculpture*. 1990.

Joseph D. Ketner, *The Emergence of the African-American Artist: Robert S. Duncanson, 1821–1872*. 1993.

Karen S. Linn, *That Half-Barbaric Twang: The Banjo in American Popular Culture*. 1991.

Dewey F. Mosby and Darrel Sewell, *Henry Ossawa Tanner*. 1991.

Mary Panzer, *Mathew Brady and the Image of History*. 1997.

Ellwood Parry, *The Image of the Indian and the Black Man in American Art, 1590–1900*. 1974.

Frances K. Pohl, "Putting a Face on Difference," *Art Bulletin*, 78 (December 1996): 23–28.

Richard J. Powell, "Cinque: Antislavery Portraiture and Patronage in Jacksonian America," *American Art,* 11 (Fall 1997): 48–73.

Kirk Savage, *Standing Soldiers, Kneeling Slaves: Race, War, and Monument in Nineteenth-Century America*. 1997.

Marc Simpson, *Winslow Homer: Paintings of the Civil War*. 1988.

Shawn Michelle Smith, *American Archives: Gender, Race, and Class in Visual Culture*. 1999

Alan Trachtenberg, "Albums of War, On Reading Civil War Photographs," in *Critical Issues in American Art*, ed. Mary Ann Calo. 1998.

Peter H. Wood and Karen C. C. Dalton, *Winslow Homer's Images of Blacks: The Civil War and Reconstruction Years*. 1988.

参见：

Dana E. Byrd and Frank H. Goodyear III. *Winslow Homer and the Camera*. 2018.

Jasmine Nichole Cobb, *Picture Freedom: Remaking Black Visuality in the Early Nineteenth Century*. 2015.

Lisa E. Farrington, "Black or White?: Racial Identity in Nineteenth- Century African-American Art." *Source: Notes in the History of Art* 31, no. 3 (2012): 5–12.

Vivien Green Fryd, "The 'Ghosting' of Incest and Female Relations in Harriet Hosmer's 'Beatrice Cenci'." *The Art Bulletin,* 88: 2 (2006): 292–309.

Snait B. Gissis, "Visualizing 'Race' in the Eighteenth Century." *Historical Studies in the Natural Sciences*, 41: 1 (2011): 41–103.

Harry Henderson, *The Indomitable Spirit of Edmonia Lewis: A Narrative Biography.* San Francisco Esquiline Hill Press, 2012.

Marc Simpson, *Winslow Homer: The Clark Collection*. 2013.

Naurice Frank Woods, Jr. "Kindred Spirits of the Imagination: Henry Ossawa Tanner and Clementine Hunter." *The Journal of African American History*, 98: 3 (2013): 455–65.

## 第10章

Jean-Paul Aron, *Misérable et glorieuse, la femme du XIXe siècle*. 1980.

Charles Baudelaire, *Oeuvres complètes*, ed. Claude Pichois. 1975.

Albert Boime, *Thomas Couture and the Eclectic Vision*. 1980.

—, *Hollow Icons: The Politics of Sculpture in Nineteenth-Century France*. 1987.

Jacques de Caso, *David d'Angers: Sculptural Communication in the Age of Romanticism*. 1992.

Thomas Crow, "Modernism and Mass Culture in the Visual Arts," in *Pollock and After: The Critical Debate*, ed. Francis Frascina. 1985.

Terry Eagleton, *The Function of Criticism*. 1984.

Peter Fusco and H. W. Janson (eds.), *The Romantics to Rodin*. 1980.

Susan K. Grogan, *French Socialism and Sexual Difference*. 1992.

Jürgen Habermas, "The Public Sphere: An Encyclopedia Article," *New German Critique*, 3 (Fall 1974): 49–55.

Neil McWilliam, "David d'Angers and the Pantheon Commission: Politics and Public Works under the July Monarchy," *Art History*, 5: 4 (December 1982): 426–46.

参见：

Temma Balducci and Heather Belnap Jensen (eds). *Women, Femininity and Public Space in European Visual Culture, 1789–1914*. 2014.

## 第11章

Walter Benjamin, "The Author as Producer," in *Reflections*, ed. Peter Demetz, trans. Edmund Jephcott. 1978.

Albert Boime, "Ford Madox Brown, Thomas Carlyle, and Karl Marx: Meaning and the Mystification of Work in the Nineteenth Century," *Arts Magazine*, (September 1979): 116–25.

T. J. Clark, *The Absolute Bourgeois: Artists and Politics in France 1848–1851*. 1972/1973.

—, *Image of the People: Gustave Courbet and the 1848 Revolution*. 1973.

Gerard Curtis, "Ford Madox Brown's *Work*: An Iconographic Analysis," *Art Bulletin* (Dec. 1992): 623–36.

Sarah Faunce and Linda Nochlin, *Courbet Reconsidered*. 1988.

Klaus Herding, *Courbet: To Venture Independence*. 1991.

Timothy Hilton, *The Pre-Raphaelites*. 1970.

E. D. H. Johnson, "The Making of Ford Madox Brown's *Work*," in *Victorian Artist in the City*, ed. I. B. Nadel and F. S. Schwarzbach. 1980.

*Letters of Gustave Courbet*, ed. and trans. Petra ten-Doesschate Chu. 1992.

Linda Nochlin, *Realism*. 1971.

Yasuko Suga, "Designing the Morality of Consumption: 'Chamber of Horrors' at the Museum of Ornamental Art, 1852–53." *Design Issues*, 20: 4 (Autumn 2004): 43–56.

Gabriel P. Weisberg, *The Realist Tradition: French Painting and Drawing, 1830–1900*. 1981.

Christopher Wood, *The Pre-Raphaelites*. 2000.

参见：

Sylvain Amic *et al., Gustave Courbet*. 2008.

Tim Barringer, *Reading the Pre-Raphaelites*, 2012.

T. J. Barringer *et al., Pre-Raphaelites: Victorian Art and Design*. 2013.

Judith Bronkhurst, *William Homan Hunt: A Catalogue Raisonne*. 2006.

Ting Chang, "Hats and Hierarchy in Gustave Courbet's 'The Meeting'." *The Art Bulletin,* 86: 4 (2004): 719–30.

Frédérique Desbuissons, "Courbet's Materialism." *Oxford Art Journal*, 31: 2 (2008): 253–60.

John Guille Millais, *The Life and Letters of Sir John Everett Millais*. 2012.

Klaus Herding (ed.), *Courbet: A Dream of Modern Art*. 2011.

John Holmes, *The Pre-Raphaelites and Science*. New Haven: Yale University Press, 2018.

Ulf Küster (ed.) *et al., Gustave Courbet*. 2015.

Elizabeth Prettejohn, *The Art of the Pre-Raphaelites*, 2007.

Jason Rosenfeld, *John Everett Millais*. 2012.

Shao-Chien Tseng, "Contested Terrain: Gustave Courbet's Hunting Scenes." *The Art Bulletin*, 90: 2 (2008): 218–34.

Marnin Young, *Realism in the Age of Impressionism: Painting and the Politics of Time*. 2015.

**第12章**

Carol Armstrong, *Scenes in a Library: Reading the Photograph in the Book, 1843–1875*. 1998.

Geoffrey Batchen, *Burnng with Desire: The Conception of Photography*. 1997.

Walter Benjamin, "A Small History of Photography," in *One-Way Street and Other Writings*, trans. Edmund Jephcott and Kingsley Shorter. 1992.

Gisele Freund, *Photography and Society*. 1980.

Vicki Goldberg, *Photography in Print: Writings from 1816 to the Present*. 1981.

Jennifer Green-Lewis, *Framing the Victorians: Photography and the Culture of Realism*. 1996.

Maria Morris Hambourg, Françoise Heilbrun, and Philippe Néagu, *Nadar*. 1995.

Ellen Handy, "Art and Science in P. H. Emerson's Naturalistic Vision," in *British Photography in the Nineteenth Century*, ed. Mike Weaver. 1989.

Heinz K. Henisch and Bridget A. Henisch, *The Photographic Experience 1839–1914: Images and Attitudes*. 1994.

Ulrich Keller, "The Myth of Art Photography: A Sociological Analysis," *History of Photography*, 8: 4 (October–December 1984): 249–75.

—, "The Myth of Art Photography: An Iconographic Analysis," *History of Photography*, 9: 1 (Jan.–March 1985): 1–38.

—, "Nadar as Portraitist: A Photographic Career between Art and Industry," *Gazette des beaux-arts*, 6: 107 (April 1986).

Rosalind Krauss, "Tracing Nadar," *October*, 5, 1978.

Anne McCauley, *A. A. E. Disdéri and the Carte de Visite Portrait Photograph*. 1985.

—, *Industrial Madness: Commercial Photography in Paris, 1848–1871*. 1994.

Mary Warner Marien, *Photography and its Critics: A Cultural History, 1839–1900*. 1997.

Patrick Maynard, *The Engine of Visualization: Thinking Through Photography*. 1997.

Miles Orvell, "Almost Nature: The Typology of Late Nineteenth-Century American Photography," in *Multiple Views*, ed. Daniel P. Younger. 1991.

Mary Panzer, *Mathew Brady and the Image of History*. 1997.

Shelley Rice, *Parisian Views*. 1997.

Naomi Rosenblum, *A World History of Photography*, 3rd edn. 1997.

Richard Rudisill, *Mirror Image: The Influence of the Daguerreotype on American Society*. 1971.

Aaron Scharf, *Art and Photography*. 1968.

Grace Seiberling, *Amateurs, Photography and the Mid-Victorian Imagination*. 1986.

Allan Sekula, *Photography against the Grain: Essays and Photo Works, 1973–1983*. 1984.

Lindsay Smith, *The Politics of Focus: Women, Children and Nineteenth-Century Photography*. 1998.

Joel Snyder, "Inventing Photography, 1839–1879," in *The Art of Fixing a Shadow*, ed. Sarah Greenough *et al.*, 1989.

Paul Spencer Sternberger, *Between Amateur and Aesthete: The Legitimization of Photography as Art in America, 1880–1900*. New Mexico, 2001.

John Tagg, *The Burden of Representation: Essays on Photographies and Histories*. 1988.

Alan Trachtenberg, *Classic Essays on Photography*. 1980.

—, "Photography: The Emergence of a Keyword," in *Photography in Nineteenth-Century America*, ed. Martha A. Sandweiss. 1991.

John Ward, "The Beginnings of Photography," in *The Story of Popular Photography*, ed. Colin Ford. 1989.

Richard Whelan and Sarah Greenough, *Stieglitz on Photography: His Selected Essays and Notes*. 2000.

参见：

Anne Helmreich, *Nature's Truth: Photography, Painting and Science in Victorian Britain*. 2016.

Nicoletta Leonardi and Simone Natale. *Photography and Other Media in the Nineteenth Century*. 2018.

Félix Nadar, Eduardo Cadava, and Liana Theodoratou. *When I Was a Photographer*. 2016.

**第13章**

Albert Boime, *The Art of the Macchia and the Risorgimento*. 1993.

Norma Broude, *The Macchiaioli: Italian Painters of the Nineteenth Century*. 1987.

Peter Cooke, "Gustave Moreau's 'Salome': The Poetics and Politics of History Painting," *The Burlington Magazine*, 149: 1253 (2007): 528–36.

Jean-François Corpataux, "Phryné, Vénus Et Galatée Dans l'atelier De Jean-Léon Gérôme," *Artibus Et Historiae*, 30: 59 (2009): 145–58.

Peter H. Feist, *Geschichte der deutschen Kunst: 1760–1848*; *1848–1890*. 1986–7.

*Gobineau: Selected Political Writings*, ed. and introduced by Michael D. Biddiss. 1970.

Elizabeth Gilmore Holt, *The Art of All Nations, 1850–73: The Emerging Role of Artists and Critics*. 1981.

*The Macchiaioli: Painters of Italian Life, 1850–1900*. Frederick S. Wight Art Gallery, Los Angeles, 1986.

Linda Nochlin, *Realism and Tradition in Art: 1848–1900*. 1966.

Irina Tatarinova, "'The Pedagogic Power of the Master': The Studio System at the Imperial Academy of Fine Arts in St Petersburg," *The Slavonic and East European Review*, 83: 3 (July 2005): 470–89.

Elizabeth K. Valkenier, *The Wanderers: Masters of 19th-Century Russian Painting*. 1991.

Gabriel P. Weisberg, *Beyond Impressionism: The Naturalist Impulse*. 1992.

参见：

Rosalind Blakesley, *Russia and the Arts: The Age of Tolstoy and Tchaikovsky*. National Portrait Gallery, London. 2016.

Werner Busch, *Adolph Menzel: The Quest for Reality*. 2017.

Sara Campbell *et al., Degas in the Norton Simon Museum*. 2009.

Jane Munro (ed.) *Degas: A Passion for Perfection*. 2017.

**第14章**

C. R. Ashbee, *Where the Great City Stands—Study in the New Civics*. 1917.

Baldersby St. James Conservation Area. Harrogate Borough Council, n.d.: https://www.harrogate.gov.uk/download/downloads/id/748/conservation_area_-_baldersby_st_james.pdf.

*Catalogue of the Fourteenth Annual Exhibition of the Chicago Architectural Club*. 1901.

Richard Dennis, *English Industrial Cities of the Nineteenth Century, A Social Geography*. 1984.

Christopher Dresser, *Principles of Decorative Design*. 1873.

William Hosley, "Herter Brothers," *American Heritage Magazine*, 46: 1 (Feb./March 1995): n.d.: https://www.americanheritage.com/herter-brothers.

*The Illustrated Exhibitor*. 1851.

Charles Knight, *Knowledge is Power: A View of the Productive Forces of Modern Society*. 1855.

Thomas More, *Utopia*, intro. by William Morris. 1893.

Hermann Muthesius, "Kunst und Machine," *Dekorative Kunst*, ix (1901–2).

Nikolaus Pevsner, *Pioneers of Modern Design*. 1949/1991.

David Pye, *The Nature and Art of Workmanship*. 1968.

John Ruskin, *The Complete Works of John Ruskin*, various edns.

Gottfried Semper, *Style in the Technical and Tectonic Arts, or Practical Aesthetics*, trans. Harry Mallgrave and Michael Robinson. 1904.

—, *Wissenschaft, Industrie und Kunst und andere Schriften über Architektur, Kunsthandwerk und Kunstunterricht*, ed. Hans M. Wingler. 1966; in *Art in Theory*, eds. Charles Harrison, Paul Wood, and Jason Gaiger. 2001.

E. P. Thompson, *William Morris – Romantic to Revolutionary*. 1977.

Henry van de Velde, *Die Renaissance im modernen Kunstgewerbe*. 1903.

Suga Yasuko, "Designing the Morality of Consumption: 'Chamber of Horrors' at the Museum of Ornamental Art, 1852–53," *Design Issues*, 20: 4 (Autumn 2004).

参见：

Caroline Arscott, *William Morris and Edward Burne-Jones – Interlacings*. 2008.

Annette Carruthers, "William Morris and Scotland," *The Journal of the Decorative Arts Society 1850 – The Present*, 28 (2004): 8–27.

Fiona MacCarthy, *William Morris, A Life for Our Time*. 1998.

—, *Anarchy & Beauty: William Morris and his Legacy, 1860–1960*. 2014.

Jeremy Roe, *Antoni Gaudi (Temporis)*. 2009.

Grzegorz Zinkiewicz, *William Morris' Position between Art and Politics*. 2017.

**第15章**

Kathleen Adler and Tamar Garb, *Berthe Morisot*. 1987.

*Art in the Making: Impressionism*. National Gallery, London. 1990.

*Frédéric Bazille et ses amis impressionists*. Montpellier: Pavillon du Musée Fabre. 1992.

Walter Benjamin, *Charles Baudelaire: A Lyric Poet in the Era of High Capitalism*, trans. Harry Zohn. 1973.

Norma Broude, *Impressionism: A Feminist Reading*. 1991.

— (ed.), *World Impressionism: The International Movement, 1860–1920*. 1990.

T. J. Clark, *The Painting of Modern Life: Paris in the Art of Manet and His Followers*. 1985.

Hollis Clayson, *Painted Love: Prostitution in French Art of the Impressionist Era*. 1991.

Sander L. Gilman, *Difference and Pathology: Stereotypes of Sexuality, Race, and Madness*. 1985.

Gloria Groom, *Impressionism, Fashion, and Modernity*. 2012.

George Heard Hamilton, *Manet and His Critics*. 1954/1969.

Anne Higonnet, *Berthe Morisot*. 1995.

Hugh Honour, *The Image of the Black in Western Art*, IV. 1989.

*Manet: 1832–1883*. Metropolitan Museum of Art, New York. 1983.

*Manet: The Execution of Maximilian—Painting, Politics and Censorship*. National Gallery, London. 1992.

Charles W. Millard, *The Sculpture of Edgar Degas*. 1976.

*The New Painting: Impressionism, 1874–1886*. Fine Arts Museums of San Francisco, 1986.

*Perspectives on Morisot*, ed. and intro. by T. J. Edelstein. 1990.

Daniel Pick, *Faces of Degeneration: A European Disorder, c. 1848–c. 1918*. 1989.

Meyer Schapiro, "The Nature of Abstract Art," *Collected Essays*. 1978.

Anne Wagner, *Jean-Baptiste Carpeaux: Sculptor of the Second Empire*. 1986.

参见：

Caroline Corbeau-Parsons, *Impressionists in London: French Artists in Exile 1870–1904*. 2017.

Stephen F. Eisenman, *From Corot to Monet: The Ecology of Impressionism*. 2011.

James A. Ganz and Richard Kendall, *The Unknown Monet: Pastels and Drawings*. 2007.

Darcy Grimaldo Grigsby, "Still Thinking about Olympia's Maid," *Art Bulletin* 97: 4 (December 2015): 430–451.

Anne Higonnet, "Manet and the Multiple," *Grey Room* 48 (2012): 102–16.

Laura Anne Kalba, *Color in the Age of Impressionism: Commerce, Technology, and Art*. 2017.

Dominique Lobstein and Marianne Mathieu (eds.), *Monet the Collector*. 2018.

Marianne Mathieu, *Berthe Morisot*. 2012.

Jane Munro, *Degas, A Passion for Perfection*. 2017.

Mary Roberts, *Istanbul Exchanges: Ottomans, Orientalists, and Nineteenth-Century Visual Culture*. 2015.

MaryAnne Stevens, *Manet: Portraying Life*. 2012.

**第16章**

Adelyn Dohme Breeskin, *Mary Cassatt: A Catalogue Raisonné of the Oils, Pastels, Watercolors, and Drawings*. 1991.

Michael Fried, *Realism, Writing, Disfiguration: On Thomas Eakins and Stephen Crane*. 1987.

William H. Gerdts, *American Impressionism*. 1984.

Lloyd Goodrich, *Thomas Eakins*, 2 vols. 1982.

Gordon Hendricks, *The Life and Work of Thomas Eakins*. 1974.

Patricia Hills (ed.), *John Singer Sargent*. 1986.

Elizabeth Johns, *Thomas Eakins: The Heroism of Modern Life*. 1983.

T. J. Jackson Lears, *No Place of Grace: Antimodernism and the Transformation of American Culture, 1880– 1920*. 1981.

David M. Lubin, *Act of Portrayal: Eakins, Sargent, James*. 1985.

Nancy Mowll Mathews, *Mary Cassatt*. 1989.

— with B. S. Shapiro, *Mary Cassatt: The Color Prints*. 1989.

Linda Nochlin, *Representing Women*. 1999.

Stanley Olson, *John Singer Sargent, His Portrait*. 1986.

Richard Ormond, *John Singer Sargent: Paintings, Drawings, Watercolors*. 1970.

Griselda Pollock, *Mary Cassatt*. 1980.

—, *Mary Cassatt: Painter of Modern Women*. 1998.

Alan Trachtenberg, *The Incorporation of America: Culture and Society in the Gilded Age*. 1982.

H. Barbara Weinberg, *The Lure of Paris: Nineteenth-Century American Painters and Their French Teachers*. 1991.

Bryan Jay Wolf, *Romantic Re-Vision: Culture and Consciousness in Nineteenth-Century American Painting and Literature*. 1982.

参见：

Henry Adams, *Eakins Revealed: The Secret Life of an American Artist*. 2005.

Colin B. Bailey, Flavie Durand-Ruel Mouraux, and Guillermo Solana. *Renoir: Intimacy*. Museo Thyssen- Bornemisza. 2017.

Kimberly A. Jones, "Mary Cassatt's "Little Girl in a Blue Armchair:" Unravelling an Impressionist Puzzle," *Archives of American Art Journal*, 53: 1/2 (2014): 116–21. n.d.: http://www.jstor.org/stable/43155545.

Lawrence Madeline, *Women Artists in Paris, 1850–1900*. 2018.

Anna O. Marley, *The Artist's Garden: American Impressionism and the Garden Movement*. 2015.

Nancy Mowll Mathews, Pierre Curie, and Flavie Durand-Ruel Mouraux, *Mary Cassatt: An American Impressionist in Paris*. 2018.

Marc Simpson, "Thomas Eakins's 'Study, Meditation', and 'Retrospection'," *Yale University Art Gallery Bulletin*, (2015): 52–63.

Richard Ormond and Warren Adelson, *Sargent's Venice*. 2007.

Bruce Redford. *John Singer Sargent and the Art of Allusion*. 2016.

**第17章**

Art Institute of Chicago, "The Grande-Jatte at 100," *Museum Studies*, 14: 2 (1989), ed. Susan F. Rossen.

Albert Boime, "Georges Seurat's *Un Dimanche à la Grande-Jatte* and the Scientific Approach to History Painting," *Historienmalerei in Europa*. 1990, pp. 303–33.

Norma Broude (ed.), *Seurat in Perspective*. 1978.

Henri Dorra and John Rewald, *Seurat: L'Oeuvre peint, biographie, et catalogue critique*. 1959.

Erich Franz and Bernd Growe, *Georges Seurat: Drawings*. 1984.

John Gage, "The Technique of Seurat: A Re-appraisal," *Art Bulletin*, 69: 3 (Sept. 1987): 448–54.

Joan Ungersma Halperin, *Félix Fénéon: Aesthete and Anarchist in Fin-de-Siècle Paris*. 1988.

César de Hauke, *Seurat et son œuvre*, 2 vols. 1961.

Robert Herbert *et al.*, *Georges Seurat, 1859–1891*. 1991.

Alan Lee, "Seurat and Science," *Art History*, 10: 2 (June 1987): 203–26.

Herbert Marcuse, *Negations: Essays in Critical Theory*, trans. Jeremy T. Shapiro. 1968.

*Camille Pissarro, 1830–1903*. Hayward Gallery, London. 1981.

John Rewald, *Post-Impressionism: From Van Gogh to Gauguin*, 3rd edn. 1978.

Ralph E. Shikes and Paula Harper, *Pissarro: His Life and Work*. 1980.

Jean Sutter (ed.), *The Neo-Impressionists*. 1970.

Richard Thomson, *Seurat*. 1985.

*Toulouse-Lautrec and His Contemporaries: Posters of the Belle Epoque*. Los Angeles County Museum of Art, 1985.

参见：

Richard R. Brettell, *Pissarro's People*, 2011.

Michelle Foa, *Georges Seurat*. 2015.

Cornelia Homburg *et al.*, *Neo-Impressionism and the Dream of Realities: Painting, Poetry, Music*. 2014.

Jo Kirby, Kate Stonor, Ashok Roy, Aviva Burnstock, Rachel Grout, and Raymond White, "Seurat's Painting Practice: Theory, Development and Technology," *National Gallery Technical Bulletin*, 24 (2003): 4–37.

Terence Maloon, *Camille Pissarro*. The Baltimore Museum of Art. 2006.

Gavin Parkinson, "Method and Poetry: Georges Seurat's Surrealist Dialectic," *The Art Bulletin*, 99: 3 (July 2017): 125–46.

Katherine Rothkopf, Camille Pissarro, and Christopher Lloyd. *Pissarro: Creating the Impressionist Landscape*. The Baltimore Museum of Art. 2007.

Alastair Wright, "On the Origins of Abstraction: Seurat and the Screening of History," *Art History*, 41: 1 (2018): 72–103.

**第18章**

M. G. Dortu, *Toulouse-Lautrec et Son Oeuvre*, 6 vols. 1971.

Richard von Krafft-Ebing, *Psychopathia Sexualis*. 1899.

Cesare Lombroso and Guglielmo Ferrero, *The Female Offender*. n.d.

Claire Goldberg Moses, *French Feminism in the 19th Century*. 1984.

Gale Murray, *Toulouse-Lautrec, The Formative Years, 1878–1891*. 1991.

Thadée Natanson, *Un View de Toulouse-Lautrec*. 1951.

Max Nordau, *Degeneration*. 1895.

Herbert Schimmel, *The Letters of Henri de Toulouse-Lautrec*. 1991.

*Toulouse-Lautrec*. Hayward Gallery, London/Grand Palais, Paris. 1992.

Wolfgang Wittrock, *Toulouse-Lautrec, The Complete Prints*, 2 vols. 1985.

参见：

Kimberly Datchuk, "Behind the Scarf: Confronting Bourgeois Masculinity in Henri de Toulouse-Lautrec's Posters of Aristide Bruant," *Journal of Popular Culture*, 50: 6 (2017): 1315–35.

Ruth E. Iskin, "The Janus-Faced Modernity of Toulouse-Lautrec and Jules Chéret," *Visual Resources: An International Journal of Documentation*, 29: 4 (2013): 276–306.

Jane Kinsman, *Toulouse-Lautrec: Artist of Montmartre*. National Gallery of Australia. 2013.

Sarah Suzuki, *The Paris of Toulouse-Lautrec: Prints and Posters from The Museum of Modern Art*. The Museum of Modern Art, New York. 2014.

Richard Thomson, *Toulouse-Lautrec and Montmartre*. 2006.

## 第19章

Klaus Berger, *Japonisme in Western Painting from Whistler to Matisse*. 1992.

Albert Boime, "Van Gogh's *Starry Night*: A History of Matter and A Matter of History," *Arts Magazine* (Dec. 1984): 86–103.

J.-B. de la Faille, *The Works of Vincent Van Gogh: His Paintings and Drawings*, 4 vols. 1970.

Jan Hulsker, *The Complete Van Gogh: Paintings, Drawings, Sketches*. 1980.

—, *Vincent and Theo Van Gogh: A Dual Biography*. 1985.

*Japonisme in Art: An International Symposium*, ed. Society for the Study of Japonisme. 1980.

Leo Jansen, Hans Luijten, and Nienke Bakker (eds), *Vincent van Gogh: The Letters*. 2009.

Tsukasa Kodera, "Japan as Primitivistic Utopia: Van Gogh's *Japonisme* Portraits," *Simiolus*, 3: 4 (1984): 189–208.

Griselda Pollock, "Artists, Mythologies and Media: Genius, Madness and Art History," *Screen*, 21: 3 (1980): 57–96.

—, "Stark Encounters: Modern Life and Urban Work in Van Gogh's Drawings of the Hague 1881–3," *Art History*, 6: 3 (Sep. 1983): 330–58.

—, "Van Gogh and the Poor Slaves: Images of Rural Labour as Modern Art," *Art History*, 11: 3 (Sep. 1988): 408–32.

— and Fred Orton, *Vincent Van Gogh: Artist of His Time*. 1978.

Odilon Redon, *To Myself: Notes on Life, Art, and Artists*, trans. Mira Jacob and Jeanne L. Wasserman. 1986.

*Vincent: Bulletin of the Rijksmuseum Vincent van Gogh, Amsterdam*, 1–4 (1970–76).

参见：

Douglas W. Druick and Peter Kort Zegers, *Van Gogh and Gauguin: The Studio of the South*. 2001.

Vincent van Gogh, *The Letters: The Complete Illustrated and Annotated Edition,* ed. Leo Jansen. 2009.

Patrick Grant, *The Letters of Vincent van Gogh: A Critical Study*. 2014.

Sjraar van Heugten, Joan Eileen Greer, and Ted Gott, *Van Gogh and the Seasons*. National Gallery of Victoria, Australia. 2018.

Louis van Tilborgh *et al.*, *Van Gogh & Japan*, Van Gogh Museum, Amsterdam. 2018.

## 第20章

*The Art of Paul Gauguin*, with essays by Richard Brettell *et al.,* 1988.

Roland Barthes, *Mythologies*. 1977.

Ruth Butler (ed.), *Rodin in Perspective*. 1980.

Jacques de Caso and Patricia B. Sanders, *Rodin's Sculpture: A Critical Study of the Spreckels Collection*. 1977.

Henri le Chartier, *Tahiti et les colonies françaises de la Polynésie*. 1887.

Stephen F. Eisenman, "Allegory and Anarchism in James Ensor's *Vision Preceding Futurism*," *Record of the Art Museum of Princeton University*, 46: 1 (1987): 2–17.

—, *The Temptation of Saint Redon: Biography, Ideology, and Style in the Noirs of Odilon Redon*. 1992.

— and Oskar Bätschmann, *Ferdinand Hodler: Landscapes*. 1987.

Albert E. Elsen, *The Gates of Hell by Auguste Rodin*. 1985.

John David Farmer, *Ensor*. 1976.

*Paul Gauguin: 45 Lettres à Vincent, Theo et Jo Van Gogh*, ed. Douglas Cooper. 1983.

*Paul Gauguin: Letters to his Wife and Friends*, ed. Maurice Malingue, trans. Henry J. Stenning. 1948/1949.

Paul Gauguin, *Noa Noa*, trans. O. F. Theis. n.d.

Reinhold Heller, *Munch: His Life and Work*. 1984.

Susan Hiller (ed.), *The Myths of Primitivism*. 1991.

E. J. Hobsbawm, *The Age of Empire: 1875–1914*. 1987/1989.

Elizabeth Gilmore Holt (ed.), *The Triumph of Art for the Public: The Emerging Role of Exhibitions and Critics*. 1979.

Michel Hoog, *Paul Gauguin: Life and Work*. 1987.

Aline Isdebsky-Pritchard, *The Art of Mikhail Vrubel*. 1982.

S. Kaplanova, *Vrubel*. 1975.

Diane Lesko, *James Ensor: The Creative Years*. 1985.

Claude Lévi-Strauss, *Myth and Meaning*. 1978.

Louise Lippincott, *Edvard Munch: Starry Night*. 1988.

Leo Lowenthal, "Knut Hamsun," in *The Essential Frankfurt School Reader*, eds. Andrew Arato and Eike Gebhardt. 1977/1978.

Stephen Charles McGough, *James Ensor's "The Entry of Christ into Brussels in 1889."* 1985.

Monchoisy [Mativet], *La Nouvelle Cythère*. 1888.

Colin Newbury, *Tahiti Nui: Change and Survival in French Polynesia, 1767–1945*. 1980.

Douglas L. Oliver, *Ancient Tahitian Society*. 1974.

Fred Orton and Griselda Pollock, "Les Données bretonnantes: la prairie de la représentation," *Art History*, 3: 3 (Sep. 1980): 314–44.

Griselda Pollock, *Avant-Garde Gambits 1888–1893: Gender and the Colour of Art History*. 1993.

Abigail Solomon-Godeau, "Going Native," *Art in America* (July 1989): 119–28 and 161.

*Vienna, 1900: Art, Architecture and Design*. Museum of Modern Art, New York. 1986.

Anne M. Wagner, "Rodin's Reputation," in *Eroticism and the Body Politic,* ed. Lynn Hunt. 1991.

参见：

Elizabeth Childs, *Vanishing Paradise: Art and Exoticism in Colonial Tahiti*. 2013.

— et al., *Gaugin Metamorphoses*. Museum of Modern Art, New York. 2014.

Stephen F. Eisenman, *Gauguin's Skirt*. 1997.

—, *Paul Gauguin, Artist of Myth and Dreams*. 2004.

Gloria Groom, *Gauguin, Artist as Alchemist*. 2017.

June Hargrove, "'Woman with a Fan': Paul Gauguin's Heavenly Vairaumati: A Parable of Immortality," *The Art Bulletin*, 88: 3 (2006): 552–66.

Barbara Larson, *Dark Side of Nature: Science, Society & the Fantastic in the Work of Odilon Redon*. 2005.

Raphaël Masson, Veronique Mattiussi, and Jacque Vilain, *Rodin*. Trans. Deke Dusinberre. 2004.

*Noa Noa: Gauguin's Tahiti*, ed. and with text by N. Wadley. 1985.

Antoinette Le Normand-Romain. *The Bronzes of Rodin: Catalogue of Works in the Musée Rodin*. Musée Rodin, Paris. 2007.

Edward D. Powers, "From Eternity to Here: Paul Gauguin and the Word Made Flesh," *Oxford Art Journal*, 25: 2 (2002): 89–106.

Sue Prideaux, *Edvard Munch: Behind the Scream*. 2005.

Belinda Thompson, *Gauguin, Maker of Myth*. 2010.

Anna Winbourne, *James Ensor*. Museum of Modern Art, New York. 2009.

## 第21章

Theodor W. Adorno, "Commitment," in *The Essential Frankfurt School Reader*, eds. Andrew Arato and Eike Gebhardt. 1977/1978.

Paul Cézanne, *Letters: Revised and Augmented Edition*, ed. John Rewald. 1984.

John Elderfield, "The World Whole: Color in Cézanne," *Arts Magazine*, 52: 8 (Apr. 1978): 148–53.

Lawrence Gowing *et al.*, *Cézanne: The Early Years 1859–1872*. 1988.

Mary Louise Krumrine, *Paul Cézanne: The Bathers*. 1989/1990.

Mary Tompkins Lewis, *Cézanne's Early Imagery*. 1989.

Jack Lindsay, *Cézanne: His Life and Art*. 1969.

Herbert Marcuse, *Reason and Revolution: Hegel and the Rise of Social Theory*. 1955/1960.

Maurice Merleau-Ponty, *Sense and Non-Sense*. 1973.

William Rubin (ed.), *Cézanne: The Late Work*. 1977.

J.-P. Sartre, *Baudelaire*. 1964/1967.

Judith Wechsler (ed.), *Cézanne in Perspective*. 1975.

参见：

Andre Dumbrowski, *Cezanne, Murder and Modern Life*. 2012

John Elderfield, *Cezanne's Portraits*. 2017.

Christopher Lloyd, *Paul Cézanne: Drawings and Watercolors*. J. Paul Getty Museum, Los Angeles. 2015.

Nancy Locke, "Cézanne's "Bathers", Watteau, and the Idea of Fantasy." *Bulletin of the Detroit Institute of Arts*, 77: 1/2 (2003): 18–31.

Joachim Pissarro, *Pioneering Painting: Cezanne and Pissarro, 1865–1885*. 2007.

Anne Robbins, *Cezanne in Britain*. 2006.

Paul Smith, "Cézanne's 'Primitive' Perspective, or the 'View from Everywhere'," *The Art Bulletin*, 95: 1 (2013): 102–19.

# 图片出处

0-1 Yale Center for British Art, New Haven, CT. Paul Mellon Collection; 0-2 The Metropolitan Museum of Art, New York, NY; 0-3 Norton Simon Art Foundation, Pasadena, CA; 1-1 Palais des Beaux-Arts, Lille; 1-2 Musée du Louvre, Paris. Photo RMN-Grand Palais (musée du Louvre)/Gérard Blot/Christian Jean; 1-3 Musée du Louvre, Paris. Photo RMN-Grand Palais (musée du Louvre)/René-Gabriel Ojéda; 1-4 Musée du Louvre, Paris; 1-5 Château de Versailles; 1-6, 1-7 The Metropolitan Museum of Art, New York, NY; 1-8 Musée du Louvre, Paris. Photo RMN-Grand Palais (musée du Louvre)/Thierry Ollivier; 1-9 Musée du Louvre, Paris. Photo RMN-Grand Palais (musée du Louvre)/René-Gabriel Ojéda; 1-10 Musée du Louvre, Paris; 1-11 Musée du Louvre, Paris. Photo RMN-Grand Palais (musée du Louvre)/René-Gabriel Ojéda; 1-12 Church of Montesquieu-Volvestre, Haute-Garonne; 1-13 Musée du Louvre, Paris; 1-14 Château de Versailles. Photo RMN-Grand Palais (Château de Versailles)/Gérard Blot; 1-15 Musée des Beaux-Arts, Dijon. Photo RMN-Grand Palais/image RMN-GP; 1-16 The Royal Museums of Fine Arts of Belgium, Brussels; 1-17 Musée Calvet, Avignon. Photo: Superstock/Oronoz/Album; 1-18 The J. Paul Getty Museum, Los Angeles, CA; 1-19 Cleveland Museum of Art, OH. Mr and Mrs William H. Marlatt Fund 2002.3; 1-20 Musée du Louvre, Paris. Photo Musée du Louvre, Dist. RMN-Grand Palais/Angèle Dequier; 1-21 Musée des Beaux-Arts, Rouen. Photo Musée des Beaux-Arts, Rouen/Bridgeman Images; 1-22 Musée du Louvre, Paris. Photo RMN-Grand Palais (musée du Louvre)/Jean-Gilles Berizzi; 1-23 Musée du Louvre, Paris; 1-24 Château de Versailles. Photo RMN/Gerard Blot; 1-26 Musée de Picardie, Amiens. Photo RMN-Grand Palais/image RMN-GP; 1-27 Musée Sainte-Croix, Poitiers; 1-28 Musée du Louvre, Paris; 1-29 Château de Versailles. Photo Château de Versailles, Dist. RMN-Grand Palais/Thomas Garnier; 1-30 Musée du Louvre, Paris. Photo RMN-Grand Palais (musée du Louvre)/René-Gabriel Ojéda; 1-31, 1-32 Musée National du Château de Malmaison, Rueil-Malmaison. Photo Musée National du Château de Malmaison, Rueil-Malmaison/Bridgeman Images; 1-33 Musée du Louvre, Paris; 1-34 Bibliothèque nationale, Paris; 1-35 Musée de l'Armée, Paris. Photo Musée de l'Armée, Dist. RMN-Grand Palais/Emilie Cambier; 1-36 École Nationale Supérieure des Beaux-Arts, Paris. Photo Superstock/A. Burkatovski/Fine Art Images; 1-37 Musée Granet, Aix-en-Prvence. Photo RMN-Grand Palais/Jean Popovitch; 1-38 Musée du Louvre, Paris. Photo Superstock/Tolo Balaguer/age fotostock; 2-1 Musée Sainte-Croix, Poitiers. Photo Josse/Scala, Florence; 2-2 Musée du Louvre, Paris. Photo RMN-Grand Palais (Musée du Louvre)/Franck Raux; 2-3 The Metropolitan Museum of Art, New York, NY; 2-4 Galleria Borghese, Rome; 2-5 State Hermitage Museum, Saint Petersburg. Photo Heritage Images/Fine Art Images/akg-images; 2-6 Musée du Louvre, Paris. Photo Superstock/World History Archive; 2-7 Kunsthalle, Hamburg. Photo BPK, Berlin, Dist.

RMN-Grand Palais/Hanne Moschkowitz; 2-8 Musée du Louvre, Paris; 2-9 Musée du Louvre, Paris. Photo RMN-Grand Palais (musée du Louvre)/Mathieu Rabeau; 2-10 Musée du Louvre, Paris. Photo RMN-Grand Palais (musée du Louvre)/Martine Beck-Coppola; 2-11 Musée du Louvre, Paris; 2-12 Musée du Louvre, Paris. Photo RMN-Grand Palais (musée du Louvre)/Thierry Le Mage; 2-13 Château de Versailles. Photo RMN-Grand Palais (Château de Versailles)/Daniel Arnaudet/Jean Schormans; 2-14 Musée du Louvre, Paris. Photo RMN-Grand Palais (musée du Louvre)/Franck Raux; 2-15 Musée du Louvre, Paris; 2-16 Château de Versailles. Photo RMN-Grand Palais (Château de Versailles)/Gérard Blot; 2-17 Musée d'Art et d'Histoire, Cholet. Photo RMN-Grand Palais/Gérard Blot; 2-18 Château de Versailles. Photo RMN-Grand Palais (Château de Versailles)/image RMN-GP; 2-19 Musée du Louvre, Paris. Photo RMN-Grand Palais (musée du Louvre)/Michel Urtado; 2-20 Musée du Louvre, Paris; 2-21 Musée d'Orsay, Paris. Photo RMN-Grand Palais (Musée d'Orsay)/Adrien Didierjean; 2-22 Musée Fabre, Montpellier; 2-23 The British Museum, London; 2-24 Museum of Fine Arts, Ghent. Photo Bridgeman Art Library/Superstock; 2-25 Musée du Louvre, Paris. Photo RMN-Grand Palais (musée du Louvre)/Franck Raux; 2-26 Musée du Louvre, Paris. Photo RMN-Grand Palais (musée du Louvre)/Stéphane Maréchalle/Adrien Didierjean; 2-27 Montauban Cathedral; 2-28 Musée du Louvre, Paris; 2-29 Musée du Louvre, Paris. Photo RMN-Grand Palais (musée du Louvre)/Gérard Blot; 2-30 Petit Palais, musée des Beaux-Arts de la Ville de Paris. Photo RMN-Grand Palais/Agence Bulloz; 2-31 Musée du Louvre, Paris; 2-32 Musée des Beaux-Arts, Bordeaux; 2-33 Musée du Louvre, Paris; 3-1, 3-2 The Metropolitan Museum of Art, New York, NY. Gift of M. Knoedler & Co., 1918; 3-3 Banco de España, Madrid; 3-4, 3-5, 3-6, 3-7 Museo del Prado, Madrid; 3-8 Royal Palace of Madrid; 3-9 Meadows Museum, Dallas; 3-10 Museo Lázaro Galdiano, Madrid; 3-11, 3-12, 3-13, 3-14 The Metropolitan Museum of Art, New York, NY. Gift of M. Knoedler & Co., 1918; 3-15 The Museum of Fine Arts, Budapest. Photo Razso Andras/The; Museum of Fine Arts Budapest/Scala, Florence; 3-16, 3-17 Museo del Prado, Madrid; 3-18, 3-19 The Metropolitan Museum of Art, New York, NY. Purchase, Rogers Fund and Jacob H. Schiff Bequest, 1922; 3-20, 3-21 The Metropolitan Museum of Art, New York, NY. Gift of Mrs Grafton H. Pyne, 1951; 3-22 National Gallery of Art, Washington, DC. Rosenwald Collection; 3-23 Museo del Prado, Madrid; 4-1 The British Museum, London; 4-2 Yale Center for British Art, New Haven, CT. Paul Mellon Collection; 4-3 National Gallery of Art Washington, DC. Rosenwald Collection; 4-4 Tate, London; 4-5 The British Museum, London. Photo The Trustees of the British Museum; 4-6 Tate, London; 4-7 The British Museum, London. Photo The Trustees of the British Museum; 4-8 Goethe Museum, Frankfurt; 4-9 Victoria and Albert Museum, London. Photo Victoria and Albert Museum, London;

4-10 Royal Academy of Arts, London; 4-11 The British Museum, London; 4-12 Minneapolis Institute of Arts, MN. The William Hood Dunwoody Fund; 4-13 National Gallery of Art, Washington, DC. Rosenwald Collection; 4-14 Yale Center for British Art, New Haven, CT. Paul Mellon Collection; 4-15 Bibliothèque de l'Institut National d'Histoire de l'Art, Paris. Collections Jacques Doucet; 4-16 Fitzwilliam Museum, Cambridge. Photo Fitzwilliam Museum, University of Cambridge/Bridgeman Images; 5-1, 5-2 Getty Research Institute, Los Angeles, CA; 5-3, 5-4 From Humphry Repton, *Fragments on the Theory and Practice of Landscape Gardening* (London, 1816); 5-5 The British Museum, London. Photo The Trustees of the British Museum; 5-6 The British Museum, London; 5-7, 5-8 Ipswich Museums and Galleries, Ipswich Borough Council; 5-9 The National Gallery, London; 5-10 National Galleries of Scotland, Edinburgh; 5-11 Yale Center for British Art, New Haven, CT. Paul Mellon Collection; 5-12 Victoria and Albert Museum, London; 5-13 Tate, London; 5-14 Yale Center for British Art, New Haven, CT. Paul Mellon Collection; 5-15 Laing Art Gallery, Newcastle-upon-Tyne. Photo Tyne & Wear Archives & Museums/Bridgeman Images; 5-16, 5-17 Tate, London; 5-18 Lady Lever Art Gallery, National Museums Liverpool; 5-19 Museum of Fine Arts, Boston, MA. Photo Museum of Fine Arts, Boston/Scala, Florence; 5-20 The National Gallery, London; 6-1, 6-2 Kunsthalle, Hamburg. Photo Scala, Florence/bpk, Bildagentur für Kunst, Kultur und Geschichte, Berlin; 6-3 Schlossmuseum, Weimar. Photo akg-images/Erich Lessing; 6-4 Kunsthalle, Hamburg; 6-5 Kunsthalle, Hamburg. Photo Scala, Florence/bpk, Bildagentur für Kunst, Kultur und Geschichte, Berlin; 6-6 The British Museum, London; 6-7 Städelsches Kunstinstitut, Frankfurt; 6-8 Nationalgalerie, Staatliche Museen zu Berlin; 6-9, 6-10 Schloss Charlottenburg, Berlin; 6-11 Galerie Neue Meister, Staatliche Kunstsammlungen Dresden; 6-12 Kunsthalle, Hamburg; 6-13 De Young Museum, Fine Arts Museums of San Francisco, CA; 6-14 Yale University Art Gallery, New Haven, CT; 6-15 Museum of Fine Arts, Boston, MA. Museum of Fine Arts, Boston/Scala, Florence; 6-16 The New York Historical Society, NY. Gift of the New York Gallery of the Fine Arts. Digital image created by Oppenheimer Editions; 6-17 Virginia Museum of Fine Arts, Richmond, VA. Photo: Travis Fullerton; 6-18 National Gallery of Art, Washington, DC. Gift of Mrs Huttleston Rogers; 6-19 Terra Foundation for American Art, Chicago, IL. Daniel J. Terra Collection. Photo Terra Foundation for American Art, Chicago; 6-20 The Metropolitan Museum of Art, New York, NY. Bequest of Maria DeWitt Jesup, from the collection of her husband, Morris K. Jesup, 1914; 6-21 The Cleveland Museum of Art, OH. Mr and Mrs William H. Marlatt Fund; 6-22 The Detroit Institute of Arts, MI. Founders Society of Purchase, with funds from Mr and Mrs Richard A. Manoogian, Robert H. Tannahill Foundation Fund, Gibbs-William Fund, Dexter M.

Ferry, Jr, Fund, Merrill Fund, and Beatrice W. Rogers Fund; **7-1** Sir John Soane's Museum, London. Photo Sir John Soane's Museum, London/Ardon Bar-Hama; **7-2** Sir John Soane's Museum, London. Photo Sir John Soane's Museum, London; **7-3** Staatliche Museen, Berlin. Photo Scala, Florence/bpk, Bildagentur für Kunst, Kultur und Geschichte, Berlin; **7-4** Bibliothèque Nationale, Paris; **7-5** New York Public Library, NY; **7-6** Photo Jean-Luc Paille/Centre des monuments nationaux, Paris; **7-7** Bibliothèque Nationale, Paris; **7-8** Photo aerial-photos.com/Alamy Stock Photo; **7-9** Bibliothèque Nationale, Paris; **7-10** Library Company of Philadelphia; **7-11** Photo The National Trust Photolibrary/Ian Shaw/Alamy Stock Photo; **7-12** Nationalgalerie, Staatliche Museen zu Berlin. Photo Scala, Florence/bpk, Bildagentur für Kunst, Kultur und Geschichte, Berlin; **7-13** Yale Center for British Art, New Haven CT. Paul Mellon Collection; **7-14** From John Rutter, *Delineations of Fonthill and Its Abbey* (London, 1823); **7-15** Metropolitan Museum of Art, New York, NY. Harris Brisbane Dick Fund, 1924; **7-16** Sir John Soane's Museum, London. Photo courtesy of the Trustees of Sir John Soane's Museum, London/Bridgeman Images; **7-17** Sir John Soane's Museum, London. Photo Sir John Soane's Museum, London; **7-18** Yale Center for British Art, New Haven, CT. Paul Mellon Collection; **7-19** Photo Hulton-Deutsch Collection/Corbis via Getty Images; **7-20** *c.* 1875–82. From Theodor Josef Hubert Hoffbauer, *Paris à travers les âges* (Paris, 1885); **7-21** Getty Research Institute, Los Angeles, CA; **7-22** Photo McQuillan and Brown; **7-23** Photo Otto Herschan Collection/Hulton Archive/Getty Images; **7-24** Photo A.F. Kersting; **7-25** National Monuments Record; **7-26** Victoria and Albert Museum, London; **7-27** Photo Heritage Image Partnership Ltd/Alamy Stock Photo; **8-1** National Museum of American History, Smithsonian Institution, Washington, DC. Division of Work and Industry; **8-2** Winterthur Museum, DE. Museum purchase, 1965.92.4. Photo courtesy Winterthur Museum; **8-3** Wadsworth Atheneum Hartford, CT; **8-4, 8-5** Smithsonian American Art Museum, Smithsonian Institution, Washington, DC; **8-6** Photo Chronicle/Alamy Stock Photo; **8-8** Smithsonian American Art Museum, Smithsonian Institution, Washington, DC; **8-7** Historical Museum, Bern; **8-9** National Gallery of Art, Washington, DC. Paul Mellon Collection; **8-10** National Museum of Denmark, Copenhagen; **8-11** Photo The Picture Art Collection/Alamy Stock Photo; **8-12** Lincoln Financial Foundation Collection, Allen County Public Library, Fort Wayne, Indiana; **8-13** United States Military Academy Library, West Point, NY; **8-14** Private Collection; **8-15** Missouri Historical Society, St. Louis, MO. Photo Missouri Historical Society, St. Louis; **8-16** Library of Congress, Washington, DC. Prints and Photographs Division; **9-1** Winterthur Museum, DE. Photo courtesy Winterthur Museum; **9-2** New Haven Colony Historical Society, CT. Gift of Dr Charles B. Purvis, 1898; **9-3** Detroit Institute of Arts, MI. Gift of Mrs Jefferson Butler and Miss Grace R. Conover; **9-4** From *Little Eva; Uncle Tom's Guardian Angel* (Boston, 1852); **9-5, 9-6** The New-York Historical Society, NY. Photo The New-York Historical Society; **9-7** Brooklyn Museum, New York, NY. Gift of

Gwendolyn O. L. Conkling; **9-8** The Metropolitan Museum of Art, New York, NY. Gift of Erving and Joyce Wolf 1982; **9-9, 9-10** Library of Congress, Washington, DC. Prints and Photographs Division; **9-11** Yale University Art Gallery, New Haven, CT; **9-12** The Fine Arts Museums of San Francisco, CA. Gift of Mr and Mrs John D. Rockfeller; **9-13** Museum of Fine Arts, Boston, MA. Gift of Maxim Karolik for the M. and M. Karolik Collection of American Watercolors and Drawings, 1800–1875. Photo Museum of Fine Arts, Boston/Scala, Florence; **9-14** The Metropolitan Museum of Art, New York, NY. Gift of Mrs Frank B. Porter; **9-15** Smithsonian American Art Museum, Smithsonian Institution, Washington, DC; **9-16** Art Gallery of New South Wales, Sydney. Photo Art Gallery of New South Wales, Sydney/Bridgeman Images; **9-17** The Huntington Art Collections, San Marino, CA. Purchased with the Virginia Steele Scott Acquisition fund for American Art. Photo courtesy of The Huntington Art Collections, San Marino, CA; **9-18** National Gallery of Art, Washington, DC. Corcoran Collection (Gift of William Wilson Corcoran); **9-19** Howard University Gallery of Art, Washington, DC; **9-20** Smithsonian American Art Museum, Smithsonian Institution, Washington, DC. Gift of Joseph S. Sinclair. Photo Smithsonian American Art Museum/Art Resource/Scala, Florence; **9-21** Yale University Art Gallery, New Haven, CT. Bequest of Stephen Cartlon Clark, B.A., 1903; **9-22** The Metropolitan Museum of Art, New York, NY. Fletcher Fund, 1925; **9-23** Hampton University Museum, VA; **9-24** Philadelphia Museum of Art, PA. Purchased with the W.P. Wilstach Fund, 1899. Photo Philadelphia Museum of Art; **9-25** Library of Congress, Washington, DC. Prints and Photographs Division; **10-1** Photo akg-images; **10-2** Château de Versailles; **10-3** The Metropolitan Museum of Art, New York, NY. Rogers Fund, 1920; **10-4** The British Museum, London. Photo The Trustees of the British Museum; **10-5** Ecole nationale supérieure des Beaux-Arts, Paris. Photo Beaux-Arts de Paris, Dist. RMN-Grand Palais/Beaux-arts de Paris; **10-6** Musée d'Orsay, Paris. Photo RMN-Grand Palais (musée d'Orsay)/Stéphane Maréchalle; **10-7** The National Gallery, London; **10-8** Musée des Beaux Arts, Louviers; **10-9** Musée du Louvre, Paris. Photo Musée du Louvre, Dist. RMN-Grand Palais/Pierre Philibert; **10-10** Musée du Louvre, Paris; **10-12** Musée des Civilisations de l'Europe et de la Méditerranée, Marseille. Photo RMN-Grand Palais (MuCEM)/Thierry Le Mage; **10-13** Musée des Beaux-Arts, Chartres. Musee des Beaux-Arts, Chartres/Bridgeman Images; **10-14** Galerie David d'Angers, Angers. Photo RMN-Grand Palais/Benoît Touchard; **10-15** Photo Michal Osmenda/Creative Commons; **10-16** Musée d'Orsay, Paris. Photo Superstock/A. Burkatovski/Fine Art Images; **10-17** Musée du Louvre, Paris. Photo RMN-Grand Palais (musée du Louvre)/Franck Raux; **10-18** Musée Antoine Vivenel, Compiègne; **10 Box** The Clark Art Institute, Williamstown, MA. Acquired by Sterling and Francine Clark, 1930; **10-19** Musée d'Orsay, Paris. Photo RMN-Grand Palais (musée d'Orsay)/Adrien Didierjean; **10-20** Royal Museums of Fine Arts of Belgium, Brussels. Photo: J. Geleyns; **11-1** The Metropolitan Museum of Art, New York, NY. H. O. Havemeyer

Collection, Bequest of Mrs H. O. Havemeyer, 1929; **11-2** Musée d'Orsay, Paris; **11-3** Getty Research Institute, Los Angeles, CA; **11-4** The National Gallery, London. On loan from The Capricorn Foundation. Photo 4X5 Collection/SuperStock; **11-5, 11-6, 11-7, 11-8** Tate, London; **11-9** Birmingham Museums and Art Gallery; **11-10** Museum of Fine Arts, Boston, MA. Gift of Quincy Adams Shaw through Quincy Adams Shaw, Jr and Mrs Marian Shaw Haughton. Photo Museum of Fine Arts, Boston/Scala, Florence; **11-11** Musée d'Orsay, Paris. Photo Superstock/Oronoz/Album; **11-12** Musée Gustave Moreau, Paris. Photo RMN-Grand Palais/Franck Raux; **11-13** Musée d'Orsay, Paris. Photo RMN-Grand Palais (musée d'Orsay)/Jean Schormans; **11-14** Palais des Beaux-Arts, Lille; **11-15** Formerly Gemaldegalerie, Dresden (destroyed in WWII); **11-16** Musée d'Orsay, Paris; **11-17** Musée des Beaux-Arts et d'Archéologie, Besançon. Photo RMN-Grand Palais (musée d'Orsay)/Agence Bulloz; **11-18** Musée d'Orsay, Paris. Photo RMN-Grand Palais (musée d'Orsay)/Michel Urtado; **11-19** Musée Fabre, Montpellier; **11-20** Château de Versailles; **11-21** Musée d'Orsay, Paris. Photo Musée d'Orsay, Dist. RMN-Grand Palais/Patrice Schmidt; **11-22** Petit Palais, musée des Beaux-Arts de la Ville de Paris. Photo RMN-Grand Palais/Agence Bulloz; **11-23** Petit Palais, musée des Beaux-Arts de la Ville de Paris; **11-24** Wallraf-Richartz Museum & Fondation Corboud, Cologne; **11-25** The Cleveland Museum of Art, OH. John L. Severance Fund and various donors by exchange; **12-1** From *Encyclopédie, ou dictionnaire raisonné des sciences, des arts et des métiers*, 1751–52. The Art Institute of Chicago; **12-2** Harry Ransom Humanities Research Center, University of Texas, Austin, TX. Gernsheim Collection; **12-3** Stadtmuseum, Munich; **12-4** Science Museum, London. Photo Science & Society Picture Library/Getty Images; **12-5** The Metropolitan Museum of Art, New York, NY. Gilman Collection, Purchase, Joseph M. Cohen and Robert Rosenkranz Gifts, 2005; **12-6** The J. Paul Getty Museum, Los Angeles, CA; **12-7** Photo Artokoloro Quint Lox Limited/Alamy Stock Photo; **12-8** The J. Paul Getty Museum, Los Angeles, CA; **12-9** The Metropolitan Museum of Art, New York, NY. The Rubel Collection, Purchase, Lila Acheson Wallace, Anonymous, Joyce and Robert Menschel, Jennifer and Joseph Duke, and Ann Tenenbaum and Thomas H. Lee Gifts, 1997; **12-10** The J. Paul Getty Museum, Los Angeles, CA; **12-11** National Portrait Gallery, Smithsonian Institution, Washington, DC. Alan and Lois Fern Acquisition Fund; **12-12** National Portrait Gallery, Smithsonian Institution, Washington, DC; **12-13** George Eastman Museum, Rochester, NY. Photo by George Eastman Museum/Getty Images; **12-14** The Metropolitan Museum of Art, New York, NY. Gilman Collection, Purchase, The Horace W. Goldsmith Foundation Gift, through Joyce and Robert Menschel, 2005; **12-15, 12-17, 12-18** The Metropolitan Museum of Art, New York, NY. Gilman Collection, Gift of The Howard Gilman Foundation, 2005; **12-16** The Metropolitan Museum of Art, New York, NY. Harris Brisbane Dick Fund, 1937; **12-19** Musée d'Orsay, Paris. Photo RMN-Grand Palais (musée d'Orsay)/Patrice Schmidt; **12-20** The Metropolitan Museum of Art, New York, NY. David Hunter

McAlpin Fund, 1964; **12-21** Royal Photographic Society, Bath. Photo The Royal Photographic Society Collection/National Science and Media Museum/ SSPL/Getty Images; **12-22** Art Institute of Chicago, IL. Hugh Edwards Photography Purchase Fund; **12-23** The Metropolitan Museum of Art, New York, NY. Gilman Collection, Museum Purchase, 2005; **12-24, 12-26** The J. Paul Getty Museum, Los Angeles, CA; **12-25** Princeton University Art Museum, NJ. Photo Princeton University Art Museum/Art Resource NY/ Scala, Florence; **12-27** Royal Photographic Society, Bath. Photo The Royal Photographic Society Collection/National Science and Media Museum/ SSPL/Getty Images; **12-28** Musée d'Orsay, Paris; **12-29** The J. Paul Getty Museum, Los Angeles, CA; **12-30** The Metropolitan Museum of Art, New York, NY. Gilman Collection, Purchase, Harriette and Noel Levine Gift, 2005; **12-31** The Metropolitan Museum of Art, New York, NY. Gilman Collection, Purchase, Mrs Walter Annenberg and The Annenberg Foundation Gift, 2005; **12-32** John W. Hartman Centre for Sales, Advertising & Marketing History, Duke University Rare Book, Manuscript, and Special Collections Library, Durham, NC. Advertising Ephemera Collection #K0021; **12-33** Library of Congress, Washington, DC. Prints and Photographs Division; **12-34** The Metropolitan Museum of Art, New York, NY. Alfred Stieglitz Collection, 1949; **12-35** Art Institute of Chicago, IL. Gift of Daniel, Richard, and Jonathan Logan; **12-36** Photo Digital Image Museum Associates/ LACMA/Art Resource NY/Scala, Florence. © The Estate of Edward Steichen/ARS, NY and DACS, London 2019; **12-37** Library of Congress, Washington, DC; **12-38, 12-39** The J. Paul Getty Museum, Los Angeles, CA; **12-40** The Metropolitan Museum of Art, New York, NY. © Aperture Foundation Inc., Paul Strand Archive. Photo The Metropolitan Museum of Art/Art Resource/Scala, Florence; **13-1** Neue Pinakothek, Munich; **13-2** Museo Thyssen-Bornemisza, Madrid. Photo Colección Carmen Thyssen-Bornemisza en depósito en el Museo Nacional Thyssen-Bornemisza/Scala, Florence; **13-3** Museum Stiftung Oskar Reinhart, Winterthur; **13-4** Nationalgalerie, Staatliche Museen zu Berlin; **13-5** Alte Nationalgalerie, Staatliche Museen zu Berlin; **13-6** Städtische Galerie im Lenbachhaus und Kunstbau, Munich; **13-7** Galleria d'Arte Moderna, Palazzo Pitti, Florence; **13 Box** Photo RMN-Grand Palais (musée d'Orsay)/Thierry Le Mage; **13-8** Private Collection; **13-9** Galleria Nazionale d'Arte Moderna e Contemporanea, Rome. Photo DeAgostini/ Superstock; **13-10** Galleria d'Arte Moderna, Palazzo Pitti, Florence; **13-11** National Gallery of Art, Washington, DC; **13-12** Musée d'Orsay, Paris. Photo RMN-Grand Palais (musée d'Orsay)/Hervé Lewandowski; **13-13** Château de Versailles. Photo RMN-Grand Palais (Château de Versailles)/image RMN-GP; **13-14** Art Institute of Chicago, IL. Through prior bequests of Charles Deering, Maxine Kunstadter and Carl O. Schniewind; through prior acquisitions of the Joseph Brooks Fair Endowment, The Carter H. Harrison, Print and Drawing Club and Print Department Purchase Funds; through prior gift of an anonymous donor; **13-15** The Metropolitan Museum of Art, New York, NY; **13-16** Musée du Louvre, Paris. Photo RMN-Grand Palais (musée du Louvre)/ Stéphane Maréchalle; **13-17** Musée d'Orsay,

Paris. Photo RMN-Grand Palais (musée d'Orsay)/ Hervé Lewandowski; **13-18** The Metropolitan Museum of Art, New York, NY; **13 Box (top)** Dallas Museum of Art, TX. Photo akg-images; **13 Box (bottom)** The Metropolitan Museum of Art, New York, NY. Catharine Lorillard Wolfe Collection, Wolfe Fund, 1896; **13-19, 13-20** Tretyakov Gallery, Moscow. Photo Tretyakov Gallery, Moscow/ Bridgeman Images; **13-21** State Russian Museum, Saint Petersburg. Photo akg-images/Album; **13-22** Norton Simon Art Foundation, Pasadena, CA; **14-1** From *Encyclopédie d'architecture et des travaux publics* (Paris, 1876); **14-2** Photo Courtauld Institute of Art, London; **14-3** Bibliothèque Nationale, Paris. Photo akg-images/Jean-Claude Varga; **14-4** Victoria Mansion (Morse-Libby House) Portland, ME. Photo Melville McLean; **14-5** University of East Anglia, Norfolk. Photo University of East Anglia, Norfolk/UEA Collection of Abstract and Constructivist Art/ Bridgeman Images; **14-6** Victoria and Albert Museum, London. Photo The Art Archive; **14-7** Photo The National Trust Photolibrary/Alamy Stock Photo; **14-8** The Huntington Library, Art Collections and Botanical Gardens, San Marino, CA; **14-9** Dilliof Collection; **14 Box** Art Institute of Chicago, IL. The Stickney Collection; **14-10** The Metropolitan Museum of Art, New York. Gift of Paul Walter, 1984; **14-13** Cooper Hewitt, Smithsonian Design Museum, New York, NY; **14-14** From Arthur Heygate Mackmurdo, Wren's City Churches (London, 1883); **14-15** Philadelphia Museum of Art, PA. Gift of Mr and Mrs Richard Hartshorne Kimber, 1964; **14-16** Photo David Iliff/license: CC-BY-SA 3.0; **14-17** Photo Riba Collections; **14-18, 14-19** Photo Chronicle/Alamy Stock Photo; **14-19** Photo Chronicle/Alamy Stock Photo; **14-20** From Jean-Baptiste-André Godin, *Solutions Sociales* (Paris, 1871); **14-21** The Art Institute of Chicago, IL. Historic Architecture and Landscape Image Collection, Ryerson and Burnham Archives; **14-22** From Ebenezer Howard, *To-morrow: A Peaceful Path to Real Reform* (London: 1898); **14-23** Photo Paul Almasy/Corbis/VCG via Getty Images; **14-24** Photo robertharding/Alamy Stock Photo; **14-26** Médiathèque de l'Architecture et du Patrimoine, Charenton-le-Pont. Photo Ministère de la Culture – Médiathèque de l'architecture et du patrimoine, Dist. RMN-Grand Palais/image RMN-GP; **14-27** Horta Museum, Brussels; **14-28** Musée d'Orsay, Paris. Photo RMN-Grand Palais (musée d'Orsay)/ René-Gabriel Ojéda; **14-29** Photo Patrick Grehan/ Corbis/Getty Images; **14-30** Chicago Architectural Photographing Company, IL; **14-31** Photo Universal History Archive/Getty Images; **14-32** The J. Paul Getty Museum, Los Angeles, CA; **14-33** Missouri History Museum, MO. Photographs and Prints Collections; **14-34** Photo Hedrich Blessing Collection/Chicago History Museum/Getty Images; **15-1** Museum of Fine Arts, Budapest. Photo Josse/Scala, Florence; **15-2** The Metropolitan Museum, New York, NY. Gift of Mrs Fred S. Walter, 1982; **15-3** The National Gallery, London; **15-4** Musée d'Orsay, Paris. Photo RMN-Grand Palais (musée d'Orsay)/Hervé Lewandowski; **15-5** Petit Palais, musée des Beaux-Arts de la Ville de Paris. Photo akg-images/Album/Oronoz; **15-6** Musée d'Orsay, Paris; **15-7** Photo Pascale Lemaître/Centre des Monuments Nationaux, Paris;

**15-8, 15-9** Musée Fabre, Montpellier; **15-10** Art Institute of Chicago, IL. Mr and Mrs Lewis Larned Coburn Memorial Collection; **15-11, 15-13, 15-19** Musée d'Orsay, Paris; **15-12** Musée d'Orsay, Paris. Photo RMN-Grand Palais (musée d'Orsay)/Hervé Lewandowski; **15-14** Musée d'Orsay, Paris. Photo Musée d'Orsay, Dist. RMN-Grand Palais/Patrice Schmidt; **15-15** National Gallery of Art, Washington, DC. Collection of Mr & Mrs Paul Mellon; **15-16** Private Collection; **15-17** The Cleveland Museum of Art, OH. Gift of the Hanna Fund 1951.356; **15-18** National Gallery of Art, Washington, DC. Corcoran Collection (William A. Clark Collection); **15-20** National Gallery of Art, Washington, DC. Collection of Mr and Mrs Paul Mellon; **15-21** The Samuel Courtauld Trust, The Courtauld Gallery, London. Photo Samuel Courtauld Trust, The Courtauld Gallery, London/Bridgeman Images; **15-22** Museo Nacional Thyssen-Bornemisza, Madrid. Photo Museo Nacional Thyssen-Bornemisza/Scala, Florence; **16-1** National Academy of Design, New York, NY. Photo National Academy of Design, New York/Bridgeman Images; **16-2** The Metropolitan Museum of Art, New York, NY. Bequest of Edith H Proskauer, 1975; **16-3** Shelburne Museum, VT. Gift of J. Watson Webb, Jr. Photo Shelburne Museum, Vermont/Bridgeman Images; **16-4** Smith College Museum of Art, MA. Purchase, Drayton Hillyer Fund; **16-5** Amon Carter Museum of American Art, Fort Worth, TX; **16-6** Museum of Fine Arts, Boston, MA. The Maria Theresa B. Hopkins Fund. Photo Museum of Fine Arts, Boston/Scala, Florence; **16-7** The Metropolitan Museum of Art, New York, NY. Purchase, The Alfred N. Punnett Endowment Fund and George D. Pratt Gift, 1934; **16-8** National Gallery of Art, Washington, DC. Chester Dale Collection; **16-9** National Galleries of Scotland, Edinburgh; **16-10** Tate, London; **16-11** The Phillips Collection, Washington, DC; **16-12** Crystal Bridges Museum of American Art, Bentonville, Arkansas, 2007.167. Photo courtesy of Philadelphia Museum of Art; **16-13** Museum of Fine Arts, Boston, MA. The Hayden Collection—Charles Henry Hayden Fund. Photo Museum of Fine Arts, Boston/Scala, Florence; **16-14** Philadelphia Museum of Art, PA. Gift of Mrs Thomas Eakins and Miss Mary Adeline Williams, 1929; **16-15** The Samuel Courtauld Trust, The Courtauld Gallery, London; **16-16** Philadelphia Museum of Art, PA. Gift of the Alumni Association to Jefferson Medical College in 1878 and purchased by the Pennsylvania Academy of the Fine Arts and the Philadelphia Museum of Art in 2007 with the generous support of more than 3,600 donors, 2007; **16-17** Private collection. Photo Superstock/Bridgeman; **16-18** The Metropolitan Museum of Art, New York, NY. Gift of Mrs Gardner Cassatt, 1965; **16-19** New Britain Museum of American Art, CT. Harriet Russell Stanley Memorial Fund; **16-20** National Gallery of Art, Washington, DC. Chester Dale Collection; **16-21** Yale University Art Gallery, New Haven, CT. Bequest of Stephen Carlton Clark, B.A. 1903; **16-22** The Art Institute of Chicago, IL. The Robert A. Waller Fund; **16-23** The Metropolitan Museum of Art, New York, NY. H. O. Havemeyer Collection, Bequest of Mrs H. O. Havemeyer, 1929; **16-24** Art Institute of Chicago, IL. The Mr and Mrs Martin A. Ryerson Collection 1932; **16-25, 16-26** Art Institute of Chicago,

IL. Mr and Mrs Martin A. Ryerson Collection; **16-27, 16-28** National Gallery of Art, Washington, DC. Chester Dale Collection; **16-29** Philadelphia Museum of Art, PA. Given by Mrs Thomas Eakins and Miss Mary A. Williams; **16-30** Carnegie Museum of Art, Pittburgh, PA. Patrons Art Fund; **17-1** The Metropolitan Museum of Art, New York, NY. Bequest of Stephen C. Clark, 1960; **17-2** Yale University Art Gallery, New Haven, CT. Bequest of Edith Malvina K. Wetmore; **17-3** The National Gallery, London. Bought, Courtauld Fund, 1924; **17-4** The Art Insisute of Chicago, IL. Helen Birch Bartlett Memorial Collection, 1926.224; **17-5** The Art Institute of Chicago, IL. Mr and Mrs Potter Palmer Collection, 1922.445; **17-6** Kröller-Müller Museum, Otterlo. Photo Kröller-Müller Museum, Otterlo; **17-7** Philadelphia Museum of Art, PA. John G. Johnson Collection, 1917; **17-8** Detroit Institute of Arts, MI. Bequest of Robert H. Tannahill; **17 Box** Ville de Montreuil. Photo: J. L. Tabuteau; **17-9** The Barnes Foundation, Philadelphia, PA; **17-10** Albright-Knox Art Gallery, Buffalo, NY. Photo Albright Knox Art Gallery/Art Resource, NY/Scala, Florence; **17-11** Kröller-Müller Museum, Otterlo. Photo Kröller-Müller Museum, Otterlo; **17-12** The Metropolitan Museum of Art, New York, NY. Bequest of Clifford A. Furst, 1958; **17-13** New York Public Library, NY; **17-14** Musée d'Orsay, Paris. Photo Musée d'Orsay, Dist. RMN-Grand Palais/Patrice Schmidt; **18-1** Van Gogh Museum, Amsterdam (Vincent van Gogh Foundation). Photo Artepics/age fotostock; **18-2** Art Institute of Chicago, IL. Joseph Winterbotham Collection; **18-3** Private Collection. Photo: 4X5 Collection/SuperStock; **18-4** Palais des Beaux-Arts, Lille. Photo RMN-Grand Palais/Hervé Lewandowski; **18-5** Musée d'Orsay, Paris. Photo RMN-Grand Palais (musée d'Orsay)/Hervé Lewandowski; **18-6** Guardsmark Inc Collection, Memphis, TN; **18-7** Musée Toulouse-Lautrec, Albi; **18-8** Cleveland Museum of Art, OH. Gift of Mr and Mrs Richard H. Zinser for the fiftieth anniversary of The Print Club of Cleveland 1971.50.9; **19.1** The Metropolitan Museum of Art, New York, NY. The Walter H. and Leonore Annenberg Collection, Gift of Walter H. and Leonore Annenberg, 1996, Bequest of Walter H. Annenberg, 2002; **19-2** The Samuel Courtauld Trust, The Courtauld Gallery, London; **19-3** Kröller-Müller Museum, Otterlo. Photo Kröller-Müller Museum, Otterlo; **19-4** Rijkmuseum, Amsterdam; **19-5** Kröller-Müller Museum, Otterlo. Photo Kröller-Müller Museum, Otterlo; **19-6, 19-11, 19-12** Van Gogh Museum,

Amsterdam (Vincent van Gogh Foundation); **19-7** Art Gallery and Museum, Kelvingrove, Glasgow. Photo CSG CIC Glasgow Museums Collection/Bridgeman Images; **19-8** Detroit Institute of Arts, MI. Gift of Mrs William E. Scripps. Photo Detroit Institute of Arts/Bridgeman Images; **19-9** La Boverie, Liege; **19-10** Musée Rodin, Paris. Photo White Images/Scala, Florence; **19-13** Yale University Art Gallery, New Haven, CT. Bequest of Stephen Carlton Clark, 1903; **19-14** Art Institute of Chicago, IL. Helen Birch Bartlett Memorial Collection; **19-15** The Samuel Courtauld Trust, The Courtauld Gallery, London. Photo Samuel Courtauld Trust, The Courtauld Gallery, London, UK/Bridgeman Images; **19-16** Museum of Fine Arts, Boston, MA. Photo Museum of Fine Arts, Boston/Scala, Florence; **19-17** Musée d'Orsay, Paris; **19-18** Museum of Modern Art, New York, NY. Acquired through the Lillie P. Bliss Bequest. Photo The Museum of Modern Art, New York/Scala, Florence; **20-1** Van Gogh Museum, Amsterdam (Vincent van Gogh Foundation); **20-2** The Royal Museums of Fine Arts of Belgium, Brussels; **20-3** Scottish National Gallery, Edinburgh; **20-4** Albright-Knox Art Gallery, Buffalo, NY; **20-5** Folkwang Museum, Essen; **20-6** National Gallery, Prague; **20-7** Norton Gallery and School of Art, West Palm Beach, FL; **20-8** Museum of Decorative Arts, Copenhagen; **20-9** Royal Museums of Fine Arts, Antwerp; **20-10** The J. Paul Getty Museum, Los Angeles, CA; **20-11** Museum of Fine Arts, Ghent. Photo Museum of Fine Arts, Ghent/Lukas - Art in Flanders VZW/Bridgeman Images; **20-12** Royal Library of Belgium, Brussels; **20-13** Museum of Fine Arts, Ghent; **20-14** Kunstmuseum Basel; **20-15** Metropolitian Museum of Art, New York, NY. Reisinger Fund, 1926; **20-16** Nasjonalmuseet, Oslo. Photo Superstock/A. Burkatovski/Fine Art Images; **20-17** Nasjonalmuseet, Oslo; **20-18** Museum of Fine Arts, Boston, MA. Ernest Wadsworth Longfellow Fund. Photo Museum of Fine Arts, Boston/Scala, Florence; **20-19** Munch Museum, Oslo; **20-20** The National Gallery, London; **20-21** Tate, London; **20-22** The Museum of Modern Art, New York, NY. Lillie P. Bliss Collection. Photo The Museum of Modern Art, New York/Scala, Florence; **20-23** Tretyakov Gallery, Moscow. Photo A. Burkatovski/Fine Art Images/Superstock; **20-24** Kröller-Müller Museum, Otterlo. Photo Kröller-Müller Museum, Otterlo; **20-25** Art Institute of Chicago, IL. Mr and Mrs Lewis Larned Coburn Memorial Collection; **20-26** Kunstmuseum Bern; **20-27** Kunstmuseum

Solothurn; **20-28** Kunstmuseum Basel; **20-29** Private Collection. Photo A. Burkatovski/Fine Art Images/Superstock; **20-30** Ohara Museum of Art, Kurashiki; **20-31** Kröller-Müller Museum, Otterlo. Photo Kröller-Müller Museum, Otterlo; **20-32** Kunstmuseum Basel; **20-34** Historisches Museum der Stadt, Vienna. Photo Austrian; Archives/Scala Florence; **20-35** Photo Imagno/Getty Images; **20-36** Musée d'Orsay, Paris. Photo RMN-Grand Palais (musée d'Orsay)/Adrien Didierjean; **20-37** Baltimore Museum of Art, MD. The Cone Collection formed by Dr Claribel Cone and Miss Etta Cone of Baltimore; **20-38** Albright-Knox Art Gallery, Buffalo, NY. A. Conger Goodyear Collection, 1965; **20-39** Art Institute of Chicago, IL. The Stickney Collection; **20-40** Philadelphia Museum of Art, PA. Bequest of Jules E. Mastbaum, 1929; **20-41** Musée d'Orsay, Paris. Photo Superstock/Bridgeman Art Library; **20-42** Musée Rodin, Paris; **20-43** Musée d'Orsay, Paris; **20-44** The Art Institute of Chicago, IL. Helen Birch Bartlett Collection, 1926.298; **20-45** Worcester Art Museum; **20-46** Museum of Fine Arts, Boston, MA. Tompkins Collection – Arthur Gordon Tompkins Fund. Photo Museum of Fine Arts, Boston/Scala, Florence; **21-1** Musée d'Orsay, Paris. Photo RMN-Grand Palais (musée d'Orsay)/Hervé Lewandowski; **21-2** Musée d'Orsay, Paris; **21-3** National Gallery of Art, Washington, DC. Collection of Mr & Mrs Paul Mellon; **21-4** The Provost and Fellows of King's College Cambridge, (Keynes Collection), on loan to Fitzwilliam Museum, Cambridge; **21-5** Reproduced by the kind permission of the Provost and Fellows of Kings College, Cambridge. On loan to The Fitzwilliam Museum from King's College, Cambridge; **21-6** Musée d'Orsay, Paris; **21-7** Sammlung Oskar Reinhart "Am Romerholz", Winterthur. Photo Artepics/age fotostock; **21-8** Musée d'Orsay, Paris; **21-9** The National Gallery, London; **21-10** Private collection. Photo akg-images; **21-11** National Gallery of Art, Washington, DC. Collection of Mr & Mrs Paul Mellon; **21-12** Baltimore Museum of Art, MD. The Cone Collection formed by Dr Claribel Cone and Miss Etta Cone of Baltimore ; **21-13** The Museum of Modern Art, New York, NY. Lillie P. Bliss Collection. Photo The Museum of Modern Art, New York/Scala, Florence; **21-14** Barnes Foundation, Philadelphia, PA; **21-15** Princeton University Art Museum, NJ. Lent by the Henry Rose Pearlman Foundation.

# 索引